Ley de Rehabilitación, Regeneración y Renovación Urbanas

Julio Castelao Rodríguez

Coordinador

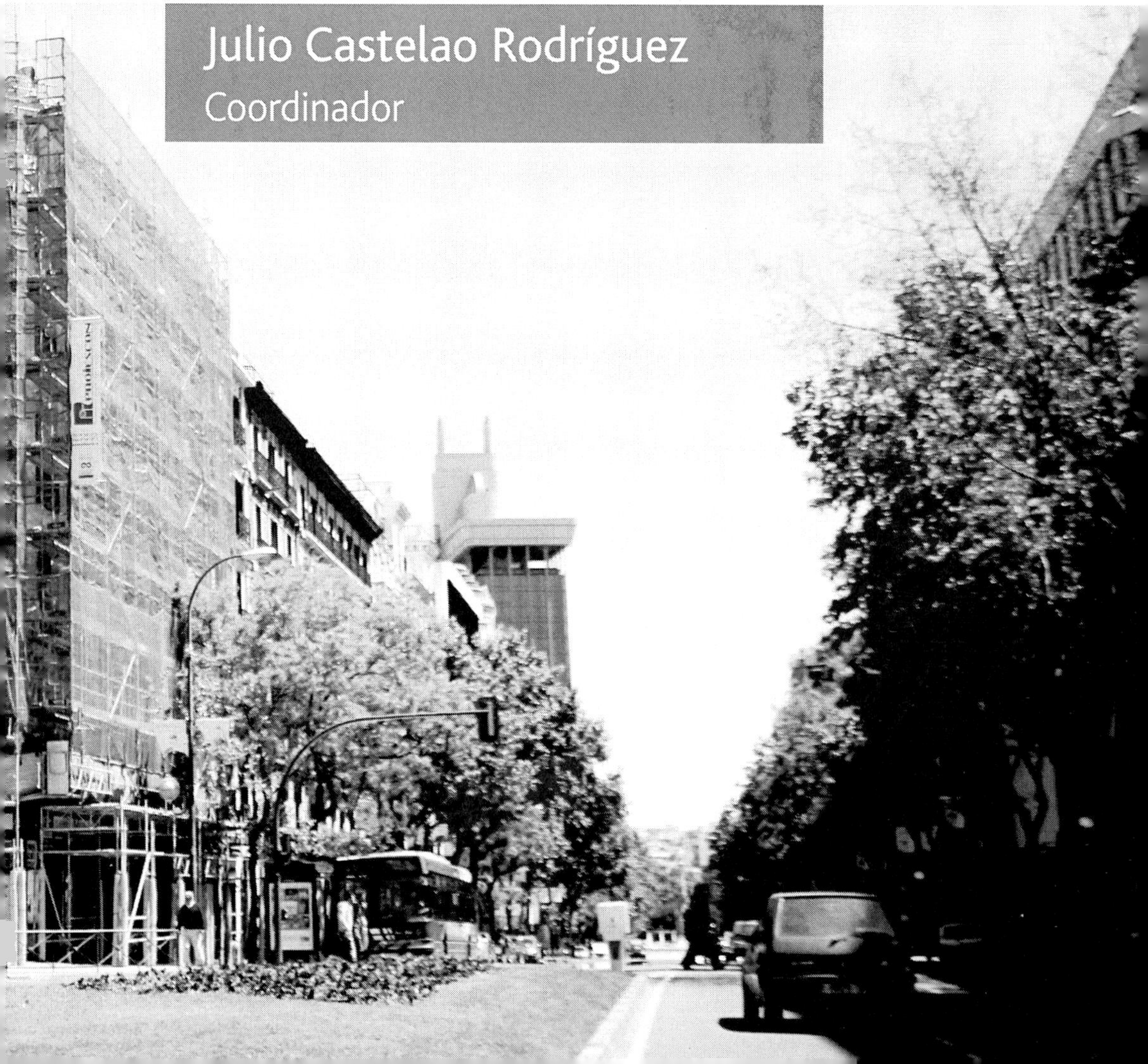

Ley de Rehabilitación, Regeneración y Renovación Urbanas

Coordinador

Julio Castelao Rodríguez

Autores

Rafael Arnaiz Ramos
Luis Miguel Bris Coello
Julio Castelao Rodríguez
Julio Castelao Simón
Ángela de la Cruz Mera
Dionisio Fernández de Gatta Sánchez
Fernando García-Moreno Rodríguez
Fernando García Rubio

Joaquín Jalvo Mínguez
Gabriel Martínez del Mármol Marín
Jesús Sánchez Santos
Ricardo Santos Diez
Ignacio Sanz Jusdado
Jesús Torres Martínez
Alfonso Vázquez Oteo

1.ª edición octubre 2013

EL CONSULTOR DE LOS AYUNTAMIENTOS (LA LEY)
C/ Collado Mediano, 9
28230 - Las Rozas (Madrid)
Tel.: 902 250 500 - Fax: 902 42 00 12

ISBN: 978-84-7052-663-3
Depósito Legal: M-26457-2013
Diseño, Preimpresión e Impresión Wolters Kluwer España, S.A.
Printed in Spain

DISTRIBUCIÓN DE LOS COMENTARIOS POR AUTORES

- **Rafael Arnaiz Ramos.** Registrador de la Propiedad.
Disp. final duodécima.doce, dieciséis y diecisiete.

- **Luis Miguel Bris Coello**. Doctor en Derecho. Abogado del Ilustre Colegio de Abogados de Madrid.
Disp. final segunda, cuarta, quinta, sexta, séptima, octava, novena, décima, decimocuarta, decimoquinta, decimosexta, decimoséptima.

- **Julio Castelao Rodríguez.** Abogado. Secretario de Administración Local de Categoría Superior. Profesor de Derecho Urbanístico en la Universidad San Pablo-CEU.
Disp. final duodécima.dos, tres, cuatro, cinco, ocho, diez.

- **Julio Castelao Simón.** Licenciado en Derecho. Abogado del Ilustre Colegio de Abogados de Madrid.
Disp. adic. segunda. Disp. derog. única. Disp. final primera. Disp. final decimotercera, decimonovena y vigésima.

- **Ángela de la Cruz Mera.** Licenciada en Derecho y Administradora Civil del Estado, Subdirectora General de Urbanismo del Ministerio de Fomento.
Artículos 14, Disp. final duodécima.trece, catorce.

- **Dionisio Fernández de Gatta Sánchez.** Profesor Titular de Derecho Administrativo de la Facultad de Derecho de la Universidad de Salamanca y Diplomado en Planeamiento Urbanístico.
Disp. final tercera, undécima.

- **Fernando García-Moreno Rodríguez.** Profesor Doctor de Derecho Administrativo en la Facultad de Derecho de la Universidad de Burgos.
Artículos 1, 2, 3, 7, 8, 9; disp. adic. primera, disp. final duodécima.diecinueve.

• **Fernando García Rubio.** Profesor titular de Derecho Administrativo de la Universidad Rey Juan Carlos. Titular de la Asesoría Jurídica del Ayuntamiento de San Sebastián de los Reyes (Madrid).

Artículos 5, 18, 19.

• **Joaquín Jalvo Mínguez.** Arquitecto Superior en las especialidades de Edificación y Urbanismo. Diplomado en Urbanismo por el IEAL.

Artículos 4, 6, 10, 11, 12; disp. adic. tercera, disp. adic. cuarta; disposiciones transitorias; disp. final decimoctava.

• **Gabriel Martínez del Mármol Marín.** Abogado especialista en Derecho administrativo general, Derecho local, urbanístico y ambiental.

Disp. final duodécima.seis, siete, nueve y diecinueve.

• **Jesús Sánchez Santos.** Master en Urbanismo y Ordenación del Territorio. Abogado especialista en Derecho Administrativo. Profesor del Instituto Nacional de Administración Pública.

Disp. final duodécima.uno, nueve, once, dieciocho, diecinueve.

• **Ricardo Santos Diez.** Doctor Ingeniero de Caminos, Canales y Puertos. Licenciado en Derecho. Técnico Urbanista.

Disp. final duodécima.dos, tres, cuatro, cinco, ocho, diez.

• **Ignacio Sanz Jusdado.** Master en Urbanismo y Ordenación del Territorio. Abogado especialista en Derecho Administrativo. Profesor del Instituto Nacional de Administración Pública.

Disp. final duodécima.uno, seis, siete, once, dieciocho.

• **Jesús Torres Martínez.** Magistrado de lo Contencioso-Administrativo.

Preámbulo.

• **Alfonso Vázquez Oteo.** Abogado. Doctor en Derecho. Profesor Honorario de Derecho Administrativo.

Artículos 13, 15, 16, 17.

PRESENTACIÓN

No vale acordarse de Santa Bárbara sólo cuando truena, pues ésa es la mejor manera de mojarse. Y del mismo modo no cabe poner solución a la situación de nuestro parque inmobiliario después de un derrumbamiento de un edificio que haya producido víctimas. Es por ello muy loable el esfuerzo del legislador con esta Ley para aplicar la política del «más vale prevenir que curar».

El deber de conservación de los edificios por los propietarios no es nada nuevo, pues ya el Código Civil en 1889 previó que «Si un edificio, pared, columna o cualquiera otra construcción amenazase ruina, el propietario estará obligado a su demolición, o a ejecutar las obras necesarias para evitar su caída» y «si no lo verificare el propietario de la obra ruinosa, la Autoridad podrá hacerla demoler a costa del mismo». Pero tampoco descubrió nada, sino que vino a incorporar al Código algo que ya existía en viejas Ordenanzas municipales.

Pero si bien es cierto que, en el fondo, *nihil sub sole novum est,* también lo es que todo cambia, nada permanece, como decía Heráclito. Y así podemos observar que del viejo afán por demoler lo que amenazase ruina, la moderna filosofía deriva en conservar. Del deber de evitar la caída —seguridad— hemos evolucionado al deber de conservación en condiciones de seguridad, salubridad y ornato públicos.

La nueva Ley de Rehabilitación, Regeneración y Renovación Urbanas, da un paso más en este sentido y busca garantizar la seguridad, salubridad, accesibilidad y ornato.

¡Dios nos libre del intervencionismo creciente que asfixia al ciudadano la iniciativa privada! Cualquier día de estos a un genio se le ocurre ponernos chips a todos y controlar «eficazmente» que cumplimos la más mínima disposición de ínfimo rango... Ahora bien, la demostrada incompetencia intervencionista de los burócratas vocacionales y el entusiasmo con que se aplican en inventar nuevas cortapisas, por grandes que sean, no son suficientes para ocultar que una obligación legal cuyo incumplimiento no conlleve ningún control ni determine corrección o sanción, es inoperante. Por ello es digno de elogio el paso que da esta Ley para generalizar el sistema de control de la edificación, superando la Inspección

Técnica de Edificios (ITE) —insuficiente para garantizar el grado de conservación de la edificación—, con el Informe de Evaluación de los Edificios.

Pero la presente Ley es mucho más que todo ello, persiguiendo los objetivos siguientes:

En primer lugar, potenciar la rehabilitación edificatoria y la regeneración y renovación urbanas, eliminando trabas actualmente existentes y creando mecanismos específicos que la hagan viable y posible.

En segundo lugar, ofrecer un marco normativo idóneo para permitir la reconversión y reactivación del sector de la construcción, encontrando nuevos ámbitos de actuación, en concreto, en la rehabilitación edificatoria y en la regeneración y renovación urbanas.

En tercer lugar, fomentar la calidad, la sostenibilidad y la competitividad, tanto en la edificación, como en el suelo, acercando nuestro marco normativo al marco europeo, sobre todo en relación con los objetivos de eficiencia, ahorro energético y lucha contra la pobreza energética.

Para ello, además de los contenidos propios de la nueva Ley, afronta la modificación otras normas fundamentales, como el texto refundido de la Ley de Suelo, la Ley de Economía Sostenible, el Real Decreto-ley de medidas de apoyo a los deudores hipotecarios, de control del gasto público y cancelación de deudas con empresas y autónomos contraídas por las entidades locales, de fomento de la actividad empresarial e impulso de la rehabilitación y de simplificación administrativa, la Ley de Ordenación de la Edificación, Código Técnico de la Edificación y la Ley de Propiedad Horizontal.

Es indiscutible que para desentrañar una norma de esta complejidad y alcance y comprender sus entresijos, la mayoría de los profesionales necesitamos la ayuda de expertos. En este libro una magnífica selección de éstos nos permite entender y aplicar la norma sin necesidad de recurrir a innumerables consultas a otros profesionales ni lectura de diferentes fuentes. Por ello es digna de elogio la suma de autores conseguida por el Director de la obra, Julio Castelao Rodríguez, así como su interés por respetar, con su habitual señorío, los temas sobre los que nuestros colaboradores habituales habían escrito en anteriores ocasiones. Especial cuidado ha mostrado por respetar al máximo, en las modificaciones de la Ley de Suelo, el fantástico grupo que lideró Enrique Sánchez Goyanes en el volumen que editamos sobre la misma. Desgraciadamente circunstancias ajenas a la voluntad de Julio Castelao Rodríguez, a la de la Editorial y a la del propio Enrique Sánchez Goyanes han imposibilitado que el mismo estuviera en este proyecto.

Por demás, los propios nombres de los autores y un simple vistazo a los índices sistemático y analítico del libro dan idea del alcance de la misma. Del mismo modo, el lector que sostenga la obra en la mano podrá comprobar que la misma tiene «razones de peso» para ocupar un hueco en su biblioteca, si cuenta con alguna preocupación por el significado y alcance de la Ley de Rehabilitación, Regeneración y Renovación Urbanas.

Con nuestro agradecimiento a todos los autores que han colaborado en llevar este ambicioso proyecto a buen fin y confiando en que los lectores sabrán apreciar su esfuerzo, confiamos en el éxito de la obra.

Fernando Castro Abella
octubre de 2013

LEY 8/2013, DE 26 DE JUNIO, DE REHABILITACIÓN, REGENERACIÓN Y RENOVACIÓN URBANAS

BOE 27 junio 2013

PREÁMBULO

I

Los problemas económicos y sociales existentes en torno al mercado del suelo y la vivienda en España son de muy diversa índole y, en buena medida, anteriores a la crisis económico-financiera. La mayoría tienen, de hecho, un carácter estructural y no solo coyuntural, si bien algunos de ellos se han visto agravados por el cambio de ciclo económico, al tiempo que han contribuido también a agudizar la crisis.

La tradición urbanística española, como ya reconoció el legislador estatal en la Ley 8/2007, de 28 de mayo (LA LEY 5678/2007), de Suelo, se ha volcado fundamentalmente en la producción de nueva ciudad, descompensando el necesario equilibrio entre dichas actuaciones y aquellas otras que, orientadas hacia los tejidos urbanos existentes, permiten intervenir de manera inteligente en las ciudades, tratando de generar bienestar económico y social y garantizando la calidad de vida a sus habitantes. Estas otras intervenciones son mucho más complejas, tanto desde el punto de vista social como económico; complejidad que se agrava en el momento presente a consecuencia de un contexto desfavorable para la financiación pública, debido a los procesos de estabilización presupuestaria, y también para la financiación privada, por las restricciones en el acceso a los créditos, derivadas de la crisis del sector financiero y del empobrecimiento de muchas familias a consecuencia de los altos niveles de desempleo.

Sin embargo, el camino de la recuperación económica, mediante la reconversión del sector inmobiliario y de la construcción y también la garantía de un modelo sostenible e integrador, tanto ambiental, como social y económico, requieren volcar todos los esfuerzos en aquellas actuaciones, es decir, las de rehabilitación y de regeneración y renovación urbanas, que constituyen el objeto esencial de esta Ley. Tal y como se deduce del Sistema de Información Urbana y el Estudio de Sectores Residenciales en España 2011, ambos elaborados por el Ministerio de Fomento, España posee actualmente, si no se reactiva la demanda, suelo capaz de acoger nuevos crecimientos urbanísticos para los próximos cuarenta y cinco años. Esta situación se agrava cuando se observa que gran parte de estos suelos se encuentran situados en entornos donde no es previsible ningún incremento de demanda en los próximos años. A ello se une el dato significativo de vivienda nueva vacía, 723.043 viviendas. Tanto a corto, como a medio plazo, será muy difícil que los sectores inmobiliario y de la construcción puedan contribuir al crecimiento de la economía española y a la generación de empleo si continúan basándose, principalmente y con carácter general, en la transformación urbanística de suelos vírgenes y en la construcción de vivienda nueva.

Pero aún en el caso de que así fuera, la legislación vigente ya da cumplida respuesta a estos procesos, mientras que no existe un desarrollo en igual medida que permita sustentar las operaciones de rehabilitación y las de regeneración y renovación urbanas, en las que, además, todavía persisten obstáculos legales que impiden su puesta en práctica o, incluso, su propia viabilidad técnica y económica. Es preciso, por tanto, generar un marco normativo idóneo para dichas operaciones, que no sólo llene las lagunas legales actualmente existentes, sino que remueva los obstáculos que las imposibilitan en la práctica y que propicie la generación de ingresos propios para hacer frente a las mismas.

La rehabilitación y la regeneración y renovación urbanas tienen, además, otro relevante papel que jugar en la recuperación económica, coadyuvando a la reconversión de otros sectores, entre ellos, fundamentalmente el turístico. La actividad turística es clave para la economía de nuestro país y supone más de un 10,2 % del PIB, aportando un 11,39 % del empleo. Numerosos destinos turísticos «maduros» se enfrentan a un problema sistémico en el que tiene mucho que ver el deterioro físico de sus dotaciones y respecto de los cuales, la aplicación de estrategias de rehabilitación, regeneración y renovación urbanas podría generar impactos positivos que, a su vez, servirían de palanca imprescindible para el desarrollo económico de España.

II

No parece admitir dudas el dato de que el parque edificado español necesita intervenciones de rehabilitación y de regeneración y renovación urbanas que permitan hacer efectivo para todos, el derecho constitucional a una vivienda digna y adecuada, así como la exigencia del deber de sus propietarios de mantener los inmuebles en adecuadas condiciones de conservación. Aproximadamente el 55 % (13.759.266) de dicho parque edificado, que asciende a 25.208.622 viviendas, es anterior al año 1980 y casi el 21 % (5.226.133) cuentan con más de 50 años. El único instrumento que actualmente permite determinar el grado de conservación de los inmuebles, la Inspección Técnica de Edificios, no sólo es insuficiente para garantizar dicho objetivo, y así se pone de manifiesto desde los más diversos sectores relacionados con la edificación, sino que ni siquiera está establecido en todas las Comunidades Autónomas, ni se exige en todos los municipios españoles.

A ello hay que unir la gran distancia que separa nuestro parque edificado de las exigencias europeas relativas a la eficiencia energética de los edificios y, a través de ellos, de las ciudades. Casi el 58 % de nuestros edificios se construyó con anterioridad a la primera normativa que introdujo en España unos criterios mínimos de eficiencia energética: la norma básica de la edificación NBE-CT-79, sobre condiciones térmicas en los edificios. La Unión Europea ha establecido una serie de objetivos en el Paquete 20-20-20 «Energía y Cambio Climático», que establece, para los 27 países miembros, dos objetivos obligatorios: la reducción del 20 % de las emisiones de gases de efecto invernadero y la elevación de la contribución de las energías renovables al 20 % del consumo, junto a un objetivo indicativo, de mejorar la eficiencia energética en un 20 %. Estos objetivos europeos se traducen en objetivos nacionales y esta Ley contribuye, sin duda, al cumplimiento de los mismos, a través de las medidas de rehabilitación que permitirán reducir los consumos de energía, que promoverán energías limpias y que, por efecto de las medidas anteriores, reducirán las emisiones de gases de efecto invernadero del sector. En relación con este último objetivo, España debe reducir en el año 2020, un 10 % de las emisiones de los sectores difusos, con respecto al año 2005. Dentro de estos sectores, definidos como aquellos no incluidos en el comercio de derechos de emisión, se encuentra el residencial, el cual, conjuntamente con el sector comercial e institucional representa un 22 % de las emisiones difusas, siendo asimismo responsable de emisiones indirectas, por consumo eléctrico. Las emisiones de los sectores difusos representan el 2/3 de las totales, por lo que el objetivo de avanzar en una «economía baja en carbono», mediante actuaciones en las viviendas de baja calidad, que en España se sitúan entre las construidas en las décadas de los 50, 60 y 70, y mejorando la eficiencia del conjunto del parque residencial, es clave.

Precisamente, la reciente Directiva 2012/27/UE (LA LEY 19001/2012), relativa a la eficiencia energética, tras reconocer que los edificios representan el 40 % del consumo de energía final de la Unión Europea, obliga no sólo a renovar anualmente un porcentaje significativo de los edificios de las Administraciones centrales para mejorar su rendimiento energético, sino a que los Estados miembros establezcan, también, una estrategia a largo plazo, hasta el año 2020 —para minorar el nivel de emisiones de CO_2— y hasta el año 2050 —con el compromiso de reducir el nivel de emisiones un 80-95 % en relación a los niveles de 1990—, destinada a movilizar inversiones en la renovación de edificios residenciales y comerciales, para mejorar el rendimiento energético del conjunto del parque inmobiliario. A través de esta estrategia de renovaciones exhaustivas y rentables que reduzcan el consumo de energía de los edificios, en porcentajes significativos con respecto a los niveles anteriores a la renovación, se crearán además oportunidades de crecimiento y de empleo en el sector de la construcción.

Y aún con todo, el porcentaje que representa la rehabilitación en España en relación con el total de la construcción es, asimismo, uno de los más bajos de la zona euro, situándose trece puntos por debajo de la media europea, que alcanza un entorno del 41,7 % del sector de la construcción, y ello aún con el desplome de dicho sector en España, a consecuencia de la crisis.

Esta actividad, globalmente entendida, no sólo es susceptible de atender los objetivos de eficiencia energética y de recuperación económica ya expresados, sino también de contribuir activamente a la sostenibilidad ambiental, a la cohesión social y a la mejora de la calidad de vida de todos los ciudadanos, tanto en las viviendas y en los edificios, como en los espacios urbanos. No en vano, muchas de las más importantes operaciones de regeneración y renovación urbanas tienen, además, un carácter integrado, es decir, articulan medidas sociales, ambientales y económicas, que se suman a las estrictamente físicas para lograr, mediante una estrategia unitaria, la consecución de aquellos objetivos.

En suma, la actividad de rehabilitación en su conjunto debe buscar áreas que permitan aplicar políticas integrales que contemplen intervenciones no solo en el ámbito físico-espacial, sino también en los ámbitos social, económico, ambiental y de integración de la ciudad. El tamaño de estas operaciones permitirá la puesta en servicio de redes de instalaciones energéticas a escala de barrio, con menor consumo de recursos, y que permitirían que los barrios tiendan a la autosuficiencia energética en el medio plazo.

III

Sin perjuicio de las competencias de las Comunidades Autónomas en materia de vivienda y urbanismo, el Estado no puede mantenerse al margen de la realidad del sector inmobiliario español, y con él, de nuestra economía, ni tampoco de los retos sociales y ambientales planteados, no sólo porque parte de las respuestas corresponden a su ámbito competencial, sino también porque muchas de las exigencias que se demandan en relación con un medio urbano sostenible, proceden en la actualidad de la Unión Europea o de compromisos internacionales asumidos por España. Entre ellos, la Directiva 2002/91/CE del Parlamento Europeo y del Consejo, de 16 de diciembre de 2002 (LA LEY 14270/2002), refundida posteriormente en la Directiva 2010/31/UE del Parlamento Europeo y del Consejo, de 19 de mayo de 2010 (LA LEY 12668/2010), relativa a la eficiencia energética de los edificios y la Directiva 2012/27/UE del Parlamento Europeo y del Consejo, de 25 de octubre de 2012 (LA LEY 19001/2012), relativa a la eficiencia energética, a las que pueden añadirse la Estrategia Temática para el Medio Ambiente Urbano, el Marco Europeo de Referencia para la Ciudad Sostenible, o la Declaración de Toledo —aprobada por los Ministros responsables del desarrollo urbano de los 27 Estados miembros de la Unión Europea el 22 de junio de 2010—, de acuerdo con la cual «la batalla principal de la sostenibilidad urbana se ha de jugar precisamente en la consecución de la máxima ecoeficiencia posible en los tejidos urbanos de la ciudad ya consolidada», y en la que se destaca la importancia de la regeneración urbana integrada y su potencial estratégico para un desarrollo urbano más inteligente, sostenible y socialmente inclusivo en Europa.

La regulación que contiene esta norma se enmarca en un contexto de crisis económica, cuya salida depende en gran medida —dado el peso del sector inmobiliario en dicha crisis—, de la recuperación y reactivación —de cara sobre todo al empleo— del sector de la construcción. Dicha salida, en un contexto de improcedencia de políticas de expansión, tales como la generación de nueva ciudad y nuevas viviendas, sólo es posible actuando sobre el patrimonio inmobiliario y la edificación existente.

También se enmarca en la necesidad de operar, paralelamente, sobre el patrimonio inmobiliario existente a los efectos de contribuir al ahorro energético, con el relanzamiento de la industria de materiales, así como de la relativa a las restantes instalaciones y dotaciones de la edificación y de las tecnologías de energías renovables, para hacer frente, no sólo a los retos energéticos de la economía española —dependencia del exterior en energías primarias e incremento de costes y riesgos que tal dependencia supone—, sino también a los compromisos adquiridos en el contexto de la Unión Europea y su paquete de objetivos en materia energética y de lucha contra el cambio climático para el año 2020. Estos compromisos incluyen la intervención sobre el parque de viviendas existentes en cuanto sector en el que es posible un ahorro energético considerable y en el que hay que incidir también desde el punto de vista de la lucha contra el cambio climático, inducido por los gases de efecto invernadero.

Esta norma constituye legislación básica dictada al amparo de la competencia estatal para establecer las bases y la coordinación de la planificación general de la actividad económica, reconocida en el artículo 149.1.13.ª de la Constitución (LA LEY 2500/1978), y fija, en consecuencia, un «común denominador» de «carácter nuclear» que deja suficiente margen a las Comunidades Autónomas para el ejercicio de las competencias que les son propias. Adicionalmente, y en los términos fijados en la disposición final decimonovena, la presente Ley se dicta al amparo de los títulos competenciales reconocidos en el artículo 149.1.1.ª, 8.ª, 14.ª, 16.ª, 18.ª, 23.ª, 25.ª y 30.ª de la Constitución, que atribuye al Estado la competencia sobre regulación de las condiciones básicas que garantizan la igualdad en el ejercicio de los derechos y en el cumplimiento de los deberes constitucionales, legislación civil, hacienda general y deuda del Estado, bases y coordinación general de la sanidad, bases del régimen jurídico de las Administraciones Públicas, procedimiento administrativo común, legislación sobre expropiación forzosa y el sistema de responsabilidad de las Administraciones Públicas, legislación básica sobre protección del medio ambiente, bases del régimen energético y regulación de las condiciones de obtención, expedición y homologación de títulos académicos y profesionales.

Dentro de este marco, los objetivos perseguidos por esta Ley son los siguientes:

En primer lugar, potenciar la rehabilitación edificatoria y la regeneración y renovación urbanas, eliminando trabas actualmente existentes y creando mecanismos específicos que la hagan viable y posible.

En segundo lugar, ofrecer un marco normativo idóneo para permitir la reconversión y reactivación del sector de la construcción, encontrando nuevos ámbitos de actuación, en concreto, en la rehabilitación edificatoria y en la regeneración y renovación urbanas.

En tercer lugar, fomentar la calidad, la sostenibilidad y la competitividad, tanto en la edificación, como en el suelo, acercando nuestro marco normativo al marco europeo, sobre todo en relación con los objetivos de eficiencia, ahorro energético y lucha contra la pobreza energética.

Para ello, además de los contenidos propios de la nueva Ley, cuya función estriba básicamente en llenar los vacíos legales existentes, resulta necesario afrontar la modificación de las siguientes normas actualmente en vigor, tanto para eliminar aquellos obstáculos que impiden hoy alcanzar los objetivos propuestos, como para adaptar los existentes a los nuevos: el texto refundido de la Ley de Suelo, aprobado por el Real Decreto Legislativo 2/2008, de 20 de junio (LA LEY 8457/2008), la Ley 2/2011, de 4 de marzo, de Economía Sostenible (LA LEY 3603/2011), el Real Decreto-ley 8/2011, de 1 de julio (LA LEY 14238/2011), de medidas de apoyo a los deudores hipotecarios, de control del gasto público y cancelación de deudas con empresas y autónomos contraídas por las entidades locales, de fomento de la actividad empresarial e impulso de la rehabilitación y de simplificación administrativa, la Ley 38/1999, de 5 de noviembre, de Ordenación de la Edificación (LA LEY 4217/1999), el Real Decreto 314/2006, de 17 de marzo, por el que se aprueba el Código Técnico de la Edificación (LA LEY 493/2006) y la Ley 49/1960, de 21 de julio (LA LEY 46/1960), sobre Propiedad Horizontal. En algunos casos puntuales, la modificación incluye la derogación de determinados preceptos.

Los tres objetivos señalados en los párrafos anteriores se alinean con la Directiva 2010/31/UE (LA LEY 12668/2010), en la medida en que la presente Ley persigue promover la eficiencia energética y atender a los desafíos provocados por el cambio climático. Para ello, se reconoce la oportunidad que ofrece la transformación del modelo productivo hacia parámetros de sostenibilidad ambiental, social y económica, con la creación de empleos vinculados con el medio ambiente, los llamados empleos verdes, en concreto, aquellos vinculados con las energías renovables y las políticas de rehabilitación y ahorro energético.

IV

La Ley se compone de un Título Preliminar, dos Títulos, cuatro disposiciones adicionales, dos disposiciones transitorias, una disposición derogatoria y veinte disposiciones finales.

El Título Preliminar de la Ley describe su objeto, que consiste en regular las condiciones básicas que garanticen un desarrollo sostenible y competitivo del medio urbano, así como el impulso y el fomento de las actuaciones que conduzcan a la rehabilitación de los edificios y a la regeneración y renovación de los tejidos urbanos existentes, cuando sean necesarias para asegurar a los ciudadanos calidad de vida y la efectividad de su derecho a disfrutar de una vivienda digna y adecuada. El Título Preliminar, asimismo, se refiere a las políticas que los poderes públicos, dentro del ámbito de sus competencias, deberán formular y desarrollar, en el marco de los principios de sostenibilidad económica, social y medioambiental, cohesión territorial, eficiencia energética y complejidad funcional. Para todo ello, dispone el legislador estatal de fundamento competencial constitucional, al amparo de lo dispuesto en el artículo 149.1.1.ª, 8.ª, 13.ª, 16.ª, 18.ª, 23.ª y 25.ª de la Constitución.

V

El Título I contiene la regulación básica del Informe de Evaluación de los Edificios, que parte de la establecida por el Real Decreto-ley 8/2011, de 1 de julio (LA LEY 14238/2011), de medidas de apoyo a los deudores hipotecarios, de control del gasto público y cancelación de deudas con empresas y autónomos contraídas por las entidades locales, de fomento de la actividad empresarial e impulso de la rehabilitación y de simplificación administrativa, pero supera algunas de sus insuficiencias. Entre ellas, la que lo identificaba plenamente con la Inspección Técnica de Edificios regulada por las Comunidades Autónomas y por algunos Ayuntamientos y, precisamente, a sus únicos efectos. El legislador estatal, al regular este Informe de Evaluación, trata de asegurar la calidad y sostenibilidad del parque edificado, así como obtener información que le permita orientar el ejercicio de sus propias políticas. Para ello, se dota de un instrumento que otorga la necesaria uniformidad a los contenidos que se entienden necesarios para asegurar el cumplimiento de dichos objetivos, todo ello sin prejuzgar las concretas medidas de intervención administrativa que deban poner en marcha las Administraciones competentes, para ir adaptando —de manera gradual en el tiempo—, el parque edificado español, a unos criterios mínimos de calidad y sostenibilidad. Su exigencia también se limita a aquellos edificios que tienen verdadera transcendencia en relación con los mencionados objetivos, así como con una determinada política económica y de vivienda a escala estatal, que son los de tipología colectiva y siempre que su uso sea el residencial o asimilado.

Se busca también facilitar a las Administraciones competentes un instrumento que les permita disponer de la información precisa para evaluar el cumplimiento de las condiciones básicas legalmente exigibles, tanto en materia de conservación, como de accesibilidad. Así, las primeras se regulan en el texto refundido de la Ley de Suelo, aprobado por el Real Decreto Legislativo 2/2008, de 20 de junio (LA LEY 8457/2008), y las segundas se derivan de la Ley 26/2011, de 1 de agosto (LA LEY 15917/2011), de adaptación normativa a la Convención Internacional sobre los Derechos de las Personas con Discapacidad, que exige la realización de los ajustes razonables en materia de accesibilidad universal (con sus obras correspondientes), estableciendo incluso un plazo, que finaliza en el año 2015, momento a partir del cual pueden ser legalmente exigidos, tanto para los edificios, como para los espacios públicos urbanizados existentes y, por tanto, también controlados por la Administración Pública competente.

Por último, el informe contiene un apartado de carácter orientativo sobre un aspecto clave para mejorar la calidad de vida de los ciudadanos, la eficiencia energética y el cumplimiento de los compromisos de España con Europa en el horizonte 2020: la Certificación de la Eficiencia Energética de los Edificios, exigida por la Directiva 2002/91/CE (LA LEY 14270/2002) del Parlamento Europeo y del Consejo, de 16 de diciembre, relativa a la eficiencia energética, y por la Directiva 2010/31/UE del Parlamento Europeo y del Consejo, de 19 de mayo de 2010 (LA LEY 12668/2010), que la refunde y completa. La certificación contendrá, no sólo una calificación del edificio a tales efectos (mediante letras, de la A a la G), sino también unas recomendaciones sobre las mejoras energéticas que podrían realizarse, analizadas en términos de coste/beneficio y clasificadas en función de su viabilidad técnica, económica y funcional y de su repercusión energética. Dado que la Directiva exige que esta certificación se adjunte cuando una vivienda se ponga en venta o en alquiler, en aras de una mayor transparencia del mercado, una mayor información para los propietarios y un menor coste en su emisión, se busca la doble racionalidad y sinergia que supone incluirla en el informe de evaluación del edificio.

VI

El Título II contiene la regulación de las actuaciones sobre el medio urbano, que van desde las de rehabilitación edificatoria, hasta las que supongan una regeneración y renovación urbanas, identificando los sujetos legitimados para participar en ellas y ofreciendo nuevos instrumentos que, sin duda, contribuirán a facilitar la gestión y la cooperación interadministrativa tan necesaria en estos casos. La Ley amplía las facultades reconocidas a las comunidades de vecinos, agrupaciones de propietarios y cooperativas de viviendas, para actuar en el mercado inmobiliario con plena capacidad jurídica para todas las operaciones, incluidas las crediticias, relacionadas con el cumplimiento del deber legal de conservación, e introduce los instrumentos de gestión y los mecanismos de cooperación interadministrativa que tienen por objeto fortalecer el marco en el que las citadas actuaciones se desenvuelven. A ello se une la búsqueda de mecanismos que pretenden conseguir que la financiación para la rehabilitación sea más accesible y se encuentre más al alcance de los interesados. Se establecen además, otros mecanismos específicos para facilitar la financiación de estas actuaciones, entre los que destacan los convenios entre las Administraciones Públicas actuantes, los propietarios y demás sujetos que vayan a intervenir en la ejecución, que pueden incluir, desde la explotación conjunta del inmueble o partes del mismo, a los siguientes tipos de contratos o colaboración:

— cesión, con facultad de arrendamiento u otorgamiento del derecho de explotación a terceros, a cambio del pago aplazado de la parte del coste que corresponda a los propietarios de las fincas.

— permuta o cesión de terrenos o de parte de la edificación sujeta a rehabilitación por determinada edificación futura.

— arrendamiento o cesión de uso de local, vivienda o cualquier otro elemento de un edificio por plazo determinado a cambio del pago por el arrendatario o cesionario de todos o de alguno de los siguientes conceptos: impuestos, tasas, cuotas a la comunidad o agrupación de comunidades de propietarios o de la cooperativa, gastos de conservación, etc.

— constituir consorcios o sociedades mercantiles de capital mixto, con participación privada minoritaria.

Además, con independencia de que se permita poner en marcha cualquier posible fórmula de coordinación, se asegura la colaboración y la cooperación económica de la Administración General del Estado, en cualquiera de las formas previstas legalmente, siempre que se otorgue prioridad en las ayudas estatales a las actuaciones que tengan por objeto la conservación, la rehabilitación edificatoria y la regeneración y renovación urbanas tal y como se conciban en los correspondientes Planes estatales.

VII

Las disposiciones adicionales albergan cuatro normas de contenido diverso. La primera recoge el sistema informativo general e integrado que dispusiera la Ley 2/2011, de 4 de marzo, de Economía Sostenible (LA LEY 3603/2011), para garantizar que la Administración General del Estado, en colaboración con las Comunidades Autónomas y las Administraciones Locales, promoverá la actualización permanente y la explotación de la información necesaria para el desarrollo de las políticas públicas a favor de un medio urbano sostenible y competitivo. La segunda aclara que sigue vigente todo lo previsto en el texto refundido de la Ley del Catastro Inmobiliario, aprobado por el Real Decreto Legislativo 1/2004, de 5 de marzo (LA LEY 356/2004), en particular lo que se refiere a la utilización de la referencia catastral, la incorporación de la certificación catastral descriptiva y gráfica y las obligaciones de comunicación, colaboración y suministro de información previstas por la normativa catastral. Las disposiciones adicionales tercera y cuarta regulan, respectivamente, las infracciones en materia de certificación de la eficiencia energética de los edificios y las sanciones, así como su graduación.

VIII

El régimen transitorio contiene dos disposiciones. La primera de ellas tiene como objeto establecer el calendario para que los propietarios de las edificaciones a que hace referencia el artículo 4 se doten del Informe de Evaluación regulado por esta Ley, estableciendo un esquema gradual razonable que, en la línea ya establecida por el Real Decreto-ley 8/2011, de 1 de julio (LA LEY 14238/2011), de medidas de apoyo a los deudores hipotecarios, de control del gasto público y cancelación de deudas con empresas y autónomos contraídas por las entidades locales, de fomento de la actividad empresarial e impulso de la rehabilitación y de simplificación administrativa tiene en cuenta su antigüedad (más de 50 años), sin perjuicio de establecer las especialidades que requieren aquellos edificios que ya hayan pasado la inspección técnica, de conformidad con su propia regulación, en los que se busca evitar duplicidades indeseables, y aquéllos otros cuyos titulares pretendan acogerse a posibles ayudas públicas estatales a la rehabilitación. Se establece, además, un plazo más amplio que el que finaliza en el año 2015, a tenor de lo dispuesto hoy en el citado Real Decreto-ley 8/2011 (LA LEY 14238/2011), plazo inasequible para los más de 3 millones de viviendas afectadas. Con ello se pretende ir adaptando gradualmente, aunque de forma decidida, nuestro parque edificado a condiciones mínimas de conservación, accesibilidad y calidad que ya son demandables en virtud de la legislación vigente, sin perjuicio de lo que establezcan, además, las Comunidades Autónomas y los propios Ayuntamientos.

La segunda establece, con carácter excepcional, y durante un período que no excederá de cuatro años, una norma transitoria que trata de adecuar la mencionada reserva mínima obligatoria a la realidad del mercado, así como a la de sus potenciales beneficiarios. La regla contenida en el artículo 10.1 b) de la vigente Ley de Suelo tenía sentido en una coyuntura de expansión de nuestros mercados inmobiliarios, prolongada e intensa en el tiempo, a la vez que en un contexto marcado por las ayudas públicas a la adquisición de esta clase de viviendas. La realidad, sin embargo, es hoy bien distinta. La actual situación de las familias que reúnen las condiciones para poder acceder a estas viviendas, unida a la fuerte caída acumulada de los precios de la vivienda libre durante los últimos años y la inexistencia de adecuación a dicha situación, en los módulos de la vivienda protegida, han provocado dos efectos que aconsejan el establecimiento de esta regla excepcional y temporal: de un lado el acercamiento sustancial de los precios de ambas, lo que resta toda competitividad a la vivienda protegida, caracterizada por un régimen jurídico mucho más restrictivo que el de la vivienda libre, y de otro la difícil situación económica de las familias, tanto en términos de renta para poder adquirir una vivienda, como en términos del acceso al crédito de las entidades financieras. Todo ello provoca que hoy, en el stock de vivienda sin vender ya construida, se encuentren viviendas con protección pública, derivadas del cumplimiento de la mencionada reserva mínima estatal y que dicha reserva, por tanto, no sólo no esté coadyuvando al cumplimiento de los fines previstos, sino que esté rigidizando injustificadamente las operaciones que, sobre todo en el suelo urbano, pero también en gran medida en el suelo urbanizable, tienen posibilidades de realizarse, incluso en los momentos difíciles que atraviesa el sector inmobiliario.

Por último, la disposición derogatoria contiene, además de la cláusula general, la derogación explícita de todos aquellos artículos de las diversas Leyes ya mencionadas, que quedan subsumidos en esta Ley, con una nueva redacción, sistemática y coherente.

IX

Las disposiciones finales regulan otros aspectos de la Ley de indudable relevancia. Entre ellos, las modificaciones que se introducen sobre otras leyes y un real decreto, hoy vigentes, con el objetivo de coadyuvar a la consecución de los objetivos perseguidos, como ocurre específicamente, con la Ley de Suelo, aprobada por el Real Decreto Legislativo 2/2008, de 20 de junio (LA LEY 8457/2008), la Ley 49/1960, de 21 de julio (LA LEY 46/1960), de Propiedad Horizontal, la Ley 38/1999, de 5 de noviembre, de Ordenación de la Edificación (LA LEY 4217/1999) y el Real Decreto 314/2006, de 17 de marzo (LA LEY 493/2006), del Código Técnico de la Edificación. Además, catorce disposiciones finales contienen otras tantas modificaciones legales puntuales, consideradas necesarias desde diversos aspectos.

La disposición final primera contiene modificaciones sobre la Ley 49/1960, de 21 de julio (LA LEY 46/1960), de Propiedad Horizontal, con el objeto de evitar que los actuales regímenes de mayorías establecidos impidan la realización de las actuaciones previstas en la nueva Ley. No se puede hacer depender algunos de sus más importantes efectos de que las comunidades de propietarios adopten dicha decisión por unanimidad o por mayorías muy cualificadas, máxime cuando van a incluir obras que, aunque afecten al título constitutivo o a los estatutos, en realidad competen a la Administración actuante autorizar o, en algunos casos, exigir.

La disposición final segunda modifica el apartado 1 de la disposición adicional séptima de la Ley 13/1998, de 4 de mayo (LA LEY 1775/1998), de Ordenación del Mercado de Tabacos y Normativa Tributaria, con el objeto de aportar una mejora técnica en su redacción.

La disposición final tercera modifica la Ley 38/1999, de 5 de noviembre, de Ordenación de la Edificación (LA LEY 4217/1999), para vincular la aplicación del Código Técnico de la Edificación, de manera específica, a las intervenciones que se realicen en los edificios existentes a que se refieren las letras b) y c) del artículo 2.2 de dicha Ley. Todo ello con independencia de que el Código Técnico de la Edificación será de aplicación, además, a todas las intervenciones en los edificios existentes, a cuyos efectos, su cumplimiento podrá justificarse en el proyecto o en una memoria suscrita por técnico competente, junto a la solicitud de la licencia o de autorización administrativa que sea preceptiva para la realización de las obras, superando así la falta de control actual sobre dicho cumplimiento, en la mayor parte de las obras de rehabilitación.

La disposición final cuarta modifica algunos preceptos de la Ley 1/2000, de 7 de enero, de Enjuiciamiento Civil (LA LEY 58/2000), con el objeto de introducir mejoras técnicas en su redacción.

La disposición final quinta modifica la Ley 21/2003, de 7 de julio (LA LEY 1168/2003), de Seguridad Aérea, con el objeto de habilitar expresamente al Gobierno para que establezca reglamentariamente el contenido mínimo del Plan de asistencia en los casos de accidente aéreo, ya que dicho contenido, con base en las orientaciones de la Organización Internacional de Aviación Civil (OACI), implica la asunción, por parte de las compañías aéreas, de obligaciones de diversa naturaleza.

La disposición final sexta modifica la Ley 33/2003, de 3 de noviembre, del Patrimonio de las Administraciones Públicas (LA LEY 1671/2003), de un lado, con la finalidad de habilitar a SEGIPSA para que actúe como medio propio de todos los poderes adjudicadores vinculados a la Administración General del Estado y como instrumento especializado en la gestión patrimonial de la Administración General del Estado y las entidades que, teniendo la condición de poder adjudicador pertenezcan al Sector Público Estatal. De otro, para facilitar el acceso de los interesados a los procedimientos de enajenación, flexibilizando las condiciones existentes.

Las disposiciones finales séptima, octava y novena modifican, respectivamente, la Ley 38/2003, de 17 de noviembre, General de Subvenciones (LA LEY 1730/2003); la Ley 47/2003, de 26 de noviembre, General Presupuestaria (LA LEY 1781/2003) y la Ley 58/2003, de 17 de diciembre, General Tributaria (LA LEY 1914/2003). En todas ellas, se trata de establecer un marco de colaboración entre la Intervención General de la Administración del Estado y la Agencia Tributaria, en orden a un eficaz intercambio de información entre ambas, medida que complementa las ya adoptadas para la lucha contra la morosidad, por medio del Real Decreto-ley 4/2013, de 22 de febrero (LA LEY 2190/2013), de medidas de apoyo al emprendedor y de estímulo y del crecimiento y de la creación de empleo, que ahora se tramita como Proyecto de Ley.

La disposición final décima modifica el texto refundido de la Ley Reguladora de las Haciendas Locales, aprobado por el Real Decreto Legislativo 2/2004, de 5 de marzo (LA LEY 362/2004), con el fin de profundizar en el cumplimiento del principio de transparencia contenido en la Ley Orgánica 2/2012, de 27 de abril, de Estabilidad Presupuestaria y Sostenibilidad Financiera (LA LEY 7774/2012).

La disposición final undécima modifica el Real Decreto 314/2006, de 17 de marzo, por el que se aprueba el Código Técnico de la Edificación (LA LEY 493/2006), con el objeto de resolver los problemas que plantea en relación con la rehabilitación, y que vienen siendo reclamados por los principales agentes del sector. Entre dichas modificaciones, destacan las que tratan de eliminar las definiciones relacionadas con obras de rehabilitación que actualmente inducen a error, la inclusión de los criterios de flexibilidad y no empeoramiento en la aplicación del Código Técnico a las intervenciones en edificios existentes y, por último, la obligación de declarar el nivel de prestaciones alcanzado y las condiciones de uso y mantenimiento derivadas de la intervención. En los dos últimos casos, se trata de aportar un elemento de transparencia en el mercado y de puesta en valor de la rehabilitación. Todo ello con independencia de que se vayan realizando posteriores modificaciones de este Código, con carácter eminentemente técnico, con la finalidad de ir adaptándolo a la intervención sobre edificios existentes, que revestirían ya la forma de Orden Ministerial.

La disposición final duodécima incluye una importante modificación del texto refundido de la Ley de Suelo, aprobado por el Real Decreto Legislativo 2/2008, de 20 de junio (LA LEY 8457/2008). En primer lugar, se completa la regulación del deber legal de conservación, para sistematizar los tres niveles que ya, de conformidad con la legislación vigente, lo configuran: un primer nivel básico o estricto, en el que el deber de conservación conlleva, con carácter general, el destino a usos compatibles con la ordenación territorial y urbanística y la necesidad de garantizar la seguridad, salubridad, accesibilidad y ornato legalmente exigibles. Además, con carácter particular, el deber legal de conservación también contiene la necesidad de satisfacer los requisitos básicos de la edificación, establecidos en el artículo 3.1 de la Ley 38/1999, de 5 de noviembre, de Ordenación de la Edificación (LA LEY 4217/1999), con lo que se dota de mayor coherencia a la tradicional referencia de este deber a la seguridad y a la salubridad, sin que el cumplimiento de estos requisitos signifique, con carácter general, la aplicación retroactiva del Código Técnico de la Edificación, aprobado por el Real Decreto 314/2006, de 17 de marzo (LA LEY 493/2006), a la edificación construida con anterioridad a la entrada en vigor del mismo.

Un segundo nivel, en el que el deber de conservación incluye los trabajos y obras necesarios para adaptar y actualizar progresivamente las edificaciones, en particular las instalaciones, a las normas legales que les vayan siendo explícitamente exigibles en cada momento. No se trata de aplicar con carácter retroactivo la normativa, sino de incluir en este deber las obligaciones que para la edificación existente explícitamente vaya introduciendo la normativa del sector con el objetivo de mantener sus condiciones de uso, de acuerdo con la evolución de las necesidades sociales.

Y un tercer nivel, en el que se define con mayor precisión y se perfila más específicamente, el carácter de las obras adicionales incluidas dentro del propio deber de conservación, por motivos de interés general, desarrollando lo que la Ley de Suelo definió como «mejora». Se distinguen así dos supuestos: los tradicionales motivos turísticos o culturales, que ya forman parte de la legislación urbanística autonómica, y la mejora para la calidad y sostenibilidad del medio urbano, que introdujo la Ley 2/2011, de 4 de marzo, de Economía Sostenible (LA LEY 3603/2011), y que puede consistir en la adecuación parcial, o completa, a todas o a alguna de las exigencias básicas establecidas en el ya citado Código Técnico de la Edificación. En ambos casos, la imposición del deber requerirá que la Administración, de manera motivada, determine el nivel de calidad que deba ser alcanzado por el edificio, para cada una de las exigencias básicas a que se refiera la imposición del mismo y su límite se mantiene en los mismos términos que ya contiene la legislación en vigor.

La modificación expuesta no impone, por tanto, nuevas obras de conservación de inmuebles, ya que el deber de conservación ha tenido y sigue teniendo los mismos contenidos que ahora observa el artículo 9 del texto refundido de la Ley de Suelo. También son ya obligatorias, siempre que encajen en el concepto de ajustes razonables, las obras que deben garantizar la accesibilidad universal, teniendo como límite máximo su cumplimiento el año 2015.

Otro objetivo que persigue la reforma del texto refundido de la Ley de Suelo es el de eliminar las cargas urbanísticas injustificadas que existen en relación con los suelos ya urbanizados y que impiden llevar a la práctica las actuaciones reguladas por esta Ley. Dichas cargas están establecidas con una práctica identidad entre los suelos en situación de urbanizados y los suelos en situación rural, con destino a una operación de transformación urbanística. En este sentido, se completa la escueta regulación contenida respecto del suelo en situación de urbanizado, por el artículo 12.2, con el objeto de permitir su utilización instrumental al servicio del estatuto jurídico básico de la propiedad del suelo y del régimen de valoraciones e indemnizaciones. Se pretende también limitar, a aquellos efectos, la posible consideración como suelos en situación de urbanizados de determinados suelos que, incluso al amparo del planeamiento urbanístico, y sobre la base de su clasificación como suelos urbanos en su categoría de no consolidados, en absoluto la tienen, tanto de conformidad con la definición estatal, como con la propia regulación autonómica. Esta modificación se complementa con la derogación del artículo 2 del Reglamento de valoraciones, aprobado por el Real Decreto 1492/2011, de 24 de octubre (LA LEY 20705/2011), que ya se considera incompatible con la modificación legal.

Por lo que respecta a las actuaciones de transformación urbanística, se introducen modificaciones tendentes a adecuar sus actuales parámetros a la realidad del medio urbano y de las actuaciones que se producen, tanto sobre el patrimonio edificado, como sobre los propios tejidos urbanos. Para ello, a las señaladas actuaciones, dentro de las cuales se incluyen las actuaciones de dotación, se añaden las denominadas «actuaciones edificatorias», que engloban, tanto las de nueva edificación y de sustitución de la edificación existente, como las de rehabilitación edificatoria, entendiendo por tales la realización de las obras y trabajos de mantenimiento o intervención en los edificios existentes, sus instalaciones y espacios comunes, en los términos dispuestos por la Ley 38/1999, de 5 de noviembre, de Ordenación de la Edificación (LA LEY 4217/1999), cuando no concurran los elementos que configuran la esencia de las actuaciones de transformación urbanística. Entre ellos, la urbanización, la reforma o renovación de ésta y los reajustes entre nuevas dotaciones y los incrementos de edificabilidad o densidad y los cambios de uso. También se adapta a este nuevo régimen, el de los deberes urbanísticos establecidos por el artículo 16 del vigente texto refundido de la Ley de Suelo, a la vez que se incorpora en la documentación de los instrumentos de planificación que comprendan la ordenación de dichas intervenciones, una memoria de sostenibilidad económica cuyo objeto será asegurar, con carácter previo a la ejecución de las mismas, que se produce un adecuado equilibrio entre los beneficios y las cargas.

Con la misma idea de flexibilizar, se incluye una modificación en la regla básica estatal que, desde el año 2007, ha tratado de garantizar una oferta mínima de suelo para vivienda asequible, exigiendo un 30 % de la edificabilidad residencial prevista, en todos los suelos que fuesen objeto de actuaciones de urbanización. Esta regla, que se aplicaba por igual a los suelos urbanos y a los suelos urbanizables, se flexibiliza de manera específica cuando la actuación se realiza sobre suelo en situación de urbanizado, con la idea de asegurar en la mayor medida posible la ya complicada viabilidad de las operaciones de renovación urbana que impliquen una reurbanización del ámbito de actuación.

Por último, se incluyen también normas excepcionales para aquellos supuestos en los que la actuación se proyecta sobre zonas muy degradadas de las ciudades, o con un porcentaje de infravivienda muy elevado, en los que, tanto la inexistencia de suelos disponibles en su entorno inmediato para dotar de coherencia a los deberes de entrega de suelo, como el cumplimiento de determinadas cargas, podrían frustrar su finalidad prioritaria, que es superar tales situaciones. En tales casos, la regla excepcional se justifica por la necesidad de priorizar entre los diversos intereses públicos en presencia.

La disposición final decimotercera modifica el texto refundido de la Ley de Contratos del Sector Público, aprobado por el Real Decreto Legislativo 3/2011, de 14 de noviembre (LA LEY 21158/2011) para incorporar una nueva disposición adicional trigésima cuarta que explicita que, en los contratos ejecutados aportando de forma sucesiva bienes y servicios de precio unitario, las demandas de la Administración que sobrepasen el presupuesto máximo que fue objeto de licitación para adjudicar el contrato, tendrán el tratamiento de modificaciones previstas en la documentación que rige la licitación de dicho contrato.

Las disposiciones finales decimocuarta y decimoquinta modifican, respectivamente, el Real Decreto-ley 6/2012, de 9 de marzo (LA LEY 4108/2012), de medidas urgentes de protección de deudores hipotecarios sin recursos y la Ley 9/2012, de 14 de noviembre (LA LEY 19065/2012), de reestructuración y resolución de entidades de crédito. En ambos casos se trata de incluir meras mejoras técnicas.

La disposición final decimosexta modifica la Ley 17/2012, de 27 de diciembre, de Presupuestos Generales del Estado para el año 2013 (LA LEY 22079/2012) para introducir elementos adicionales de transparencia que, además, resultan acordes con la práctica habitual existente en la actualidad.

La disposición final decimoséptima modifica la Ley 1/2013, de 14 de mayo, de medidas para reforzar la protección a los deudores hipotecarios, reestructuración de deuda y alquiler social (LA LEY 7255/2013), nuevamente con el objetivo de aportar una mejora técnica.

La disposición final decimoctava remite a un posterior desarrollo reglamentario, mediante Orden de los Ministerios de Industria, Energía y Turismo, y de Fomento, la determinación de las cualificaciones que se requerirán para suscribir los Informes de Evaluación de Edificios que regula esta Ley, así como los medios de acreditación Cualificaciones requeridas para suscribir los Informes de Evaluación de Edificios.

Las dos últimas disposiciones finales, es decir, la decimonovena y vigésima contienen los habituales contenidos dedicados a fundamentar los títulos competenciales del Estado en las materias reguladas y la entrada en vigor de la propia Ley.

COMENTARIO (1)

Sumario

---

(1)   Comentario a cargo de Jesús Torres Martínez. Magistrado de lo Contencioso-Administrativo.

1. EL DEBER DE CONSERVACIÓN Y LA REHABILITACIÓN EN LAS ÁREAS URBANAS

El deber de conservación así como a la situación de ruina de la edificación, como límite al deber de conservación, ha venido contemplándose por diversas normas que inciden en distintos sectores del ordenamiento jurídico.

Y así el Código Civil en el art. 389 dispone, respeto al deber de conservación, que «si un edificio, pared o columna o cualquiera otra construcción amenazase ruina, el propietario estará obligado a su demolición o a ejecutar las obras necesarias para evitar su caída». En cuanto a la responsabilidad, el art. 1591 dispone que «el contratista de un edificio que se arruinase por vicios ocultos de la construcción responde de los daños y perjuicios si la ruina tuviese lugar dentro de los diez años», y el art. 1907 que «el propietario de un edificio es responsable de los daños de la ruina de todo o parte de él».

El art. 21 de la Ley de Arrendamientos Urbanos señala que «el arrendador está obligado a realizar, sin derecho a elevar por ello la renta, todas las reparaciones que sean necesarias para conservar la vivienda en las condiciones de habitabilidad para servir al uso convenido, salvo cuando el deterioro de cuya reparación se trate sea imputable al arrendatario a tenor de lo dispuesto en los artículos 1.563 y 1.564 del Código Civil. La obligación de reparación tiene su límite en la destrucción de la vivienda por causa no imputable al arrendador. A este efecto, se estará a lo dispuesto en el artículo 28».

Por lo que respecta a los arrendatarios con discapacidad, el art. 24, redactado por el apartado 16 del artículo primero de la Ley 4/2013, de 4 de junio, de medidas de flexibilización y fomento del mercado del alquiler de viviendas, dispone que: «1. El arrendatario, previa notificación escrita al arrendador, podrá realizar en el interior de la vivienda aquellas obras o actuaciones necesarias para que pueda ser utilizada de forma adecuada y acorde a la discapacidad o a la edad superior a setenta años, tanto del propio arrendatario como de su cónyuge, de la persona con quien conviva de forma permanente en análoga relación de afectividad, con independencia de su orientación sexual, o de sus familiares que con alguno de ellos convivan de forma permanente, siempre que no afecten a elementos o servicios comunes del edificio ni provoquen una disminución en su estabilidad o seguridad. 2. El arrendatario estará obligado, al término del contrato, a reponer la vivienda al estado anterior, si así lo exige el arrendador».

También la Ley de Propiedad Horizontal 49/1960, de 21 de julio, reformada por la Ley 8/1999, de 6 de abril, así como la Ley de Ordenación de la Edificación 38/1999, de 5 de diciembre, contemplan la obligación de los usuarios, sean o no propietarios, de conservar en buen estado la edificación .

El sometimiento de la propiedad privada a su función social, que deriva del art. 33 de la Constitución Española, contempla la imposición de los deberes de conservación de los terrenos y construcciones en condiciones de seguridad, salubridad y ornato público. Frente al deber de conservación de los edificios en condiciones de seguridad, salubridad y ornato públicos, se sitúa el deber de derribar o demoler los edificios en estado de ruina.

Del mandato legal de conservación, recogido en las sucesivas leyes estatales urbanísticas y del suelo desde la Ley de 12 de mayo de 1956, deriva la potestad administrativa de su exigencia, habilitando las diversas leyes autonómicas a los Ayuntamientos y demás órganos competentes (en su caso) para ordenar de oficio o a instancia de cualquier interesado, la ejecución de las obras necesarias para conservar las condiciones de seguridad, salubridad y ornato con indicación del plazo de realización.

Tanto en el Texto Refundido de la Ley del Suelo 1/1992, de 26 de noviembre, como en la Ley 6/1998, de 13 de abril, sobre Régimen del Suelo y Valoraciones, como en la legislación estatal urbanística de aplicación supletoria, constituida por el Texto Refundido de la Ley de suelo de 9 de abril de 1976, conforme a la STC 61/1997, de 20 de marzo, se exige, por lo que respecta a los terrenos y construcción «mantenerlos en condiciones de seguridad, salubridad y ornato público», deber al que se añadía el deber de realizar trabajos de mejora y rehabilitación hasta donde alcanzase el deber legal de conservación respecto de los propietarios de suelo rural. Dicho deber se contempla asimismo en el vigente Real Decreto Legislativo 2/2008, de 20 de junio, por el que se aprueba el Texto Refundido de la Ley de Suelo, siguiendo una larga tradición urbanística.

Los propietarios de toda clase de terrenos y construcciones están obligados a destinarlos a los usos que no resulten incompatibles con el planeamiento, a mantenerlos en condiciones de seguridad, salubridad y ornato público así como a sujetarse al cumplimiento de las normas sobre protección del medio ambiente, patrimonio arquitectónico así como a la rehabilitación urbana, sufragándose el coste de las obras bien por los propietarios o bien por la Administración, en los términos que contempla la normativa urbanística. Las órdenes de ejecución solo pueden imponer la realización de las obras estrictamente necesarias para mantener las condiciones de seguridad, salubridad y ornato público, debiendo responder a los principios de proporcionalidad y congruencia que han de presidir la actuación administrativa, conforme a lo dispuesto en el art. 4 del Decreto de 17 de junio de 1955, por el que se aprueba el Reglamento de Servicios de las Corporaciones Locales.

La finalidades de las ordenes de ejecución se concretan en ordenar a los propietarios el mantenimiento de los terrenos, urbanizaciones de iniciativa particular y edificaciones en las condiciones legalmente exigibles, ordenar la conservación o reforma de fachadas o lugares visibles desde la vía pública así como ordenar la rehabilitación forzosa de edificios.

El deber general de conservación se hace especialmente intenso cuando se trata de edificios de interés turístico, estético, monumental o de interés relevante. La

Ley de Patrimonio Histórico Artístico 16/1985, de 25 de junio, impone tanto a los propietarios como a la Administración, la obligación de conservar, consolidar y rehabilitar los bienes incluidos en el Patrimonio Histórico. Para ello acude a técnicas directas de fomento, facilitando subvenciones y ayudas para la conservación, incluida la afección a estos fines del 1 % del presupuesto de toda obra pública total o parcialmente subvencionada por el Estado, así como estableciendo exenciones y bonificaciones fiscales, como medidas de fomento directas.

La Carta Europea del Patrimonio Arquitectónico y la política urbanística recomendada por el Consejo de Europa tienen como objetivo no solo la protección monumental en sentido estricto sino la recuperación y la rehabilitación integral de la ciudad cuyo centro histórico ha sido abandonado y en este marco tanto el Estado como las Comunidades Autónomas han dictado normas de fomento de la rehabilitación urbana.

El Real Decreto 2329/1983, de 28 de julio, sobre rehabilitación del patrimonio histórico arquitectónico en centros urbanos, núcleos rurales y conjuntos históricos, respondió a la necesidad de protección y financiación de las actuaciones de rehabilitación de viviendas y equipamientos, estableciendo tres regímenes de rehabilitación consistentes en rehabilitación libre, rehabilitación protegida de promoción privada y rehabilitación protegida de promoción pública. Con posteridad al Real Decreto 2329/1983, se produjeron modificaciones legislativos de actuaciones protegibles en materia de vivienda; Real Decreto 1932/1991, de 20 de diciembre, de actuaciones protegibles en materia de vivienda, Real Decreto 726/1993, de 14 de mayo, Real Decreto 1/202, de 11 de enero, sobre medidas de financiación de actuaciones protegibles en materia de vivienda y suelo del Plan 2002/2005, Real Decreto 801/2005, de 1 de julio, por el que se aprueba el Plan Estatal de Vivienda 2005/2008, Real Decreto 2066/2008, de 12 de diciembre, por el que se regula el Plan Estatal de Vivienda y Rehabilitación 2009/2012.

El Real Decreto 233/2013, de 5 de abril, por el que se regula el Plan Estatal de fomento del alquiler de viviendas, la rehabilitación edificatoria, y la regeneración y renovación urbanas, 2013-2016, se orienta a abordar la difícil problemática actual, acotando las ayudas a los fines que se consideran prioritarios y de imprescindible atención, e incentivando al sector privado para que en términos de sostenibilidad y competitividad, y con soluciones y líneas de ayuda innovadoras, puedan reactivar el sector de la construcción a través de la rehabilitación, la regeneración y la renovación urbanas y contribuir a la creación de un mercado del alquiler más amplio que el actual.

Conforme se señala en la exposición de motivos, los objetivos del Plan son, en síntesis, los siguientes:

- Adaptar el sistema de ayudas a las necesidades sociales actuales y a la escasez de recursos disponibles, concentrándolas en dos ejes (fomento del alquiler y el fomento de la rehabilitación y regeneración y renovación urbanas).

- Contribuir a que los deudores hipotecarios para la adquisición de una vivienda protegida puedan hacer frente a las obligaciones de sus préstamos hipotecarios.

- Reforzar la cooperación y coordinación interadministrativa, así como fomentar la corresponsabilidad en la financiación y en la gestión.

- Mejorar la calidad de la edificación y, en particular, de su eficiencia energética, de su accesibilidad universal, de su adecuación para la recogida de residuos y de su debida conservación. Garantizar, asimismo, que los residuos que se generen en las obras de rehabilitación edificatoria y de regeneración y renovación urbanas se gestionen adecuadamente, de conformidad con el Real Decreto 105/2008, de 1 de febrero, por el que se regula la producción y gestión de los residuos de construcción y demolición.

- Contribuir a la reactivación del sector inmobiliario, desde los dos elementos motores señalados: el fomento del alquiler y el apoyo a la rehabilitación de edificios y a la regeneración urbana.

Para la consecución de sus objetivos, el Plan se estructura en los siguientes Programas:

1. Programa de subsidiación de préstamos convenidos.

2. Programa de ayuda al alquiler de vivienda.

3. Programa de fomento del parque público de vivienda de alquiler.

4. Programa de fomento de la rehabilitación edificatoria.

5. Programa de fomento de la regeneración y renovación urbanas.

6. Programa de apoyo a la implantación del informe de evaluación de los edificios.

7. Programa para el fomento de ciudades sostenibles y competitivas.

8. Programa de apoyo a la implantación y gestión del Plan.

2. LA LEY 8/2013, DE 26 DE JUNIO, DE REHABILITACIÓN, REGENERACIÓN Y RENOVACIÓN URBANAS

2.1. Tramitación parlamentaria

Frente al proyecto presentado por el Gobierno se formularon por los diversos Grupos político mas de 209 enmiendas de modificación. Las enmiendas a la totalidad fueron rechazadas en el Pleno del Congreso por 120 votos a favor y 199 en contra, continuando su tramitación en la Comisión de Fomento y remitido al Senado, al rechazarse, con 180 votos en contra y dos abstenciones, la petición de volver a elevar el texto al Pleno una vez debatido en ponencia y comisión. En el Pleno del Senado se aprobó el Proyecto de Ley de Rehabilitación, Regeneración y Renovación Urbana del día 20 de junio de 2013, con el resultado de 149 votos a favor, frente a 74 votos en contra y 10 abstenciones, tras su tramitación por el procedimiento de urgencia, publicándose en el BOE del día 27 de junio de 2013 y entrado en vigor al día siguiente de su publicación conforme a la Disposición final vigésima de la ley.

2.1.1. La defensa del Proyecto

El Proyecto de Ley de Rehabilitación, Regeneración y Renovación Urbana fue defendido en el Pleno del Congreso por la Ministra Ana Pastor Julián, quien durante su intervención, en el debate a la totalidad, concretó los objetivos de la reforma en los siguientes términos:

> «En primer lugar, ofrecer un marco normativo idóneo que haga viable la rehabilitación edificatoria, la regeneración y la renovación urbanas. Una de las razones por las que la rehabilitación tiene un porcentaje tan bajo en España respecto a la media europea (en Europa la rehabilitación se mueve en torno a un 41%, en España está trece puntos por debajo) es porque la legislación en vigor no la favorece y, en muchos casos, constituye un verdadero obstáculo a la misma, porque: — Establece trabas y cargas injustificadas que la hacen inviable. — No contiene fórmulas de financiación innovadoras que permitan superar la difícil situación económica de las administraciones públicas y de muchas familias. — Es una legislación dispersa, inconexa, contradictoria, incompleta y difícilmente comprensible (…) ahora mismo tenemos cinco leyes que contienen regulación dispersa relacionada con la rehabilitación: la Ley de Suelo de 2008, la Ley de Economía Sostenible de 2011, El Real Decreto Ley 8/2011, la Ley 26/2011 sobre derechos de las personas con discapacidad y la Ley de Propiedad Horizontal. Por tanto este es uno de los problemas que vamos a solucionar. En segundo lugar, la reforma pretende mejorar el estado de conservación del parque de viviendas, la accesibilidad de los edificios y su eficiencia energética. De esta manera, los ciudadanos tendrán una mayor calidad de vida en los pueblos y ciudades, más confort en los hogares y se podrá reducir la factura energética de las familias y del país en su conjunto. Finalmente, esta reforma también quiere ser un factor reactivador del sector de la vivienda y de sus industrias auxiliares, ofreciendo nuevas oportunidades».

Señaló la Ministra que «lo que pretendemos es corregir las debilidades estructurales del sector, que las ayudas del Estado, de las Comunidades Autónomas y los Ayuntamientos beneficien a quienes más lo necesitan y atender los problemas de conservación, accesibilidad, eficiencia energética y sostenibilidad ambiental que afectan a nuestras ciudades», que «los resultados de esa política equivocada han traído consigo más de 700.000 viviendas de nueva construcción vacías». Que «es evidente la necesidad de reorientar la política de vivienda y dar una buena vuelta a una situación consolidada por políticas no acertadas que han acabado creando un parque de vivienda muy envejecido, poco accesible y poco moderno en materia de eficiencia energética». Asimismo manifestó que «hasta ahora las políticas públicas han prestado poco apoyo a la rehabilitación y renovación urbana», destacando la dispersa normativa, confusa y con muchas trabas a la rehabilitación.

Considera la Ministra que esta nueva normativa «conseguirá avances» tanto en la mejora de los edificios como en el confort de las viviendas, al tiempo que reducirá la factura energéticas de las familias y del país, favoreciendo asimismo la accesibilidad.

Subrayó el potencial de la creación de empleo del sector de la construcción e inmobiliario, recordando que por cada millón de euros invertidos se generan 18 puestos de trabajo directos y que el Plan Estatal de Viviendas prevé la creación de 32.000 empleos con las ayudas directas y de 105.000 más por la inversión productiva total. Que con las actuaciones que se contemplan se podrá reducir la brecha en materia de rehabilitación con respecto a la Unión Europea, para lo cual resulta imprescindible eliminar las «trabas y cargas injustificadas» que provoca una normativa «dispersa, inconexa, contradictoria, incompleta y difícilmente comprensible» que por otro lado «no contiene fórmulas de financiación innovadoras»

En materia de conservación, destacó que se regulan los deberes de conservación en forma similar en todo el territorio nacional, facilitando que se aprovechen las obras de rehabilitación para acometer mejoras de eficiencia energética de forma que se ahorren costes. Que para que estas medida sean efectivas se prevén «incentivos económicos y subvenciones directas», autorizando a las Comunidades de Propietarios a tramitar ayudas de forma conjunta para simplificar el proceso.

En materia de accesibilidad universal se sostuvo que se intentan solventar los defectos de la actual normativa, señalándose que «éste es uno de los motivos de mayor discriminación para las personas mayores y discapacitados», definiéndose lo que son «cargas razonables» en base a una ponderación coste-beneficios «para que no supongan un coste desproporcionado», permitiéndose la cesión gratuita de suelo municipal para la instalación de ascensores en los edificios que lo necesiten, «si es público, la comunidad de vecinos no tenga que comprarlo», pudiendo los Ayuntamientos acordar con los vecinos la cesión gratuita del uso de ese espacio, «para que no se encarezcan las obras de instalación de ascensor».

En relación con la mejora de la eficiencia energética, que se destaca como aspecto fundamental del proyecto, se señaló por la Ministra que, conforme a los datos del Instituto de Diversificación y Ahorro de la Energía (IDAE), «las viviendas españolas consumen el 17% de toda la energía final del país y el 25% del total de la energía eléctrica. A su vez, las emisiones de gases de efecto invernadero causadas por los edificios han crecido más de un 20% desde 1990. La "Estrategia Europa 2020" obliga a España a reducir, de aquí a 2020, un 20% las emisiones de gases de efecto invernadero (26 millones de toneladas de CO_2), incrementar en un 20% las fuentes de energía renovable y en otro 20% la eficiencia energética». Se destacan las siguientes novedades para la mejora de la eficiencia energética de los edificios: «1.— Permite rentabilizar y abaratar el coste del Certificado de Eficiencia Energética, al incluirlo en el Informe de Evaluación del Edificio. Como saben, el Gobierno acaba de aprobar el Real Decreto 235/2013, de 5 de abril, por el que se aprueba el procedimiento básico para la certificación de la eficiencia energética de los edificios. De acuerdo con el mismo, todo propietario que desee vender o alquilar su vivienda, deberá entregar el Certificado de Eficiencia Energética, con carácter meramente informativo. Pues bien, el Proyecto de Ley determina que una sola inspección del técnico servirá para aportar toda la información relevante de un edificio: conservación, accesibilidad y eficiencia energética. De este modo, si el edificio dispone de dicho informe, cada propietario individual que desee alquilar o vender su vivienda podrá utilizar este informe conjunto del edificio, sin necesidad de pagar una visita y un informe sólo de su vivienda. 2.— Se permite, como ya he dicho antes, cerrar terrazas y balcones, con carácter uniforme para todo el edificio, siempre que con ello se consiga un ahorro energético superior al 30%. En la actualidad, estas obras, al implicar un aumento de edificabilidad sobre la prevista por el plan urbanístico, no son posibles si previamente no se modifica el planeamiento urbanístico. El Proyecto de Ley permite que los Ayuntamientos no computen esa edificabilidad, facilitando su realización sin necesidad de modificar el planeamiento. 3.— Además, se permite ocupar superficies de espacios libres o de dominio público para hacer obras de aislamiento térmico por el exterior del edificio, instalar captadores solares en la cubierta y centralizar instalaciones energéticas, cuando no existe ninguna otra opción técnicamente viable».

Asimismo se señaló en la defensa del proyecto que este prevé la implantación del Informe de Evaluación de Edificios, que sustituirá a la Inspección Técnica de Edificios y añadirá el Certificado Energético, que se considera necesario para poder alquilar y vender pisos. En este sentido señaló que «en una sola inspección se aportará toda la información», recordando que el plazo para cumplir esta obligación se extenderá hasta el año 2019 para los edificios de más de 50 años, mientras que el resto contará con cinco años para obtener el informe desde que superen el medio siglo.

Aseguro la Titular de Fomento que en la redacción del Proyecto de Ley se ha contado con una «amplia participación» de colectivos afectados y Comunidades Autónomas. En este sentido señaló que se dio audiencia a 59 entidades (agentes sociales, asociaciones del sector y colegios profesionales); de esas organizaciones se recibieron 40 informes. Destacó también el trabajo realizado en la Conferencia Sectorial de la Vivienda, en la que además de las Comunidades Autónomas y las Ciudades de Ceuta y Melilla, estuvo representada la FEMP. Que todas las Comunidades Autónoma, excepto dos, remitieron informes, recibiéndose en total 24 informes.

Finalizó su intervención ante la Cámara con las siguientes palabras: «Quiero terminar señalando que en esta materia es especialmente necesaria la cooperación entre las Administraciones Publicas. Los desafíos que afrontamos en materia de vivienda, tendrá una respuesta adecuada si todos trabajamos en la misma dirección, compartiendo responsabilidades y aportando recursos, cada cual, en la medida de sus posibilidades y según prioridades».

2.1.2. Las enmiendas a la totalidad presentadas en el Congreso de los Diputados

Durante la tramitación en el Congreso fueron presentadas enmiendas a la totalidad de devolución del proyecto de Ley de Rehabilitación, Regeneración y Renovación Urbanas por los Grupos Parlamentarios Socialista así como de IU, ICV-EUi-A, CHA: La Izquierda Plural.

La Izquierda Plural presentó enmienda a la totalidad de devolución al Proyecto de Ley de rehabilitación, regeneración y renovación urbanas, iniciando el contenido de la misma con la siguiente manifestación: «Es muy difícil no compartir los argumentos generales que se relatan en la exposición de motivos de este Proyecto de Ley para justificar la necesidad de la reconversión del sector inmobiliario y de la construcción, procurando efectos positivos en la calidad de vida de amplios colectivos, en la eficiencia energética, o en el empleo. El problema es, como veremos, que el texto normativo que se propone contiene implicaciones indeseables en los aspectos social y urbano que lo hacen incompatible con los objetivos señalados»

Que «el diagnóstico que se hace en la exposición de motivos de la situación del sector inmobiliario y de la construcción, incluso de la legislación urbanística vigente, es correcto. La insostenibilidad económica, social y ambiental del ya agotado modelo en forma de producción indiscriminada de nuevas viviendas y la consiguiente urbanización masiva del territorio, debe dar paso a actuaciones sobre los tejidos urbanos existentes.

Pero esta nueva política, como la orientada a fomentar el alquiler, debe tener como objetivo prioritario la mejora de las condiciones de vida de la población y asegurar el derecho de acceso a una vivienda digna y adecuada recogido en el artículo 47 de nuestra Constitución. Si se anteponen otros objetivos económicos o ciertos intereses particulares puede suceder con la rehabilitación, la regeneración y la renovación urbanas lo ya ocurrido con la construcción de vivienda nueva: un ciclo expansivo del sector con sustanciosos beneficios, pero con empleo de baja calidad, procesos de exclusión, sobreendeudamiento y precios prohibitivos para la mayoría de la población»

Termina la enmienda presentada en estos términos: «En resumen, el incremento de los deberes de los ciudadanos a través del deber de conservación, la restricción de sus derechos a través del nuevo régimen de realojo, el sacrificio del espacio público urbano para ser tratado como solar edificable y, por último, la ausencia de protagonismo público en la gestión y en la financiación de esta política urbana sólo encuentra su explicación en la pretensión de fiar toda la iniciativa a la promoción privada, convirtiendo la ciudad en una gigantesca plusvalía latente, que parece hay que explorar. Ya conocemos los resultados que tiene dejar la actividad urbanística en manos de la promoción privada: la búsqueda de plusvalías con independencia del interés público urbanístico. Ahora que las plusvalías han desaparecido de la actividad de nueva construcción, se intenta extender exactamente las mismas herramientas a la ciudad construida. Y para disimular la realidad de lo que se busca la cuestión se disfraza con palabras como "regeneración urbana", cuando la regeneración es una cosa muy diferente.

El Proyecto de Ley trata de sustituir plusvalías sobre "suelos" trasladando las mismas sobre los espacios urbanos donde la gente vive y habita. Y eso nos debe merecer un especial cuidado porque puede terminar abocando a desplazamientos forzados de la población residente o a promover barbaridades urbanísticas so pretexto de convertir la actuación en económicamente más rentable. Por ello, hay que tomarse en serio el tema y buscar un justo equilibrio en la actividad de regeneración entre las vertientes económica, social y medioambiental; equilibrio que este Proyecto de Ley está muy lejos de alcanzar.

Y quede claro que todo ello es en perjuicio de las personas con menores recursos económicos y que viven en los barrios más necesitados de regeneración o rehabilitación. Podemos encontrarnos con procesos de expulsión de la población menos pudiente de los barrios regenerados ante la ausencia de un papel protagonista de la iniciativa pública en las actuaciones y en la tutela de los derechos de los afectados o, en el mejor de los casos, con el grave deterioro de la calidad urbana de los espacios que habitan.

Por lo tanto, queremos dejar claro que en este Proyecto de Ley no se trata de proteger el medioambiente ni garantizar el acceso a la vivienda. Se trata de un negocio cuyos principales afectados serán las personas económicamente más indefensas y que suelen habitar los entornos urbanos más proclives a generar este tipo de actuaciones. Finalmente, señalar que esta forma de afrontar la rehabilitación, la regeneración y la renovación urbana ni siquiera va a provocar los efectos positivos que se le auguran al Proyecto de Ley. El éxito o fracaso de esta actividad de rehabilitación y regeneración urbana depende en gran medida de la gestión que se haga de las políticas públicas urbanas propuestas por las Administraciones Públicas, participadas con la ciudadanía y con enfoque integrado. Enfoque que prácticamente ha desaparecido del Proyecto de Ley»

En su enmienda a la totalidad el Grupo Socialista pide la devolución por considerar que «constituye un maraña de modificaciones legislativas que empeora el marco jurídico actual, genera confusión e inseguridad jurídica y cuya contribución a la reactivación del sector de la vivienda será nula, al haber renunciado el

Gobierno a políticas inversoras imprescindibles para articular y desarrollar una política de vivienda coherente».

Considera el Grupo Socialista que «lo que ha conseguido el Gobierno, con las modificaciones normativas introducidas en este proceso, es empeorar la regulación urbanística, generar confusión, comprometer la solvencia técnico-jurídica de las normas y crear un escenario de inseguridad jurídica que no compensa la sistematización normativa reclamada por los expertos», «que, en muchas de sus disposiciones, se aleja del pretendido objetivo básico de fomentar la rehabilitación y regeneración urbanas, e introduce modificaciones normativas que, de aplicarse, pueden expulsar a los ciudadanos de menores rentas de los centros urbanos cuando se inicien procesos de rehabilitación urbana. En efecto, este proyecto se olvida de los propietarios que, careciendo de recursos económicos y no pudiendo hacerse cargo de las actuaciones, pueden llegar a perder su vivienda al no poder hacerse cargo de los costes de la rehabilitación, y contribuye a nuevas formas de exclusión social, de pérdida de la vivienda, añadidas a las provocadas por la crisis económica. En lugar de incorporar a nuestro ordenamiento jurídico una mayor racionalidad técnica, claridad normativa y seguridad jurídica, supeditando la actividad urbanística al control social y democrático y a una dirección eficaz y transparente por parte de las Administraciones públicas mediante procedimientos ágiles y sistemas de concertación público-privados al servicio del interés general y la optimización de los recursos; este proyecto desregula y, en algunos aspectos, como la nueva regulación de los complejos inmobiliarios, se aparta de lo que históricamente han constituido las características básicas del Sistema Urbanístico español, para adentrarse en modelos propios de culturas muy diferentes a la nuestra. Asimismo, el Proyecto de Ley procede a incorporar como suelo urbanizado, suelos que no disponen de servicios ni infraestructuras urbanas, lo que posibilitará su valoración especulativa a los efectos de determinación de eventuales justiprecios, consideración inadmisible al vulnerar frontalmente el artículo 47 de la Constitución en su mandato a impedir la especulación.

Tampoco se tiene en cuenta en el proyecto las actuaciones para la adaptación o habitabilidad de viviendas aisladas, centrándose en la rehabilitación de edificios destinados a vivienda colectiva y en la regeneración y renovación urbanas, desatendiendo actuaciones que son esenciales en las políticas para garantizar el derecho constitucional a una vivienda digna y adecuada. Otra cuestión sustancial que afectará a la falta de eficacia de estas medidas es la ausencia de recursos económicos que las pueda hacer efectivas. Al carecer de un apoyo económico por parte del Gobierno, las medidas contenidas en el proyecto se convierten en un desiderátum de escaso impacto transformador y sin ningún efecto para amortiguar la dureza de la crisis económica que estamos padeciendo en España.

En otro orden de cosas, en el presente proyecto se prescinde, una vez más, del mandato legal reflejado en la Ley Orgánica 3/2007, de 22 de marzo, para la igualdad efectiva de mujeres y hombres que específicamente en su artículo 31 hace referencia a las políticas urbanas, de ordenación territorial y de vivienda. Una de las premisas imprescindibles para la validación de este proyecto sería la atención al impacto diferencial de la planificación urbana convencional entre mujeres y hombres, y ello porque el urbanismo debe afrontar un reto fundamental, un cambio de paradigma en materia de crecimiento y desarrollo con un enfoque cohesivo socialmente e igualitario desde el punto de vista de género.

La forma actual de las ciudades es el resultado de procesos económicos pero lo es también de la acción pública fundamentalmente de la planificación urbanística o de su ausencia y de la inversión pública en infraestructuras. Si no se cambia ese proceso de concebir los espacios habitables desde una perspectiva exclusivamente economicista, como espacios monofuncionales, especializados y distantes, el impacto sobre la ciudadanía y, específicamente sobre las mujeres, resultará singularmente negativo al obviar, como ocurre en la presente propuesta, cuestiones referentes a contenidos sustantivos del urbanismo que afectan de forma diferencial a mujeres y hombres. Abordar temas sectoriales facilitaría el análisis de los problemas, los objetivos y las políticas a implementar para conjugar las necesidades de la vida cotidiana de la ciudadanía. Es notorio que transporte, accesibilidad, seguridad en los espacios públicos, diseño y configuración de las viviendas o localización de equipamientos influyen de forma determinante en las condiciones sociales y económicas de las mujeres.

Estas cuestiones hacen evidente que las políticas urbanísticas no son neutras, no obstante, tanto en la exposición de motivos como a lo largo del articulado, llama la atención, por una parte, la falta de referencia expresa a colectivos de mujeres cuya vulnerabilidad socioeconómica es hoy ampliamente reconocida, y por otra, la toma en consideración, a través de políticas urbanas y de ordenación territorial, de las necesidades de distintos grupos sociales y de los diversos tipos de estructuras familiares».

2.2. Carácter básico de la Ley y títulos competenciales del Estado

Se señala en el preámbulo de la ley que «sin perjuicio de las competencias de las Comunidades Autónomas en materia de vivienda y urbanismo, el Estado no puede mantenerse al margen de la realidad del sector inmobiliario español, y con él, de nuestra economía, ni tampoco de los retos sociales y ambientales planteados, no sólo porque parte de las respuestas corresponden a su ámbito competencial, sino también porque muchas de las exigencias que se demandan en relación con un medio urbano sostenible, proceden en la actualidad de la Unión Europea o de compromisos internacionales asumidos por España».

Entre las exigencias de la Unión Europea se destaca «la Directiva 2002/91/CE del Parlamento Europeo y del Consejo, de 16 de diciembre de 2002, refundida posteriormente en la Directiva 2010/31/UE del Parlamento Europeo y del Consejo, de 19 de mayo de 2010, relativa a la eficiencia energética de los edificios y la relativa a la eficiencia energética, a las que pueden añadirse la Estrategia Temática para el Medio Ambiente Urbano, el Marco Europeo de Referencia para la Ciudad Sostenible, o la Declaración de Toledo —aprobada por los Ministros responsables del desarrollo urbano de los 27 Estados miembros de la Unión Europea el 22 de junio de 2010—, de acuerdo con la cual "la batalla principal de la sostenibilidad urbana se ha de jugar precisamente en la consecución de la máxima ecoeficiencia posible en los tejidos urbanos de la ciudad ya consolidada", y en la que se destaca la importancia de la regeneración urbana integrada y su potencial estratégico para un desarrollo urbano más inteligente, sostenible y socialmente inclusivo en Europa»

Conforme se contiene en la Disposición final decimonovena la ley constituye legislación básica dictada al amparo de la competencia estatal para establecer las bases y la coordinación de la planificación general de la actividad económica, reconocida en el artículo 149.1.13.ª de la Constitución, señalándose en el preámbulo que «fija, en consecuencia, un "común denominador" de "carácter nuclear" que deja suficiente margen a las Comunidades Autónomas para el ejercicio de las competencias que les son propias. Adicionalmente, y en los términos fijados en la disposición final decimonovena, la presente Ley se dicta al amparo de los títulos competenciales reconocidos en el artículo 149.1.1.ª, 8.ª, 14.ª, 16.ª, 18.ª, 23.ª, 25.ª y 30.ª de la Constitución, que atribuye al Estado la competencia sobre regulación de las condiciones básicas que garantizan la igualdad en el ejercicio de los derechos y en el cumplimiento de los deberes constitucionales, legislación civil, hacienda general y deuda del Estado, bases y coordinación general de la sanidad, bases del régimen jurídico de las Administraciones Públicas, procedimiento administrativo común, legislación sobre expropiación forzosa y el sistema de responsabilidad de las Administraciones Públicas, legislación básica sobre protección del medio ambiente, bases del régimen energético y regulación de las condiciones de obtención, expedición y homologación de títulos académicos y profesionales»

2.3. El contenido y los objetivos de la Ley 8/2013, de 26 de junio, en la situación de crisis económica y ante las exigencias derivadas de la normativa de la Unión Europea

La Ley 8/2013, de 26 de junio, de Rehabilitación, Regeneración y renovación es una ley compleja que modifica diversas normas, tratando de generar expectativas sobre la reactivación de la construcción que orienta hacia la rehabilitación de los edificios así como a la denominada «regeneración y renovación urbanas», ampliando con ello la oportunidad para empresas y profesionales habilitados para la realización del informe de Evaluación así como para la emisión del certificado de eficiencia energética que se exige para la venta y alquiler de inmuebles.

Comienza el preámbulo reconociendo las diversa naturaleza de los problemas económicos y sociales existentes en torno al mercado del suelo y la vivienda en España anteriores a la crisis económico-financiera, teniendo la mayoría un carácter estructural y no solo coyuntural, habiéndose agravado algunos de ellos por el cambio de ciclo económico, contribuyendo al agudizamiento de la crisis. En este sentido se enmarca la ley en un contexto de crisis económica, cuya salida depende en gran medida —dado el peso del sector inmobiliario en dicha crisis—, de la recuperación y reactivación —de cara sobre todo al empleo— del sector de la construcción. Dicha salida, en un contexto de improcedencia de políticas de expansión, tales como la generación de nueva ciudad y nuevas viviendas, sólo es posible actuando sobre el patrimonio inmobiliario y la edificación existente.

También se enmarca en la necesidad de operar, paralelamente, sobre el patrimonio inmobiliario existente a los efectos de contribuir al ahorro energético, con el relanzamiento de la industria de materiales, así como de la relativa a las restantes instalaciones y dotaciones de la edificación y de las tecnologías de energías renovables, para hacer frente, no sólo a los retos energéticos de la economía española —dependencia del exterior en energías primarias e incremento de costes y riesgos que tal dependencia supone—, sino también a los compromisos adquiridos en el contexto de la Unión Europea y su paquete de objetivos en materia energética y de lucha contra el cambio climático para el año 2020. Estos compromisos incluyen la intervención sobre el parque de viviendas existentes en cuanto sector en el que es posible un ahorro energético considerable y en el que hay que incidir también desde el punto de vista de la lucha contra el cambio climático, inducido por los gases de efecto invernadero.

Al igual que reconoció el Legislador estatal en la Ley 8/2007, de 28 de mayo, del Suelo, la tradición urbanística se ha volcado fundamentalmente en la producción de nueva ciudad, descompensando el necesario equilibrio entre dichas actuaciones y aquellas otras que, orientadas hacia los tejidos urbanos existentes, permiten intervenir de manera inteligente en las ciudades, tratando de generar bienestar económico y social y garantizando la calidad de vida a sus habitantes. Estas otras intervenciones son mucho más complejas, tanto desde el punto de vista social como económico; complejidad que se agrava en el momento presente a consecuencia de un contexto desfavorable para la financiación pública, debido a los procesos de estabilización presupuestaria, y también para la financiación privada, por las restricciones en el acceso a los créditos, derivadas de la crisis del sector financiero y del empobrecimiento de muchas familias a consecuencia de los altos niveles de desempleo.

Se considera que el camino de la recuperación económica, mediante la reconversión del sector inmobiliario y de la construcción y también la garantía de un modelo sostenible e integrador, tanto ambiental, como social y económico, requieren volcar todos los esfuerzos en la rehabilitación, regeneración y renovación urbanas.

Partiendo de los datos del Sistema de Información Urbana y el Estudio de Sectores Residenciales en España 2011 elaborado por el Ministerio de Fomento, de los que se deriva que España posee suelo capaz de acoger nuevos crecimientos urbanísticos para los próximos cuarenta y cinco años, encontrándose gran parte de estos suelos en entornos donde no es previsible ningún incremento de demanda en los próximos años, a lo que se une el se une el dato significativo de vivienda nueva vacía en 723.043 viviendas, se concluye en el sentido de será muy difícil que los sectores inmobiliario y de la construcción puedan contribuir al crecimiento de la economía española y a la generación de empleo si continúan basándose, principalmente y con carácter general, en la transformación urbanística de suelos vírgenes y en la construcción de vivienda nueva.

Sienta la necesidad de generar un marco normativo idóneo que permitan sustentar las operaciones de rehabilitación y las de generación y renovación urbanas, eliminado los obstáculos legales que impidan su puesta en práctica o, incluso, su viabilidad técnica y económica.

En el paquete de medidas de recuperación económica se considera que la rehabilitación y la regeneración y renovación urbanas coadyuvan a la reconversión de otros sectores, entre lo que destaca el turístico, sector clave para la económica española al suponer más de un 10,2 % del PIB, aportando un 11,39 % del empleo. Justifica la aplicación de estrategias de rehabilitación, regeneración y renovación urbanas ante el problema sistemático de numerosos destinos turísticos «maduros» por el deterioro físico de sus dotaciones. Además el parque edificado español necesita intervenciones de rehabilitación y de regeneración y renovación urbanas que permitan hacer efectivo para todos, el derecho constitucional a una vivienda digna y adecuada, así como la exigencia del deber de sus propietarios de mantener los inmuebles en adecuadas condiciones de conservación. En este sentido se señala en el preámbulo que:

> «Aproximadamente el 55 % (13.759.266) de dicho parque edificado, que asciende a 25.208.622 viviendas, es anterior al año 1980 y casi el 21 % (5.226.133) cuentan con más de 50 años»

Hasta la entrada en vigor de la Ley la Inspección Técnica de Edificios se alza como único instrumento que actualmente permite determinar el grado de conservación de los inmuebles. La inspección técnica de edificios se incardina dentro del deber de conservación que corresponde a los propietarios de las edificaciones y construcciones en condiciones de seguridad, con el fin de evitar daños materiales y riesgos para las personas. Ha consistido en una inspección periódica que ha de pasar todos los edificios en función de su antigüedad para comprobar su estado de seguridad constructiva, conservación y funcionamiento cualquiera que sea su destino. Mediante dicho instrumento se posibilita la acción preventiva de mantenimiento mediante la detección, a tiempo, de posibles deficiencias en la edificación.

La Ley de Rehabilitación, Regeneración y Renovación Urbana considera la Inspección Técnica de Edificios como insuficiente para garantizar dicho objetivo, además de que ni siquiera está establecido en todas las Comunidades Autónomas, ni se exige en todos los municipios españoles.

A la situación descrita se une la gran distancia que separa nuestro parque edificado de las exigencias europeas relativas a la eficiencia energética de los edificios y, a través de ellos, de las ciudades. En este sentido se señala que: «Casi el 58 % de nuestros edificios se construyó con anterioridad a la primera normativa que introdujo en España unos criterios mínimos de eficiencia energética: la norma básica de la edificación NBE-CT-79, sobre condiciones térmicas en los edificios».

Con respecto a la consecución de los objetivos en el marco europeo se señala en el preámbulo que «La Unión Europea ha establecido una serie de objetivos en el Paquete 20-20-20 "Energía y Cambio Climático", que establece, para los 27 países miembros, dos objetivos obligatorios: la reducción del 20 % de las emisiones de gases de efecto invernadero y la elevación de la contribución de las energías renovables al 20 % del consumo, junto a un objetivo indicativo, de mejorar la eficiencia energética en un 20 %. Estos objetivos europeos se traducen en objetivos nacionales».

La Ley contribuye al cumplimiento de los mismos, a través de las medidas de rehabilitación que permitirán reducir los consumos de energía, que promoverán energías limpias y que, por efecto de las medidas anteriores, reducirán las emisiones de gases de efecto invernadero del sector. En relación con este último objetivo, España debe reducir en el año 2020, un 10 % de las emisiones de los sectores difusos, con respecto al año 2005. Dentro de estos sectores, definidos como aquellos no incluidos en el comercio de derechos de emisión, se encuentra el residencial, el cual, conjuntamente con el sector comercial e institucional representa un 22 % de las emisiones difusas, siendo asimismo responsable de emisiones indirectas, por consumo eléctrico. Las emisiones de los sectores difusos representan el 2/3 de las totales, por lo que el objetivo de avanzar en una «economía baja en carbono», mediante actuaciones en las viviendas de baja calidad, que en España se sitúan entre las construidas en las décadas de los 50, 60 y 70, y mejorando la eficiencia del conjunto del parque residencial, es clave.

La Directiva 2012/27/UE relativa a la eficiencia energética, tras reconocer que los edificios representan el 40 % del consumo de energía final de la Unión Europea, obliga no sólo a renovar anualmente un porcentaje significativo de los edificios de las Administraciones centrales para mejorar su rendimiento energético, sino a que los Estados miembros establezcan, también, una estrategia a largo plazo, hasta el año 2020 —para minorar el nivel de emisiones de CO_2— y hasta el año 2050 —con el compromiso de reducir el nivel de emisiones un 80-95 % en relación a los niveles de 1990—, destinada a movilizar inversiones en la renovación de edificios residenciales y comerciales, para mejorar el rendimiento energético del conjunto del parque inmobiliario. A través de esta estrategia de renovaciones exhaustivas y rentables que reduzcan el consumo de energía de los edificios, en porcentajes significativos con respecto a los niveles anteriores a la renovación, se crearán además oportunidades de crecimiento y de empleo en el sector de la construcción.

Y aún con todo, el porcentaje que representa la rehabilitación en España en relación con el total de la construcción es, asimismo, uno de los más bajos de la zona euro, situándose trece puntos por debajo de la media europea, que alcanza un entorno del 41,7 % del sector de la construcción, y ello aún con el desplome de dicho sector en España, a consecuencia de la crisis.

Esta actividad, globalmente entendida, no sólo es susceptible de atender los objetivos de eficiencia energética y de recuperación económica ya expresados, sino también de contribuir activamente a la sostenibilidad ambiental, a la cohesión social y a la mejora de la calidad de vida de todos los ciudadanos, tanto en las viviendas y en los edificios, como en los espacios urbanos. No en vano, muchas de las más importantes operaciones de regeneración y renovación urbanas tienen, además, un carácter integrado, es decir, articulan medidas sociales, ambientales y económicas, que se suman a las estrictamente físicas para lograr, mediante una estrategia unitaria, la consecución de aquellos objetivos.

En suma, la actividad de rehabilitación en su conjunto debe buscar áreas que permitan aplicar políticas integrales que contemplen intervenciones no solo en el ámbito físico-espacial, sino también en los ámbitos social, económico, ambiental y de integración de la ciudad. El tamaño de estas operaciones permitirá la puesta en servicio de redes de instalaciones energéticas a escala de barrio, con menor consumo de recursos, y que permitirían que los barrios tiendan a la autosuficiencia energética en el medio plazo.

Los tres objetivos señalados consistentes en potenciar la rehabilitación edificatoria y la regeneración y renovación urbanas, con eliminación de las trabas y generación de mecanismos específicos que la hagan viable y posible, el ofrecimiento de un marco normativo idóneo para permitir la reconversión y reactivación del sector de la construcción, en nuevos ámbitos de actuación, en la rehabilitación edificatoria y en la regeneración y renovación urbanas, y fomentar la calidad, la sostenibilidad y la competitividad, tanto en la edificación, como en el suelo, acercando nuestro marco normativo al marco europeo, se alinean con la Directiva 2010/31/UE , al perseguir la promoción de la eficiencia energética y atender a los desafíos provocados por el cambio climático, «reconociéndose la oportunidad que ofrece la transformación del modelo productivo hacia parámetros de sostenibilidad ambiental, social y económica, con la creación de empleos vinculados con el medio ambiente, los llamados empleos verdes, en concreto, aquellos vinculados con las energías renovables y las políticas de rehabilitación y ahorro energético».

2.4. Estructura de la Ley. Modificaciones y derogaciones legislativas. Régimen transitorio

2.4.1. Estructura de la Ley

La Ley se compone de un Título Preliminar, dos Títulos, cuatro disposiciones adicionales, dos disposiciones transitorias, una disposición derogatoria y veinte disposiciones finales.

El Título Preliminar describe el objeto de la ley, que conforme se señala en el preámbulo «consiste en regular las condiciones básicas que garanticen un desarrollo sostenible y competitivo del medio urbano, asimismo como el impulso u el fomento de las actuaciones que conduzcan a la rehabilitación de los edificios y a la regeneración y renovación de los tejidos urbanos existentes, cuando sean necesarias para asegurar a los ciudadanos calidad de vida y al efectividad de su derecho a disfrutar de una vivienda digna y adecuada».

En este sentido el art. 1 señala como objeto de la ley «regular las condiciones básicas que garanticen un desarrollo sostenible, competitivo y eficiente del medio urbano, mediante el impulso y el fomento de las actuaciones que conduzcan a la rehabilitación de los edificios y a la regeneración y renovación de los tejidos urbanos existentes, cuando sean necesarias para asegurar a los ciudadanos una adecuada calidad de vida y la efectividad de su derecho a disfrutar de una vivienda digna y adecuada»

Define los conceptos de residencia habitual, infravivienda, coste de reposición, ajustes razonables, complejos inmobiliarios, y edificio de tipología residencial de vivienda colectiva, dando una mayor seguridad jurídica en lo que respecta a cómo han de ser interpretados. Asimismo señala las políticas que los poderes públicos, dentro del ámbito de sus competencias, deberán formular y desarrollar, en el marco de los principios de sostenibilidad económica, social y medioambiental, cohesión territorial, eficiencia energética y complejidad funcional.

El Título I contiene la regulación básica del Informe de Evaluación de los Edificios, su objeto consistente en acreditar la situación en la que se encuentran los edificios, al menos en relación con el estado de conservación del edificio, su cumplimiento de la normativa vigente sobre accesibilidad universal, así como sobre su grado de eficiencia energética, así como los supuestos casos en que puede ser exigible, su contenido necesario y las personas y entidades capacitados para emitirlo.

A este respecto, la disposición adicional Primera regula a su vez el calendario para la realización del Informe.

El Título II contiene la regulación de las actuaciones sobre el medio urbano, que van desde las de rehabilitación edificatoria, hasta las que supongan una regeneración y renovación urbanas, identificando los sujetos legitimados para participar en ellas y ofreciendo nuevos instrumentos para facilitar la gestión y la cooperación interadministrativa.

El Informe de Evaluación habrá identificará el bien inmueble, con expresión de su referencia catastral y contendrá, de manera detallada:

a)   La evaluación del estado de conservación del edificio.

b) La evaluación de las condiciones básicas de accesibilidad universal y no discriminación de las personas con discapacidad para el acceso y utilización del edificio, de acuerdo con la normativa vigente, estableciendo si el edificio es susceptible o no de realizar ajustes razonables para satisfacerlas.

c) La certificación de la eficiencia energética del edificio, con el contenido y mediante el procedimiento establecido para la misma por la normativa vigente.

Dispone el art. 4 de la Ley que cuando, de conformidad con la normativa autonómica o municipal, exista un Informe de Inspección Técnica que ya permita evaluar los extremos señalados se podrá complementar con la certificación de la eficiencia energética del edificio, y surtirá los mismos efectos que el informe regulado por esta Ley. Asimismo, cuando contenga todos los elementos requeridos de conformidad con aquella normativa, podrá surtir los efectos derivados de la misma, tanto en cuanto a la posible exigencia de la subsanación de las deficiencias observadas, como en cuanto a la posible realización de las mismas en sustitución y a costa de los obligados, con independencia de la aplicación de las medidas disciplinarias y sancionadoras que procedan, de conformidad con lo establecido en la legislación urbanística aplicable.

El Informe de Evaluación realizado por encargo de la comunidad o agrupación de comunidades de propietarios que se refieran a la totalidad de un edificio o complejo inmobiliario extenderá su eficacia a todos y cada uno de los locales y viviendas existentes, y tendrá una periodicidad mínima de diez años, pudiendo establecer las Comunidades Autónomas y los Ayuntamientos una periodicidad menor.

El incumplimiento del deber de cumplimentar en tiempo y forma el Informe de Evaluación tendrá la consideración de infracción urbanística, con el carácter y las consecuencias que atribuya la normativa urbanística aplicable al incumplimiento del deber de dotarse del informe de inspección técnica de edificios o equivalente, en el plazo expresamente establecido.

Se establecen además específicos para facilitar la financiación de estas actuaciones, entre los que destacan los convenios entre las Administraciones Públicas actuantes, los propietarios y demás sujetos que vayan a intervenir en la ejecución.

Las Disposiciones adicionales establecen, entre otras cosas, el catálogo de infracciones y sanciones en materia de certificación en materia de eficiencia energética de los edificios.

2.4.2. Modificaciones y derogaciones legislativas que se producen

Ya se ha señalado que la Ley, a modo de rio que atraviesa distintos sectores del ordenamiento jurídico, modifica diversas disposiciones legales con el fin de introducir la cultura obligatoria de la conservación, rehabilitación y mantenimiento de los edificios, ya que, como se explica en el Preámbulo de dicha ley, «no existe un desarrollo normativo que permita sustentar las operaciones de rehabilitación, de regeneración y de renovación urbanas, en las que, además, todavía persisten obstáculos legales que impiden su puesta en práctica o, incluso, su propia viabilidad técnica y económica.»

Incide la ley en superar las limitaciones de las barreras arquitectónicas que siguen existiendo en las comunidades de propietarios. La Disposición final introduce una seria de modificaciones sobre la Ley de Propiedad Horizontal con el objeto de impedir que los actuales regímenes de mayorías establecidos en la Ley de Propiedad Horizontal impidan la realización de las actuaciones previstas en la nueva Ley de rehabilitación, regeneración y renovación urbanas por cuanto no se puede hacer depender algunos de sus más importantes efectos a que las comunidades de propietarios tengan que adoptar muchas de las decisiones sobre este objetivo por unanimidad, o por mayorías muy cualificadas, máxime cuando van a incluir obras que, aunque afecten al título constitutivo o a los estatutos, en realidad compete a la Administración actuante autorizar o exigir como más tarde comprobamos.

El parque edificado español necesita intervenciones de rehabilitación, regeneración y renovación urbanas que permitan hacer efectivo para todos el derecho constitucional a una vivienda digna y adecuada, así como la exigencia del deber de sus propietarios de mantener los inmuebles en adecuadas condiciones de conservación.

Destaca en las modificaciones introducidas la ampliación de la duración de la afección real y la preferencia en el crédito de la comunidad más allá de la actual de la anualidad .

Se determinan las actuaciones obligatorias que corresponden a las Comunidades de Propietarios, que no requerirán acuerdo de la Junta de Propietarios aunque impliquen modificación de estatuto o titulo constitutivo, referidas a las siguientes actuaciones:

1.— Trabajos y las obras que resulten necesarias para el adecuado mantenimiento y cumplimiento del deber de conservación del inmueble y de sus servicios e instalaciones comunes.

2.— Obras que resulten necesarias para garantizar los ajustes razonables en materia de accesibilidad universal.

3.— Actos de división material de pisos o locales y sus anejos que resulten preceptivos a consecuencia de la inclusión del inmueble en un ámbito de actuación de rehabilitación, regeneración o renovación urbana.

Estas obligaciones destinadas a la conservación del inmueble y sus servicios, así como a resolver los problemas de accesibilidad se deberán plantear, al menos, en junta, ya que aunque no sea preceptiva su aprobación, al menos sí debería convocarse la misma, más que una mera comunicación a los comuneros para garantizar el conocimiento de estas actuaciones por si algún comunero entiende que no tiene encaje en esa obligatoriedad a la que se refiere la Ley de Propiedad Horizontal. Así el acuerdo de la Junta de propietarios se limitará a la fijación de las nuevas cuotas de participación, por mayoría de tres quintas partes del total de los propietarios, sin que sea necesario a tales efectos el consentimiento de los titulares afectados. Frente al régimen anterior en el que para modificar la cuota había que recurrir al sistema de la unanimidad, en la actual redacción se modifica. La junta solo va a tener que pronunciarse sobre la fijación de la cuota y sin la opción de que si hay algún propietario que se considere afectado pueda oponerse, con lo que también se deroga el derecho de oposición que se había introducido en el art. 10.2.2 Ley de Propiedad Horizontal (art. 15 de la Ley 26/2011, de 1 de agosto, de adaptación normativa a la Convención Internacional sobre los Derechos de las Personas con Discapacidad) de que las personas con los reducidos ingresos que consta en el precepto podrían oponerse a las reformas que se iban a llevar a cabo para suprimir las barreras arquitectónicas. En materia de accesibilidad y discapacidad y el carácter obligatorio de las obras se sigue manteniendo en el art. 10.1.b) Ley de Propiedad Horizontal in fine que ello lo será siempre que el importe de las mismas, una vez descontadas las subvenciones o ayudas públicas, no exceda de doce mensualidades ordinarias de gastos comunes.

En la reforma se sigue manteniendo la diferencia entre accesibilidad universal y accesibilidad, aunque en realidad se convierte en obligatorias las obras que resulten necesarias para garantizar los ajustes razonables en materia de accesibilidad universal y, en todo caso, las que sean requeridas a instancia de los propietarios en cuya vivienda vivan, trabajen o presten sus servicios altruistas o voluntarios, personas con discapacidad, o mayores de setenta años con el objeto de asegurarles un uso adecuado a su discapacidad de los elementos comunes, así como la instalación de rampas, ascensores u otros dispositivos mecánicos y electrónicos que favorezcan su comunicación con el exterior, siempre que el importe de las mismas, una vez descontadas las subvenciones o ayudas públicas, no exceda de doce mensualidades ordinarias de gastos comunes.

Tendrán carácter obligatorio y no requerirán de acuerdo previo de la Junta de propietarios, impliquen o no modificación del título constitutivo o de los estatutos, y vengan impuestas por las Administraciones Públicas o solicitadas a instancia de los propietarios, las siguientes actuaciones:

a)   Los trabajos y las obras que resulten necesarias para el adecuado mantenimiento y cumplimiento del deber de conservación del inmueble y de sus servicios e instalaciones comunes, incluyendo en todo caso, las necesarias para satisfacer los requisitos básicos de seguridad, habitabilidad y accesibilidad universal, así como las condiciones de ornato y cualesquiera otras derivadas de la imposición, por parte de la Administración, del deber legal de conservación.

b) Las obras y actuaciones que resulten necesarias para garantizar los ajustes razonables en materia de accesibilidad universal y, en todo caso, las requeridas a instancia de los propietarios en cuya vivienda o local vivan, trabajen o presten servicios voluntarios, personas con discapacidad, o mayores de setenta años, con el objeto de asegurarles un uso adecuado a sus necesidades de los elementos comunes, así como la instalación de rampas, ascensores u otros dispositivos mecánicos y electrónicos que favorezcan la orientación o su comunicación con el exterior, siempre que el importe repercutido anualmente de las mismas, una vez descontadas las subvenciones o ayudas públicas, no exceda de doce mensualidades ordinarias de gastos comunes. No eliminará el carácter obligatorio de estas obras el hecho de que el resto de su coste, más allá de las citadas mensualidades, sea asumido por quienes las hayan requerido.

c) La ocupación de elementos comunes del edificio o del complejo inmobiliario privado durante el tiempo que duren las obras a las que se refieren las letras anteriores.

d) La construcción de nuevas plantas y cualquier otra alteración de la estructura o fábrica del edificio o de las cosas comunes, así como la constitución de un complejo inmobiliario, tal y como prevé el artículo 17.4 del texto refundido de la Ley de Suelo, aprobado por el Real Decreto Legislativo 2/2008, de 20 de junio , que resulten preceptivos a consecuencia de la inclusión del inmueble en un ámbito de actuación de rehabilitación o de regeneración y renovación urbana.

e) Los actos de división material de pisos o locales y sus anejos para formar otros más reducidos e independientes, el aumento de su superficie por agregación de otros colindantes del mismo edificio, o su disminución por segregación de alguna parte, realizados por voluntad y a instancia de sus propietarios, cuando tales actuaciones sean posibles a consecuencia de la inclusión del inmueble en un ámbito de actuación de rehabilitación o de regeneración y renovación urbanas.

Dado el carácter obligatorio de las mismas la reforma introducida señala que:

a) Serán costeadas por los propietarios de la correspondiente comunidad o agrupación de comunidades, limitándose el acuerdo de la Junta a la distribución de la derrama pertinente y a la determinación de los términos de su abono.

b) Los propietarios que se opongan o demoren injustificadamente la ejecución de las órdenes dictadas por la autoridad competente responderán individualmente de las sanciones que puedan imponerse en vía administrativa.

c) Los pisos o locales quedarán afectos al pago de los gastos derivados de la realización de dichas obras o actuaciones en los mismos términos y condiciones que los establecidos en el artículo 9 para los gastos generales.

Requerirán autorización administrativa, en todo caso:

a) La constitución y modificación del complejo inmobiliario a que se refiere el artículo 17.6 del texto refundido de la Ley de Suelo, aprobado por el Real Decreto Legislativo 2/2008, de 20 de junio en sus mismos términos.

b) Cuando así se haya solicitado, previa aprobación por las tres quintas partes del total de los propietarios que, a su vez, representen las tres quintas partes de las cuotas de participación, la división material de los pisos o locales y sus anejos, para formar otros más reducidos e independientes; el aumento de su superficie por agregación de otros colindantes del mismo edificio o su disminución por segregación de alguna parte; la construcción de nuevas plantas y cualquier otra alteración de la estructura o fábrica del edificio, incluyendo el cerramiento de las terrazas y la modificación de la envolvente para mejorar la eficiencia energética, o de las cosas comunes, cuando concurran los requisitos a que alude el artículo 17.6 del texto refundido de la Ley de Suelo, aprobado por el Real Decreto Legislativo 2/2008, de 20 de junio).

En estos supuestos deberá constar el consentimiento de los titulares afectados y corresponderá a la Junta de Propietarios, de común acuerdo con aquéllos, y por mayoría de tres quintas partes del total de los propietarios, la determinación de la indemnización por daños y perjuicios que corresponda. La fijación de las nuevas cuotas de participación, así como la determinación de la naturaleza de las obras que se vayan a realizar, en caso de discrepancia sobre las mismas, requerirá la adopción del oportuno acuerdo de la Junta de Propietarios, por idéntica mayoría. A este respecto también podrán los interesados solicitar arbitraje o dictamen técnico en los términos establecidos en la Ley.

Se modifica también la Ley 38/1999, de 5 de noviembre, de Ordenación de la Edificación teniendo la consideración de edificación a los efectos de lo dispuesto en dicha Ley, requiriendo proyecto técnico las siguientes obras: a) Obras de edificación de nueva construcción, excepto aquellas construcciones de escasa entidad constructiva y sencillez técnica que no tengan, de forma eventual o permanente, carácter residencial ni público y se desarrollen en una sola planta. b) Todas las intervenciones sobre los edificios existentes, siempre y cuando alteren su configuración arquitectónica, entendiendo por tales las que tengan carácter de intervención total o las parciales que produzcan una variación esencial de la composición general exterior, la volumetría, o el conjunto del sistema estructural, o tengan por objeto cambiar los usos característicos del edificio. b) Obras que tengan el carácter de intervención total en edificaciones catalogadas o que dispongan de algún tipo de protección de carácter ambiental o histórico-artístico, regulada a través de nor-

que hubiese sido bueno que el legislador se hubiera pronunciado, al albur de la Ley 8/2013, de 26 de junio, de rehabilitación, regeneración y renovación urbanas, sobre su adscripción a una u otra materia y de paso, sobre cómo influye la nueva regulación en los instrumentos que sobre tales actuaciones ya existen tanto en el ámbito urbanístico como en el de la vivienda, pues su mutismo, como es el caso, lejos de solucionar nada, genera múltiples interrogantes, más, incluso, que los existentes hasta el momento.

Es por ello por lo que preconizamos que tanto la rehabilitación, como la regeneración y renovación urbanas, debieran, con independencia de la flexibilidad que requieren y exigen —lo que entendemos y nos parece del todo acertado—, no sólo, estar afectas o asignadas, bien al ámbito urbanístico, bien al ámbito propio de la vivienda, sin perjuicio de su aplicación en uno y otro, sino, sobre todo y por encima de ello, precisadas en el papel, funciones y cometidos que en relación con los instrumentos urbanísticos y de vivienda que operan en relación con la reforma interior de las poblaciones van a desempeñar. A mi modo de ver, lo que carece de toda lógica y no da lugar sino a equívocos que a la larga terminan produciendo problemas y perjuicios de todo tipo, habida cuenta del confusionismo que generan, es la existencia, en la actualidad, de instrumentos de rehabilitación, regeneración y renovación urbanas, tanto en el ámbito urbanístico (Planes Especiales de Reforma Interior) como en el ámbito propio de la vivienda (Áreas de Rehabilitación Integral y Áreas de Renovación Urbana), los cuales, además, actúan de manera autónoma e independiente entre sí, sin seguir ningún tipo de pautas o normas en común. De hecho, en la actualidad, ante una situación en la que, por ejemplo, una persona física o jurídica, privada o pública, se plantea llevar a cabo una actuación de reforma interior en una determinada ciudad, cabe plantearse la siguiente pregunta de imposible, o cuando menos, difícil respuesta ¿Llevo a cabo la correspondiente reforma interior desde los instrumentos que me posibilita el Derecho urbanístico, la normativa propia de vivienda, o simplemente, desde la regulación que de manera autónoma («Ámbito material interrelacionado») parece establecer el legislador de la vigente Ley 8/2013, de 26 de junio, de rehabilitación, regeneración y renovación urbanas? Pero no sólo surge esta pregunta ante tal situación, sino, otra u otras, como por ejemplo y sin ánimo de exhaustividad ¿Existe alguna diferencia entre la rehabilitación, regeneración y renovación urbanas que lleva a cabo un Plan Especial de Reforma Interior y aquella que, sobre idénticas actuaciones, lleva a cabo un Área de Rehabilitación Integral o un Área de Renovación Urbana? ¿En cuál de dichas opciones (Plan Especial de Reforma Interior o Áreas de Rehabilitación Integral y Renovación Urbana) resulta desde un punto de vista jurídico y sobre todo, económico, mas efectiva y ventajosa la rehabilitación, regeneración y renovación urbanas? En fin, son muchas las preguntas que sobre el particular podríamos hacernos, todas las cuales, nótese, surgen o parten de la triple posibilidad que existe de llevar a cabo la rehabilitación, regeneración y renovación urbanas, bien desde el ámbito urbanístico, bien desde el ámbito propio de la vivienda, o bien, finalmente, de manera autónoma e independiente de uno y otro, por lo que consideramos que

ma legal o documento urbanístico y aquellas otras de carácter parcial que afecten a los elementos o partes objeto de protección.

Para la consecución de los objetivos perseguidos por la ley consistentes, en palabras contenidas en el preámbulo, «en primer lugar, potenciar la rehabilitación edificatoria y la regeneración y renovación urbanas, eliminando trabas actualmente existentes y creando mecanismos específicos que la hagan viable y posible. En segundo lugar, ofrecer un marco normativo idóneo para permitir la reconversión y reactivación del sector de la construcción, encontrando nuevos ámbitos de actuación, en concreto, en la rehabilitación edificatoria y en la regeneración y renovación urbanas. En tercer lugar, fomentar la calidad, la sostenibilidad y la competitividad, tanto en la edificación, como en el suelo, acercando nuestro marco normativo al marco europeo, sobre todo en relación con los objetivos de eficiencia, ahorro energético y lucha contra la pobreza energética», «cuya función estriba básicamente en llenar los vacíos legales existentes», resulta necesario afrontar la modificación de normas en vigor, tanto para eliminar aquellos obstáculos que impiden hoy alcanzar los objetivos propuestos, como para adaptar los existentes a los nuevos.

La Ley modifica, en sus disposiciones finales, las siguientes normas legales:

1.—Ley 49/1960, de 21 de julio, sobre Propiedad Horizontal. Se modifican sus artículos 2 (al que se añaden dos nuevas letras d) y e), 3, 9, 10 y 17 y el ap. 2.º de su disposición adicional. Se derogan sus artículos 8, 11 y 12.

2.—Ley 1/2000, de 7 de enero, de Enjuiciamiento Civil. Se modifican los artículos 552 y 695.

3.—Ley 38/1999, de 5 de noviembre, de Ordenación de la Edificación. Se modifican los artículos 2 y 3.

4.—Ley 58/2003, de 17 de diciembre, General Tributaria. Se añade una nueva letra l) al apartado 1 del artículo 95.

5.—Texto refundido de la Ley Reguladora de las Haciendas Locales, aprobado por el Real Decreto Legislativo 2/2004, de 5 de marzo. Se modifica el artículo 167.

6.—Real Decreto 314/2006, de 17 de marzo, por el que se aprueba el Código Técnico de la Edificación. Se modifican los artículos 1 y 2 y el anejo III de la parte I (se modifica la definición de «mantenimiento» y se añade la de «intervenciones en los edificios existentes» en el anejo III de la parte I). Se deroga El apartado 5 del artículo 2.

7.—Texto refundido de la Ley de Suelo, aprobado por el Real Decreto Legislativo 2/2008, de 20 de junio. Se modifican los artículos 2, 5, 6, 8 a 10, 12, 14 a 17, 20, 36, 37, 39, 51 y 53, la disposición adicional tercera y la disposición final primera.

8.—Texto refundido de la Ley de Contratos del Sector Público, aprobado por el Real Decreto Legislativo 3/2011, de 14 de noviembre. Se añade una nueva disposición adicional trigésima cuarta (Contratos de suministros y servicios en función de las necesidades).

9.—Real Decreto-ley 6/2012, de 9 de marzo, de medidas urgentes de protección de deudores hipotecarios sin recursos. Se modifican los artículos 2 y 3 bis.

10.—Ley 9/2012, de 14 de noviembre, de reestructuración y resolución de entidades de crédito. Se modifica la disposición final vigésima primera.

11.—Ley 17/2012, de 27 de diciembre, de Presupuestos Generales del Estado para el año 2013. Se adiciona un párrafo final al apartado tres de la disposición adicional décima tercera.

12.—Ley 1/2013, de 14 de mayo, de medidas para reforzar la protección a los deudores hipotecarios, reestructuración de deuda y alquiler social. Se modifica la rúbrica del Capítulo III (que pasa a ser «Mejoras en el procedimiento de ejecución»), la disposición adicional primera y las disposiciones transitorias cuarta y quinta.

13.—Ley 13/1998, de 4 de mayo, de Ordenación del Mercado de Tabacos y Normativa Tributaria. Se modifica el apartado 1 de la disposición adicional séptima.

14.—Ley 21/2003, de 7 de julio, de Seguridad Aérea. Se modifican los artículos 37 y 50.

15.—Ley 33/2003, de 3 de noviembre, del Patrimonio de las Administraciones Públicas. Se modifican el artículo 137 y la disposición adicional décima.

16.—Ley 38/2003, de 17 de noviembre, General de Subvenciones. Se añade una nueva disposición adicional vigésima tercera (Colaboración de la Intervención General de la Administración del Estado con la Agencia Estatal de Administración Tributaria para la lucha contra el fraude fiscal).

17.—Ley 47/2003, de 26 de noviembre, General Presupuestaria. Se modifica el artículo 47 y se añade una disposición adicional vigésima (Base de datos sobre operaciones comerciales)

Derogaciones

Se derogan a través de la disposición derogatoria única las siguientes normas:

1.—Ley 49/1960, de 21 de julio, sobre Propiedad Horizontal. Artículos 8, 11 y 12.

2.— Real Decreto 314/2006, de 17 de marzo, por el que se aprueba el Código Técnico de la Edificación. Articulo 2. Apartado 5.

3.— Real Decreto 1492/2011, de 24 de octubre, por el que se aprueba el Reglamento de valoraciones de la Ley del Suelo. Artículo 2.

4.— Texto Refundido de la Ley del Suelo, aprobado por Real Decreto Legislativo 2/2008, de 20 de junio. Articulo 13, Disposición Adicional Undécima y las disposiciones transitorias segunda y quinta.

5.— Real Decreto 1492/2011, de 24 de octubre, por el que se aprueba el Reglamento de Valoraciones de la Ley del Suelo. Articulo 2.

6.— Ley 2/2011, de 4 de marzo, de Economía Sostenible. Artículos 107, 108, 109, 110 y 111.

7.— Real Decreto-ley 8/2011, de 1 de julio, de medidas de apoyo a los deudores hipotecarios, de control del gasto público y cancelación de deudas con empresas y autónomos contraídas por las entidades locales, de fomento de la actividad empresarial e impulso de la rehabilitación y de simplificación administrativa. Artículos 17, 18, 19, 20, 21, 22, 23, 24 y 25, la disposición adicional tercera, las disposiciones transitorias primera y segunda y la disposición final segunda.

2.4.3. Régimen Transitorio

En las Disposiciones Transitorias primera y segunda de la Ley se contempla el régimen transitorio para la realización del Informe de Evaluación de Edificios así como para la aplicación de la reserva mínima de vivienda protegida.

2.4.3.1. Para la realización del Informe de Evaluación de los Edificios

En cuanto al régimen transitorio se establece el calendario para que los propietarios ubicados en edificaciones con tipología residencial de vivienda colectiva, se doten del Informe de Evaluación de los Edificios regulado por esta Ley, distinguiendo la ley los siguientes supuestos:

a) Los edificios de tipología residencial de vivienda colectiva con una antigüedad superior a 50 años, en el plazo de cinco años, salvo que ya cuenten con una inspección técnica vigente, en cuyo caso se exigirá el informe de Evaluación cuando corresponda su primera revisión, siempre que la misma no supere el plazo de 10 años a contar desde la entrada en vigor de la ley 8/2013, de 26 de junio.

b) Los edificios cuyos titulares pretendan acogerse a ayudas públicas con el objetivo de acometer obras de conservación, accesibilidad universal o eficiencia energética, con anterioridad a la formalización de la petición de la correspondiente ayuda.

c) El resto de edificios, cuando así lo determine la normativa autonómica o municipal, que podrá establecer especialidades de aplicación del informe en función de su ubicación, antigüedad, tipología o uso predominante.

2.4.3.2. Para la aplicación excepcional de la reserva mínima de suelo para vivienda protegida

Durante un periodo que no excederá de cuatro años, a contar desde la entrada en vigor de la Ley, las Comunidades podrán dejar en suspenso la reserva mínima obligatoria con el fin de adaptarse a la realidad del mercado, así como a la de sus potenciales beneficiarios. Se exige o bien que los instrumentos de ordenación justifiquen la existencia de un porcentaje de vivienda construida ya protegida y sin vender, superior al 15% de las viviendas protegidas previstas o resultantes del planeamiento vigente, o bien, que dichos instrumentos urbanísticos no hayan sido aprobados definitivamente antes de la entrada en vigor de la ley, o que si bien hayan sido aprobados no cuenten aun con la aprobación definitiva del proyecto o proyectos de equidistribucion necesarios.

TÍTULO PRELIMINAR

Disposiciones generales

Artículo 1. Objeto de la Ley.

Esta Ley tiene por objeto regular las condiciones básicas que garanticen un desarrollo sostenible, competitivo y eficiente del medio urbano, mediante el impulso y el fomento de las actuaciones que conduzcan a la rehabilitación de los edificios y a la regeneración y renovación de los tejidos urbanos existentes, cuando sean necesarias para asegurar a los ciudadanos una adecuada calidad de vida y la efectividad de su derecho a disfrutar de una vivienda digna y adecuada.

CONCORDANCIAS

— Artículos 1 y 37 del Real Decreto 233/2013, de 5 de abril, por el que se regula el Plan Estatal de fomento del alquiler de viviendas, la rehabilitación edificatoria, y la regeneración y la renovación urbanas, 2013-2016.

— Artículo 1 de la Ley 2/2011, de 4 de marzo, de Economía Sostenible.

JURISPRUDENCIA

— Sentencia del Tribunal Supremo (Sala Tercera, Sección 5.ª) de 21 de diciembre de 2011.

— Sentencia del Tribunal Supremo (Sala Tercera, Sección 5.ª) de 6 de octubre de 2011.

COMENTARIO (1)

APROXIMACIÓN AL OBJETO DE LA LEY 8/2013, DE 26 DE JUNIO, DE REHABILITACIÓN, REGENERACIÓN Y RENOVACIÓN URBANAS: ALGUNAS CONSIDERACIONES PREVIAS A TENER EN CUENTA PARA SU MEJOR COMPRENSIÓN Y ALCANCE

Sumario

1. A modo de introducción: La Ley 8/2013, de 26 de junio, de rehabilitación, regeneración y renovación urbana, como ejemplo paradigmático y constatación fehaciente de cambio de ciclo. De la expansión a la reforma interior de las poblaciones.

    1.1. Referencia sucinta a algunos antecedentes normativos que han contribuido al impulso, fomento y, finalmente, asentamiento de la rehabilitación, regeneración y renovación urbanas.

    1.2. Apuesta decidida del legislador de la Ley 8/2013, de 26 de junio, de rehabilitación, regeneración y renovación urbanas por la vuelta a la ciudad construida y existente, frente a la planificada y por hacer.

2. La rehabilitación, regeneración y renovación urbanas: actuaciones a medio camino entre el Derecho Urbanístico y la materia propia y característica de vivienda.

    2.1. La indisoluble complementariedad del urbanismo y la vivienda: en especial, en materia de rehabilitación, regeneración y renovación urbanas.

    2.2. Aproximación a la problemática que deriva de la regulación de la rehabilitación, regeneración y renovación urbanas al margen de las disciplinas propiamente urbanística y de vivienda: Algunas notas.

3. El problema de los constantes cambios normativos en materia de urbanismo-vivienda para consolidar efectivamente el sistema.

    3.1. *«La motorización legislativa»*: Una tradición deplorable del legislador español, que lejos de decaer va en aumento y debe ser erradicada.

    3.2. La Ley 8/2013, de 26 de junio, de rehabilitación, regeneración y renovación urbanas, como personificación de los males que comporta la *«motorización legislativa»*.

4. La imperativa transformación de la vigente regulación urbanística al estar concebida la misma hacia la expansión y crecimiento de las ciudades y no hacia la reforma interior de las poblaciones: Un trabajo que en absoluto se antoja fácil ni rápido.

---

(1) Comentario a cargo de Fernando García-Moreno Rodríguez. Profesor Doctor de Derecho Administrativo en la Facultad de Derecho de la Universidad de Burgos.

4.1. El problema técnico y económico que plantea el operar sobre el suelo urbano respecto del suelo urbanizable: La dificultad de su autofinanciación.

4.2. El cambio del ordenamiento jurídico-urbanístico debe ser prudente, contenido y moderado en su implementación y en los plazos que requiere el mismo.

5. Verdades, inexactitudes y lagunas del objeto que realmente persigue el legislador con la presente Ley 8/2013, de 26 de junio, de rehabilitación, regeneración y renovación urbanas.

1. A MODO DE INTRODUCCIÓN: LA LEY 8/2013, DE 26 DE JUNIO, DE REHABILITACIÓN, REGENERACIÓN Y RENOVACIÓN URBANAS, COMO EJEMPLO PARADIGMÁTICO Y CONSTATACIÓN FEHACIENTE DE CAMBIO DE CICLO. DE LA EXPANSIÓN A LA REFORMA INTERIOR DE LAS POBLACIONES

El legislador de la Ley 8/2013, de 26 de junio, de rehabilitación, regeneración y renovación urbanas, es plenamente consciente de que se ha producido un drástico cambio de ciclo —si nos atenemos al breve lapso de tiempo en que se ha producido y a la vehemencia del mismo— en el sector inmobiliario, al pasar de una concepción que únicamente propugnaba la expansión de las ciudades y que con el pasar del tiempo y la perspectiva que otorgan los años bien podemos calificar —atendiendo a lo que, por desgracia, en muchos casos ha sucedido y los hechos se han encargado de corroborar—, como irracional y desmedida, a una, a veces, obsesiva y exclusiva preocupación por la reforma interior de las mismas. La radicalidad de tal cambio, que comporta, ni más ni menos, pasar de un extremo a otro —lo que, metafóricamente hablando, nos permite incardinar a la Ley que ahora nos ocupa dentro del grupo de normas que se circunscriben bajo la égida de lo que comúnmente se ha convenido en denominar, a modo de clase o tipo de Ley, como «Ley del péndulo»—, no es sino el reflejo de una constante en el actuar del legislador español —lo que apuntamos expresamente ahora, a modo de crítica—, que se caracteriza por legislar de manera impulsiva y, ciertamente, poco reflexiva, al perseguir en cada momento y situación, únicamente, la solución inmediata a los problemas coyunturales más acuciantes que se le presentan, lo que, en no pocas ocasiones —por no decir, siempre—, le impide tener en cuenta otra serie de aspectos, consideraciones y circunstancias que, sin renunciar a tal propósito —por otro lado, del todo loable—, le permitirían ser no tan «cortoplacista» en sus planteamientos, y por ende, no tener, como es el caso, que legislar a «golpe de Ley» según lo vayan demandando las respectivas circunstancias, lo que, como más adelante desarrollaremos, no solo es inadmisible desde el punto de vista de una correcta técnica legislativa, sino, además, del todo desaconsejable, habida cuenta de los múltiples y graves problemas e inconvenientes que, en mayor o menor medida, genera a todos cuantos operan (Administraciones Públicas, funcionarios, ciudadanos, etc.) en el ordenamiento jurídico. Como fácilmente se comprenderá, tal cambio de ciclo a que nos hemos referido, va a comportar, y de hecho, de un tiempo a esta parte, está comportando ya, una remoción hasta los más profundos cimientos —al afectar a la misma concepción y percepción de su propia esencia y ser—, tanto del Derecho Urbanístico como de la normativa propia de vivienda. Pues bien, es en este contexto anteriormente descrito, caracterizado, como se comprenderá, por cierta inestabilidad dogmática y conceptual, en virtud de los múltiples cambios introducidos y sobre todo, por la novedad de los mismos, en el que surge la vigente Ley 8/2013, de 26 de junio, de rehabilitación, regeneración y renovación urbanas.

No debe por ello extrañarnos, en absoluto, que la Ley que ahora nos ocupa, a la sazón, Ley 8/2013, de 26 de junio, frente al agotamiento inmobiliario anteriormente descrito, dedique la totalidad de sus esfuerzos, recursos y potencialidades a impulsar la rehabilitación, la regeneración y renovación urbanas sobre la ciudad construida y existente y por ende, tanto en las zonas más céntricas de esta (2), abandonadas desde muchos años atrás a su suerte, como en las extensas periferias residenciales que igualmente la conforman y se encuentran en la actualidad en un proceso de franca decadencia (3). Con el fomento y la implementación de la rehabilitación, regeneración y renovación urbanas, busca el legislador, cargado de buenas intenciones —lo que debe ser valorado muy positivamente—, mejorar la calidad de vida de los ciudadanos residentes en dichos ámbitos, a la par que luchar contra una dispersión de la población, propiciada por los años de bonanza económica, que, como la realidad se ha encargado de demostrar, resulta, lisa y llanamente, insostenible (4). Por si ello no fuera, ya de por sí, suficiente razón, de-

---

(2)   Merece ser consultado, pese a ser sumamente escueto, el trabajo de Esteban Galarza, M.: «La regeneración de los centros urbanos y la política de rehabilitación del parque de viviendas antiguo: efectos en el mercado de la vivienda», *Ekonomíaz*, n.º 15, 1989, pág 160 y ss. Una de las cuestiones más espinosas en relación con la regeneración del tejido urbano en las denominadas zonas céntricas de la ciudad —que no siempre, pero sí, en muchas ocasiones, suele coincidir con el casco histórico de las mismas—, tiene que ver con el Patrimonio Cultural, dado que la normativa reguladora de este último, impone múltiples y variadas limitaciones a la actividad rehabilitadora, regeneradora y renovadora, hasta el punto de que para hacer posible las mismas, en no pocas ocasiones hay que hacer —permítaseme la expresión— «auténtico encaje de bolillos». Sobre el particular me remito al trabajo de Quintana López, T.: «La ciudad sostenible: Conservación y rehabilitación del patrimonio arquitectónico», *Revista Aragonesa de Administración Pública*, n.º 22, 2003, pág 433 y ss. En este mismo sentido, véase igualmente, García-Moreno Rodríguez, F.: «Urbanismo y Patrimonio Cultural», en *Derecho Urbanístico de Castilla y León*, dir. Enrique Sánchez Goyanes, LA LEY, Madrid, 2009, pág 1549 y ss, y García García, M.J.: *La conservación de los inmuebles históricos a través de técnicas urbanísticas y rehabilitadoras*, Aranzadi, Pamplona, 2000.

(3)   Véase sobre el particular, Pareja Eastaway, M.: «La renovación de la periferia urbana en España: un planteamiento desde los barrios», en *Derecho Urbanístico, Vivienda y Cohesión Social y Territorial*, cord. Juli Ponce Sóle, Marcial Pons, Madrid, 2006, pág 107 y ss. Véase, asimismo, Rubio del Val, J y Molina Costa, P.: «Estrategias, retos y oportunidades en la rehabilitación de los polígonos de vivienda construidos en España entre 1940 y 1980», *Ciudades*, n.º 13, 2010, pág 15 y ss.

(4)   Un interesante trabajo en el que se analizan las dos posibles opciones de crecimiento de toda ciudad, a saber, hacia el interior, potenciando la rehabilitación, la regeneración y la renovación urbana, o hacia el exterior, fomentado su ensanche y expansión, es el de García García, M.J.: «Desarrollo urbano sostenible versus crecimiento descontrolado: una vuelta a la rehabilitación urbana», *Revista Aragonesa de Administración Pública*, n.º 33, 2008, pág 217 y ss.

bemos subrayar, que los resultados de múltiples estudios que se centran en analizar, de manera exhaustiva y pormenorizada, el ciclo completo de vida de los edificios, parecen dejar muy claro que desde el punto de vista del ahorro energético y la sostenibilidad, es mucho más sensato, rehabilitar, regenerar y renovar el patrimonio existente, que desarrollar nuevas áreas residenciales, por muy eficientes que —en principio, añadimos nosotros— parezcan o aparenten ser las mismas.

Por tanto, el devenir de la historia y la adecuación a los requerimientos económicos, sociales y medioambientales que imponen los nuevos tiempos, obliga a los poderes públicos y de manera muy significativa a las Administraciones Públicas, pero también a los propios ciudadanos, a aprovechar el espacio urbano, la ciudad construida y existente, lo mejor posible, buscando siempre su optimización y máximo rendimiento, al igual que el de todos los elementos que la integran y entre ellos, de manera destacada, de las viviendas sitas en la misma, ya que en la medida de lo posible, es necesario evitar el crecimiento en extensión (5). Así las cosas, se convierten en opciones legítimas y convenientes, es más, necesarias y casi obligadas —cuando antes estaban mal vistas y prácticamente proscritas—, entre otras, el potenciar la utilización de los edificios infrautilizados, o reciclar estructuras ya consolidadas para inyectarles una función nueva, con lo que la vivienda se constituye en origen y destino, o si se prefiere, en principio y fin, de todo proceso de rehabilitación, regeneración y renovación urbana (6). En cualquier caso y lo que está fuera de toda duda, es que hoy, es tiempo, más que nunca, de rehabilitación (7), regeneración y renovación urbana, pues todo, de una u otra forma, parece conducirnos, en última instancia, a la implementación de tales actuaciones, que, como bien sabemos,

---

(5)   Para una mayor profundización en lo que ha supuesto el desarrollismo de las ciudades y frente a tal corriente, a resultas de su cuestionamiento, las nuevas tendencias que, en sentido diametralmente opuesto a aquel, en la actualidad se siguen, caracterizadas, por la mesura y contención en la expansión de las ciudades, me remito por entero al trabajo de MELLA VÁZQUEZ, J.M.: «Explosión de la ciudad y Ordenación del Territorio en España: algunos apuntes», *Revista clm economía*, n.º 11, 2008, pág 167 y ss.

(6)   Véase en este sentido el trabajo de DÍAZ LEMA, J.M.: «Rehabilitación urbana, o cómo hacer de la necesidad una virtud», *Revista de Derecho Urbanístico y Medio Ambiente*, n.º 257, 2010, pág 11 y ss.

(7)   Resulta evidente que, de un tiempo a esta parte, la rehabilitación urbana ha ido ganando enteros dentro de nuestro ordenamiento jurídico y en este sentido su presencia es cada vez más acusada, hasta el punto de convertirse, prácticamente, en una constante. No obstante, debemos ser conscientes de que aun queda mucho por hacer y mejorar, ya que sobre la rehabilitación urbana aun se ciernen algunos problemas de entidad y consideración, fruto del abandono multisecular al que, hasta hace no mucho, se ha visto abocada, al centrarse el legislador, casi en exclusiva, en el puro y duro desarrollismo y expansión de las ciudades. Sobre el particular y para una mayor profundización merece ser consultado RUBIO DEL VAL, J.: «Rehabilitación urbana en España (1989-2010). Barreras actuales y sugerencias para su eliminación», *Informes de la Construcción*, Vol. 63, n.º Extra, 2011, pág 5 y ss. Véase en este mismo sentido, a pesar de tener cierta antigüedad, el interesante trabajo de LÓPEZ RAMÓN, F.: «Perspectivas Jurídicas de la rehabilitación urbana», *Revista Española de Derecho Administrativo*, n.º 43, 1984, pág 535 y ss.

son, precisamente, las que contempla y regula el legislador de la recientísima Ley 8/2013, de 26 de junio.

1.1. Referencia sucinta a algunos antecedentes normativos que han contribuido al impulso, fomento y, finalmente, asentamiento de la rehabilitación, regeneración y renovación urbanas

Un análisis en profundidad de la evolución seguida en los últimos años por el urbanismo y la vivienda en España, viene a confirmar el tan predicado cambio de ciclo, que, como también hemos apuntado con anterioridad, es ya, hoy en día, una realidad incontestable. Efectivamente, si echamos la vista atrás, podemos constatar como desde hace ya una serie de años —tímidamente, desde mediados de la década de los noventa y nítidamente, desde finales de 2008 o principios de 2009—, con independencia de la existencia de gobiernos de corte intervencionista, o por el contrario, liberal, se han venido imponiendo, paulatinamente, nuevos planteamientos —entonces, de futuro— que, significativamente, han coincidido en alejarse o distanciarse, cada vez más, de la construcción y edificación masiva e indiscriminada que en la expansión —añadimos nosotros, pues tal es nuestro parecer, irracional y desmedida— de las ciudades se venía practicando, so pretexto, entre otros razonamientos más o menos cuestionables, de ser uno de los motores más importantes y relevantes de nuestra economía. Así, conjugando, por un lado, la convicción profunda de cambiar drásticamente de rumbo respecto del hasta ese momento seguido y por otro, la profunda crisis económica (inmobiliaria y financiera) que lejos de remitir y decrecer, perdura y arrecia, exacerbando, aun más, si cabe, los graves problemas que la misma comporta, especialmente, en lo tocante al urbanismo y la vivienda,, se ha visto abocado el legislador, irremediablemente (no le queda otra), hacía políticas de contención de gasto, de mesura en los crecimientos y expansiones previstas y de potenciación de la rentabilidad en las inversiones ya efectuadas, en definitiva, de optimización de los recursos disponibles, que en nuestro caso, se concretan en las viviendas, espacios públicos, equipamientos y dotaciones urbanísticas existentes, o dicho de otro modo, en la ciudad construida y presente, frente a la planificada y por hacer, lo que necesariamente pasa por impulsar, fomentar y potenciar la rehabilitación, regeneración y renovación urbanas.

Partiendo de esta sensibilidad, que, tal y como he referido con anterioridad, ha sido común y compartida por los diversos gobiernos habidos desde que a mediados de la década de los noventa se detectara, o incluso, más que eso, se empezase a constatar tal realidad, ha habido diversas normas, que han ido introduciendo, progresivamente, modificaciones, tendentes a corregir o rectificar los abusos hasta entonces cometidos y en consecuencia, a potenciar las diferentes edificaciones y espacios existentes en las ciudades a través de la rehabilitación, regeneración y renovación urbanas. De entre ellas, destacamos, únicamente tres, al considerarlas las más significativas y dignas de mención por la importancia y protagonismo que en tal cambio de tendencia han tenido. Dichas normas, que por méritos propios deben ser consideradas las principales precursoras de la vigente Ley 8/2013, de 26 de junio, de rehabilitación, regeneración y renovación urbanas, son las tres siguientes: En primer lugar, la Ley 8/2007, de 28 de mayo, de Suelo. En segundo lugar, el Decreto 2066/2008, de 12 de diciembre, por el que se aprueba el Plan Estatal de Vivienda y Rehabilitación 2009-2012, y por último y en tercer lugar, la Ley 2/2011, de 4 de marzo, de Economía Sostenible. Todas y cada una de ellas, tal y como hemos apuntado con anterioridad, reconocen el fin de un ciclo, caracterizado, por el crecimiento y expansión desmedida de las ciudades, y en virtud de ello, introducen novedades o llevan a cabo modificaciones —más y de mayor calado cuanto mas cercanas al presente son—, tendentes, todas y cada una de ellas, a promover e impulsar la reforma interior de las poblaciones, o lo que es lo mismo, la ciudad construida y existente.

Por lo que a la primera de dichas normas se refiere, a la sazón, Ley 8/2007, de 28 de mayo, de Suelo, debemos señalar que la misma fue de las primeras, sino, la primera, en cuestionar la tradicional regulación que desde el comienzo del denominado «urbanismo moderno» con la aprobación de la Ley del Suelo de 12 de mayo de 1956, se venía haciendo, ininterrumpida e incuestionablemente, en España y que, como es bien sabido, consistía, básica y fundamentalmente, en el desarrollismo y crecimiento puro y duro de las ciudades. Pues bien, dicho cambio de tendencia propiciado por la Ley 8/2007, de 28 de mayo, de Suelo, resulta especialmente encomiable, si tenemos en cuenta que la misma fue, a todas luces, una Ley pericíclica, es decir, que empezó a aplicarse con unas circunstancias sociales y económicas muy distintas del momento en que se elaboró, lo que denota el acertado criterio y sobre todo, buena visión que, en esta ocasión, tuvo el legislador español, pues le permitió, si no adelantarse, al menos, sí adaptarse, al nuevo panorama (ciclo) en que tuvo que desenvolverse la referida norma. La Ley 8/2007, de 28 de mayo, de Suelo, entre otros aciertos destacables (8), tuvo dos relacionados con el tema que ahora nos ocupa, además, ambos, especialmente significativos, por lo revolucionarios que fueron en

---

(8) La Ley 8/2007, de 28 de mayo, de Suelo, fue en su momento, indudablemente, una norma revolucionaria, al no seguir, en muchos aspectos, la tradición multisecular que hasta ese momento resultaba incuestionada. Además, incorporó dicha norma, diversas novedades que con anterioridad no se contemplaban, o de hacerse, no con la finalidad y profundidad con lo que lo hizo aquella. En virtud de ello, no debe extrañarnos que dicha norma haya sido criticada de manera contumaz, aunque también ha contado con fervorosos adeptos y defensores. Con independencia de unos y otros pareceres, lo que resulta innegable, es que la Ley 8/2007, de 28 de mayo de Suelo, tiene —al menos, a nuestro modo de ver—, numerosos aciertos, entre los que destacamos, sin ánimo de exhaustividad, los siguientes: 1.— Conferir mayor preponderancia y relevancia dentro del urbanismo al denominado por el propio legislador *«Bloque ambiental»*. 2.— Aminorar la inflación de los valores del suelo, desvinculando o desagregando, para alcanzar tal objetivo, la enraizada clasificación del suelo de su correlativa valoración. 3.— Desterrar el binomio, monopólico, entre propiedad del suelo y gestión del mismo. 4.— Luchar, decidida y enconadamente, contra la denostada especulación del suelo. 5.— Instaurar una mayor transparencia, a la par, que participación ciudadana, en relación con la elaboración y tramitación de todo tipo y clase de planes de urbanismo. 6.— Reservar suelo residencial en cantidad suficiente para acometer la debida promoción y construcción de vivienda protegida. 7.— Adoptar medidas en aras a garantizar el cumplimiento de la función social de la propiedad inmobiliaria,

su momento y sobre todo, por haber perdurado en el tiempo, lo que demuestra lo atinado de su elección. Los mismos consistieron, en primer lugar, en establecer ciertas barreras y limitaciones al desaforado desarrollismo urbanístico que de manera proverbial venía aconteciendo en España, y en segundo lugar y en total sintonía con el anterior, en favorecer la introspección de las ciudades, esto es, potenciar la mirada de estas sobre sí mismas y no como se venía haciendo, sobre el exterior o ensanche de ellas, lo que, en definitiva, fue el germen propiciatorio del resurgir de la rehabilitación (9) y por efecto parasimpático de esta, de la regeneración y renovación urbanas.

Al igual que en la norma precedente, observamos, también, en el Decreto 2066/2008, de 12 de diciembre, por el que se aprueba el Plan Estatal de Vivienda y Rehabilitación 2009-2012, incluso, con un carácter más marcado que en la Ley 8/2007, de 28 de mayo, de Suelo, una clara y nítida propensión hacia la reforma interior de las poblaciones, en detrimento, obvio e inevitable, del crecimiento y expansión hasta entonces imperante. Efectivamente, el legislador del Plan Estatal de Vivienda y Rehabilitación 2009-2012, demuestra a carta cabal que la problemática de la vivienda ha cambiado sustancialmente en España de un tiempo a esta parte, aproximadamente, desde finales de 2008, pudiendo distinguir así, un antes y un después de tal fecha. Ello, se aprecia de manera palmaria en múltiples aspectos, como por ejemplo, comparando la regulación que para favorecer el acceso de los ciudadanos a la vivienda lleva a cabo el Plan Estatal de Vivienda 2009-2012 respecto de su inmediato predecesor, a la sazón, Plan Estatal de Vivienda 2005-2008 aprobado, por el Real Decreto 801/2005, de 1 de julio. Así, el Plan Estatal de Vivienda 2009-2012, a diferencia de su antecesor, sin renunciar a facilitar y posibilitar el acceso de los ciudadanos a la vivienda, en particular, a los más desprotegidos y necesitados, es mucho más neutro y aséptico en lo que a tal propósito se refiere, lo que se aprecia ya desde su mismo título («Vivienda y Rehabilitación»), al no aludir expresamente en él, a diferencia de su predecesor («favorecer el acceso de los ciudadanos a la vivienda»), a tal problemática, pese a ser plenamente consciente de que la misma sigue existiendo. Ello, en absoluto resulta baladí, ya que lo que en una primera lectura o aproximación únicamente puede parecernos un mero cambio formal, de estilo, sin mayor transcendencia o repercusión, esconde tras de sí, la aceptación y el reconocimiento implícito por parte del legislador de que algo se ha movido, ha cambiado, dentro del «mundo» de la vivienda. Tan es así, que el «favorecer el acceso de los ciudadanos a la vivienda», pasa de ser «la finalidad» —única y exclusiva— del Plan Estatal de Vivienda 2005-2008, a ser en el Plan Estatal de Vivienda 2009-2012, una más, entre otras, de las diversas finalidades que persigue el mismo, lo que denota, no la postergación de la misma, pero si la aparición de otra u otras finalidades. Entre estas últimas, destaca, sobremanera, dentro del Plan

---

(9) Tal ejercicio de introspección de las ciudades, debe hacerse, habida cuenta de que el suelo urbano —la ciudad ya hecha— tiene, en sí mismo, un valor ambiental, como creación cultural colectiva que es objeto de una permanente recreación, por lo que sus características deben ser expresión de su naturaleza y su ordenación, debe favorecer, su rehabilitación y fomentar su uso.

Estatal de Vivienda 2009-2012, la finalidad rehabilitadora, siendo esta, una de las características que más y mejor define al mismo y ello, hasta el punto de equipararla en importancia y status quo con el propio de la vivienda, dado que aquella, junto con esta última, son las que dan nombre al referido Plan. Por último, únicamente apuntar, que el vigente y recientísimo Plan Estatal de Fomento del alquiler de viviendas, la rehabilitación edificatoria, y la regeneración y renovación urbanas, 2013-2016, aprobado, por el Real Decreto 233/2013, de 5 de abril, no hace sino abundar y seguir apostando, decidida y firmemente, por el camino que en su día emprendió el extinto Plan Estatal de Vivienda 2009-2012 en favor de la rehabilitación, regeneración y renovación urbanas.

Para finalizar, debemos hacer mención obligada, dentro de las que hemos venido a denominar —porque realmente y con toda razón lo son— como principales normas precursoras de la actual y vigente Ley 8/2013, de 26 de junio, de rehabilitación, regeneración y renovación urbanas, a la Ley 2/2011, de 4 de marzo, de Economía Sostenible, ya que la misma, aunque a primera vista puede parecer que poco o nada tiene que ver con dicha temática, dedica dentro de su Título III («Sostenibilidad Medioambiental»), el Capítulo IV, por entero, a la «Rehabilitación y vivienda» (10). El mismo, persigue, básica y fundamentalmente, impulsar la recuperación del sector de la vivienda, mediante la introducción de una serie de reformas centradas en el estimulo y promoción de la rehabilitación y la renovación urbana, las cuales, comportan, por un lado, la rehabilitación de edificios, especialmente —que no exclusivamente—, de uso residencial, y por otro lado —renovación urbana—, la reforma de urbanizaciones, dotaciones o de ambas. Tanto una como otra actividad, es decir, tanto la rehabilitación, como la renovación urbana, resultan de aplicación y están pensadas para operar, no sólo en grandes urbes, ciudades o metrópolis, sino, además de en estas —por supuesto—, también, en cualquier localidad o población (11) —núcleos residenciales existentes, en terminología del

---

(10) Para una mayor profundización en el tratamiento y regulación de la rehabilitación y la renovación urbana en la Ley 2/2011, de 4 de marzo, de Economía Sostenible, que, en gran medida, viene a ser la *«madre intelectual»* y causante de la vigente Ley 8/2013, de 26 de junio, de rehabilitación, regeneración y renovación urbana, véase el trabajo de García-Moreno Rodríguez, F., «La rehabilitación y la renovación urbana: actuaciones estratégicas sobre las que se articula y construye el medio urbano sostenible», en Comentarios a la Ley de Economía Sostenible, dir. Santiago A. Bello Paredes, LA LEY, Madrid, 2011, pág. 535 y ss.

(11) Cuando en el texto ut supra me refiero a cualquier localidad o población, en contraposición a grandes urbes, ciudades o metrópolis, me quiero referir a lo que la Ley 7/1985, de 2 de abril, reguladora de las Bases de Régimen Local, denomina en su artículo 3, al enumerar los distintos tipos o clases de Entidades Locales, como: *«Entidades de ámbito territorial inferior al municipal»*, dentro de las cuales, se incluye, una pléyade de núcleos de población con nombre de lo más diverso y variopinto como, entre otros: Pedanías, Anteiglesias, Parroquias, Concejos, etc. La posibilidad de que en estos últimos y no solo en las grandes aglomeraciones urbanas, pueda aplicarse la rehabilitación y la renovación urbana, es confirmada, por el propio legislador, al referirse, el mismo, en relación con tales actividades, no solo a las ciudades, sino también a *«núcleos residenciales existentes»*, dentro los cuales encuentran cabida, sin lugar a dudas, las diversas clases o tipos de Entidades de ámbito territorial inferior al municipal a que nos hemos referido.

legislador de la Ley 2/2011, de 4 de marzo, de Economía Sostenible— por peque-ña que sea, en que se den las condiciones necesarias y pertinentes que posibiliten su empleo. Así, en virtud del marco normativo contemplado en el Capítulo IV del Título III de la Ley 2/2011, de 4 de marzo, de Economía Sostenible, se rompe, con la tradicional concepción tanto del urbanismo como de la vivienda, centradas, fundamentalmente, como es bien sabido, en la expansión de las ciudades y en su crecimiento poco menos que ilimitado, a la par que, en dirección frontalmente opuesta a la anteriormente apuntada, se impulsa, de manera decidida y sin am-bages de ningún tipo o clase, las actuaciones de reforma interior de las poblacio-nes, es decir, de las ciudades construidas y existentes y más concretamente, de las tramas, tejidos, urdimbres o entramados urbanos, lo que se trata de materializar a través, bien de la rehabilitación, bien de la renovación urbana (12).

1.2. Apuesta decidida del legislador de la Ley 8/2013, de 26 de junio, de rehabilitación, regeneración y renovación urbanas por la vuelta a la ciudad construida y existente, frente a la planificada y por hacer

Ante la situación que desde hace ya una serie de años, pero sobre todo, actual-mente, padece el sistema inmobiliario español (fundamentalmente, el urbanismo y la vivienda), se impone, a sí mismo, el legislador de la Ley 8/2013, de 26 de junio, de rehabilitación, regeneración y renovación urbanas, el deber, la obliga-ción (¡no le queda otra!) de abandonar el tradicional expansionismo que desde el nacimiento del urbanismo moderno, es decir, desde la vieja Ley del Suelo de 12 de mayo de 1956, ha caracterizado al mismo, e incluso, si nos remontamos más atrás en el tiempo, con anterioridad a aquel, dado que el urbanismo a lo largo y ancho del Siglo XIX, y de manera destacada y preeminente en su segunda mitad, se ha caracterizado —hasta el punto de constituir una seña de identidad propia con la que ha pasado y es conocido en la historia—, igualmente, por los denominados «ensanches», que no es sino una forma o manera de aludir a lo que hoy entende-mos por expansión de las ciudades. El legislador de la Ley 8/2013, de 26 de junio, de rehabilitación, regeneración y renovación urbanas, es plenamente consciente de que tanto el agotamiento que con anterioridad a la grave crisis que actualmente padecemos se empezaba a percibir en tal planteamiento, como esta última, que no ha venido, en definitiva, sino a evidenciar y hacer más patentes las carencias, deficiencias y errores que por pura inercia se venían arrastrando, han producido un cambio de paradigma en el concepto y filosofía del urbanismo y de la vivienda, en virtud del cual, se pasa de un exacerbado crecimiento de las ciudades hacía fuera, es decir, de su expansión prácticamente ilimitada y a todas luces, desmedida y

---

(12) Para tener una visión general de lo que supuso la rehabilitación, la renovación y en general, las diversas actuaciones de reforma interior en las ciudades, durante el año 2011, más allá de la Ley 2/2011, de 4 de marzo, de Economía Sostenible, véase sobre el particular el trabajo de Alonso Ibañez, M. R., «Intervención en la ciudad existente: las actuaciones de rehabilitación en las refor-mas legislativas de 2011», *Ciudad y Territorio: Estudios territoriales*, n.º 174, 2012, pág. 639 y ss.

desorbitada por la cantidad ingente de recursos de todo tipo que ello comporta, a un urbanismo más contenido, intimista y retraído, que lejos de mirar hacía el exterior, hacia lo de fuera de la ciudad, trata de volver a lo que durante tantos y tantos años se ha postergado, al condenarlo —sin saber muy bien cuándo, ni sobre todo, y lo que es más importante, por qué— al mayor y más abyecto de los ostracismos posibles, a saber, a la propia ciudad construida.

Dentro de dicha tendencia rehabilitadora, regeneradora y renovadora de lo urbano que preconiza, expresa y abiertamente, el legislador y constituye el auténtico sello de identidad de la vigente Ley 8/2013, de 26 de junio, no se olvida tampoco aquel de la vertiente social que dichas actuaciones comportan y así, trata el mismo, al albur de estas últimas, de evitar la exclusión social, lo que en gran parte tiene un condicionante urbanístico que pasa, precisamente, por acondicionar (regenerar) y reformar (renovar) dentro de las ciudades las zonas más degradadas y marginadas de las mismas. Asimismo, tampoco descuida el legislador la vertiente medioambiental, dado que apunta a la eficiencia como otro de los nuevos principios que deben regir, el cual, combinado con el consistente en evitar el despilfarro de los recursos naturales, nos da una idea más que aproximada, de que está sentando aquel las bases para aprovechar al máximo (optimizar) con lo que se cuenta, con lo que hay, que es tanto como decir que la ciudad construida y existente, o si se prefiere, presente. De todos modos consideramos oportuno matizar, tal y como puede constatarse del tenor literal de la propia Ley 8/2013, de 26 de junio, de rehabilitación, regeneración y renovación urbanas, que el cambio de paradigma o de ciclo —según se prefiera— del que venimos reiteradamente hablando, no implica o supone tanto un cambio en la concepción de la ciudad, como de la dinámica seguida hasta entonces de manera incuestionada. Por otro lado, cabe extraer —quizá, lo más importante, transcendente y destacable de todo—, tanto de las normas precursoras de la vigente Ley 8/2013, de 26 de junio, de rehabilitación, regeneración y renovación urbanas, como, sobre todo, de esta última, que no viene sino a confirmar el camino emprendida por aquellas, que otro urbanismo es posible, concretamente, uno más sostenible, eficaz y realista, quizá —seguro—, al darse cuenta el propio legislador que el crecimiento y la concepción del mismo, mantenida, indubitada e inquebrantablemente, hasta entonces, estaban condenados a medio, o como mucho, largo plazo, al más estrepitoso y rotundo de los fracasos —como finalmente así ha sucedido—, ya que, como por otro lado es del todo lógico, nada puede crecer por siempre y para siempre en el tiempo, y menos aun, sin tener en cuenta factores tan importantes como la rentabilidad y sostenibilidad de lo construido y el costo, ya no sólo económico, sino, también, medioambiental y social, que ello genera.

Es por tanto en la vigente Ley 8/2013, de 26 de junio, de rehabilitación, regeneración y renovación urbanas, y no antes —al menos con el aplomo y radical convicción con que lo hace esta última—, donde, de una vez por todas, se produce el desmoronamiento y derrumbe total —no nos atrevemos a aseverar, pese a que nos gustaría, sin posible vuelta a atrás— de la tradicional estructura jurídico-dogmática sustentadora de la concepción expansionista y desarrollista que del urbanismo y de las ciudades se venía teniendo, para pasar a triunfar, sin ningún tipo de ambages, la postura casi diametralmente opuesta a la hasta ahora seguida, caracterizada, como ya hemos tenido oportunidad de apuntar, por volver la vista hacía la ciudad construida y existente, o lo que es lo mismo, hacia la ciudad presente y actual, y dentro de esta, en particular y de manera preeminente —que no exclusiva—, a los lugares, espacios y barrios especialmente degradados, como consecuencia del ostracismo y abandono multisecular al que han sido condenados, para con ello, tratar de recuperar la ciudad en cuanto tal, para todos y cada uno de los ciudadanos que en ella habitan. Sumamente representativo de este cambio de tendencia, no meramente teórico, sino real y efectivo, es el título mismo de la Ley 8/2013, de 26 de junio, donde a diferencia de todas las normas anteriores —con la excepción del Real Decreto 2066/2008, de 12 de diciembre, por el que se aprueba el Plan Estatal de Vivienda y Rehabilitación 2009-2012, que no viene a ser sino la excepción que confirma la regla— (13), se denomina, ya muy significativa y gráficamente, como: «de rehabilitación, regeneración y renovación urbanas», lo que, nótese, comporta, en resumidas cuentas, aunque pueda resultar paradójico, e incluso, sorprendente, una cierta vuelta a los orígenes del urbanismo y de la normativa propia y característica de la vivienda, caracterizados, en gran medida, por la reforma interior de las poblaciones. Pues bien, tal hecho, supone —ahora sí—, ni más ni menos, que un cambio total y absoluto de paradigma, al pasar de una concepción de la ciudad y del correspondiente urbanismo posibilitador de aquella, netamente expansionista y desarrollista, a otro, que sin oponerse, necesariamente, a esta última tendencia —no se limita la expansión y ensanche de la ciudad, siempre y cuando sea sostenible— (14),

---

(13) No incluimos dentro de dicha relación el recientísimo Plan Estatal de Fomento del alquiler de viviendas, la rehabilitación edificatoria, y la regeneración y renovación urbanas, 2013-2016, aprobado, por el Real Decreto 233/2013, de 5 de abril, dado que este último y atendiendo a la fecha en que fue aprobado —apenas, hace algo más de dos meses—, podemos considerarle parejo en el tiempo a la Ley 8/2013, de 26 de junio, de rehabilitación, regeneración y renovación urbanas, y no anterior o precedente a esta última.

(14) La sostenibilidad a la que me refiero en el texto superior, debe entenderse desde una concepción trimembre, a saber, económica, medioambiental y social. Así y atendiendo a tales características que se integran dentro de la acepción «*sostenibilidad*», las ciudades y pueblos de nuestra geografía podrán crecer en extensión, o lo que es lo mismo, desarrollarse y expandirse desde un punto de vista territorial, siempre que tal crecimiento resulte económicamente sostenible, es decir, que se pueda hacer cargo del mismo la respectiva población en los gastos que a medio y largo plazo tal hecho indefectiblemente genera (alumbrado, servicios públicos, mantenimiento de calles y plazas, etc.); respetuoso con el medio ambiente, lo que implicará el tratar de coexistir y preservar el mismo, lo máximo posible, y por último social, en cuanto que frente a lo que tradicionalmente se venía haciendo no se tienda a la compartimentación de la ciudad en virtud del distinto poder adquisitivo de los que la conforman, sino a la cohesión social, esto es, a que no haya varios tipos o clases de ciudades dentro de una misma, sino una sola, en la cual todos sin distinción y de manera integrada convivan. Es este el crecimiento al que siempre se debió tender y el que en absoluto resulta incompatible con los nuevos paradigmas que hoy en día se predican en torno a la sostenibilidad. Sobre el particular y para abundar más en tal temática me remito por entero al lúcido trabajo de Sánchez Goyanes, E y Rodríguez-Passolas Cantal, J., «El desarrollo territorial sostenible, como principio jurídico vinculante en la más reciente jurisprudencia», *Revista de Urbanismo y Edificación*, n.º 21, 2010, pág. 211 y ss.

es, en buena lógica —sorprende, si uno se pone a pensar, que no siempre fuera así—, más contenido, controlado y comedido, al centrarse el mismo, no tanto en lo que queda por hacer para completar esa siempre imposible de alcanzar ciudad soñada (planificada), como en mejorar lo ya hecho y falto de adecentamiento, modernización y acomodo a los tiempos actuales. A mi modo de ver, el progreso e impulso de las ciudades, sin saber muy bien a qué se ha debido, o más aun, cuál ha sido, de haberle, el factor desencadenante —lo que merecería un estudio exhaustivo y pormenorizado de ello—, se ha basado, contra toda lógica, como exponente máximo y casi único, en el puro y duro desarrollismo de aquellas, entendiendo por este, su mero crecimiento y expansión, con abandono patente de lo ya construido, cuando lo que cabría esperar es, precisamente, todo lo contrario, es decir, primero dejar en perfectas condiciones, mediante mejoras, rehabilitaciones, reformas o renovaciones lo ya existente, en especial lo más degradado y deteriorado, para una vez cumplido tal objetivo, pasar, entonces sí, a preocuparse del crecimiento y expansión de la ciudad, pero, insisto, nunca antes de contar la misma con las debidas condiciones de habitabilidad, que permitan la normal convivencia de cuantos ciudadanos residen en ella. Todo lo que no sea eso, como ha sido el caso, desafía toda lógica y como no puede ser de otra forma y así ha sucedido, está condenado al fracaso. Por ello y en este punto, debemos felicitarnos del cambio de rumbo que, con total convicción y plena determinación y valentía, ha adoptado el legislador a través de la Ley 8/2013, de 26 de junio, de rehabilitación, regeneración y renovación urbanas.

2. LA REHABILITACIÓN, REGENERACIÓN Y RENOVACIÓN URBANAS: ACTUACIONES A MEDIO CAMINO ENTRE EL DERECHO URBANÍSTICO Y LA MATERIA PROPIA Y CARACTERÍSTICA DE VIVIENDA

En el presente epígrafe queremos llamar la atención sobre una cuestión que en muchas ocasiones pasa desapercibida, pero que considero y estimo de vital importancia para el futuro de lo que en la terminología clásica y a mi modo de ver, con total acierto, se ha venido a denominar como reforma interior de las poblaciones y que, por supuesto, engloba, entre otras actuaciones, las que contempla expresamente la vigente Ley 8/2013, de 26 de junio, a saber, la rehabilitación, la regeneración y la renovación urbanas. Tal cuestión, deriva de la regulación que de las actuaciones anteriormente referidas lleva a cabo el legislador, en virtud de la cual, deja a estas últimas en una especie de limbo competencial a medio camino entre lo que es propiamente el urbanismo y lo que es propiamente la vivienda. Me explico, las mismas parecen ir, en cierta medida, «por libre», hasta el punto de constituir lo que parece o pretende ser una disciplina propia y autónoma, ya que a pesar de tener múltiples connotaciones e implicaciones tanto urbanísticas, como en materia propia de vivienda, lo que por otro lado es del todo lógico si atendemos al objeto sustantivo sobre el que operan respectivamente la rehabilitación, la regeneración y la rehabilitación urbanas, no terminan de circunscribirse o integrarse, finalmente, ni en una, ni en otra disciplina. Ello, como tendremos oportunidad de exponer con posterioridad, no consideramos que sea lo más correcto ni pertinente, ya que estimamos que frente a determinadas ventajas o beneficios que, en algunas ocasiones, pueda comportar tal estatus, estamos seguros que en muchas otras, la mayoría, dicha indefinición generará no pocos problemas, dificultades e inconvenientes.

2.1. La indisoluble complementariedad del urbanismo y la vivienda: en especial, en materia de rehabilitación, regeneración y renovación urbanas

Por todos es conocido que el urbanismo persigue, en última instancia, lo que podríamos denominar, de manera un tanto genérica, pero muy gráfica: «Hacer ciudad». Tan compleja actividad, consistente en la creación armónica, controlada y premeditada de la ciudad que se quiere y se desea, requiere, como bien se comprenderá, de la suma y participación de múltiples ámbitos del saber. Abundando en esta idea, debemos precisar que tal carácter multidisciplinar que comporta el urbanismo, se plasma, en lo que viene a denominarse, técnicamente, como: «Ámbitos materiales interrelacionados», los cuales, no vienen sino a reflejar un hecho indubitado, cual es, que aquel, el urbanismo, en la consecución del objetivo que le es propio, a la sazón, «hacer ciudades», va a tener que enfrentarse, en no pocas ocasiones, a diversos ámbitos materiales (carreteras, patrimonio cultural, aguas, medioambiente, etc.) que, en algunos casos, tendrá que respetar, en otros, podrá modificar, y en todos, deberá coexistir con ellos, no siendo dentro los mismos una excepción, ni mucho menos, la materia alusiva o concerniente a la vivienda.

Hilando, precisamente, el hecho de planificar ciudades, o partes de ellas, propio del urbanismo, y el último de los «ámbitos materiales interrelacionados» anteriormente referido, procede, profundizar, algo más, en la relación: urbanismo—vivienda. Ni que decir tiene, que la relación existente entre ambas materias es estrechísima —hasta el punto de que, en algunos casos, habida cuenta de su gran correspondencia y afinidad, resulta, prácticamente imposible, diferenciar o distinguir una de otra— (15), dado que el urbanismo, en la programación del desarrollo de las ciudades, tiene como finalidad, básica y preferente, la creación de viviendas,

---

(15) El Derecho urbanístico y la legislación de vivienda son dos disciplinas que, como fácilmente se comprenderá, han tenido, tienen y están condenadas a tener múltiples interacciones, dado que en muchas de las materias que respectivamente regulan, es difícil determinar donde termina una y comienza la otra y viceversa. No debe extrañarnos por ello, en absoluto, que dentro del urbanismo cada vez tenga más peso específico la vivienda y en virtud de ello, se dedique más atención a esta última en cuanto que finalidad primordial, o cuando menos, preeminente de aquel. Este fenómeno resulta especialmente significativo y se manifiesta de manera notoria a partir, sobre todo, de la Ley 8/2007, de 28 de mayo, de Suelo. Sobre el particular y para una mayor profundización en las relaciones sinalagmáticas que acontecen entre urbanismo y vivienda, me remito por entero al trabajo de García-Moreno Rodríguez, F.: «Algunas reflexiones en torno a la incidencia de la vigente Ley Estatal de Suelo 8/2007, de 28 de mayo, en el mercado de la vivienda», *Revista Clm economía*, n.º 11, 2008, pág 267 y ss.

pudiendo por ello decir, que las viviendas, no son sino la consecuencia inmediata del urbanismo y radicando, por tanto, en gran medida en este último, con independencia de las diversas políticas y regulación normativa de vivienda que a nivel nacional y autonómico puedan existir, el fracaso, o en su caso, el logro, de conseguir la dación al mercado de las suficientes viviendas, en cantidad y calidad, que demande la oferta en cada momento existente y todo ello, a un precio razonable y competitivo. Pero no acaba ahí, en la «creación de las ciudades», la vinculación existente, entre urbanismo y vivienda, siendo buen ejemplo de ello, el tema que nos ocupa en el presente trabajo. Así, tanto el urbanismo, como la legislación de vivienda, se ocupan, una vez creada o construida la ciudad, de conservarla, de mantenerla, de mejorarla, en definitiva, de ponerla en valor. Es ahí, donde entran la rehabilitación, la regeneración y la renovación urbanas, actividades que, una vez más, son contempladas tanto por el urbanismo como por la legislación propia de vivienda, refrendando la estrecha unión existente entre una y otra disciplina. Nótese, además, que tanto la rehabilitación como la regeneración y renovación urbanas, como consecuencia de la finalización, o cuando menos, aminoramiento drástico, del ciclo expansivo de la ciudades, tienen —que no, han recuperado, ya que, en puridad, nunca han llegado a tener el peso específico dentro del urbanismo o de la vivienda del que gozan en el presente— un notabilísimo protagonismo, que hace perdurar la relación urbanismo-vivienda, casi hasta el infinito, pues siempre hay zonas o lugares dentro del interior de las ciudades que por el transcurso del tiempo van quedando degradadas, abandonadas u obsoletas y por tanto, requieren ser rehabilitadas, regeneradas o renovadas.

2.2. Aproximación a la problemática que deriva de la regulación de la rehabilitación, regeneración y renovación urbanas al margen de las disciplinas propiamente urbanística y de vivienda: algunas notas

En virtud de lo referido en el apartado precedente y como, por cierto, la realidad cotidiana se encarga machaconamente de mostrarnos en reiteradas ocasiones, la rehabilitación, la regeneración y la renovación urbanas se aplican indistintamente en el ámbito urbanístico y en el propio de la vivienda. Ello, ni que decir tiene, responde a la gran versatilidad, que, entre otras muchas virtudes, atesoran tales actuaciones, lo que lejos de ser un inconveniente, consideramos, que por el contrario, es una gran ventaja y de ahí que nos refiramos a tal característica como virtud. Ahora bien, una cosa es que ello sea algo positivo, e incluso, bueno y otra muy distinta que no se sepa muy bien a quien corresponde tal competencia, o si se prefiere, dentro de que disciplina o materia se circunscribe la misma. Lo que en cualquier caso no parece lógico, ni razonable, es que dicha materia se convierta en un nuevo «Ámbito material interrelacionado», máxime, si tenemos en cuenta que tales funciones tendentes a la reforma interior de las poblaciones cuentan con antecedentes muy asentados tanto en el ámbito urbanístico (Planes Especiales de Reforma Interior) como en el propio y característico de la vivienda (Áreas de Rehabilitación Integral y Áreas de Renovación Urbana). Por todo ello, consideramos

debe terminarse con tal situación lo antes posible y en consecuencia establecer el legislador la hegemonía o preponderancia, pero en exclusiva, de una disciplina (urbanismo) u otra (vivienda) por lo que a tales actuaciones se refiere. En este sentido considero que el legislador de la vigente Ley 8/2013, de 26 de junio, de rehabilitación, regeneración y renovación urbanas, ha perdido una oportunidad inestimable para solucionar, de una vez por todas, tal problema y con ello, dar cumplida respuesta al mismo para siempre.

3. EL PROBLEMA DE LOS CONSTANTES CAMBIOS NORMATIVOS EN MATERIA DE URBANISMO-VIVIENDA PARA CONSOLIDAR EFECTIVAMENTE EL SISTEMA

El que hayamos manifestado el, a nuestro modo de ver, acertado cambio de rumbo que desde hace unos años a esta parte ha venido caracterizando al legislador estatal y que ratifica este último en la presente Ley 8/2013, de 26 de junio, de rehabilitación, regeneración y renovación urbanas, al ser plenamente consciente el mismo del cambio de ciclo habido en el sector inmobiliario como consecuencia del agotamiento congénito, por sobresaturación, de la expansión desmedida y en muchos casos, irracional e injustificada de las ciudades, y que tal catarsis, consecuentemente, haya propiciado la modificación, inevitable e irremediablemente, del ordenamiento jurídico hasta entonces existente, en nada empece para que nos mostremos críticos, de manera categórica y contundente, con los constantes cambios que, en general, en el ordenamiento jurídico y de manera particular, en la órbita del urbanismo y la vivienda se vienen produciendo de manera reiterada y pertinaz en los últimos años y muchas veces, sin la suficiente base o motivación que lo justifique. Ni que decir tiene, que nos manifestamos abiertamente contrarios a tal fenómeno, que bien podemos calificar de tendencia, más que de moda, ya que esta última es, por definición, pasajera, temporal y efímera, mientras que el aludido obrar del legislador, por el contrario, lejos de decaer, no sólo se ha consolidado en el tiempo, sino que incluso parece, con el pasar de los años, ir a más. Nuestra oposición frontal a tal tendencia del legislador, se debe a que la misma, en última instancia, irroga a todos cuantos operan en el ordenamiento jurídico, con independencia de su mayor o menor especialidad en la materia de la que se trate, unas grandes dosis de inseguridad jurídica a la hora de saber cuál es realmente la normativa aplicable, lo que, evidentemente, a todos perjudica y a nadie beneficia. Tal situación esta llegando a un extremo, en que, amén de producir un profundo hartazgo, desesperación, e incluso —me atrevería a decir—, irritación, por cierto, cada vez peor disimulada, en los profesionales del Derecho (Profesores Universitarios, Magistrados y Jueces, Abogados, funcionarios, etc.), lejos de contribuir a lo que debiera ser el ordenamiento jurídico, esta causando —buscado o no, aunque eso bien poco importa—, precisamente, el efecto diametralmente opuesto, es decir, el «desordenamiento jurídico», lo que, como fácilmente se comprenderá, a nada bueno puede llevarnos.

Por otro lado, tal actuar del legislador, comporta, inexorablemente, que nadie, dentro de lo que se ha venido a denominar por algunos autores como «galaxia jurídica», para con este símil dar a entender la infinidad de normas que hay y con ello, lo inconmensurable y por ende, inabarcable, que se ha vuelto el ordenamiento jurídico, domine, ya no sólo este último (labor imposible), sino, incluso, una sola de las múltiples disciplinas que le integran, lo que, se mire por donde se mire, brinda un flaco servicio no solo al correspondiente saber científico de esta o aquella materia, sino, en última instancia y por extensión, a toda la sociedad. Del mismo modo, los constantes y reiterados cambios normativos generan un efecto profundamente perverso —buscado o no, es lo de menos—, que pasa desapercibido prácticamente a todos, pero que tiene, a nuestro modo de ver, una gran importancia y transcendencia, no siendo este otro que la postergación que con tal actuar se hace, de facto, del poder judicial, al impedir que este último pueda llevar a cabo la función que le es propia y característica y que, como es bien sabido, no es otra que interpretar el ordenamiento jurídico aplicable, para con ello contribuir a su asentamiento, esclarecimiento y adecuación, lo que, insistimos, se ve erradicado de raíz con tan constantes y pertinaces cambios, quedando, por tanto, ya no solo la producción normativa en manos, en última instancia, del poder ejecutivo, sino, también, su total y absoluto contenido, discernimiento y sentido, pues con tales modificaciones se impide al poder judicial cualquier tipo o clase de pronunciamiento posible (jurisprudencia o doctrina judicial) y en particular, todo aquel que pueda resultar o ser contrario a los intereses o aspiraciones de quien legisla, lo que en último término y con independencia de suponer una vulneración flagrante de la triple división de poderes supone, a nuestro modo de ver, un claro indicio de déficit democrático.

3.1. La «motorización legislativa»: una tradición deplorable del legislador español, que lejos de decaer va en aumento y debe ser erradicada

Tal y como hemos apuntado con anterioridad, nuestro ordenamiento jurídico se viene caracterizando desde hace ya bastantes años por una exagerada profusión, o si se prefiere, incontinencia legislativa, que de manera más gráfica ha venido a denominarse como «motorización legislativa». Pues bien, la tan predicada «motorización legislativa», frente a toda lógica, lejos de atemperarse o moderarse, en definitiva, de reconducirse a extremos de comedimiento y mesura dentro de una prudencia y cautela que debiera ser su razón de ser, parece ir cada vez más en franco aumento, con los innegables perjuicios que ello comporta tanto para quines son los encargados de aplicar el ordenamiento jurídico en los diversos campos que conforman el mismo (Administraciones Públicas, Tribunales de Justicia, etc.), como para cuantas personas operan profesionalmente o se desenvuelven de manera habitual en él, como finalmente, para los ciudadanos a quienes en último extremo, no se olvide, condiciona y resulta de aplicación aquel.

Todo ello, por si fuera poco, se ve notablemente exacerbado con la utilización por el legislador de determinados mecanismos o estrategias, ciertamente, de dudosa o cuando menos cuestionable legalidad, como, en su momento, el aprovechar la Ley de Presupuestos Generales del Estado para al albur de su aprobación, aprobar igualmente un número ingente de modificaciones de las más variadas Leyes, o tras declarar el Tribunal Constitucional su improcedencia, por inconstitucional, burlar tal prohibición aprobando junto con dicha Ley otra paralela denominada, un tanto eufemísticamente, como de Acompañamiento a los Presupuestos Generales del Estado y más técnicamente, como de Medidas Fiscales, Administrativas y del Orden Social, para dentro de esta última y salvando formalmente, que no de fondo —al menos este es nuestro parecer—, el aludido fallo del Tribunal Constitucional, aprobar un número ingente de modificaciones de las más variadas y dispares Leyes, tal y como vaticina ya el propio título de la Ley, caracterizado, como puede constatarse, por una enorme inconcreción, una injustificada e ilógica mixtura de materias, a la par que un marcado afán de generalidad, y ello, hasta el extremo de proceder a cambiar, a veces sin exageración, de arriba a abajo nuestro ordenamiento jurídico.

Por si ello fuera poco, hay que añadir también, junto con la técnica anteriormente referida que, como hemos visto, utiliza asiduamente el legislador sin ningún tipo de empacho para modificar masivamente las mas dispares normas de nuestro ordenamiento jurídico, la utilización por aquel de otra u otras estratagemas jurídicas para tratar de lograr idénticos resultados, de entre las que destacamos las cada vez más populares —por desgracia— Leyes Transversales que de tanto en tanto y en cualquier caso, cada vez con más inusitada frecuencia aprueba nuestro legislador y que a modo de «Leyes Escoba» (16) proceden a barrer —de ahí su nombre—, literalmente, el ordenamiento jurídico hasta entonces imperante. En los últimos tiempos, sin pretender ser exhaustivo, tenemos múltiples ejemplos de tales normas, como por ejemplo y entre otras, la denominada Ley Ómnibus (17), o la más reciente Ley de Economía Sostenible (18). Pero con ser ello de por sí, suficientemente grave y harto preocupante por lo que a la necesaria estabilidad y seguridad del ordenamiento jurídico se refiere, aun llega más lejos el legislador en su afán de alterar indiscriminadamente el ordenamiento jurídico existente y así yendo incluso mucho más allá de tales normas, opta, cada vez con mayor profusión, haciendo bueno el brocardo jurídico que reza Lex posterior derogat anterior, por aprovechar la aprobación de cualquier nueva Ley, para introducir en las Disposiciones Finales de la misma, cuantos cambios, modificaciones o rectificaciones de otra u otras Leyes considera y estima oportuno, sin importarle a estos efectos que aquellas tengan que ver o no con la materia que regula la misma, lo que, como fácilmente se comprenderá, genera una inseguridad jurídica manifiesta y además y lo que es peor, insuperable, dado que es imposible que nadie pueda estar

---

(16) La Leyes Transversales a que nos hemos referido en el texto *ut supra*, se denominan también *«Leyes Escoba»*, término este, mucho más grafico que aquel, dado que el mismo alude a que estas, literalmente barren, el ordenamiento jurídico de todo tipo y clase de normas.

(17) Ley 25/2009, de 22 de diciembre, de modificación de diversas Leyes para su adaptación a la Ley sobre el libre acceso a las actividades de servicios y su ejercicio.

(18) Ley 2/2011, de 4 de marzo, de Economía Sostenible.

leyéndose todas y cada una de las Leyes que constante y sistemáticamente se aprueban para tratar de escudriñar en la parte final de las mismas cuales son las normas o disposiciones dentro de estas que aquellas han modificado, cambiado o rectificado. Nótese, que la omisión en la lectura de una sola Ley puede implicar que sea en ella, precisamente, donde se lleve a cabo la modificación de la norma que estamos manejando o nos proponemos manejar, con lo que de no tener suerte, en absoluto será extraño que demos por vigente o válido algo que a lo mejor ya no lo es, con las nefastas y desastrosas consecuencias que ello, lógicamente, va a propiciar.

3.2. La Ley 8/2013, de 26 de junio, de rehabilitación, regeneración y renovación urbanas, como personificación de los males que comporta la «motorización legislativa»

La cuestión atinente a la «motorización legislativa», tan actual y omnipresente como problemática y recriminable, la hemos traído a colación dado que dentro del ordenamiento jurídico, su aplicación y utilización en el ámbito del Derecho Inmobiliario y dentro de él, en particular, en la materia referente al urbanismo y la vivienda, no constituye, tal y como se verá, ninguna excepción. Efectivamente, dentro del bloque del ordenamiento jurídico que integra las materias de urbanismo y vivienda, tenemos variados ejemplos de la tan predicada «motorización legislativa». Así, en el ámbito urbanístico —y no en menor medida en el de la vivienda— nos encontramos desde hace una serie de años con múltiples cambios normativos. Como ejemplo de ello, podemos traer a colación, la Ley 6/1998, de 13 de abril, sobre Régimen del Suelo y Ordenación Urbana, la cual fue derogada por la Ley 8/2007, de 28 de mayo, de Suelo, más tarde sustituida por el Real Decreto Legislativo 2/2008, de 20 de junio, por el que se aprobó el Texto Refundido de la Ley de Suelo, el cual, sin ir más lejos, es modificado ahora por la Ley 8/2013, de 26 de junio, de rehabilitación, regeneración y renovación urbana (19). Con ser ello problemático, más lo es, si tenemos en cuenta que la alteración, modificación y sustitución de tal normativa por otra nueva, afecta, indefectiblemente, a la legislación urbanística autonómica, la cual a su vez repercute en el planeamiento urbanístico en tramitación, de modo y manera, que no es raro que cuando una Comunidad Autónoma se encuentra a punto de adaptarse a la nueva legislación urbanística estatal y con ella, los instrumentos de planeamiento general —y a veces, también de desarrollo—, de la misma, vuelva a cambiar nuevamente aquella (legislación estatal), para con ello volver a empezar otra vez todo el proceso, que para desánimo de quien lo lleva a cabo —y más de quien lo padece— no excluye que dicha situación pueda volver a repetirse. Ello, indefectiblemente, propicia una regulación caótica, caracterizada por ser heterogénea, desestructurada y en cualquier

---

(19) Los cambios introducidos por la Ley 8/2013, de 26 de junio, de rehabilitación, regeneración y renovación urbanas, en el Real Decreto Legislativo 2/2008, de 20 de junio, por el que se aprueba el Texto Refundido de la Ley de Suelo, en absoluto podemos considerar nimios ni irrelevantes, sino, por el contrario, de sumo calado e importancia, si nos atenemos a su número y al objeto sustantivo sobre el que incide los mismos.

caso, poco coherente y armónica, debido a los múltiples «remiendos» parciales que, a modo de «pegotes» o «parches», se van añadiendo, con lo que esta última termina perdiendo su identidad al convertirse en un meo «refrito» de normas parciales que no hacen sino, cada vez más, ocasionar distorsiones, cuando no, contradicciones, en su aplicación, lo que sin lugar a dudas la desacredita, e incluso, inhabilita funcionalmente, en el mismo grado, a mi modo de ver, que al legislador del que trae causa aquella.

Por otro lado, también nos encontramos en el ámbito inmobiliario, dentro del cual desarrollamos el presente trabajo, con las tan temidas Leyes transversales, que como se comprenderá, sobre la realidad anteriormente referida, no vienen sino a complicar aun más la misma, hasta hacerla, en algunos supuestos, insufrible. Un ejemplo de este tipo de Leyes lo constituye la recientísima Ley que ahora nos ocupa, a la sazón, Ley 8/2013, de 26 de junio, de rehabilitación, regeneración y renovación urbanas, la cual, frente a lo que denota su propio título y por tanto contra todo pronóstico, es una Ley transversal, o si se prefiere, una «Ley Escoba» en toda regla y además y lo que es aun peor y más grave, no centrada a diferencia de otras en lo que es el ámbito meramente inmobiliario, ya que conjuga la modificación de normas que se integran dentro de aquel, con la de otra u otras normas que nada tienen que ver con el mismo. Efectivamente, si acudimos a las Disposiciones Finales de la Ley, nos encontramos que junto a la modificación de ciertas normas que tienen que ver directamente con dicha materia como la Ley 49/1960, de 21 de julio, sobre Propiedad Horizontal (Disposición Final Primera), la Ley 38/1999, de 5 de noviembre, de Ordenación de la Edificación (Disposición Final Tercera), o el Real Decreto Legislativo 2/2008, de 20 de junio, por el que se aprueba el Texto Refundido de la Ley de Suelo (Disposición Final Duodécima), se procede a modificar otra serie de leyes que poco o nada tienen que ver con la rehabilitación, regeneración y renovación urbanas, como entre otras y sin ánimo de exhaustividad, la Ley 13/1998, de 4 de mayo, de Ordenación del Mercado de Tabacos y Normativa Tributaria (Disposición Final Segunda), la Ley 1/2000, de 7 de enero, de Enjuiciamiento Civil, o la Ley 21/2003, de 7 de julio, de Seguridad Aérea (Disposición Final Quinta). Tal panorama debe inducir al legislador a una seria y profunda reflexión, pues tal actuar, en nada favorece al ordenamiento jurídico, ni en su comprensión, ni en su aprehensión, y por ende, mucho menos en su aplicación práctica, habida cuenta del caos normativo que genera y con él, las múltiples inseguridades jurídicas que surgen, lo que en supuestos extremos le lleva, prácticamente, a ser inoperativo.

4. LA IMPERATIVA TRANSFORMACIÓN DE LA VIGENTE REGULACIÓN URBANÍSTICA AL ESTAR CONCEBIDA LA MISMA HACIA LA EXPANSIÓN Y CRECIMIENTO DE LAS CIUDADES Y NO HACIA LA REFORMA INTERIOR DE LAS POBLACIONES: UN TRABAJO QUE EN ABSOLUTO SE ANTOJA FÁCIL NI RÁPIDO

Resulta indudable, como ya hemos tenido oportunidad de apuntar con anterioridad, que el nuevo cambio de ciclo que, inevitablemente, comporta un nuevo paradigma muy distinto del hasta entonces seguido, exige profundos e importantes cambios en la regulación urbanística, dado que la misma, hasta el momento, estaba pensada y concebida, hacia el crecimiento y expansión de las ciudades y poco, o nada, hacia la reforma, mejora y acondicionamiento de las mismas. Por ello, nos encontramos en la actualidad y desde hace ya una serie de años, con innumerables problemas cuando lo que se pretende o busca es llevar a cabo una actuación de rehabilitación, regeneración o renovación urbana, de cierto calado e importancia, en el interior de la ciudad, o más propiamente dicho, en su tejido, entramado o urdimbre urbana. Del mismo modo, resulta poco menos que imposible el terminar de «coser» la ciudad en aquellos espacios interiores de la misma que se encuentran aun pendientes de ser rematados. La explicación a uno y otro problema es clara: no está dotado el ordenamiento jurídico-urbanístico, en el presente, de los instrumentos, técnicas y medios necesarios para poder acometer con éxito tales actuaciones, por lo que se impone su pronta y radical reforma.

4.1. El problema técnico y económico que plantea el operar sobre el suelo urbano respecto del suelo urbanizable: la dificultad de su autofinanciación

El cambiar el, por así decirlo, «punto de mira» del Derecho Urbanístico, fundamentalmente, y con él, pasar de mirar al exterior de las ciudades, caracterizado por el crecimiento y la expansión, al interior de las mismas, en lo que se preconiza es la rehabilitación, la regeneración y la renovación urbana, supone, que duda cabe, un cambio muy drástico, que, en resumidas cuentas, implica pasar del suelo urbanizable al suelo urbano. Tal cambio de protagonismo por lo que al suelo se refiere, en absoluto es baladí, dado que las diferencias entre uno y otro suelo son sustanciales y en idéntica medida, los derechos y deberes que en relación con los mismos establece el legislador. Ello implica, básica y fundamentalmente, dos tipos o clases de problemas, a saber, uno, de técnica legislativa y otro, de financiación o autofinanciación.

Por lo que al primero de dichos problemas se refiere, debemos señalar, que, efectivamente, el ordenamiento jurídico-urbanístico ha sido concebido y en la actualidad sigue estándolo, siquiera sea por inercia de tiempos pretéritos, para posibilitar la expansión y el crecimiento de las ciudades, lo que indefectiblemente, ha supuesto que los mayores esfuerzos del legislador hayan ido en dicha dirección, motivo por el cual la práctica totalidad de instrumentos, técnicas y medios se encuentran afectos a tal propósito. Ello implica, ni más ni menos, que la total inadecuación del actual sistema jurídico-urbanístico, fundamentalmente —que no exclusivamente—, en las materias que tienen que ver con el régimen jurídico del suelo, el planeamiento (general y de desarrollo) y la gestión urbanística, para llevar a cabo cualquier tipo de actuación que no se circunscriba dentro de aquellas a las que nos hemos referido y por ende, que la rehabilitación, regeneración y renovación urbana, al igual que otras que pretendan análogas finalidades a estas últimas, se encuentren con múltiples inconvenientes y dificultades, a veces, de imposible resolución, a la hora de afrontarlas. Se impone, por tanto, la modificación, ya no solo puntual, sino, global, de la vigente regulación urbanística, al afectar a su propia esencia y concepción, y con ello, el replantearse, en profundidad, muchas de las técnicas, procedimientos e instituciones urbanísticas, actualmente incuestionadas, si lo que se quiere de verdad es que la totalidad de actuaciones que persiguen la reforma interior de las ciudades construidas y existentes, es decir, presentes, funcionen verdadera y realmente, hasta su más absoluta normalización, o lo que es lo mismo, hasta aplicarse con total naturalidad.

El segundo de los problemas que plantea este cambio de ciclo al que nos venimos refiriendo, no es menor que el anteriormente expuesto. El mismo, estriba en un hecho contrastado e incuestionable, cual es que el suelo urbanizable, o lo que es lo mismo, la expansión y crecimiento de las ciudades, se autofinancia, mientras que, por el contrario, el suelo urbano que es, precisamente, en el que van a operar la totalidad de las actuaciones de rehabilitación, regeneración y renovación urbanas tendentes a reformar interiormente las poblaciones, no se autofinancia. Ello, como se comprenderá, en absoluto es un problema baladí, máxime, si tenemos en cuenta que desde hace varios años y aun en el presente, nos encontramos inmersos en una grave y profunda crisis económica de la que, por cierto, todavía no se ve la salida. Tal coyuntura, como es lógico, hace que la capacidad de financiación de actuaciones de reforma interior de las poblaciones y en particular, dentro de estas, de las atinentes a rehabilitación, regeneración y renovación urbana, por parte de los particulares se encuentre reducida a la mínima expresión, lo que, mutatis mutandis, es igualmente aplicable a la financiación pública. En virtud de ello, se corre el grave riesgo de que la buena voluntad del legislador quede solo en eso, es decir, en buena voluntad, al no poderse llevar a la práctica ninguna de las actuaciones previstas de reforma interior de las poblaciones, por carecer de la financiación suficiente y necesaria para hacerlo. De hecho, podemos afirmar, al menos tal es nuestro parecer, que de no contar la rehabilitación, regeneración y renovación urbanas, no solo con financiación, sino con una buena, fluida y eficaz financiación pública, mucho, y quizá, todo de lo pretendido, quedará en «agua de borrajas» y no terminará siendo más que una ilusión, un «brindis al sol», que fue bonito mientras duró, pero nada más que eso.

4.2. El cambio del ordenamiento jurídico-urbanístico debe ser prudente, contenido y moderado en su implementación y en los plazos que requiere el mismo

No obstante todo lo dicho, no es menos cierto, que los cambios —estructurales, puntuales y de todo tipo— que, indefectiblemente, hay que acometer, además, con la mayor urgencia posible, como consecuencia del drástico cambio de ciclo que se ha producido en el sector inmobiliario y dentro de este último, de manera muy particular en el ámbito urbanístico y de la vivienda —al pasar, sin término medio, del crecimiento y la expansión más desaforada, a la estricta contención y reforma interior de las poblaciones—, deben hacerse con la mayor mesura y prudencia posible, lo que no implica necesariamente, lentitud, parsimonia o tardanza, sino, únicamente, reflexión en todas y cada una de las medidas que se decida implementar. En este sentido, se trata de evitar que el legislador se deje llevar por el impulso de querer solucionar todo, lo antes posible y de la manera más inmediata, es decir, ser en exceso «cortoplacista», al ceñirse, exclusivamente y sin más consideraciones, a la actual y presente coyuntura, algo, por otro lado, recurrente en nuestro ordenamiento jurídico, y que tantos y tan malos resultados nos ha dado. Por eso y con la diligencia, subrayamos, que tales cambios requieren, deben hacerse los mismos cabalmente, pues solo de este modo, se garantizará su permanencia y perdurabilidad en el tiempo y con ello, en último extremo, que la rehabilitación, regeneración y renovación urbanas, se asienten y arraiguen en nuestro ordenamiento jurídico, tal y como persigue el legislador de la vigente Ley 8/2013, de 26 de junio.

5. VERDADES, INEXACTITUDES Y LAGUNAS DEL OBJETO QUE REALMENTE PERSIGUE EL LEGISLADOR CON LA PRESENTE LEY 8/2013, DE 26 DE JUNIO, DE REHABILITACIÓN, REGENERACIÓN Y RENOVACIÓN URBANAS

En relación con el tenor literal del artículo 1 de la vigente y recientísima Ley 8/2013, de 26 de junio, de rehabilitación, regeneración y renovación urbanas (20), consideramos oportuno hacer algunos comentarios y precisiones, que estimamos dignos de mención. Pero antes y para tener más presente dicho artículo pasamos a reproducir el mismo, en el que se establece, que: «Esta Ley tiene por objeto regular las condiciones básicas que garanticen un desarrollo sostenible, competitivo y eficiente del medio urbano, mediante el impulso y el fomento de las actuaciones que conduzcan a la rehabilitación de los edificios y a la regeneración y renovación de los tejidos urbanos existentes, cuando sean necesarias para asegurar a los ciudadanos una adecuada calidad de vida y la efectividad de su derecho a disfrutar de una vivienda digna y adecuada».

En primer lugar, nos corresponde destacar, que la Ley 8/2013, de 26 de junio, de rehabilitación, regeneración y renovación urbanas, tal y como reza su artículo primero, viene a «...regular las condiciones básicas que garanticen un desarrollo sostenible, competitivo y eficiente del medio urbano, mediante... la rehabilitación... la regeneración y renovación de los tejidos urbanos existentes». Ello, en cuanto que «...condiciones básicas...», implica que el resto de Administraciones Públicas con competencia en la materia, a la sazón, Comunidades Autónomas y Entidades Locales, van a tener, que asumir dentro de su respectiva normativa, tales condiciones básicas, lo que, indefectiblemente, va a propiciar, en un claro efecto «dominó», la modificación de todas las Leyes urbanísticas de las Comunidades Autónomas y por efecto de estas, de la normativa local existente al respecto, al igual que del planea-

---

(20) Con la finalidad de tener una visión panorámica de la vigente Ley 8/2013, de 26 de junio, de rehabilitación, regeneración y renovación urbana, me remito al trabajo de CORCHERO, M y SÁNCHEZ PÉREZ, L., «La Ley de rehabilitación, regeneración y renovación urbanas», *Práctica Urbanística*, n.º 122, 2013, pág. 24 y ss.

miento en tramitación. Además, consideramos, si nos atenemos al contenido de las condiciones básicas, que se resumen en: rehabilitación, regeneración y renovación urbanas, que tales modificaciones legislativas y normativas van a ser sustanciales y de calado. Dicho de otra forma, la presente Ley 8/2013, de 26 de junio, de rehabilitación, regeneración y renovación urbanas, va a comportar importantes y transcendentales cambios en el panorama urbanístico vigente, al propiciar un más que previsible cambio masivo, tanto en fondo como en forma, de la legislación urbanística hasta el momento vigente.

Otro aspecto reseñable del artículo 1 de la Ley 8/2013, de 26 de junio, de rehabilitación, regeneración y renovación urbanas, es que el objetivo que teóricamente se propone alcanzar el legislador con la misma y que expresamente manifiesta en dicho artículo, al señalar que el mismo consiste en garantizar «…un desarrollo sostenible, competitivo y eficiente del medio urbano…», difiere, a nuestro modo de ver, además, sustancialmente, del objetivo verdadero que en realidad persigue aquel y que para más señas especifica en el propio Preámbulo de la Ley. Así, si acudimos a este último, el cual, como es bien sabido, viene a ser el lugar en el que, lejos de la vinculación jurídica que comporta todo texto normativo (articulado), todo legislador expresa sus deseos, intenciones y propósitos más íntimos, y profundos, vemos como, en múltiples ocasiones, expresa aquel, que la Ley 8/2013, de 26 de junio, de rehabilitación, regeneración y renovación urbanas, lo que realmente persigue por encima de todo es, a través de las susodichas actuaciones de reforma interior de las poblaciones, crear oportunidades de crecimiento y de empleo en el sector de la construcción, con el objetivo final, de contribuir, habida cuenta del peso específico que representa el mismo dentro de la economía española, a la tan deseada recuperación económica. Este y no otro es el objetivo, que a nuestro modo de ver, persigue realmente el legislador de la Ley 8/2013, de 26 de junio, de rehabilitación, regeneración y renovación urbanas.

Por último, debemos hacer mención a la gran subjetividad que contiene el artículo 1 de la Ley 8/2013, de 26 de junio, de rehabilitación, regeneración y renovación urbanas, ya que el mismo, tras señalar que tiene por «…objeto regular las condiciones básicas que garanticen un desarrollo sostenible, competitivo y eficiente del medio rural, mediante el impulso y el fomento de las actuaciones que conduzcan a la rehabilitación de los edificios y a la regeneración y renovación de los tejidos urbanos existentes…», condiciona estas últimas, ni más ni menos, que al momento o situación en que las mismas resulten «…necesarias para asegurar a los ciudadanos una adecuada calidad de vida y la efectividad de su derecho a disfrutar de una vivienda digna y adecuada», lo que deja totalmente en manos de quien, en cada momento, interprete el presente artículo, la extensión, aplicación y efectos del mismo, por que ¿Qué se entiende por calidad de vida? Evidentemente, muchas cosas, según la personal perspectiva y entender de quien deba valorarlo, lo que, dependiendo de ello, ocasionará, en unos supuestos, que sí se considere necesario llevar a cabo la rehabilitación, regeneración y renovación urbanas, para asegurar a los ciudadanos la calidad de vida, mientras que, en otros supuestos y en idénticas condiciones, no, al entender que la calidad de vida de los mismos se encuentra perfectamente garantizada. Otro tanto de lo mismo podemos decir de la siguiente condición en virtud de la cual se justifica o no la aplicación de la rehabilitación, regeneración y renovación urbana, ya que al igual que ocurre con lo que debemos entender con calidad de vida, cabe preguntarse ¿Cuándo, cómo y de que manera se asegura de forma efectiva el derecho de los ciudadanos a disfrutar de una vivienda digna y adecuada? Como se comprenderá, ello dependerá, en cada caso, del exclusivo criterio y parecer que sobre el cumplimiento o no de tal derecho tenga el responsable de la aplicación de la presente norma, y en particular, del contenido de su artículo 1, de modo y manera, que lo que para uno supone el cumplimiento efectivo de tal derecho, para otro puede no parecérselo. En definitiva, subjetividad, al límite, a la hora de determinar cuando procede aplicar la rehabilitación, la regeneración y la renovación urbanas, lo que consideramos negativo y criticable, dado que toda subjetividad comporta siempre grandes dosis de inseguridad jurídica, que, perfectamente, puede derivar en situaciones de desigualdad, lo que en absoluto es deseable.

Artículo 2. Definiciones.

A los efectos de lo dispuesto en esta Ley, y siempre que de la legislación específicamente aplicable no resulte otra definición más pormenorizada, los conceptos incluidos en este artículo serán interpretados y aplicados, con el significado y el alcance siguientes.

1. Residencia habitual: la que constituya el domicilio de la persona que la ocupa durante un periodo superior a 183 días al año.

2. Infravivienda: la edificación, o parte de ella, destinada a vivienda, que no reúna las condiciones mínimas exigidas de conformidad con la legislación aplicable. En todo caso, se entenderá que no reúnen dichas condiciones las viviendas que incumplan los requisitos de superficie, número, dimensión y características de las piezas habitables, las que presenten deficiencias graves en sus dotaciones e instalaciones básicas y las que no cumplan los requisitos mínimos de seguridad, accesibilidad universal y habitabilidad exigibles a la edificación.

3. Coste de reposición de una construcción o edificación: el valor actual de construcción de un inmueble de nueva planta, equivalente al original en relación con las características constructivas y la superficie útil, realizado con las condiciones necesarias para que su ocupación sea autorizable o, en su caso, quede en condiciones de ser legalmente destinado al uso que les sea propio.

4. Ajustes razonables: las medidas de adecuación de un edificio para facilitar la accesibilidad universal de forma eficaz, segura y práctica, y sin que

supongan una carga desproporcionada. Para determinar si una carga es o no proporcionada se tendrán en cuenta los costes de la medida, los efectos discriminatorios que su no adopción podría representar, la estructura y características de la persona o entidad que haya de ponerla en práctica y la posibilidad que tengan aquellas de obtener financiación oficial o cualquier otra ayuda. Se entenderá que la carga es desproporcionada, en los edificios constituidos en régimen de propiedad horizontal cuando el coste de la obras repercutido anualmente, y descontando las ayudas públicas a las que se puede tener derecho, exceda de doce mensualidades ordinarias de gastos comunes.

5. Complejos inmobiliarios:

5.1. Complejo inmobiliario privado: aquel complejo inmobiliario sujeto al régimen de organización unitaria de la propiedad inmobiliaria a que se refiere el artículo 17.6 del texto refundido de la Ley de Suelo, aprobado por el Real Decreto Legislativo 2/2008, de 20 de junio, así como a los regímenes especiales de propiedad establecidos por el artículo 24 de la Ley 49/1960, de 21 de julio, sobre Propiedad Horizontal.

5.2. Complejo inmobiliario urbanístico: el integrado, de conformidad con lo dispuesto en el artículo 17.4 del texto refundido de la Ley de Suelo, por superficies superpuestas, en la rasante y el subsuelo o el vuelo, destinadas a la edificación o uso privado y al dominio público.

6. Edificio de tipología residencial de vivienda colectiva: el compuesto por más de una vivienda, sin perjuicio de que pueda contener, de manera simultánea, otros usos distintos del residencial. Con carácter asimilado se entiende incluida en esa tipología, el edificio destinado a ser ocupado o habitado por un grupo de personas que, sin constituir núcleo familiar, compartan servicios y se sometan a un régimen común, tales como hoteles o residencias.

CONCORDANCIAS

— Artículo 19 del Real Decreto 233/2013, de 5 de abril, por el que se regula el Plan Estatal de fomento del alquiler de viviendas, la rehabilitación edificatoria, y la regeneración y la renovación urbanas, 2013-2016.

JURISPRUDENCIA

— Sentencia del Tribunal Superior de Justicia de Madrid (Sala de lo Contencioso-Administrativo, Sección 2.ª) de 24 de marzo de 2012.

— Sentencia del Tribunal Superior de Justicia de Castilla y León, Burgos (Sala de lo Contencioso-Administrativo, Sección 1.ª) de 11 de febrero de 2011.

son también remotos los antecedentes que hay sobre las mismas. No obstante y si bien es cierto todo lo dicho, no lo es menos, que las diversas normas que sucesivamente en el tiempo han ido regulando cada una de dichas actuaciones, nunca se han parado a delimitar de manera exacta y precisa, cuál es el objeto sobre el que opera cada una de ellas, hasta donde llega, qué permite y por el contrario, qué no permite hacer cada uno de dichos instrumentos, etc. lo que ha generado y genera, queriendo ser positivos, una gran flexibilidad en su aplicación, pero a su vez y en contraste con tal ventaja, una notable inseguridad jurídica, que no viene a constituirse sino en la cara negativa de aquella (2). Por ello, consideramos, que el legislador de la vigente Ley 8/2013, de 26 de junio, de rehabilitación, regeneración y renovación urbanas, ha perdido una grandísima oportunidad para dejar sentados, de una vez por todas y para siempre, todos y cada uno de dichos conceptos. Además, estimamos, que era el momento y lugar ideal y preciso para hacerlo, al estar en vías de consolidación en nuestro ordenamiento jurídico, sin posible vuelta atrás —al menos, es lo que consideramos y queremos creer—, tanto la rehabilitación, como la regeneración, como la renovación urbana y ser esta Ley la que, precisa y específicamente, regula tales actuaciones.

2. CRITERIOS Y PAUTAS QUE ESTIPULA EL LEGISLADOR PARA INTERPRETAR Y APLICAR CORRECTAMENTE LOS CONCEPTOS Y PRECISIONES TERMINOLÓGICAS PREVIAMENTE ESTABLECIDOS POR ÉL MISMO

El legislador de la Ley 8/2013, de 26 de junio, de rehabilitación, regeneración y renovación urbanas, antes, tan siquiera, de enumerar los diversos términos, vocablos o locuciones recogidas en el artículo 2, para, de inmediato, proceder a definir los mismos, establece una serie de criterios, pautas o reglas con el propósito de que el lector de la misma y aun más, quien vaya a aplicarla o padecerla, sepa, respectivamente, a que atenerse, o en que medida hacerlo. Tales criterios o reglas, son relativamente sencillos, los cuales, a continuación, sin más demora, pasamos a exponer. En primer lugar, y más que un criterio o pauta de interpretación o aplicación de los términos, vocablos o locuciones que contempla el legislador en el artículo 2 de la referida Ley, viene a establecer el legislador una advertencia —común, por otro lado, en artículos de idéntica o parecida índole que recogen otras Leyes—, en virtud de la cual, precisa, que las definiciones que sobre dichos término, vocablos o locuciones establece el mismo, lo son, única y exclusivamente, «*a los efectos de*

---

(2)   No es la primera vez que criticamos tal situación, es decir, la falta de arrojo por parte del legislador para, de una vez por todas, definir lo esencial y sustancial —en el caso que ahora nos ocupa, la rehabilitación, la regeneración y la renovación urbanas—, frente a lo supletorio y secundario, que es, lo que, por lo general, suele hacer. Véase, en este sentido, el trabajo de GARCÍA-MORENO RODRÍGUEZ, F., «La rehabilitación y la renovación urbana: actuaciones estratégicas sobre las que se articula y construye el medio urbano sostenible», en *Comentarios a la Ley de Economía Sostenible*, dir. Santiago A. Bello Paredes, LA LEY, Madrid, 2011, pág. 556 y ss.

lo dispuesto en esta Ley...», es decir, que la definición que establece, por ejemplo, de *«infravivienda»* o de *«coste de reposición de una construcción o edificación»*, pueden ser distintas en otra u otras Leyes, aun cuando, estas últimas, puedan tratar de materias conexas con la rehabilitación, regeneración y renovación urbanas, como, entre otras, pueden ser las Leyes de Urbanismo o de Vivienda. Ello, nótese, es ya un problema, que se encuentra, íntimamente relacionado, con lo que hemos apuntado en el comentario del artículo 1 de la presente Ley al referirnos a la denominada *«motorización legislativa»*, dado que si cada norma, como es el caso, establece una definición de determinados términos, pero sólo para esa norma y no con un carácter global u omnicomprensivo para todas las materias o disciplinas que regulan, contemplan o tienen que ver con el mismo o los mismos, lejos de aclarársenos el panorama, se nos dificulta y complica hasta el infinito. Es posible, por tanto, encontrarnos diversas acepciones de un mismo vocablo, término o locución, si el mismo es contemplado y objeto de definición en diversas Leyes, lo que nos parece todo, menos lógico.

Volviendo al artículo 2 de la Ley 8/2013, de 26 de junio, de rehabilitación, regeneración y renovación urbanas, por ser el objeto del presente comentario y dentro de él, en el punto donde lo habíamos dejado, debemos señalar, en segundo lugar, que la, en principio, rotunda afirmación del legislador, en virtud de la cual, las definiciones que de los términos, vocablos y locuciones que se establecen en dicho artículo, lo son, única y exclusivamente, *«a los efectos de lo dispuesto en esta Ley...»*, queda condicionada, al establecer el legislador que la misma se aplicará y por tanto, surtirá sus efectos *«...siempre que de la legislación específicamente aplicable no resulte otra definición más pormenorizada...»*, lo que viene a implicar, que de darse este último supuesto, la definición que de *«residencia habitual»* o de *«complejos inmobiliarios»* establece el legislador de la Ley 8/2013, de 26 de junio, de rehabilitación, regeneración y renovación urbanas, resultará inaplicable, entrando consiguiente en desuso, lo que no parece que sea muy lógico, por lo que queremos pensar y consideramos que así habrá sido, que el legislador se habrá guardado muy mucho y habrá tenido el suficiente cuidado y precaución, antes de definir algunos de los seis términos, vocablos o locuciones que se recogen en el artículo 2 de la Ley 8/2013, de 26 de junio, de rehabilitación, regeneración y renovación urbanas, de comprobar que ninguno de los mismos es definido más pormenorizada y detalladamente por la legislación específicamente aplicable.

Una vez hechas estas dos salvedades previas a que me acabo de referir, el legislador de la Ley 8/2013, de 26 de junio, de rehabilitación, regeneración y renovación urbanas, ahora sí, establece que *«...los conceptos incluidos en este artículo serán interpretados y aplicados, con el significado y alcance siguientes...»*, pasando, a continuación, a definir todos y cada uno de ellos. Destacar de tal dicción, que la finalidad que persigue el legislador a la hora de definir, en cualquier Ley, y en particular, en la que ahora nos ocupa, determinados conceptos, que en nuestro caso, tal y como ya hemos referido son un total de seis, no es otra que coadyuvar, o colaborar, en la mejor implementación de la misma, pues este tipo de artículos y por ende, las definiciones que los mismos contienen, no son finalistas, sino mediales, en el sentido de que su único propósito y sentido es ayudar a la hora de interpretar y aplicar la respectiva Ley de que en cada caso se trate. Una vez expuestos los criterios o pautas que estipula el propio legislador a la hora de interpretar y aplicar, correctamente, los conceptos y precisiones terminológicas que previamente establece el mismo, procede, sin más demora, pasar a analizar, siquiera, sucintamente, las definiciones que da de cada uno de ellos.

3. ALGUNAS CONSIDERACIONES RESEÑABLES SOBRE LOS DIVERSOS CONCEPTOS QUE ESTABLECE EL LEGISLADOR EN EL ARTÍCULO 2 DE LA LEY 8/2013, DE 26 DE JUNIO, DE REHABILITACIÓN, REGENERACIÓN Y RENOVACIÓN URBANAS

En este tercero y último de los epígrafes que integran el comentario que nos ha correspondido hacer del artículo 2 de la Ley 8/2013, de 26 de junio, de rehabilitación, regeneración y renovación urbanas, vamos a tratar de llamar la atención, sin, ya adelantamos, ánimo de exhaustividad, sobre los aspectos más reseñables y dignos de mención de las seis definiciones que sobre «*Residencia habitual*», «*Infravivienda*», «*Coste de reposición de una construcción o edificación*», «*Ajustes razonables*», «*Complejos inmobiliarios*» (privados y urbanísticos) y «*Edificios de tipología residencial de vivienda colectiva*», establece el legislador. Pasemos, por tanto, sin más preámbulos, a analizar, individualizadamente, cada uno de ellos.

3.1. Residencia habitual

«Residencia habitual» es el primer concepto que define el legislador, estableciendo, al efecto, que para él y, recuérdese, «a los efectos dispuesto en esta Ley...», no es otra que «...la que constituya el domicilio de la persona que la ocupa por un periodo superior a 183 días al año», o lo que es lo mismo, al menos, más de la mitad del año, aunque tan siquiera sea un día más de tal mitad (184 días). Lo primero de todo que cabe preguntarse, es, por qué define el legislador el concepto de residencia habitual. Pues bien, la explicación la encontramos, básica y fundamentalmente, en el artículo 14.1 de la Ley 8/2013, de 26 de junio, de rehabilitación, regeneración y renovación urbanas, titulado «Los derechos de realojamiento y de retorno». En él, como se deduce de su propio título, se regulan los derechos de realojamiento y de retorno de todas aquellas personas que como consecuencia de las actuaciones contempladas en la presente Ley, es decir, como consecuencia bien de una rehabilitación, bien de una regeneración, bien de una renovación urbana, deban ser desalojadas —y he aquí la clave de la cuestión y explicación de tal definición—, de su residencia habitual, lo que requiere, que esta, sea perfectamente defina, dado que solo los ocupantes legales de tales inmuebles, tendrán derecho al preceptivo realojamiento y no, por el contrario, aquellos que sean desalojados de una vivienda que no constituya su residencia habitual, lo que por otro lado, no deja de parecernos lógico —aun a sabiendas de que en algunos supuestos, en cualquier caso, no habituales, pueden producirse perjuicios importantes y situaciones discriminatorias—, por cuanto que estos últimos siempre podrán trasladarse —salvo excepciones— a la que, verdadera y realmente, es su residencia habitual.

No podemos terminar este breve comentario sobre la definición de *«residencia habitual»*, sin traer a colación un hecho que debe tenerse muy presente en relación con la misma, cual es, que el concepto de *«residencia habitual»*, ha tenido y tiene relevancia a efectos tributarios, dado que constituye el criterio de territorialidad adoptado por varios tributos para determinar la extensión de la Ley en el espacio. En otras palabras, es el criterio al que hay que atender para saber cuándo una Ley Tributaria se aplica, o no se aplica, a un determinado individuo. No debe extrañarnos por ello, que tal locución haya sido ya objeto de definición con anterioridad a la vigente Ley 8/2013, de 26 de junio, de rehabilitación, renovación y regeneración urbanas. Así, nos encontramos como la Ley 35/2006, de 28 de noviembre, del Impuesto sobre la Renta de las Personas Físicas y de modificación parcial de las Leyes de los Impuestos sobre Sociedades, sobre la Renta de no Residentes y sobre el Patrimonio, define en su artículo 9.1.a) *«residencia habitual»* de forma idéntica a como lo hace el legislador de la Ley 8/2013, de 26 de junio, al considerar, en este caso, como contribuyente en Espala y por ende, considerar que tiene su residencia habitual en nuestro país el *«que permanezca más de 183 días, durante el año natural, en territorio español...»*, matizando a continuación el legislador de la Ley 35/2006, de 28 de noviembre, en relación con tal extremo, que *«...para determinar este periodo de permanencia en territorio español se computarán las ausencias esporádicas, salvo que el contribuyente acredite su residencia fiscal en otro país...»*, para de inmediato volver a traer a colación la mágica cifra de los 183 días, si bien, en este caso, para demostrar la residencia habitual fuera de nuestra patria, señalando en este sentido el legislador, que *«...en el supuesto de países o territorios considerados como paraíso fiscal, la Administración tributaria podrá exigir que se pruebe la permanencia en éste durante 183 días del año natural...»*.

Por último, apuntar, que se podrá demostrar la ocupación de una vivienda durante un periodo superior a 183 días al año y con ello, que la misma debe ser considerada como *«residencia habitual»*, utilizando cualquier medio de prueba validamente admitido en Derecho, si bien, el más efectivo, es mediante la petición del correspondiente certificado al Padrón Municipal (3). Este último, tal y como se regula en el artículo 16 de la Ley 7/1985, de 2 de abril, reguladora de las Bases de Régimen Local, es un registro administrativo donde constan los vecinos del municipio. A tales efectos, sus datos constituyen prueba de la residencia en el municipio

---

(3) Para una mayor profundización sobre las funciones y potencialidades del Padrón Municipal, en especial, en lo tocante a la residencia habitual, me remito al interesante trabajo de Hernández de Marco, S., «El régimen del empadronamiento y otros asuntos de sus requisitos: habitualidad de la residencia y suficiencia del lugar de empadronamiento», *El Consultor de los Ayuntamientos y de los Juzgados, n.º 3*, 2010, pág. 366 y ss

y del domicilio habitual en el mismo y por si ello fuera poco, las certificaciones que de dichos datos expide el Padrón Municipal, tienen el carácter de documento público y fehaciente para todos los efectos administrativos.

3.2. Infravivienda

El legislador de la Ley 8/2013, de 26 de junio, de rehabilitación, regeneración y renovación urbanas, define la infravivienda, como «*la edificación, o parte de ella, destinada a vivienda, que no reúna las condiciones mínimas exigidas de conformidad con la legislación aplicable*», para, a continuación, apostillar, tratando de arrojar más luz a dicha definición, habida cuenta de la excesiva generalidad e indeterminación que la caracteriza, que: «*En todo caso, se entenderá que no reúnen dichas condiciones las viviendas que incumplan los requisitos de superficie, número, dimensión y características de las piezas habitables, las que presenten deficiencias graves en sus dotaciones e instalaciones básicas y las que no cumplan los requisitos mínimos de seguridad, accesibilidad universal y habitabilidad exigibles a la edificación*». Sobre el particular, nos corresponde comentar algunos aspectos que consideramos dignos de reseña. En primer lugar, lo que no deja de ser toda una paradoja, que el legislador de la Ley 8/2013, de 26 de junio, de rehabilitación, regeneración y renovación urbanas, y frente a lo que cabría esperar, no da realmente una definición de infravivienda, al remitirse, para saber si se reúnen o no las condiciones mínimas, que hacen, que una vivienda, de no alcanzar las mismas, deba ser considerada como infravivienda a «*...la legislación aplicable...*», es decir, a las respectivas normativas urbanísticas de las Comunidades Autónomas, que es a quien, en virtud del reparto de competencias, les corresponde pronunciarse sobre el particular y de igual modo, a los diversos instrumentos de planeamiento urbanístico, que en desarrollo de las mismas, se aprueben, al no venir estos últimos sino a concretar y especificar lo establecido previamente por aquellas. Ello, indefectiblemente, puede generar, que lo que en una determinada Comunidad Autónoma se considera infravivienda (sobre todo por lo que a los requisitos de superficie, número, dimensión y características de las piezas habitables se refiere), no, necesariamente, lo sea en otra, caso de ser, esta última, más laxa, en la determinación de los criterios que irrogan tal condición. De hecho y abundando más en ello, es posible, también, que incluso dentro de una misma Comunidad Autónoma, pueda haber poblaciones o ciudades que, en virtud de lo establecido en sus respectivos instrumentos de planeamiento urbanístico, es decir, en su legislación aplicable, discrepen de lo que es y debe ser considerado como infravivienda y así, que mientras que en una ciudad, en virtud de su Plan General de Ordenación Urbana o instrumento equivalente a este último, determinada situación pueda considerarse como infravivienda, en otra u otras, por el contrario, no.

Con posterioridad y ante la excesiva generalidad e indeterminación de la definición dada de infravivienda, procede el legislador, tal y como ya hemos señalado con anterioridad, a matizar la misma, indicando cuales son los requisitos que, de no alcanzarse, otorgan tal condición. Estos, desde un punto de vista sistemático, pueden circunscribirse en tres bloques, a saber, superficie, dotaciones e instalaciones básicas y por último, seguridad. Así, deberá ser considerada como infravivienda, toda edificación, o parte de ella, que no tenga la superficie, número, dimensión y características de las piezas habitables mínimas, exigidas por la respectiva normativa que resulte de aplicación. Del mismo modo se considerará, igualmente, infravivienda, aquella edificación, o parte de la misma, que presente deficiencias graves en sus dotaciones e instalaciones básicas, como entre otras —añadimos nosotros—, pueden ser, la falta de suministro de agua potable o de energía eléctrica, el carecer de acceso rodado, o no contar con colectores, alcantarillado o sistema municipal alguno que permita la evacuación de las aguas residuales. Asimismo, deberá considerarse como infravivienda la edificación, o parte de la misma, que no reúna los requisitos mínimos de seguridad, accesibilidad universal y habitabilidad exigibles por el ordenamiento jurídico. De todo lo dicho, consideramos oportuno destacar dos aspectos. En primer lugar, que, frente a lo que mucha gente cree, infravivienda, no es, solamente, aquella edificación, o parte de la misma, que se caracteriza por ser diminuta en superficie, ya que también lo es, como hemos podido comprobar, aquella o aquellas que, incluso, teniendo una superficie considerable, no cuenten con dotaciones o infraestructuras básicas que toda vivienda requiere, o bien, no reúnan las condiciones mínimas de seguridad, accesibilidad universal y habitabilidad exigidas. En segundo lugar, y en íntima unión con la consideración precedente, que toda edificación, o parte de ella, adquiere la categoría de infravivienda de no darse alguno de los requisitos que se recogen en los tres bloques a que nos hemos referido, es decir, de no reunir la suficiente superficie —bien sea en la totalidad de la vivienda o en las diversas partes o piezas que la integran—, de no contar con las dotaciones o instalaciones básicas, o finalmente, de carecer de la seguridad, accesibilidad universal o habitabilidad que demanda toda vivienda, sin que para ello sea necesario el que deba darse la suma de las tres. Dicho de otro modo, puede una edificación, o parte de la misma, incurrir en tal condición (infravivienda), por el sólo hecho de incumplir uno de los tres referidos bloques. Así, por ejemplo, una vivienda con superficie en su totalidad y en las diversas piezas que la integran, por debajo, sustancialmente, de las medidas mínimas establecidas por el ordenamiento jurídico, debería ser considerada como infravivienda, a pesar de contar con las dotaciones e instalaciones básicas que se exige a toda vivienda y del mismo modo, cumplir con las medidas mínimas de seguridad y accesibilidad universal. No obstante, debemos precisar, que, en general, en muchas infraviviendas concurren todos y cada uno de los requisitos que otorgan a aquella tal consideración.

No podemos terminar el presente comentario, sin señalar, que si el legislador procede a definir lo que es y constituye infravivienda, es porque a lo largo y ancho de la Ley 8/2013, de 26 de junio, de rehabilitación, regeneración y renovación urbanas, se propone el mismo, erradicar de manera prioritaria aquellas, para lo cual se requiere, previamente, definirlas, con el objetivo de saber así, de entre las edificaciones, o partes de ellas, cuáles deben ser consideradas como tales.

Este propósito del legislador, anteriormente apuntado, en el que se constata la determinación del mismo de erradicar todo tipo y clase de infraviviendas de manera prioritaria, se plasma en los artículos 9.2, 13.3 y 18.1.c) de la Ley 8/2013, de 26 de junio, de rehabilitación, regeneración y renovación urbanas. Por último y a modo de apunte final, queremos subrayar diversos aspectos sobre la infravivienda, siquiera telegráficamente, que igualmente consideramos relevantes. Primero, que la infravivienda no es una situación de hoy, ya que se conoce de su existencia desde tiempos inmemoriales. Segundo, que, precisamente por ello, se ha tratado de definir la misma en reiteradas ocasiones, incluso, desde el Diccionario de la Real Academia de la Lengua Española, si bien, ciertamente, sin mucho rigor (4). Tercero, que la existencia de la infravivienda en el presente y en general, en los tiempos modernos, se debe, sino, exclusivamente, al menos, sí, en gran medida, a la tan denostada especulación del suelo (5). Cuarto, que la infravivienda se da con notable asiduidad en el ámbito urbano, si bien, ello no excluye, que podamos encontrar infraviviendas rurales (6). Quinto, que el concepto de infravivienda tiene otras vertientes y realidades, además de la propiamente urbanística y así, tiene que ver muy directamente con la exclusión social. Sexto, que la infravivienda, puede darse y acontecer tanto en edificios en altura (7), como al margen de estos últimos (8).

---

(4)　El Diccionario de la Real Academia de la Lengua Española (Tomo II), en su Vigésima Segunda Edición, año 2001, pág. 1275 define infravivienda como: *«vivienda que carece de las condiciones mínimas para ser habitada»*. Lo que, sin dejar de ser cierto, resulta sumamente generalista y por ende, inaplicable dentro de la esfera jurídica, por imposibilitar la concreta y exacta determinación de lo que es una infravivienda.

(5)　Véase sobre el particular García-Moreno Rodríguez, F.: «La Especulación del Suelo: Algunas Notas», en *Estudios sobre el ordenamiento jurídico español*, Aldecoa, Burgos, 1996, pág. 343 y ss, y del mismo autor, en donde lleva a cabo un repaso histórico de lo que ha comportado la especulación del suelo en nuestras ciudades y a sus habitantes, desde el inicio del denominado urbanismo moderno con la aprobación de la Ley del Suelo de 12 de mayo de 1956: «El fenómeno de la especulación del suelo en España o cincuenta años (1956-2006) desaprovechados en su erradicación-aminoración: de la resignación pasada y conformismo presente, a la desesperanza y escepticismo, ante su, inminente, nueva regulación por la ya, en ciernes, quinta Ley Estatal del Suelo», *Revista de Derecho Urbanístico y Medio Ambiente*, n.º 231, 2007, pág 11 y ss.

(6)　Un claro ejemplo, entre otros muchos posibles, que demuestran la existencia de infraviviendas, no sólo en el ámbito urbano, sino, también, en el rural, y sobre todo, que el legislador es muy consciente de tal problema y trata de solucionarlo desde hace años, es el Decreto 233/2003, de 3 de abril, de ayudas a los Ayuntamientos para la infravivienda rural, de la Comunidad Autónoma de Galicia.

(7)　Se alude a infravivienda en edificios en altura, o *«chabolismo vertical»*, para referirse a un conjunto de viviendas, por lo general, antiguas, muy pequeñas y ubicadas en barrios periféricos o cascos antiguos, así como a instalaciones prefabricadas, casas en proceso de derribo, almacenes o locales que se utilizan como viviendas,

(8)　El otro tipo o clase de infraviviendas que no se encuentran dentro de un edificio en altura, se agrupan en torno a la denominación genérica de *«chabolismo horizontal»*, siendo este último el más conocido y popular, quizá, por ser el más ostensible y el que está a la vista de todos. El mismo, comprende barracones, cobertizos y chabolas que se localizan, bien dispersas, bien en poblados consolidados por la fuerza de los hechos, que no, por supuesto, de acuerdo con el ordenamiento jurídico y el planeamiento urbanístico aplicable.

3.3. Coste de reposición de una construcción o edificación

La referencia a «*coste de reposición de una construcción o edificación*», es una constante dentro del Derecho Urbanístico español, dado que tal concepto ha servido tradicionalmente y en la actualidad sigue sirviendo, para que ante el incumpliendo, dejadez u omisión del deber de conservación de los propietarios, puedan las respectivas Administraciones Públicas con competencia en la materia —que, en principio (9), no son otras que los respectivos Ayuntamientos donde tales situaciones se producen—, dictar, bien una orden de ejecución, con la finalidad de obligar a los propietarios a que cumplan con su deber de conservación (10), flagrantemente desatendiendo, o bien, por el contrario, si ello no es posible, declarar de oficio la ruina del edificio (11). Pues bien, el criterio que permite a todos y cada uno de los Ayuntamientos decantarse por una u otra posibilidad —que, vaya por delante, es reglada— viene dado, precisamente, por el referido coste de reposición de la construcción o edificación (12), de modo y manera, que procederá dictar la referida orden de ejecución, siempre que no se sobrepase el límite del deber legal de conservación, entendido este, como la mitad del coste de reposición del bien, excluido el valor del suelo, y por el contrario, declarar la situación de ruina del referido inmueble, en el supuesto de que se sobrepase aquel (13). Como puede comprobarse de todo lo dicho, el coste

---

(9)   En el texto ut supra aludo a: «...*en principio...*», ya que ante la inactividad palmaria del Ayuntamiento pueden llegar a dictar órdenes de ejecución, por subrogación, las Diputaciones Provinciales, e incluso, las Comunidades Autónomas. Del mismo modo, hay supuestos en que ante situaciones singulares y especiales, como, por ejemplo, por motivos turísticos, se prevé que también puedan dictar órdenes de ejecución otras entidades públicas no municipales, si bien, ello, en nada empece para poder afirmar que en la inmensa mayoría de los casos quien dicta las órdenes de ejecución son los Ayuntamientos.

(10) En este sentido, merece ser consultado, habida cuenta de su concreción y claridad expositiva el trabajo de Corral García, E., «La orden de ejecución como instrumento del deber de conservación», *El Consultor de los Ayuntamientos y de los Juzgados*, n.º 15, 2001, pág 2539 y ss. Véase, igualmente, sobre el particular, Alonso Concellón, I., «El deber de conservación y su materialización en las órdenes de ejecución», *El Consultor de los Ayuntamientos y de los Juzgados*, n.º 19, 2002, pág. 3171. Resulta, por último, asimismo esclarecedor, el trabajo de Corella Monedero, J.M., «La orden de ejecución como instrumento para exigir el deber de conservación. Procedimiento», *El Consultor de los Ayuntamientos y de los Juzgados*, n.º 13, 2003, pág 2335.

(11) Tanto las órdenes de ejecución como la ruina, que en virtud del reparto constitucional de competencia, son reguladas por las Leyes urbanísticas de las respectivas Comunidades Autónomas, se circunscriben, por lo general, dentro de lo que se viene a denominar comúnmente como «*Intervención en el uso del suelo*» y en particular dentro de tal materia, en la parte titulada «*Fomento, de la edificación, conservación, y rehabilitación*».

(12) Me refiero exclusivamente en el texto superior al coste de reposición de una construcción o edificación, por cuanto que a él, como tal, se refiere el legislador de la Ley 8/2013, de 26 de junio, de rehabilitación, regeneración y renovación urbanas, si bien, debemos tener presente que el deber de conservación de los propietarios no solo afecta a construcciones y edificaciones sino también a carteles, terrenos e instalaciones, por lo que su objeto material, es sustancialmente más amplio que el que contempla el legislador.

(13) Véase sobre el particular el incisivo e interesante trabajo de Villanueva López, A., «La declaración de ruina como consecuencia del incumplimiento del deber de conservación: el incremento del límite legal del deber de conservar y la responsabilidad administrativa del propietario en la aparición del estado ruinoso», *Práctica Urbanística*, n.º 122, 2013, pág. 80 y ss.

de reposición de una construcción o edificación, al menos, para cuantos se dedican al mundo del urbanismo y en general, al sector inmobiliario, es una expresión muy manida, por lo que, en absoluto, constituye una novedad.

Una vez que nos hemos referido, a modo de introducción, sobre lo habitual que resulta la frase o expresión «*coste de reposición de una construcción o edificación*» en urbanismo y dentro de esta materia, en la parte de la misma alusiva a disciplina urbanística, nos corresponde analizar la definición que sobre tal locución establece el legislador de la Ley 8/2013, de 26 de junio, de rehabilitación, regeneración y renovación urbanas. Este último, y a los efectos, recuérdese, «*...de lo dispuesto en esta Ley...*», define el «*coste de reposición de una construcción o edificación*», como: «*El valor actual de construcción de un inmueble de nueva planta, equivalente al original en relación con las características constructivas y la superficie útil, realizado con las condiciones necesarias para que su ocupación sea autorizable o, en su caso, quede en condiciones de ser legalmente destinado al uso que le sea propio*». Sobre el particular, debemos señalar, tal y como ya hemos apuntado con anterioridad, que el coste de reposición de una construcción o edificación se ha empleado tradicionalmente en el ámbito urbanístico y aun hoy en día se emplea, en íntima unión con el deber de conservación de todo propietario, de modo y manera que a cualquier propietario se le podrá exigir tal derecho, pero sólo hasta un límite, el cual se determina en la mitad del coste de reposición del bien, excluido el valor del suelo. En virtud de ello, se comprenderá, que la definición que de coste de reposición de una construcción o edificación establece el legislador, es, frente a lo que inicialmente nos pueda parecer, todo, menos inocua. Efectivamente, si no nos detenemos lo suficiente en ella y sobre todo, no reparamos en lo que su redacción implica, nos puede, perfectamente, pasar desapercibida. La transcendencia e importancia de tal definición, estriba, en que de aplicare la misma en conjunción con el deber de conservación, endurece, o si se prefiere, eleva sustancialmente este último con respecto a su regulación tradicional que, como hemos visto, se establecía, exactamente, en la mitad. Dicho de otro modo, de aplicarse la misma en el sentido anteriormente apuntado, produciría dos efectos catastróficos: Uno, el elevar el deber de conservación de todo propietario hasta extremos realmente ilógicos, lo que produciría un incumplimiento masivo, y dos, la desaparición, pura y dura, de la ruina económica, pues consideramos que es difícil, por no decir, imposible, encontrar algún supuesto en el que la reparación del edificio pueda resultar más costosa que el propio valor que tiene el mismo. En virtud de todo ello y a modo de resumen, consideramos que el legislador de la Ley 8/2013, de 26 de junio, de rehabilitación, regeneración y renovación urbanas, al regular el coste de reposición de una construcción o edificación, no está pensando, afortunadamente, en el deber de conservación con quien tanta vinculación tiene aquel.

3.4. Ajustes razonables

A diferencia de los supuestos anteriores en los que el legislador de la Ley 8/2013, de 26 de junio, de rehabilitación, regeneración y renovación urbanas, lleva a cabo la definición de términos, vocablos o expresiones, más o menos, técnicas y en cualquier caso, vinculadas al mundo del urbanismo y la vivienda, como son *«Residencia habitual»*, *«Infravivienda»* o *«Coste de reposición de una construcción o edificación»*, en el caso que nos corresponde comentar ahora, el legislador opta por definir un concepto jurídico indeterminado, es decir, una expresión, que de no ser concretada, puede, en virtud de su notable grado de imprecisión, ser interpretada de múltiples formas y maneras, con la inseguridad, incertidumbre y, en no pocos casos, desigualdad, que ello puede comportar. Así, el legislador, considera que debe definir, para con ello, evitar la inseguridad jurídica que comporta, inexorablemente, todo concepto jurídico indeterminado, la expresión *«Ajustes razonables»*. A tal efecto, define *«Ajustes razonables»*, como: *«Las medidas de adecuación de un edificio para facilitar la accesibilidad universal de forma eficaz, segura y práctica y sin que supongan una carga desproporcionada»*. Pero el legislador, nótese, sale de una y se mete en otra, ya que en la propia definición de *«Ajustes razonables»*, introduce, al tratar de explicar tal expresión, otro concepto jurídico indeterminado, en este caso: *«…carga desproporcionada…»*, lo que hace que, a renglón seguido y con el propósito de despejar todo atisbo de duda sobre lo que debemos entender por *«Ajustes razonables»*, deba definir, igualmente, dicho concepto indeterminado, por lo que, en realidad, y bajo la definición de *«Ajustes razonables»*, no lleva a cabo el legislador una sola definición, sino, por el contrario, dos. Una, sobre *«Ajustes razonables»* y otra, sobre *«…carga desproporcionada…»*. Ello, no deja de parecernos un sin sentido, que, en la medida de lo posible, debiera haber evitado el legislador. Además, dentro de este despropósito, resulta que la definición que más pormenoriza y detalla el legislador de la Ley 8/2013, de 26 de junio, de rehabilitación, regeneración y renovación urbanas, no es, frente a todo pronóstico, la que da nombre a dicho apartado, es decir, *«Ajustes razonables»*, sino, por el contrario, la otra: *«…carga desproporcionada…»*.

Por lo que a *«…carga desproporcionada…»* se refiere, establece el legislador que: *«Para determinar si una carga es o no proporcionada se tendrán en cuenta los costes de la medida, los efectos discriminatorios que su no adopción podría representar, la estructura y características de la persona o entidad que haya de ponerla en práctica y la posibilidad que tengan aquellas de obtener financiación oficial o cualquier otra ayuda»*. No conforme con tal definición, matiza la misma el legislador en relación con los edificios construidos en régimen de propiedad horizontal y así, en relación con estos últimos establece, que: *«Se entenderá que la carga es desproporcionada, en los edificios constituidos en régimen de propiedad horizontal cuando el coste de la obras repercutido anualmente, y descontando las ayudas públicas a las que se puede tener derecho, exceda de doce mensualidades ordinarias de gastos comunes»*. Nótese, que al final, la dificultad de comprender bien, o cuando menos, como lo quiere y pretende el legislador, la locución «Ajustes razonables», no estriba tanto en ella, como en escudriñar el verdadero significado y contenido de lo que es y se entiende por *«…carga desproporcionada…»*, ya que de no entender bien esta última expresión, resultará, poco menos que imposible, entender aquella.

Por último queremos llamar la atención sobre el por qué el legislador define la expresión *«Ajustes razonables»*, y no, por el contrario, otro u otros conceptos indeterminados, que con toda seguridad y de buscar con atención, encontraríamos también en la Ley 8/2013, de 26 de junio, de rehabilitación, regeneración y renovación urbanas. Pues bien, la explicación no es otra que ya desde el mismo Preámbulo de la Ley, concretamente, desde el párrafo segundo de su apartado V, se relaciona estrechamente la locución *«Ajustes razonables»* con la denominada accesibilidad universal. Así, determina el legislador en el referido párrafo segundo del Apartado V del Preámbulo de la Ley 8/2013, de 26 de junio, de rehabilitación, regeneración y renovación urbanas, que: *«Ley 26/2011, de 1 de agosto, de adaptación normativa a la Convención Internacional sobre los Derechos de las Personas con Discapacidad, exige la realización de los ajustes razonables en materia de accesibilidad universal (con sus obras correspondientes), estableciendo incluso un plazo, que finaliza en el año 2015, momento a partir del cual pueden ser legalmente exigidos, tanto para los edificios, como para los espacios públicos urbanizados existentes y, por tanto, también controlados por la Administración Pública competente»*. Tal nexo, entre *«Ajustes razonables»* y la referida accesibilidad universal, que justifica la definición de tal expresión, le encontramos, también, en el párrafo decimocuarto del Apartado V del Preámbulo, asi como en el artículo 4.2.b) de la Ley.

3.5. Complejos inmobiliarios

A continuación pasa el legislador de la Ley 8/2013, de 26 de junio, de rehabilitación, regeneración y renovación urbanas, a definir *«Complejos inmobiliarios»*, expresión, esta última, que a diferencia de la precedente y en sintonía con las ya vistas de *«Residencia habitual»*, *«Infravivienda»* o *«Coste de reposición de una construcción o edificación»*, no resulta ajena dentro de lo que es el mundo del urbanismo y la vivienda. No obstante y habida cuenta de la generalidad que comporta tal locución, bajo la cual caben diversas categorías, considera oportuno el legislador dividirla en dos subtipos o subespecies principales, a saber: *«Complejo inmobiliario privado»* y *«Complejo inmobiliario urbanístico»*, los cuales, de inmediato y por separado, pasa a analizar.

3.5.1. Complejo inmobiliario privado

Por lo que al *«Complejo inmobiliario privado»* se refiere, el legislador de la Ley 8/2013, de 26 de junio, de rehabilitación, regeneración y renovación urbanas, más que definirle, viene a establecer a que régimen jurídico está sometido el mismo, por remisión, además, a dos normas, a la sazón, Real Decreto Legislativo 2/2008, de 20 de junio, por el que se aprueba el Texto Refundido de la Ley de Suelo, y Ley 49/1960, de 21 de julio, sobre Propiedad Horizontal, lo que desde un punto de vista de técnica legislativa no nos parece, ciertamente, lo más correcto y adecuado. En particular y ciñéndonos a la literalidad de la Ley, establece e legislador que por *«Complejo inmobiliario privado»* hay que entender: *«Aquel complejo inmobiliario sujeto al régimen de organización unitaria de la propiedad inmobiliaria a que se refiere el artículo 17.6 del texto refundido de la Ley de Suelo, aprobado por el Real Decreto Legislativo 2/2008, de 20 de junio, así como a los regímenes especiales de propiedad establecidos por el artículo 24 de la Ley 49/1960, de 21 de julio, sobre Propiedad Horizontal».* Por tanto, tal y como hemos apuntado con anterioridad, poco o nada podemos sacar en claro de tal definición si no acudimos a las normas a las que el legislador se remite y muy especialmente, al artículo 17.6 del Texto Refundido de la Ley de Suelo, aprobado por el Real Decreto Legislativo 2/2008, de 20 de junio y al artículo 24 de la Ley 49/1960, de 21 de julio, sobre Propiedad Horizontal (14).

Antes de entrar a analizar el contenido del artículo 17.6 del Texto Refundido de la Ley de Suelo, aprobado por el Real Decreto Legislativo 2/2008, de 20 de junio, considero oportuno subrayar que, en su redacción original, el vigente Texto Refundido de la Ley de Suelo de 2008 no contaba en su artículo 17, como en la actualidad ocurre, con un sexto apartado. Este, fue introducido por el Real Decreto-Ley 8/2011, de 1 de julio, de medidas de apoyo a los deudores hipotecarios, de control del gasto público y cancelación de deudas con empresas y autónomos contraídas por las Entidades Locales, de fomento de la actividad empresarial e impulso de la rehabilitación y de simplificación administrativa y más concretamente, por su artículo 25, titulado *«Protección registral ante títulos habilitantes de obras y actividades»*, cuyo punto Uno, establece, literalmente, que: *«Se añade un nuevo apartado 6 en el artículo 17 del Texto Refundido de la Ley de Suelo, aprobado por el Real Decreto Legislativo 2/2008, de 20 de junio»*, siendo su contenido el siguiente: *«La constitución y modificación del complejo inmobiliario deberá ser autorizada por la Administración competente donde se ubique la finca o fincas sobre las que se constituya tal régimen, siendo requisito indispensable para su inscripción que al título correspondiente se acompañe la autorización administrativa concedida, o el testimonio notarial de la misma».* El mismo, tal y como se desprende de su trascripción, viene a señalar, únicamente, que la constitución o modificación de todo complejo inmobiliario requiere, como condición *sine qua non*, la previa autorización por parte de la respectiva Administración Pública competente.

Por su parte y tal y como hemos apuntado con anterioridad, se remite igualmente el legislador de la Ley 8/2013, de 26 de junio, de rehabilitación, regeneración y renovación urbanas, a la Ley 49/1960, de 21 de julio, sobre Propiedad Horizontal, y dentro de esta, concretamente, a su artículo 24, el cual, para más señas, se circunscribe dentro del Capítulo III de la Ley, titulado *«Del régimen de los complejos inmobiliarios privados»*. El referido artículo, como se imaginará, en virtud del Capítulo dentro del cual se encuentra, se dedica a establecer la regulación

---

(14) Para una mayor profundización en lo que son los *«Complejos inmobiliarios privados»*, me remito por entero a Torres Lana, J.A., «La regulación de los complejos inmobiliarios privados en la Ley de Propiedad Horizontal», *Actualidad Civil*, n.º 3, 2000, pág. 875 y ss.

jurídica de los «*Complejos inmobiliarios privados*», en términos parecidos, aunque notablemente más detallados, a cómo lo hacía el artículo 17.6 del Texto Refundido de la Ley de Suelo de 2008, de ahí que no reproduzcamos el mismo en el texto principal, tal y como sí hemos hecho con aquel, sino en nota a pie de página (15). Por cierto, debemos comentar que dicho artículo 24, al igual que ocurría con el apartado sexto del artículo 17 del Texto Refundido de la Ley de Suelo de 2008, no se contemplaba originariamente en la Ley 49/1960, de 21 de julio, sobre Propiedad Horizontal, siendo introducido en esta, por la Ley 8/1999, de 6 de abril, de Reforma de la Ley 49/1960, de 21 de julio, sobre Propiedad Horizontal (16). Por último y a modo de resumen, debemos señalar, que tanto el artículo 17.6 del Texto Refundido de la Ley de Suelo, aprobado por el Real Decreto Legislativo 2/2008, de

---

(15) El artículo 24 de la Ley 49/1960, de 21 de julio, de Propiedad Horizontal, titulado «*Régimen especial de propiedad aplicable a los complejos inmobiliarios privados*», establece sobre el particular, lo siguiente: «1. El régimen especial de propiedad establecido en el artículo 396 del Código Civil será aplicable a aquellos complejos inmobiliarios privados que reúnan los siguientes requisitos: a) Estar integrados por dos o más edificaciones o parcelas independientes entre sí cuyo destino principal sea la vivienda o locales. b) Participar los titulares de estos inmuebles, o de las viviendas o locales en que se encuentren divididos horizontalmente, con carácter inherente a dicho derecho, en una copropiedad indivisible sobre otros elementos inmobiliarios, viales, instalaciones o servicios. 2. Los complejos inmobiliarios privados a que se refiere el apartado anterior podrán: a) Constituirse en una sola comunidad de propietarios a través de cualquiera de los procedimientos establecidos en el párrafo segundo del artículo 5. En este caso quedarán sometidos a las disposiciones de esta Ley, que les resultarán íntegramente de aplicación. b) Constituirse en una agrupación de comunidades de propietarios. A tal efecto, se requerirá que el título constitutivo de la nueva comunidad agrupada sea otorgado por el propietario único del complejo o por los presidentes de todas las comunidades llamadas a integrar aquélla, previamente autorizadas por acuerdo mayoritario de sus respectivas Juntas de propietarios. El título constitutivo contendrá la descripción del complejo inmobiliario en su conjunto y de los elementos, viales, instalaciones y servicios comunes. Asimismo fijará la cuota de participación de cada una de las comunidades integradas, las cuales responderán conjuntamente de su obligación de contribuir al sostenimiento de los gastos generales de la comunidad agrupada. El título y los estatutos de la comunidad agrupada serán inscribibles en el Registro de la Propiedad. 3. La agrupación de comunidades a que se refiere el apartado anterior gozará, a todos los efectos, de la misma situación jurídica que las comunidades de propietarios y se regirá por las disposiciones de esta Ley, con las siguientes especialidades: a) La Junta de propietarios estará compuesta, salvo acuerdo en contrario, por los presidentes de las comunidades integradas en la agrupación, los cuales ostentarán la representación del conjunto de los propietarios de cada comunidad. b) La adopción de acuerdos para los que la ley requiera mayorías cualificadas exigirá, en todo caso, la previa obtención de la mayoría de que se trate en cada una de las Juntas de propietarios de las comunidades que integran la agrupación. c) Salvo acuerdo en contrario de la Junta no será aplicable a la comunidad agrupada lo dispuesto en el artículo 9 de esta Ley sobre el fondo de reserva. La competencia de los órganos de gobierno de la comunidad agrupada únicamente se extiende a los elementos inmobiliarios, viales, instalaciones y servicios comunes. Sus acuerdos no podrán menoscabar en ningún caso las facultades que corresponden a los órganos de gobierno de las comunidades de propietarios integradas en la agrupación de comunidades. 4. A los complejos inmobiliarios privados que no adopten ninguna de las formas jurídicas señaladas en el apartado 2 les serán aplicables, supletoriamente respecto de los pactos que establezcan entre sí los copropietarios, las disposiciones de esta Ley, con las mismas especialidades señaladas en el apartado anterior».

(16) Resulta muy ilustrativo del camino por el que han discurrido hasta su situación actual los «*Complejos inmobiliarios privados*», el trabajo de Martín Bernal, J.M., «Desde las urbanizaciones privadas a los complejos inmobiliarios (privados)», *Revista de Derecho Urbanístico y Medio Ambiente*, n.º 228, 2006, pág 25 y ss.

20 de junio, como el artículo 24 de la Ley 49/1960, de 21 de julio, sobre Propiedad Horizontal, coinciden en lo nuclear, que es, realmente, lo digno de reseñar y que, por cierto, también se menciona en la definición que el legislador de la Ley 8/2013, de 26 de junio, de rehabilitación, regeneración y renovación urbanas, da sobre *«Complejos Inmobiliarios Privados»* y que no es, sino el carácter unitario del mismo, es decir, su consideración en conjunto y no como una mera suma de fincas y propiedades independientes, que le integran.

3.5.2. *Complejo inmobiliario urbanístico*

Una vez definido *«Complejo inmobiliario privado»* por el legislador de la Ley 8/2013, de 26 de junio, de rehabilitación, regeneración y renovación urbanas, aunque ello sea mucho decir, tal y como hemos tenido oportunidad de comentar y exponer en el apartado precedente al que ahora nos ocupa, procede aquel a abordar el otro tipo o clase de complejo, a la sazón, *«Complejo inmobiliario urbanístico»*, con idéntica finalidad, es decir, definirle, si bien, ya avanzamos, que al igual que ocurre con el *«Complejo inmobiliario privado»* tampoco, realmente, termina haciéndolo el legislador, dado que este último, a efectos de su determinación y concreción, se remite a otra norma, concretamente, al Real Decreto Legislativo 2/2008, de 20 de junio, por el que se aprueba el Texto Refundido de la Ley de Suelo.

Pasando a analizar, con más profundidad, el denominado *«Complejo inmobiliario urbanístico»*, procede, lo primero de todo, examinar como regula el legislador el mismo. Así, si acudimos al apartado 5.2 del artículo 2 de la Ley 8/2013, de 26 de junio, de rehabilitación, regeneración y renovación urbanas, que es donde se regula aquel, nos encontramos con que el legislador determina que por *«Complejo inmobiliario urbanístico»*, debe entenderse: *«…el integrado, de conformidad con lo dispuesto en el artículo 17.4 del texto refundido de la Ley de Suelo, por superficies superpuestas, en la rasante y el subsuelo o el vuelo, destinadas a la edificación o uso privado y al dominio público»*. Como se infiere de su contenido y hemos tenido oportunidad de avanzar con anterioridad, lo regulado por el legislador al respecto, no se corresponde, en absoluto, con lo que propiamente es una definición, ni nada que se le parezca. Todo lo más, podemos decir, que es una descripción, ya que el legislador, alude a determinados elementos que integran y conforman dicho *«Complejo inmobiliario urbanístico»*, como *«…superficies superpuestas, en la rasante y el subsuelo o vuelo, destinadas a la edificación o uso privado y al dominio público…»*. No obstante, poco o nada, nos aclara ello, dado que para poder entender en plenitud qué es el *«Complejo inmobiliario urbanístico»*, o cuando menos, llegar a tener una noción aproximada de lo que el mismo representa, debemos acudir, inexorablemente, tal y como en este sentido determina el propio legislador, al *«…artículo 17.4 del texto refundido de la Ley de Suelo…»*.

En virtud de tal remisión y obligados a acudir al artículo 17.4 del Real Decreto Legislativo 2/2008, de 26 de junio, por el que se aprueba el Texto Refundido de la Ley de Suelo, si lo que queremos, realmente, es desentrañar el contenido de la expresión *«Complejo inmobiliario urbanístico»*, a efectos de tener una idea, más o menos clara, de qué es y en que consiste el mismo, nos corresponde, indefectiblemente, analizar el mismo. Sobre el particular y de manera sintética, pasamos a exponer a continuación los aspectos más característicos del punto cuarto del artículo 17 del Texto Refundido de la Ley de Suelo y con ello, las claves de lo que es un *«Complejo inmobiliario urbanístico»*. Lo primero de todo que procede señalar, es que las fincas y parcelas, habitualmente, son coincidentes, si bien también es posible que en algunos supuestos puedan disociarse, situación que ocurre en el tradicional régimen de propiedad horizontal y dentro de este, de manera destacada, en el denominado *«Complejo inmobiliario»* (para nosotros, y en la terminología del legislador de la presente Ley, más exactamente *«Complejo inmobiliario privado»*), introducido en el artículo 24 de la Ley 49/1960, de 21 de julio, de Propiedad Horizontal, por la Ley 8/1999, de 6 de abril, de Reforma de la Ley 49/1960, de 21 de julio, sobre Propiedad Horizontal. Este último, se caracteriza, por tener un régimen especial de propiedad, en el que se integran dos o más edificaciones independientes, cuyo destino principal es ser viviendas o locales, con la particularidad de que los propietarios de dichos inmuebles participan en una copropiedad indivisible sobre otros elementos inmobiliarios como pueden ser, entre otros, los viales, las instalaciones o los servicios. Pues bien, sobre tal construcción jurídica el legislador del Texto Refundido de la Ley de Suelo de 2008, incorpora la posibilidad de que en ella pueda darse, además, una coexistencia de usos privados y usos públicos, en la rasante, el subsuelo o el vuelo, de la misma (17). En definitiva, el *«Complejo inmobiliario urbanístico»*, no es sino un tipo o clase de *«Complejo inmobiliario»* en el que se contempla la posibilidad, por otro lado real, de que se pueda desagregar del derecho de propiedad (suelo), el vuelo y el subsuelo, de modo y manera, que a diferencia de la tradicional concepción romana de la propiedad, pueda pertenecer cada uno de ellos (suelo, vuelo y subsuelo) a un propietario distinto, con independencia de que los mismos sean sujetos privados o públicos (18). Con ello, ni que decir tiene, tendrán mucha más importancia y transcendencia los diversos instrumentos de planeamiento urbanístico, dado que a diferencia de antaño ya no se limitarán los mismos a ordenar *«terrenos»*, en su concepción más reduccionista de suelo, sino el *«territorio»*, o lo que es lo mismo, suelo, vuelo y subsuelo, debiendo contener, en este sentido, previsiones expresas sobre cada uno de ellos.

---

(17) Especialmente clarividente en relación con un tema tan intrincado y difícil de entender como son los *«Complejos inmobiliarios urbanísticos»*, se manifiesta Díaz Lema, J.M., *Nuevo Derecho del Suelo, Comentarios a la Ley 8/2007, de 28 de mayo, de Suelo*, Marcial Pons, Madrid, 2008, pág. 178 y ss.

(18) Para hacerse una idea detallada de lo que viene a comportar el *«Complejo inmobiliario urbanístico»*, así como los efectos (positivos y negativos) que derivan de su constitución, considero imprescindible la lectura detenida del trabajo de Sánchez Goyanes, E., «Artículo 17. Formación de fincas y parcelas y relación entre ellas», en *Ley del Suelo. Comentario sistemático de la Ley 8/2007, de 28 de mayo, de Suelo*, LA LEY, Madrid, 2007, pág 542 y ss.

3.6. Edificio de tipología residencial de vivienda colectiva

Por último y en sexto lugar, define el legislador de la Ley 8/2013, de 26 de junio, de rehabilitación, regeneración y renovación urbanas, otra locución que, al igual que el de *«Rehabilitación urbana»*, *«Infravivienda»*, *«Coste de reposición de una construcción o edificación»* o *«Complejos inmobiliarios»* (en sus versiones de privado y urbanístico), goza de gran predicamento tanto en el ámbito urbanístico como en el ámbito propio y característico de la vivienda, no siendo aquella, otra, que la de *«Edificio de tipología residencial de vivienda colectiva»*. Con su sola denominación, ya se deducen los aspectos más relevantes de la misma, a saber, que es un edificio destinado a uso residencial, lo que, en principio, excluye otros usos distintos de aquel, como pueda ser el comercial y por supuesto, el industrial. Por otro lado, se deduce, igualmente, de su mera denominación, que dicho edificio de tipología residencial lo integran o conforman varias viviendas, siendo más precisos, muchas y no, por el contrario, una sola, por lo que sin lugar a dudas, no se refiere con ello el legislador, por ejemplo, a un gran chalet, pese a poder tener el mismo varios pisos, ya que aquel, por definición, es de un solo propietario y por tanto, constituye una sola vivienda y no varias o una pluralidad de ellas.

Entrando ya de lleno a analizar la definición que de *«Edificio de tipología residencial de vivienda colectiva»*, da el legislador de la Ley 8/2013, de 26 de junio, de rehabilitación, regeneración y renovación urbanas, debemos señalar que el mismo, define aquel, como: *«El compuesto por más de una vivienda, sin perjuicio de que pueda contener, de manera simultánea, otros usos distintos del residencial»*. En virtud de tal definición, se comprenderá, que antes, cuando hemos dicho que con la sola denominación o enunciado de *«Edificio de tipología residencial de vivienda colectiva»*, se pueden deducir, sin más, sus características más sobresalientes, como, por ejemplo, su uso residencial, hayamos introducido tras tal aseveración, con toda intención, la locución: *«en principio»*, para en virtud de ella, no categorizar la exclusión de otro u otros usos distintos de aquel. Pues bien, este es el caso, ya que el legislador de la Ley 8/2013, de 26 de junio, de rehabilitación, regeneración y renovación urbanas, reconoce expresamente tal posibilidad, al estatuir que el *«Edificio de tipología residencial de vivienda colectiva»*, puede *«…contener, de manera simultánea, otros usos distintos del residencial…»*, lo cual, por otro lado, tampoco constituye ninguna novedad, dado que es bien sabido, tanto en el ámbito urbanístico, como en el propio de la vivienda, que existen usos predominantes, usos compatibles (con el mismo) y usos prohibidos (por incompatibles con aquel) y de mismo modo, que hay ciertos usos, como el comercial, que no sólo resulta compatible con el residencial, sino que es deseable que coexista con él, por la sinergia positiva que, recíprocamente, produce tal conjunción. De hecho, si nos fijamos a nuestro alrededor, podemos comprobar, como casi todos los edificios colectivos residenciales son, en realidad, de uso mixto, pese a tal calificativo, dado que, por lo general —aunque no necesariamente—, los bajos de los mismos, se dedican a uso comercial (tiendas, etc.), o incluso, si se me apura, a una categoría más amplia que aquella, como es el uso terciario (oficinas, despachos profesionales, sucursales bancarias, etc.).

Como consecuencia de tal definición, en virtud de la cual, se posibilita que el *«Edificio de tipología residencial de vivienda colectiva»*, pueda albergar, junto con el uso que le es propio y característico, otro u otros usos, por supuesto, compatibles con aquel, se ve obligado el legislador a establecer una precisión aclaratoria, en virtud de la cual establece, que: *«Con carácter asimilado se entiende incluida en esa tipología, el edificio destinado a ser ocupado o habitado por un grupo de personas que, sin constituir núcleo familiar, compartan servicios y se sometan a un régimen común, tales como hoteles o residencias»*, lo que no requiere comentario alguno, habida cuenta de su claridad meridiana. Puntualizar, para acabar el presente comentario y con él, el del artículo 2 de la Ley 8/2013, de 26 de junio, de rehabilitación, regeneración y renovación urbanas, que ahora nos ocupa, que el legislador no vuelve a hacer mención a *«Edificio de tipología residencial de vivienda colectiva»* en ningún lugar, a lo largo y ancho de la Ley, fuera de la definición que nos encontramos comentando, lo que no empece, para que podamos imaginarnos que su voluntad no es otra que advertir de tal característica, que puede pasar desapercibida a todo aquel que no se encuentre familiarizado con el ámbito urbanístico y de la vivienda, de cara a la previsible actuación (rehabilitación, regeneración o renovación) que en relación con el mismo o con los mismos, se pretenda acometer.

Artículo 3. Fines comunes de las políticas públicas para un medio urbano más sostenible, eficiente y competitivo.

Los poderes públicos formularán y desarrollarán en el medio urbano las políticas de su respectiva competencia de acuerdo con los principios de sostenibilidad económica, social y medioambiental, cohesión territorial, eficiencia energética y complejidad funcional, para:

a) Posibilitar el uso residencial en viviendas constitutivas de domicilio habitual en un contexto urbano seguro, salubre, accesible universalmente, de calidad adecuada e integrado socialmente, provisto de equipamiento, los servicios, los materiales y productos que eliminen o, en todo caso, minimicen, por aplicación de la mejor tecnología disponible en el mercado a precio razonable, las emisiones contaminantes y de gases de efecto invernadero, el consumo de agua, energía y la producción de residuos, y mejoren su gestión.

b) Favorecer y fomentar la dinamización económica y social y la adaptación, la rehabilitación y la ocupación de las viviendas vacías o en desuso.

c) Mejorar la calidad y la funcionalidad de las dotaciones, infraestructuras y espacios públicos al servicio de todos los ciudadanos y fomentar unos servicios generales más eficientes económica y ambientalmente.

d) Favorecer, con las infraestructuras, dotaciones equipamientos y servicios que sean precisos, la localización de actividades económicas generadoras de empleo estable, especialmente aquellas que faciliten el desarrollo de la investigación científica y de nuevas tecnologías, mejorando los tejidos productivos, por medio de una gestión inteligente.

e) Garantizar el acceso universal de los ciudadanos a las infraestructuras, dotaciones, equipamientos y servicios, así como su movilidad.

f) Integrar en el tejido urbano cuantos usos resulten compatibles con la función residencial, para contribuir al equilibrio de las ciudades y de los núcleos residenciales, favoreciendo la diversidad de usos, la aproximación de los servicios, las dotaciones y los equipamientos a la comunidad residente, así como la cohesión y la integración social.

g) Fomentar la protección de la atmósfera y el uso de materiales, productos y tecnologías limpias que reduzcan las emisiones contaminantes y de gases de efecto invernadero del sector de la construcción, así como de materiales reutilizados y reciclados que contribuyan a mejorar la eficiencia en el uso de los recursos.

h) Priorizar las energías renovables frente a la utilización de fuentes de energía fósil combatir la pobreza energética con medidas a favor de la eficiencia y el ahorro energético.

i) Valorar, en su caso, la perspectiva turística y permitir y mejorar el uso turístico responsable.

j) Favorecer la puesta en valor del patrimonio urbanizado y edificado con valor histórico o cultural.

k) Contribuir a un uso racional del agua, fomentando una cultura de eficiencia en el uso de los recursos hídricos, basada en el ahorro y en la reutilización.

CONCORDANCIAS

— Artículos 2, 19 y 20 del Real Decreto 233/2013, de 5 de abril, por el que se regula el Plan Estatal de fomento del alquiler de viviendas, la rehabilitación edificatoria, y la regeneración y la renovación urbanas, 2013-2016.
— Artículo 107 de la Ley 2/2011, de 4 de marzo, de Economía Sostenible.
— Artículo 2 del Real Decreto Legislativo 2/2008, de 20 de junio, por el que se aprueba el Texto Refundido de la Ley de Suelo.
— Artículo 1 del Real Decreto 314/2006, de 17 de marzo, por el que se aprueba el Código técnico de la Edificación.

JURISPRUDENCIA:

— Sentencia del Tribunal Superior de Justicia de Madrid (Sala de lo Contencioso-Administrativo, Sección 1.ª) de 12 de noviembre de 2012.
— Sentencia del Tribunal Superior de Justicia de Castilla y León, Burgos (Sala de lo Contencioso-Administrativo) d 28 de abril de 2000.

COMENTARIO (1)

FINES COMUNES QUE LOS PODERES PÚBLICOS, A TRAVÉS DE SUS RESPECTIVAS POLÍTICAS, DEBEN PERSEGUIR PARA LOGRAR UN MEDIO URBANO SOSTENIBLE

Sumario

1. Algunas consideraciones previas sobre los fines comunes de las políticas públicas para un medio urbano más sostenible, eficiente y competitivo: especial referencia a los principios que las rigen
2. Análisis de los fines comunes de las políticas públicas para un medio urbano más sostenible, eficiente y competitivo, que determina el legislador de la Ley 8/2013, de 26 de junio, de rehabilitación, regeneración y renovación urbanas

    2.1. Posibilitar el uso residencial en viviendas constitutivas de domicilio habitual en un contexto urbano, seguro, salubre, accesible universalmente, de calidad adecuada, integrado socialmente y comprometido en alcanzar mayores cotas de sostenibilidad medioambiental

    2.2. Favorecer y fomentar la dinamización económica y social y la adaptación, la rehabilitación y la ocupación de las viviendas vacías o en desuso

    2.3. Mejorar la calidad y funcionalidad de las dotaciones, infraestructuras y espacios públicos y fomentar unos servicios generales más eficientes económica y ambientalmente

    2.4. Favorecer con las infraestructuras, dotaciones, equipamientos y servicios que sean precisos, la localización de actividades económicas generadoras de empleo estable

    2.5. Garantizar el acceso universal de los ciudadanos a las infraestructuras, dotaciones, equipamientos y servicios, así como su movilidad

---

(1) Comentario a cargo de Fernando GARCÍA-MORENO RODRÍGUEZ. Profesor Doctor de Derecho Administrativo en la Facultad de Derecho de la Universidad de Burgos.

2.6.   Integrar en el tejido urbano cuantos usos resulten compatibles con la función residencial para contribuir al equilibrio de las ciudades y de los núcleos residenciales

2.7.   Fomentar la protección de la atmósfera y el uso de materiales, productos y tecnologías limpias que reduzcan las emisiones contaminantes

2.8.   Priorizar las energías renovables frente a la utilización de fuentes de energía fósil

2.9.   Valorar, en su caso, la perspectiva turística y permitir y mejorar el uso turístico responsable

2.10. Favorecer la puesta en valor del patrimonio urbanizado y edificado con valor histórico o cultural

2.11. Contribuir a un uso racional del agua, fomentando una cultura de eficiencia en el uso de los recursos hídricos

3. A modo de resumen: reflexiones generales sobre los fines comunes de las políticas públicas para un medio urbano más sostenible, eficiente y competitivo, que determina el legislador de la Ley 8/2013, de 26 de junio, de rehabilitación, regeneración y renovación urbanas

1. ALGUNAS CONSIDERACIONES PREVIAS SOBRE LOS FINES COMUNES DE LAS POLÍTICAS PÚBLICAS PARA UN MEDIO URBANO MÁS SOSTENIBLE, EFICIENTE Y COMPETITIVO: ESPECIAL REFERENCIA A LOS PRINCIPIOS QUE LAS RIGEN

La regulación que de la rehabilitación, regeneración y renovación urbanas, lleva a cabo el legislador de la vigente Ley 8/2013, de 26 de junio, parte, al igual que en prácticamente el resto de normas —por no decir, en todas—, con independencia de la materia que las mismas regulen, de lo más genérico e indeterminado, para, posteriormente, y a medida que se va avanzando en la respectiva temática objeto de estudio, ir concretándose y especificándose. Este es, el *iter* lógico y razonable, al menos, desde un correcto punto de vista metodológico y sistemático, que, como hemos apuntado, sigue todo legislador, motivo por el cual, no debe sorprendernos, en absoluto, que la materia que ahora nos ocupa, siga escrupulosamente tal planteamiento y así, en virtud del mismo y tras regular el tradicional artículo en el que se alude al *«Objeto de la Ley»* (artículo 1), y aquel otro en que por título *«Definiciones»* se trata de precisar y puntualizar ciertos términos relevantes utilizados en la propia Ley (artículo 2), proceda el legislador a la enumeración de una serie de fines —a nuestro modo de ver, un tanto ambiciosos, por no decir, en alguno de ellos, quimérico— que los diversos poderes públicos a través de sus respectivas políticas deben perseguir, con el objetivo, primero y último, de lograr un medio urbano más sostenible, eficiente y competitivo (artículo 3).

Así las cosas y antes de entrar a analizar los —por el legislador denominados— *«Fines comunes de las políticas públicas para un medio urbano más sostenible, eficiente y competitivo*», debemos llamar la atención sobre diversos aspectos que consideramos relevantes. En primer lugar, que la búsqueda de tales fines se impone a los poderes públicos y por tanto, no sólo al Ejecutivo, esto es a las diversas Administraciones Públicas con competencias en la materia, sino, también y además de a ellas —por supuesto—, al Legislativo, e incluso, al Poder Judicial, dado que este último es también, indudablemente, un poder público y existen antecedentes, como por ejemplo, en el ámbito cultural, en el que el mismo, ha participado —y de hecho, sigue participando— activamente, aceptando el reto que su implicación comportaba y aun hoy en día comporta (2). En segundo lugar, que los poderes públicos deben acometer los fines que a continuación especificaremos, partiendo de una serie de principios, que se concretan en la sostenibilidad económica, social y medioambiental, la cohesión territorial, la eficiencia energética y la complejidad funcional. Nótese, que los cuatro principios anteriormente referidos, sobre los cuales se van a sustentar las políticas públicas y en última instancia, los fines que las mismas persiguen para lograr un medio urbano más sostenible, eficiente y competitivo, tienen, como no puede ser de otro modo, una vinculación, igualmente directa, con este último ideal o anhelo —que es, en última instancia, el que se propone alcanzar el legislador—, en rededor del cual y a efectos de su efectiva y real implantación, gravitan tanto estos —principios—, como las políticas públicas y fines que le son propios.

En virtud de lo apuntado en el párrafo anterior, no puede considerarse alcanzado, bajo ningún concepto, un medio urbano más sostenible, eficiente y competitivo, al menos, en la medida y profundidad que sería deseable, si, previamente, no ha calado entre la población la sostenibilidad económica, social (3) y medioambiental y en consecuencia, no solo no se han alcanzado las metas previstas, sino que ni tan siquiera se encuentran asentadas, real y verdaderamente, las mismas. Efectivamente, para poder lograr el tan deseado medio urbano más sostenible, efi-

---

(2) En el ámbito cultural y más concretamente dentro de él, en la protección y salvaguarda del Patrimonio Cultural o Histórico-Artístico, no sólo se han implicado, por mandato constitucional (artículos 44 y 46 de la Constitución Española), el poder legislativo y el ejecutivo, sino también el mismísimo poder judicial. Así, este último, fundamentalmente, a través de la numerosa jurisprudencia del Tribunal Supremo, ha dejado translucir su inquietud y preocupación, de principio a fin, por todo lo referente al Patrimonio Cultural, habida cuenta de la importancia intrínseca que otorga y considera que atesora el mismo, hasta el punto de haber postulado en rededor de él, vía jurisprudencia, un «*derecho social a la cultura*», en el que se reconoce la importancia y transcendencia de la inspección, vigilancia, custodia y salvaguarda de los bienes y valores integrantes del Patrimonio Cultural, a la par que el debido derecho que tienen los ciudadanos de poder acceder al mismo, en cuanto que concepto genérico, aglutinador de todo lo cultural, en su acepción más extensa.

(3) Como es bien sabido, la denominada «*sostenibilidad*» a que alude el legislador se encuentra integrada, indisolublemente, por una vertiente medioambiental, otra económica y una tercera, social. De las tres, la que goza, con diferencia, del mayor predicamento y popularidad es la medioambiental y por el contrario, la menos valorada y conocida es la social, si bien, esta última, con el pasar de los años, ha ido ganando importancia a medida que la sociedad y los poderes públicos iban siendo conscientes de su valor y transcendencia. Representativo de tal tendencia, es el trabajo de Díaz Forero, P., «Renovación urbana con tejido social, participación ciudadana y restauración ecológica», Alarife: *Revista de Arquitectura*, n.º 21, 2011, pág. 20 y ss.

ciente y competitivo, se requiere que los ciudadanos hayan asumido plenamente la importancia, que la sostenibilidad económica, social y medioambiental tiene, no sólo, para la economía y el medio ambiente, sino, sobre todo, para ellos mismos, pues, al fin y la postre, es a estos últimos, a la sociedad, a quien la implantación de la sostenibilidad económica, social y medioambiental, va a terminar beneficiando y favoreciendo. Lo mismo cabe decir de la cohesión territorial, es decir, resultará poco menos que imposible pretender alcanzar un medio urbano más sostenible, eficiente y competitivo, si no se parte de una adecuada y correcta cohesión territorial, en virtud de la cual, las ciudades, poblaciones y localidades son, o cuando menos, tienden a ser, compactas, homogéneas e integradoras, en su justa medida, de grupos sociales, usos y actividades. Sólo partiendo de estos parámetros, se podrá lograr, finalmente y en la medida deseada, alcanzar el referido y esquivo objetivo hacia el que tienden todos los principios y políticas públicas que articula el legislador. Otro tanto de lo mismo podemos decir del tercero de los principios sobre el que se asientan las políticas públicas y por ende, los fines que las mismas contemplan en su empeño por lograr un medio urbano más sostenible, eficiente y competitivo, a la sazón, la eficiencia energética (4). Así, resulta poco menos que impensable o inconcebible, el lograr el tan predicado, a la par que anhelado objetivo, si no partimos de una ciudad en la que sea una realidad constatable y verificable la eficiencia energética, o cuando menos, se prime e impulse, con decisión y ahínco, la misma, dado que esta última, va a aportar a la sostenibilidad urbana, un factor constitutivo y determinante, a saber, el medioambiental, sin el cual, evidentemente, aquella, quedará, en el mejor de los casos, capitidisminuida, cuando no, total y absolutamente, desnaturalizada. Al igual que los tres principios precedentes, el cuarto y último de los mismos, referente a la complejidad funcional, resulta fundamental, en conjunción con aquellos, para lograr la consecución de un medio urbano más sostenible, eficiente y competitivo. No obstante, este último, a diferencia de sus antecesores, como fácilmente se deduce del mismo, no tiene una vocación ecológica, medioambiental, o si se prefiere, *«sostenible»*, si bien, suple y compensa tal déficit o carencia, aportando un factor de realismo y racionalidad, que resulta crucial a la hora de alcanzar el tan deseado medio urbano sostenible, eficiente y competitivo. A nadie se le escapa que para lograr un objetivo, sea cual fuere el mismo, resulta imperativo partir de una situación fáctica incontestable, es decir, de una coyuntura, ambiente, entorno o contexto, auténtico y verdadero y no, por el contrario, de ilusiones, fantasías o idealismos, pues bien, ello es, precisamente, lo que aporta el cuarto y último de los principios al que ahora nos referimos, a saber, que el objeto sustantivo sobre el que se pretende instaurar la sostenibilidad, que no

---

(4)   Debemos precisar, que cuando el legislador alude a eficiencia energética, lo hace en un sentido, ciertamente, holístico, es decir, no quiere referirse con tal acepción, únicamente, al consumo estricto de energía, tal y como la entendemos (fundamentalmente eléctrica), que también, sino además de a ello, a la eficiencia de todo tipo de consumos, como por ejemplo, al propio y característico de los medios de transporte, al transformar su concreto y específico combustible, en consumo energético, para así, determinar, en última instancia, si resultan o no eficientes.

es otro que el espacio o ámbito urbano, es una realidad funcionalmente compleja, habida cuenta de los múltiples y variados factores que en el mismo convergen (población, infraestructuras, transporte, medioambiente, industria, etc.), lo que deberá tenerse, muy presente, a la hora de concretar y especificar los fines de las diversas políticas públicas, formuladas y desarrolladas, al servicio de un medio urbano más sostenible, eficiente y competitivo.

Volviendo, nuevamente, a la enumeración de los aspectos que consideramos más relevantes y por tanto, dignos de mención, dentro de los *«Fines comunes de las políticas públicas para un medio urbano más sostenible, eficiente y competitivo»*, debemos destacar, en tercer lugar, que los principios a los que acabamos de referirnos (sostenibilidad económica, social y medioambiental, cohesión territorial, eficiencia energética y complejidad funcional) no operan, directamente, sobre los fines, dado que aquellos necesitan ser catalizados, transformados o adecuados previamente, lo que se logra, a través de las políticas que los diversos poderes públicos formulan y desarrollan en pos de un medio urbano más sostenible, eficiente y competitivo. En cuarto lugar, que tanto los principios, como las políticas que catalizan los mismos, como los propios fines que rigen estas últimas, deben tender a la consecución de un medio urbano más sostenible, eficiente y competitivo, desde una triple vertiente, a saber, económica, medioambiental y social. En quinto lugar, que todos y cada uno de los fines comunes de las políticas públicas para un medio urbano más sostenible, eficiente y competitivo, contribuyen, parcialmente, a la consecución global de tal objetivo, a resultas de lo cual, debemos subrayar el carácter complementario y sumatorio de los mismos. En sexto y último lugar, que el legislador de la Ley 8/2013, de 26 de junio, de rehabilitación, regeneración y renovación urbanas, al titular su artículo 3, bajo la rúbrica, de: *«Fines comunes de las políticas públicas para un medio urbano más sostenible, eficiente y competitivo»*, parte de una premisa que, a nuestro modo de ver, no es verdadera, al no corresponderse con la realidad, a saber, que en el presente, contamos ya, con un medio urbano sostenible, eficiente y competitivo, ya que de no partir el legislador de tal hecho, carecería de sentido que, en dicho título, aluda aquel a *«…un medio urbano más sostenible, eficiente y competitivo»*, lo que, insistimos, no solo nos parece mucho decir, sino que aun está muy lejos de que suceda.

2. ANÁLISIS DE LOS FINES COMUNES DE LAS POLÍTICAS PÚBLICAS PARA UN MEDIO URBANO MÁS SOSTENIBLE, EFICIENTE Y COMPETITIVO, QUE DETERMINA EL LEGISLADOR DE LA LEY 8/2013, DE 26 DE JUNIO, DE REHABILITACIÓN, REGENERACIÓN Y RENOVACIÓN URBANAS

Como se desprende del propio título del presente epígrafe, nos corresponde ahora, tras haber llevado a cabo una serie de consideraciones previas sobre los fines comunes de las políticas públicas para un medio urbano más sostenible, eficiente y competitivo, que, evidentemente, nos han servido para introducir el tema que ahora nos ocupa, analizar tales fines, lo que, para un mejor seguimiento y comprensión de los mismos, vamos a hacer de manera individualizada, en el mismo orden en que los contempla el legislador (5). No queda, por tanto, una vez hecha esta precisión, sino pasar a su respectivo análisis, lo que sin más demora pasamos a hacer.

2.1. Posibilitar el uso residencial en viviendas constitutivas de domicilio habitual en un contexto urbano, seguro, salubre, accesible universalmente, de calidad adecuada, integrado socialmente y comprometido en alcanzar mayores cotas de sostenibilidad medioambiental

El primero de los fines comunes que deben perseguir las diversas políticas públicas para conseguir un medio urbano más sostenible, eficiente y competitivo, considera el legislador, pasa por *«posibilitar el uso residencial en las viviendas constitutivas del domicilio habitual en un contexto urbano seguro, salubre, accesible universalmente, de calidad adecuada e integrado socialmente...»*. Como puede comprobarse del tenor literal de la letra a) del artículo 3 de la Ley 8/2013, de 26 de junio, de rehabilitación, regeneración y renovación urbanas, pretende el legislador lograr algo, en apariencia, sencillo, es más, que todos o casi todos nosotros, al menos en el contexto geográfico y temporal en que nos movemos, consideramos y damos por hecho que se ha alcanzado ya —salvo, quizá, alguna que otra excepción que, en cualquier caso, no viene sino a confirmar la regla general—, como es usar nuestra vivienda habitual (6), con todas las garantías que deben acompañar siempre a la misma, las cuales, son, que sea segura, salubre, accesible universalmente y de calidad adecuada y en parecidos o similares términos, no solo la misma en sí, sino, también, el entorno urbano donde esta se encuentra. A continuación, determina el legislador, que dicho espacio urbano, dentro del cual se circunscriben

---

(5)   El artículo 3 de la vigente Ley 8/2013, de 26 de junio, de rehabilitación, regeneración y renovación urbanas, es prácticamente idéntico, salvo en cuatro fines más que incorpora este último, al artículo 107 de la Ley 2/2011, de 4 de marzo, de Economía Sostenible, por lo que lo explicado en este último nos servirá, *mutatis mutandis*, en los comentarios que sobre el particular hagamos de aquel. A tales efectos me remito por entero a García-Moreno Rodríguez, F., «La rehabilitación y la renovación urbana: actuaciones estratégicas sobre las que se articula y construye el medio urbano sostenible», en Comentarios a la Ley de Economía Sostenible, dir. Santiago A. Bello Paredes, LA LEY, Madrid, 2011, pág. 544 y ss.

(6)   Considero que aunque el legislador alude dentro del primero de los fines comunes de las políticas públicas para un medio urbano más sostenible, eficiente y competitivo, únicamente, a las viviendas constitutivas de domicilio habitual, a efectos de posibilitar en las mismas un uso residencial en un contexto urbano seguro, salubre, accesible universalmente, de calidad adecuada e integrado socialmente, amén de libre de ruidos e inmisiones y emisiones contaminantes, debe aplicarse de manera análoga, tal fin, a aquellas viviendas que no cumplan tal requisito, por ser segunda residencia o por cualquier otro motivo o circunstancia. En cualquier caso, lo que está fuera de toda duda es que este último tipo o clase de viviendas a la que nos hemos referido, se verán beneficiadas al igual que las constitutivas de residencia habitual a la hora de implementar dicho fin al estar, en prácticamente todos los casos, entreveradas unas y otras.

las viviendas habituales, debe estar integrado socialmente, es decir, que no existan los tan denostados guetos, ni se encuentre dividido el mismo en compartimentos estancos, en razón del mayor o menor poder adquisitivo de unos u otros ciudadanos. Asimismo, exige el legislador que el contexto urbano en el que se ubican las viviendas habituales de los ciudadanos debe, contar con el equipamiento, los servicios, materiales y productos necesarios para minimizar las emisiones contaminantes y de gases de efecto invernadero, así como el consumo de agua, de energía y la producción de residuos, a la par que mejorar su gestión (7). Todo ello, apostilla el legislador, debe hacerse utilizando la mejor tecnología disponible en el mercado a precio razonable, Sobre el particular queremos destacar dos aspectos. En primer lugar, que España cuenta ya desde hace años con legislación específica para cumplir tales objetivos, como, por ejemplo, reducir la contaminación atmosférica (8), así como con incentivos de todo tipo para reducir, al máximo, el consumo de agua o de energía, igualmente cuenta con políticas para reciclar correcta y debidamente los residuos, tratando previamente de que estos se reduzcan ostensiblemente, si bien, pese a ello, debemos manifestar que, reconociendo que se han dado pasos en la dirección correcta, aun queda mucho por hacer. En segundo lugar, debemos traer a colación el actual contexto económico dentro del cual nos encontramos, caracterizado por una dura y pertinaz crisis económica, que, lejos de remitir, parece perpetuarse en el tiempo, lo que, como se comprenderá, en nada ayuda o contribuye al cumplimiento de los objetivos a que con anterioridad nos hemos referido.

Por tanto, podemos concluir el comentario de este primer fin, señalando, que el mismo es muy dispar en su contenido y que así como en lo que viene a ser su primera parte, poco o nada, contribuye a lograr un medio urbano más sostenible, eficiente y competitivo, dado que lo que allí exige el legislador ya se cumple de manera generalizada y con total normalidad en el presente (9), por el contrario, y afortunadamente, no ocurre lo mismo con la segunda parte de aquel. Es por ello,

---

(7) Resulta indudable que de unos años a esta parte, concretamente, desde la aprobación de la Ley 8/2007, de 28 de mayo, de Suelo, el medio ambiente ha pasado a tener dentro del urbanismo un papel, no sólo relevante, sino, incluso —nos atreveríamos a decir—, preponderante. El legislador se ha dado cuenta de que tan importante y vital como tener bonitas ciudades y contar con edificios modernos, es disfrutar de una buena calidad de vida en la misma, lo que requiere, favorecer y potenciar ese medio ambiente que, habida cuenta del lugar en el que opera, se califica como urbano. Un magnífico ejemplo de esta necesaria e imperativa interacción entre medio ambiente, urbanismo y edificación, lo encontramos en FERNÁNDEZ DE GATTA SÁNCHEZ, D., «Medio Ambiente, urbanismo y edificación: de la política de la Unión Europea al Código Técnico de la Edificación y a la nueva Ley de suelo», *Revista de Derecho Urbanístico y Medio Ambiente*, n.º 235, 2007, pág 29 y ss.

(8) Véase, entre otros varios ejemplos que sobre el particular podríamos traer a colación, la Ley 37/2003, de 17 de noviembre, del Ruido, o Ley 34/2007, de 15 de noviembre, de Contaminación Atmosférica.

(9) Un intento, por cierto, muy conseguido, en virtud del cual, se logra cumplir con muchos de los objetivos que señala el legislador en la letra a) del artículo 3 de la Ley 8/2013, de 26 de junio, de rehabilitación, regeneración y renovación urbanas, le encontramos en el barrio barcelonés de La Mina. Para una mayor profundización en tal proyecto y las diversas acciones que implementó el mismo, me remito por entero al trabajo de SAINZ GUTIÉRREZ, V., «Repensar la vivienda, reinventar la ciudad», *Proyecto, Progreso, Arquitectura*, n.º 5, 2011, pág 108 y ss.

por lo que podemos aseverar que donde realmente se nota la aportación del legislador por lo que a sostenibilidad, eficiencia y competitividad urbana se refiere, es al manifestar el mismo que todo medio urbano que se proclame más sostenible, eficiente y competitivo debe estar provisto del equipamiento, servicios, materiales y productos suficientes, que permitan —con la ayuda de la mejor tecnología disponible en el mercado, a precio razonable—, por un lado, eliminar, o cuando menos, minimizar los efectos nocivos que se dan en toda ciudad —y que con carácter un tanto genérico, concreta en las emisiones contaminantes y en los gases de efecto invernadero—, y por otro, reducir el consumo de agua, de energía y la producción de residuos, mejorando, a su vez su respectiva gestión (10). En definitiva, es, en esta última parte de la letra a) del artículo 3 de la Ley 8/2013, de 26 de junio, de rehabilitación, regeneración y renovación urbana, que no en la primera parte de aquella, donde se aprecia, realmente y en toda su plenitud, como ya hemos apuntado con anterioridad, la consecución, o cuando menos, el intento de conseguir un medio urbano más sostenible, eficiente y competitivo.

2.2. Favorecer y fomentar la dinamización económica y social y la adaptación, la rehabilitación y la ocupación de las viviendas vacías o en desuso

El segundo de los fines que persigue el legislador de la Ley 8/2013, de 26 de junio, de rehabilitación, regeneración y renovación urbanas, es: *«Favorecer y fomentar la dinamización económica y social y la adaptación, la rehabilitación y la ocupación de las viviendas vacías o en desuso»*. Lo primero de todo sobre lo que debemos llamar la atención, es sobre el hecho de que, en realidad, este fin, no es uno, sino, por el contrario, muchos, que se agrupan bajo un mismo enunciado. Tal circunstancia, que igualmente hemos podido observar en el fin precedente al que ahora nos ocupa, se da no solo en aquel y en el presente, sino también en algunos fines más de entre los muchos (exactamente, once) que contempla el legislador, por lo que bien podemos calificar, dicho obrar, de norma general. En segundo lugar y si se observa bien el contenido de este segundo fin, resulta enormemente llamativo como, el mismo, mezcla materias de lo más dispares dentro de él, como la dinamización económica y social por un lado y por otro, la rehabilitación y la ocupación de viviendas vacías o en desuso, si bien es cierto, que estas dos últimas finalidades (rehabilitación y ocupación de viviendas) tienen una evidente vertiente económica y social, al propiciar la primera de ellas (rehabilitación) la creación de puestos de

---

(10)   Como puede comprobarse, este primer fin de las políticas públicas para lograr un medio urbano sostenible, no es, en puridad, uno solo, dado que el mismo comprende, varios fines, hasta el punto de poder decir que, o bien, es un conjunto de fines recogidos o agrupados en uno, o bien, un solo fin pero con múltiples objetivos. En cualquier caso y he aquí nuestra crítica, debería haberse subdividido dicho fin, en tantas partes como fines contiene el mismo. Sin perjuicio de ello, somos plenamente conscientes que tal propuesta tiene un grave inconveniente, cual es, incrementar en demasía la casuística de un artículo que, de por sí, ya tiene mucha.

trabajo dentro del decaído sector de la construcción y con ello, en cierta medida, el resurgir y la dinamización de la economía, y posibilitar la segunda (ocupación de viviendas), por su parte, que mediante la presión que tales actuaciones generan, puedan determinados sectores y colectivos de la población, por lo general, los más desfavorecidos y desprotegidos, acceder a determinadas viviendas, que de otro modo, en ningún caso podrían. Por último y en tercer lugar, debemos subrayar, que este fin, es enormemente representativo de lo que, en última instancia, persigue el legislador con la presente Ley, a saber: por un lado, dinamizar la economía y con ello, la sociedad, y por otro, la rehabilitación y todas aquellas actuaciones que de alguna forma o manera tienen incidencia en la denominada ciudad construida.

2.3. Mejorar la calidad y funcionalidad de las dotaciones, infraestructuras y espacios públicos y fomentar unos servicios generales más eficientes económica y ambientalmente

El tercero de los fines que deben perseguir los diversos poderes públicos a través de sus respectivas políticas, para logar un medio urbano más sostenible, eficiente y competitivo, consiste en: *«Mejorar la calidad y la funcionalidad de las dotaciones, infraestructuras y espacios públicos al servicio de todos los ciudadanos y fomentar unos servicios generales más eficientes económica y ambientalmente»*. El mismo, puede dividirse en dos claras partes. Una primera, en la que se impone a las diversas Administraciones Públicas con competencia en la materia —ya que a estas, aunque al respecto no diga nada el legislador, les corresponderá, indefectiblemente, tal labor—, mejorar la calidad y funcionalidad de lo que en un sentido amplio podemos denominar como los equipamientos públicos de la ciudad, dentro de los cuales se englobarían tanto las dotaciones —consideramos que únicamente las públicas, aunque nada al respecto especifica el legislador, si bien, se puede deducir tal parecer al aludir el legislador a que deben estar al servicio de todos los ciudadanos— (11), infraestructuras y espacios públicos existentes en la misma. Con ello, se mejoraría sustancialmente toda la ciudad y por ende, aumentaría la calidad de vida de todos cuantos habitan en ella. Apuntar,

---

(11) Sobre el particular me remito íntegramente al trabajo de Hervás Más, J., «Las actuaciones de dotación y renovación en el suelo urbanizado. La regeneración de la ciudad», *El Consultor de los Ayuntamientos y de los Juzgados*, n.º 5, 2009, pág. 732 y ss. Del mismo, podemos destacar varios aspectos, si bien, quiero únicamente ahora, llamar la atención sobre la fecha de su publicación (2009), dado que es del todo demostrativa, tal y como he sostenido a lo largo y ancho de los diversos trabajos que dentro del presente libro me han correspondido, de que las actuaciones de renovación en el interior de las ciudades, o si se prefiere, en el suelo urbano (urbanizado, le llama dicho autor, aunque a los efectos que nos interesan, es lo mismo), no son algo de hoy. Es una realidad innegable, que desde hace ya tiempo ha ido calando, sin prisa pero sin pausa, entre los diversos poderes públicos, muchos profesionales del ramo y ciudadanos, en general, que era el momento de volver a preocuparse por la ciudad construida y existente, ante la desidia, abandono y dejadez en que había estado sumida durante tanto años, lo que, progresivamente, se ha ido materializando en diversas actuaciones tendentes a regenerar la ciudad (Planes Especiales de Reforma Interior, Áreas de Rehabilitación Integral, Áreas de Renovación Urbana, etc...), al considerarse, inexcusable e improrrogable, su implementación.

asimismo, que tales mejoras, requerirían hacerse, en principio, a través de actuaciones, bien de regeneración, bien de renovación urbana. La segunda parte en que se divide el fin que ahora nos ocupa, es aquella en la que el legislador impone, sin decirlo expresamente, pero se entiende, igualmente, que a las diversas Administraciones Públicas que en cada caso corresponda, fomentar que los servicios generales existentes y caso de no haberles, desde su misma creación, sean más eficientes económica y medioambientalmente. Con ello se busca, que duda cabe, tratar de alcanzar en los mismos, la sostenibilidad económica y medioambiental, como requisitos indispensables que son, entre otros, para poder lograr, finalmente, un medio urbano más sostenible, eficiente y competitivo. Un buen ejemplo donde cualquiera puede apreciar el gran bien que a la ciudad puede reportarle la implementación de los parámetros de eficiencia económica y medioambiental en un servicio general, es en la aplicación de estos en un servicio tan importante y transcendental en toda ciudad como es el servicio de transporte. La diferencia de una ciudad con transporte rentable y limpio medioambientalmente, a otra que no cuenta en el suyo con tales características, es más que notable.

2.4. Favorecer con las infraestructuras, dotaciones, equipamientos y servicios que sean precisos, la localización de actividades económicas generadoras de empleo estable

El cuarto de los fines en virtud del cual las políticas de los diversos poderes públicos pretenden contribuir a la consecución de un medio urbano más sostenible, eficiente y competitivo es el siguiente: *«Favorecer, con las infraestructuras, dotaciones equipamientos y servicios que sean precisos, la localización de actividades económicas generadoras de empleo estable, especialmente aquellas que faciliten el desarrollo de la investigación científica y de nuevas tecnologías, mejorando los tejidos productivos, por medio de una gestión inteligente».* El mismo, tal y como puede comprobarse, tiene un contenido, a diferencia de los fines precedentes, eminentemente económico. Persigue, así el legislador, que todos los poderes públicos, principalmente, las Administraciones Públicas, por ser estas últimas, las que, al fin y a la postre, más posibilidades, por medios y capacidad, tienen de lograrlo, favorezcan las infraestructuras, dotaciones y servicios, en general, en las ciudades, con el objetivo de posibilitar el asentamiento en las mismas de actividades de contenido económico que generen empleo estable. Dentro de tales actividades económicas muestra su preferencia el legislador, por todas aquellas que posibiliten el desarrollo de la investigación científica y las nuevas tecnologías. En definitiva, con ello demuestra el legislador, que un factor importante, es más, crucial, para poder lograr el tan deseado modelo de ciudad sostenible (12) —que no es, al fin y a la postre, sino lo que el legislador denomina un medio urbano más sostenible,

---

(12) Véase, sobre el particular, en su vertiente de protección del patrimonio cultural, el trabajo de QUINTANA LÓPEZ, T., «La ciudad sostenible: Conservación y rehabilitación del patrimonio arquitectónico», *Revista Aragonesa de Administración Pública*, n.º 22, 2003, pág 433 y ss.

eficiente y competitivo—,, pasa, por generar, la misma, actividades económicas garantizadoras de empleo estable, dado que sin este último, no podrán aquellas, aspirar, en plenitud, a la tan predicada sostenibilidad, al carecer, esta, de una de las tres características que la integran, a saber, la económica, que por cierto, en el supuesto que nos ocupa —empleo estable— y de no lograrse, finalmente, la consolidación del mismo, incide en otra segunda, la social, hasta el punto de hacerla, igualmente, peligrar. Es consciente el legislador, que tales actividades económicas, muchas veces, son contaminantes y dañinas para el medio ambiente, incluso, para la salud pública ciudadana, pero, pese a ello, necesarias e imprescindibles, motivo por el cual, apuesta por la implantación preeminente de las que sean sostenibles desde el punto de vista medioambiental, como, en principio, son todas aquellas que tienen que ver con la investigación científica y las nuevas tecnologías, las cuales, sin lugar a dudas, como muy bien señala el propio legislador, contribuyen, además, a mejorar los tejidos productivos por medio de una gestión inteligente.

2.5. Garantizar el acceso universal de los ciudadanos a las infraestructuras, dotaciones, equipamientos y servicios, así como su movilidad

El quinto fin posibilitador de un medio urbano más sostenible, eficiente y competitivo, reside a juicio del legislador de la Ley 8/2013, de 26 de junio, de rehabilitación, regeneración y renovación urbanas, en: «*Garantizar el acceso universal de los ciudadanos a las infraestructuras, dotaciones, equipamientos y servicios, así como su movilidad*». Este fin tiene una gran afinidad con el tercero, ya que aquel, como hemos visto, preconizaba «*Mejorar la calidad y la funcionalidad de las dotaciones, infraestructuras y espacios públicos al servicio de todos los ciudadanos…*», lo que viene a complementar el fin que ahora nos ocupa, al exigir este, que se garantice el acceso universal de los ciudadanos a los mismos, dado que de otro modo, carecería de sentido la tan predicada mejora en la calidad y funcionalidad de aquellos. También encontramos una clara y evidente conexión entre el tercero de los fines que hemos visto y el presente, en lo relativo a los servicios, ya que aquel propugnaba: «*…fomentar unos servicios generales más eficientes económica y ambientalmente*» y por su parte, el fin que ahora nos ocupa, que se garantice, igualmente, el acceso universal a los mismos, destacando de entre ellos, aun sin decirlo expresamente, el servicio de transporte, al precisar el legislador que debe garantizarse la movilidad de los ciudadanos. En relación con esta última cuestión, es una evidencia que desde hace una serie de años, pero, fundamentalmente, desde la Ley 2/2011, de 4 de marzo, de Economía Sostenible, viene propugnando el legislador la potenciación del transporte colectivo y público en detrimento de los vehículos particulares, con el objetivo de evitar dentro de las poblaciones, desplazamientos y flujos de vehículos innecesarios, más allá de los estrictamente forzosos e inevitables. Ni que decir tiene, que se posterga el vehículo particular en beneficio del transporte público y colectivo, al ser este último, respecto de aquel, mucho mas eficiente energéticamente y menos contaminante, lo que, sin lugar a dudas, contribuye a lograr alguno de los fines apuntados con anterioridad y de otros más, que están por ver. Apuntar, por otro lado, que resulta impensable un medio urbano más sostenible, eficiente y competitivo, en una ciudad en la que la contaminación atmosférica, debida al transporte urbano, sea una realidad estable y cotidiana, dado que aquel —medio urbano sostenible— y esta última —contaminación atmosférica—, son, lisa y llanamente, antagónicos. Para solucionar tal problema, en absoluto baladí, o cuando menos, atemperar o mitigar el mismo, resulta fundamental, por un lado, que la planificación urbanística sea razonable y cabal a la hora de configurar la ciudad que se desea y ordenar las actividades y usos que la integran y por otro lado, que en el menor lapso de tiempo posible, se elabore, instaure y aplique el correspondiente Plan de Movilidad Sostenible de ámbito municipal. Sin la conjunción de ambos factores, será poco menos que imposible, la consecución de tan complejo objetivo, a saber, la descontaminación de las ciudades.

2.6. Integrar en el tejido urbano cuantos usos resulten compatibles con la función residencial para contribuir al equilibrio de las ciudades y de los núcleos residenciales

El sexto fin que en pos de un medio urbano más sostenible eficiente y competitivo persiguen los poderes públicos a través de sus respectivas políticas, consiste en: «*Integrar en el tejido urbano cuantos usos resulten compatibles con la función residencial, para contribuir al equilibrio de las ciudades y de los núcleos residenciales, favoreciendo la diversidad de usos, la aproximación de los servicios, las dotaciones y los equipamientos a la comunidad residente, así como la cohesión y la integración social*». El mismo, tal y como se deduce de su redacción, busca integrar dentro del tejido urbano cuantos usos resulten compatibles con la función residencial y ello, con un triple objetivo. En primer lugar, contribuir al equilibrio de ciudades y núcleos residenciales, pues la incorporación en estas de cualesquiera usos que resulten compatibles con la actividad residencial, propia de las mismas, resulta, indudablemente, revitalizante y generadora de vida y actividades, lo que, sin lugar a dudas, coadyuva, sustancialmente, al pretendido equilibrio de ciudades y núcleos residenciales (13). En segundo lugar, favorecer la diversidad de usos —recuérdese, compatibles con la función residencial—, como, entre otros, el uso comercial (pequeñas tiendas y comercio minorista en

---

(13) El equilibrio de las ciudades y de los núcleos residenciales a que alude el legislador de la Ley 8/2013, de 26 de junio, de rehabilitación, regeneración y renovación urbanas, no busca, en última instancia, sino lograr la sostenibilidad en las diversas actuaciones que con la finalidad de regenerar la ciudad se lleven a cabo. En definitiva, no se trata de implementar, sin más, la rehabilitación, la regeneración o la renovación urbanas, sino que estas, fundamentalmente, logren ser sostenibles, dado que la reforma interior de las poblaciones no es ajena, al igual que en su día no lo fue la expansión urbanística de las mismas, a la tan denostada «*Burbuja Inmobiliaria*», por lo que para evitar esta última, se impone, el tener muy presente dicho principio. En este sentido considero que resulta muy ilustrativo el trabajo de Bouazza, O, Trovato, G y Mata, R., «Por una gestión y regeneración urbana sostenible e integrada: crónica de la Conferencia de alto Nivel sobre Sostenibilidad Urbana y Regeneración Urbana integrada en Europa», *Ciudad y Territorio: Estudios territoriales*, n.º 164, 2010, pág. 367 y ss.

general) o el terciario (oficinas, despachos profesionales, sucursales bancarias, etc.), al considerar, con acierto, que tales usos, lejos de perjudicar la función residencial propia del tejido urbano, o lo que es lo mismo, a las viviendas, dotan a esta últimas de un valor añadido. En tercer y último lugar, aproximar los servicios y dotaciones, a la comunidad residente, para evitar con ello, a la misma, desplazamientos innecesarios. En definitiva, tal fin, persigue, la integración de todo tipo y clase de usos compatibles en la ciudad, y en particular y de manera muy destacada, del comercial. Entiende el legislador que hay ciertos usos que resultan incompatibles con el uso residencial, como entre otros varios, pueden ser los industriales, y que precisamente por tal circunstancia, deberán estar estos fuera de la ciudad, es más, lo más alejados posibles de ella, pero que frente a los mismos, hay otros usos que resultan no solo compatibles con el residencial, sino, además, complementarios del mismo, los cuales, contribuyen, sin lugar a dudas, a hacer ciudad. Uno de estos últimos es, sin lugar a dudas, tal y como ya hemos apuntado con anterioridad, el uso comercial (14), el cual, en algunas ciudades españolas, años atrás —e incluso, hoy en día, en no pocas de ellas—, se ha visto postergado, al primarse el establecimiento de grandes superficies comerciales en los extrarradios o periferias de las mismas —frente al comercio tradicional, caracterizado por estar entreverado en la trama urbana—, lo que ha originado —y aun sigue produciendo—, por un lado, desplazamientos y flujos masivos de vehículos a aquellas —grandes superficies— y por otro, que determinadas partes de la ciudad careciesen, prácticamente, sino totalmente, de cualquier clase o tipo de establecimiento comercial, donde siquiera poder comprar el pan o el periódico, lo que, por desgracia, aun es una realidad. Ante ello y consciente el legislador de tales problemas, de no poca envergadura, propugna un cambio de tendencia, para volver al modo clásico y tradicional de asentamiento del comercio, caracterizado, en resumidas cuentas, por ser de proximidad, es decir, cercano, contiguo o inmediato al ciudadano, al radicar el mismo, donde, precisamente, vive este último, con lo cual, de paso, va a conseguir que se reduzca sustancialmente el número de desplazamientos de vehículos, que antes, por tales circunstancias, resultaban inevitables.

2.7. Fomentar la protección de la atmósfera y el uso de materiales, productos y tecnologías limpias que reduzcan las emisiones contaminantes

El séptimo de los fines que persiguen las políticas de los diversos poderes públicos en el afán de lograr un medio urbano más sostenible, eficiente y competitivo, radica en: «*Fomentar la protección de la atmósfera y el uso de materiales, productos y tecnologías limpias que reduzcan las emisiones contaminantes y de gases de efec-*

---

(14) Véase, sobre el particular, el sugerente trabajo de ELIZAGARATE GUTIÉRREZ, V., «El comercio y la regeneración urbana de la ciudad: una estrategia integral de marketing de ciudades», *Distribución y consumo*, n.º 84, 2005, pág. 40 y ss.

to invernadero del sector de la construcción, así como de materiales reutilizados y reciclados que contribuyan a mejorar la eficiencia en el uso de los recursos». Como puede constatarse de su redacción, incide el legislador en fomentar el uso de materiales, productos y tecnologías limpias que reduzcan las emisiones contaminantes y los gases de efecto invernadero del sector de la construcción. Lo que viene de nuevo a constatar, que en la consecución del medio urbano sostenible, sin menospreciar las facetas económica y social del mismo, tiene un peso importantísimo, crucial, podríamos decir, el factor medioambiental y que uno de los enemigos más importantes de este último, sino el más, en particular en las ciudades, es la contaminación, de ahí, que en los fines primero, séptimo y octavo de las políticas públicas para un medio urbano más sostenible, eficiente y competitivo, aluda el legislador, principalmente, a esta última, con el objetivo de erradicarla, o cuando menos —a sabiendas de la dificultad, por no decir imposibilidad, que tal propósito entraña—, de aminorar o reducir, sustancialmente, los nocivos y perjudiciales efectos que comporta no solo para el medio ambiente, sino, también, y lo que es aun peor, para la salud de los ciudadanos. En el fin que ahora nos ocupa, vemos como se trata de reducir el fenómeno de la contaminación desde el ámbito o la perspectiva de la construcción, tratando de reducir las emisiones contaminantes debidas y derivadas de la misma, pues no debemos olvidar que la polución correspondiente al sector de la construcción, junto con la polución del transporte y la industria, son los tres focos fundamentales y casi únicos —al menos desde un punto de vista cuantitativo—, de contaminación de nuestras ciudades. Apuntar, que dentro de los materiales, productos y tecnologías limpias que reducen las emisiones contaminantes del sector de la construcción se encuentran todos aquellos que de una u otra forma contribuyen a reducir el uso de la calefacción, a reutilizar determinados residuos, a disminuir el consumo de energía eléctrica, a filtrar de impurezas las emisiones atmosféricas que resultan inevitables, etc. Casa a casa, es prácticamente imperceptible e inapreciable, la reducción de las emisiones contaminantes y los consiguientes efectos benéficos que ello comporta para el global de los ciudadanos, pudiéndose, únicamente apreciar y constatar, tal fenómeno, de la suma total de cuantas edificaciones y construcciones conforman e integran la respectiva ciudad, que es precisamente, lo que en última instancia persigue el legislador, a sabiendas de que poco o nada puede lograrse a través de actuaciones puntuales por muy bien intencionadas y voluntariosas que sean estas.

2.8. Priorizar las energías renovables frente a la utilización de fuentes de energía fósil

El octavo fin que dentro del artículo 3 de la Ley 8/2013, de 26 de junio, de rehabilitación, regeneración y renovación urbana, establece el legislador, es: *«Priorizar las energías renovables frente a la utilización de fuentes de energía fósil combatir la pobreza energética con medidas a favor de la eficiencia y el ahorro energético».* El mismo, no nos merece mayores comentarios de los que a continuación vamos a hacer, ya que no hace sino abundar, por no decir, reiterar, el contenido del fin inmediatamente anterior al actual. Efectivamente, el fin que ahora nos ocupa busca priorizar las energías renovables frente a la utilización de fuentes de energía fósil, que son, precisamente, las que en la actualidad, como es sabido, se utilizan masivamente por la industria, el transporte, las viviendas, etc. y ocasionan, en última instancia, la consabida contaminación de las ciudades. Únicamente nos parece oportuno destacar, que con la priorización de las energías renovables frente a la utilización de fuentes de energía fósil, busca el legislador —además del fin benéfico que ello produce y al que ya nos hemos referido— combatir la pobreza energética con medidas a favor de la eficiencia y del ahorro energético (15), lo que, como propósito, ciertamente, nos parece muy loable, pero en la práctica esta muy lejos de suceder, al menos, por ahora.

2.9. Valorar, en su caso, la perspectiva turística y permitir y mejorar el uso turístico responsable

El noveno de los fines en virtud del cual las políticas de los diversos poderes públicos pretenden contribuir a la consecución de un medio urbano más sostenible, eficiente y competitivo, es el siguiente: «*Valorar, en su caso, la perspectiva turística y permitir y mejorar el uso turístico responsable*». Destacar, lo primero de todo, lo poco acertado, que a nuestro modo de ver, ha estado el legislador en esta ocasión, por lo difuso, inconsistente y ambiguo de la redacción. Además, el mismo, no se muestra igual de rotundo, ni mucho menos, que en los restantes fines, al dejar al criterio de quien tenga que implementar este fin, a la sazón, la Administración General del Estado y sobre todo, las Administraciones Públicas de las diversas Comunidades Autónomas, el hacerlo o no. Otro aspecto criticable es que no vemos, ni entendemos, la relación existente —caso de haberla, lo que dudamos seriamente—, entre un medio urbano más sostenible, eficiente y competitivo, que, en definitiva, es lo que busca y persigue, en última instancia, el legislador, con la denominada por el mismo «...*perspectiva turística*...». En definitiva, consideramos que no sólo no pasaba nada si el legislador de la vigente Ley 8/2013, de 26 de junio, de rehabilitación, regeneración y renovación urbanas, decidiese suprimir la letra i) del artículo 3 que ahora nos ocupa, que, evidentemente, se corresponde con el fin que estamos comentando —más exactamente, criticando—, sino que, sin lugar a dudas, ganaría con ello dicho artículo y a su vez la propia Ley.

---

(15) Es innegable que cada vez está más asentado entre amplios sectores de la población el importante y trascendental papel que tiene la adecuada y correcta gestión de la energía, fundamentalmente, por ser un bien escaso, del cual España, es, además, dependiente del exterior, y en íntima relación con este y casi —si no en todo— como consecuencia del mismo, por el elevado precio, que cada vez más, tiene en el consumidor final aquella. No debe extrañarnos por ello, que tal temática y todo lo que tenga que ver y esté relacionada con la misma, sea claramente emergente, tanto en la propia sociedad como en los diversos profesionales que desde los distintos ámbitos del saber tienen que ver directa o indirectamente con la misma. Fiel reflejo de ello es el trabajo de VERDAGUER VIANA-CÁRDENAS, C y VELÁZQUEZ VALORIA, I., «Pasos hacia la regeneración urbana ecológica: más allá de la eficiencia energética», *Ciudad y Territorio: Estudios territoriales*, n.º 171, 2012, pág. 97 y ss.

2.10. Favorecer la puesta en valor del patrimonio urbanizado y edificado con valor histórico o cultural

El décimo fin que en la consecución de un medio urbano más sostenible, eficiente y competitivo, estatuye el legislador, tiene un marcado carácter urbanístico y persigue en palabras de aquel: *«Favorecer la puesta en valor del patrimonio urbanizado y edificado con valor histórico o cultural»*. Tal fin nos parece acertado y consideramos que sí contribuye o puede contribuir de manera efectiva a cumplir el tan predicado objetivo de lograr un medio urbano mas sostenible, eficiente y competitivo, ya que lo que se propone en él, es algo parecido, *mutatis mutandis*, a lo que ya desde hace años se viene haciendo, además, con cierto éxito, en relación con el medio ambiente, a saber, turismo ambiental. Así y del mismo modo que hay cada vez más personas interesadas en conocer determinados lugares con reconocidos valores medioambientales (paisajes, bosques, cascadas, montañas, lagos, etc.) y están dispuestas a pagar por verlos, se trataría de hacer lo mismo, con los paisajes urbanos y bellezas, en este caso, constructivas, sobre todo pertenecientes al Patrimonio Histórico-Artístico, que albergan y en algunos casos, esconden nuestras ciudades (16). Con ello y al poner en valor el, como muy bien dice el legislador, *«...patrimonio urbanizado y edificado...»*, en especial aquel que tiene un valor histórico o cultural, se lograría atraer inversión a las ciudades, además, por lo general, de personas, especialmente sensibles con el entorno tanto cultural como medioambiental de la misma, con lo que estaríamos hablando de un turismo no contaminante y en último extremo, que como consecuencia del dinero que deja en sus visitas, posibilita la retroalimentación de tal política. En este sentido y desde esta óptica, sí tendría sentido el turismo al que de manera un tanto deslavazada, inconexa e imprecisa aludía el legislador en el fin precedente al que ahora nos ocupa.

2.11. Contribuir a un uso racional del agua, fomentando una cultura de eficiencia en el uso de los recursos hídricos

El undécimo y último de los fines que estatuye el legislador para poder lograr tras la implantación del mismo, así como de los restantes fines anteriormente aludidos, el tan ansiado, como esquivo, medio urbano más sostenible, eficiente y competitivo, estriba en: *«Contribuir a un uso racional del agua, fomentando una cultura de eficiencia en el uso de los recursos hídricos, basada en el ahorro y en la reutilización»*. Ni que decir tiene, que uno de los pilares fundamentales que debe tenerse muy presente si lo que se quiere, como es el caso, es lograr la tan deseada ciudad sostenible, es el agua, y en particular, la gestión racional de este bien escaso y precioso, tanto desde la esfera pública, como desde la esfera privada. De ahí que, tal y como indica el legislador, sea imprescindible el fomentar una cultura respecto

---

(16) Véase, sobre el particular, el trabajo de Troitiño Vinuesa, M.A., «Territorio, patrimonio y paisaje: Desafíos de una ordenación y gestión inteligentes», *Ciudad y Territorio: Estudios territoriales*, n.º 169-170, 2011, pág. 561 y ss.

de tal elemento, basada en la eficiencia, dado que de otro modo, se podrán adoptar medidas desde las respectivas Administraciones Públicas, pero todas resultaran inútiles, o como mucho, poco incisivas, si los ciudadanos, que son, realmente, los principales usuarios y consumidores del líquido elemento, tanto en términos cualitativos como cuantitativos, no son plenamente conscientes de lo importante y transcendental que es gestionar bien el agua, para lo que, únicamente, hace falta cumplir dos principios, a saber, ahorro y reutilización. El primero de ellos, ahorro de agua, trata de fomentar un comportamiento responsable entre todos los ciudadanos, basado en que hay que consumir con moderación y mesura sólo el agua que realmente se necesita, siendo conscientes de que es un bien limitado y que, por tanto, debe ser debidamente dosificado y en cualquier caso, nunca malgastado. El segundo, la reutilización, pretenden instaurar una cultura en virtud de la cual se trate de aprovechar y optimizar al máximo posible el agua con el que contamos, evitando, como ocurre en muchos casos, que el agua que ya no queremos o necesitamos se pierda sin darle alguna utilidad. Hemos de decir en relación con el uso racional del agua y en este sentido con el ahorro y reutilización que se hace de dicho bien, que si bien es cierto que se han dado pasos importantes y significativos en la buena dirección y por tanto, hacia un consumo responsable, aun queda mucho camino por andar. Por último, quiero apuntar, dado que muchas veces —sino todas— pasa desapercibido, que el apostar, decididamente, por mejorar la funcionalidad de las dotaciones e infraestructuras, contribuye, indudablemente, entre otros propósitos, a optimizar y hacer más eficiente la gestión del agua.

3. A MODO DE RESUMEN: REFLEXIONES GENERALES SOBRE LOS FINES COMUNES DE LAS POLÍTICAS PÚBLICAS PARA UN MEDIO URBANO MÁS SOSTENIBLE, EFICIENTE Y COMPETITIVO, QUE DETERMINA EL LEGISLADOR DE LA LEY 8/2013, DE 26 DE JUNIO, DE REHABILITACIÓN, REGENERACIÓN Y RENOVACIÓN URBANAS

No podemos terminar el estudio y análisis de los fines comunes de las políticas públicas para un medio urbano más sostenible, eficiente y competitivo, sin destacar, con carácter general, algunos de los aspectos que les son propios. En primer lugar, que dentro del listado de los once fines que integran o deben integrar las políticas públicas para un medio urbano más sostenible, eficiente y competitivo, nos encontramos con repeticiones y reiteraciones innecesarias, quizá debido —seguro— a la importancia que a determinadas materias, como por ejemplo, la contaminación, concede el legislador. En segundo lugar, que algunos de los fines que se enumeran se están aplicando, con mayor o menor fortuna, en el presente, mientras que otros, por el contrario, se encuentran, en el mejor de los casos, en ciernes, siendo más, un futuro deseable que una realidad constatable. En este sentido se aprecia una cierta asimetría o desajuste temporal entre la aplicación de unos y otros, lo cual no es aconsejable, dado que el pretendido medio urbano más sostenible, eficiente y competitivo, solo es alcanzable en la convergencia de todos y cada uno de los fines que el legislador enumera en el artículo 3 de la vigente Ley 8/2013, de

26 de junio, de rehabilitación, regeneración y renovación urbanas. En tercer lugar, que si bien alguno de los fines que se contemplan son razonablemente realizables, otros, por el contrario, se nos antojan de difícil, cuando no, imposible realización, al menos, a corto-medio plazo. En este sentido, alguno de tales fines parece más un mero precepto programático que una verdadera finalidad que se impone cumplir. En cuarto lugar, que los fines no forman compartimentos estancos, ni resultan incompatibles entre sí, antes bien, son complementarios y sumatorios. En quinto y último lugar, que los fines a los que nos venimos refiriendo, son recurrentes, al ser los que constituyen o conforman, a través de su consecución, el tan deseado medio urbano más sostenible, eficiente y competitivo, siendo buen ejemplo de ello tanto la rehabilitación, como la regeneración y renovación urbana, al condicionarse las mismas al cumplimiento de alguno, varios o todos los fines que hemos estudiado.

TÍTULO I

El Informe de Evaluación de los Edificios

Artículo 4. El Informe de Evaluación de los Edificios

1. Los propietarios de inmuebles ubicados en edificaciones con tipología residencial de vivienda colectiva podrán ser requeridos por la Administración competente, de conformidad con lo dispuesto en la disposición transitoria primera, para que acrediten la situación en la que se encuentran aquéllos, al menos en relación con el estado de conservación del edificio y con el cumplimiento de la normativa vigente sobre accesibilidad universal, así como sobre el grado de eficiencia energética de los mismos.

2. El Informe de Evaluación que determine los extremos señalados en el apartado anterior, identificará el bien inmueble, con expresión de su referencia catastral y contendrá, de manera detallada:

a) La evaluación del estado de conservación del edificio.

b) La evaluación de las condiciones básicas de accesibilidad universal y no discriminación de las personas con discapacidad para el acceso y utilización del edificio, de acuerdo con la normativa vigente, estableciendo si el edificio es susceptible o no de realizar ajustes razonables para satisfacerlas.

c) La certificación de la eficiencia energética del edificio, con el contenido y mediante el procedimiento establecido para la misma por la normativa vigente.

Cuando, de conformidad con la normativa autonómica o municipal, exista un Informe de Inspección Técnica que ya permita evaluar los extremos señalados en las letras a) y b) anteriores, se podrá complementar con la certificación referida en la letra c), y surtirá los mismos efectos que el informe regulado por esta Ley. Asimismo, cuando contenga todos los elementos requeridos de conformidad con aquella normativa, podrá surtir los efectos derivados de la misma, tanto en cuanto a la posible exigencia de la subsanación de las deficiencias observadas, como en cuanto a la posible realización de las mismas en sustitución y a costa de los obligados, con independencia de la aplicación de las medidas disciplinarias y sancionadoras que procedan, de conformidad con lo establecido en la legislación urbanística aplicable.

3. El Informe de Evaluación realizado por encargo de la comunidad o agrupación de comunidades de propietarios que se refieran a la totalidad de un edificio o complejo inmobiliario extenderá su eficacia a todos y cada uno de los locales y viviendas existentes.

4. El Informe de Evaluación tendrá una periodicidad mínima de diez años, pudiendo establecer las Comunidades Autónomas y los Ayuntamientos una periodicidad menor.

5. El incumplimiento del deber de cumplimentar en tiempo y forma el Informe de Evaluación regulado por este artículo y la disposición transitoria primera tendrá la consideración de infracción urbanística, con el carácter y las consecuencias que atribuya la normativa urbanística aplicable al incumplimiento del deber de dotarse del informe de inspección técnica de edificios o equivalente, en el plazo expresamente establecido.

6. Los propietarios de inmuebles obligados a la realización del informe regulado por este artículo deberán remitir una copia del mismo al organismo que determine la Comunidad Autónoma, con el fin de que dicha información forme parte de un Registro integrado único. La misma regla resultará de aplicación en relación con el informe que acredite la realización de las obras correspondientes, en los casos en los que el informe de evaluación integre el correspondiente a la inspección técnica, en los términos previstos en el último párrafo del apartado 2, y siempre que de éste último se derivase la necesidad de subsanar las deficiencias observadas en el inmueble.

COMENTARIO (1)

Sumario

1. Introducción.
2. El ámbito de aplicación.
3. El contenido del IEE.
4. Los sujetos obligados a su presentación.
5. Periodo de validez.

---

(1) Comentario a cargo de Joaquín Jalvo Mínguez. Arquitecto Superior en las especialidades de Edificación y Urbanismo. Diplomado en Urbanismo por el IEAL.

1. INTRODUCCIÓN

El Informe de Evaluación de Edificios (en adelante IEE) se estructura en la Ley como un instrumento necesario para conocer el estado de las edificaciones, más allá de lo que hasta el momento se estaba demandando en algunas Comunidades Autónomas y Ayuntamientos, a través de la Inspección Técnica de los Edificios (las denominadas ITE), en lo referente al patrimonio edificatorio existente y que trata de integrar los conocimientos que existen de ese patrimonio con aquellos detalles que es necesario disponer de esas edificaciones, que ya fueron requeridos por las Directivas europeas, para incorporar en un solo documento, con ciertas características cualitativas del patrimonio edificado y de aquellas edificaciones que se incorporen al mismo.

Si hasta el momento la preocupación básica era conocer el grado de conservación de las edificaciones en cuanto afectaba a la seguridad, estabilidad, estanqueidad y consolidación estructurales de los edificios, aparte de alguna otra consideración acerca de determinadas instalaciones, a partir de ahora se plantea la necesidad de conocer mediante la ampliación de las finalidades y contenido del IEE, otra serie de datos que aporten conocimientos acerca de la situación de la calidad y sostenibilidad de una parte del patrimonio edificado para que se pueda proceder a elaborar una base de datos que permita establecer una racionalidad en las políticas de rehabilitación edificatoria, de regeneración y renovación urbana y asimismo de fomentar la sostenibilidad y la competitividad de la edificación y de los ambiente urbanos en los que se ubica.

Esta información se plantea en cuanto es necesaria para garantizar el empleo de medidas contrastadas en un análisis de costes — beneficios al exponer la necesidad de analizar la viabilidad técnica de las diferentes propuestas que se contengan, su evaluación económica y todo ello dentro de la posibilidad funcional que debe encuadrar la solución a los problemas detectados en las edificaciones, para de esa forma poder conseguir los objetivos que se contienen en la Ley.

Asimismo el conocimiento que se derive del contenido de los IEE permitirá una sensibilización a los encargados del diseño, de la promoción, construcción y de los usuarios de la mayoría de los productos arquitectónicos que existen para se atienda a considerar la calidad y sostenibilidad de las edificaciones existentes, de las que se rehabiliten y aquellas de nueva construcción para acercarse al objetivo demandado de vivir en edificios de mayor calidad arquitectónica y de consumo casi nulo en el horizonte determinado por la normativa europea del 2020.

2. EL ÁMBITO DE APLICACIÓN

Los edificios con tipología residencial de vivienda colectiva, en una primera instancia, son los que se reseñan en este artículo como los que deben disponer de este informe para que acrediten su situación.

Aunque la expresión no es del todo feliz, pues se refiere a la tipología de los edificios en función de su uso (vivienda colectiva), ya que la tipología de las edificaciones se establece en función de sus características de ordenación urbanística como pueden ser las de edificación cerrada, pareada, en hilera, agrupada, aislada, abierta, en torre, etc., el ámbito de aplicación se debería haber fijado, para evitar equívocos y dejar claramente definida su aplicación, con la referencia a la mayoría de las categorías de los usos que se contienen en la planificación urbanística y por lo tanto en función del uso de las edificaciones, como es el uso de viviendas colectivas, excluyendo de esa forma el resto de viviendas como son las unifamiliares, que según el Diccionario de arquitectura y construcción (2) se establece como la que ocupando la totalidad de un edificio alberga a una sola familia.

Queda definido en el texto del apartado 1 de este artículo y corroborado en la Disposición Transitoria Primera, que el IEE se debe referir a las edificaciones de tipología residencial de vivienda colectiva. Se puede definir esta clase de viviendas como aquellas ubicadas en un edificio constituido por varias viviendas unifamiliares independientes entre sí, pero con acceso común desde el exterior (3). También parece aseverar esta delimitación para la redacción de los IEE su referencia al uso de los edificios de vivienda colectiva, el que los mimos sean realizados por encargo de las comunidades de vecinos o agrupación de comunidades de propietarios.

Sin embargo cuando se refiere la ley, en primer lugar, a que los IEE deben extender su eficacia a todos y cada uno de los locales y viviendas existentes, deja abierta la puerta a que en un edificio de viviendas colectivas en el que se ubiquen, como es generalmente admitido, locales destinados a otros usos como pueden ser los comerciales, de oficinas, educacionales, de restauración u otros, estos locales también deberán estar incluidos en el IEE, como bien se desprende de la propia definición que en el artículo 2 de la ley se efectúa para el edificio de tipología residencial de vivienda colectiva. Por lo tanto parece determinar la Ley para el ámbito de aplicación de los IEE, que se refiere a los edificios en los que aparezca el uso de vivienda colectiva y amplía su obligación a todos los locales que se encuentren en el edificio, agrupación de edificios o complejos inmobiliarios, puesto que no existe ninguna determinación en que se refiera a los edificios de uso de viviendas colectivas en los que ese uso sea mayoritario, predominante o característico, puesto que en cuanto exista el uso de vivienda colectiva en una edificación de la tipología que sea podrá ser requerido por la administración competente, en función de lo dispuesto en el apartado 1 de este artículo.

Asimismo, en segundo lugar, se entiende en las definiciones contenidas en el título preliminar de la ley, el carácter de asimilado a la categoría de edificación

---

(2)   Monjo Carrió, Juan; Vega Amado, Santiago y otros. *Diccionario de Arquitectura y Construcción*, Editorial Munilla-Lería, Madrid, 2001, pág. 722

(3)   Ver, Monjo Carrió, 2001, pág. 722.

de tipología residencial de vivienda colectiva los edificios destinados a ser ocupados o habitados por un grupo de personas que sin constituir núcleo familiar, compartan servicios y se sometan a un régimen común, como son los hoteles o residencias y por lo tanto cualquier edificio en el que se ubiquen de forma total o parcial este tipo de uso también debe estar incluido en el conjunto de los que deben cumplimentar el IEE.

En tercer lugar, hay que tener en cuenta lo dispuesto en la Disposición Transitoria Primera de la ley en la que se establece como obligatorio la elaboración del IEE para aquellos edificios, con independencia de su uso, cuyos titulares deseen acogerse a las ayudas públicas, existentes o que se dispongan en un futuro, para acometer obras de conservación, accesibilidad universal o mejora de la eficiencia energética en los edificios, por lo que entonces se extiende la necesidad de realizar el IEE a todas las edificaciones que quieren optar por ese tipo de ayudas, con independencia del uso al que estén dedicadas o de la tipología en la que estén construidas. Asimismo la citada disposición deja abierto el campo de obligatoriedad a aquellos edificios que sean considerados por la normativa autonómica o municipal para que sean requeridos a ello debido a que dispongan ampliar el margen de aplicación que se establece por la Ley.

Por lo tanto, se deben realizar de forma genérica los IEE a los edificios, conjunto de los edificios y complejos inmobiliarios que, en parte o en su totalidad, vayan a ser destinados o a ser ocupados por personas que se sometan a un régimen común, como son las viviendas colectivas, instalaciones hoteleras de todos tipo (hoteles, apartoteles, moteles, pensiones, casas rurales y otros asimilados)y las extra-hoteleras como pueden ser los apartamentos turísticos, villas turísticas, albergues, residencias (de estudiantes, de la tercera edad), campings, etc., incluyendo cualquier otro local, con independencia de su uso, que se encuentre ubicado dentro del edificio, conjunto de edificios o complejo inmobiliario. Asimismo se deben realizar los IEE en aquellos edificios, conjuntos de edificios o complejos inmobiliarios en los que sus titulares quieran optar por ayudas públicas a las obras de conservación, accesibilidad o de eficiencia energética, quedando abierta la posibilidad de que por las Comunidades Autónomas o por los Ayuntamientos se amplíe la obligatoriedad de la formalización del IEE a otros supuestos.

3. EL CONTENIDO DEL IEE

El conocimiento de la situación de la calidad y sostenibilidad de una parte del patrimonio edificado, que se establece como objetivo de la ley para disponer de medidas de actuación sobre el medio urbano, tiene que partir de un conocimiento básico de las edificaciones que lo estructuran.

Para ello la ley supera los ya establecidos parámetros a los que se referían la mayoría de las reglamentaciones que establecían las Inspecciones Técnicas de los

Edificios que se limitaban a conocer, generalmente, el estado de las edificaciones en cuanto a la consideración de los siguientes parámetros:

— Las condiciones de seguridad, estabilidad y consolidación estructurales de los edificios con indicación de los daños existentes en los diferentes elementos estructurales que lo componen para garantizar la estabilidad y resistencia mecánica de los inmuebles.

— Las condiciones de seguridad y estabilidad de sus elementos constructivos que no sean componentes estructurales y cuyo deterioro suponga un riesgo para la seguridad de las personas, con especial acento si los riesgos para la seguridad de las personas pueden extenderse a aquéllas que se encuentren en los espacios públicos.

— Estado de la estanqueidad del edifico frente al agua en tanto afecte a la seguridad del edificio y en cuanto a que su deterioro afecte a la habitabilidad de los espacios vivideros.

— Estanqueidad y buen funcionamiento de las redes generales de fontanería y saneamiento de las edificaciones en cuanto afecten a la seguridad de la edificación y a la habitabilidad de la misma.

— Conocimiento de las redes eléctricas en cuanto puedan afectar a la seguridad de las redes de agua.

En general las ITE se complementaban con un Informe Técnico en el que, a modo de recomendaciones, los técnicos encargados de su realización exponían las deficiencias existentes en las edificaciones para garantizar la habitabilidad de los edificios y el normal uso de las instalaciones que se encontraban en los mismos, sugiriendo las posibles obras que fueran necesarias para efectuar una conservación adecuada del edificio en función de los datos que se podían conocer de la inspección que se había realizado con la finalidad de emitir su informe acerca de las condiciones en las que se encontraba el inmueble al que se refreía la ITE.

Como ya se ha precisado el objetivo del IEE es más ambicioso que el de las ITE, de forma general, y amplia el conocimiento que se debe tener de las edificaciones con la definición detallada de los siguientes parámetros:

1. Identificación del inmueble, con expresión de la referencia catastral del mismo.

2. Grado de conservación de la edificación, sin entrar a ponderar las que afecten o no a las condiciones de seguridad o a las de las redes de instalaciones de que disponga el edificio, sino que debe referirse a todo el conjunto de elementos que conforman el grado de conservación de los inmuebles.

3. Análisis del nivel de accesibilidad universal de la edificación de acuerdo a la normativa que le sea de aplicación.

4. Expresión de la calificación energética que corresponda al edificio que se analiza.

Para determinar el grado de conservación de las edificaciones se tendrá que informar acerca de todos aquellos elementos que forman parte de esa conservación como pueden ser.

— Las condiciones de conservación, seguridad y estabilidad de la edificación, en cuanto se refieran a la consideración de la propia estructura de la edificación, compuesta por la cimentación, muros, pilares, vigas, forjados, escaleras, voladizos, marquesinas, etc.

— Las condiciones de conservación, seguridad y estabilidad del conjunto de los componentes de la edificación como pueden ser las tabiquerías, medianerías, fachadas, cubiertas, pavimentos, revestimientos, alicatados, chapados, falsos techos, carpinterías, cerrajerías, cerramientos, vallados, pinturas, etc.

— El estado de las impermeabilizaciones existentes en la edificación, referidos tanto a las que proporcionan la estanqueidad del edificio con respecto a los agentes exteriores (las dispuestas en cubiertas, muros de contención, fachadas, patios, medianerías, soleras, etc) como a los propias internos derivadas de las propias instalaciones del edificio (correspondientes a las salas de máquinas, depósitos de agua, cuartos de máquinas, patinillos de instalaciones, bañeras o duchas especiales, piscinas, etc.).

— El grado de conservación y mantenimiento de las instalaciones existentes en la edificación, comprensivas de las de saneamiento, fontanería, electricidad, calefacción, telecomunicaciones, captación de energía solar, ventilación, climatización, aparatos elevadores, gas, contra incendios, extracción, riego u otras de las que disponga la edificación, con la expresión de las existentes y su grado de adaptación a la normativa en vigor, incluyendo las instalaciones de agua

A los efectos de poder informar acerca de los condiciones de accesibilidad de las edificaciones se deberá estar a las determinaciones existentes en la normativa que a este respecto se ha dispuesto en las administraciones de rango nacional, la existente en cada una de las Comunidades Autónomas y la vigente en el municipio en el que se encuentre la edificación. Para conocer las demandas de cada una de las normativas de obligado cumplimiento, se deberán tener en cuenta los diferentes usos a los que se destine la edificación y la situación de cada una de los elementos arquitectónicos que la componen, considerando las tipologías de la edificación que se analiza para informar no solo de la adaptación de las edificaciones en sí mismas a las demandas de accesibilidad global sino de las características de las urbanizaciones interiores de los solares en las que se ubican, en su caso, para disponer de una información completa que permita una evaluación correcta del grado de accesibilidad de cada una de las edificaciones a las que se refiere el informe que se presente.

Se deberá completar la información anterior con la expresión razonada de cuáles serían las obras para poder adecuar la edificación y la urbanización de acceso, en su caso, a las determinaciones de la reglamentación de accesibilidad y si son posibles las mismas y en su caso cuales serían las condiciones en las que se deberían realizar esas obras, dictaminando si en el edificio se pueden realizar los ajustes razonables para poder satisfacer las demandas de accesibilidad requeridas por la normativa de aplicación.

La definición de lo que supone un ajuste razonable se encuentra en el artículo 2.4 de la Ley, en el que se viene a destacar que las medidas de adecuación de un edificio para facilitar la accesibilidad se consideran razonables cuando se puedan realizar de forma eficaz, segura y práctica y asimismo sin que las mismas supongan una carga desproporcionada para las personas que deban llevarla a la práctica. Para considerar desproporcionada las medidas a tomar se tendrán en cuenta:

a) Los costes de las actuaciones que se deban ejecutar para garantizar la accesibilidad

b) Los efectos discriminatorios que se producirían si las actuaciones para llevar a cabo la accesibilidad no se ejecutaran.

c) Las características de la entidad o personas que tengan que ponerla en práctica

d) La posibilidad de obtener financiación pública para llevar a cabo las actuaciones de adecuación.

Se considera, en todo caso, en los edificios constituidos en régimen de propiedad horizontal que la carga es desproporcionada cuando el coste de las obras repercutidas anualmente y deducidas las ayudas públicas a las que pudieran tener derecho, exceda de doce mensualidades ordinarias de gastos comunes.

Es decir, que el IEE deberá aportar en este apartado de análisis una evaluación de doble sentido en una parte objetiva y en un segundo plano de carácter subjetivo.

El apartado objetivo atenderá a concretar una valoración de las diferentes obras y actuaciones necesarias para poder garantizar la accesibilidad universal en el inmueble al que se refiere, estableciendo una evaluación con respecto a los costes de las mensualidades ordinarias para poder establecer si las medidas necesarias para realizar la accesibilidad son desproporcionadas económicamente de acuerdo a la formula contenida en la ley.

Asimismo en este apartado el IEE deberá contener una valoración subjetiva de los efectos discriminatorios que se podían producir si esas medidas no se llevaran a la práctica y a la vez informar acerca de las características de los encargados de llevar a la práctica esas medidas de adecuación.

Estos requisitos deberán ser establecidos de forma global ya que se solicita la adaptación de accesibilidad se formalice de forma universal es decir para todo tipo de discapacidades y todas ellas efectuarlas de forma eficaz, segura y práctica por lo que dependerá del grado de exigencia de la normativa de aplicación y del estado y características físicas y tipológicas de cada una de las edificaciones para que el informe sea completo y pueda responder de forma clara a las demandas que la ley plantea.

El tercer parámetro que el IEE debe cumplimentar es la certificación de la calificación de la eficiencia energética que corresponda al edificio que se analiza. Para formalizar este requisito se debe estar a lo dispuesto en el Real Decreto 235/2013, de 5 de abril, por el que se aprueba el procedimiento básico para la certificación de la eficiencia energética de los edificios *(BOE* número 89, de 13 de abril de 2013), por el que se incorpora al derecho español la regulación de la certificación de eficiencia energética de edificios prevista en la Directiva 2010/31/UE del Parlamento Europeo y del Consejo, de 19 de mayo de 2010, relativa a la certificación de la eficiencia energética de los edificios, actuando en consideración a lo dispuesto en el artículo 83.3 de la Ley 2/2011, de 4 de marzo de Economía Sostenible *(BOE* número 55, de 5 de marzo de 2011) en el que ya se establecía la necesidad, para los edificios existentes, de que los certificados sean puestos a disposición de los compradores o usuarios de los edificios cuando estos se vendan o alquilen

La certificación de la eficiencia energética de un edificio contiene el proceso por el que se verifica la conformidad de la calificación de eficiencia energética obtenida con los datos calculados o medidos en el edificio y se determina de acuerdo con la metodología de cálculo establecida en el documento reconocido correspondiente al Procedimiento básico y se expresa con indicadores energéticos mediante la etiqueta de eficiencia energética.

Se prevén en la ley los casos en los que exista una ITE que hubiera atendido a todo o a parte de lo que se regula como obligatorio para el IEE y en el caso de que en la ITE solo faltase la certificación de la eficiencia energética de los edificios se podrá complementar aquella con la certificación de eficiencia energética de los edificios, de forma que para cumplir la obligación impuesta se eviten duplicidades innecesarias, lo que surtirá todos los efectos derivados de la IEE en cuanto a la constatación de su cumplimiento o a la obligación de subsanación de deficiencias.

Esta disposición se deberá analizar con meticulosidad, ya que como se ha podido observar el contenido de las ITE, en algunos casos, se acompañaba del informe que advertía a los propietarios de los edificios de la existencia o del cumplimiento de otras medidas que no fueran las que de forma preceptiva se debían analizar en esa Inspección y en el caso de que se realizara el Informe complementario con otras advertencias, normalmente se dirigían a poner de relieve circunstancias que reflejaran la seguridad y funcionabilidad de los edificios analizados, por lo que el grado del cumplimiento de las condiciones básicas de accesibilidad universal solamente y en casos excepcionales se tenían en cuenta y asimismo la apreciación de si las obras eran o no desproporcionadas, no se podía tener en cuenta al faltar las necesarias determinaciones para realizar tal valoración, por lo que en todo caso los IEE deberán contener esa valoración en cuanto a la discriminación en caso de no realizarse esas obras y asimismo concretar si existe o no desproporción en cuanto a su ejecución.

Se adjunta como Anejo un modelo de Informe de Evaluación de los Edificios publicado en la página web de la Demarcación de Tenerife, La Gomera y El Hierro del Colegio Oficial de Arquitectos de Canarias.

4.   LOS SUJETOS OBLIGADOS A SU PRESENTACIÓN

Debido al contenido del IEE y que el mismo debe referirse a edificios, conjuntos de edificios o complejos inmobiliarios de forma integral. El IEE se debe realizar por los Propietarios de los edificios de uso colectivo, por las Comunidades de Propietarios o Agrupación de Comunidades de Propietarios de los edificios o Complejos Inmobiliarios en los que se ubique el uso de vivienda colectiva, según se ha expresado anteriormente, al ser este uso (y sus homologados hoteleros) los que deben ser objeto del IEE

Una vez elaborado el IEE se deberá remitir una copia del mismo al organismo que determine la Comunidad Autónoma para conformar un Registro integrado y único que será, como ya se ha advertido anteriormente, una fuente de información que oriente las políticas públicas de intervención en el medio urbano y que aporte elementos de juicio para operar en los procesos de planificación urbana y de propuestas, tanto públicas como privadas, en la rehabilitación, renovación y regeneración de los tejidos urbanos

5.   PERIODO DE VALIDEZ

En la Disposición Transitoria Primera de la Ley se establece que se deberá disponer de un IEE para los edificios de vivienda colectiva que tengan más de cincuenta años, lo que parece coincidir con el periodo de servicio que se asigna por el Código Técnico de la Edificación a las edificaciones, por lo que el primer IEE se deberá presentar como máximo en un plazo de cinco años después de que las edificaciones alcancen esa antigüedad. con las salvedades que se precisarán en los comentarios a la citada Disposición Transitoria primera.

El IEE tendrá una periodicidad, como mínimo, de diez años, si las Comunidades Autónomas no disponen un plazo inferior para tener el conocimiento de la evolución del patrimonio. Este periodo temporal coincide con el establecido, en general, para las ITE y se puede considerar un plazo razonable en la mayoría de los casos para establecer un seguimiento lógico del estado de conservación o degradación de un cierto tejido urbano.

La consideración de infracción urbanística a la ausencia de la cumplimentación en tiempo del IEE denota la preocupación y el grado de importancia que el legislador ha querido establecer para este Informe, ya que según se manifiesta en múltiples apartados se convierte en el elemento clave para instrumentar la mejora de la calidad de vida de los ciudadanos y poder conocer las mejoras que se deben realzar en las edificaciones para que de esa forma puedan servir con una mayor cualificación desde los puntos de vista funcional y energético a la población a la que se destinan.

Artículo 5. Coordinación administrativa.

> **Para asegurar los principios de información, coordinación y eficacia en la actuación de las Administraciones Públicas, y facilitar el conocimiento ciudadano en relación con la sostenibilidad y calidad del medio urbano y el parque edificado, los Informes de Evaluación de los Edificios servirán para nutrir los censos de construcciones, edificios, viviendas y locales precisados de rehabilitación, a que se refiere la disposición adicional primera.**

COMENTARIO (1)

Sumario

1. El marco competencial de las diferentes AAPP en la ley.
2. La organización administrativa como presupuesto previo, Análisis general.
3. La cooperación interadministrativa. Régimen jurídico.
4. La coordinación administrativa en la ley de rehabilitación.

1. EL MARCO COMPETENCIAL DE LAS DIFERENTES AAPP EN LA LEY

La nueva Ley 8/2013, de 26 de junio, sobre rehabilitación, regeneración y renovación urbana recoge un nuevo prisma en las actuaciones de carácter urbano de las diferentes administraciones publicas, atendiendo lógicamente al reparto competencial establecido conforme a los diversos títulos previstos en nuestra Constitución y del bloque de la constitucionalidad derivado del art. 28.1 de la Ley orgánica del Tribunal Constitucional 2/1979, esto es las diferentes materias recogidas en los Estatutos de Autonomía.

---

(1) Comentario a cargo de Fernando GARCÍA RUBIO. Profesor titular de Derecho Administrativo de la Universidad Rey Juan Carlos. Titular de la Asesoría Jurídica del Ayuntamiento de San Sebastián de los Reyes (Madrid).

En ese sentido las competencias sobre urbanismo de todos es conocido que corresponden de forma exclusiva, desde la determinación del art. 148 de la Carta Magna y por expresa atribución en todos y cada uno de los Estatutos de Autonomía, a las diferentes Comunidades Autónomas. circunstancia esta que ha reconocido de forma expresa el Tribunal Constitucional en sus sentencias 61/1997, de 20 de marzo y 164/2001, de 11 de julio.

Igualmente debo destacar que tras la incorporación de España en la Unión Europea y en virtud de la atribución igualmente prevista en el art. 96 de la Constitución, se produce una traslación competencial en cuanto a la cesión de soberanía de España hacia la Unión Europea, que ha supuesto en estos aspectos de la ordenación urbana en el sentido amplio la aprobación de la directiva 2002/91/CE del Parlamento Europeo y del Consejo de 16 de diciembre de 2002 recientemente reformada con la directiva de 2010/31/UE del Parlamento Europeo y del Consejo, de 19 de mayo de 2010, relativa a la eficiencia energética de edificios y la directiva 2012/27/UE del Parlamento Europeo y del Consejo de 25 de octubre de 2012 relativa a la eficiencia energética, así como la estrategia temática para el medio ambiente urbano en marco europeo de referencia para la ciudad sostenible determinada por la declaración de Toledo, aprobada por los Ministros responsables de desarrollo urbano de los actuales 28 estados miembros de la unión (27 en el momento de la suscripción del documento que fue aprobado el 22 de julio de 2010, antes por tanto de la incorporación de Croacia a la Unión Europa el 1 de julio de 2013).

Junto al papel que esas determinaciones tendrán con competencias europeas y autonómicas, debemos recordar el importante papel que en materia de ordenación urbana tienen los municipios, conforme a la atribución con competencia especifica prevista en el art. 25.1 d) de la Ley 7/1985 de 2 de abril, Reguladora de bases de Régimen Local, que condiciona en las determinaciones a la legislación básica estatal y a las legislaciones estatal y autonómica de carácter sectorial, en este caso sobre ordenación urbana, para la aprobación de las correspondientes normativas con carácter diferente en materia de ordenación urbana recogiendo un papel evidente y un haz de competencias y unas funciones especificas para los municipios.

En base a todo ese conglomerado debemos destacar que el Estado tiene un papel legislador, puesto que tal y como la Ley 8/2013 recoge su disposición final decimonovena, el art. 149 de la Constitución en sus apartados 1.13.ª y 1.14.ª, 1.6.ª,1.20.ª, 1.18.ª,1.11.ª, 1.30.ª prevé títulos competenciales reservados al Estado, que tienen incidencia en la ordenación urbana, circunstancia por la cual se ha producido la legislación a que hemos hecho referencia, esto es la Ley 8/2013 de 26 de junio.

Pero todos esos títulos competenciales tienen incidencia sectorial, o una incidencia tangencial en lo que es la propia ordenación urbana, puesto que como tal y se determino ya en la sentencia del Tribunal Constitucional 61/1997 de 20 de marzo, las competencias estatales se circunscriben a las medidas básicas del protección del medio ambiente, a las medidas de política económica en materia de coordinación económica general, al estatuto de la propiedad inmobiliaria en las condiciones de igualdad de todos los españoles ante la ley, la expropiación forzosa y la responsabilidad patrimonial y al régimen jurídico de las administraciones publicas, por lo que una regulación sobre ordenación urbana con carácter estatal es imposible como tal en su vertiente únicamente urbanística, por corresponder esta materia a las CC.AA..

Por tanto la rehabilitación y renovación urbana que la Ley 8/2013 realiza no puede entenderse sin la necesaria y esencial colaboración de todas las administraciones, puesto que todas ellas gozan de diversos títulos competenciales, en mayor o menor medida, en estas materias.

Es por tanto necesario ponderar las competencias de otras administraciones y establecer mecánicos de cooperación y coordinación que coadyuven al buen fin de las determinaciones previstas en la Ley a los efectos del respeto de las diversas competencias e intereses implicados.

En ese sentido y conforme a la previsto y en el art. 103. 1 de la Constitución Española en relación con los principios de coordinación con las administraciones publicas y de las determinaciones básicas de la legislación estatal en materia de régimen jurídico de las administraciones públicas recogidas en el art. 4.º de la Ley 30/1992 de 26 de noviembre, sobre régimen jurídico de las Administraciones Publicas y del Procedimiento Administrativo Común y con el art. 55 de la Ley 7/1985, de 2 de abril, Reguladora de Régimen Local, la Ley 8/2013 de 6 de junio de rehabilitación, regeneración y renovación urbana dispone diversas formulas de coordinación inter administrativa, tanto en relación con el informe de la evaluación de edificios previsto en el titulo I y en concreto el art. 5.º sobre coordinación administrativa, como en relación con las formulas de cooperación y coordinación previstas en el capitulo 3.º titulo II sobre actuaciones sobre el medio urbano, estableciendo formulas de cooperación en los artículos 18 y 19 del Texto legal.

2. LA ORGANIZACIÓN ADMINISTRATIVA COMO PRESUPUESTO PREVIO, ANÁLISIS GENERAL

A la hora de tener en cuenta la actividad de las diversas Administraciones Públicas en materia de renovación urbana cabe recordar el papel clave que en el marco de un Estado de derecho y con los condicionantes expresos del sometimiento a la Ley y el derecho de la Administración Pública, tal y como se determina de forma expresa y contundente en el artículo 103.1 del texto constitucional, tiene la organización administrativa, por lo que en nuestra opinión es necesario realizar una previa introspección en las características organizativas de las correspondientes Administraciones, por su incidencia en la forma en que desarrollan su actividad.

Esto es así, puesto que no es lo mismo el desarrollo de una actividad rehabilitadora por parte de una formula u otra, de las diversas que el ordenamiento jurídico posibilita, para la organización de la actividad y de los servicios públicos en general.

En ese sentido debemos destacar que mientras que la actividad de las Administraciones tiene en sus principales formulas unas claras líneas marcadas por la doctrina administrativista con sus orígenes en los conceptos del derecho administrativo clásico del Siglo XIX impuestos desde la doctrina francesa y alemana, con sus lógicas modulaciones y adaptaciones a los tiempos y al hecho social democrático de la Constitución vigente, la organización es bastante permeable a los cambios en sus propios conceptos y, por supuesto, en sus formulaciones, que en la materia que nos ocupa de la rehabilitación son de por sí complejos.

Así los cambios organizativos se han producido en reiteradas ocasiones repercutiendo dichos cambios organizativos en la forma de actividades de las Administraciones Públicas.

Por solo destacar un ejemplo clave en la forma de la actividad administrativa rehabilitadora que hoy tienen que afrontar los ciudadanos españoles, debemos recordar la implantación del Estado autonómico, derivado del sistema de Estado descentralizado previsto en los artículos 137 y siguientes de la Constitución española de 1978 en relación con el propio artículo 2.º de la referida Carta Magna, puesto que sin la existencia y concepción de las Comunidades Autónomas difícilmente puede entenderse hoy la actividad de las Administraciones Públicas en servicios claves como la sanidad, la educación, las políticas activas de empleo, y desde luego la ordenación urbana, que hoy forman parte del elenco de competencias de las Comunidades Autónomas.

Ese marco organizativo, como presupuesto previo al concepto y régimen jurídico de las diferentes formulas de actividad administrativa rehabilitadora, no es indiferente a la organización local, puesto que si bien es cierto que las entidades locales son del todo el conjunto de las organizaciones públicas, las de más rancio abolengo y además las que menores cambios, en su conjunto, han sufrido desde que se introdujeran las nociones de derecho administrativo tras la Revolución Francesa, tal y como estudió García de Enterría (2), también es cierto que en los últimos años se han producido toda una serie de grandes modificaciones en los conceptos organizativos locales, variándose el sistema uniforme implantado por la LRBRL y adaptándose diversos principios de la organización local a supuestos concretos y a las modulaciones previstas por los sistemas organizativos del Estado y de las diferentes Comunidades Autónomas.

Así, en ese marco debemos destacar que la principal norma que determina la organización de las entidades locales, con el carácter básico previsto por el artículo 149.1.18.ª de la Constitución de 1978, la Ley 7/1985, Reguladora de las Bases de Régimen Local, ha sufrido dos profundas modificaciones junto a otras de menor entidad, a través de las Leyes 11/1999 y 57/2003, lo que ha generado un nuevo sistema organizativo de las entidades locales, que supone una necesaria conse-

---

(2)   Eduardo García de Enterría, *Revolución francesa y administración contemporánea*, Civitas, Madrid, 4.ª edición, 1994.

cuencia sobre la prestación de los propios servicios públicos que deben afrontar las indicadas entidades locales (3).

A esta variación del modelo organizativo básico español no puede ser ajena la variación en la intensidad que el fenómeno de las legislaciones autonómicas produce sobre el régimen local, ya no desde la perspectiva de su preferencia con respecto a la regulación orgánica local como indicara el tribunal constitucional con respecto a la determinación original del art 5.º del la LRBRL(STC 214/1989) sino por la progresiva interiorización del fenómeno del derecho local por las CCAA, como ha estudiado GALÁN (4), pero que el alto tribunal ha mantenido en un marco básico estatal, tal y como se desprende de las fundamentaciones de las STC 34/2010 y 103/2013 (5).

En esa línea debemos destacar que el conjunto de la organización local viene siendo discutido en los últimos años en mayor profundidad que esa mera reforma del año 2003 derivada de «*la necesaria modernización del gobierno local*», puesto que con la creación de un grupo de expertos y el posterior Libro Blanco para la reforma del Gobierno Local o Libro Blanco del Gobierno Local y con el recientemente aprobado proyecto de ley sobre racionalización y sostenibilidad de la administración local ha supuesto en buena medida, variar el régimen organizativo general del gobierno local, pero que todavía no ha sido objeto de una tramitación parlamentaria específica a la fecha de cierre de este trabajo.

Teniendo en cuenta esas circunstancias debemos recordar que la actividad administrativa, y en este caso que nos ocupa la actividad administrativa local en materia de rehabilitación urbana y más concretamente en este precepto tiene un amplio marco de actuación, siempre que exista una plena normativa habilitadora, el consabido principio de vinculación positiva reelaborado por GARCÍA DE ENTERRÍA (6).

---

(3)   En el momento de escribir estas líneas está en tramitación parlamentaria el proyecto de ley sobre racionalización y sostenibilidad de la Administración local que supone una nueva modificación muy en la línea de ajustar la organización municipal al marco de estabilidad presupuestaria, el proyecto se aprobó en el Consejo de Ministros de 26 de julio de 2013.

(4)   Alfredo GALÁN GALÁN.

(5)   Con respecto a esta sentencia puede consultarse a Rosario TUR AUSINA y Enrique ÁLVAREZ CONDE, *Las consecuencias jurídicas de la Sentencia 31/2010, de 28 de junio del Tribunal Constitucional sobre el Estatuto de Cataluña. La Sentencia de la perfecta libertad,* Aranzadi, 2010, José Carlos REMOTTI CARBONELL *El Estatuto de autonomía de Cataluña y su interpretación por el Tribunal Constitucional,* Bosch editor, 2011 y el número 12 de la revista d' *Estudis Autonomics i federals,* especial sobre la indicada sentencia de marzo de 2011 con artículos de Miguel APARICIO PÉREZ, Joaquín FERRET JACAS, Mercé BARCELO I SARRAMALERA, Marc CARRILLO, Eva PONS PARERA, Lluis JOU, Joaquín TORNOS MAS, José Antonio MONTILLA MARTOS, Alfredo GALÁN GALÁN y Ricard GRACIA RETORTILLO, Manuel GERPE LANDÍN y Miguel Ángel CABELLOS ESPIERREZ, José María PORRAS RAMÍREZ, Carles VIVER PI-SUNYER, Merce CORRETJA, Joan VINTRÓ y Xavier BERNADÍ, Francisco BALAGUER CALLEJÓN y Manuel MEDINA GUERRERO, editada por el Instituto de estudios autonómicos de la Generalitat de Cataluña.

(6)   Eduardo GARCÍA DE ENTERRÍA, *Curso de Derecho Administrativo I,* 12 edición, 2006, Thomson- Civitas. Págs. 487-489.

Así, debemos destacar que en el ámbito local las entidades locales siempre han tenido una capacidad genérica de intervención en la actividad de los particulares y de prestación de todo servicio que redunde en su beneficio. Y en ese sentido debemos recordar que la actual configuración de los artículos 84 y 84 bis de la Ley 7/1985, de 2 de abril, Reguladora de las Bases de Régimen Local, difiere muy poco de la antigua concepción, hoy vigente en tanto en cuanto no ha sido derogado, del Reglamento de Servicios de las entidades locales, aprobado por Decreto de 17 de junio de 1955.

Debemos recordar con carácter previo en el marco jurídico positivo en la prestación de los servicios y de la actividad de intervención sobre los particulares de la legislación de régimen local, la naturaleza del concepto de actividad administrativa, ya en su día dispuesta en cuanto a su concepción doctrinal por JORDANA DE POZAS (7) y que ha tenido muy pocas modulaciones desde aquel momento (8), formula ésta muy discutible hoy tras los fenómenos privatizadores derivados de la incorporación a la Unión Europea y de los criterios de libre competencia y prohibición de ayudas del Estado, que tienen en buena medida su campo de batalla actual en el propio mundo local.

Estas tres fórmulas de actividad: la policía, el fomento y el servicio público, suponen tres grandes líneas de regulación y articulación de formulaciones jurídicas, que lógicamente tienen su correlativa importancia en las formulas organizativas necesarias para la prestación de esas actividades de rehabilitación.

3. LA COOPERACIÓN INTERADMINISTRATIVA. RÉGIMEN JURÍDICO

Cabe destacar en relación con la cooperación la vigencia en esta materia del reglamento de servicios de las corporaciones locales, que aunque sigue expresamente vigente y es aplicable, tiene una datación de 17 de junio de 1955 (9) y por tanto anterior, no sólo a la legislación básica del régimen local, que le ha dado su apoyatura y facultad para ser aprobado luego el Reglamento de Servicios, circunstancia esta que pese al mandato del legislador nunca se ha cumplimentado a excepción del Real Decreto 1000/2010, de 5 de agosto, sobre visado colegial obligatorio, sino que puede situarse en un contexto preconstitucional vinculados a las tutelas administrativas y a la existencia del Ministerio de la Gobernación que se traduce en dos grandes cuestiones que deben de tenerse en cuenta a la hora de interpretar estos preceptos en relación con el ámbito que nos ocupa de la cooperación a las actividades de rehabilitación, en este caso municipales, por parte de otras entidades, en este caso la Administración General del Estado y las Comunidades Autónomas.

---

(7)   Luis JORDANA DE POZAS, «El problema de los fines de la actividad administrativa», RAP, n.º. 4. enero-abril 1951. Págs. 11 a 28.

(8)   La más destacada es la que introdujo como cuarta formula de actividad Jose Luis VILLAR PALASÍ en «La actividad industrial del Estado en el derecho administrativo», RAP, n.º. 3. septiembre- diciembre 1950, págs. 53 a 129.

(9)   Un comentario a dicha norma lo tenemos en la obra colectiva Reglamento de Servicios de las Corporaciones Locales, 3.ª ed. 2013. El Consultor.

En primer lugar debe destacarse la propia existencia de las CCAA y del derecho autonómico y por tanto las capacidades de las diferentes comunidades autónomas en mayor o menor medida de actuar sobre las entidades locales, en base a sus competencias estatutarias de desarrollo de las bases del régimen local, o exclusivas sobre régimen local respetando la legislación básica del estado, bien sea los estatutos anteriores a la reforma del 2006-2008 o los nuevos estatutos como el de Cataluña, Andalucía y Comunidad Valenciana.

Esta circunstancia es especialmente determinante en la materia que nos ocupa.

Esa circunstancia debe ser especialmente tenida en cuenta a la hora de analizar estos preceptos, puesto que las funciones que se le atribuyen al Ministerio de la Gobernación, deben ser entendidas en la actualidad, concedidas a las Comunidades Autónomas.

Un segundo aspecto igualmente importante a tener en cuenta, es el referido o vinculado a la autonomía local constitucionalmente garantizada por el art. 140 de la Carta Magna y reafirmado por numerosa jurisprudencia del Tribunal Constitucional, especialmente la Sentencia de 2 de febrero de 1981.

En esta línea debemos recordar la inexistencia de tutelas de carácter administrativo sobre las corporaciones locales por parte de cualquier entidad administrativa de otro ámbito territorial, siendo únicamente los controles de legalidad vía control judicial, los que podrán operar para limitar esa autonomía local.

Cuestión distinta es los controles de la disposición de fondos propios de esas otras corporaciones territoriales destinadas hacia las entidades locales, que no pueden ser entendidas como tutela, sino normas de vigilancia y control de los fondos propios que al fin y al cabo se basan en el principio de cooperación y por tanto el acuerdo libre de voluntades en relación con esas fórmulas de control si se quiere disponer de los fondos anteriormente descritos que pudieran ser sobre planes rehabilitadores.

Por otra parte y con naturaleza netamente política, la posibilidad de disparidad política entre las corporaciones locales y provinciales y las Comunidades Autónomas, supuso una desconfianza, que ha implicado intentos de control desde las legislaciones autonómicas para «*coordinar*» (10) las competencias y funciones especialmente de las Diputaciones provinciales, por parte de los diversos gobiernos regionales.

Aunque, estos recelos de naturaleza política, no tendrían que afectar a la actividad administrativa a la vista del mandato constitucional de neutralidad política, determi-

---

(10)   El paradigma de dicha coordinación en la ley valenciana 2/1983, de 4 de octubre, que declara de interés general para la Comunidad Valenciana determinadas funciones propias de las Diputaciones Provinciales.

nado por el artículo 103.1 de la Carta Magna, así como el de lealtad institucional (11), expresamente incorporado a la LRJAPC 30/1992, de 26 de noviembre por la ley 4/1999, lo cierto es, que en comunidades autónomas pluriprovinciales como Castilla-La Mancha, Castilla y León y Andalucía donde los gobiernos regionales han creado fuertes servicios territoriales y las diputaciones gozaban de medios humanos y materiales suficientemente experimentados con anterioridad, no cabe desde le perspectiva lógica y del gasto público (12) más explicación que la de la desconfianza política.

Especialmente debemos apuntar dicha cuestión, si tenemos en cuenta que las diferentes Comunidades Autónomas han optado a la hora de territorializar sus servicios por asumir la circunscripción provincial; por lo que en la práctica se ha producido una duplicidad institucional sobre el mismo territorio, tan contrario a los principios de administración única, predicados por el señor Fraga Iribarne (13), aunque si bien bajo competencias diferenciadas.

Dentro de la administración territorial o periférica de las Comunidades Autónomas y a pesar de poder incurrir en simplificaciones injustas podríamos agrupar cuatro modelos diferentes en base a los sistemas organizativos asumidos y así:

a) En primer lugar podemos destacar aquellas Comunidades Autónomas que han huido de la provincialización de los servicios y unidades periféricas de la administración, de entre los cuales podemos destacar, aunque no de forma absoluta, a la Generalit catalana y a la aragonesa, que han pretendido o pretenden desarrollar una estructura comarcal, total o parcial, de sus servicios administrativos territoriales. No obstante la Generalit catalana parece que abandona sus pretensiones de estructura comarcal y opta más por el espacio veguerial.

b) Un segundo apartado puede recogerse de aquellas Comunidades Autónomas que han mimetizado la organización periférica de la antigua administración central del Estado, en base a la creación de delegaciones provinciales de cada una de las consejerías o departamentos existentes, cuyo paradigma es la Junta de Andalucía.

c) Un tercer grupo está constituido por aquellas comunidades que han adoptado medidas o planes de simplificación administrativa en la extensión de la administración territorial, siendo la principal referencia en esta materia la estructuración de los servicios territoriales de la Junta de Castilla y León en delegaciones

---

(11) Acerca de la lealtad véase Luis Morell Ocaña «La lealtad y otros componentes de la ética institucional de la Administración», en *Revista española de derecho administrativo* n.º 114, 2002, pág. 165, Civitas.

(12) Una exégesis jurídico-administrativa del concepto lo tenemos en Jaime Rodríguez-Arana «El Pacto Local», *Revista vasca de Administración Pública,* n.º 54, mayo-agosto 1999, págs. 335 a 356.

(13) Al respecto véase Manual Fraga Iribarne, *Administración única. Una propuesta desde Galicia,* Planeta 1993 y Lorenzo Martín-Retortillo Báquer, «Dos reflexiones sobre la administración única», *Revista Andaluza de Administración Pública,* n.º 14, págs. 14 a 25, 1993.

territoriales únicas (los superdelegados), creados en el primer gobierno de Aznar en dicha Comunidad (1987) y comentadas por López-Muñiz (14).

d) Finalmente, podemos destacar un modelo especialmente centralista en las Comunidades Autónomas uniprovinciales, que con carácter general no han desplegado sobre su territorio de forma desconcentrada sus servicios administrativos, concentrándolos en las respectivas capitales

En concreto y en virtud de su potestad legislativa la cooperación provincial ha sido regulada por las diferentes leyes de las CCAA y así:

Ley 5/2010, de 11 de junio, de Autonomía Local de Andalucía.

— Título V. La cooperación territorial (arts. 60 a 88).

Ley 7/1999, de 9 de abril, de Administración Local de Aragón.

— Arts. 72 a 86.

— Titulo V. Cap. VI Relaciones interadministrativas (arts. 158 a 168).

— Titulo IX. Cap II. (arts. 260 a 262).

Ley 20/2006, de 15 de diciembre, Municipal y de Régimen Local de las Illes Balears.

— Titulo IV. Relaciones interadministrativas.CAP III (arts. 67, 68)

Ley 14/1990, de 26 de julio, de reforma de la Ley 8/1986, de 18 de noviembre, de Régimen Jurídico de las Administraciones Públicas de Canarias.

— Titulo I. Cap III (arts. 14 a 25).

Ley 3/1991, de 14 de marzo, de Entidades Locales de Castilla-La Mancha.

— Titulo VII. Fondo Regional de Cooperación Local (art. 78 a 83).

Ley 1/1998, de 4 de junio, de Régimen Local de Castilla y León.

— Título IX. Relaciones entre la Comunidad Autónoma y las Entidades Locales. Cap IV el Consejo de Cooperación Local de Castilla y León (arts. 95 a 101).

Decreto legislativo 2/2003, de 28 de abril, por el que se aprueba el Texto Refundido de la Ley Municipal y de Régimen Local de Cataluña.

— Título XVII. De la asistencia de la generalidad a los entes locales y de la cooperación con los mismos (arts. 184 al 194).

_____

(14) José Luis Martínez López-Muñiz «La Administración local en Castilla y León», *REAL* n.º 291, enero-abril 2003. Pág. 645.

Ley 17/2010, de 22 de diciembre, de mancomunidades y entidades locales menores de Extremadura.

— Titulo I. Capítulo VIII. Relaciones interadministrativas (arts. 59 y 60).

Ley 5/1997, de 22 de julio, de Administración Local de Galicia.

— Título V. Relaciones interadministrativas (arts. 187 a 199).

Ley 2/2003, de 11 de marzo, de Administración Local de la Comunidad de Madrid.

— Título V. Relaciones interadministrativas. Capítulo III. Asistencia, colaboración y cooperación de la Comunidad de Madrid con las entidades locales. (arts. 123 a 137) y disposición adicional 2.ª.

Ley 6/1988, de 25 de agosto, de Régimen Local de la Región de Murcia.

— Título IV. Relaciones interadministrativas (arts. 79,80).

Ley foral 6/1990, de 2 de julio, de la Administración Local de Navarra.

— Título II. Relaciones interadministrativas (arts. 58 a 72).

Ley 1/2003, de 3 de marzo, de la Administración Local de La Rioja.

— Título V. Relaciones interadministrativas (arts. 96 a 109).

— art. 113.

Ley 8/2010, de 23 de junio, de la Generalitat, de Régimen Local de la Comunitat Valenciana

— Título VIII. Relaciones entre la Comunidad autónoma y las Entidades locales. Capítulo IV. De la colaboración (arts. 151,152).

— art. 201.

4. LA COORDINACIÓN ADMINISTRATIVA EN LA LEY DE REHABILITACIÓN

Ahora bien, la literalidad del art. 5 utiliza el término «coordinación» y para su estudio deberemos de proceder al análisis de dichas determinaciones legales para poder tener en cuenta la virtualidad de las potencialidades previstas en la referida normal legal.

Así con carácter previo debemos destacar que los principios de coordinación y cooperación a que hemos hecho referencia, tienen en derecho administrativo una muy distinta configuración, en tanto en cuanto que la coordinación prevista constitucionalmente por el art 103. 1 de la Carta Magna como principio general de actuación administrativa, es una concepción teórica muy distinta de la cooperación, siendo su diferencia esencial la voluntariedad de la segunda frente a las capacidades coercitivas de un ente sobre los otros de la primera

En cualquier caso la coordinación administrativa prevista en el art. 5.º de la indicada Ley 8/2013, lo es en relación con el informe de evaluación de los edificios que se regula por primera vez con carácter general básico estatal en el art. 4.º, informe que ya se adelanto con carácter primigenio en base a las ordenanzas locales por el Ayuntamiento de Madrid y posteriormente, o con anterioridad dependiendo de las fuentes que se quieran citar, se recogió por la Ley Reguladora de actividad urbanística valenciana 6/1994. Y que posteriormente las diversas leyes autonómicas han ido incorporando.

El citado informe por tanto sometido a legislaciones autonómicas y actuaciones administrativas locales debe en buena lógica someterse a una coordinación administrativa, circunstancia esta cuya función cumple el art. 5.º de la Ley 8/2013 de 27 de junio que establece de forma literal:

> Para asegurar los principios, coordinación y eficacia en la actuación de las Administraciones Públicas, y facilitar el conocimiento ciudadano en relación con la sostenibilidad y calidad del medio urbano y el parque edificado, los Informes de Evaluación de los Edificios servirán para nutrir los censos de construcciones, edificios, viviendas y locales precisados de rehabilitación, a que se refiere la disposición adicional primera.

Ahora bien, como se ha señalado y se deriva de la propia dicción del artículo la acertada regulación de este debe necesariamente ponerse en conexión con las determinaciones de la disposición adicional primera que lleva bajo rubrica información al servicios públicos para el medio sostenible, donde se justifica esa necesidad de información entre administraciones. Que como ya hemos señalado se viene pregonando como técnica de colaboración interadministrativa desde la propia redacción originaria de la LRBRL y la posteriormente la LRJAPC.

En cualquier caso la determinación lógica de esa evaluación lo es a partir de los criterios y principio básicos (términos utilizados por la propia disposición adicional primera) que posibiliten tanto la coordinación como la complementación entre las diversas administraciones competentes en la materia, mediante la formación y actualización de un sistema informativo general integrado que deberá tener los siguientes instrumentos:

a) Censos de construcciones, edificios, viviendas y locales desocupados y de los precisados de mejora o rehabilitación.

b) Mapas de ámbitos urbanos deteriorados, obsoletos, desfavorecidos o en dificultades, precisados de regeneración y renovación urbanas, o de actuaciones de rehabilitación edificatoria.

c) El sistema público general e integrado de información sobre suelo y urbanismo, previsto en la disposición adicional primera del texto refundido de la Ley del Suelo, aprobado por el Real Decreto Legislativo 2/2008, de 20 de junio, a través del cual los ciudadanos tendrán derecho a obtener por medios electrónicos toda la información urbanística proveniente de las distintas Administraciones, respecto a la ordenación del territorio llevada a cabo por las mismas.

Partiendo de dicho instrumento, que será la principal novedad en relación con esta figura de coordinación administrativa en relación con la evaluación de los edificios, debemos señalar que bajo la rubrica de la coordinación se otorgan mas bien funciones de información a los efectos de poder adoptar decisiones de responsabilidad propias por cada una de las administraciones, circunstancia esta que corresponde mas al principio de eficacia en la actuación que pregona el propio art. 5.º, que el propiamente llamado de coordinación. Debiéndose recordar que la eficacia prevista como principio primigenio de la actuación administrativa en el art. 103.1 de la Carta Magna supone la incorporación de una relación entre el tiempo y la calidad en la actuación, siendo algo muy eficaz lo que se hace en escaso tiempo y con una gran calidad y en el supuesto contrario absolutamente ineficaz algo que nunca se hace, o que se hace tras largos periodos y con grandes defectos.

Igualmente el prisma de coordinación que se otorga en relación con la actividad administrativa puede conectarse de manera mucho mas fácilmente con el principio de transparencia administrativa, puesto que de la literalidad del articulo se habla de «y facilitar el conocimiento ciudadano en relación con la sostenibilidad del medio urbano y el parque edificado», por lo que se pretende es tener una base de datos en relación con los informes de evaluación

En ese sentido el informe evaluación se debe incorporar a esas bases de datos, aunque no se establece la fórmula para que esto se realice, siendo claves las fórmulas de desarrollo de lo anterior sobre la forma, para que se puedan remitir dichos informes de evaluación a ese censo previsto en la disposición adicional primera, que se prevén en la administración general del Estado.

O cualquier caso la determinación de la disposición adicional primera sobre conexión de dicho sistema público general integrado de información sobre suelo y urbanismo con los derechos a la información y trasparencia de materia urbanística previstos por el texto refundido de la Ley de suelo 2/2008, nos hacen reincidir en relación con la afirmación anterior de fundamentación de dicho aspecto, mas que en la coordinación entre la actividad administrativa, en la trasparencia de la actuación pública.

En general .todas estas determinaciones lógicamente son loables y permiten un mayor conocimiento del parque de viviendas y de la situación de los inmuebles a los efectos de la planificación de las políticas publicas, de los planes de viviendas y de los recursos públicos limitados para la mejora urbana, que requieren un ingente esfuerzo administrativo a la hora de la elaboración de los sistemas de información en la dotación de medios humanos materiales y financieros que posibiliten esta novedosa interrelación.

La consecución de estos objetivos están supeditados a uno lógica voluntad de cooperación, que no por todas las administraciones se presume al respecto.

Artículo 6. Capacitación para el Informe de Evaluación de los Edificios

1. El Informe de la Evaluación de los Edificios podrá ser suscrito tanto por los técnicos facultativos competentes como, en su caso, por las entidades de inspección registradas que pudieran existir en las Comunidades Autónomas, siempre que cuenten con dichos técnicos. A tales efectos se considera técnico facultativo competente el que esté en posesión de cualquiera de las titulaciones académicas y profesionales habilitantes para la redacción de proyectos o dirección de obras y dirección de ejecución de obras de edificación, según lo establecido en la Ley 38/1999, de 5 de noviembre, de Ordenación de la Edificación (LA LEY 4217/1999), o haya acreditado la cualificación necesaria para la realización del Informe, según lo establecido en la disposición final decimoctava.

Dichos técnicos, cuando lo estimen necesario, podrán recabar, en relación con los aspectos relativos a la accesibilidad universal, el criterio experto de las entidades y asociaciones de personas con discapacidad que cuenten con una acreditada trayectoria en el ámbito territorial de que se trate y tengan entre sus fines sociales la promoción de dicha accesibilidad.

2. Cuando se trate de edificios pertenecientes a las Administraciones Públicas enumeradas en el artículo 2 de la Ley 30/1992, de 26 de noviembre, de Régimen Jurídico de las Administraciones Públicas y del Procedimiento Administrativo Común (LA LEY 3279/1992), podrán suscribir los Informes de Evaluación, en su caso, los responsables de los correspondientes servicios técnicos que, por su capacitación profesional, puedan asumir las mismas funciones a que se refiere el apartado anterior.

3. Las deficiencias que se observen en relación con la evaluación de lo dispuesto en el artículo 4.2 se justificarán en el Informe bajo el criterio y la responsabilidad del técnico competente que lo suscriba.

COMENTARIO (1)

Sumario

1. Introducción.
2. Facultativos competentes.
3. Colaboración de entidades.
4. Edificios de las Administraciones públicas.

---

(1)   Comentario a cargo de Joaquín Jalvo Mínguez. Arquitecto Superior en las especialidades de Edificación y Urbanismo. Diplomado en Urbanismo por el IEAL.

5. Las deficiencias observadas en las edificaciones.

1. INTRODUCCIÓN

La competencia técnica para la realización de cualquier trabajo es motivo siempre de controversia entre los diferentes colectivos de profesionales cualificados que quieren ostentar esas responsabilidades para poder ejercer la actividad a la que se refiera el trabajo en cuestión.

En el presente caso la ley ha querido aclarar los técnicos que pueden formular los IEE relacionando los profesionales y entidades que pueden efectuarlos, dejando una puerta abierta que desarrollará y aclarará esas competencias mediante una Orden conjunta del Ministerio de Industria, Energía y Turismo y del Ministerio de Fomento para definir la cualificación de los técnicos que puedan emitir los IEE.

Hasta ese momento será la relación de los profesionales que cita la propia ley los que puedan emitir los Informe de Evaluación de los Edificios.

2. FACULTATIVOS COMPETENTES

En la normativa que regula la mayoría de los procedimientos para la formalización de las ITE se generalizaba que los técnicos que debían realizarlas eran los «técnicos competentes» (normativa aplicable en A Coruña, Castilla La Mancha, Generalitat Valenciana, Córdoba, Cádiz, San Cristóbal de La Laguna, Las Palmas de Gran Canaria, entre otros), «los técnicos competentes y las entidades de inspección técnicas homologadas» (Madrid); «el técnico competente», entendiendo como tal, aquel que determina la vigente Ley de Ordenación de la Edificación y resto de normas que sean de aplicación, de acuerdo con sus respectivas especialidades y competencias específicas (Valladolid, León, Ávila, Palma de Mallorca); siendo la Generalitat de Catalunya la que llega a describir con más precisión quienes son los técnicos competentes para la realización de las ITE, cuando se refiere a la Inspección Técnica de los Edificios de viviendas y al personal inspector, concretando que la inspección es la acción de examinar el edificio que lleva a cabo el/la técnico competente a quien haya sido encargada, y que da lugar al informe de la inspección técnica de edificios de viviendas la cual se lleva a cabo por personal técnico con titulación de arquitecto, aparejador, arquitecto técnico o ingeniero de edificación. (2)

De conformidad con estos antecedentes, en este artículo se expresa que los IEE podrán ser suscritos por los facultativos competentes y por las entidades de inspección registradas que cuenten con dichos técnicos. Pero la ley precisa un

---

(2)   Texto extraído del artículo 7 del Decreto 187/2010, de 23 de noviembre, sobre la inspección técnica de los edificios de viviendas. Publicado en el *Diari Oicial de la Generalitat de Catalunya* núm. 5764, de fecha 26 de noviembre de 2010.

escalón más en esa definición estableciendo que se considera técnico facultativo competente el que está en posesión de cualquiera de las titulaciones académicas y profesionales habilitantes para la redacción de proyectos o dirección de obras y dirección de ejecución de obras de edificación, según lo establecido en la Ley 38/1999, de 5 de noviembre, de Ordenación de la Edificación. (3)

En los artículos 10.2.a) y 12.3.a) de la citada ley se establece que para los edificios administrativos, sanitarios, religiosos, residencial en todas sus formas, docente y cultural la competencia para la realización de proyectos y dirección de obras, respectivamente, corresponde a los arquitectos y en el artículo 13.2.a) la de dirección de ejecución es competencia de los arquitectos técnicos.

Como el ámbito de aplicación de los IEE son los conjunto de los edificios y complejos inmobiliarios que, en parte o en su totalidad, vayan a ser destinados o a ser ocupados por personas que se sometan a un régimen común, como son las viviendas colectivas y edificios asimilados, los técnicos competentes para la realización delos IEE,, serán los arquitectos y arquitectos técnicos, .hasta tanto se emita la Orden mencionada en la Disposición final decimoctava de la ley aclarando esta situación.

Sin embargo queda abierta una nueva disquisición en el sentido de quien es el técnico competente para el caso de que se realicen los IEE para los edificios, conjuntos de edificios o complejos inmobiliarios en los que sus titulares quieran optar por ayudas públicas a las obras de conservación, accesibilidad o de eficiencia energética, y que no se destinen a los usos anteriormente mencionados y que no estén en el ámbito de la competencia exclusiva de los arquitectos y arquitectos técnicos expresado en el artículo 2.1.a) de la Ley de Ordenación de la Edificación que se refiere a los usos administrativo, sanitario, religioso, residencial en todas sus formas, docente y cultural, como podría ser por ejemplo una estación terminal de transportes, en las que otros técnicos también ostentan competencias.

Asimismo queda abierta la posibilidad, hasta el momento en el que se emita la citada Orden conjunto por el Ministerio de industria, Energía y Turismo y del Ministerio de Fomento, de que por las Comunidades Autónomas o por los Ayuntamientos se amplíe la obligatoriedad de la formalización del IEE a otros supuestos, por lo que los técnicos habilitados para su emisión deberán tener la habilitación necesaria para poder realizar los proyectos o las direcciones de obra de esas edificaciones y por lo tanto podrán estar habilitados asimismo para realzar los IEE.

Como se ha expresado anteriormente y como consta en la Disposición final decimoctava, se prevé que se emita una Orden conjunta del Ministerio de Industria, Energía y Turismo y del Ministerio de Fomento en la que se determinen las cualificaciones

---

(3) *BOE* núm. 266 de 6 de noviembre de 1999 y las modificaciones posteriores, entre ella las introducidas por la Disposición final tercera de la Ley 8/2013, de 26 de Junio, de rehabilitación, regeneración y renovación urbanas.

que sean necesarias para realizar y suscribir los IEE y adicionalmente se tengan en cuenta cuáles serán los medios de acreditación que se deban utilizar para realizar ese trabajo profesional, especificando que en esa Orden que se deberá considerar, dada la particularidad y complejidad de la evaluación de los diferentes apartados que deben constar en los IEE, la titulación de los técnicos, su formación y la experiencia que deban acreditar para poder realizar y firmar un IEE, con todas las determinaciones, cálculos, criterios de aplicación y demás especificaciones según se ha expuesto anteriormente.

3. COLABORACIÓN DE ENTIDADES

En el espíritu de poder colaborar en el asesoramiento o en la formación de los técnicos habilitados para la redacción de los IEE la ley posibilita a los técnicos redactores de los IEE que puedan solicitar asesoramiento técnico relativo a la accesibilidad universal a los organismo públicos, asociaciones privadas o a cualquier asociación de personas con discapacidad que dispongan de departamentos de asesoramiento o información con una acreditada trayectoria en el ámbito territorial de tal forma que se obtenga un mejor o mayor conocimiento de las necesidades y por ello de los requerimientos que cada edificación deberá tener para satisfacer esa accesibilidad universal y a la vez para elaborar las propuestas que se deben llevar a cabo para poder integrar los colectivos que posean algún tipo de discapacidad, para que de esa forma los análisis, propuestas o proyectos que realicen conozcan las limitaciones con las que se van a encontrar y de esa manera puedan ofrecer soluciones que sirvan de la forma más adecuada a las personas hacia las que van dirigidas.

Entre las entidades y asociaciones que tanto a nivel nacional como autonómico se pueden citar, sin ánimo de ser exhaustivo, son las siguientes:

— El Imserso, a través de CEAPAT, Centro de Referencia Estatal de Autonomía Personal y Ayudas Técnicas.

— El Real Patronato sobre Discapacidad, adscrito al Ministerio de Sanidad, Servicios Sociales e Igualdad,

— El Comité Español de Representantes de Personas con Discapacidad. CERMI.

— La Fundación ONCE

— La Confederación española de personas con discapacidad física y orgánica, COCEMFE.

— La Confederación estatal de personas sordas, CNSE.

— La Confederación Española de Organizaciones En Favor de Personas Con Discapacidad Intelectual, FEAPS.

— La Asociación de Lesionados Medulares y Grandes Discapacitados Físicos, ASPAYM.

— La Confederación española de familias de personas sordas, FIAPAS.

— La Asociación pro personas con discapacidad intelectual, AFANIAS.

— AENOR y empresas certificadoras

— Colegios profesionales

Y en general todas aquellas asociaciones o entidades de reconocida trayectoria en la divulgación y asesoramiento en torno a las limitaciones que supone cualquier tipo de discapacidad y que pueda informar y sensibilizar a los técnicos redactores para ejecutar su trabajo de información, propuestas y valoración de la forma más adecuada posible.

4. EDIFICIOS DE LAS ADMINISTRACIONES PÚBLICAS

En este artículo se expone una particularidad para la ejecución de los IEE que se refieran a los edificios pertenecientes a las Administraciones Públicas enumeradas en el artículo 2 de la Ley 30/1992, de 26 de noviembre, de Régimen Jurídico de las Administraciones Públicas y del Procedimiento Administrativo Común (4), que se corresponden con:

a) La Administración General del Estado.

b) Las Administraciones de las Comunidades Autónomas.

c) Las Entidades que integran la Administración Local.

d) Las Entidades de Derecho Público con personalidad jurídica propia vinculadas o dependientes de cualquiera de las Administraciones Públicas

Para las edificaciones pertenecientes a esas Administraciones se podrán suscribir los IEE por los responsables de los correspondientes servicios técnicos que tengan la capacitación profesional igual a la expuesta en los comentarios anteriores. En todo caso la Ley deja abierta la posibilidad de que se realicen esos IEE por otros técnicos cualificados para ello que no formen parte de los servicios técnicos, por no disponer de ellos o por cualquier otra razón que provoque que el IEE sea realizado por un técnico ajeno a la Administración propietaria del inmueble.

5. LAS DEFICIENCIAS OBSERVADAS EN LAS EDIFICACIONES

En el apartado 3 de este artículo 6 se establece que las deficiencias que se hayan podido detectar en el IEE respecto a alguno de sus tres apartados

---

(4)   *BOE* núm. 285 de 27 de noviembre de 1992 y las modificaciones posteriores.

principales (evaluación del estado de conservación del edificio, evaluación de las condiciones básicas de accesibilidad y certificación energética) deben ser justificadas de acuerdo a los criterios que hay utilizado el informador para la evaluación de los diferentes supuestos.

El análisis de las deficiencias observadas, la exposición de las obras que deben realizarse para conseguir tanto la estabilidad, la seguridad, así como la accesibilidad universal, la posibilidad de ejecutar éstas, el establecimiento del ajuste razonable de las mismas, la valoración subjetiva de los efectos discriminatorios que se podían producir si esas medidas no se llevaran a cabo, la determinación de la certificación energética de la edificación y el conjunto de medidas que se podrían realizar para mejorar la eficiencia energética de los edificios estarán sometidas a la responsabilidad del técnico que suscribe el IEE, por lo que su exposición, determinación y análisis deben estar lo suficientemente razonados para que se puedan establecer claramente los supuestos de los que se parte, la reglamentación que se está utilizando para efectuar las propuestas que se formulen y todo ello, unos dentro de la objetividad de los supuestos y los planteamientos subjetivos amparados en los conocimientos técnicos del autor del informe, los cuales avalarán la certeza de los contenidos que se formulan bajo el criterio y la responsabilidad del técnico que suscribe el Informe.

Por ello parece lógico el encuadre de este párrafo en este artículo ya que la responsabilidad derivada de las actuaciones que se expresen en el IEE está directamente ligada con la formación y competencia del técnico que suscriba el Informe de Evaluación de los Edificios.

TÍTULO II

Las actuaciones sobre el medio urbano

CAPÍTULO I

Actuaciones y sujetos obligados

Artículo 7. Objeto de las actuaciones.

1. De conformidad con lo dispuesto en esta Ley, en la legislación estatal sobre suelo y edificación, y en la legislación de ordenación territorial y urbanística, las actuaciones sobre el medio urbano se definen como aquellas que tienen por objeto realizar obras de rehabilitación edificatoria, cuando existan situaciones de insuficiencia o degradación de los requisitos básicos de funcionalidad, seguridad y habitabilidad de las edificaciones, y de regeneración y renovación urbanas, cuando afecten, tanto a edificios, como a tejidos urbanos, pudiendo llegar a incluir obras de nueva edificación en sustitución de edificios previamente demolidos.

2. Las actuaciones de regeneración y renovación urbanas, tendrán, además, carácter integrado cuando articulen medidas sociales, ambientales y económicas enmarcadas en una estrategia administrativa global y unitaria.

CONCORDANCIAS

— Artículos 25 y 26 del Real Decreto 233/2013, de 5 de abril, por el que se regula el Plan Estatal de fomento del alquiler de viviendas, la rehabilitación edificatoria, y la regeneración y la renovación urbanas, 2013-2016.

— Artículo 17 del Real Decreto-Ley 8/2011, de 1 de julio, de medidas de apoyo a los deudores hipotecarios, de control del gasto público y cancelación de dudas con empresas y autónomos contraídas por las entidades locales, de fomento de la actividad empresarial e impulso de la rehabilitación y de simplificación administrativa.

—   Artículo 110 de la Ley 2/2011, de 4 de marzo, de Economía Sostenible.

—   Artículos 2 y 58 del Real Decreto 2066/2008, de 12 de diciembre, por el que se regula el Plan Estatal de Vivienda y Rehabilitación 2009-2012.

—   Artículo 14 del Real Decreto Legislativo 2/2008, de 20 de junio, por el que se aprueba el Texto Refundido de la Ley de Suelo.

—   Artículo 9 del Real Decreto 314/2006, de 17 de marzo, por el que se aprueba el Código técnico de la Edificación.

—   Artículo 3 de la Ley 38/1999, de 5 de noviembre, de Ordenación de la Edificación.

JURISPRUDENCIA

—   Sentencia del Tribunal Supremo (Sala Tercera, Sección 5.ª) de 19 de febrero de 2013.

—   Sentencia del Tribunal Supremo (Sala Tercera, Sección 5.ª) de 21 de diciembre de 2011.

COMENTARIO (1)

OBJETO DE LAS ACTUACIONES SOBRE EL MEDIO URBANO Y MOMENTO EN QUE PROCEDE LA REALIZACIÓN DE LAS OBRAS DE REHABILITACIÓN, REGENERACIÓN Y RENOVACIÓN URBANAS

Sumario

1.   Importancia y transcendencia del artículo 7 en el contexto de la Ley 8/2013, de 26 de junio, de rehabilitación, regeneración y renovación urbanas.
2.   Algunos aspectos formales del artículo 7 dignos de reseña: en particular en relación con la definición que de actuaciones sobre el medio urbano establece el legislador.
3.   Objeto y ámbito de aplicación de las actuaciones sobre el medio urbano.
    3.1.   Objeto de las actuaciones sobre el medio urbano
    3.2.   Una gran oportunidad desperdiciada para poder haber definido, de una vez por todas, rehabilitación, regeneración y renovación urbanas
    3.3   Ámbito de aplicación de las actuaciones sobre el medio urbano
4.   Modos de implementación de la rehabilitación, regeneración y renovación urbanas: actuaciones integradas *versus* actuaciones aisladas.

---

(1)   Comentario a cargo de Fernando García-Moreno Rodríguez. Profesor Doctor de Derecho Administrativo en la Facultad de Derecho de la Universidad de Burgos.

1. IMPORTANCIA Y TRANSCENDENCIA DEL ARTÍCULO 7 EN EL CONTEXTO DE LA LEY 8/2013, DE 26 DE JUNIO, DE REHABILITACIÓN, REGENERACIÓN Y RENOVACIÓN URBANAS

En el artículo 7 de la Ley 8/2013, de 26 de junio, de rehabilitación, regeneración y renovación urbanas, regula el legislador el *«Objeto de las actuaciones»*, si bien, su mera denominación, ciertamente, no nos dice nada, ya que no acaba de precisar en ella, el legislador, a qué tipo o clase de actuaciones se refiere, aunque, lógicamente, y dentro del contexto en que dicho artículo se circunscribe, es fácil presuponer, aun antes de leer el mismo, que tales actuaciones no van a ser otras que la rehabilitación, la regeneración y la renovación urbana, como —vaya por delante—, finalmente, así es. En cualquier caso, podemos solventar dicha omisión, antes, tan siquiera, de leer dicho artículo, si nos fijamos en que el mismo se encuentra dentro del Capítulo I (*«Actuaciones y sujetos obligados»*), del Titulo II de la Ley 8/2013, de 26 de junio, de rehabilitación, regeneración y renovación urbanas, el cual, se denomina *«Las actuaciones sobre el medio urbano»*. Así, dicho artículo 7, va a tratar de dar cumplida respuesta, frente a lo que inicialmente pudiera parecer, no solo a una, sino a tres cuestiones transcendentales dentro de la Ley que ahora nos ocupa, a saber, cuáles son las actuaciones sobre el medio urbano; en segundo lugar, cuándo se aplican las mismas y finalmente, y en tercer lugar, de qué modo y manera pueden utilizarse. Como fácilmente se comprenderá, la respuesta a todas y cada una de dichas cuestiones tiene una enorme importancia y transcendencia en el contexto de la vigente Ley 8/2013, de 26 de junio, de rehabilitación, regeneración y renovación urbanas, ya que sobre las mismas y de manera muy destacada sobre la segunda de ellas (cuándo se aplican la rehabilitación, regeneración y renovación urbanas), gravita, en gran medida, el resto de la Ley.

2. ALGUNOS ASPECTOS FORMALES DEL ARTÍCULO 7 DIGNOS DE RESEÑA: EN PARTICULAR EN RELACIÓN CON LA DEFINICIÓN QUE DE ACTUACIONES SOBRE EL MEDIO URBANO ESTABLECE EL LEGISLADOR

El primer contenido que nos sorprende del artículo 7 de la Ley 8/2013, de 26 de junio, de rehabilitación, regeneración y renovación urbanas, y por ende, merece nuestro comentario, tiene que ver más con aspectos de forma, que con aspectos de fondo. El primero de ellos, es que en dicho artículo, se lleva a cabo, de manera incuestionable, pues el propio legislador lo reconoce de manera expresa (*«...se definen...»*), la definición —o, al menos, un intento de ello— de las actuaciones sobre el medio urbano. Sobre el particular, no podemos por menos de apuntar que, consideramos, que tanto desde un punto de vista sistemático y metodológico, como desde una correcta técnica legislativa, debería estar tal definición en el artículo 2 de la Ley 8/2013, de 26 de junio, de rehabilitación, regeneración y renovación urbanas, por ser este último, el artículo destinado por el legislador para contener las definiciones más relevantes para la adecuada interpretación y comprensión de dicha norma.

En segundo lugar, debemos destacar, también desde un punto de vista meramente formal, que nos parece que el legislador se sobreexcede en la definición que trata de dar de las actuaciones sobre el medio urbano, ya que a diferencia de lo que hace el legislador en el artículo 2 de la Ley 8/2013, de 26 de junio, de rehabilitación, regeneración y renovación urbanas, con las definiciones que en el mismo se contienen y en donde, literalmente, estipula que las mismas deben entenderse «*a los efectos de lo dispuesto en esta Ley…*», en el artículo 7, por el contrario, extiende el legislador la definición que da de actuaciones sobre el medio urbano, no solo al ámbito propio de Ley 8/2013, de 26 de junio, de rehabilitación, regeneración y renovación urbanas, lo cual, sería del todo lógico, sino además de a esta, a la «*… legislación estatal sobre suelo y edificación…*», lo que también resulta admisible, al ser tal legislación competencia estatal, por lo que bien puede el Estado a través de una norma, como la que ahora nos ocupa, hacer extensiva alguna o algunas de sus determinaciones, o como es el caso, definiciones, a otra u otras normas, igualmente de su competencia, por lo que, donde realmente consideramos que se sobreexcede el legislador, es al ampliar y desplegar el contenido de dicha definición, igualmente a «*…la legislación de ordenación territorial y urbanística…*», la cual y aunque el legislador nada dice sobre el particular, al no concretarla ni pormenorizarla, es lógica y obviamente, la relativa y concerniente a las Comunidades Autónomas. La posible explicación a tan inusitada difusión de la definición de las actuaciones sobre el medio urbano, quizá debamos encontrarla en el artículo 1 de la Ley 8/2013, de 26 de junio, de rehabilitación, regeneración y renovación urbanas, en el que expresamente se indica que: «*Esta Ley tiene por objeto regular las condiciones básicas que garanticen un desarrollo sostenible, competitivo y eficiente del medio urbano…*», para, en virtud de ello, considerar o entender que dentro de esas condiciones básicas y por tanto, aplicables tanto en la esfera estatal como autonómica, se encuentra la definición de las actuaciones sobre el medio urbano, pues al fin y a la postre, estas, no vienen a ser otras que la rehabilitación, regeneración y renovación urbanas, en derredor de las cuales se construye y articula la Ley que ahora nos ocupa.

Por último y en tercer lugar, no nos resistimos a comentar otro aspecto formal que consideramos digno de ser reseñado dentro del artículo 7 de la Ley 8/2013, de 26 de junio, de rehabilitación, regeneración y renovación urbanas. El mismo, radica en que pese a decirnos el legislador, expresamente, que dentro del referido artículo 7 se definen las actuaciones sobre el medio urbano, realmente, no nos da una definición de las mismas, limitándose, lo más, a señalarnos que estas comprenden la rehabilitación, regeneración y renovación urbanas, lo que, se mire por donde se mire, no comporta lo que con tal denominación (definición) cabría esperar, que no es sino un concepto profundo, reflexionado y depurado, cuya finalidad última, es describir y delimitar, perfectamente, las aludidas actuaciones sobre el medio urbano.

3. OBJETO Y ÁMBITO DE APLICACIÓN DE LAS ACTUACIONES SOBRE EL MEDIO URBANO

Una vez introducido el artículo 7 de la Ley 8/2013, de 26 de junio, de rehabilitación, regeneración y renovación urbanas, y contemplados algunos aspectos formales del mismo, dignos de ser reseñados, nos corresponde abordar ahora, el núcleo de su contenido, el cual, se resume de manera un tanto lacónica, pero exacta, en el título del presente epígrafe. En consecuencia, analizaremos a continuación los aspectos más destacables tanto del objeto de las, en palabras del legislador, actuaciones sobre el medio urbano, las cuales, a mayor abundamiento, son la rehabilitación, regeneración y renovación urbanas, como el ámbito de aplicación donde las mismas se van a poder implementar y desarrollar. La suma de ambas cuestiones nos dará una idea más que aproximada de lo que son, de en qué consisten y sobre qué operan las actuaciones sobre el medio urbano y con ello, del papel que desempeñan en el contexto de la vigente Ley 8/2013, de 26 de junio, de rehabilitación, regeneración y renovación urbanas.

3.1. Objeto de las actuaciones sobre el medio urbano

Tal y como hemos apuntado con anterioridad, el legislador de la Ley 8/2013, de 26 de junio, de rehabilitación, regeneración y renovación urbanas, pese a decir expresamente en el artículo 7 que va a definir las actuaciones sobre el medio urbano («...*las actuaciones sobre el medio urbano, se definen como aquéllas que...*»), en realidad no lo hace, o al menos, no en el sentido por todos esperado, ya que más que definir, al menos este es nuestro parecer, nos concreta cuáles son las mismas, a la sazón, rehabilitación, regeneración y renovación urbanas, cuándo, *grosso modo*, se aplican aquellas y por último, de qué modo y manera pueden implementarse. Esta última cuestión, es decir, de que modo y manera pueden utilizarse o aplicarse la rehabilitación, regeneración y renovación urbanas, no vamos a comentarla ahora, ya que al referirse a tal cuestión el legislador, a diferencia del resto, en el apartado segundo del artículo 7, será objeto de comentario en un epígrafe específico.

Centrándonos, por tanto, en las otras dos cuestiones, vemos como el legislador dentro del artículo 7 de la Ley 8/2013, de 26 de junio, de rehabilitación, regeneración y renovación urbanas, procede, en primer lugar, a precisar que las actuaciones sobre el medio urbano son todas aquellas que tienen por objeto realizar obras bien de rehabilitación, bien de regeneración, bien de renovación urbana. Ello, únicamente, nos plantea una cuestión y es si dentro de tales actuaciones sobre el medio urbano entran también, en virtud de tal definición —que como hemos visto y podemos comprobar en realidad no es tal—, determinados instrumentos, como entre otros, los Planes Especiales de Reforma Interior (2), las,

---

(2)   Aunque el presente trabajo se circunscribe, fundamentalmente —que no exclusivamente—, dentro del Derecho Urbanístico Valenciano, consideramos el mismo, de sumo interés, por lo que

por todos conocidas, Áreas de rehabilitación Integral, o, las menos populares, Áreas de Renovación Urbana, al comportar, indefectiblemente, la aplicación de todos y cada uno de ellos, la realización de obras de rehabilitación, regeneración o renovación urbana, o al menos, de alguna o algunas de ellas. Consideramos, si nos atenemos al tenor literal de la definición que de las actuaciones sobre el medio urbano nos da el legislador, que sí entrarían tales Planes, Programas, Áreas, etc. dentro de aquellas. En cualquier caso, se impone —como he tenido oportunidad de comentar con más detalle y profundidad en otros artículos que me han correspondido—, aclarar y concretar este y otros extremos relacionados con el mismo, de manera urgente y de una vez por todas. No es lógico, ni nos parece normal, que inmersos, como estamos, en un periodo en el que priman, por encima de otras opciones urbanísticas, la rehabilitación, la regeneración y la renovación urbana, existan vacíos, lagunas e imprecisiones como las que hemos descrito anteriormente,

Mas clarificador que con la primera de dichas cuestiones, se muestra el legislador a la hora de concretar cuándo se aplican o deben aplicarse, respectivamente, la rehabilitación, la regeneración y la renovación urbana. Así y respecto de la primera de ellas, es decir, de la rehabilitación (3), establece el legislador, que la misma, resultará de aplicación *«...cuando existan situaciones de insuficiencia o degradación de los requisitos básicos de funcionalidad, seguridad y habitabilidad de las edificaciones...»*. Nótese, que la aplicación de la rehabilitación está sujeta, en última instancia, a la valoración y apreciación subjetiva de quien sea el responsable o encargado de determinar la misma, ya que a la hora de acordar la procedencia o no de su aplicación, nos encontramos con dos, evidentes e innegables, conceptos jurídicos indeterminados, a la sazón, *«...situaciones de insuficiencia...»* y *«...situaciones de degradación...»* ¿Cuándo existen situaciones de insuficiencia o degradación? ¿Cuándo realmente se dan una y otra situación? ¿Qué se necesita o requiere para que pueda darse una u otra situación? Ello, sin lugar a dudas, generará una utilización desigual de la rehabilitación, según la interpretación, que en cada caso se haga de uno u otro concepto jurídico indeterminado, por la persona a quien corresponda determinar la aplicación de aquella, lo que en absoluto es acon-

---

para tener una idea más precisa de los Planes Especiales de Reforma Interior recomendamos acudir a VICENTE DOMINGO, R.: *Los Planes de Reforma Interior. Evolución histórica y regulación en el Derecho urbanístico valenciano*, LA LEY, Madrid, 2010.

(3)   Nos parece sumamente gráfico desde de su mismo título el trabajo de DÍAZ LEMA, J.M.: «Rehabilitación urbana, o cómo hacer de la necesidad una virtud», *Revista de Derecho Urbanístico y Medio Ambiente*, n.º 257, 2010, pág. 11 y ss. Efectivamente, hoy es tiempo, más que nunca, de rehabilitación (cabría añadir y de regeneración y de renovación urbana), hasta el punto de que, a diferencia de antaño, ha terminado convirtiéndose tal actuación, tanto para las diversas Administraciones Públicas con competencia en la materia, como para los propios administrados que, en unos casos, la promueven y en otros, la padecen, en una necesidad, por lo que lo más lógico, dado que forzosamente se va a tener que convivir con la misma, es utilizarla de la manera más provechosa y ventajosa para los intereses y propósitos de quien mediante su ejecución la pone en práctica.

sejable, ya que, amén de generar inseguridad jurídica, puede terminar produciendo situaciones de desigualdad.

Por lo que a la regeneración y renovación urbanas se refiere, establece el legislador en el artículo 7 de la Ley 8/2013, de 26 de junio, de rehabilitación, regeneración y renovación urbanas, que las mismas resultarán de aplicación «*… cuando afecten, tanto a edificios, como a tejidos urbanos…*». Sobre el particular debemos destacar varios aspectos. En primer lugar, que aunque parece que el legislador no dice cuándo procede la aplicación de tales actuaciones (regeneración y renovación urbana), sino, únicamente, el objeto sobre el que se pueden aplicar una y otra, ello, en realidad, no es sino un espejismo, mera apariencia, producida por no reiterar el legislador las causas que originan la aplicación de la rehabilitación, al ser las de esta, las mismas, *mutatis mutandis*, que resultan de aplicación a aquellas. Por tanto, la regeneración y renovación urbanas, resultarán de aplicación «*…cuando existan situaciones de insuficiencia o degradación de los requisitos básicos de funcionalidad, seguridad y habitabilidad…*», que afecten «*…tanto a edificios, como a tejidos urbanos…*» (4). En segundo lugar, que se produce una conjunción por lo que a los edificios se refiere, pues los mismos van a poder ser objeto tanto de rehabilitación, como de regeneración y renovación urbanas, lo que merecería una aclaración, para delimitar en qué supuestos puede darse cada una de dichas actuaciones en relación con aquellos. En tercer lugar, que ambas actuaciones (regeneración y renovación urbanas) son contempladas por el legislador, conjunta e inseparablemente, para llevar a cabo, teóricamente, idénticas funciones, por lo que estimamos, que debiera clarificar aquel, la diferencia existente entre una y otra actuación, así como las respectivas y particulares funciones a las que está llamada cada una de ellas. En cuarto y último lugar, que nos parece mucho más acertada la redacción, que en este concreto punto, establece el Proyecto de Ley, que la contenida, finalmente, en la Ley 8/2013, de 26 de junio, de rehabilitación, regeneración y renovación urbanas, ya que aquel establecía que la aplicación de la regeneración y renovación urbanas, procedía «*…cuando afecten, tanto a edificios, como a tejidos urbanos en los que existan problemas de obsolescencia, vulnerabilidad, degradación o deterioro, así como situaciones graves de pobreza energética…*». Como puede comprobarse, la redacción del Proyecto de Ley, concreta mucho más que la

---

(4)   Hay un hecho que define a la perfección cómo ha ido calando en la sociedad y en los poderes públicos, la importancia de cuidar y proteger el —en palabras del legislador [artículo 3.j)]— patrimonio urbanizado y edificado, o lo que es lo mismo, la ciudad construida y existente y es el haber pasado de la mera conservación, puntual e inconexa del resto de actuaciones que se realizan en la ciudad, a tratar de reformar, restaurar o rehacer la misma, o parte de ella, de manera integrada (social, económica y medioambiental) y global (edificios, infraestructuras, equipamientos, dotaciones, espacios públicos, etc.). Demostrativo de tal tendencia es el trabajo de QUINTANA LÓPEZ, T., «De la conservación de las edificaciones a la regeneración de la ciudad existente. Claves de la evolución», *Revista de urbanismo y edificación*, n.º 24, 2011, pág. 41 y ss.

Ley, las particulares y específicas situaciones que se requieren para que puedan aplicarse la regeneración y renovación urbanas, lo que nos parece del todo acertado, máxime, si tenemos en cuenta que con ello, se reduce, sustancialmente, la subjetividad, algo de lo que lo que no puede presumir la vigente redacción, habida cuenta, precisamente, de su gran indefinición e inconcreción. Termina el legislador de la Ley 8/2013, de 26 de junio, de rehabilitación, regeneración y renovación urbanas, tras señalar cuándo resultan de aplicación la regeneración y renovación urbanas, así como el objeto sustantivo o material sobre el que operan, hasta que límite puede llegar tal actuación, estableciendo, al efecto, que la misma puede «...*llegar a incluir obras de nueva edificación en sustitución de edificios previamente demolidos*». De tal expresión y haciendo bueno el brocardo jurídico que afirma, que: «*Quien puede lo más, puede lo menos*», debemos entender que si la regeneración y la renovación urbanas pueden llegar a tales extremos, por supuesto, el resto de actuaciones que sean de menor entidad y calado que la descrita —que serán casi todas—, también podrán ser realizadas por aquellas. Por último y para finalizar debemos destacar, otra vez más, el tratamiento conjunto que da el legislador a regeneración y renovación urbanas y que hace cuestionarnos si no son, realmente, lo mismo y si no es el caso, por qué no establece una necesaria y debida diferenciación entre cada una de ellas. Lo que está claro, tanto en uno como en otro supuesto, es que el legislador no afina, como es debido, ni en su regulación ni en su redacción, pues deja en el aire muchas dudas e incógnitas que debiera haber despejado.

3.2. Una gran oportunidad desperdiciada para poder haber definido, de una vez por todas, rehabilitación, regeneración y renovación urbanas

Tal y como reza el presente apartado, ha desperdiciado el legislador de la Ley 8/2013, de 26 de junio, de rehabilitación, regeneración y renovación urbanas, una grandísima oportunidad para poder haber definido, de una vez por todas y para siempre, la totalidad de las actuaciones que dan nombre a dicha Ley. Dicho olvido, al menos eso queremos creer, aunque, ciertamente, nos cuesta mucho hacerlo, es, a nuestro modo de ver, no sólo especialmente grave y preocupante, sino imperdonable, si tenemos en cuenta que sobre la rehabilitación, regeneración y renovación urbana ha habido, hay y como consecuencia del silencio que guarda el legislador de la presente Ley al respecto, seguirá habiendo, cuando menos y siendo optimistas, cierto confusionismo, por no decir, que una ignorancia manifiesta, al no haberse pronunciado nunca el legislador con rotundidad y precisión sobre las concretas, capacidades, competencias, funciones y finalidades que, respectivamente, caracterizan a tales actuaciones. Efectivamente, ni la rehabilitación, ni la regeneración, ni la renovación urbana son una creación de la presente Ley, ni, incluso, de hace unos pocos años. La rehabilitación, se pierde en la noche de los tiempos y por lo que a la regeneración y renovación urbana se refiere, son también remotos los antecedentes que hay sobre las mismas. No obstante, comparten en común tales actuaciones, que las diversas normas que sucesivamente en el tiempo han ido regulando cada una de las mismas, nunca se han parado, al igual que la Ley que ahora nos ocupa, a delimitar de manera exacta, rigurosa y concisa, cada una de las particularidades y peculiaridades que les son propias (5). Por ello, insistimos en la gran ocasión que ha perdido el legislador de la presente Ley 8/2013, de 26 de junio, de rehabilitación, regeneración y renovación urbanas, de colmatar tal vacío, que, atendiendo a los hechos que hemos referido con anterioridad, bien podemos calificar como «*estructural*». Además, consideramos, que la presente Ley, reunía el momento y lugar propicio para hacerlo, al estar en vías de consolidación en nuestro ordenamiento jurídico, sin posible vuelta atrás —al menos, es lo que consideramos y queremos creer— tanto la rehabilitación, como la regeneración y la renovación urbana y ser esta Ley la que, precisa y específicamente, regula tales actuaciones. Continuará, por tanto, hasta que el legislador de manera firme y rotunda decida acometer la puntual y pormenorizada definición de rehabilitación, regeneración y renovación urbanas, la, flexibilidad, siendo positivos, que ante su indefinición caracteriza cada una de dichas actuaciones, pero por otro lado y como contrapartida de ello, la inseguridad jurídica, así como las dudas e incertidumbres sobre sus verdaderas y reales potencialidades.

3.3. Ámbito de aplicación de las actuaciones sobre el medio urbano

El ámbito, espacio geográfico o lugar físico sobre el que operan o potencialmente pueden operar la rehabilitación, la regeneración y la renovación urbana, es, ya lo hemos visto, «*…el medio urbano…*», o lo que es lo mismo, la ciudad construida y existente, o si se prefiere, la ciudad presente y real, respecto de la planificada y por hacer. Con otra terminología más propia del Derecho urbanístico, también es correcto afirmar, que dichas actuaciones tienen su campo de actuación sobre el suelo urbano, en sus dos categorías de suelo urbano consolidado y suelo urbano no consolidado, los cuales, conforman, lo que se ha venido a denominar y actual-

---

(5)   Tal y como indicamos en el texto ut supra, las múltiples normas que a lo largo del tiempo han ido regulando los diversos instrumentos que se circunscriben dentro de lo que, con cierta generalidad, se ha venido a denominar la reforma interior de las poblaciones, no se han parado a definir lo que, a nuestro modo de ver, es lo más fundamental y prioritario, a saber, las funciones, competencias, características, límites y en fin, todo aquello más reseñable, de la respectiva actuación (rehabilitación, regeneración, renovación) que, en cada caso, amparan aquellos. Con ser ello grave, más lo es, si tenemos en cuenta que el legislador de la vigente Ley 8/2013, de 26 de junio, de rehabilitación, regeneración y renovación urbanas, ha seguido con la misma tónica y por ende, no ha definido, ni tan siquiera, mínimamente, las propias actuaciones que dan nombre a aquella, a saber, rehabilitación, regeneración y renovación urbana. Para un análisis más en profundidad de los silencios que en relación con la rehabilitación, regeneración y renovación urbanas, multisecularmente se han producido y sobre todo, los efectos nocivos que de ellos ser derivan, me remito por entero a García-Moreno Rodríguez, F., «La rehabilitación y la renovación urbana: actuaciones estratégicas sobre las que se articula y construye el medio urbano sostenible», en *Comentarios a la Ley de Economía Sostenible*, dir. Santiago A. Bello Paredes, LA LEY, Madrid, 2011, pág. 556 y ss

mente aun se denomina como casco urbano (6). Es en dicho marco anteriormente referido, donde tanto la rehabilitación, como la regeneración y la renovación urbana, despliegan todas sus potencialidades, la cuales, y con independencia de las particularidades y peculiaridades propias y características de cada una de ellas, coinciden en perseguir la cualificación, revitalización y en general, puesta en valor de las tramas, tejidos, urdimbres o entramados urbanos (7). En definitiva, tales actuaciones, están concebidas y pensadas para darse en el interior de las ciudades, de ahí, precisamente, que se circunscriban dentro de lo que se ha venido a denominar tradicionalmente como reforma interior de las poblaciones (8).

---

(6) Véase en este sentido el interesante artículo de Esteban Galarza, M.: «La regeneración de los centros urbanos y la política de rehabilitación del parque de viviendas antiguo: efectos en el mercado de la vivienda», *Ekonomíaz*, n.º 15, 1989, pág 160 y ss. No podemos dejar de llamar la atención, al hilo del mismo, sobre uno de los problemas más importantes con los que a diario se enfrentan todas y cada una de las actuaciones que tienen por objeto rehabilitar, regenerar, o renovar el casco urbano, a saber, el Patrimonio Histórico-Artístico. Efectivamente, una de las cuestiones más espinosas en relación con la reforma interior de las poblaciones y en particular, dentro de esta, con las denominadas zonas céntricas de la ciudad —que no siempre, pero sí en muchas ocasiones, suelen coincidir con el casco histórico de las mismas—, tiene que ver con el Patrimonio Cultural, dado que la normativa reguladora de este último impone múltiples y variadas limitaciones a la actividad rehabilitadora, regeneradora y renovadora, hasta el punto de que para hacer posible la misma, en no pocas ocasiones hay que hacer —permítaseme la expresión— «auténtico encaje de bolillos». Sobre el particular me remito al trabajo de Quintana López, T.: «La ciudad sostenible: Conservación y rehabilitación del patrimonio arquitectónico», *Revista Aragonesa de Administración Pública*, n.º 22, 2003, pág 433 y ss. En este mismo sentido, véase, igualmente, García-Moreno Rodríguez, F.: «Urbanismo y Patrimonio Cultural», en *Derecho Urbanístico de Castilla y León*, dir. Enrique Sánchez Goyanes, LA LEY, Madrid, 2009, pág 1549 y ss,

(7) La Unión Europea insiste, claramente, en que el crecimiento urbano, que sin lugar a dudas, sigue siendo necesario, debe, cada vez más, responder a los requerimientos de un desarrollo sostenible, minimizando el impacto de aquel crecimiento y apostando por la regeneración de la ciudad existente, lo que se plasma en la Estrategia Territorial Europea o en la más reciente Comunicación de la Comisión sobre una Estrategia Temática para el Medio Ambiente Urbano, en donde propone un modelo de ciudad compacta, a la vez que advierte de los graves inconvenientes de la urbanización dispersa o desordenada: Impacto ambiental, segregación social e ineficacia económica por los elevados costes energéticos, de construcción y mantenimiento de infraestructuras y de prestación de los servicios públicos.

(8) Es necesario llamar la atención, para evitar equívocos innecesarios, que cuando en el texto superior aludimos, bien, a casco urbano, bien, a trama, tejido, entramado u urdimbre urbana, o en definitiva, a cualesquiera otra denominación análoga o semejante a aquellas, lo hacemos para referirnos a toda la ciudad construida y existente, y no solo a una parte de esta, aunque esta última pueda ser especialmente relevante y ello, nos lleve, involuntariamente, a identificarla con el todo. Con tal matización lo que pretendo hacer ver es que no es correcto identificar la ciudad presente y actual con lo que es el caso histórico, o si se prefiere, el centro de la misma, aunque esta parte, sea, a todas luces, la más importante y destacada de ella. Asi, también formaran parte de la ciudad construida y existente, de ese denominado casco urbano, los diversos barrios que la conforman, e incluso, las periferias urbanas, siempre y cuando sean, real y verdaderamente, merecedoras de dicho atributo (urbanas). Tal aclaración, persigue, en último extremo, dejar constancia de que al ser los barrios y periferias partes integrantes de las ciudades, también en aquellos y estas, al igual que acontece en las zonas más céntricas de las mismas, procederá y de hecho, se deberán llevar a cabo actuaciones de rehabilitación, regeneración y renovación urbana. Esta evidencia, se constata, de manera fehaciente, en el trabajo de Pareja Eastaway, M.: «La renovación de la periferia urbana en España: un planteamiento desde los barrios», en Derecho Urbanístico, Vivienda y Cohesión Social y Territorial, cord. Juli Ponce Sóle, Marcial Pons, Madrid, 2006, pág 107 y ss En este mismo sentido, véase igualmente, el trabajo de Rubio Del Val, J y Molina Costa, P.: «Estrategias, retos y oportunidades en la rehabilitación de los polígonos de vivienda construidos en España entre 1940 y 1980», *Ciudades*, n.º 13, 2010, pág 15 y ss.

Por último, debemos hacer mención, a una cuestión directamente relacionada con el ámbito de aplicación de las actuaciones en el medio urbano, es decir, rehabilitación, regeneración y renovación urbana, sobre la que poco o nada nos dice el legislador de la vigente Ley 8/2013, de 26 de junio. La misma, trata de dilucidar si tales actuaciones resultan de aplicación en determinado tipo de poblaciones o en todas, siempre que se den en las mismas, lógicamente, las circunstancias fácticas que posibiliten aquellas. Pues bien, sobre el particular, debemos manifestar rotundamente, que tanto la rehabilitación, como la regeneración y renovación urbanas, resultan de aplicación y están pensadas para operar, no sólo en grandes urbes, ciudades o metrópolis, sino, además de en estas —por supuesto—, también, en cualquier pueblo o localidad (9) por pequeña que sea esta, siempre, eso sí, tal y como ya hemos apuntado con anterioridad, que se den en ellas las condiciones necesarias y pertinentes que posibiliten su empleo.

4. MODOS DE IMPLEMENTACIÓN DE LA REHABILITACIÓN, REGENERACIÓN Y RENOVACIÓN URBANAS: ACTUACIONES INTEGRADAS *VERSUS* ACTUACIONES AISLADAS

En el apartado segundo y último del artículo 7 de la Ley 8/2013, de 26 de junio, de rehabilitación, regeneración y renovación urbanas, alude el legislador —ya hemos tenido oportunidad de apuntarlo con anterioridad— a la forma, manera o modo en que pueden hacerse efectivas la rehabilitación, regeneración y renovación urbana, aunque aquel, únicamente, alude a las dos últimas actuaciones mencionadas, si bien, como explicaremos más adelante, ello, en absoluto empece, al menos es nuestro parecer, para hacer extensivo lo contemplado en ellas, también a la rehabilitación. Pero antes de ello, veamos que dice exactamente el legislador sobre el particular. Este, establece lo siguiente: «*Las actuaciones de regeneración y renovación urbanas tendrán, además, carácter integrado cuando articulen medidas sociales, ambientales y económicas enmarcadas en una estrategia administrativa global y unitaria*». Tal regulación nos sugiere una serie de comentarios, pero antes de pasar a verlos, consideramos necesario, hacer una precisión. La misma, radica, básica y fundamentalmente, en el término «*…integrado…*», el cual, si nos atenemos a la literalidad del precepto, alude a añadir, incorporar, incluir otras funciones, a la ya consabida urbanística, como,

---

(9)   Cuando en el texto ut supra me refiero a cualquier localidad o población, en contraposición a grandes urbes, ciudades o metrópolis, me quiero referir a lo que la Ley 7/1985, de 2 de abril, reguladora de las Bases de Régimen Local, denomina en su artículo 3, al enumerar los distintos tipos o clases de Entidades Locales, como: «*Entidades de ámbito territorial inferior al municipal*», dentro de las cuales, se incluye, una pléyade de núcleos de población con nombre de lo más diverso y variopinto como, entre otros: Pedanías, Anteiglesias, Parroquias, Concejos, etc. La posibilidad de que en estos últimos y no solo en las grandes aglomeraciones urbanas, pueda aplicarse la rehabilitación, la regeneración y la renovación urbana, es confirmada, por el propio legislador, al referirse, el mismo, en relación con tales actividades, no solo a las ciudades, sino, en general, a los «*…tejidos urbanos existentes…*» (artículo 1), dentro los cuales encuentran cabida, sin lugar a dudas, las diversas clases o tipos de Entidades de ámbito territorial inferior al municipal a que nos hemos referido.

por ejemplo, pudieran ser las sociales, o las ambientales, si bien, consideramos, al menos este es nuestro parecer, que con tal término el legislador también se refiere a «...*integrado*...», en el sentido de integral, en alusión, a instrumentos integrales. De hecho, la inclusión de todas y cada una de las medidas a que alude el legislador en el apartado segundo del artículo 7, entendemos que sólo es posible y puede llevarse a cabo a través de un instrumento integral que las agrupe y concilie, Por otro lado, parece corroborarse, igualmente, nuestro parecer cuando el legislador establece que, en cualquier caso, las diversas funciones y medidas deberán «...*enmarcarse en una estrategia global y unitaria*», lo que, indefectiblemente nos lleva a pensar de nuevo en los instrumentos integrales. Por último, apuntar, que tanto la legislación precedente a la norma que ahora nos ocupa, como la contemporánea y actualmente vigente, vienen a respaldar y corroborar nuestra interpretación. Por todo ello y he aquí nuestra precisión, vamos a analizar el término «...*integrado*...», en su acepción de integral y por ende, vaya por delante, en relación con los denominados instrumentos integrales (10).

Una vez hecha la correspondiente precisión, nos corresponde pasar, ahora sí, a exponer los comentarios que nos sugiere tal regulación, los cuales, son los siguientes: En primer lugar, que el legislador señala, expresamente, que pueden implementarse, en particular, la regeneración y la renovación urbanas, a través de actuaciones integradas. En segundo lugar, que las mismas, para que puedan ser susceptibles de tal denominación, deben cumplir dos requisitos. El primero, abarcar no solo la mera esfera técnica que les es propia, sino además de esta, otra u otras íntimamente relacionadas con aquella, como la social, la ambiental y la económica, Y el segundo, estar comprendidas las mismas, dentro de un plan o estrategia administrativa, concebida globalmente y de manera unitaria para llevar a efecto tales actuaciones. En tercer lugar, que lo más normal y lógico, es que todas aquellas ciudades, poblaciones o localidades que tienen como objetivo principal la revitalización y en general, puesta en valor de las tramas y tejidos urbanos, en definitiva, de la ciudad construida y existente, cuenten con planes, programas o instrumentos integrales para abordar tan complejo reto. En cuarto lugar, que consideramos que cuando el legislador se refiere a tales planes, programas, o instrumentos integrales, se está refiriendo, entre otros posibles, a los ya clásicos y por cierto, infrautilizados, cuando no, indebida o incorrectamente aplicados, Planes Especiales de Reforma Interior (11) —y sucedáneos del mismo, añadimos, como son, entre otros: Los Planes Especiales de Rehabilitación Urbana, los Planes Especiales de Obras y servicios

---

(10) En relación con los instrumentos integrales que desarrollan, o potencialmente, pueden desarrollar actuaciones de rehabilitación, de regeneración o de renovación urbana, me remito por entero al trabajo de MENÉNDEZ REXACH, A., «Instrumentos jurídicos para la renovación urbana», *Revista de Derecho Urbanístico y Medio Ambiente*, n.º 270, 2011, pág 13 y ss.

(11) La inaplicación de los Planes Especiales de Reforma Interior no deja de ser paradójica si atendemos a las potencialidades reales que el ordenamiento jurídico tradicionalmente les ha conferido y aun hoy en día les otorga. Sobre el particular, me remito, por ser de obligada consulta —a pesar de los años transcurridos desde su publicación—, al trabajo de PAREJA I LOZANO, C., *Contenido y alcance de los Planes de Reforma Interior en el sistema de planeamiento urbanístico*, IEAL, Madrid, 1984.

de Saneamiento, los Planes Especiales de Ordenación y Protección de Conjuntos Históricos, o los Planes Especiales de Adecuación Urbanística de Áreas de Especiales Características—, así como a las denominadas ARIS (Áreas de Rehabilitación Integral de Conjuntos Históricos, Centros Urbanos, Barrios Degradados y Municipios Rurales), ARUS (Áreas de Renovación Urbana), o instrumentos equivalentes o similares a aquellos o estas últimas, y ello, con independencia de que unos (los primeros, Planes Especiales de Reforma Interior) pertenezcan al ámbito urbanístico y otros (los demás, ARIS y ARUS) al ámbito más propio de la vivienda (12). En quinto lugar, que es previsible que las actuaciones integradas de regeneración y renovación urbanas (al igual que por extensión de estas, las de rehabilitación) se vean favorecidas por las respectivas Administraciones Públicas, al desplegar aquellas, desde tan propicia coyuntura todas las potencialidades y virtudes que les son propias. En sexto lugar, que no sólo es necesario contar con tales planes, programas o instrumentos integrales y que los mismos busquen reformar la ciudad construida, asi como potenciar las dotaciones y servicios existentes, sino, además, que resulten coherentes y eficaces. En séptimo lugar, que las actuaciones integradas, no serán la única forma de implementar la regeneración y renovación urbana, ya que el propio legislador reconoce otra posibilidad, al establecer que: «...tendrán, además, carácter integrado...». Efectivamente, dicho «...además...», confirma la existencia de, al menos, otra forma de aplicar la regeneración y la renovación urbana, ya que si no, carecería de sentido alguno, la mención de tal adverbio, no siendo dicha forma, otra, que las denominadas actuaciones aisladas, puntuales o *ad casum*. En octavo lugar, que con independencia de que la regeneración y la renovación urbana se lleven a cabo a través de actuaciones integrales o de actuaciones aisladas, no deberán perder nunca la esencia que les es propia y en este sentido, deberán tender, cada una en su medida y proporción, a combinar las medidas de creación o mejora de los edificios y del espacio urbano con las de reequipamiento de dotaciones y servicios, preferentemente, en aquellos lugares especialmente obsoletos, desfavorecidos, degradados o que padezcan problemas de naturaleza análoga. En noveno lugar, que tanto las actuaciones integradas como las aisladas deben buscar, sin cejar en tal empeño, un marco urbano coherente, dentro del cual, primar las dotaciones y servicios, habida cuenta de la importancia y transcendencia que aquellas y estos comportan para los ciudadanos, pero sin olvidar o descuidar, en absoluto, las diversas variables que desde el punto de vista económico y social, concurren en todo proceso rehabilitador. En décimo y último lugar, que tal y como hemos apuntado al principio del presente epígrafe, no vemos ningún obstáculo para que

---

(12) Consideramos, por el contrario, que los Estudios de Detalle, instrumento urbanístico de desarrollo, bien de los Planes Generales de Ordenación Urbana, bien de las Normas Urbanísticas Municipales, en definitiva, de los denominados instrumentos de planeamiento general, no entrarían dentro de tal consideración, es decir, de los planes, programas o instrumentos integrales a que alude el legislador, precisamente, por no cumplir con esta última característica y ello, a pesar de que a veces —mal hecho— tratan o tienden a utilizarse como si de Planes Especiales de Reforma Interior se tratase.

no pueda haber, como por otro lado de hecho ocurre en el presente, actuaciones integrales de rehabilitación, dado que si bien es cierto que el legislador no alude a ellas expresamente en el párrafo segundo del artículo 7, en ningún momento las prohíbe a lo largo y ancho de la Ley.

Artículo 8. Sujetos obligados.

La realización de las obras comprendidas en las actuaciones a que se refiere el artículo anterior corresponde, además de a aquellos sujetos a los que la legislación de ordenación territorial y urbanística atribuya dicha obligación, a los siguientes:

a) Los propietarios y los titulares de derechos de uso otorgados por ellos, en la proporción acordada en el correspondiente contrato o negocio jurídico que legitime la ocupación. En ausencia de éste, o cuando el contrato no contenga cláusula alguna relativa a la citada proporción, corresponderá a éstos o aquéllos, en función de si las obras tienen o no el carácter de reparaciones menores motivadas por el uso diario de la vivienda, sus instalaciones y servicios. La determinación se realizará de acuerdo con la normativa reguladora de la relación contractual y, en su caso, con las proposiciones que figuren en el Registro de la Propiedad, relativas al bien y a sus elementos anexos de uso privativo.

b) Las comunidades de propietarios y, en su caso, las agrupaciones de comunidades de propietarios, así como las cooperativas de viviendas, con respecto a los elementos comunes de la construcción, el edificio o complejo inmobiliario en régimen de propiedad horizontal y de los condominios, sin perjuicio del deber de los propietarios de las fincas o elementos separados de uso privativo de contribuir, en los términos de los estatutos de la comunidad o agrupación de comunidades o de la cooperativa, a los gastos en que incurran estas últimas.

c) Las Administraciones Públicas, cuando afecten a elementos propios de la urbanización y no exista el deber legal para los propietarios de asumir su coste, o cuando éstas financien parte de la operación con fondos públicos, en los supuestos de ejecución subsidiaria, a costa de los obligados.

CONCORDANCIAS

— Artículos 22 y 28 del Real Decreto 233/2013, de 5 de abril, por el que se regula el Plan Estatal de fomento del alquiler de viviendas, la rehabilitación edificatoria, y la regeneración y la renovación urbanas, 2013-2016.

— Artículo 18 del Real Decreto-Ley 8/2011, de 1 de julio, de medidas de apoyo a los deudores hipotecarios, de control del gasto público y cancelación de dudas con empresas y autónomos contraídas por las entidades locales, de fomento de la actividad empresarial e impulso de la rehabilitación y de simplificación administrativa.

— Artículo 111 de la Ley 2/2011, de 4 de marzo, de Economía Sostenible.

— Artículo 16 de la Ley 38/1999, de 5 de noviembre, de Ordenación de la Edificación.

JURISPRUDENCIA

— Sentencia del Tribunal Superior de Justicia de Galicia (Sala de lo Contencioso-Administrativo, Sección 2.ª) de 28 de junio de 2012.

— Sentencia del Tribunal Superior de Justicia de Castilla y León, Burgos (Sala de lo Contencioso-Administrativo, Sección 1.ª) de 3 de junio de 2011.

COMENTARIO (1)

SUJETOS OBLIGADOS A LA REALIZACIÓN DE LAS OBRAS QUE COMPRENDEN TANTO LA REHABILITACIÓN EDIFICATORIA, COMO LA REGENERACIÓN Y RENOVACIÓN URBANAS

Sumario

1. Acercamiento al mandato del legislador, en virtud del cual, determinados sujetos resultan obligados a la realización de obras de rehabilitación, regeneración o renovación urbana.

   1.1. La aparente clasificación trimembre de sujetos obligados a la realización de obras de rehabilitación, regeneración o renovación urbana.

   1.2. El surgimiento de la obligación de la realización de obras de rehabilitación, regeneración y renovación urbana, como consecuencia del deber legal de conservación que se impone a todos los propietarios.

   1.3. La expansión y clarificación de la obligación de realizar obras de rehabilitación, regeneración y renovación urbana por determinados sujetos: El Real Decreto-Ley 8/2011, de 1 de julio.

   1.4. Sujetos obligados a la realización de obras de rehabilitación, regeneración y renovación urbana, versus sujetos con iniciativa para proponer o legitimados para participar en su ejecución.

2. Los propietarios y titulares de derechos de uso otorgados por ellos, como sujetos obligados a afrontar el pago de las obras de rehabilitación, regeneración y renovación urbana que, en su caso, procedan.

3. Las comunidades de propietarios, agrupaciones de comunidades de propietarios y cooperativas de viviendas, sujetos obligados a costear las obras

---

(1) Comentario a cargo de Fernando García-Moreno Rodríguez. Profesor Doctor de Derecho Administrativo en la Facultad de Derecho de la Universidad de Burgos.

de rehabilitación, regeneración y renovación urbana que resulten necesarias respecto de los elementos comunes de la construcción.

4. Las Administraciones Públicas, sujetos obligados, en supuestos tasados, al pago de las obras procedentes bien de la rehabilitación, bien de la regeneración, bien de la renovación urbana.

1. ACERCAMIENTO AL MANDATO DEL LEGISLADOR, EN VIRTUD DEL CUAL, DETERMINADOS SUJETOS RESULTAN OBLIGADOS A LA REALIZACIÓN DE OBRAS DE REHABILITACIÓN, REGENERACIÓN O RENOVACIÓN URBANA

A todos nos parece muy bien, sobre el papel, que se impulse y fomente por el legislador, las Administraciones Públicas y en general, por todos los Poderes Públicos, tanto la rehabilitación, como la regeneración, como la renovación urbana, ya que todos somos plenamente conscientes y sabedores de que con la implementación, efectiva y real, de tales actuaciones en la práctica, se conseguirán ciudades más bonitas, a la par que funcionales, seguras y habitables, lo que, ni que decir tiene, todos ansiamos. No obstante, ello tiene una contrapartida y es que dichas actuaciones hay que sufragarlas, correspondiendo su pago a las personas físicas y jurídicas, privadas o públicas, que en cada caso resulten afectadas por las mismas, lo que, obviamente, plantea ya más problemas y sobre todo, que atendiendo a tal circunstancia, nos encontremos lejos de la unanimidad y avenencia generalizada que inicial y teóricamente existía al respecto, y ello como consecuencia de las numerosas deserciones que el deber de costear las obras a realizar genera entre amplios sectores o estratos de la población (2). De ahí que el legislador haya optado por determinar quienes son los concretos sujetos obligados a la realización de las obras comprendidas en las actuaciones de rehabilitación, regeneración o renovación urbana, lo que comporta, entre otras obligaciones, ni que decir tiene, hacer frente al pago de las mismas. Del mismo modo lleva a cabo el legislador un

---

(2) Es un hecho contrastado que a todos, sin excepción, nos gusta ver la ciudad donde vivimos limpia, ordenada y lo más bonita posible. Ello nos resulta, como es lógico, agradable. Del mismo modo, es una evidencia que todos, también sin excepción, queremos tener unos edificios lo más modernos, presentables y cómodos posibles. Ahora bien, cuando se nos dice que para cumplir tal objetivo hay que sufragar los gastos que ello comporta, todo cambia. Muchos de los antes convencidos pasan a dudar, e incluso, directamente, a desdecirse de sus planteamientos iniciales. Tenemos múltiples ejemplos de ello, como por ejemplo, todas las obras que se llevan a cabo para adecentar la fachada de nuestros edificios o para instalar en el mismo el ascensor que no existe. En este momento y en tantos otros como estos, todo son problemas. No debe extrañarnos por ello, en absoluto, que el legislador determine quien tiene la obligación de acometer las obras que resulten precisas y necesarias, e incluso, en algunas ocasiones, cuales de las mismas son o tienen el carácter de obligatorias, lo que implica que ni los propietarios, ni las comunidades de propietarios, ni las agrupaciones de comunidades de propietarios, etc.pueden oponerse a aquellas. Sobre el particular y para profundizar en esta faceta que, inexorablemente, tiene toda rehabilitación, regeneración y renovación urbana, véase el trabajo de García-Moreno Rodríguez, F., «La rehabilitación y la renovación urbana: actuaciones estratégicas sobre las que se articula y construye el medio urbano sostenible», en *Comentarios a la Ley de Economía Sostenible*, dir. Santiago A. Bello Paredes, LA LEY, Madrid, 2011, pág. 565 y ss

ejercicio de elucidación, para evitar, como ocurría antaño, que ante casos dudosos (propietario-alquilado, propietario-titular de un derecho real, etc.), al final nadie se haga responsable de asumir dichos costes o de hacerlo, lo haga tarde y mal.

1.1. La aparente clasificación trimembre de sujetos obligados a la realización de obras de rehabilitación, regeneración o renovación urbana

En el artículo 8 de la Ley 8/2013, de 26 de junio, de rehabilitación, regeneración y renovación urbanas, titulado *«Sujetos obligados»,* establece el legislador una relación, aparentemente trimembre, de sujetos a los que les corresponde, en su caso y de proceder, por supuesto, realizar las obras de rehabilitación, regeneración y renovación urbanas. Hemos señalado que la referida clasificación de sujetos obligados a llevar a cabo, cuando corresponda y proceda, alguna de dichas actuaciones, o todas, de ser preciso, es *«aparentemente trimembre»,* dado que si nos fijamos en el tenor literal del artículo 8, vemos que el mismo está integrado por tres letras a), b) y c), las cuales se vienen a corresponder, respectivamente, con los propietarios, con las comunidades de propietarios y finalmente, con las Administraciones Públicas. No obstante, una lectura más pausada y atenta de dicho texto, hace caer en la cuenta a quien la lleve a efecto, que dentro de la letra a) no sólo se consideran obligados a la realización de obras de rehabilitación, regeneración o renovación urbana los propietarios de las edificaciones o inmuebles sitos en tejidos urbanos en los que se den situaciones de insuficiencia o degradación de los requisitos básicos de funcionalidad, seguridad y habitabilidad, sino, además de estos, por supuesto, otra serie de sujetos, como, por ejemplo, los que tengan algún derecho de uso otorgado por aquellos, lo que, como se comprenderá, abre sustancialmente el posible abanico de sujetos responsables (3). Otro tanto de lo mismo podemos

---

(3)   La regulación que lleva a cabo el legislador en la letra a) del artículo 8 de la Ley 8/2013, de 26 de junio, de rehabilitación, regeneración y renovación urbanas, —que no es sino una copia, trasunto o remedo de la letra a) del apartado segundo del artículo 18 del Real Decreto-Ley 8/2011, de 1 de julio, de medidas de apoyo a los deudores hipotecarios, de control del gasto público y cancelación de deudas con empresas y autónomas contraídas por las Entidades Locales, de fomento de la actividad empresarial e impulso de la rehabilitación y de simplificación administrativa, titulado *«Realización de las actuaciones de conservación, mejora y regeneración»*—, con independencia de la novedad que comporta respecto de la situación precedente, hace que nos planteemos algunas cuestiones, sobre las cuales el legislador nada dice. Es evidente que con la regulación que el legislador hace de los propietarios, que él mismo extiende, no sólo a estos, como venía siendo lo usual, sino, también, a los titulares de derechos de uso otorgados por aquellos, se amplia notablemente la esfera de sujetos obligados a realizar las obras de rehabilitación, regeneración y renovación urbana que resulten necesarias, lo que es un modo de garantizar mejor las mismas al, por un lado, aumentar el número de sujetos responsables y por otro, repartir más el coste de las obras, lo que facilitará, indudablemente, aquellas. La consecuencia, por tanto, que de tal regulación deriva (garantizar mejor la realización de las obras precisas y necesarias), es, ni que decir tiene, sumamente positiva y posiblemente en ella y solo en ella, haya pensado el legislador de la Ley 8/2013, de 26 de junio, de rehabilitación, regeneración y renovación urbanas. Sin embargo, dicha regulación nos genera múltiples interrogantes, algunos de los cuales, a continuación exponemos. Cuando haya que acometer las obras que procedan ¿Deberán repartirse los respectivos gastos propietario y titular del derecho de uso sin que medie al efecto la Administración, o por el

decir de las comunidades de propietarios donde también resultan o pueden resultar obligados a la realización de obras, bien de rehabilitación, bien de regeneración, bien de renovación urbana, no solo estas, sino igualmente otros sujetos, como por ejemplo, las agrupaciones de comunidades de propietarios, o las cooperativas de viviendas. Del mismo modo, ocurre parecida o similar situación, en el tercero de los supuestos que recoge el legislador, a la sazón, Administraciones Públicas, dado que existe una gran variedad de éstas y por tanto, dentro de dicha tipología, podrá ser sujeto responsable de las obras de rehabilitación, regeneración y renovación urbana, una de entre ellas (Estatal, Autonómica, local), o bien, varias conjuntamente. En definitiva, de todo lo dicho queda patente que los potenciales sujetos obligados a responder y hacer frente a las obras de rehabilitación, regeneración y renovación urbana y por ende, al consiguiente coste de las mismas, no sólo van o ser tres (propietarios, comunidades de propietarios y Administraciones Públicas), frente a lo que inicialmente pudiera parecer, sino, por el contrario y tal y como hemos visto, muchos más, por lo que para concretar, con exactitud y precisión, la totalidad de los sujetos obligados a la realización y por ende, pago, de tales actuaciones, debe leerse con suma atención el referido artículo 8 de la Ley 8/2013, de 26 de junio, de rehabilitación, regeneración y renovación urbanas, que ahora nos ocupa.

1.2. El surgimiento de la obligación de la realización de obras de rehabilitación, regeneración y renovación urbana, como consecuencia del deber legal de conservación que se impone a todos los propietarios

Habitualmente, todas las personas, menos aquellas más vinculadas de una forma u otra al sector inmobiliario y dentro de este, en particular, al urbanismo, incluso, también algunas, dentro de este último, tienden a creer que los deberes que impone el ordenamiento jurídico a quienes operan en el mismo —y entre estos, en algunas ocasiones, a los futuros propietarios de viviendas (cooperativas) o inmuebles— nacen, únicamente, en las fases iniciales del proceso urbanístico-constructivo, que podemos concretar en el planeamiento y sobre todo, en la gestión urbanística, en definitiva, hasta que la correspondiente edificación ha sido completamente finalizada y posteriormente entregada a su respectivo dueño. En este periodo de tiempo, como digo, se ve con normalidad que los propietarios de terrenos de suelo urbano no consolidado y suelo urbanizable, afectados por el urbanismo, deban ceder obligatoria y gratuitamente un diez por ciento del aprovechamiento urbanístico de sus parcelas, o en el caso de suelo urbano consolidado, que deba cederse, de manera gratuita y

---

contrario es necesaria la intervención de esta última? En el caso de que no pueda mediar en tal reparto la respectiva Administración Pública ¿No podrá hacerlo nunca? ¿Ni aun en el supuesto de que entre ellos no se pongan de acuerdo? Y abundando más en ello ¿A quién se debe dirigir la respectiva Administración Pública? ¿Al propietario, al titular del derecho de uso, o indistintamente a uno u otro? Como puede comprobarse, son muchas las incógnitas que deja sin resolver el legislador y que, presumiblemente, ira solventando la jurisprudencia. Es este sentido, consideramos que bien podría haber profundizado y con ello, aclarado más aspectos el legislador, una vez que decidió, en su momento, dar el paso hacia lo que hoy es la regulación vigente.

obligatoria los terrenos exteriores a las alineaciones señaladas por el planeamiento urbanístico, para destinarlas a calles y espacios públicos, o que deba procederse a la reparcelación de las fincas sitas dentro de un determinado Sector o de una Unidad de Actuación con la consiguiente reducción física de las mismas y en muchos casos, ubicación distinta de su situación primigenia, o que deban hacer frente los futuros propietarios a los pagos de las diversas operaciones que comporta el planeamiento urbanístico, o en fin, muchas otras que podríamos enumerar. Por el contrario y una vez que se termina y entrega la edificación de que en cada caso se trate, la creencia común, tal y como hemos apuntado con anterioridad, es que ya no hay ni existe ningún tipo o clase de deber por parte del propietario o propietarios de aquella, lo que es un craso error y del todo inveraz, tal y como exponemos a continuación.

Efectivamente, todo propietario, con independencia de la edificación de que en cada caso se trate (vivienda, pabellón industrial o agrícola, nave nido, etc.) debe en virtud del deber de conservación, mantenerla de por vida y tras este, sus causahabientes, en perfectas condiciones de seguridad, salubridad y ornato público, requisitos estos, que conforman el referido deber. Por lo que siempre que un propietario observe algún tipo o clase de deficiencia, menoscabo o anomalía en la conservación de su edificación, deberá, con la mayor premura posible, afrontar las obras necesarias para recuperar la situación que garantice bien la seguridad, bien la salubridad, bien el ornato público perdido. De no acometer voluntariamente tales obras el propietario afectado, posibilidad, que, con toda lógica, prevé el ordenamiento jurídico —ya que dicha situación, es fácil que ocurra con cierta asiduidad—, podrá conminarse al mismo para que afronte las obras que resulten pertinentes hasta conseguir que el inmueble recupere la característica o características que nunca debió perder. Tal mandato, que corresponde dictarle, con carácter general, al Ayuntamiento donde se encuentra sito el inmueble en el que se incumple el referido deber de conservación, se concreta en la conocida, a la par que poco aplicada en la práctica —más, ciertamente, en los últimos tiempos, aunque todavía no todo lo que debería y seria deseable—, orden de ejecución (4).

Antes de aludir, siquiera sumariamente, a la orden de ejecución, considero oportuno, señalar, que el deber de conservación, trae causa de la función social de

---

(4) Véase, en relación con las órdenes de ejecución, en su función de conminar al propietario incumplidor del deber de conservación para que lleve a cabo las obras que en su día debió realizar voluntariamente, el trabajo de CORRAL GARCÍA, E., «La orden de ejecución como instrumento del deber de conservación», *El Consultor de los Ayuntamientos y de los Juzgados*, n.º 15, 2001, pág. 2539 y ss. En este mismo sentido resulta también sumamente instructivo el trabajo de ALONSO CONCELLÓN, I., «El deber de conservación y su materialización en las órdenes de ejecución», El *Consultor de los Ayuntamientos y de los Juzgados*, n.º 19, 2002, pág. 3171 y ss. Por último y entre los muchos trabajos que versan sobre el particular, me remito, por aludir el mismo a una faceta poco conocida de las órdenes de ejecución, pero, no por ello, menos importante, cual es la procedimental, al trabajo de CORELLA MONEDERO, J.M., «La orden de ejecución como instrumento para exigir el deber de conservación. Procedimiento», *El Consultor de los Ayuntamientos y de los Juzgados*, n.º 13, 2003, pág. 2335 y ss.

la propiedad. Es más, en esta última, encuentra su base y fundamento aquel y consecuentemente, por mor de este último, la órdenes de ejecución. Parece evidente que el deber de conservación se incardina por su propia naturaleza, concepción y esencia dentro de los deberes que acompañan a la propiedad de manera aneja e indisoluble. De hecho, debemos llamar la atención sobre un hecho indubitado sobre el que pocas veces se repara, cual es, que la propiedad, no solo autoriza y comporta beneficios, e incluso, amplia la esfera de nuestros derechos, sino también y como contrapartida lógica de aquellos, establece obligaciones y deberes que deben cumplirse y acatarse. Por ello, hay que tener muy presente, que si bien el constituyente reconoce en el artículo 33 de nuestra Carta Magna el derecho a la propiedad privada, el mismo, limita su extensión y efectos cuando esta entra en conflicto con la función social, la cual, hemos de precisar, es inherente a aquella. En virtud de todo ello, no cabe, por tanto, concebir la propiedad desde un punto de vista meramente individualista, debiendo concebirla desde una óptica social y colectiva, en la que aquella no solo puede y debe reportar beneficios a su propietario, sino también y en la misma medida, a toda la comunidad. En este contexto, es lógico que se exija a todo propietario el que mantenga su bien inmueble en perfectas condiciones de seguridad, salubridad y ornato público, al considerase que tal obligación, lo que no deja de ser cierto, beneficia a toda la sociedad.

Volviendo nuevamente a las órdenes de ejecución (5), habida cuenta de la importancia —ya lo veremos a continuación— que en relación con la rehabilitación, regeneración y renovación urbanas tienen, debemos aseverar, que con la asunción de competencias en materia de urbanismo por parte de las Comunidades Autónomas, quiebra, en gran medida —sino en toda—, la finalidad primigenia de las mismas, a la sazón, conminar a todo propietario incumplidor del deber de conservación (seguridad, salubridad y ornato público) a su cumplimiento. Efectivamente, las Comunidades Autónomas han ido, por lo general, sin prisa pero sin pausa, incrementando desmesuradamente el contenido del deber de conservación, para pasar así, de sus tradicionales contenidos de seguridad, salubridad y ornato público, a otro u otros realmente desconocidos hasta hace bien poco, como por ejemplo y sin ánimo de exhaustividad, la conservación del medio ambiente, la adaptación al entorno, la rehabilitación o mejoras en los edificios y así hasta incluir dentro de aquel el cumplimiento de los deberes urbanísticos (¡¡¡de todos!!!), de modo y manera, que hoy en día y en virtud de tales premisas, lo mismo puede dictarse una orden de ejecución sobre rehabilitación de un edificio, que sobre el todo o la parte de una actuación de regeneración o renovación urbana etc. Con ello, queremos llamar la

---

(5)   La mayoría de las normas urbanísticas autonómicas contemplan cuatro vías de ejecución forzosa de la orden de ejecución, cuando esta, no es cumplida por el propietario de modo voluntario, a saber: La imposición de multas coercitivas; la ejecución subsidiaria; la ejecución por sustitución y finalmente, la expropiación. De estas cuatro alternativas, las dos últimas son, a nuestro particular modo de ver, claramente prescindibles. De hecho y ello es ya harto significativo, en la práctica, son, con diferencia, las menos utilizadas.

atención sobre el hecho de que en algunas Comunidades Autónomas —afortunadamente, no en todas— las actuaciones de rehabilitación, regeneración y renovación urbanas, pueden considerarse insitas dentro del deber de conservación y por tanto, que los sujetos afectados por las mismas tienen la obligación de llevarlas a cabo, no sólo ya por establecerlo el artículo 8 de la vigente Ley 8/2013, de 26 de julio, de rehabilitación, regeneración y renovación urbanas, sino por exigirlo, igualmente, dicho deber de conservación. Ello de ser así posibilitaría, al menos sobre el papel, que ante la negativa o incumplimiento de tal deber (asumir las obras de rehabilitación, regeneración o renovación urbana) por cualquier propietario, pudiese el respectivo Ayuntamiento dictar una orden de ejecución contra aquel o aquellos, para conminarles a su cumplimiento.

No obstante y con independencia de todo lo dicho, para que el deber de conservación sea una realidad y con él, el artículo 8 de la Ley 8/2013, de 26 de junio, de rehabilitación, regeneración y renovación urbanas, en la parte que tiene que ver con tal deber, todo Ayuntamiento debe contar, con el suficiente personal, no solo para poder llevar a cabo la vigilancia, el control y las respectivas inspecciones, sino también y una vez detectado el incumplimiento, o en su caso, infracción del ordenamiento jurídico, para proceder a la correcta y completa tramitación de los oportunos expedientes. De la misma forma, deben contar todos y cada uno de los Ayuntamientos, con los suficientes medios materiales y económicos para poder afrontar tal misión, la cual, por otro lado, dista mucho de ser fácil o sencilla. Lo que, en cualquier caso, resulta indudable, es que sin dichos medios (humanos, materiales y económicos) de nada sirve lo que en un sentido o de una forma u otra contemple el legislador. En este contexto y para terminar, consideramos que resultan imprescindibles de cara a la rehabilitación, regeneración y renovación urbanas, la actual Inspección Técnica de Construcciones y el informe de evaluación de los edificios a que alude el artículo 4 de la vigente Ley 8/2013, de 26 de junio, de rehabilitación, regeneración y renovación urbanas, si bien, tales instrumentos, medios o técnicas que contempla el ordenamiento jurídico, de poco o nada servirán, al igual que otros tantos concebidos con parecida o análoga finalidad, sino cuentan con el suficiente personal, medios materiales y dotación económica, ya que de no darse la conjunción de tales recursos, nunca lograran pasar tales actuaciones, de ser buenas ideas y planteamientos, a lo que verdaderamente interesa e importa, a saber, a su efectiva y real aplicación práctica.

1.3. La expansión y clarificación de la obligación de realizar obras de rehabilitación, regeneración y renovación urbana por determinados sujetos: el Real Decreto-Ley 8/2011, de 1 de julio

Traemos a colación en el presente apartado el Real Decreto-Ley 8/2011, de 1 de julio, de medidas de apoyo a los deudores hipotecarios, de control del gasto público y cancelación de deudas con empresas y autónomas contraídas por las Entidades Locales, de fomento de la actividad empresarial e impulso de la rehabilitación y de simplificación administrativa, para dejar, constancia, únicamente ahora, de que el contenido del artículo 8 de la recientísima Ley 8/2013, de 26 de junio, de rehabilitación, regeneración y renovación urbanas, no supone o comporta novedad alguna más allá de recoger los últimos cambios habidos sobre el particular, dado que en las letras a) y b) del apartado segundo del artículo 18 («*Realización de las actuaciones de conservación, mejora y regeneración*») del referido Real Decreto-Ley (6), se regula, prácticamente, lo mismo, que establece el legislador en las letras a) y b) del vigente artículo 8 de la Ley 8/2013, de 26 de junio, de rehabilitación, regeneración y renovación urbanas, con la única salvedad, de que en la primera frase de la letra a) de esta última norma, se añade, respecto de idéntica frase en la letra a) de aquella, y tras establecerse en ambas, que: *'Los propietarios y los titulares de derechos de uso otorgados por ellos, en la proporción acordada en el correspondiente contrato',* lo siguiente: *'…o negocio jurídico que legitime su ocupación'.,* lo que, por otro lado y al margen de tal diferenciación formal, nada sustancial en realidad aporta. Por su parte, más novedoso, se muestra el artículo 8 de la Ley 8/2013, de 26 de junio, en su letra c), ya que a pesar de aludir también a las Administraciones Públicas el apartado tercero del aludido artículo 18 del Real Decreto-Ley 8/2011, de 1 de julio, no lo hace este último, ni mucho menos, en el sentido en el que lo hace aquel, el cual, no se refiere tanto a las obras que deben realizar las Administraciones Públicas por inejecución injustificada de las mismas, sino a los supuestos en que a aquellas les corresponde, legalmente, asumir el coste de las obras, bien de rehabilitación, bien de regeneración, bien de renovación urbana.

---

(6)   El artículo 18, del Real Decreto-Ley 8/2011, de 1 de julio, de medidas de apoyo a los deudores hipotecarios, de control del gasto público y cancelación de deudas con empresas y autónomas contraídas por las Entidades Locales, de fomento de la actividad empresarial e impulso de la rehabilitación y de simplificación administrativa, titulado «*Realización de las actuaciones de conservación, mejora y regeneración*», regula en su apartado segundo, letras a) y b), prácticamente lo mismo que el vigente artículo 8 de la Ley 8/2013, de 26 de junio, de rehabilitación, regeneración y renovación urbana, en sus letras a) y b). A efectos de comprobar tal similitud pasamos a continuación a reproducir el contenido del referido artículo 18.2, el cual establece, sobre el particular, que: «2. En aplicación de lo dispuesto en la Ley de Suelo y en el resto de la normativa aplicable, estarán obligados a la realización de las actuaciones a que se refiere este artículo y hasta dónde alcance el deber legal de conservación, los siguientes sujetos: a) Los propietarios y los titulares de derechos de uso otorgados por ellos, en la proporción acordada en el correspondiente contrato. En ausencia de éste, o cuando no se contenga cláusula alguna relativa a la citada proporción, corresponderá a unos u otros, en función del carácter o no de reparaciones menores que tengan tales deberes, motivadas por el uso diario de instalaciones y servicios. La determinación se realizará de acuerdo con la normativa reguladora de la relación contractual y, en su caso, con las proporciones que figuren en el registro relativas al bien y a sus elementos anexos de uso privativo. b) Las comunidades de propietarios y, en su caso, las agrupaciones de comunidades de propietarios, así como las cooperativas de propietarios, con respecto a los elementos comunes de la construcción, el edificio o complejo inmobiliario en régimen de propiedad horizontal y de los condominios, sin perjuicio del deber de los propietarios de las fincas o elementos separados de uso privativo de contribuir, en los términos de los estatutos de la comunidad o agrupación de comunidades o de la cooperativa, a los gastos en que incurran estas últimas».

Por último y para terminar el presente apartado, señalar que así como el artículo 8 de la Ley 8/2013, de 26 de junio, se refiere en relación con los *«sujetos obligados»* a las obras que estos van a tener que asumir, de rehabilitación, de regeneración, o bien, finalmente, de renovación urbana, el artículo 18 del Real Decreto-Ley 8/2011, de 1 de julio, por el contrario, circunscribe tal obligación y con ella la de los *«sujetos obligados»* a la esfera u órbita de las actuaciones de conservación, mejora y regeneración, que no rehabilitación, dado que esta última es tratada, de manera individualizada, en artículo a parte, concretamente, en el precedente a aquel. Finalmente, manifestar que si en el título del presente apartado hemos hecho alusión a la expansión y clarificación de la obligación de realizar obras de rehabilitación, regeneración y renovación urbanas, lo hemos hecho, con toda la intención, ya que, por un lado, tanto el artículo 18 del Real Decreto-Ley 8/2011, de 1 de julio, como el artículo 8 de la Ley 8/2013, de 26 de junio, proceden a expandir los sujetos que hasta entonces se tenían como únicamente responsables (propietarios, comunidades de propietarios y Administraciones Públicas) y por otro lado, proceden a clarificar, no todas, pero sí algunas de las cuestiones más importantes que, fundamentalmente, por la doctrina, se venían planteando desde hacía tiempo y estaban sin resolver.

1.4. Sujetos obligados a la realización de obras de rehabilitación, regeneración y renovación urbana, *versus* sujetos con iniciativa para proponer o legitimados para participar en su ejecución

El legislador de la Ley 8/2013, de 26 de junio, de rehabilitación, regeneración y renovación urbanas, alude a lo largo y ancho de la misma, a tres tipos o clases de sujetos. En primer lugar, a los *«sujetos obligados»*, lo que hace en el artículo 8, que son los que ahora venimos estudiando; en segundo lugar, a los sujetos que cuentan con iniciativa para proponer la ordenación de las actuaciones de rehabilitación, regeneración y renovación urbanas, que contempla en el artículo 9 y en tercer lugar y por último, a los sujetos legitimados para participar en la ejecución de tales actuaciones, que regula en el artículo 15 de la Ley. Estos sujetos a que alude el legislador en los artículos 8, 9 y 15, son susceptibles, a su vez, de poderse dividir en dos grandes grupos: uno, en el que se encontrarían los sujetos pasivos, en el sentido de que el legislador únicamente les reconoce la obligación de asumir el coste de las obras que de rehabilitación, regeneración y renovación urbana, haya que llevar a cabo, los cuales no serían otros que los del artículo 8 de la Ley, y otro segundo, en el que se encontrarían, por contraposición a aquellos, los sujetos activos, dado que el legislador les otorga, bien capacidad para iniciar o promover obras de rehabilitación, regeneración y renovación urbanas, o bien, directamente, la facultad de participar en la ejecución de las mismas (7). Nótese, que dentro de

---

(7) Debemos subrayar, que al igual que ocurre con los denominados por el legislador *«sujetos obligados»* del artículo 8 de la Ley 8/2013, de 26 de junio, de rehabilitación, regeneración

este último grupo se podría llevar a cabo una graduación, ya que no es lo mismo, el contar, únicamente, con capacidad para iniciar o promover tales actuaciones, que el poder afrontar la realización de las mismas, lo que nos permitiría hablar, en el primer caso, de una subcategoría y en el segundo caso, de otra subcategoría.

Pese a haber hecho tal categorización entre las diversas clases o tipos de sujetos que contempla el legislador dentro de la Ley 8/2013, de 26 de junio, de rehabilitación, regeneración y renovación urbanas, la cual, amén de ser sistemática y metodológicamente correcta, sirve desde un punto de vista teórico para distinguir, más nítidamente, las funciones que a unos y otros confiere el legislador, queda la misma en la práctica un tanto desleída, ya que si comparamos con detenimiento los artículos 8, 9 y 15 de dicha Ley, observamos como en realidad los sujetos obligados a afrontar el coste de las obras que, en su caso, deban hacerse, bien de rehabilitación, bien de regeneración, bien de renovación urbana, son, prácticamente los mismos, que aquellos que a su vez el legislador les reconoce capacidad para llevar a cabo la iniciativa y promoción de tales actuaciones y una vez que las mismas echen a andar, legitima para participar en la ejecución de las mismas, lo que, por otro lado, no deja de ser lógico si nos fijamos en los sujetos que a tales efectos contempla el legislador.

Por último y para dar por finalizado el apartado que ahora nos ocupa, quiero igualmente llamar la atención sobre otro aspecto que pasa totalmente desapercibido dentro del artículo 8 de la Ley 8/2013, de 26 de junio, de rehabilitación, regeneración y renovación urbanas, pero que considero tiene una considerable transcendencia, por lo que a continuación paso a exponer el mismo. Si nos fijamos en el párrafo primero del artículo 8 vemos como en él, el legislador establece que: *«La realización de las obras comprendidas en las actuaciones a que se refiere el artículo anterior corresponde, además de a aquellos sujetos a los que la legislación de ordenación territorial y urbanística atribuya dicha obligación, a los siguientes:»*, para, a continuación, pasar a describir en letras a), b) y c) que conforman dicho artículo, a tales sujetos. Una lectura un tanto precipitada de dicho párrafo, sin pensar ni reflexionar sobre su verdadero y real contenido, podría hacer pensar a cualquiera y en este sentido afirmar, incluso con rotundidad, que los sujetos a que tal párrafo alude son los descritos en las letras a), b) y c), cuando ello, *strictu sensu*, no es cierto, ya que el legislador señala que la realización de las obras comprendidas en las actuaciones a que se refiere el artículo anterior, que es tanto como decir, de

---

y renovación urbanas, los sujetos legitimados para participar en las actuaciones que se contemplan en el artículo 15 de idéntica norma, tienen, también, un claro y evidente precedente en el artículo 19 del Real Decreto-Ley 8/2011, de 1 de julio, de medidas de apoyo a los deudores hipotecarios, de control del gasto público y cancelación de deudas con empresas y autónomas contraídas por las Entidades Locales, de fomento de la actividad empresarial e impulso de la rehabilitación y de simplificación administrativa, titulado *«Sujetos legitimados para participar en las actuaciones de rehabilitación»*, que le resta a aquel (artículo 15), obviamente, toda novedad.

rehabilitación, regeneración y renovación urbanas, corresponde, y he aquí la clave, «...*además de a aquellos sujetos a los que la legislación de ordenación territorial y urbanística atribuya dicha obligación, a los siguientes*», de lo que se infiere, sin lugar a dudas de ningún tipo, que la relación de sujetos que nos da el legislador en el artículo 8 de la Ley 8/2013, de 26 de junio, de rehabilitación, regeneración y renovación urbanas, forman parte de un listado de *numerus apertus* y por el contrario de *numerus clausus*, dado que junto con ellos, podrá también exigirse idéntica obligación (realizar y asumir las obras de rehabilitación, regeneración y renovación urbana) y por ende, ser considerados, igualmente, «*sujetos obligados*» a todos aquellos a los que «...*la legislación de ordenación territorial y urbanística atribuya dicha obligación...*», por lo que habrá que tener muy presente la legislación territorial y urbanística de cada Comunidad Autónoma, fundamentalmente —que no exclusivamente—, para poder concretar perfectamente dicho listado y evitar con ello, cerrarle en falso.

2. LOS PROPIETARIOS Y TITULARES DE DERECHOS DE USO OTORGADOS POR ELLOS, COMO SUJETOS OBLIGADOS A AFRONTAR EL PAGO DE LAS OBRAS DE REHABILITACIÓN, REGENERACIÓN Y RENOVACIÓN URBANA QUE, EN SU CASO, PROCEDAN

Lo primero de todo sobre lo que debemos incidir, ya que hemos tenido oportunidad de comentarlo con anterioridad, es que el contenido de la letra a) del artículo 8 de la vigente Ley 8/2013, de 26 de junio, de rehabilitación, regeneración y renovación urbanas, más allá de la breve frase que introduce («...*o negocio jurídico que legitime su ocupación*».) no supone o comporta novedad alguna, al ser la totalidad de lo contemplado en la misma, regulado por el Real Decreto-ley 8/2011, de 1 de julio, de medidas de apoyo a los deudores hipotecarios, de control del gasto público y cancelación de deudas con empresas y autónomos contraídas por las entidades locales, de fomento de la actividad empresarial e impulso de la rehabilitación y de simplificación administrativa. Esta norma, que entró en vigor, el día 7 de julio de 2011, consagra, en la letra a) del apartado segundo de su artículo 18, la obligación que en su caso puede exigirse a los titulares de derechos de uso otorgados por los propietarios, junto con la que, por supuesto, tienen estos últimos, a la hora de afrontar el pago de las actuaciones de conservación, mejora y regeneración, que en el vigente artículo 8, a diferencia de aquel, matizamos, se concretan en las consabidas rehabilitación, regeneración y renovación urbana. En este sentido, el referido Real Decreto-ley 8/2011, de 1 de julio, viene a dar cierta luz a las dudas que, sobre todo entre la doctrina, existían sobre la responsabilidad o no que tenía y en virtud de ello, podía serle exigida al arrendatario en relación con tal tipo de actuaciones. Hemos señalado anteriormente, con toda intención, que dicho Real Decreto-Ley introduce en la letra a) del apartado segundo de su artículo 18 cierta claridad («...*viene a dar cierta luz...*») y no toda, dado que pudiendo haber aclarado la situación de todos los poseedores u ocupantes de edificios o construcciones, al margen de si la posesión está amparada en alguna cesión del titular o no, únicamente, se circunscribe, como ya sabemos, a los titulares de derechos de uso otorgados por los propietarios.

Hechas tales precisiones y pasando a analizar con cierto detalle la letra a) del referido artículo 8 de la Ley 8/2013, de 26 de junio, de rehabilitación, regeneración y renovación urbanas, resulta evidente que el mismo amplía la obligación a los titulares de derechos de uso otorgados por los propietarios. Es necesario incidir en este matiz, pues la obligación no la extiende el legislador a cualquier usuario, sino, única y exclusivamente, a aquellos que gozan de tal beneficio al amparo de un derecho cedido. En virtud de ello, podría corresponder la realización de las obras de rehabilitación, regeneración y renovación urbana, en su caso, a un arrendatario, pero en ningún caso y bajo ningún concepto a los meros precaristas, dado que el uso que estos últimos realizan del respectivo bien y aunque sea idéntico del que lleva a cabo un arrendatario, no tiene su origen en una concesión por parte del propietario. Pero la letra a) del artículo 8 de la Ley 8/2013, de 26 de junio, de rehabilitación, regeneración y renovación urbanas, no solo fija la obligación de los titulares de derechos de uso otorgados por los propietarios, sino, además, la proporción en que a cada uno le corresponde afrontar, en su caso, el pago de las obras provenientes, bien de la rehabilitación, bien de la regeneración, bien, finalmente, de la renovación urbana. Para determinar dicha proporción habrá de estarse a lo estipulado entre las partes (propietario y titular del derecho de uso) en el contrato privado, o negocio jurídico, que legitima y da carta de naturaleza a tal ocupación. El problema surge, en ausencia de dicho contrato o negocio jurídico, o bien, cuando existiendo uno u otro, no se estipule en cláusula alguna, la citada proporción. De darse esta situación, se complica, lógicamente, la determinación de a quien corresponde sufragar las obras derivadas de la rehabilitación, regeneración y renovación urbanas, hasta el punto de que el legislador abandona el criterio de proporción, entre propietarios y titulares de derechos de uso, seguido hasta el momento, consciente, de la imposibilidad de su aplicación, para pasar a precisar, únicamente, si corresponde al primero o al segundo de aquellos. A tal efecto, establece un criterio, evidentemente, más subjetivo, en virtud del cual, corresponderá la asunción de las respectivas obras a los titulares de derechos de uso si las mismas tienen el carácter de reparaciones menores motivadas por el uso diario de la vivienda, sus instalaciones y servicios, y por el contrario, al propietario o propietarios, en el caso de que aquellas no tengan el carácter de reparaciones menores, siendo por tanto reparaciones mayores, o bien, siendo reparaciones menores, no procedan o resulten motivadas por el uso diario de la vivienda, sus instalaciones y servicios. Ahora bien, la dificultad estriba no tanto en precisar que son reparaciones u obras menores y mayores, dado que tal distinción viene perfectamente establecida y por tanto, reglada, en las diversas normativas municipales que resultan de aplicación, sino en deslindar cuándo se entiende que una reparación menor viene motivada o no por el uso de la vivienda, sus instalaciones y servicios, lo que, como hemos apuntado, es enormemente subjetivo en su apreciación y concreción.

Termina por último el legislador la letra a) del artículo 8 de la Ley 8/2013, de 26 de junio, de rehabilitación, regeneración y renovación urbanas, señalando, un tanto de manera ambigua, que: *'la determinación se realizará de acuerdo con la normativa reguladora de la relación contractual y, en su caso, con las proporciones que figuren en el Registro de la Propiedad, relativas al bien y a sus elementos anexos de uso privativo'.* No queda claro a qué se refiere el legislador cuando alude a «*… la determinación…*» ¿La determinación de qué? ¿De las obras que tiene o no el carácter de reparaciones menores motivadas por el uso diario de la vivienda, sus instalaciones y servicios? ¿De las obras que corresponde acometer, bien al propietario, bien al titular de un derecho de uso otorgado por aquel? Ciertamente, nos plantea muchas incógnitas dicha redacción. No obstante, analizado dicho párrafo con detenimiento y puesto en relación con el contexto dentro del cual se encuentra, consideramos, finalmente, que el legislador con tal «*…determinación…*» se quiere referir, en concreto, a quién, ya sea propietario o titular de un derecho de uso, corresponde acometer las obras de rehabilitación, regeneración y renovación urbana, que en cada caso proceda. A tal efecto, nos remite el legislador, en primer lugar, a la normativa reguladora de la relación contractual, por si en ella se pudiera decir algo sobre el particular, lo que, en principio, no es habitual y en segundo lugar, al Registro de la Propiedad (8), pues en este último podemos encontrar algunas de las respuestas que buscamos, como por ejemplo, si el bien y sus elementos anexos de uso privativo son de un solo propietario, o por el contrario, de varios, y en este último caso, cuál es la proporción que corresponde a cada uno de ellos, pues la misma resultará esencial a hora de repartir las obras a realizar, o en su caso, el devengo que generen las mismas (9). No obstante, consideramos, que tanto la normativa reguladora de la relación contractual, como el Registro de la Propiedad, resultan más prácticos, sobre todo este último, en relación con los propietarios, que en relación con los titulares de derechos de uso, por lo que en relación con estos últimos y salvo alguna que otra honrosa excepción, poco o nada nos van a aportar.

---

(8)   El Registro de la Propiedad tiene una importancia vital en el sector inmobiliario y dentro de este, de manera destacada, en el ámbito urbanístico. No se comprenden muchas de las operaciones que a diario y en uno y otro sentido se realizan en él, sin la existencia de aquel. Esta importancia y transcendencia se manifiesta de manera meridiana en el trabajo de GÓMEZ GÁLLIGO, F. J., «El Urbanismo y el Registro de la Propiedad», *Práctica urbanística*, n.º 82, 2009, pág. 23 y ss.

(9)   El Registro de la Propiedad, es, sin lugar a dudas, una herramienta valiosa para poder dilucidar determinadas cuestiones relativas a la propiedad y entre otras, la concerniente al deber de conservación que es inherente a aquella. No debe, por tanto, extrañarnos nada que el legislador de la Ley 8/2013, de 26 de junio, de rehabilitación, regeneración y renovación urbanas, se remita al mismo para tratar de esclarecer a quién corresponde, y en qué medida, hacer frente a las obras que en cada caso deban realizarse. Véase en este sentido, aun circunscrito a la Comunidad Valenciana, el trabajo de ADÁN GARCÍA, M.E., «El deber de conservación en la propiedad inmobiliaria urbana valenciana y el registro de la propiedad», *Revista Jurídica de la Comunidad Valenciana*, n.º 6, 2003, pág. 115 y ss.

3. LAS COMUNIDADES DE PROPIETARIOS, AGRUPACIONES DE CO-MUNIDADES DE PROPIETARIOS Y COOPERATIVAS DE VIVIENDAS, SUJETOS OBLIGADOS A COSTEAR LAS OBRAS DE REHABILITA-CIÓN, REGENERACIÓN Y RENOVACIÓN URBANA QUE RESULTEN NECESARIAS RESPECTO DE LOS ELEMENTOS COMUNES DE LA CONSTRUCCIÓN

El segundo, más que sujeto, grupo de sujetos, que contempla el legislador en la letra b) del artículo 8 de la Ley 8/2013, de 26 de junio, de rehabilitación, regeneración y renovación urbanas, como obligados a realizar tales actuaciones de resultar procedentes las mismas, son, las comunidades de propietarios, las agrupaciones de comunidades de propietarios y las cooperativas de viviendas, si bien, las mismas, lógicamente, solo en lo tocante a los elementos comunes de la respectiva o respectivas construcciones que resulten afectadas (10). No obstante, tal regulación, al igual que la contemplada en la letra a) de idéntico artículo, no resulta novedosa, dado que la misma es regulada, en idénticos términos, en la letra b) del apartado segundo del Real Decreto-ley 8/2011, de 1 de julio, de medidas de apoyo a los deudores hipotecarios, de control del gasto público y cancelación de deudas con empresas y autónomos contraídas por las entidades locales, de fomento de la actividad empresarial e impulso de la rehabilitación y de simplificación administrativa. En cualquier caso, tanto la regulación llevada a cabo entonces, como la que en la actualidad recoge el legislador, la cual, como ya hemos apuntado, no es sino una copia, remedo o trasunto de aquella, vienen a asentar, a nuestro modo de ver, la obligación de conservar —en el sentido más amplio del término (rehabilitar, regenerar, renovar, etc.)—, que tienen tanto las comunidades de propietarios, como las agrupaciones de estas últimas, así como las cooperativas de viviendas respecto de los elementos comunes de las mismas. Elementos comunes, que, por si hubiera alguna duda al respecto y para tratar de despejar la misma, se encarga de concretar el legislador, entendemos, que sin ánimo de exhaustividad y por tanto, con una finalidad meramente indicativa, lo que deja las puertas abiertas a que junto aquellos, como parece lo lógico, pue-da haber más. En particular, el legislador, en relación con las comunidades de propietarios, agrupaciones de comunidades de propietarios y cooperativas de vi-viendas, concreta los mismos, en: «...*los elementos comunes de la construcción,*

---

(10) Es, por todos, conocido, que las Comunidades de propietarios, agrupaciones de comunidades de propietarios y las cooperativas de viviendas, de tener que llevar a cabo obras —que en el caso particular que nos ocupa, serán, bien de rehabilitación, bien de regeneración, bien de renovación urbana—, les corresponde afrontar las relativas a los denominados elementos comunes de la construcción, el edificio o complejo inmobiliario en régimen de propiedad horizontal. Pese a ello y a venir establecido tal deber desde la Ley 49/1960, de 21 de julio, sobre Propiedad Horizontal, juzga oportuno el legislador incluirlo en la letra b) del artículo 8 de la Ley 8/2013, de 26 de junio, de rehabilitación, regeneración y renovación urbanas, para que nadie pueda albergar la más mínima duda al respecto. Véase en este sentido, Prats Albentosa, L., «El deber de conservación de los elementos comunes de la propiedad horizontal», en *Homenaje a Luis Rojo Ajuria: Escritos jurídicos*, Universidad de Cantabria, Santander, 2003, pág. 487 y ss.

el edificio o complejo inmobiliario en régimen de propiedad horizontal y de los condominios...» (11).

Por último y para rematar la regulación de la letra b) del artículo 8 de la Ley 8/2013, de 26 de junio, de rehabilitación, regeneración y renovación urbanas, establece el legislador, e igualmente, con una finalidad eminentemente aclaratoria, que sin perjuicio de que a las comunidades de propietarios, agrupaciones de comunidades de propietarios y cooperativas de viviendas les corresponda la obligación de afrontar la realización de las obras derivadas de alguna de dichas actuaciones en los elementos comunes de las mismas, corresponde a *«...los propietarios de las fincas o elementos separados de uso privativo de contribuir, en los términos de los estatutos de la comunidad o agrupación de comunidades o de la cooperativa, a los gastos en que incurran estas últimas»*, lo que, por otro lado, es del todo sabido, pero aun así, considero que establece el legislador, para dejar constancia de que, en último extremo, corresponde afrontar el pago de las respectivas obras, caso de no poder hacer frente a las mismas las comunidades de propietarios, agrupaciones de comunidades de propietarios y cooperativas de viviendas, a los propietarios que integran y conforman estas, en proporción a las cuotas que les atribuyen los respectivos Estatutos (12).

---

(11) En relación con los elementos comunes, debemos señalar, que los mismos no son inalterables, ni mucho menos, y del mismo modo, que tienen una problemática más compleja de lo que a primera vista pudiera parecer. En este sentido y como mera muestra de ello, me remito a los trabajos de Macías Castillo, A., «Alteración de elementos comunes de un inmueble en régimen de propiedad horizontal», *Actualidad Civil*, n.º 1, 2009, pág. 113 y ss. Y (del mismo autor) «Carácter de elemento común del subsuelo sobre el que se encuentra construido el edificio en régimen de propiedad horizontal», *Actualidad Civil*, n.º 2, 2012, pág. 235 y ss.

(12) En relación con la regulación que de los deberes y responsabilidades de las comunidades de propietarios lleva a cabo la Ley 8/2013, de 26 de junio, de rehabilitación, regeneración y renovación urbanas, y por extensión de aquellas, de las agrupaciones de comunidades de propietarios y cooperativas de viviendas, no podemos por menos de ser sumamente críticos y ello, por varios motivos. En primer lugar, como ya hemos tenido oportunidad de apuntar tanto en el texto *ut supra*, como en nota a pie de página, porque el legislador nada nuevo nos dice que no supiésemos. Lo que dice es, lisa y llanamente, de perogrullo. En segundo lugar, por lo escueto y sucinto de su contenido, lo que ha supuesto perder una muy buena oportunidad para poder haber concretado determinados aspectos, en relación con tales sujetos, sobre los que existen ciertas dudas e incertidumbres, que muy bien podría haber despejado. En tercer y último lugar y a nuestro modo de ver, lo más grave de todo —aunque, al final, las tres críticas expuestas, están interrelacionadas—, es que el legislador de la Ley 8/2013, de 26 de junio, de rehabilitación, regeneración y renovación urbanas, ha derogado en la Disposición derogatoria única, y dentro de esta, en particular, en su disposición quinta, literalmente: *«Los artículos 107, 108, 109, 110 y 111 de la Ley 2/2011, de 4 de marzo, de Economía Sostenible».* Ello, en si mismo, matizamos, no es grave, pero sí que lo es y mucho, si tenemos en cuenta que el artículo 111 de dicha Ley, titulado *«Obras e instalaciones necesarias para la mejora de la calidad y sostenibilidad del medio urbano»*, contemplaba de manera muy minuciosa —cosa que en la vigente regulación, brilla por su ausencia—, las obligaciones y responsabilidades de las comunidades de propietarios, lo que, ciertamente, nos deja una amarga sensación de vacío, que no entendemos como el legislador la ha consentido. Sobre el tratamiento que en la Ley 2/2011, de 4 de marzo, de Economía Sostenible, se daba a las comunidades de propietarios, mucho mas minucioso y detallado que el presente, me remito por entero a García-Moreno Rodríguez, F., «La rehabilitación y la renovación urbana...»., *op, cit.*, pág 565 y ss.

4. LAS ADMINISTRACIONES PÚBLICAS, SUJETOS OBLIGADOS, EN SUPUESTOS TASADOS, AL PAGO DE LAS OBRAS PROCEDENTES BIEN DE LA REHABILITACIÓN, BIEN DE LA REGENERACIÓN, BIEN DE LA RENOVACIÓN URBANA

Termina el artículo 8 de la Ley 8/2013, de 26 de junio, estableciendo en su letra c) y última del mismo, que otros sujetos obligados a realizar las obras de rehabilitación, regeneración y renovación urbana que en su caso procedan y se juzgue conveniente acometer, son las Administraciones Públicas, si bien, se cuida el legislador, tal y como reza el título del presente epígrafe, de tasar o limitar dicha obligación a supuestos concretos. Así, se establece sobre el particular, que las Administraciones Públicas quedan obligadas a realizar las obras de rehabilitación, regeneración o renovación urbana de que en cada caso se trate, o bien varias de ellas «...*cuando afecten a elementos propios de la urbanización y no exista el deber legal para los propietarios de asumir su coste, o cuando estas financien parte de la operación con fondos públicos, en los supuestos de ejecución subsidiaria a costa de los obligados*». Pues bien, tal redacción nos obliga a hacer una serie de comentarios al respecto. En primer lugar, que aunque el legislador lo omita —no sabemos si consciente o inconscientemente, aunque a los efectos que ahora nos interesan, es lo de menos— las Administraciones Públicas tendrán siempre la consideración de sujetos obligados y por tanto, el deber de realizar las obras derivadas de alguna o algunas de las actuaciones a que nos venimos refiriendo, en el caso de ser propietarias de algún inmueble. En este sentido, les es de aplicación, lo establecido por el legislador en la letra a) del artículo 8. En segundo lugar, que del mismo modo, consideramos que las mismas no sólo serán sujetos obligados cuando concurra en ellas la condición de propietarias, sino, también, la de titulares de derechos de uso otorgados por los respectivos propietarios, ya que no encontramos ningún obstáculo que impida la aplicación de tal imposición, contemplada en la letra a) del referido artículo 8, a aquellas. En tercer lugar, que parece del todo lógico que deban asumir las Administraciones Públicas las obras de los «...*elementos propios de la urbanización y no exista el deber legal por los propietarios de asumir su coste*», dado que se alude a los elementos propios de la urbanización, los cuales, en general, y salvo algún caso aislado, en cualquier caso, excepcional, se encuentran, tras haber sido debidamente recepcionados por la Administración Pública competente —por lo general, la municipal— bajo el cuidado de esta, dentro del cual, entran, ni que decir tiene, las diversas obras que en cada momento proceda hacer. En algunos supuestos y pese a estar hablando de urbanizaciones ya recepcionadas por los respectivos Ayuntamientos, procede el pago de las obras que en ellas hayan de acometerse, por los propietarios limítrofes de las mismas, siempre que, por ejemplo y entre otros supuestos, las mismas les beneficien significativa y directamente en sus propiedades particulares, lo que se llevará a efecto a través de las contribuciones especiales, si bien, estas últimas, brillan en la práctica por su ausencia. En cualquier caso, este tipo de supuestos que acabamos de describir serán la excepción que confirme la regla a que con anterioridad nos hemos referido. En cuarto lugar, establece el legislador que, asimismo, corresponde a las Administraciones Públicas afrontar las obras que en su caso procedan y resulten necesarias, cuando las mismas «*...financien parte de la operación con fondos públicos...»*., lo que, en principio, puede hacernos pensar en muchos supuestos que no acaban de parecernos lógicos, como, por ejemplo, cuando alguna Administración Pública concede una subvención a una Comunidad de Propietarios para contribuir en la realización de algún tipo o clase de obra que esta última debe acometer, motivo por el cual, el legislador focaliza tal financiación «*...en los supuestos de ejecución subsidiaria...»*, es decir, en aquellos supuestos en que, en puridad, el sujeto o sujetos obligados a la realización de las respectivas obras no son las Administraciones Públicas sino terceros, los cuales, al no cumplir voluntariamente con la obligación que les es propia, procede la Administración Pública de que en cada caso se trate, a realizar las obras que correspondería a aquellos en sustitución de los mismos. En quinto y último lugar, debemos señalar, que las obras que realizan las Administraciones Públicas en los supuestos de ejecución subsidiaria, en realidad no se hacen en las mismas condiciones y términos que en otros supuestos donde vienen obligadas a ello directamente, dado que en aquellas la realización de tales obras, como expresamente se encarga de matizar el propio legislador se llevan a cabo «*...a costa de los obligados»*, los cuales, finalmente, deberán pagar a la correspondiente Administración Pública, no sólo el coste de las mismas, sino, también, todos aquellos perjuicios, menoscabos o daños que tal ejecución subsidiaria haya podido irrogar a esta.

CAPÍTULO II

Ordenación y gestión

Artículo 9. La iniciativa en la ordenación de las actuaciones.

1. La iniciativa para proponer la ordenación de las actuaciones de rehabilitación edificatoria y las de regeneración y renovación urbanas, podrá partir de las Administraciones Públicas, las entidades públicas adscritas o dependientes de las mismas y los propietarios. En concreto, estarán legitimados para ello las comunidades y agrupaciones de comunidades de propietarios, las cooperativas de vivienda construidas al efecto, los propietarios de terrenos, construcciones, edificaciones y fincas urbanas, los titulares de derechos reales o de aprovechamiento, y las empresas, entidades o sociedades que intervengan en nombre de cualesquiera de los sujetos anteriores.

2. Las Administraciones Públicas adoptarán medidas que aseguren la realización de las obras de conservación, y la ejecución que sean precisas y, en su caso, formularán y ejecutarán los instrumentos que las establezcan, cuando existan situaciones de insuficiencia o degradación de los requisitos básicos de funcionalidad, seguridad y habitabilidad de las edificaciones; obsolescencia o vulnerabilidad de barrios, de ámbitos, o de conjuntos urbanos homogéneos; o situaciones graves de pobreza energética. Serán prioritarias, en tales casos, las medidas que procedan para eliminar situaciones de infravivienda, para garantizar la seguridad, salubridad, habitabilidad y accesibilidad universal y un uso racional de la energía, así como aquellas que, con tales objetivos, partan bien de la iniciativa de los propios particulares incluidos en el ámbito, bien de una amplia participación de los mismos en ella.

CONCORDANCIAS

— Artículos 31, 37 y 38 del Real Decreto 233/2013, de 5 de abril, por el que se regula el Plan Estatal de fomento del alquiler de viviendas, la rehabilitación edificatoria, y la regeneración y la renovación urbanas, 2013-2016.

— Artículos 18 y 19 del Real Decreto-Ley 8/2011, de 1 de julio, de medidas de apoyo a los deudores hipotecarios, de control del gasto público y cancelación de dudas con empresas y autónomos contraídas por las entidades locales, de fomento de la actividad empresarial e impulso de la rehabilitación y de simplificación administrativa.

— Artículos 110 y 111 de la Ley 2/2011, de 4 de marzo, de Economía Sostenible.

— Artículo 6 del Real Decreto Legislativo 2/2008, de 20 de junio, por el que se aprueba el Texto Refundido de la Ley de Suelo.

JURISPRUDENCIA

— Sentencia del Tribunal Superior de Justicia de Madrid (Sala de lo Contencioso-Administrativo, Sección 2.ª) de 24 de mayo de 2012.

— Sentencia del Tribunal Superior de Justicia de Cataluña (Sala de lo Contencioso-Administrativo, Sección 3.ª) de 25 de junio de 2008.

COMENTARIO (1)

SUJETOS COMPETENTES PARA PROPONER LA ORDENACIÓN DE LAS ACTUACIONES DE REHABILITACIÓN, REGENERACIÓN Y RENOVACIÓN URBANAS

Sumario

1. Un artículo engañoso en su denominación, al ir más allá de la mera iniciativa en la ordenación de las actuaciones que predica
2. Novedosa regulación individualizada que respecto de la legislación precedente lleva a cabo el legislador de la Ley 8/2013, de 26 de junio, en relación con la iniciativa en la ordenación de las actuaciones de rehabilitación, regeneración y renovación urbanas
3. Sujetos con iniciativa en la ordenación de las actuaciones de rehabilitación, regeneración y renovación urbana versus sujetos legitimados para participar en la ejecución de tales actuaciones
4. Algunas consideraciones en torno a los sujetos legitimados por el legislador para poder llevar a cabo la iniciativa en la ordenación de las actuaciones de rehabilitación, regeneración y renovación urbanas
5. Las Administraciones Públicas y la iniciativa en la ordenación de las actuaciones de rehabilitación, regeneración y renovación urbanas. ¿Una ini-

---

(1) Comentario a cargo de Fernando García-Moreno Rodríguez. Profesor Doctor de Derecho Administrativo en la Facultad de Derecho de la Universidad de Burgos.

ciativa real y verdadera o subsidiaria ante la pasividad de otros sujetos y el consiguiente deterioro que ello comporta?

1. UN ARTÍCULO ENGAÑOSO EN SU DENOMINACIÓN, AL IR MÁS ALLÁ DE LA MERA INICIATIVA EN LA ORDENACIÓN DE LAS ACTUACIONES QUE PREDICA

El artículo 9 de la Ley 8/2013, de 26 de junio, de rehabilitación, regeneración y renovación urbanas, se titula *«La iniciativa en la ordenación de las actuaciones»*, lo que en principio y en virtud de tal denominación, cabe pensar que el legislador va a determinar en el mismo, única y exclusivamente, cuál o cuáles son los sujetos a los que se les va a otorga o conceder tal función, muchas veces —si no todas— minusvalorada, cuando no, directamente, despreciada, pero que, a nuestro modo de ver, y sin perjuicio de lo que otros puedan pensar sobre la misma, resulta crucial para que cuanto predica la vigente Ley 8/2013, de 26 de junio, respecto de la rehabilitación, regeneración y renovación urbana sea una realidad y llegue finalmente a materializarse, que en última instancia, es de lo que se trata. Pero, frente a lo que cabría esperar y para nuestra sorpresa, observamos como el legislador sigue el guión previsto solo en el apartado primero del artículo articulo 9 de la Ley 8/2013, de 26 de junio, de rehabilitación, regeneración y renovación urbanas, mientras que en el apartado segundo y último de dicho artículo, no solo es que no le siga, sino que se aparta del mismo de manera radical. Efectivamente, el legislador, en el apartado primero, hace referencia a una serie de sujetos a los que, dentro del plan marcado, atribuye la iniciativa para proponer la ordenación de las actuaciones de rehabilitación edificatoria y las de regeneración y renovación urbanas, mientras que en el apartado segundo, por el contrario, establece, además de manera imperativa, que las Administraciones Públicas deberán adoptar medidas que aseguren la realización de las obras de conservación y ejecución que resulten precisas, lo que se mire por donde se mire, tal mandato no se circunscribe, ni mucho menos, dentro de lo que es la iniciativa a que nos venimos refiriendo, ya que el término adoptar, se encuentra más próximo a lo que es actuar y en este sentido, a las *«Facultades de los sujetos legitimados»* que contempla el legislador en el artículo 15 de la Ley, que a las propias y características que entraña toda iniciativa para proponer la ordenación de las actuaciones de rehabilitación, regeneración y renovación urbanas que procedan o se consideren pertinentes.

2. NOVEDOSA REGULACIÓN INDIVIDUALIZADA QUE RESPECTO DE LA LEGISLACIÓN PRECEDENTE LLEVA A CABO EL LEGISLADOR DE LA LEY 8/2013, DE 26 DE JUNIO, EN RELACIÓN CON LA INICIATIVA EN LA ORDENACIÓN DE LAS ACTUACIONES DE REHABILITACIÓN, REGENERACIÓN Y RENOVACIÓN URBANAS

Tal y como reza el título del presente epígrafe, la regulación individualizada que lleva a cabo el legislador de la Ley 8/2013, de 26 de junio, de rehabilitación, regeneración y renovación urbanas, de la iniciativa para proponer la ordenación de tales actuaciones, es novedosa respecto de la contemplada al efecto en la legislación precedente. Con ello, no quiero decir, ni mucho menos, que la normativa anterior a la actualmente vigente y en gran medida, precursora de esta última, no haya contemplado ni hecho alusión, a quién o quiénes se otorga o concede la iniciativa en la ordenación de las actuaciones que en cada caso determine el legislador, sino, únicamente, que no se ha hecho de manera individualizada, tal y como se hace en la vigente Ley que ahora nos ocupa (2). Efectivamente, a diferencia de otras partes de la Ley 8/2013, de 26 de junio, de rehabilitación, regeneración y renovación urbanas, donde la misma no es sino una copia, remedo o trasunto de algún artículo que, entre otras normas, en su día reguló el Real Decreto-Ley 8/2011, de 1 de julio, de medidas de apoyo a los deudores hipotecarios, de control del gasto público y cancelación de deudas con empresas y autónomas contraídas por las Entidades Locales, de fomento de la actividad empresarial e impulso de la rehabilitación y de simplificación administrativa, o la Ley 2/2011, de 4 de marzo, de Economía Sostenible, la parte de la misma contemplada en el artículo 9, es notablemente novedosa, siquiera sea por la forma y modo en que es regulado el contenido de aquel, de ahí que destaquemos, a diferencia, por ejemplo, de los *«sujetos obligados»* a la realización de obras de rehabilitación, regeneración o renovación urbana (artículo 8), o de los *«sujetos legitimados»* para participar en la ejecución de tales actuaciones (artículo 15), que sí tienen parangón en el Real Decreto-Ley 8/2011, de 1 de julio (artículos 18 y 19, respectivamente), la, al menos, cierta novedad y originalidad que su regulación por el legislador de la vigente Ley 8/2013, de 26 de junio, comporta.

La explicación que encontramos al hecho de que el legislador de la Ley 8/2013, de 26 de junio, de rehabilitación, regeneración y renovación urbanas, regule la iniciativa para proponer la ordenación de tales actuaciones en un artículo destinado,

---

(2)   En general, considero que la regulación que de la rehabilitación y renovación urbana (no se aludía a regeneración) se llevaba a cabo por el legislador de la Ley 2/2011, de 4 de marzo, de Economía Sostenible, era —y es, aun estando derogada— mejor, en múltiples aspectos, que la que lleva a cabo el legislador de la vigente Ley 8/2013, de 26 de junio, de rehabilitación, regeneración y renovación urbanas, y ello a pesar de contar aquella, únicamente, con cinco artículos (107, 108, 109, 110 y 111) alusivos a tal temática, mientras que la actual cuenta, ni más ni menos, que con diecinueve, por no mencionar las numerosas Disposiciones (Adicionales, Transitorias, pero sobre todo, Finales) que complementan dicho texto. Efectivamente, a pesar de tal desequilibrio, propiciado por la enorme disparidad numérica y de extensión normativa entre una y otra, consideramos, tal y como hemos apuntado con anterioridad, que aquella, la Ley 2/2011, de 4 de marzo, de Economía Sostenible, es indudablemente mejor, al menos este es nuestro parecer, que la Ley 8/2013, de 26 de junio, de rehabilitación, regeneración y renovación urbanas, y ello, en múltiples aspectos, como entre otros y sin ánimo de exhaustividad en su misma redacción, mucho más técnica y precisa, amén de coherente y reflexiva que la actual, la cual, nos da la impresión de que responde sino en su totalidad, sí, al menos, en una gran parte, a la improvisación y a la premura por aprobarla. No obstante, no toda la Ley vigente es peor que aquella. Hay ciertas partes de la misma en que indudablemente se supera la legislación precedente, siendo una de ellas, precisamente, la relativa a *«La iniciativa en la ordenación de las actuaciones»*, dado que en la vieja y ya derogada Ley 2/2011, de 4 de marzo, de Economía Sostenible, poco o nada se nos decía sobre el particular y además, las escasas referencias que aludían a tal iniciativa, se caracterizaban por ser muy difusas e inconcretas.

        © El Consultor de los Ayuntamientos

únicamente, a tal fin —al menos teóricamente, ya que en la práctica, como veremos, no es del todo así—, quizá, radique, en la mayor importancia que a tal función, respecto de tiempos pretéritos, otorga el legislador actual, al entender, que la misma, lejos de poder ser considerada como marginal o inconsistente, tiene una importancia capital —lo que de ser pensar así, compartimos totalmente— para que la rehabilitación, regeneración y renovación urbanas, no solo resulten de aplicación, sino que, además, lleguen a buen fin. En virtud de ello, podría haber considerado el legislador que la referida iniciativa para proponer la ordenación de tales actuaciones, requiere ser regulada individualmente, es decir, en artículo a parte, para, de este modo, darle toda la relevancia y el reconocimiento que se merece y de paso, poder desplegar aquella todas las potencialidades y efectos que le son propios.

3. SUJETOS CON INICIATIVA EN LA ORDENACIÓN DE LAS ACTUACIONES DE REHABILITACIÓN, REGENERACIÓN Y RENOVACIÓN URBANA *VERSUS* SUJETOS LEGITIMADOS PARA PARTICIPAR EN LA EJECUCIÓN DE TALES ACTUACIONES

El legislador de la Ley 8/2013, de 26 de junio, de rehabilitación, regeneración y renovación urbanas, alude a lo largo y ancho de la misma a tres tipos o clases de sujetos. En primer lugar, a los sujetos obligados a la realización de las obras de rehabilitación, regeneración y renovación urbana que resulten pertinentes (artículo 8); en segundo lugar, a los sujetos a los que se atribuye la iniciativa para proponer la ordenación de tales actuaciones, que son los que estamos comentando en el artículo 9 que ahora nos ocupa; y finalmente y en tercer lugar, a los sujetos legitimados para participar en la ejecución de aquellas, que regula en el artículo 15 de la Ley. De estos tres tipos o clases de sujetos los que más nos interesan, como se deduce del propio titulo del presente epígrafe, son los dos últimos. Pues bien, tanto los sujetos a los que se atribuye la iniciativa para proponer la ordenación de las obras de rehabilitación, regeneración y renovación urbana, como los sujetos legitimados para participar en la ejecución de tales actuaciones, comparten aspectos en común, como, por ejemplo, ser ambos, sujetos activos, dado que, tal y como hemos visto, el legislador les otorga, bien capacidad para proponer obras de rehabilitación, regeneración y renovación urbanas, o bien, directamente, la facultad de participar en la ejecución de las mismas. Asimismo, comparten ambas clases o tipos de sujetos, la identidad de quienes les integran y conforman, ya que prácticamente en su totalidad, los sujetos a los que el legislador otorga la iniciativa para proponer la ordenación de las actuaciones de rehabilitación, regeneración y renovación urbanas, coinciden con aquellos que pueden participar en la ejecución de tales actuaciones.

Con independencia de dichas coincidencias entre unos y otros tipos de sujetos, que llegan, a veces, hasta hacer que nos cuestionemos si, en virtud de tales afinidades y semejanzas, es lógico que el legislador regule en la Ley 8/2013, de 26 de junio, de rehabilitación, regeneración y renovación urbanas, a cada uno de ellos en artículos distintos, en vez de en distintos apartados dentro de un solo y único artículo, lo que resulta indudable, es que las funciones de unos y otros, también son muy distintas y además, corresponde ejercitarlas en momentos muy dispares. Así, los sujetos con iniciativa para proponer la ordenación de las actuaciones de rehabilitación, regeneración y renovación urbana, deben estar atentos a que se den, realmente, las condiciones fácticas que propician o exigen tales actuaciones, para, a continuación, proponer aquellas, lo que se mire por donde se mire, resulta vital para poder aplicar la rehabilitación, regeneración y renovación urbana y, además, hacer que lleguen a buen fin (3). Tales sujetos, en virtud de la misión que les encomienda el legislador, actúan antes de que podamos hablar, tan siquiera, de un procedimiento en sí, ya que su misión, radica, al fin y a la postre, en que este surja, lo que a todas luces, será demostrativo de que se ha cumplido, a plena satisfacción, la iniciativa para proponer la ordenación de las actuaciones de rehabilitación, regeneración y renovación urbana, que tienen encomendada. Por su parte, los sujetos legitimados para participar en la ejecución de tales actuaciones, se van a encontrar ya, con un procedimiento iniciado y en fase de desarrollo, dentro del cual, se les va a dar entrada, cuando procedimentalmente corresponda, para que lleven a la practica, en definitiva, materialicen, la respectiva obra de rehabilitación, regeneración o renovación urbana que en cada caso proceda, por lo que, como se comprenderá, el momento de su intervención es muy distante del otro tipo de sujetos a que con anterioridad nos hemos referido, ya que la misma se producirá, en la fase final del respectivo procedimiento. Quizá, por estos motivos, ha sido por lo que el legislador

---

(3) La iniciativa para proponer la ordenación de las actuaciones de rehabilitación edificatoria, y las de regeneración y renovación urbanas, puede ser pública o privada. En el caso de ser pública, corresponderá la misma a las Administraciones Públicas, pero no sólo a estas, sino también a las entidades públicas adscritas o dependientes de las mismas, o lo que es los mismo, a la denominada Administración Institucional, aunque esta última, como tendremos oportunidad de señalar más adelante, no tendrá, salvo en algún que otro supuesto que no vendrá a ser sino la excepción que confirme la regla, el protagonismo de aquellas. En cualquier caso para que las Administraciones Públicas —y en su caso las dependientes o adscritas a ellas a que nos hemos referido— puedan llevar a cabo la referida iniciativa, deberán estar vigilantes, dado que mal podrán proponer iniciativa alguna, si no son conocedoras de «...*situaciones de insuficiencia o degradación de los requisitos básicos de funcionalidad, seguridad y habitabilidad de las edificaciones...y tejidos urbanos...*», que son, en última instancia, las que propician la rehabilitación, la regeneración y la renovación urbana y con ellas, obviamente, su correlativa iniciación. Por tanto, en este aspecto, consideramos crucial el ejercicio de la denominada actividad de policía —más técnicamente denominada, actividad limitativa, coercitiva o restrictiva de los derechos y libertades de los ciudadanos—, por parte de las respectivas Administraciones Públicas, si lo que realmente quieren y desean es asumir la responsabilidad que les confiere el legislador en el apartado primero del artículo 9 de la Ley 8/2013, de 26 de junio, de rehabilitación, regeneración y renovación urbanas. Por lo que respecta a la iniciativa privada, habría que decir otro tanto de lo mismo, si bien, el problema de esta radica en que en muchas ocasiones y pese a detectarse la situación, a resultas de la cual, procedería, bien la rehabilitación, bien la regeneración, bien la renovación urbana, no se lleva a cabo aquella, al ser conscientes los ciudadanos de que el coste de tales obras van a tener que asumirles ellos mismos. Pese a ello, hay veces en que aun siendo conscientes los administrados de tales obligaciones, dan el paso, sabedores de que, en última instancia, tales mejoras, reformas, cambios, etc. van a repercutir en su propio beneficio, al elevar el precio de sus casas, de sus locales o incluso de su zona.

       © El Consultor de los Ayuntamientos

y para diferenciar más formalmente a unos de otros sujetos, ha decidido regular a cada uno de los mismos en un artículo distinto.

4. ALGUNAS CONSIDERACIONES EN TORNO A LOS SUJETOS LEGITIMADOS POR EL LEGISLADOR PARA PODER LLEVAR A CABO LA INICIATIVA EN LA ORDENACIÓN DE LAS ACTUACIONES DE REHABILITACIÓN, REGENERACIÓN Y RENOVACIÓN URBANAS

Establece el legislador en el apartado primero del artículo 9 de la Ley 8/2013, de 26 de junio, de rehabilitación, regeneración y renovación urbanas, que: *«La iniciativa para proponer la ordenación de las actuaciones de rehabilitación edificatoria y las de regeneración y renovación urbanas, podrá partir de las Administraciones Públicas, las entidades públicas adscritas o dependientes de las mismas y los propietarios. En concreto estarán legitimados para ello las comunidades y agrupaciones de comunidades de propietarios, las cooperativas de vivienda constituidas al efecto, los propietarios de terrenos, construcciones, edificaciones y fincas urbanas, los titulares de derechos reales o de aprovechamiento, y las empresas, entidades o sociedades que intervengan en nombre de cualesquiera de los sujetos anteriores».* La lectura reposada de dicho apartado hace que sobre el particular debamos hacer algunas consideraciones que a continuación y sin más preámbulos pasamos a exponer. En primer lugar, que la iniciativa para proponer la ordenación de las actuaciones de rehabilitación, regeneración y renovación urbana, puede partir tanto de la esfera pública (*«…Administraciones Públicas… entidades públicas adscritas o dependientes de las mismas…»*), como de la esfera privada (*«…propietarios… »*) (4). En segundo lugar, que dicha iniciativa para proponer la ordenación de las actuaciones de rehabilitación, regeneración, y renovación urbana, en la práctica, y nos imaginamos que como reflejo de tal realidad, también, estadísticamente, parte,

---

(4) Debemos llamar la atención sobre un hecho que de no hacerlo, pasa totalmente desapercibido, cual es, determinar si la iniciativa a que alude el legislador en el apartado primero del artículo 9 de la Ley 8/2013, de 26 de junio, de rehabilitación, regeneración y renovación urbanas, es un mandato, es decir, una obligación, una orden que imperativamente hay que cumplir, o por el contrario, algo voluntario y potestativo que se deja al albur, voluntad y conciencia de cada uno. Pues bien, sobre el particular debemos decir que, legalmente, la iniciativa para proponer la ordenación de las actuaciones de rehabilitación, regeneración y renovación urbana, es potestativa *«…podrá partir…»*, *«…estarán legitimados para ello…».* No obstante, tampoco esta tan clara la cuestión ya que el legislador cuando establece que «La iniciativa para proponer la ordenación de las actuaciones …podrá partir…», bien puede entenderse, como que es una opción, que faculta, bien a las Administraciones Públicas y entidades públicas adscritas o dependientes de las mismas, bien a los propietarios, pero que, en cualquier caso, habrá que llevar a cabo y por ende, es preceptiva, aunque, ciertamente, consideramos que si eso hubiese querido decir el legislador, lo hubiese dicho. Pero lo que esta claro, a nuestro modo de ver, con independencia de que el legislador establezca tal iniciativa como potestativa, es que por lo que a la iniciativa pública se refiere, esta, debería ser obligatoria, ya que entendemos que toda Administración Pública (en particular, lógicamente, la municipal), tiene el deber —siquiera sea genérico, que entendemos que tampoco lo es— de impedir que las ciudades, o partes de ellas, se encuentren degradadas, obsoletas y deterioradas, al igual que los edificios, carezcan de las condiciones mínimas de funcionalidad, seguridad y habitabilidad.

habitualmente, por no decir que en prácticamente todos los supuestos, de la iniciativa pública, lo que es entendible si tenemos en cuenta que el pago de dichas obras, deben afrontarlo, por lo general, los propietarios afectados por las mismas, por lo que es *rara avis*, que sean estos mismos quienes fomenten, impulsen o promuevan las mismas. En tercer lugar, que no sólo van a poder llevar a cabo la iniciativa para proponer la ordenación de las actuaciones de rehabilitación, regeneración y renovación urbanas, las denominadas Administraciones Públicas territoriales, a la sazón, Administración General del Estado, Administración de las Comunidades Autónomas y Administración de las Entidades Locales, sino además de estas «*…las entidades públicas adscritas o dependientes de las mismas…*», o lo que es lo mismo, las denominadas Administraciones Públicas no territoriales y en particular dentro de estas últimas, la conocida como Administración Institucional (5). En cuarto lugar, que junto a la iniciativa pública para proponer la ordenación de las actuaciones de rehabilitación, regeneración y renovación urbanas, se contempla, igualmente, ya lo hemos dicho, la iniciativa privada, representada, de manera un tanto genérica por lo que el legislador denomina «*…propietarios…*», si bien, debemos llamar la atención antes de pasar a profundizar en las categorizaciones que de los mismos hace el legislador, que algunos de ellos no tienen por qué ser privados. Así, por ejemplo, es perfectamente posible que una Administración Pública o una entidad pública adscrita o dependiente de la misma, pueda ser propietaria de un terreno, de una construcción, de una edificación, de una finca urbana, etc. en cuyo caso, si quien promueve tal iniciativa es esta última, sería la misma, sin lugar a dudas de ningún género, una iniciativa pública, aun partiendo de esa denominación genérica de «*… propietario…*» con la que el legislador pretende aludir, al menos es la impresión que nos da, a la iniciativa privada para proponer la ordenación de las actuaciones de rehabilitación, regeneración, y renovación urbana. En quinto lugar, que habida cuenta de la excesiva generalidad del término «*…propietario…*», y siendo el legislador plenamente consciente de ello, procede, a renglón seguido, a concretar o especificar lo que comprende tal vocablo, para en virtud de ello y a modo de diversas categorías o clases que lo integran, aludir a una pléyade de propietarios; de entre los cuales podemos distinguir, por sistematizarlos de alguna forma, los colectivos (comunidades de propietarios, agrupaciones de comunidades de propietarios, cooperativas de viviendas constituidas al efecto), de los individuales (de terrenos,

---

(5)   Tal y como hemos tenido la oportunidad de señalar con anterioridad a pie de página, si bien es cierto que la iniciativa para promover las actuaciones de rehabilitación, regeneración y renovación urbanas, pueden tenerla tanto las Administraciones Públicas territoriales (aunque no aluda el legislador a este último término), como las que se denominan Administraciones Institucionales (que no son territoriales, dado que, en puridad, no actúan sobre el territorio, sino sobre una determinada función, actividad o materia), lo cierto es que estas últimas, salvo algún que otro supuesto, muy particular, en que de una u otra forma tengan interés en relación con la actuación a realizar, o bien, sean propietarias de un inmueble que urge de alguna de ellas (rehabilitación, regeneración, renovación urbana), lo normal y lógico será, que ni tan siquiera piensen en llevar a cabo iniciativa alguna en relación con tal materia, máxime, cuando la misma para muchas de ellas, amén de resultarles compleja, les es totalmente ajena.

construcciones, edificaciones, fincas urbanas). En sexto lugar, que el reconocimiento y equiparación que dentro de ese *«universo»* de propietarios se da a los titulares de derechos reales o de aprovechamiento —entendemos que urbanístico, aunque sobre este último adjetivo nada diga el legislador— para que estos tenga la iniciativa de proponer la ordenación de las actuaciones de rehabilitación, regeneración, y renovación urbana, nos parece acertado, ya que con ello, entendemos que se prima, por encima de todo, dicha iniciativa, al aumentar el número de los sujetos legitimados para llevar a cabo la misma. En virtud de ello, puede darse la situación de que en un determinado inmueble quien promueva dicha iniciativa, no sea en puridad el propietario del mismo, sino el titular de un derecho real o de un aprovechamiento urbanístico existente sobre él y ello, por tener estos últimos respecto de aquel, otra u otras motivaciones o razones, evidentemente, beneficiosas para ellos, que les impelen a hacerlo. En séptimo y último lugar, que la iniciativa para proponer la ordenación de las actuaciones de rehabilitación, regeneración y renovación urbana, que el legislador de la Ley 8/2013, de 26 de junio, establece en su artículo 9 a favor de las empresas, entidades o sociedades que intervengan en nombre de cualesquiera de los sujetos a los que se reconoce aquella, no nos parece acertada, aunque desde el punto de vista de la gestión pueda tener ciertas ventajas, e incluso, aportar ciertos beneficios, dado que entendemos que ello puede ocasionar cierta opacidad y ocultamiento, que en ningún caso es deseable y menos aun, a la hora de llevar a cabo funciones con tanta repercusión e incidencia en la sociedad, como son todas aquellas relacionadas con la iniciativa y propuesta de la ordenación de las actuaciones de rehabilitación, regeneración, y renovación urbana.

5. LAS ADMINISTRACIONES PÚBLICAS Y LA INICIATIVA EN LA ORDENACIÓN DE LAS ACTUACIONES DE REHABILITACIÓN, REGENERACIÓN Y RENOVACIÓN URBANAS. ¿UNA INICIATIVA REAL Y VERDADERA O SUBSIDIARIA ANTE LA PASIVIDAD DE OTROS SUJETOS Y EL CONSIGUIENTE DETERIORO QUE ELLO COMPORTA?

En el apartado segundo y último del artículo 9 de la Ley 8/2013, de 26 de junio, de rehabilitación, regeneración y renovación urbanas, el legislador se aparta ostensiblemente, tal y como ya hemos tenido oportunidad de apuntar con anterioridad, de lo que debiera ser el contenido, de principio a fin, de dicho artículo, si nos atenemos al título que le preside: *«La iniciativa en la ordenación de las actuaciones»*. Efectivamente, así como en el apartado primero de dicho artículo se cumple a rajatabla el contenido esperado en el mismo, no ocurre ello, ni mucho menos, en el segundo apartado, en el cual, el legislador, se aparta de lo que es la iniciativa para proponer la ordenación de las actuaciones de rehabilitación, regeneración y renovación urbanas, para, regular en el mismo, las medidas que deben adoptar las Administraciones Públicas a fin de asegurar tales actuaciones, lo que, como fácilmente se comprenderá, nada tiene que ver, ni directa, ni indirectamente, ni mediata, ni inmediatamente, con la referida iniciativa para proponer, bien la rehabilitación, bien la regeneración, bien la renovación urbana. En este sentido y acudiendo al tenor literal del apartado segundo del artículo 9 de la Ley 8/2013, de 26 de junio, de rehabilitación, regeneración y renovación urbanas, vemos, como en el mismo, establece el legislador, que: *«Las Administraciones Públicas adoptarán medidas que aseguren la realización de las obras de conservación, y la ejecución que sean precisas y, en su caso, formularán y ejecutarán los instrumentos que las establezcan, cuando existan situaciones de insuficiencia o degradación de los requisitos básicos de funcionalidad, seguridad y habitabilidad de las edificaciones; obsolescencia o vulnerabilidad de barrios, de ámbitos, o de conjuntos urbanos homogéneos; o situaciones graves de pobreza energética».* Nótese, como las funciones que a las Administraciones Públicas otorga el legislador, distan mucho de cualquier tipo o clase de iniciativa, dado que no solo las faculta para adoptar medidas, lo que ya no es, se mire por donde se mire, iniciativa alguna, sino, también, para ejecutar estas últimas y no solo ello, sino además de las mismas, para formular y ejecutar los instrumentos que las establezcan.

Partiendo de que en este apartado segundo del artículo 9 de la Ley 8/2013, de 26 de junio, de rehabilitación, regeneración y renovación urbanas, el legislador no confiere a las Administraciones Públicas la iniciativa que predica en el título o denominación de dicho artículo, sino que va mucho más allá de él —hasta el punto de autorizar a estas para que adopten medidas que aseguren las obras de conservación (6), e incluso, la ejecución de las actuaciones de rehabilitación, regeneración y renovación urbanas, o todavía más, elaborar instrumentos con idéntico objetivo (7), para su inmediata implementación—, procede analizar los pormenores, de tales facultades y competencias, por otro lado, obligatorias, pues el legislador no deja la aplicación de las mismas a la libre voluntad o parecer de la respectiva Ad-

---

(6) Cuando el legislador de la Ley 8/2013, de 26 de junio, de rehabilitación, regeneración y renovación urbanas, establece en el apartado segundo de su artículo 9 que: *«Las Administraciones Públicas adoptaran medidas que aseguren las obras de conservación…»,* esta aludiendo, sin decirlo expresamente, a las órdenes de ejecución, dado que la primera medida que corresponde adoptar a la respectiva Administración Pública cuando la misma constata que uno o varios administrados han incumplido sobre sus bienes el deber de conservación a que vienen obligados, es conminarles a su cumplimiento, lo que se hace, indefectiblemente, a través de las órdenes de ejecución. En relación con el deber de conservación y la consiguiente orden de ejecución en caso de incumplimiento de aquel, me remito, por entero al trabajo de CORRAL GARCÍA, E., «La orden de ejecución como instrumento del deber de conservación», *El Consultor de los Ayuntamientos y de los Juzgados,* n.º 15, 2001, pág. 2539 y ss. En este mismo sentido, resulta también sumamente instructivo el trabajo de ALONSO CONCELLÓN, I., «El deber de conservación y su materialización en las órdenes de ejecución», El Consultor de los Ayuntamientos y de los Juzgados, n.º 19, 2002, pág. 3171 y ss. Por último y entre los muchos trabajos que versan sobre el particular, me remito, por aludir el mismo a una faceta poco conocida de las órdenes de ejecución, pero, no por ello, menos importante, cual es la procedimental, al trabajo de CORELLA MONEDERO, J.M., «La orden de ejecución como instrumento para exigir el deber de conservación. Procedimiento», *El Consultor de los Ayuntamientos y de los Juzgados,* n.º 13, 2003, pág. 2335 y ss.

(7) En relación con los instrumentos integrales que desarrollan, o potencialmente, pueden desarrollar actuaciones de rehabilitación, de regeneración o de renovación urbana, me remito por entero al trabajo de MENÉNDEZ REXACH, A., «Instrumentos jurídicos para la renovación urbana», *Revista de Derecho Urbanístico y Medio Ambiente,* n.º 270, 2011, pág 13 y ss.

ministración Pública, sino que exige que esta y con independencia de quien sea, las adopte de modo imperativo («*…adoptarán…*», «*…formularán…*», «*…ejecutarán…*»). Pues bien, en tal labor y acudiendo al tenor literal del apartado segundo del artículo 9 que ahora nos ocupa, nos encontramos, como por otro lado era previsible y cabía esperar, con que el legislador establece que las Administraciones Públicas deberán llevar a cabo tales actuaciones «*…cuando existan situaciones de insuficiencia o degradación de los requisitos básicos de funcionalidad, seguridad y habitabilidad de las edificaciones, obsolescencia o vulnerabilidad de barrios, de ámbitos, o de conjuntos urbanos homogéneos; o situaciones graves de pobreza energética…*», que, en buena lógica, no vienen a ser, sino los supuestos que se contemplan en el artículo 7 de la Ley 8/2013, de 26 de junio, para, caso de darse, proceder a realizar las consabidas obras de rehabilitación, regeneración y renovación urbanas.

Consciente el legislador de que a la hora de abordar las diversas actuaciones que en cada caso procedan (rehabilitación, regeneración, renovación urbana), posiblemente, no haya el suficiente dinero, sobre todo, público —si nos atenemos al delicado momento por el que atraviesa nuestra economía—, para acometer las diversas obras que aquellas requieren y menos aún, con la profundidad, amplitud y excelencia que sería deseable, procede a priorizar, unas, frente a otras, y en este sentido, establece sobre el particular, que: «*Serán prioritarias, en tales casos, las medidas que procedan para eliminar situaciones de infravivienda, para garantizar la seguridad, salubridad, habitabilidad y accesibilidad universal y un uso racional de la energía, así como aquellas que, con tales objetivos, partan bien de la iniciativa de los propios particulares incluidos en el ámbito, bien de una amplia participación de los mismos en ella*». Atendiendo al dictado del legislador, podemos resumir la priorización hecha por este, del siguiente modo: En primer lugar, da preferencia absoluta a las medidas tendentes a erradicar la infravivienda —con lo que estamos del todo de acuerdo, pues hoy en día resulta inconcebible su sola existencia—, en segundo lugar, a aquellas cuyo propósito es garantizar el deber de conservación, tal cual hoy se entiende el mismo (seguridad, salubridad, habitabilidad y accesibilidad) y en tercer lugar, a las que persiguen racionalizar el uso de la energía. Apostilla por último el legislador, que todas ellas, tendrán aun más fuerza y predicamento, de estar propiciadas o respaldadas por una amplia mayoría de los particulares incluidos dentro de la respectiva actuación.

Por último y tratando de responder a la pregunta que me hago a mi mismo en el título del presente epígrafe, sobre si la iniciativa para proponer la ordenación de las actuaciones de rehabilitación, regeneración y renovación urbanas, que el legislador otorga a las Administraciones Públicas, realmente lo es, o por el contrario y lejos de ello, es en realidad, únicamente, una mera «*cortina de humo*» o un ardid, para tras el mismo, posibilitar que aquellas controlen, en realidad, si los particulares («*…propietarios…*») cumplen o no con tal iniciativa, y en su defecto, actúen adoptando y ejecutando las medidas que estimen y consideren necesarias, debemos señalar, que no puede darse una sola respuesta, ya que si tenemos en cuenta el contenido del apartado primero del artículo 9 de la Ley 8/2013, de 26 de junio, debemos señalar, que en él, sí tienen las Administraciones Públicas una verdadera iniciativa para proponer la ordenación de las actuaciones de rehabilitación, regeneración y renovación urbanas, mientras que, por el contrario, en el apartado segundo y último de dicho artículo, esta brilla por su ausencia, pasando a desempeñar en el mismo las Administraciones Públicas, un papel meramente de control y vigilancia del cumplimiento por los particulares de tal iniciativa y en su defecto y de manera subsidiaria, una función, no tendente a suplir dicha falta de iniciativa, lo que por otro lado podría ser hasta lógico, sino, directamente, ejecutiva, en virtud de la cual, pueden adoptar cuantas medidas consideren o estimen oportunas para asegurar la realización de las obras de conservación, asi como ejecutar las actuaciones de rehabilitación, regeneración y renovación urbanas, que resulten precisas, lo que, tal y como hemos tenido oportunidad de apuntar con anterioridad, dista mucho de estar, tan siquiera, en el entorno de lo que se entiende y considera como iniciativa. En resumidas cuentas, podemos concluir señalando que las Administraciones Públicas sí tienen una verdadera y real iniciativa para proponer la ordenación de las actuaciones de rehabilitación, regeneración y renovación urbanas, y por tanto, pueden ejercitarla sin ningún tipo de problemas ni cortapisas (apartado primero del artículo 9), pero, por otro lado, también tienen una serie de competencias en relación con dicha iniciativa que, a modo de garantía de esta última, las obliga a intervenir ante el incumplimiento por los particulares de aquella, en cuyo caso las Administraciones Públicas no llevan a cabo iniciativa alguna, sino otras actividades muy distintas y distantes de esta última (apartado segundo del artículo 9).

Artículo 10. Reglas básicas para la ordenación y ejecución de las actuaciones

1. Las actuaciones de rehabilitación edificatoria y las de regeneración y renovación urbanas que impliquen la necesidad de alterar la ordenación urbanística vigente, observarán los trámites procedimentales requeridos por la legislación aplicable para realizar la correspondiente modificación. No obstante, tal legislación podrá prever que determinados programas u otros instrumentos de ordenación se aprueben de forma simultánea a aquella modificación, o independientemente de ella, por los procedimientos de aprobación de las normas reglamentarias, con los mismos efectos que tendrían los propios planes de ordenación urbanística. En cualquier caso, incorporarán el informe o memoria de sostenibilidad económica que regula el artículo siguiente.

Las actuaciones que no requieran la alteración de la ordenación urbanística vigente, precisarán la delimitación y aprobación de un ámbito de actuación conjunta, que podrá ser continuo o discontinuo, o la identificación de la actuación aislada que corresponda, a propuesta de los sujetos mencionados en el artículo anterior, y a elección del Ayuntamiento.

2. El acuerdo administrativo mediante el cual se delimiten los ámbitos de actuación conjunta o se autoricen las actuaciones que deban ejecutarse de manera aislada, garantizará, en todo caso, la realización de las notificaciones requeridas por la legislación aplicable y el trámite de información al público cuando éste sea preceptivo, conteniendo, además y como mínimo, los extremos siguientes:

a) Avance de la equidistribución que sea precisa, entendiendo por tal la distribución, entre todos los afectados, de los costes derivados de la ejecución de la correspondiente actuación y de los beneficios imputables a la misma, incluyendo entre ellos las ayudas públicas y todos los que permitan generar algún tipo de ingreso vinculado a la operación.

La equidistribución tomará como base las cuotas de participación que correspondan a cada uno de los propietarios en la comunidad de propietarios o en la agrupación de comunidades de propietarios, en las cooperativas de viviendas que pudieran constituirse al efecto, así como la participación que, en su caso, corresponda, de conformidad con el acuerdo al que se haya llegado, a las empresas, entidades o sociedades que vayan a intervenir en la operación, para retribuir su actuación.

b) El plan de realojo temporal y definitivo, y de retorno a que dé lugar, en su caso.

3. Será posible ocupar las superficies de espacios libres o de dominio público que resulten indispensables para la instalación de ascensores u otros elementos, así como las superficies comunes de uso privativo, tales como vestíbulos, descansillos, sobrecubiertas, voladizos y soportales, tanto si se ubican en el suelo, como en el subsuelo o en el vuelo, cuando no resulte viable, técnica o económicamente, ninguna otra solución para garantizar la accesibilidad universal y siempre que asegure la funcionalidad de los espacios libres, dotaciones públicas y demás elementos del dominio público. A tales efectos, los instrumentos de ordenación urbanística garantizarán la aplicación de dicha regla, bien permitiendo que aquellas superficies no computen a efectos del volumen edificable, ni de distancias mínimas a linderos, otras edificaciones o a la vía pública o alineaciones, bien aplicando cualquier otra técnica que, de conformidad con la legislación aplicable, consiga la misma finalidad.

4. Lo dispuesto en el apartado anterior será también de aplicación a los espacios que requieran la realización de obras que consigan reducir al menos, en un 30 por ciento la demanda energética anual de calefacción o refrigeración del edificio y que consistan en:

a) la instalación de aislamiento térmico o fachadas ventiladas por el exterior del edificio, o el cerramiento o acristalamiento de las terrazas ya techadas.

b) la instalación de dispositivos bioclimáticos adosados a las fachadas o cubiertas.

c) la realización de las obras y la implantación de las instalaciones necesarias para la centralización o dotación de instalaciones energéticas comunes y de captadores solares u otras fuentes de energía renovables, en las fachadas o cubiertas cuando consigan reducir el consumo anual de energía primaria no renovable del edificio, al menos, en un 30 por ciento.

d) La realización de obras en zonas comunes o viviendas que logren reducir, al menos, en un 30 por ciento, el consumo de agua en el conjunto del edificio.

5. Cuando las actuaciones referidas en los apartados anteriores afecten a inmuebles declarados de interés cultural o sujetos a cualquier otro régimen de protección, se buscarán soluciones innovadoras que permitan realizar las adaptaciones que sean precisas para mejorar la eficiencia energética y garantizar la accesibilidad, sin perjuicio de la necesaria preservación de los valores objeto de protección. En cualquier caso, deberán ser informadas favorablemente, o autorizadas, en su caso, por el órgano competente para la gestión del régimen de protección aplicable, de acuerdo con su propia normativa.

COMENTARIO (1)

Sumario

1. Introducción.
2. Consideraciones urbanísticas de aplicación a las actuaciones
3. El acuerdo administrativo para delimitar los ámbitos de actuación
4. La ocupación de los espacios de dominio público
5. Las actuaciones en edificios protegidos

1. INTRODUCCIÓN

El objetivo esencial de la Ley, en cuanto a establecer las bases para proceder a la rehabilitación, regeneración y renovación urbanas, se empieza a desglosar, en cuan-

---

(1) Comentario a cargo de Joaquín Jalvo Mínguez. Arquitecto Superior en las especialidades de Edificación y Urbanismo. Diplomado en Urbanismo por el IEAL.

to a las actuaciones sobre el medio urbano, definiendo en primer lugar los objetos y sujetos implicados en las mismas (que ya se han analizado en artículos anteriores), procediéndose a concretar los procesos de ordenación y gestión de esas actuaciones (que se detallan en este artículo y cuatro posteriores), para finalizar con las fórmulas de cooperación y coordinación para participar en la ejecución de los procesos que se dirijan a rehabilitar las edificaciones o a regenerar o renovar las partes de las ciudades a las que sea de aplicación la Ley.

Entre las medidas de ordenación y gestión que se establecen se presentan en este artículo las reglas básicas para la ordenación y ejecución de las actuaciones Hay que observar en todo momento que las determinaciones que se contienen parten del principio de ser reglas básicas, puesto que como ya es bien sabido al tratarse de un legislación estatal no puede inmiscuirse en los procesos y procedimientos que se deben regular por la ordenación urbanística que deben establecer las Comunidades Autónomas.

Por ello, y como bien expresa el enunciado del artículo, se plantean las Reglas Básicas para encuadrar las normativas que puedan establecer o que ya hayan establecido las Comunidades Autónomas y determina que las operaciones que se formalicen en el ámbito de aplicación de esta Ley observarán los procedimientos y sistemática que estén contemplados en las normativas autonómicas, precisando cuando se deben llevar a cabo los procedimientos regulados en ellas, de acuerdo a los objetivos que se quieran obtener con las actuaciones reguladas en la Ley.

Asimismo se plantea el contenido básico que deben satisfacer los acuerdos administrativos de los procedimientos que se establezcan para determinar la ordenación y la gestión de las actuaciones, salvaguardando el principio básico de publicidad garantizando o reforzando, lo que ya está establecido en la legislación estatal en cuanto a la necesidad de la equidistribución en suelo urbano para conseguir la racional gestión de toda actividad urbanística (2). Complementariamente se indica la necesidad de establecer el plan de realojo que fuere necesario para la ejecución de las actuaciones.

Se introduce en este artículo como novedad la posibilidad de la ocupación, por edificaciones de propiedad privada, de espacios destinados al dominio público indicando que los instrumentos de ordenación urbanística deberán reglamentar esta posibilidad, la cual se ha demostrado en los últimos años como necesaria para poder realizar procesos de rehabilitación en los términos en los que la ley la propone.

Asimismo se tiene en consideración las especiales circunstancias que deben plantearse cuando las actuaciones que persigue la Ley se deban efectuar en in-

---

(2) Para ampliar el concepto de la equidistribución en suelo urbano ver Santos Díez, Ricardo; Castelao Rodríguez, Julio. *Derecho Urbanístico, Manual para Juristas y Técnicos*. LA LEY, El Consultor de los Ayuntamientos y de los Juzgados. 8.ª edición Madrid. 2012. Pág. 253 y ss.

muebles declarados de interés cultural o sujetos a cualquier otro régimen de protección, dada la importancia que el tratamiento de esos edificios o espacios urbanos requieren al estar sometidos a especiales consideraciones históricas, culturales, ambientales o de cualquier otro orden de protección.

2. CONSIDERACIONES URBANÍSTICAS DE APLICACIÓN A LAS ACTUACIONES

Se considera en la Ley que la complejidad derivada de las actuaciones sobre un patrimonio edificado, que normalmente esté situado en zonas de trazado histórico de la ciudad, tengan incidencia en la ordenación urbanística que está vigente y que una aplicación directa de esa planificación impediría cualquier tipo de intervención sobre las edificaciones o sobre espacios urbanos que dispongan por el planeamiento de las consideraciones que en el momento de redactar las diferentes figuras de ordenación resultaren adecuadas a los objetivos y criterios de actuación de la planificación aprobada.

Al determinar mediante esta ley el interés general que se demanda para las actuaciones de rehabilitación, de renovación y regeneración urbana se parte del principio de que la declaración de la necesidad de establecer actuaciones, en el sentido de las propuestas por la Ley, se equipare al interés general que se puso de relieve al establecer la ordenación urbanística vigente o más bien se superpone aquél al antiguo interés general para establecer una ordenación sobrevenida que desplazará a la antigua ordenación.

El procedimiento establecido ya tiene antecedentes en la legislación urbanística clásica en el sentido de proponer una Modificación Puntual o Revisión Parcial del Plan o Normas que regulen la ordenación en la zona objeto de actuación.

También se establece la posibilidad, ya recogida en alguna legislación urbanística autonómica, que se redacten figuras de ordenación que tramitadas de forma específica modifiquen la ordenación prevista en la planificación urbanística, mediante procedimientos regulados para ello, sin tener pues que recurrir a las clásicas Modificaciones Puntales o Revisiones Parciales del planeamiento en vigor.

Estas figuras llamadas de diferentes formas en las legislaciones urbanísticas (Directrices de Ordenación Sectorial, Planes Territoriales Parciales, etc.) lo que formalizan es una nueva ordenación que anula la contenida en la planificación urbanística llegando a definir determinaciones de igual rango o nivel y precisión que la planificación urbanística y por lo tanto establece las modificaciones y revisiones que sean necesarias para conseguir los objetivos pretendidos, sin elaborar o tramitar una Modificación o Revisión de la propia planificación urbanística. La Ley deriva precisamente a estas figuras la competencia del legislador autonómico para que las instaure, si todavía no las tiene adoptadas en su legislación urbanística, y de esa forma, en el caso de que las actuaciones que se prevean no se adapten al procedimiento regulado, haya una doble vía para adaptar las propuestas a la legalidad que la planificación establece. O se Modifica o se Revisa el Plan o se formaliza un instrumento o programa que tenga los mismos efectos que las alteraciones de planeamiento que ya figuran en la Ley. Los efectos serán los mismos y solamente se establece una cautela para poder verificar lo dispuesto en la Ley de Suelo estatal, para que se incorpore como necesario en los instrumentos de cambio o modificación de la planificación los informes o Memorias de Sostenibilidad o Viabilidad Económica, que se analizan en el comentario al artículo 11 de esta ley.

Pero también se prevé la posibilidad de que las actuaciones que se pretendan, a propuesta de los agentes que pueden proceder a formular la iniciativa que se han concretado en el artículo anterior, se adapten al planeamiento vigente y en tal caso lo que determina la ley es la necesidad de proceder por dos vías ya recogidas en el planeamiento clásico, como son la delimitación de un ámbito de actuación conjunta o mejor dicho de gestión conjunta, puesto que en el mismo se deberán incluir, como se analizará más adelante, los elementos propios de la gestión para la realización de las actuaciones, como son la equidistribución y el realojo que sea necesario llevar a cabo para que la propuesta pueda materializarse, o bien la concreción de actuaciones aisladas para formalizar la actuación que se pretenda.

Las dos posibilidades pasan por lo tanto por la necesidad de delimitar espacialmente la actuación de la gestión que se vaya a llevar a cabo siguiendo modos tradicionales, aclarando, como ya es clásico en la gestión del suelo urbano, que las unidades de actuación, de ejecución o de gestión, o como quieran llamarse, se pueden formalizar bien de forma continua o discontinua siguiendo los parámetros del famoso artículo 78.3 del Reglamento de Gestión Urbanística, extendiendo en este caso la universalidad de la discontinuidad no solo a las actuaciones que de forma voluntaria se propongan sino a todas las que se lleven a cabo. Asimismo cabe interpretar que la identificación de la actuación aislada también podrá ser continua o discontinua, puesto que si la ley permite para actuaciones más complejas, como pueden ser las unidades de actuación conjunta, también debe amparar la discontinuidad física que se puede plantear para las actuaciones asiladas que presenten estas características espaciales en la identificación de su delimitación.

3. EL ACUERDO ADMINISTRATIVO PARA DELIMITAR LOS ÁMBITOS DE ACTUACIÓN

Según se ha podido observar anteriormente la iniciación de una actuación urbanística, a ejecutar de forma conjunta o mediante una actuación aislada, precisa de un acuerdo administrativo para la delimitación de su perímetro.

La identificación de ese perímetro debe contener todas aquellas precisiones que sean necesarias para dejar perfectamente acotados los ámbitos físicos a los que se refiera y a los propietarios que incluye.

Para ello deberá aclarar la delimitación física de la Unidad de Actuación o de la Actuación Aislada, mediante documento técnico en el que se precise la definición de la línea poligonal cerrada que conforme el perímetro de la actuación que podrá estar definido por coordenadas topográficas, definición de longitudes y ángulos o por cualquier otra técnica que permita su precisión de forma indudable, para que de forma complementaria se puedan definir los propietarios titulares de las parcelas o solares y los titulares de derechos que quedan incluidos en la citada delimitación y puedan ejercer sus derechos acorde con los deberes que impone la planificación que se ejecuta.

Precisamente la inclusión de una relación de propietarios interesados y de titulares de derechos deberá incluirse en el acuerdo para poder formalizar las notificaciones oportunas y de esa manera se conozcan de forma individualizada por los interesados más directos los trámites que se siguen para la ejecución de las actuaciones y se puedan conocer por los titulares registrales de las fincas y por los poseedores de derechos sobre ellas todos los procesos que se siguen para la ejecución de las actuaciones. Se deberá tener en cuenta en la relación de propietarios e interesados la puntualización de aquellos que tengan la condición de ocupantes de inmuebles con residencia habitual en los mismos para poder regular los derechos de realojo y retorno previstos en el artículo 14 de la ley.

En este sentido se puntualiza que se deben realizar las notificaciones requeridas por la legislación aplicable y por lo tanto se deberá tener en cuenta lo dispuesto en el artículo 70 ter de la Ley Reguladora de las Bases de Régimen Local en cuanto se produzca una alteración en la ordenación urbanística que incremente la edificabilidad o la densidad o modifique los usos del suelo, puesto que en esos casos se deberá hacer constar en la relación de interesados que se recoja en el documento la identidad de todos aquellos propietarios o titulares de otros derechos reales sobre las fincas, parcelas o solares afectados que lo hayan sido durante los cinco años anteriores a la iniciación de la alteración del planeamiento. Todo ello llevará a una investigación en los Registros de la Propiedad que garantice el conocimiento de los titulares de las propiedades o los de los derechos que se deban tener en cuenta y que se refirieran al interior de las Unidades de Actuación o Actuaciones Aisladas que se propongan y que se deben relacionar en el acuerdo que se tome en la aprobación de la Delimitación de la Unidad de Actuación o de la autorización de la Actuaciones Aisladas

La ley específica que el contenido del acuerdo mediante el que se delimitan las Unidades de Actuación o por el que se autorizan las Actuaciones Aisladas de Rehabilitación, de Regeneración o de Renovación Urbanas debe contener un Avance de la Equidistribución que debe ejecutarse en la gestión de las Unidades de Actuación o en las Actuaciones Aisladas. La equidistribución debe ser una justa distribución de los beneficios de todo tipo que se puedan obtener en la ejecución de las actuaciones, como pueden ser los aumentos de valor de las edificaciones por aumento de su superficie construida al aumentar las superficies comunes o por cualquier otra circunstancia, la revalorización por la mejora de la eficiencia energética o por haberse dotado de accesibilidad universal a los inmuebles o la debida a cualquier otra circunstancia que permita un incremento de la valoración de los inmuebles, estableciendo asimismo, si se diera el caso de la valoración diferencial entre las diferentes propiedades, o bien una equidistribución de esos beneficios de forma proporcional a las cutas de participación de cada uno de los propietarios en la comunidad a la que pertenezcan o bien estableciendo unas nuevas cuotas, al igual que se produciría en una reparcelación clásica, entendiendo la ponderación de las cuotas entre unas propiedades y otras de tal forma que la distribución de beneficios y cargas sea la real y responda a criterios de verdadera equidistribución entre todos los propietarios. En este orden de cosas debe precisarse asimismo cual es el peso de la posible participación de empresas que vayan a intervenir en la ejecución, si el conjunto de los propietarios así lo hayan decidido. Complementariamente se deben tener en cuenta otros beneficios que se puedan incorporar para su materialización, como pueden ser las ayudas públicas que se puedan obtener o cualquier otra que se pueda adscribir a su gestión,

De forma semejante se deberán incluir en este avance de equidistribución el reparto de las cargas que se derivan de la ejecución de la actuación, como pueden ser las correspondientes al coste de las obras necesarias, los costes de honorarios, lo impuestos, seguros, etc. que conlleven la ejecución de las actuaciones.

Para contemplar el conjunto de extremos que debe contemplar, como mínimo, el acuerdo administrativo de delimitación de los ámbitos de gestión o de la autorización de las actuaciones aisladas se debe reflejar en el mismo el plan de realojos y de retornos que se regulan en el artículo 14 de la ley.

4. LA OCUPACIÓN DE LOS ESPACIOS DE DOMINIO PÚBLICO

La experiencia obtenida en la ejecución en las obras que se han llevado a cabo hasta la actualidad de rehabilitación, o de significado similar, ha aconsejado la consideración de la necesidad de que las obras necesarias para poder llevar a cabo la mejora de las edificaciones tienen que efectuarse mayoritariamente en zonas de uso común y en muchos casos se tienen que ocupar espacios exteriores a las propias edificaciones que pertenecen al dominio público o que forman parte de espacios comunes privativos de las propias edificaciones y que alteran la distribución de cuotas o modifican parámetros establecidos por la ordenación urbanística.

En el desarrollo de obras de ese carácter se han podido detectar las incongruencias que se producen en la intervención en las edificaciones existentes para la adecuación de las mimas a las nuevas normativas al tener que ajustarse a Normas Urbanísticas, Planeamientos u Ordenanzas de Edificación y Urbanismo existentes en la ordenación que regulan a las edificaciones que muchas veces entraban en contradicción con las normativas recientes, como por ejemplo las disposiciones del Código Técnico de la Edificación.

Por ello de forma lógica expresa la ley la necesidad de que se tengan en cuenta ciertos ajustes en el planeamiento y en la reglamentación urbanística de los municipios y así como en la normativa urbanística autonómica dejando abierta la posibilidad de que suelos destinados a espacios libres o zonas verdes, viarios públicos u otros de dominio público que resulten imprescindibles en su ocupación para poder resolver los problemas que se generan en el proceso de rehabilitación de las edificaciones sean enfocados de forma particular para que se pueda compatibilizar la ordenación urbanística con las otras necesidades previstas en la Ley.

Asimismo se debería haber hecho mención expresa en la Ley de la necesidad de contemplar en la adaptación de la ordenación urbanística la consideración de otros parámetros reguladores que no solo sean los de la ocupación del dominio público para la realización de las obras necesarias de rehabilitación y que también inciden en la ejecución de ellas como son los de la medición de la altura reguladora, la de los elementos por encima de la altura máxima, las alturas de piso a techo en las edificaciones, existentes, las alturas a los falsos techos, etc. que al estar regidos por parámetros obsoletos en las normativas urbanísticas no permiten la ejecución de obras imprescindibles para la rehabilitación y renovación de los edificios.

Todo ello hace pensar que se abre un proceso de cambio en las normativas urbanísticas de los municipios para que se éstas se adapten a las nuevas necesidades de las demandas de la rehabilitación urbana, incorporando las modificaciones o adaptaciones que permitan llevar a cabo, por los procedimientos expuestos anteriormente, la adaptación y puesta al día de la regulación urbanística, pero sería necesario un tratamiento integral de los cambios necesarios para poder incorporar una nueva normativa contemplando las necesidades que demandan las nuevas especificaciones de la normativa de obligado cumplimiento y en la construcción de las edificaciones y los nuevos espacios públicos urbanizados, de forma que se puedan compatibilizar las necesidades derivadas de la normativa de aplicación con las disposiciones de rango urbanístico que derivan de la aplicación del planeamiento.

En un primer plano, las adaptaciones necesarias para garantizar la accesibilidad universal a las edificaciones producirán, cuando no sean viables técnica o económicamente otras posibilidades, la ocupación de zonas destinadas por el planeamiento a espacios libres, viarios u otros de dominio público. Esta solución se plantea para la ubicación de elementos que requieren especiales características en su disposición para garantizar la accesibilidad desde el exterior a cada una de las dependencias a las que sirven, como pueden ser los ascensores o los espacios para asegurar la movilidad universal de las personas a las edificaciones u otras dirigidas en ese sentido. Se hace la salvedad lógica que esa ocupación del dominio público no altere la funcionalidad ni los estándares de obligado cumplimiento estableciendo fórmulas que deben recoger las modificaciones de la planificación.

Cundo esas modificaciones u ocupaciones del espacio exterior no sean del dominio público en general también serán necesarios cambios que posibiliten esas actuaciones, puesto que la edificabilidad, el volumen, la superficie ocupada, los retranqueos, las separaciones entre edificaciones, la altura de las edificaciones se verán modificadas y salvo muy contadas excepciones será necesario que la modificación de los parámetros reguladores de la edificación en los planes, normas urbanísticas y ordenanzas contemplen las particularidades de esas obras para posibilitar su ejecución.

De la misma forma, en un segundo plano, cuando las actuaciones necesarias se puedan realizar en el interior de las edificaciones se posibilita la ocupación de los espacios comunes de las edificaciones y aunque la ley no hace mención expresa que se salvaguarde la funcionalidad de estos espacios privados se debe sobreentender que es necesario mantener la normativa de aplicación como puede ser la de evacuación de incendios, en las distancias mínimas de las escaleras, los anchos de los pasillos de accesos a las viviendas y otros contenidos técnicos que se deben tener en cuenta para la ejecución de los edificios contenidas en la normativa de obligado cumplimiento. También en los espacios privados se deberá tener en cuenta al posibilidad de que las obras se puedan realzar aunque se deba modificar la normativa de aplicación en el contenido de los parámetros urbanísticos que la modulan, puesto que en los espacios privados también se podrán ver alterados la edificabilidad, el volumen, las distancias a los linderos, la separación entre edificaciones, las dimensiones de los patios, etc., por lo que el ámbito de aplicación de la posibilidad de considerar necesarias las modificaciones de la normativas que posibiliten la aplicación de la obras será de aplicación universal. En la aplicación de la garantía que debe tenerse encuentra para la posibilidad de incorporar las mejoras necesarias tendrá necesariamente un encuadre particular en alguna de ellas como, por ejemplo, la posibilidad de la disposición de ascensores en los patios de reducirlas dimensiones, ya que una lectura de la anchura de los patios en la disposición clásica no permitiría una adaptación de ambas normativas, mientras que si se valoran otras formas de verificar esas disposiciones, como la contemplación de las luces rectas u oblicuas, de los huecos que dan a esos patios o cualquier otra medida que garantice la funcionabilidad de ambas obligaciones podría permitir resolver los problemas que se planteen. Es decir, se debe tener en cuenta, como se dice en otros aparados la Ley, la incorporación de fórmulas novedosas que permitan el cumplimiento de todo el conjunto de normativas que regulan la edificación olvidando viejas prácticas que únicamente lo que dificultan son la adaptación de la edificación a las nuevas necesidades.

La Ley abre la posibilidad de que las necesidades de ocupación de los espacios de dominio público y los privativos de uso común, según se ha explicitado en anteriores comentarios, se puedan llevar a cabo para conseguir la ejecución de las obras necesarias para reducir en un treinta por ciento la demanda actual de energía en las instalaciones de calefacción, refrigeración o las que supongan un treinta por ciento de ahorro en las instalaciones de energía comunes, en las de captadores de energía renovables o para aquellas obras en zonas comunes que reduzcan un treinta por ciento el consumo de agua en el conjunto del edificio.

Cualesquiera de esas obras (las necesarias para garantizar la accesibilidad universal y las de conseguir el ahorro de energía) tienen la cualificación necesaria para poder ocupar los espacios destinados por el planeamiento a dominios públicos y a los espacios de uso común en las edificaciones. Los mayores, espesores de los muros de cerramiento, del aumento de los espacios privativos por cerramiento de terrazas cubiertas, balcones o balconadas, la creación de nuevos habitáculos destinados a la ubicación de instalaciones bioclimáticas se podrán realizar, siempre que no haya otra posible solución, justificándolo de forma técnica o económica, ocupando los espacios de dominio público o los espacios comunes, de tal forma que el planeamiento garantice que la realización de esas obras se adapta a la legalidad existente o porque ya se hayan hecho efectivas las modificaciones del planeamiento que los tengan en cuenta siguiendo el procedimiento regulado en el apartado 1 de este artículo 10.

Se abre también la discusión de cuando se considera que no es viable técnica o económicamente otra solución alternativa para no ocupar los espacios de dominio público o la propuesta de obras que tengan que modificar los parámetros urbanísticos de ordenación y quien es el organismo que se debe pronunciar en ello, o bien si es simplemente el técnico redactor de los proyectos el que se debe decidir al respecto puesto que ello conllevará en la mayoría de los casos una modificación en los elementos de la planificación para poder amparar la ejecución de esas obras. La necesidad de la inclusión de una Memoria Económica que asegure la viabilidad de la operación dentro del Proyecto que describa las obras a realizar ayudará a la elección de la propuesta, pero la demostración de que otra diferente no tiene la misma viabilidad parece que puede desembocar en un camino sin salida, pues habrá que demostrar la no viabilidad de otras soluciones para garantizar que la propuesta es la que es viable económicamente y no existe otra que cumpla este requisito. Parece deducirse del sentido en el que está redactada la Ley que la propuesta para la justificación de tales precisiones debe corresponder al técnico redactor de los proyectos de forma justificada y que su aceptación corresponderá a las Administraciones Públicas que deban aprobar los proyectos y en su caso impulsar las modificaciones de planeamiento que posibiliten la ejecución de las citadas obras.

5. LAS ACTUACIONES EN EDIFICIOS PROTEGIDOS

Es de especial interés las actuaciones para posibilitar la ejecución de las obras que supongan una mejora en el consumo energético o una mejora de la accesibilidad universal en los edificios que posean algún grado de protección arquitectónica, cultural, ambiental o de cualquier otro tipo declarada por aplicación de la una ley sectorial, por el propio planeamiento o por la inclusión en algún Catalogo de Protección o también en los espacios públicos que tengan algún tipo de protección histórica o ambiental en tanto en cuanto sea necesaria la intervención para garantizar la accesibilidad universal en esos espacios.

En estos casos la ley establece una declaración de principios para lograr un acuerdo interadministrativo entre las Administraciones que deban aprobar las normativas derivadas de las propuestas de los propietarios o portadores de derechos en los edificios protegidos que no se adapten al planeamiento vigente o las que regulan las características de los espacios públicos y las Administraciones encargadas de velar por el mantenimientos de los valores que condujeron a la protección de los diferentes inmuebles, declarando por una parte la dirección de buscar soluciones innovadoras en las propuestas para realizar las adaptaciones precisas y la preservación de sus valores, que en todo caso deberán estar valorados por el organismo responsable de la protección de la edificación o del espacio público.

En estos supuestos la ley no se pronuncia en el sentido que lo hace para la posibilidad de adecuar la legislación urbanística a las necesidades de las obras de rehabilitación edificatoria, de regeneración y de renovación urbana, pero cabe entender que la modificación de las protecciones de los diferentes elementos de las edificaciones o de los espacios urbanos protegidos cuya protección derive del propio planeamiento cabe considerarla incluida en el mismo supuesto de modificación que se ha comentado en el primer apartado de este artículo, es decir que se pueda producir un cambio en la normativa sopesando los intereses generales de la protección con los de la rehabilitación, regeneración y renovación urbanas y que de ello se desprenda que medidas son las adecuadas para ello. Quedará por analizar cuando la protección de los edificios o de los ambientes urbanos no derive del propio planeamiento sino que sea una disposición amparada en las legislaciones del patrimonio o de otro nivel de protección superior al de la propia planificación.

En este caso solamente quedará como camino posible el entendimiento interadministrativo entre aquéllas que velen por el cumplimiento de las normativas de aplicación, puesto que la Ley deja bien claro que las obras que se pretendan realizar deben tener informes favorables o autorizaciones previas para todas las actuaciones que se realicen en bienes de interés cultural o sujetos otro tipo de protección.

Artículo 11. Memoria de viabilidad económica

La ordenación y ejecución de las actuaciones referidas en el artículo anterior requerirá la realización, con carácter previo, de una memoria que asegure su viabilidad económica, en términos de rentabilidad, de adecuación a los límites del deber legal de conservación y de un adecuado equilibrio entre los beneficios y las cargas derivados de la misma, para los propietarios incluidos en su ámbito de actuación y contendrá, al menos, los siguientes elementos:

a) Un estudio comparado de los parámetros urbanísticos existentes y, en su caso, de los propuestos, con identificación de las determinaciones urbanísticas básicas referidas a edificabilidad, usos y tipologías edificatorias y redes públicas que habría que modificar. La memoria analizará, en

concreto, las modificaciones sobre incremento de edificabilidad o densidad, o introducción de nuevos usos, así como la posible utilización del suelo, vuelo y subsuelo de forma diferenciada, para lograr un mayor acercamiento al equilibrio económico, a la rentabilidad de la operación y a la no superación de los límites del deber legal de conservación.

b) Las determinaciones económicas básicas relativas a los valores de repercusión de cada uso urbanístico propuesto, estimación del importe de la inversión, incluyendo, tanto las ayudas públicas, directas e indirectas, como las indemnizaciones correspondientes, así como la identificación del sujeto o sujetos responsables del deber de costear las redes públicas.

c) El análisis de la inversión que pueda atraer la actuación y la justificación de que la misma es capaz de generar ingresos suficientes para financiar la mayor parte del coste de la transformación física propuesta, garantizando el menor impacto posible en el patrimonio personal de los particulares, medido en cualquier caso, dentro de los límites del deber legal de conservación.

El análisis referido en el párrafo anterior hará constar, en su caso, la posible participación de empresas de rehabilitación o prestadoras de servicios energéticos, de abastecimiento de agua, o de telecomunicaciones, cuando asuman el compromiso de integrarse en la gestión, mediante la financiación de parte de la misma, o de la red de infraestructuras que les competa, así como la financiación de la operación por medio de ahorros amortizables en el tiempo.

d) El horizonte temporal que, en su caso, sea preciso para garantizar la amortización de las inversiones y la financiación de la operación.

e) La evaluación de la capacidad pública necesaria para asegurar la financiación y el mantenimiento de las redes públicas que deban ser financiadas por la Administración, así como su impacto en las correspondientes Haciendas Públicas.

COMENTARIO (1)

Sumario

1. El ámbito de aplicación en función de la Memoria de Viabilidad Económica.
2. El carácter de la Memoria de Viabilidad Económica.
3. El contenido de la Memoria de Viabilidad Económica.

---

(1) Comentario a cargo de Joaquín Jalvo Mínguez. Arquitecto Superior en las especialidades de Edificación y Urbanismo. Diplomado en Urbanismo por el IEAL.

1. EL ÁMBITO DE APLICACIÓN EN FUNCIÓN DE LA MEMORIA DE VIABILIDAD ECONÓMICA

Las actuaciones de rehabilitación edificatoria, las de regeneración y renovación urbana deben contener para su consideración una Memoria que demuestre, aparte de la viabilidad técnica comentada anteriormente, la viabilidad económica de las actuaciones que se pretenden. En este aspecto se abren una serie de supuestos que se pueden analizar de forma desagregada. En primer lugar la Ley explicita que la Memoria debe atender a asegurar la rentabilidad de las actuaciones, en segundo lugar que se demuestre que las aportaciones de los propietarios de los edificios no se encuentren fuera del deber legal de conservación y por último el de asegurar un equilibrio entre los beneficios que se obtengan en las actuaciones con las cargas que se generan por las mismas.

De acuerdo a estos supuestos y antes de entrar en el análisis de los apartados primero y tercero, se deberá tener en cuenta, porque resulta excluyente para los otros dos estudios, el reconocimiento de que las aportaciones de los propietarios de las edificaciones sobre las que se plantean las actuaciones no superan a las que serían de obligado cumplimiento teniendo en cuenta el deber de conservación, de acuerdo a las disposiciones que regulan esa obligación en las respectivas legislaciones autonómicas.

Parece que la Ley quiere asegurar mediante esta Memoria que las inversiones que deban efectuar los propietarios estén incluidas dentro del deber legal de conservación y para ello propone una serie de posibilidades de forma que instaurando nuevos usos, incrementando las edificabilidades o las densidades y estableciendo nuevas opciones de utilización de los suelos y de los vuelos se llegue a hacer rentable la operación. Pero como se puede observar en la cuantificación del deber legal de conservación se evalúan la relación entre las obras que es necesario efectuar y el valor actual de la edificación, sin que en esta relación se tenga en cuenta el valor del suelo, por lo que en los supuestos en los que la Ley determina que no se debe superar el límite del deber legal de conservación este valor no depende de los nuevos usos, o de los aumentos de las edificabilidades ni de los otros parámetros, por lo que parece deducirse de la incorporación de estos límites para garantizar la viabilidad económica de las operaciones es que la cuantía que se debe imputar a los propietarios no debe superar el límite de su deber legal de conservación y que los excesos que pudieran producirse se deben sufragar mediante otras operaciones financieras en las que intervengan otros factores como los anteriormente mencionados.

Por lo tanto la viabilidad económica de las Actuaciones tiene que considerar que las aportaciones de los propietarios de las edificaciones se encuentran dentro del límite del deber de conservación para poder declarar la posibilidad de llevar a cabo las actuaciones. Cabe plantearse el supuesto de que no se pudieran encontrar otras opciones de rentabilidad para las Actuaciones y que las aportaciones de los propietarios de las edificaciones superasen el deber legal de conservación y sin embargo los propietarios de las edificaciones quisieran impulsar las actuaciones de las obras para integrar en su patrimonio las medidas de rehabilitación edificatoria, lo que supondría adaptarse a los trámites necesarios para llevarla a cabo, pero al no estar dentro de los supuestos exigidos en la obligación legal de conservación dejarían sin quedar afectados al resto de los beneficios y las obligaciones que la Ley dispone cuando se declara la ejecución de las actuaciones y en concreto a las obligaciones dispuestas en el artículo 12 de esta Ley para obligar a sufragar los gastos derivados de las actuaciones y a los posibles beneficios que pudiera reportar la modificación de los planeamientos de aplicación, aunque no llegasen a suponer llegar a la cuota en las que las aportaciones netas de los propietarios llegasen a su deber legal de conservación.

Cabe entonces plantearse, en ese supuesto, si los propietarios de forma unánime deciden voluntariamente proceder a realizar una actuación, bien mediante Actuación Aislada o bien encuadrándose en una Unidad de Actuación, en las que los gastos para realizar las obras que conlleven a la accesibilidad de sus edificaciones o a las mejoras energéticas en los término descritos en el artículo 10 de la Ley sean superiores a su deber legal de conservación, pueden quedar afectados en los términos descritos en el artículo 12 de la Ley, a los efectos de la aplicación de los regímenes de expropiación, venta y sustitución forzosas de los bienes y derechos necesarios para su ejecución, y su sujeción a los derechos de tanteo y retracto a favor de la Administración actuante, o también significa la afección real que se debe hacer constar mediante nota marginal en el Registro de la Propiedad, con constancia expresa de su carácter de garantía real y con el mismo régimen de preferencia y prioridad establecido para la afección real al pago de cuotas de urbanización en las actuaciones de transformación urbanística.

En estos casos parece que no se debería proceder a la aplicación de lo dispuesto en estas disposiciones puesto que si no existe la obligación de hacer efectivos los gastos de conservación y es un decisión voluntaria el incorporarse a ese proceso, por lo que no se pueden exigir las cargas derivados de la ejecución de las obras que los generan su ejecución y se deberán seguir procedimientos particulares que deberán constar en los posibles acuerdos administrativos que delimiten los ámbitos de actuación conjunta o se autoricen las actuaciones que deban ejecutarse de manera aislada, haciendo mención expresa a estas circunstancias y exigiendo particularmente las precisiones que procedan dentro de las exigidas en el citado artículo 12 de la Ley.

De esta manera se podrían considerar incluidos dentro de los supuestos en los que es de aplicación la Ley, con las salvedades oportunas, aquellos inmuebles que se encontrasen sus propietarios obligados a participar en cuotas superiores a su deber legal de conservación, regulado en cada una de las legislaciones autonómicas y por lo tanto el campo de aplicación de la ley se podrá extender al conjunto de edificaciones que conforman el patrimonio edificatorio, regenerando de forma eficaz los tejidos urbanos y renovando parte de las ciudades que tiene un considerable patrimonio en las circunstancias expuestas, puesto que de no ser así tejidos urbanos de muchas ciudades quedarían excluidos automáticamente de estos procesos si no se encontrasen medidas alternativas para el aumento de las edificabilidades o cambios de usos que pudiesen hacer rentables las operaciones y no es ese precisamente el espíritu que la ley desarrolla.

También para apoyar esta consideración hay que tener en cuenta la posible existencia dentro de las Unidades de Actuación que se delimiten para una regeneración urbana, a las que la ley considera rehabilitaciones, regeneraciones y renovaciones de carácter integral y no solo desde el ámbito físico sino que incluye los aspectos sociales, económicos, ambientales y de integración de la ciudad de inmuebles aislados que si no se encontrasen medidas de incrementos de edificabilidades o cambios de usos, tendrían que excluirse de las Actuaciones dejando sin contenido la finalidad propia de regeneración integral de los tejidos urbanos al tener la necesidad de demostrar la no superación del límite legal de conservación de forma imperativa y no abrir la posibilidad de una integración voluntaria de esos supuestos con las cautelas oportunas. Con esta interpretación de lo dispuesto en la Ley, se garantizaría el cumplimiento de los objetivo de la Ley en todos los casos, eso sí, teniendo en cuenta las especiales circunstancias legales que se hayan de disponer con respecto a los propietarios de las edificaciones a los que no se puedan exigir, por mandato de la ley, el importe de las obras a realizar, en el sentido de hacer paralelos los derechos de no tener que sufragar obligatoriamente los gastos de reparación de las obras necesarias para garantizar la rehabilitación de las viviendas y el deber de realizar las obras que garanticen una accesibilidad universal, una conservación sin riesgos para terceros y una eficiencia energética que consiga de forma integral la incorporación de esas edificaciones al conjunto patrimonial de la ciudad.

Las anteriores consideraciones se deberán enfocar a la luz de lo dispuesto en la ley para considerar como obras obligatorias para proceder a la rehabilitación de las edificaciones las ya descritas, que superan las que habitualmente se consideraban necesarias para la determinación de las obras mínimas para cumplir el deber legal de conservación y para determinar el porcentaje de las mismas con respecto al valor actual de la edificación que determina la inclusión o exclusión de la obligación de ejecutar las obras necesarias para posibilitar el uso de las edificaciones, por lo que el valor de las obras obligatorias será superior al establecido de forma clásica y por lo tanto habrá más edificaciones que se excluyan de los supuestos incluidos en el deber legal de conservación, lo que ampliará la aplicación de las consideraciones expresadas.

2. EL CARÁCTER DE LA MEMORIA DE VIABILIDAD ECONÓMICA

La obligatoriedad de realizar de forma previa a la ordenación y gestión de las actuaciones la Memoria de Viabilidad Económica plantea diferentes aspectos que es necesario comentar como son el momento de su elaboración y aprobación, el carácter y el alcance y contenido de la misma.

En primer lugar hay que definir cuál es el momento en el que hay que proceder a redactar la Memoria. Para analizar esta cuestión se debe observar que la memoria tiene que formularse inmediatamente después de haberse tomado el acuerdo para la declaración de la iniciativa de la actuación, puesto que sus determinaciones tienen que asegurar las posibilidades que existen para la ejecución de las actuaciones. Es decir tiene que redactarse antes del acuerdo administrativo mediante el que se delimitan los ámbitos de actuación conjunta o se autoricen las actuaciones que se ejecuten de forma aislada, puesto que en este último acuerdo ya se deben declarar los límites de la actuación, la necesidad o no de la modificación de la ordenación urbanística, un avance de la equidistribución y el plan de realojo y de retorno, definidos en el artículo 10 y que necesariamente tiene que extraerse de la Memoria de Viabilidad Económica. En el gráfico siguiente se puede visualizar el momento en el que interviene la Memoria de Viabilidad Económica dentro de todo el organigrama de ordenación y gestión de las actuaciones en el medio urbano.

Por lo tanto la Memoria de Viabilidad Económica es el documento que va a asegurar la posibilidad de realizar las actuaciones, a que ámbito se refieren y de qué forma se van a llevar a cabo. Por ello se puede observar que tiene las características de un instrumento de ordenación y de gestión conjuntos, puesto que tiene que definir los parámetros de ordenación del área y asegurar en qué forma se van a ejecutar sus determinaciones. En este sentido hay que considerar si los ámbitos a los que se refieren las actuaciones se pueden ordenar de forma parcial o sus modificaciones alterarán el modelo de ordenación, por lo que sus propuestas tendrían un mayor alcance que el del propio recinto interno referido a su perímetro. Visto en términos urbanísticos sería como establecer que las propuestas de modificación se pudiesen considerar como modificaciones puntuales de la ordenación o si se consideran, en la clasificación clásica de las alteraciones de planeamiento, como una revisión Parcial de la ordenación.

En este sentido parece que la Ley quiere avanzar sobre la legislación clásica y permitir que o bien por procedimientos novedosos o por métodos ya establecidos en las legislaciones se proceda a viabilizar la gestión de la ordenación urbanística, incluso en el caso de que se proceda a modificar el modelo de ordenación, estableciendo, en ese caso, como se podrán gestionarlas redes que se viesen alteradas y a cargo de quien se realiza esa modificación. De esta forma parece que se posibilita una gestión más cercana de la planificación haciendo protagonista a la viabilidad de la gestión económica de las actuaciones que en algunos momentos en la redacción de los planes de ordenación no llega a estar plenamente justificada.

Paralelamente la Memoria de Viabilidad Económica debe contener los datos precisos para garantizar que no se sobrepasan los límites del deber de conservación de los propietarios de los inmuebles que se incluyen en las actuaciones, por lo que debe pronunciase sobre la equidistribución de las cargas y beneficios que se producen en la actuación y de ello dimana su carácter de instrumento de gestión ya que debe incidir sobre el reparto de las cargas y beneficios que se generan en la planificación que ha asumido o propuesto. Por lo tanto la Memoria de Viabilidad Económica participa tanto de las características de la planificación, estableciendo los derechos y obligaciones propias de la misma, materializadas en la ordenación que asume o propone y a la vez establece los mecanismos de gestión a través de la equidistribución de las cargas y beneficios que genera esa planificación, constituyendo un instrumento híbrido al que solamente le falta la inclusión de los proyectos necesarios para realizar las obras para culminar todo el proceso de creación de ciudad o mejor dicho de regeneración o renovación de la ciudad.

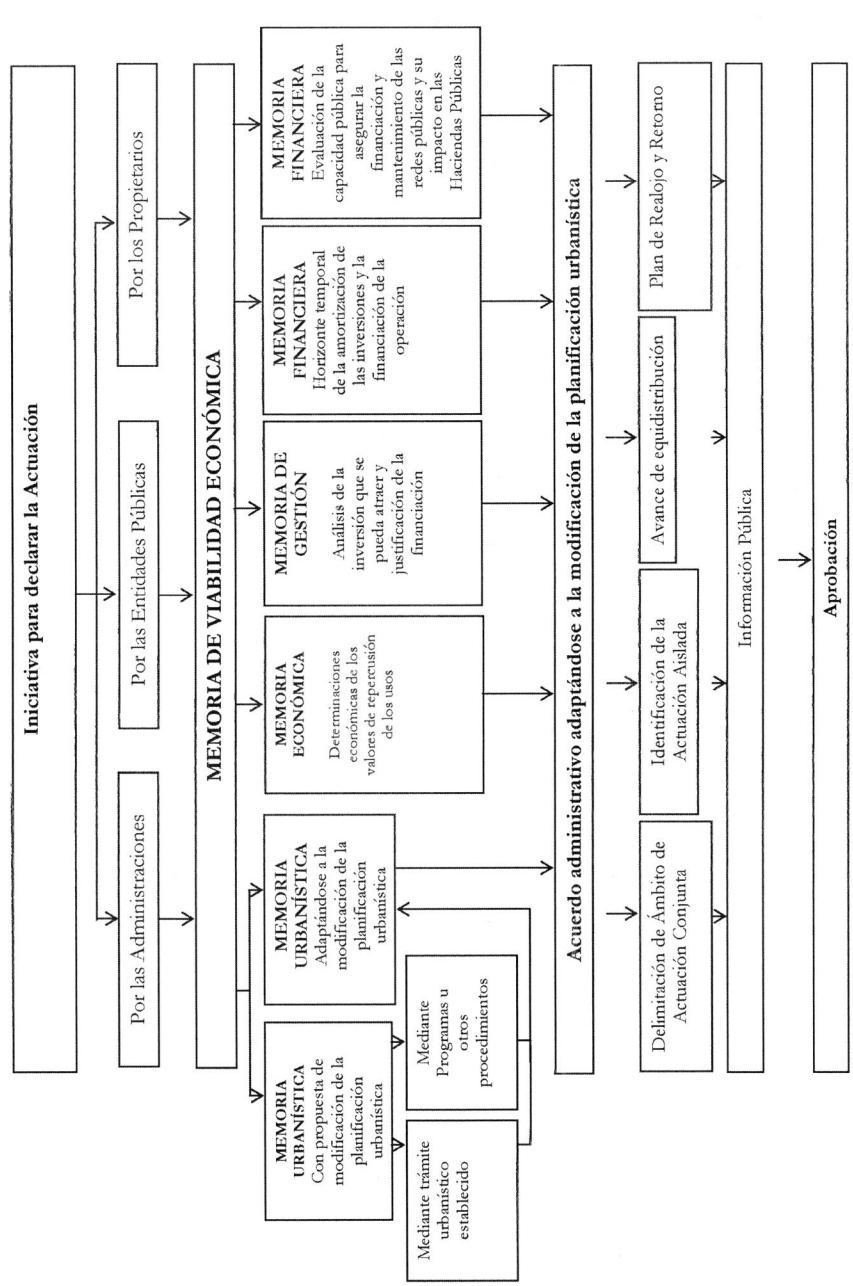

3. EL CONTENIDO DE LA MEMORIA DE VIABILIDAD ECONÓMICA

Dado el carácter de la memoria de Viabilidad Técnica, su contenido tiene que participar de los propios de los documentos urbanísticos y de los de gestión. Se puede establecer un contenido diferenciado de la Memoria de Viabilidad Económica según los apartados siguientes:

— Memoria Urbanística

— Memoria Económica

— Memoria de Gestión

— Memoria Financiera

La parte denominada **Memoria Urbanística** de la Memoria de Viabilidad Financiera se debe corresponder al análisis de la ordenación existente y en su caso de la propuesta, comparando la nueva ordenación con la existente y justificando los cambios que introduce, identificando aquellas determinaciones urbanísticas básicas para la determinación de los derechos y deberes de los propietarios, como son la definición del aprovechamiento subjetivo de apropiación por los propietarios, el aprovechamiento objetivo del ámbito de actuación conjunta, la edificabilidad de cada uno de las fincas, parcelas o solares incluidos en la misma [2], las densidades proyectadas, los usos admisibles o mejor dicho el conjunto de usos que pueden incorporarse a la trama urbana a la que se refiere, la tipología propia de las edificaciones que se puedan realizar, las alturas permitidas, la ocupación del suelo propuesta, las alineaciones tanto públicas como de las interiores que se consideren, las propuestas de protección o catalogación de las edificaciones acordes con las determinaciones sectoriales de la legislación patrimonial que sean de aplicación y en general cualquiera que intervenga en la determinación de los aprovechamientos que el planeamiento otorga. De la misma forma deberá precisar las determinaciones de las redes públicas incorporadas en el ámbito ordenado, tanto para el propio uso del Ámbito de Actuación como para el resto de la ciudad y que sean necesarias ubicarlas en el recinto que se ordena, comprendiendo en las mismas las reservas para espacios libres de uso y dominio púbico, y las propias del dominio privado, las destinadas a espacios de comunicaciones viarias, de tráfico rodado, peatonal, de circuitos de bicicletas o de cualquier otro tipo de circulación, incluyendo los espacios destinados a los aparcamientos de vehículos, los espacios destinados a dotaciones públicas o de equipamientos privados. Todo ello se deberá completar con la determinación de las infraestructuras que sea necesario disponer para el normal funcionamiento de la zona ordenada y la conexión de las mismas con las existentes en la ciudad.

---

(2) Adviértase que es necesario incluir entre los parámetros imprescindibles para definir la ordenación que se propone el aprovechamiento que se atribuye a los predios y no solamente la edificabilidad y los usos como dice la Ley, puesto que la equidistribución se deberá realizar en términos de aprovechamientos y no de edificabilidad.

La Ley apunta la necesidad de tener en cuenta en la nueva ordenación que se pueda realzar, el análisis pormenorizado de los incrementos que se puedan producir en el aprovechamiento (que no en la edificabilidad como ya se ha hecho mención anteriormente) o la utilización por nuevos usos de los espacios ordenados, de cara a garantizar la rentabilidad o a la verificación de que no se superen los límites de los deberes legales de conservación de los propietarios de los predios, lo cual se analizará más adelante, pero en este apartado se debe tener asimismo en cuenta la incidencia de las nuevas características de la ordenación en la observancia de las reservas legales de obligado cumplimiento establecidas por la legislación urbanística, como pueden ser la reserva de espacios libres y de dotaciones públicas o equipamientos privados fijadas por coeficientes de aplicación o por referencia a la edificabilidad total propuesta o a través de las densidades establecidas, como por ejemplo pueden ser los estándares de las redes referidos a espacios libres de sistemas generales o de redes locales o a los de las dotaciones públicas con referencia a la edificabilidad, propuesta de los usos residenciales, terciarios o industriales o a las densidades de viviendas en usos residenciales.

La **Memoria Económica** debe atender a determinar las características económicas de la ordenación que existe o que se proponga, exponiendo los valores que se derivan de la ordenación urbanística, concretando de una parte los gastos necesarios para la ejecución de la ordenación y los ingresos que se prevén que se obtengan con los aprovechamientos subjetivos que se consideran en la planificación que se ejecuta. En los gastos necesarios se deberán tener en cuenta los derivados de la propia planificación, los derivados de la materialización de los usos propuestos en la cuantía y situación definida en la ordenación, los propios de las obras que se consideren, los de la ejecución de las redes asignadas a la actuaciones que se ejecutan, los propios gastos financieros para asegurar la realización de las actuaciones, los derivados de las indemnizaciones necesarias para ejecutar la planificación, lo originado por los realojos y retornos que se hayan previsto, los de gestión, los de los impuestos y tasas a satisfacer y todos aquellos necesarios para la ejecución de una planificación urbanística. En cuanto a la determinación de los ingresos que se prevean se deberán tener en cuenta los derivados de la valoración de los aprovechamientos subjetivos atribuidos por el planeamiento a los propietarios, determinando los valores de repercusión de cada uno de los aprovechamientos urbanísticos que se definan la planificación, los que se puedan obtener para la ejecución de la ordenación que se ejecuta por las ayudas públicas directas o indirectas de las Administraciones y los que se consideren como tales al corresponder a la ejecución de las redes de obligada ejecución y que sean sufragados por organismos, entidades u otros agentes ajenos a los propietarios incluidos en la actuación y todo aquel ingreso que se pueda atribuir a la gestión de la ordenación urbanística que se ejecuta.

En la **Memoria de Gestión** se tiene que determinar uno de las principales cuestiones en las que hace especial hincapié la Ley, en el sentido de que se demuestre que no se superan los límites del deber legal de conservación de los propietarios de inmuebles para garantizar la obligatoriedad de las cargas que se imponen. Por ello se debe realizar una verdadera equidistribución de las cargas y beneficios calculados en la Memoria Económica formalizando una verdadera reparcelación que garantice esa equidistribución, siendo por lo tanto esta equidistribución la parte de gestión que se atribuye a la Memoria de Viabilidad Económica, pudiendo materializarse por lo tanto esta equidistribución no solo en un reparto económico sino en una auténtica reparcelación de beneficios y cargas en el sentido clásico de ese instrumento de gestión. Precisamente en la Cuenta de Liquidación de esa Reparcelación será donde únicamente se pueda demostrar que no se superan los límites del deber legal de conservación o de que las operaciones urbanísticas sean realmente rentables, al disponer de un conocimiento preciso de las cargas y de su reparto que se formulan en este instrumento de gestión y comparándolas con el valor actual de las edificaciones que poseen los propietarios o con los valores de los solares o de los edificios ruinosos que se puedan localizar en las actuaciones.

Para conocer el valor de las obras a realizar, al igual que se considera en los Proyectos de Reparcelación un avance del coste de las obras para determinar los gastos de urbanización si no está redactado el correspondiente Proyecto de Urbanización, se podrán estimar justificadamente los gastos de las obras y los costes que se derivan de las mismas, si no existiese Proyecto de Ejecución de las obras necesarias para las actuaciones que se pretenden, para poder estimar los gastos a imputar en la cuenta general de gastos de las actuaciones.

Con base a estas determinaciones se podrá incluir en el acuerdo administrativo, mediante el que se delimitan los Ámbitos de Actuación Conjunta o se autorizan las Actuaciones Aisladas, el Avance de Equidistribución que preceptivamente debe incluirse en el mismo, reflejándose en el mismo el límite que ya se ha tenido en cuenta para la realización de la reparcelación de los beneficios y cargas incluidos en la delimitación que se aprueba en dicho acto.

Para posibilitar lo dispuesto en el artículo 12.1.c de la Ley, en esta Memoria se deberá indicar la forma de gestión que se elija, para que posteriormente el acuerdo administrativo que se adopte pueda reflejar y acordar el sistema o la forma con el que se prevé llevar a cabo la gestión de las actuaciones.

Para completar el contenido de la Memoria de Viabilidad Económica debe realizarse la **Memoria Financiera** que se debe referir a la viabilidad económica, en los términos de rentabilidad a las que se refiere la Ley, de la operación que se plantea. Por lo tanto se deberán identificar los agentes económicos que van a intervenir en la operación, con especial referencia a los agentes que tengan que sufragar el coste de las redes públicas, figurando cada uno de ellos con su aportación y en el tiempo que tiene que proceder a su materialización, para de esa forma poder contrastarla con los gastos que se proponen. Se deberán programar en este aparrado las intervenciones de ejecución para poder asegurar la viabilidad financiera de la operación. Asimismo se deberán hacer las previsiones oportunas con respeto a los ingresos que se deriven de las posibles inversiones que se puedan realzar por la atracción que genere la actuación a los agentes externos a la actuación, puesto que la Ley propone que sea con cargo a ellos sobre los que se soporten la mayor parte de los gastos de la transformación física propuesta y de esa forma se garantice el menor impacto posible a los propietarios, por lo que se deberá atender a las posibles financiaciones que puedan ofrecer las empresas suministradoras de los servicios o de las energías y las que se integren en la gestión, así como de las entidades financieras que se puedan comprometer a financiar las operaciones que se proponen.

Tendrán relevancia en este estudio los compromisos de las Administraciones en relación a la colaboración en la financiación de la gestión de la unidad y en especial a la consideración de las ayudas públicas de cualquier orden que se deban tener en cuenta.

En la Memoria de Viabilidad Económica se deben establecer los compromisos temporales que se proponen para garantizar la rentabilidad de las inversiones teniendo en cuenta la dificultad que estos supuestos generan en toda operación urbanística y por lo tanto se deberá operar con la cautela necesaria para que los estudios financieros tengan la suficiente precisión y que respondan fielmente a supuestos reales.

Finalmente se deberá garantizar en este apartado de la Memoria de Viabilidad Económica la sostenibilidad de las actuaciones propuestas, teniendo en cuenta lo dispuesto en el artículo 15.4 del Real Decreto Legislativo 2/2008, de 20 de junio, por el que se aprueba el texto refundido de la ley de suelo *(BOE* número 154, de 26 de junio de 2008) modificado por la Disposición final duodécima de la Ley 8/2013, de 26 de junio, de rehabilitación, regeneración y renovación urbanas *(BOE* 153, de 27 de junio de 2013, incluyendo el Informe de Sostenibilidad Económica que garantice la sostenibilidad de las propuestas, de tal forma que se garantice la gestión y mantenimiento de las redes por parte de las Administraciones Públicas.

Artículo 12. Efectos de la delimitación de los ámbitos de gestión y ejecución de las actuaciones

1. La delimitación espacial del ámbito de actuación de rehabilitación edificatoria y de regeneración y renovación urbanas, sea conjunta o aislada, una vez firme en vía administrativa, provoca los siguientes efectos:

a) comporta la declaración de la utilidad pública o, en su caso, el interés social, a los efectos de la aplicación de los regímenes de expropiación, venta y sustitución forzosas de los bienes y derechos necesarios para su ejecución, y su sujeción a los derechos de tanteo y retracto a favor de la

Administración actuante, además de aquellos otros que expresamente se deriven de lo dispuesto en la legislación aplicable.

b) legitima la ocupación de las superficies de espacios libres o de dominio público de titularidad municipal que sean indispensables para la instalación de ascensores u otros elementos para garantizar la accesibilidad universal, siendo la aprobación definitiva causa suficiente para que se establezca una cesión de uso del vuelo por el tiempo en que se mantenga la edificación o, en su caso, su recalificación y desafectación, con enajenación posterior a la comunidad o agrupación de comunidades de propietarios correspondiente, siempre que resulte inviable técnica o económicamente cualquier otra solución y quede garantizada la funcionalidad del dominio público correspondiente.

Cuando, con las finalidades y con los requisitos previstos en el párrafo anterior, fuere preciso ocupar bienes de dominio público pertenecientes a otras Administraciones, los Ayuntamientos podrán solicitar a su titular la cesión de uso o desafectación de los mismos, la cual procederá, en su caso, de conformidad con lo previsto en la legislación reguladora del bien correspondiente.

c) marca el inicio de las actuaciones a realizar, de conformidad con la forma de gestión por la que haya optado la Administración actuante.

2. La conformidad o autorización administrativas correspondientes a cualesquiera de las actuaciones referidas en el apartado 1, determinará la afección real directa e inmediata, por determinación legal, de las fincas constitutivas de elementos privativos de regímenes de propiedad horizontal o de complejo inmobiliario privado, cualquiera que sea su propietario, al cumplimiento del deber de costear las obras. La afección real se hará constar mediante nota marginal en el Registro de la Propiedad, con constancia expresa de su carácter de garantía real y con el mismo régimen de preferencia y prioridad establecido para la afección real al pago de cuotas de urbanización en las actuaciones de transformación urbanística.

COMENTARIO (1)

Sumario

1. Introducción.
2. Los especiales efectos de la aprobación de las actuaciones.

---

(1)   Comentario a cargo de Joaquín JALVO MÍNGUEZ. Arquitecto Superior en las especialidades de Edificación y Urbanismo. Diplomado en Urbanismo por el IEAL.

3. La equidistribución en las actuaciones.
4. El momento de aplicación de los efectos.
5. Las diferentes formas de ocupación del dominio público.

1. INTRODUCCIÓN

El acuerdo administrativo por el que se aprueba el comienzo de las actuaciones se considera, por sus efectos, un acto con resultados semejantes a los que establecen las aprobaciones de los planes en las legislaciones urbanísticas, al conferir la posibilidad de aplicar los regímenes de expropiación, venta y sustitución forzosas de los bienes y derechos necesarios para su ejecución, dentro de los límites de la actuaciones conjuntas o de las actuaciones aisladas.

Estos efectos comportan una nueva posibilidad de actuación sobre los espacios que se declaren necesarios para la ejecución de las obras al declarar la utilidad pública, el interés social a los efectos de la aplicación de los regímenes de expropiación, venta y sustitución forzosa y la sujeción a los derechos de tanteo y retracto de los bienes y derechos necesarios para la ejecución de las obras y legitima el cambio de titularidad, si procediese, del dominio público hacia el dominio privado para que se puedan realizar las obras de accesibilidad universal y debe entenderse asimismo, en analogía con lo dispuesto en el artículo 10.4 de la Ley para aquellas obras de mejora de la eficiencia energética, en los términos establecidos en el citado artículo, siempre que se demuestre la imposibilidad de realizar las obras sin ocupar el dominio público y de que éste mantiene su funcionabilidad.

Estas posibilidades abren una nueva puerta que posibilita actuaciones que hasta ahora se han mostrado imposibles de ejecución, dadas las protecciones legales al dominio público tanto de espacios libres o zonas verdes como para las zonas viarias de comunicaciones u otras calificaciones del dominio público y las dificultades físicas y económicas que comportan las obras de esa naturaleza.

Paralelamente se otorgan especiales afecciones a las fincas de propiedad privada constituidas en régimen de propiedad horizontal o en un complejo inmobiliario privado (en los términos en los que queda redactado el artículo 17 de Real Decreto Legislativo 2/2008, de 20 de junio, después de la modificación establecida en la Disposición final duodécima de esta Ley), a las que se les adscribe la obligación real de costear las obras necesarias de accesibilidad universal, las que supongan una mejora en a la eficiencia energética y aquellas de regeneración o renovación urbana,

En este artículo se define que sea el acuerdo por el que se procede a delimitar el ámbito físico de la actuación el que comporta el comienzo de las actuaciones a todos los efectos como por ejemplo el de la fecha al que deban referirse las expropiaciones que se tengan que llevar a cabo o a cualquier imposición de los cumplimientos de plazos que se puedan contener en la propia documentación que se aprueba.

2.   LOS ESPECIALES EFECTOS DE LA APROBACIÓN DE LAS ACTUACIONES

Dadas las dificultades con las que se enfrentaban las actuaciones de rehabilitación o las de renovación de los espacios urbanos aplicando la legislación urbanística existente se hacía necesaria una nueva concepción de las intervenciones con respecto tanto a los bienes de dominio público como a los inmuebles privados afectados por las citadas intervenciones.

A este respecto, por una parte, la Ley amplía el ámbito de los derechos de tanteo y retracto al favor de la Administración actuante con respecto a los bienes y derechos necesarios para su ejecución ampliando los mecanismos de intervención para conseguir una mayor flexibilidad en la materialización de las actuaciones y por lo otra parte se legitima la ocupación de los espacios de dominio público, con las necesarias salvaguardas, para conseguir los fines que persiguen la rehabilitación de las edificaciones

Dadas las especiales características de las edificaciones sobre las que se procede en las actuaciones de rehabilitación es normal que no existan, dentro de esas edificaciones, espacios para conseguir incorporar los elementos necesarios para garantizar la accesibilidad universal, sobre todo en cuanto a la instalación de mecanismos de comunicación vertical que permitan la accesibilidad a personas de movilidad reducida y también a otras con diferentes tipos de minusvalías como pueden ser las cegueras (por ejemplo los espacios de separación entre las escaleras y las puertas de acceso a las viviendas u otras similares). De la misma forma los aumentos de espesores de las envolventes de las edificaciones, que normalmente no se pueden ejecutar hacia el interior de las mismas, hacían que no se pudieran materializar las obras, bien porque incidían sobre suelos de dominio público (viario, espacios libres u otros) o bien porque suponía un aumento de edificabilidad que ya estaba agotada en el propio edificio o se incumplía algún otro parámetro regulador de la edificación, como la distancia a los linderos, distancia entre edificios u otros, que no permitían la ejecución de las obras necesarias para efectuar la rehabilitación de los edificios, De la misma forma las renovaciones y regeneraciones urbanas se encontraban con dificultades derivadas de la aplicación de las normativas municipales o de las leyes (reconsideración de los espacios libres, traslado espacial de estos espacios, incompatibilidad para realizar obras de accesibilidad en zonas verdes, imposibilidad de crear usos bajo rasante, etc.).

Para soslayar esas dificultades la Ley dispone la declaración de utilidad pública y el interés social a los efectos de poder ejecutar la expropiación, venta o sustitución forzosa de aquellos bienes y derechos que sean necesarios para conseguir ejecutar las obras de renovación y regeneración urbanas que se dispongan en las diferentes actuaciones que se efectúen de acuerdo a lo establecido en la Ley.

De la misma forma se posibilita la ocupación por parte de los particulares de aquellos espacios de dominio público que resulten imprescindibles para la ejecución de las obras de rehabilitación de las edificaciones para conseguir la accesibilidad universal o de la mejora de la eficiencia energética de las mismas, siempre que se demuestre que no existen otros procedimientos para poder efectuar las mismas y que no se perjudica la funcionalidad a las que están dedicados estos espacios, lo que en muchos casos es posible dadas las circunstancias que se han expuesto anteriormente.

Asimismo, de acuerdo a lo dispuesto en el artículo 10.3 de la Ley, también se viabiliza que se puedan ejecutar ciertas obras que aunque se realicen sobre suelo de propiedad privada no se adaptan a la planificación existente porque su ejecución aumenta la edificabilidad de la edificación, incumplen distancias a linderos, dejan patios en situación de incumplimiento o vulneran normativas urbanísticas sobre ciertas particularidades de los espacios de uso común de las edificaciones (anchos de escaleras, dimensiones de los espacios comunes, dimensiones de los vestíbulos de entrada de los edificios de viviendas colectivas, etc.) o de cualquier otro parámetro que no permitiría que se emitiese la correspondiente licencia municipal a las obras por ir en centra de la ordenación urbanística vigente. En estos casos habrá que tener en cuenta ciertas disposiciones no reguladas en la ordenación urbanística municipal y recogidas en otras disposiciones de diferente rango, como pueden ser las derivadas del Código Técnico de la Edificación, las de aplicación de otras normativas sectoriales de acuerdo al uso al que estén dedicados los edificios, como las de aplicación a los hospitales, centros escolares, hoteles, apartamentos turísticos, etc. que tendrán que seguir manteniendo su vigencia para posibilitar el uso al que están dedicados.

En los casos en que las obras entren en contradicción con las disposiciones urbanísticas municipales, tanto en el ámbito de los dominios públicos como de los privados, se deberá proceder a regularizar el planeamiento para formalizar las nuevas propuestas de ordenación que amparen la ejecución de las obras necesarias y que de esa forma queden bajo la legalidad vigente, siguiendo los procedimientos analizados anteriormente.

Para que ello sea eficaz se deberían habilitar formulas paralelas en la tramitación y aprobación de las propuestas de modificación de las figuras de planeamiento, de tal forma que se pudieran aprobar y publicar en los mismos tiempos que se tramitan y adquieran firmeza los actos que aprueban las Actuaciones que se proponen, puesto que si, como es normal en las modificaciones o revisiones actuales de la planificación que se tramitan en estos momentos, se mantienen los plazos y trámites que actualmente conllevan estas tramitaciones, que en muchos de ellos superan el año de tramitación, entrarán en vía muerta desde el comienzo las propuestas de agilización que establece la Ley. Como estas medidas deben estar contempladas en las legislaciones autonómicas es necesario recurrir otra vez a la colaboración interadministrativa para que puedan aplicarse normalmente las disposiciones que en la Ley se consideran.

3. LA EQUIDISTRIBUCIÓN EN LAS ACTUACIONES

Uno de los efectos que conllevan las delimitaciones de los ámbitos de gestión y ejecución de las actuaciones nace de los propios contenidos de los acuerdos administrativos por los que se aprueban las mismas, al tener aquéllos la obligación de demostrar la equidistribución de beneficios y cargas. La Ley confirma, por lo tanto, de una forma plena, al declararla como necesaria, la posibilidad de la equidistribución en suelo urbano en cualquier categoría de suelo que las legislaciones urbanísticas admitan (urbano consolidado, no consolidado o cualquier otra subcategoría que establezcan, de interés cultural, de renovación o rehabilitación, etc.).

Por lo tanto queda extinguida la disquisición existente sobre el mandato recogido en el artículo 9 del Real Decreto Legislativo 2/2008 de asumir como carga real la participación en los deberes legales de las actuaciones de urbanización en régimen de equitativa equidistribución, al quedar como una condición imprescindible en el reparto de las cargas que se deriven de la ejecución de las Actuaciones, sin distinguir la categorización del suelo en la que se ubican, lo cual es absolutamente coherente con el resto de las disposiciones contenidas en la Ley al repartir los costes derivados de la actuaciones de rehabilitación, renovación y regeneración urbana entre todos los propietarios, en función de las cuotas de sus respectivas propiedades en las de las comunidades de propietarios, en las de las mancomunidades de propietarios o en las participaciones en los complejos inmobiliarios, lo que realmente significa una equidistribución de los gastos originados en los ámbitos que se definan y en los que participarán tanto los derivados de la propias propiedades de dominio privado como los gastos y cargas originados en los espacios de dominio público como elementos de la urbanización que se corresponden con la renovación y regeneración urbanas.

De esta forma los denominados genéricamente gastos de urbanización quedan incluidos en los que hay que equidistribuir entre todos los propietarios incluidos en las delimitaciones de las unidades, constituyendo todo ello una equidistribución clásica de las cargas y gravámenes derivados de la acción urbanística.

4. EL MOMENTO DE APLICACIÓN DE LOS EFECTOS

El procedimiento de aprobación del acuerdo administrativo por el que se procede a la delimitación espacial del Ámbito de Actuación culmina, con la firmeza en vía administrativa, en la declaración del comienzo de las actuaciones de conformidad con la forma de gestión que se haya elegido.

Parece que el procedimiento para llegar a ese punto puede ser paralelo al que se sigue para la aprobación de los planes urbanísticos, puesto que necesita una aprobación de la Memoria de Viabilidad Técnica, una exposición pública con traslado expreso a los propietarios que queden integrados dentro del perímetro de la misma, la recepción de las posibles alegaciones que se formulen con su análisis y su contestación y la incorporación de las posibles modificaciones sugeridas, si procediese, para posteriormente proceder a la aprobación definitiva de la actuación.

Pero para que ello sea posible, según ya se ha indicado, debe verificarse que se cumplen las determinaciones urbanísticas en las propuestas que se realizan y por lo tanto si fuera necesario se deberá tramitar paralelamente las alteraciones al planeamiento que posibiliten la aprobación de las actuaciones, lo que previsiblemente se tendrá que plantear en la mayoría de los casos que se promuevan.

Por lo tanto para que puedan dar comienzo las actuaciones deberá producirse, en la mayoría de los supuestos, unas tramitaciones paralelas que deberán ser lo suficientemente ágiles para que los esfuerzos que se hayan hecho en buscar las soluciones técnicas a los problemas, los de encontrar la viabilidad económica a las actuaciones y los de conseguir en ámbito que permita la equidistribución de beneficios y cargas no se vean destruidos por la pasividad de los procedimientos de aprobación de las modificaciones del planeamiento. Ya la propia ley en el artículo 10.1 establece, previendo estas dificultades, que se deberán buscar programas u otros instrumentos de ordenación, pero tiene que remitir al legislador autonómico la definición y los detalles de tales instrumentos al ser de su competencia y tener que quedar regulados por ella. Por lo tanto se deberían producir en cascada, si se quiere que las disposiciones de esta Ley sean realmente eficaces, una serie de disposiciones, modificaciones a las actuales leyes autonómicas del suelo o cualquier otra figura que posibilite unas actuaciones paralelas en el tiempo con las aprobaciones de las delimitaciones de las actuaciones que permitan esta tramitación conjunta, puesto que normalmente se producirá la necesidad de modificación de las determinaciones urbanísticas una vez se hayan estudiado y considerado todos los parámetros que posibilitan la rehabilitación edificatoria, la renovación o la regeneración de los espacios urbanos, por lo que las modificaciones o alteraciones de los instrumentos que no sean acordes con las necesidades detectadas tiene que estar, en el tiempo, desarrollados de forma paralela. De no ser así se pueden trastocar las previsiones de las programaciones temporales de las actuaciones y las previsiones de los estudios financieros que las avalan puesto que una desviación en el tiempo de comienzo de las actuaciones puede anular todo el proceso, según se puede demostrar actualmente en múltiples actuaciones urbanísticas que por alterar su desarrollo temporal no han podido ser ejecutadas.

5.   LAS DIFERENTES FORMAS DE OCUPACIÓN DEL DOMINIO PÚBLICO

Uno de los efectos de la aprobación del ámbito espacial de la actuación es la legitimación de la ocupación de los terrenos calificados como espacios libres o zonas verdes, zonas viarias o cualquier otra calificación que confiera el dominio público a los terrenos sobre los que opera, con la condición que sea indispensable para solucionar los problemas a los que se refiere la actuación que se propone y que no se pierda la funcionalidad del dominio público, según ya se ha analizado en otros artículos.

La Ley determina en función de quien sea la titularidad del dominio público una forma diferente de llevar a cabo esa ocupación. Si la titularidad es municipal la aprobación definitiva de la delimitación es causa suficiente para la ocupación de ese dominio público en la forma de cesión de uso del vuelo de ese espacio por el tiempo en el que se mantenga la edificación, lo cual deberá acordarse por los trámites administrativos correspondientes.

Téngase en cuenta que ese periodo temporal no debe referirse a la vida útil de las edificaciones (que por ejemplo en las viviendas está fijada en cincuenta años) sino que la Ley especifica que se debe aplicar al tiempo que se mantenga esa edificación, es decir hasta que se produzca el derribo de la misma o su sustitución por otra edificación diferente.

También se considera en la Ley la posible recalificación y desafectación al dominio público de esos espacios puesto que ya se debería haber comenzado, o se realiza en trámite paralelo, la tramitación de la modificación o revisión del planeamiento para que esos terrenos que deben ser ocupados por un dominio privado no se destinen al uso y dominio público, sino que estén al servicio de las diferentes propiedades privadas, por lo que procede tal desafectación y complementariamente se enajenen directamente a la comunidad de propietarios, mancomunidad o complejo inmobiliarios a los cuales estén sirviendo esos espacios.

Se insiste en la Ley, de forma lógica, que la decisión de ocupar espacios de dominio público tiene que quedar respaldada por los correspondientes estudios técnicos para que su ocupación se demuestre imprescindible desde el punto de vista técnico o económico y se garantice la inviabilidad de otra solución alternativa que no lleve a la ocupación de los dominios públicos. Otra condición que la Ley impone para que pueda producirse esa desafectación o cesión del uso del vuelo es que quede garantizada la funcionalidad del espacio restante destinada al dominio público que deberá analizarse por los estudio técnicos oportunos en función de cual sea la calificación que poseen los suelos que se ocupan en la intervención.

En el caso de que el dominio público no sea de titularidad municipal serán los propios Ayuntamientos los que soliciten a la Administración titular del dominio público la cesión del vuelo o la desafectación del mismo, siempre demostrando los mismos requisitos expuestos anteriormente, por lo que será la Administración titular del dominio, en función de las normas reguladoras del mismo, la que se pronuncie al respecto.

Como es natural todos los tiempos que se deben tomar estas actuaciones deben quedar reflejados en la programación temporal de las actuaciones para no desvirtuar el comienzo de las mismas y que su programación se acerque a la realidad lo más posible, puesto que aunque la programación se formalice desde el comienzo de las actuaciones la desviación temporal en ese comienzo puede hacer variar las previsiones de los diferentes agentes que intervienen en su ejecución, ya que tanto las organismos públicos como los agentes privados que se involucren en la financiación de las operaciones deben considerar el espacio temporal en total, desde que se comprometen a su participación, en el estudio de viabilidad económica que se presente, hasta la materialización de las actuaciones y se deben tener en cuenta los tiempos que se destinen a la tramitación de todos los procedimientos necesarios para llegar a su aprobación, puesto que pueden deformar las previsiones originarias si no se han tenido en cuenta con una visión totalmente realista del proceso.

Artículo 13. Las formas de ejecución

1. Las Administraciones Públicas podrán utilizar, para el desarrollo de la actividad de ejecución de las actuaciones de rehabilitación edificatoria y las de regeneración y renovación urbanas, todas las modalidades de gestión directa e indirecta admitidas por la legislación de régimen jurídico, de contratación de las Administraciones Públicas, de régimen local y de ordenación territorial y urbanística.

2. En función de la forma de gestión que se adopte, las siguientes reglas procedimentales comunes resultarán de aplicación en todo caso:

a) en la expropiación, no será preciso el consentimiento del propietario para pagar el correspondiente justiprecio expropiatorio en especie, cuando el mismo se efectúe dentro del propio ámbito de gestión y dentro del plazo temporal establecido para la terminación de las obras correspondientes. Asimismo, la liberación de la expropiación no tendrá carácter excepcional, y podrá ser acordada discrecionalmente por la Administración actuante, cuando se aporten garantías suficientes, por parte del propietario liberado, en relación con el cumplimiento de las obligaciones que le correspondan.

b) en la ejecución subsidiaria a cargo de la Administración Pública, ésta sustituirá al titular o titulares del inmueble o inmuebles, asumiendo la facultad de edificar o de rehabilitarlos con cargo a aquéllos.

3. Tanto en los supuestos previstos en el apartado anterior, como en todos aquellos otros que deriven de una actuación de iniciativa pública, la Administración resolverá si ejecuta las obras directamente o si procede a su adjudicación por medio de la convocatoria de un concurso público, en cuyo caso, las bases determinarán los criterios aplicables para su adjudicación y el porcentaje mínimo de techo edificado que se atribuirá a los propietarios del inmueble objeto de la sustitución forzosa, en régimen de propiedad horizontal. En dichos concursos podrán presentar ofertas cualesquiera personas físicas o jurídicas, interesadas en asumir la gestión de la actuación, incluyendo los propietarios que formen parte del correspondiente ámbito. A tales efectos, éstos deberán constituir previamente una

asociación administrativa que se regirá por lo dispuesto en la legislación de ordenación territorial y urbanística, en relación con las Entidades Urbanísticas de Conservación. La adjudicación del concurso tendrá en cuenta, con carácter preferente, aquellas alternativas u ofertas que propongan términos adecuadamente ventajosos para los propietarios afectados, salvo en el caso de incumplimiento de la función social de la propiedad o de los plazos establecidos para su ejecución, tal como se regula en el artículo 9.2 del texto refundido de la Ley de Suelo, aprobado por el Real Decreto Legislativo 2/2008, de 20 de junio, estableciendo incentivos, atrayendo inversión y ofreciendo garantías o posibilidades de colaboración con los mismos; y aquellas que produzcan un mayor beneficio para la colectividad en su conjunto y propongan obras de eliminación de las situaciones de infravivienda, de cumplimiento del deber legal de conservación, de garantía de la accesibilidad universal, o de mejora de la eficiencia energética.

Asimismo podrán suscribirse convenios de colaboración entre las Administraciones Públicas y las entidades públicas adscritas o dependientes de las mismas, que tengan como objeto, entre otros, conceder la ejecución a un Consorcio previamente creado, o a una sociedad de capital mixto de duración limitada, o por tiempo indefinido, en la que las Administraciones Públicas ostentarán la participación mayoritaria y ejercerán, en todo caso, el control efectivo, o la posición decisiva en su funcionamiento.

TRAMITACIÓN PARLAMENTARIA

Proyecto de Ley publicado en el Boletín Oficial del Congreso de los Diputados de 12 de abril de 2013, Núm. 45-1.

«Artículo 13. Formas de ejecución.

1. Las Administraciones Públicas podrán utilizar, para el desarrollo de la actividad de ejecución de las actuaciones de rehabilitación edificatoria y las de regeneración y renovación urbanas, todas las modalidades de gestión directa e indirecta admitidas por la legislación de régimen jurídico, de contratación de las Administraciones Públicas, de régimen local y de ordenación territorial y urbanística.

2. En función de la forma de gestión que se adopte, las siguientes reglas procedimentales comunes resultarán de aplicación en todo caso:

a) en la expropiación, no será preciso el consentimiento del propietario para pagar el correspondiente justiprecio expropiatorio en especie, cuando el mismo se efectúe dentro del propio ámbito de gestión y dentro del plazo temporal establecido para la terminación de las obras correspondientes. Asimismo, la liberación de la expropiación no tendrá carácter excepcional, y podrá ser acordada discrecionalmente por la Administración actuante, cuando se aporten garantías suficientes, por parte del propietario liberado, en relación con el cumplimiento de las obligaciones que le correspondan.

b) en la ejecución subsidiaria a cargo de la Administración Pública, ésta sustituirá al titular o titulares del inmueble o inmuebles, asumiendo la facultad de edificar o de rehabilitarlos con cargo a aquéllos.

3. Tanto en los supuestos previstos en el apartado anterior, como en todos aquellos otros que deriven de una actuación de iniciativa pública, la Administración resolverá si ejecuta las obras directamente o si procede a su adjudicación por medio de la convocatoria de un concurso público, en cuyo caso, las bases determinarán los criterios aplicables para su adjudicación y el porcentaje mínimo de techo edificado que se atribuirá a los propietarios del inmueble objeto de la sustitución forzosa, en régimen de propiedad horizontal. En dichos concursos podrán presentar ofertas cualesquiera personas físicas o jurídicas, interesadas en asumir la gestión de la actuación, incluyendo los propietarios que formen parte del correspondiente ámbito. A tales efectos, éstos deberán constituir previamente una asociación administrativa que se regirá por lo dispuesto en la legislación de ordenación territorial y urbanística, en relación con las Entidades Urbanísticas de Conservación. La adjudicación del concurso tendrá en cuenta, con carácter preferente, aquellas alternativas u ofertas que propongan términos adecuadamente ventajosos para los propietarios afectados, estableciendo incentivos, atrayendo inversión y ofreciendo garantías o posibilidades de colaboración con los mismos; y aquellas que produzcan un mayor beneficio para la colectividad en su conjunto y propongan obras de eliminación de las situaciones de infravivienda, de cumplimiento del deber legal de conservación, de garantía de la accesibilidad universal, o de mejora de la eficiencia energética.

Asimismo podrán suscribirse convenios de colaboración entre las Administraciones Públicas y las entidades públicas adscritas o dependientes de las mismas, que tengan como objeto, entre otros, conceder la ejecución a un Consorcio previamente creado, o a una sociedad de capital mixto de duración limitada, o por tiempo indefinido, en la que las Administraciones Públicas ostentarán la participación mayoritaria y ejercerán, en todo caso, el control efectivo, o la posición decisiva en su funcionamiento.»

Informe de la Ponencia del Congreso de 28 de mayo de 2013 publicada en el Boletín Oficial del Congreso de los Diputados de 31 de mayo de 2013, núm. 45-3.

«Artículo 13. Formas de ejecución.

1. Las Administraciones Públicas podrán utilizar, para el desarrollo de la actividad de ejecución de las actuaciones de rehabilitación edificatoria y las de regeneración y renovación urbanas, todas las modalidades de ges-

tión directa e indirecta admitidas por la legislación de régimen jurídico, de contratación de las Administraciones Públicas, de régimen local y de ordenación territorial y urbanística.

2. En función de la forma de gestión que se adopte, las siguientes reglas procedimentales comunes resultarán de aplicación en todo caso:

a) en la expropiación, no será preciso el consentimiento del propietario para pagar el correspondiente justiprecio expropiatorio en especie, cuando el mismo se efectúe dentro del propio ámbito de gestión y dentro del plazo temporal establecido para la terminación de las obras correspondientes. Asimismo, la liberación de la expropiación no tendrá carácter excepcional, y podrá ser acordada discrecionalmente por la Administración actuante, cuando se aporten garantías suficientes, por parte del propietario liberado, en relación con el cumplimiento de las obligaciones que le correspondan.

b) en la ejecución subsidiaria a cargo de la Administración Pública, ésta sustituirá al titular o titulares del inmueble o inmuebles, asumiendo la facultad de edificar o de rehabilitarlos con cargo a aquéllos.

3. Tanto en los supuestos previstos en el apartado anterior, como en todos aquellos otros que deriven de una actuación de iniciativa pública, la Administración resolverá si ejecuta las obras directamente o si procede a su adjudicación por medio de la convocatoria de un concurso público, en cuyo caso, las bases determinarán los criterios aplicables para su adjudicación y el porcentaje mínimo de techo edificado que se atribuirá a los propietarios del inmueble objeto de la sustitución forzosa, en régimen de propiedad horizontal. En dichos concursos podrán presentar ofertas cualesquiera personas físicas o jurídicas, interesadas en asumir la gestión de la actuación, incluyendo los propietarios que formen parte del correspondiente ámbito. A tales efectos, éstos deberán constituir previamente una asociación administrativa que se regirá por lo dispuesto en la legislación de ordenación territorial y urbanística, en relación con las Entidades Urbanísticas de Conservación. La adjudicación del concurso tendrá en cuenta, con carácter preferente, aquellas alternativas u ofertas que propongan términos adecuadamente ventajosos para los propietarios afectados, **salvo en el caso de incumplimiento de la función social de la propiedad o de los plazos establecidos para su ejecución, tal como se regula en el artículo 9.2 del texto refundido de la Ley de Suelo, aprobado por el Real Decreto Legislativo 2/2008, de 20 de junio**, estableciendo incentivos, atrayendo inversión y ofreciendo garantías o posibilidades de colaboración con los mismos; y aquellas que produzcan un mayor beneficio para la colectividad en su conjunto y propongan obras de eliminación de las situaciones de infravivienda, **de cumplimiento del deber legal de conservación,** de garantía de la accesibilidad universal, o de mejora de la eficiencia energética.

Asimismo podrán suscribirse convenios de colaboración entre las Administraciones Públicas y las entidades públicas adscritas o dependientes de las mismas, que tengan como objeto, entre otros, conceder la ejecución a un Consorcio previamente creado, o a una sociedad de capital mixto de duración limitada, o por tiempo indefinido, en la que las Administraciones Públicas ostentarán la participación mayoritaria y ejercerán, en todo caso, el control efectivo, o la posición decisiva en su funcionamiento.»

Se añade al epígrafe 3.º del artículo el siguiente texto: «salvo en el caso de incumplimiento de la función social de la propiedad o de los plazos establecidos para su ejecución, tal como se regula en el artículo 9.2 del texto refundido de la Ley de Suelo, aprobado por el Real Decreto Legislativo 2/2008, de 20 de junio.»

Para dar coherencia al precepto modificado y reforzar el cumplimiento del deber de conservación, se incorpora como criterio de adjudicación preferente aquellas alternativas u ofertas que propongan el cumplimiento del deber de conservación.

Se incorpora como consecuencia de la **enmienda n.º 115 al Proyecto de Ley presentada el 10 de mayo de 2013 por D. Eduardo Madina Muñoz en nombre del Grupo Parlamentario Socialista**, al amparo de lo establecido en el artículo 110 y siguientes del Reglamento del Congreso de los Diputados. La enmienda que fue publicada en el Boletín Oficial de las Cortes Generales, Congreso de los Diputados de 21 de mayo de 2013, junto con las restantes enmiendas presentadas en relación con el Proyecto de Ley de rehabilitación, regeneración y renovación urbanas.

La motivación del Grupo Socialista a la enmienda presentada es no favorecer a los propietarios incumplidores, primando las ofertas en concurso que les ofrezcan términos ventajosos en la ejecución de la concreta actuación de rehabilitación, regeneración y renovación urbana, lo que es expresado por el grupo parlamentario con la siguiente literalidad:

«Se trata de no primar a los propietarios que hubieran infringido los deberes derivados de la función social de la propiedad. Lo regulado en el proyecto de ley, solo sería aplicable a los casos de ejecución concertada sin que se hubiera declarado el incumplimiento del deber por la Administración.

Por otro lado se trata de ajustar la redacción al contenido de la enmienda al artículo 9.»

Aprobación del Proyecto de Ley por la Comisión de Fomento con Competencia Legislativa Plena, publicado en el Boletín Oficial del Congreso de los Diputados de 4 de junio de 2013, número 45-4.

«Artículo 13. Formas de ejecución.

1. Las Administraciones Públicas podrán utilizar, para el desarrollo de la actividad de ejecución de las actuaciones de rehabilitación edificatoria y

las de regeneración y renovación urbanas, todas las modalidades de gestión directa e indirecta admitidas por la legislación de régimen jurídico, de contratación de las Administraciones Públicas, de régimen local y de ordenación territorial y urbanística.

2. En función de la forma de gestión que se adopte, las siguientes reglas procedimentales comunes resultarán de aplicación en todo caso:

a) en la expropiación, no será preciso el consentimiento del propietario para pagar el correspondiente justiprecio expropiatorio en especie, cuando el mismo se efectúe dentro del propio ámbito de gestión y dentro del plazo temporal establecido para la terminación de las obras correspondientes. Asimismo, la liberación de la expropiación no tendrá carácter excepcional, y podrá ser acordada discrecionalmente por la Administración actuante, cuando se aporten garantías suficientes, por parte del propietario liberado, en relación con el cumplimiento de las obligaciones que le correspondan.

b) en la ejecución subsidiaria a cargo de la Administración Pública, ésta sustituirá al titular o titulares del inmueble o inmuebles, asumiendo la facultad de edificar o de rehabilitarlos con cargo a aquéllos.

3. Tanto en los supuestos previstos en el apartado anterior, como en todos aquellos otros que deriven de una actuación de iniciativa pública, la Administración resolverá si ejecuta las obras directamente o si procede a su adjudicación por medio de la convocatoria de un concurso público, en cuyo caso, las bases determinarán los criterios aplicables para su adjudicación y el porcentaje mínimo de techo edificado que se atribuirá a los propietarios del inmueble objeto de la sustitución forzosa, en régimen de propiedad horizontal. En dichos concursos podrán presentar ofertas cualesquiera personas físicas o jurídicas, interesadas en asumir la gestión de la actuación, incluyendo los propietarios que formen parte del correspondiente ámbito. A tales efectos, éstos deberán constituir previamente una asociación administrativa que se regirá por lo dispuesto en la legislación de ordenación territorial y urbanística, en relación con las Entidades Urbanísticas de Conservación. La adjudicación del concurso tendrá en cuenta, con carácter preferente, aquellas alternativas u ofertas que propongan términos adecuadamente ventajosos para los propietarios afectados, salvo en el caso de incumplimiento de la función social de la propiedad o de los plazos establecidos para su ejecución, tal como se regula en el artículo 9.2 del texto refundido de la Ley de Suelo, aprobado por el Real Decreto Legislativo 2/2008, de 20 de junio, estableciendo incentivos, atrayendo inversión y ofreciendo garantías o posibilidades de colaboración con los mismos; y aquellas que produzcan un mayor beneficio para la colectividad en su conjunto y propongan obras de eliminación de las situaciones de infravivienda, de cumplimiento del deber legal de conservación, de garantía de la accesibilidad universal, o de mejora de la eficiencia energética.

Asimismo podrán suscribirse convenios de colaboración entre las Administraciones Públicas y las entidades públicas adscritas o dependientes de las mismas, que tengan como objeto, entre otros, conceder la ejecución a un Consorcio previamente creado, o a una sociedad de capital mixto de duración limitada, o por tiempo indefinido, en la que las Administraciones Públicas ostentarán la participación mayoritaria y ejercerán, en todo caso, el control efectivo, o la posición decisiva en su funcionamiento.»

Texto aprobado por el Pleno del Senado en su sesión de 19 de junio de 2013, publicado en el Boletín Oficial de las Cortes Generales, Senado, de 24 de junio de 2013.

«Artículo 13. Formas de ejecución.

1. Las Administraciones Públicas podrán utilizar, para el desarrollo de la actividad de ejecución de las actuaciones de rehabilitación edificatoria y las de regeneración y renovación urbanas, todas las modalidades de gestión directa e indirecta admitidas por la legislación de régimen jurídico, de contratación de las Administraciones Públicas, de régimen local y de ordenación territorial y urbanística.

2. En función de la forma de gestión que se adopte, las siguientes reglas procedimentales comunes resultarán de aplicación en todo caso:

a) en la expropiación, no será preciso el consentimiento del propietario para pagar el correspondiente justiprecio expropiatorio en especie, cuando el mismo se efectúe dentro del propio ámbito de gestión y dentro del plazo temporal establecido para la terminación de las obras correspondientes. Asimismo, la liberación de la expropiación no tendrá carácter excepcional, y podrá ser acordada discrecionalmente por la Administración actuante, cuando se aporten garantías suficientes, por parte del propietario liberado, en relación con el cumplimiento de las obligaciones que le correspondan.

b) en la ejecución subsidiaria a cargo de la Administración Pública, ésta sustituirá al titular o titulares del inmueble o inmuebles, asumiendo la facultad de edificar o de rehabilitarlos con cargo a aquéllos.

3. Tanto en los supuestos previstos en el apartado anterior, como en todos aquellos otros que deriven de una actuación de iniciativa pública, la Administración resolverá si ejecuta las obras directamente o si procede a su adjudicación por medio de la convocatoria de un concurso público, en cuyo caso, las bases determinarán los criterios aplicables para su adjudicación y el porcentaje mínimo de techo edificado que se atribuirá a los propietarios del inmueble objeto de la sustitución forzosa, en régimen de propiedad horizontal. En dichos concursos podrán presentar ofertas cualesquiera personas físicas o jurídicas, interesadas en asumir la gestión de la actuación, incluyendo los propietarios que formen

parte del correspondiente ámbito. A tales efectos, éstos deberán constituir previamente una asociación administrativa que se regirá por lo dispuesto en la legislación de ordenación territorial y urbanística, en relación con las Entidades Urbanísticas de Conservación. La adjudicación del concurso tendrá en cuenta, con carácter preferente, aquellas alternativas u ofertas que propongan términos adecuadamente ventajosos para los propietarios afectados, salvo en el caso de incumplimiento de la función social de la propiedad o de los plazos establecidos para su ejecución, tal como se regula en el artículo 9.2 del texto refundido de la Ley de Suelo, aprobado por el Real Decreto Legislativo 2/2008, de 20 de junio, estableciendo incentivos, atrayendo inversión y ofreciendo garantías o posibilidades de colaboración con los mismos; y aquellas que produzcan un mayor beneficio para la colectividad en su conjunto y propongan obras de eliminación de las situaciones de infravivienda, de cumplimiento del deber legal de conservación, de garantía de la accesibilidad universal, o de mejora de la eficiencia energética.

Asimismo podrán suscribirse convenios de colaboración entre las Administraciones Públicas y las entidades públicas adscritas o dependientes de las mismas, que tengan como objeto, entre otros, conceder la ejecución a un Consorcio previamente creado, o a una sociedad de capital mixto de duración limitada, o por tiempo indefinido, en la que las Administraciones Públicas ostentarán la participación mayoritaria y ejercerán, en todo caso, el control efectivo, o la posición decisiva en su funcionamiento.»

CONCORDANCIAS CON TRLSE

Con el artículo 13.1 LRRRU, los artículos 2, 3, 4, 5, 6, 8, 9, 11 y 14 TRLSE. Con el artículo 13.2. LRRRU los artículos 3, 9, 16, 21, 22, 24, 25, 26, 28, 29 a 36 y 45 TRLSE. Con el artículo 13.3 LRRUU los artículos 2, 3, 5, 6, 8, 9, 11, 14, 16 Y 36 del TRLSE.

COMENTARIO (1)

Sumario

1. Gestión directa e indirecta en el desarrollo de la actividad de ejecución las actuaciones de rehabilitación edificatoria, regeneración y renovación urbanas y normativa de contratación pública.

   1.1. Iniciativa en la ordenación de las actuaciones y gestión de las actuaciones.

---

(1) Comentario a cargo de Alfonso Vázquez Oteo. Abogado. Doctor en Derecho. Profesor Honorario de Derecho Administrativo.

      1.2.   Gestión directa e indirecta de la actividad de ejecución de las actuaciones de rehabilitación edificatoria, regeneración y renovación urbana.

2. Gestión de las actuaciones de rehabilitación, de regeneración y renovación urbanas mediante las modalidades recogidas en la ordenación territorial y urbanística.

      2.1.   Planteamiento.
      2.2.   Concepto de gestión urbanística.
      2.3.   La Gestión urbanística como actividad pública.
      2.4.   Rasgos generales de la ejecución del planeamiento urbanístico.
      2.5.   Ejecución de planeamiento mediante actuaciones aisladas o asistemáticas.
      2.6.   Ejecución del planeamiento urbanístico mediante actuaciones integradas o sistemáticas.

3. Reglas procesales comunes. Pago en especie del justiprecio expropiatorio.

      3.1.   Referencias en la Ley.
      3.2.   Pago de justiprecio expropiatorio en especie.

4. Reglas procedimentales comunes. Liberación de la expropiación.

      4.1.   Régimen jurídico previo a la LRRRU.
      4.2.   Liberación de la expropiación en las actuaciones de rehabilitación edificatoria, las de regeneración y renovación urbanas.

5. Reglas procedimentales comunes. Sobre ejecución subsidiaria.

      5.1.   La ejecución forzosa de los actos administrativos.
      5.2.   La ejecución subsidiaria como medio de ejecución forzosa.

6. Ejecución mediante iniciativa pública de las actuaciones de rehabilitación, de regeneración y renovación urbanas.

      6.1.   Régimen general de la ejecución de las actuaciones de iniciativa pública.
      6.2.   Ejecución de las actuaciones de iniciativa pública mediante su adjudicación por concurso.

7. Convenios de colaboración entre las Administraciones públicas y las Entidades públicas adscritas o dependientes de las mismas.

1. GESTIÓN DIRECTA E INDIRECTA EN EL DESARROLLO DE LA ACTIVIDAD DE EJECUCIÓN LAS ACTUACIONES DE REHABILITACIÓN EDIFICATORIA, REGENERACIÓN Y RENOVACIÓN URBANAS Y NORMATIVA DE CONTRATACIÓN PÚBLICA

1.1. Iniciativa en la ordenación de las actuaciones y gestión de las actuaciones

Procesal y temporalmente hay que distinguir la iniciativa en la ordenación de las actuaciones de su posterior gestión.

Los **sujetos legitimados para participar en la gestión y ejecución de las actuaciones** de rehabilitación edificatoria y las de regeneración y renovación urbanas se enumeran en el artículo 15 de la Ley 8/2013, de 26 de junio, de rehabilitación, regeneración y renovación urbanas, («**LRRRU**»), con una capacitación general que se permite diferentes grados de participación de cada uno de ellos en la actuación concreta.

La **iniciativa para proponer la ordenación de las actuaciones de rehabilitación edificatoria y las de regeneración y renovación urbanas** es mucho más limitada. Encuentra su regulación en el artículo 9 LRRRU que ya ha sido tratado con anterioridad, haremos una breve referencia a su régimen por su directa conexión con la posterior gestión de la actuación.

El legislador otorga la iniciativa para proponer una determinada actuación tanto a las Administraciones Públicas y sus entidades públicas adscritas o dependientes, como a los propietarios.

Bajo el paraguas del concepto de propietarios legitimados para la iniciativa este precepto agrupa a las comunidades y agrupaciones de comunidades de propietarios, las cooperativas de viviendas constituidas al efecto, los propietarios de terrenos, construcciones, edificaciones y fincas urbanas, así como los titulares de derechos reales o de aprovechamiento y las empresas, entidades o sociedades que intervengan en nombre de los sujetos anteriores.

Destacar que a los efectos de esta norma, el legislador desarrolla el concepto de propietario legitimando además a los titulares de derechos reales o de aprovechamiento y las empresas, entidades o sociedades que intervengan en nombre de los «propietarios» o de los titulares de derechos reales o de aprovechamiento.

El derecho de propiedad tiene su regulación general en el artículo 348 del Código Civil como «el derecho de gozar y disponer de una cosa, sin más limitaciones que las establecidas en las leyes.»

Limitaciones que engarzan con los deberes que el título de propietario atribuye y que nos se constatan desde la propia Constitución en la que se reconoce el derecho a la propiedad y a la herencia, derechos que somete a la función social de la propiedad conforme su delimitación por las Leyes, artículo 33 CE.

Al interés general se subordina toda la riqueza del país en sus distintas formas y sea cual fuere su titularidad según predica el artículo 128 CE.

Es decir, la función social del derecho de propiedad se ha ido definiendo y limitando por las sucesivas leyes entre las que se encuentran la norma en estudio que obliga a realizar «obras de rehabilitación edificatoria, cuando existan situaciones de insuficiencia o degradación de los requisitos básicos de funcionalidad, seguridad y habitabilidad de las edificaciones, y de regeneración y renovación urbanas, cuando afecten, tanto a edificios, como a tejidos urbanos, pudiendo llegar a incluir obras de nueva edificación en sustitución de edificios previamente demolidos», artículo 7 LRRRU.

Los sujetos obligados para realizar estas actuaciones son:

a)   Los propietarios y los titulares de derechos de uso otorgados por ellos;

b)   Las comunidades de propietarios, agrupaciones de comunidades de propietarios o cooperativas respecto de los elementos comunes de la construcción;

c)   La Administraciones Públicas sobre urbanizaciones públicas recepcionadas en las que haya asumido su mantenimiento, o bien cuando se financie la actuación con fondos públicos o ejecute la actuación de forma subsidiaria con fondos públicos, artículo 8 LRRRU.

La Sentencia del Tribunal Constitucional 61/1997, de 20 de marzo concretó el carácter estatutario del derecho de propiedad y el contenido de la propiedad del suelo que debe ser común en cuanto a derechos y obligaciones básicas, con independencia de la legislación urbanística autonómica.

Autores como GARCÍA-BELLIDO concluyeron que la propiedad era un derecho «desagregado», en el que por un lado se encontraba el derecho de la propiedad del suelo y por otro los derechos urbanísticos de edificar y urbanizar que no le correspondían como propietario. Éstos últimos sólo se le atribuirían por el cumplimiento de determinadas obligaciones, siempre que la administración no los ejecutase por gestión directa o atribuyese la ejecución a la iniciativa empresarial. Este razonamiento estaba íntimamente ligado con la función social de la propiedad, su carácter estatutario (conjunto de derechos y deberes del propietario de suelo) y el respeto al núcleo esencial del contenido mínimo del derecho de propiedad (2).

1.2.   Gestión directa e indirecta de la actividad de ejecución de las actuaciones de rehabilitación edificatoria, regeneración y renovación urbana

La actividad de ejecución de las actuaciones de rehabilitación edificatoria, regeneración y renovación urbana se configura como una actuación de utilidad y, en su caso, de interés social, con afección real con constancia registral sobre los elementos privativos para garantizar el pago de las cuotas de la actuación.

---

(2)   GARCÍA BELLIDO Y GARCÍA DE DIEGO, J. «La liberalización efectiva del mercado del suelo. Escisión de Propiedad inmobiliaria en una sociedad avanzada», *Revista Ciudad y Territorio. Estudios Territoriales*, n.º 95-96. del entonces Ministerio de Obras Públicas, Transportes y Medio Ambiente (hoy Ministerio de Fomento).

El carácter de actividad de interés general de la actividad la dota de un carácter público, que permitirá que esta se realice directamente por la Administración mediante gestión directa o por el sector privado mediante gestión indirecta.

Mediante Ley se podrán reservar al sector público recursos o servicios esenciales, así como la intervención de empresas cuando así lo exigiere el interés general, tal y como dispone el artículo 128 CE, que previamente someta la riqueza al interés general.

La Legislación de Régimen Local a la que se hace referencia dispone que los servicios públicos locales pueden gestionarse de forma directa o indirecta, salvo que impliquen ejercicio de autoridad, en cuyo caso sólo pueden gestionarse de forma directa. Así lo establece el artículo 95 del Real Decreto Legislativo 781/1986, de 18 de abril, por el que se aprueba el Texto Refundido de las disposiciones legales vigentes en materia de Régimen Local, («**TRLRL**»):

> «1. Los servicios públicos locales, incluso los ejercidos en virtud de la iniciativa pública prevista en el artículo 86 de la Ley 7/1985, de 2 de abril, podrán ser gestionados directa o indirectamente. Sin embargo, los servicios que impliquen ejercicio de autoridad sólo podrán ser ejercitados por gestión directa.»

La gestión de los servicios públicos se puede realizar con las siguientes modalidades, con regulación en el artículo 85.4 y 5 del TRLBRL:

a)   **Gestión Directa** mediante:

— Gestión por la Entidad Local.

— Gestión por organismo autónomo local.

— Entidad pública empresarial local.

— Sociedad mercantil local con capital social de titularidad pública.

En los casos en los que la actividad se preste mediante sociedad mercantil, rigiéndose su constitución por la normativa mercantil con las particularidades que contiene la normativa de régimen. A modo de ejemplo, exige el desembolso total del capital social íntegro así como las reglas de constitución del Consejo de Administración y las de emisión del voto de acuerdo con el artículo 104 TRLRL, así como 89 y ss del Decreto de 17 de junio de 1955, por el que se aprueba el Reglamento de Servicios de las Corporaciones Locales, («**RSCL**»).

La gestión directa de los servicios públicos de competencia local que se realice mediante organismos autónomos y entidades públicas empresariales locales se regirán respectivamente por lo dispuesto en los artículos 45 a 52 y 53 a 60 de la Ley 61/1997, de 14 de abril, de Organización y Funcionamiento de la Administración

General del Estado («**LOFAGE**»), con las especialidades que contiene el artículo 85 bis TRLBRL.

Tal y como reseña el artículo 86 TRLHL, las Entidades Locales, mediante expediente acreditativo de la conveniencia y oportunidad de la medida, podrán ejercer la iniciativa pública para el ejercicio de actividades económicas en consonancia con el artículo 128.2 de la Constitución.

La iniciativa de las Entidades Locales para el ejercicio de actividades económicas, cuando lo sea en régimen de libre concurrencia, puede recaer en cualquier tipo de actividad que sea de utilidad pública y se preste dentro de su término municipal, artículo 96 TRLRL.

El artículo 97 TRLRL regula el procedimiento para el ejercicio de actividades económicas por las Entidades locales.

b) Gestión Indirecta mediante:

— **Concesión**.

El contrato de concesión es la forma más habitual de la actividad de la Administración no liberalizada que deben tener un contenido económico que los hagan susceptibles de explotación por empresarios particulares conforme.

La ejecución en estudio encaja en los contratos de concesión de obra pública o de servicio público. Contratos previstos en los artículos 240 y siguientes TRLCSP y el contrato de gestión de servicios públicos previsto en el artículo 275 y siguientes del TRLCSP

Concretamente una de las modalidades de contratación por la Administración para la gestión indirecta de los servicios públicos es la concesión, por la que el empresario gestionará el servicio a su riesgo y ventura, artículo 277, a) TRLCSP.

En relación a lo indicado en este epígrafe, recordar que los servicios públicos también se pueden gestionar indirectamente por la administración mediante su contratación con alguna de las siguientes modalidades previstas en el artículo 277 TRLCSP: gestión interesada, concierto con persona natural o jurídica y sociedad de economía mixta.

La concesión puede ser pura o sólo de servicio o gestión de la actuación concreta o mixta en la que se combine la ejecución de la obra y servicio.

El contenido mínimo del contrato de concesión de servicios locales se detalla en el artículo 115 RSCL, cláusulas que se verán ajustadas al contrato concreto.

Antes de la adjudicación del contrato concreto deberá existir la ordenación urbanística y territorial que, en su caso, establezca las condiciones de rehabilitación, regeneración y renovación urbanas, así como la delimitación del ámbito de actuación o actuación concreta.

También deberá aprobarse unas bases generales o, al menos particulares equivalentes a los Pliegos de cláusulas administrativas generales y de prescripciones técnicas, con determinación del procedimiento de contratación previsto.

— **Gestión interesada**.

La Administración y el empresario participaren en los resultados de la explotación del servicio en la proporción que se establezca en el contrato.

Es lo que se ha denominado como *cláusula de interés o interesamiento*, lo que es lo mismo, una modulación del principio general de riesgo y ventura que asumen todo contratante y que en este tipo de contratos es compartido por la Administración que participa en los resultados de la gestión.

Estamos ante una modalidad especial de concesión administrativa en el que la que la Administración comparte el riesgo económico con el contratista, sin necesidad de constitución de una persona jurídica independiente a ellos.

En el derecho mercantil el contrato administrativo de gestión interesada tiene su equivalencia en el **contrato de cuentas en participación** en el que no se produce la constitución de una persona jurídica a las partes, sino que el partícipe obtiene el derecho a participar en los resultados de la explotación de los inmuebles pero sin la intervención en la gestión, no aportando desembolso económico alguno, ni asumiendo la representación o denominación del promotor y sin necesidad de adoptar ninguna solemnidad en su participación (3).

— **Concierto**.

El objeto del contrato es la gestión de una actividad prestacional en una materia o competencia que realiza otra persona ya venía realizando de forma análoga a la que constituye el servicio público concertado, v.gr. educación, sanidad, etc.

Contrariamente a los contratos de prestación se servicios, concesión o arrendamiento, en el concierto es la Administración la que se sirve de bienes y servicios del particular para la prestación del servicio de interés general.

---

(3) La regulación del contrato de cuentas y participación se encuentra en los artículos 239 al artículo 243 del Real Decreto de 22 de agosto de 1885, por el que se publica el Código de Comercio («CCom»).

«Podrán los comerciantes interesarse los unos en las operaciones de los otros, contribuyendo para ellas con la parte del capital que convinieren, y haciéndose partícipes de sus resultados prósperos o adversos en la proporción que determinen.»

Mediante el contrato de concierto el particular obtiene la condición de gestor de un servicio o actividad pública correspondiente, como podría ser la actividad pública y de interés general en estudio.

— **Arrendamiento**.

La Administración arrienda determinados bienes e instalaciones que son necesarias para la prestación de un servicio público, cuya gestión se le concede al arrendatario que no tiene que realizar ninguna inversión en bienes e instalaciones.

Su aplicación es residual habiendo cedido protagonismo al contrato de concesión con el que tiene unos límites difusos.

— **Sociedad mercantil o sociedades cooperativas con capital social de la entidad local**.

En este punto nos remitimos al detalle de la participación de la administración en las empresas mixtas, de aplicación en este epígrafe.

— **Constitución de Entidad Pública Empresarial**

Con la Ley 57/2003, de 16 de diciembre, de Medidas para la Modernización del Gobierno Local se modifica la Ley 7/1985, de 2 de abril, reguladora de las Bases del Régimen Local («**LBRL**»), redefiniendo el concepto de servicios públicos locales.

La nueva regulación afecta a los modos de gestión directa e indirecta de los servicios públicos locales.

Para su gestión directa se crea en el ámbito local la figura de la Entidad Pública Empresarial, ahora prevista en el artículo 85 bis LBRL. Esta figura ya estaba prevista en la LOFAGE, concretamente en los artículos 41 y siguientes.

Reseñar que el artículo 85 ter TRLBRL dispone que las sociedades mercantiles locales se regirán íntegramente por el ordenamiento jurídico privado salvo las materias en que les sea de aplicación la normativa presupuestaria, contable, de control financiero, de eficacia y de contratación.

Recordar que el artículo 85.2 LRBRL y 95 TRRL constreñían la gestión de servicios que implicasen el ejercicio de la autoridad a la gestión directa, lo que ahora es subrayado por los artículos 43 y 69.1 LBRL. En congruencia el artículo 85 ter excluye a las sociedades mercantiles de la posibilidad de prestar servicios que implique el ejercicio de autoridad.

Mención especial debe hacerse a la regulación de las normas de contratación pública a los efectos de aplicación subjetiva de la normativa de contratación Real Decreto Legislativo 3/2011, de 14 de noviembre, por el que se aprueba el texto refundido de la Ley de Contratos del Sector Público («**TRLCSP**»).

Las sociedades mercantiles, participadas en más de un cincuenta por cien del capital social por una Administración Territorial, entidades gestoras de la Seguridad Social, Organismos Autónomos, Entidades Públicas Empresariales, Universidades Públicas o Agencias Estatales no tienen la consideración de Administración Pública, aunque sí de Sector Público. Así se desprende del artículo 3.1.d) TRLCSP, como consecuencia de que su capital social está participado en más de un 50% por las entidades mencionadas y forman parte del Sector Público a los efectos de aplicación de parte de la normativa de contratación pública que ahora se indica.

Los contratos que se celebren por organismos y entidades del sector público que no son considerados Administración Pública tienen el carácter de contrato privado, así en el artículo 20.1 del TRLCSP.

En aplicación de la «teoría de los actos separables» en las fases de preparación y adjudicación, estos contratos se rigen por sus normas específicas y supletoriamente por la TRLCSP y su normativa de desarrollo, mientras que en sus efectos y extinción al derecho privado y lo dispuesto en el contrato, que en este caso nos reenvía a la normativa de contratación pública, artículo 20.2 TRLCSP.

Esta sociedad anónima se sometería a las prescripciones de la Ley de Contratos del Sector Público y de la Directiva 18/2004/UE, respecto a la capacidad de las empresas, publicidad, procedimientos de licitación y formas de adjudicación, si se tratase de un contrato de obra de cuantía igual o superior al umbral económico (cuantía del contrato) a partir del cual es de aplicación la regulación armonizada prevista en los artículos 13 y siguientes del TRLCSP.

El artículo 3.1 del TRLCSP parece excluir de su aplicación únicamente a aquellas empresas públicas que realizan una actividad industrial o mercantil **en el sentido más estricto del término**, es decir, en el sentido de dación y transformación de bienes al mercado y en régimen de mercado. Ello implica que no desarrollan su actividad en régimen de exclusiva, sino en competencia abierta con otros operadores; que no pueden disfrutar de financiación pública en condiciones de desigualdad con los demás; que no ostentan privilegio jurídico o económico alguno (derechos de expropiación, imposición legal de servidumbres a su favor, etc...). En una palabra, tienen que ser entes que realicen **una actividad mercantil o industrial** en régimen de competencia, con libertad de precios, pluralidad de ofertas en régimen de mercado, y que por tanto no tengan una finalidad, **específicamente de interés general**.

Obsérvese que, de acuerdo con este criterio, lo decisivo no es la *forma jurídica* que revista el ente u organización contratante, sino **el contenido o naturaleza de su actividad**.

El segundo criterio —apartado b)— para someter al Derecho público-administrativo los contratos de las sociedades de derecho privado es que aquellos estén mayoritariamente **financiados** por las Administraciones Públicas, o que su gestión se halle sometida a **control** por parte de estas últimas, especialmente si sus órganos de administración, dirección o vigilancia están nombrados en su mayoría por la Administración Pública.

La competencia jurisdiccional para conocer los conflictos también se deduce del artículo 9.4 de la Ley Orgánica del Poder Judicial los Tribunales y Juzgados del Orden contencioso-administrativo «*conocerán de las pretensiones que se deduzcan en relación con la actuación de las Administraciones públicas sujeta al derecho administrativo*» y en el mismo sentido se pronuncia el artículo 1.2 de la Ley de la Ley de la Jurisdicción Contencioso-administrativa.

Según se ha indicado, las sociedades mercantiles con capital mayoritariamente público, no son Administración Pública cuya actuación esté sometida al derecho administrativo, ya que adopta la forma privada de sociedad anónima.

El artículo 2 de la LRJCA manifiesta que el orden jurisdiccional conocerá de las cuestiones que se susciten en relación con «los contratos administrativos y los actos de preparación y adjudicación de los demás contratos sujetos a la legislación de contratación de las Administraciones públicas.»

En suma, la jurisdicción competente para conocer de las controversias surgidas durante la ejecución y extinción de este tipo de contratos es la jurisdicción civil al tratarse de sociedades mercantiles.

 Quede claro, no obstante, que el régimen jurídico aplicable al contrato que nos ocupa —en su fase de ejecución y extinción— está constituido por los pliegos o bases que se preparen, la oferta del adjudicatario, el contrato y la legislación administrativa en materia de contratación pública.

Mención especial merece el **contrato de colaboración entre el sector público y privado** regulado de forma novedosa por el artículo 11 TRLCSP.

Para la celebración de contratos de colaboración entre el sector público y el sector privado es necesario justificar que otras fórmulas alternativas de contratación no permiten la satisfacción de las finalidades públicas.

Para su ejecución este contrato puede recoger que el contratista asuma la dirección de las obras que sean necesarias, así como realizar, total o parcialmente, los proyectos para su ejecución y contratar los servicios precisos. Es decir, puede llevar a cabo una gestión completa de la actuación, en los términos que precisa la normativa de rehabilitación y permite el artículo 11 TRLCSP.

El precio que se satisfará durante toda la duración del contrato por el contratista puede estar «vinculado al cumplimiento de determinados objetivos de rendimiento», prestación que concuerda con los posibles contratos a celebrar entre las partes para la financiación de la actuación recogidos en el artículo 17 LRRRU sin carácter limitativo. El precio de la prestación, en muchos de ellos, se vincula al resultado de la explotación de los inmuebles que resulten.

c) **Gestión Mixta.**

Es posible la gestión de la actividad de ejecución mediante sociedad de economía mixta, en la que el accionariado esté conformado por capital público y privado.

La mayor particularidad de esta sociedad, desde el punto de vista estrictamente societario, es el hecho de que su capital social está constituido por aportaciones públicas y privadas.

En la legislación de régimen local el artículo 103 y siguientes del Decreto de 17 de junio de 1955, por el que se aprueba el Reglamento de Servicios de las Corporaciones Locales («RSCL»).

> «Las Empresas mixtas se constituirán, mediante escritura pública, en cualquiera de las formas de Sociedad mercantil, comanditaria, anónima o de responsabilidad limitada.»

Los procedimientos de constitución de empresa mixta se recogen en el artículo 104 RSCL:

a) Mediante la adquisición de la Corporación local de acciones o participaciones de una empresa previamente constituida.

   Un supuesto habitual es que la Administración entre a formar parte del capital social de una empresa privada como contrapartida un ofrecimiento de ésta por la adjudicación de un concreto contrato de servicio público o concesión.

   En la ejecución de actuaciones de rehabilitación, regeneración y reforma urbana se puede ofrecer la incorporación a una sociedad mercantil o administrativa previamente constituida.

b) Constituyendo la Corporación local de sociedad junto con capital privado, por suscripción pública de acciones o concurso convocado al efecto.

c) Convenio con Empresa única ya existente, en el que se fijará el Estatuto por el que hubiere de regirse en lo sucesivo.

2. GESTIÓN DE LAS ACTUACIONES DE REHABILITACIÓN, DE REGENERACIÓN Y RENOVACIÓN URBANAS MEDIANTE LAS MODALIDADES RECOGIDAS EN LA ORDENACIÓN TERRITORIAL Y URBANÍSTICA

2.1. Planteamiento

Debido al encaje de las materias abordadas se pasa a realizar un acercamiento rápido a la gestión urbanística y sus modalidades, directa e indirecta, de gestión.

Terminada la fase de planeamiento urbanístico con la aprobación de la ordenación pormenorizada, entramos en la fase de ejecución del planeamiento.

Ejecución de planeamiento en cuyas modalidades establece el legislador se pueden utilizar por las Administraciones Públicas para e desarrollo de las actuaciones de rehabilitación edificatoria y las de regeneración y renovación urbanas.

La fase de ejecución del planeamiento urbanístico se lleva a cabo en una doble vertiente:

a)   Física, en los terrenos mediante la ejecución material de las obras contenidas en el correspondiente Proyecto de Urbanización y, por otro lado,

b)   Jurídica, como regla general, mediante la correspondiente la equidistribución que se realiza a través del correspondiente proyecto de equidistribución o reparcelación.

Con dichos mecanismos se cumple con los tres deberes básicos de la ejecución del planeamiento: urbanización (proyecto de urbanización y su ejecución), cesión y equidistribución (mediante la reparcelación que se realiza a través del proyecto de equidistribución), indemnización por bienes y derechos incompatibles y realojo.

Con la equidistribución se produce el equilibrio y justa distribución de las cargas y beneficios procedentes de un planeamiento, en atención a la aportación de cada uno de los propietarios. Si aplicásemos directamente las previsiones del planeamiento sobre las propiedades originarias, sin que operase la equidistribución, se instauraría una clara desigualdad entre los propietarios originarios (mientras uno tendría que ceder al Ayuntamiento su suelo para un vial, su vecino tendría un suelo edificable).

La equidistribución se aplica esencialmente en actuaciones integradas o sistemáticas, aunque también procede en determinadas actuaciones aisladas o asistemáticas.

Los ámbitos físicos de la equidistribución son las áreas de reparto y unidades de ejecución, identificándose las primeras con el cálculo del aprovechamiento tipo y la denominada equidistribución externa —entre sectores o ámbitos de ejecución— y las unidades de ejecución con la equidistribución interna entre los propietarios que la componen.

Mediante la reparcelación se realiza la equidistribución interna que se concreta, con carácter general, mediante el documento que se denomina proyecto de equidistribución o reparcelación.

El proyecto de reparcelación se instrumenta lo que antes hemos denominado ejecución jurídica de planeamiento, hasta su inscripción en el Registro de la Propiedad de su resultado. Para ello se adjudican a las cesiones legales y obligatorias (zonas verdes, viales, suelos dotacionales públicos y en su caso porcentaje legal de aprovechamiento lucrativo) las Administraciones que les correspondan y a los propietarios y sujetos ejecutores de la gestión urbanística, las correspondientes parcelas edificables o de resultado.

La gestión urbanística es una actividad pública que se puede gestionar directamente por la Administración titular o puede delegarse en terceros, propietarios o no de suelo.

Uno de los supuestos de gestión indirecta de la ejecución del planeamiento es la que se realiza mediante el Agente Urbanizador, aunque en ocasiones también puede ser empleado por la propia Administración actuando mediante gestión directa.

2.2. Concepto de gestión urbanística

Según indica MERELO ABELLA no existe una definición única de la gestión urbanística, aunque podemos entender como tal la actividad tendente a desarrollar y aplicar la ordenación urbanística (no sólo el planeamiento urbanístico) en su vertiente de impulso y control. La gestión urbanística puede hacerse coincidir con la ejecución del planeamiento que es su núcleo esencial (4).

Para consultar un riguroso estudio sistematizado y pormenorizado de la ejecución de planeamiento y la gestión urbanística SANTOS DÍEZ y CASTELAO RODRÍGUEZ (5).

2.3. La Gestión urbanística como actividad pública

La actividad urbanística es una actividad pública según se ha venido estableciendo desde nuestro que el derecho urbanístico comenzó a codificarse global y sistemáticamente mediante la Ley del Suelo de 12 de mayo de 1956.

Se concibe el urbanismo como una función pública cuya titularidad y responsabilidad corresponde a las Administraciones Públicas competentes, (Comunidad Autónoma y Ayuntamientos).

La consideración de la actividad urbanística como una función pública se reitera en la legislación estatal que en su artículo 3.1. del Real Decreto Legislativo 2/2008, de 20 de junio, por el que se aprueba el texto refundido de la ley de suelo (**«TRLSE»**) establece:

---

(4)   MERELO ABELLA, J.M. *Régimen jurídico del Suelo y Gestión Urbanística*. Editorial Praxis. Barcelona 1995. Pág. 1.
(5)   SANTOS DÍEZ, R. y CASTELAO RODRÍGUEZ, J., *Derecho Urbanístico. Manual para Juristas y Técnicos*. Editorial LA LEY- El Consultor. Páginas 661 y siguientes tomando como referencia la 7.ª edición, 2008.

«La ordenación territorial y la urbanística son funciones públicas no susceptibles de transacción que organizan y definen el uso del territorio y del suelo de acuerdo con el interés general, determinando las facultades y deberes del derecho de propiedad del suelo conforme al destino de éste. Esta determinación no confiere derecho a exigir indemnización, salvo en los casos expresamente establecidos en las leyes.»

Esta previsión se ha venido reiterando por la sucesiva legislación autonómica. Pongamos como ejemplo la de la Comunidad de Madrid que presta una especial atención a este asunto, abordando su tratamiento en varios de sus artículos, de tal manera que permite su estudio sistemático u ordenado.

Con carácter general el artículo 2.3 de la Ley 9/2001, de 17 de julio, de Suelo de Madrid («**LSM**») define la actividad urbanística como una «función pública» que corresponde a las Administraciones Públicas, reseñando que en su gestión se ponderarán los bienes jurídicamente relevantes, en clara alusión a una posible gestión indirecta de parte de esta actividad que divide en:

a)   Garantía de la efectividad del régimen urbanístico del suelo.

b)   Planeamiento urbanístico.

c)   Ejecución del planeamiento urbanístico.

d)   Intervención en el uso del suelo, en la edificación y en el mercado inmobiliario.

Pues bien, a los efectos que ahora nos interesan diremos que el planeamiento urbanístico se califica como una potestad administrativa que corresponde a la Administración urbanística competente legalmente, sin que exista previsión alguna de la posibilidad de su delegación a particulares (artículo 5 LSM).

En la actividad de planeamiento, la intervención de los particulares se limita a la formulación de iniciativas y propuestas, así como a la intervención en posprocedimientos de aprobación de éstos mediante sugerencias y alegaciones.

La legitimación para formular planeamiento por los particulares únicamente queda restringido al Plan General y su revisión, que queda reservado a las Administraciones Públicas, tal y como se confirma en el artículo 56.1 LSM.

La iniciativa, formulación o alegación en el planeamiento no genera ningún derecho a su estimación.

2.4. Rasgos generales de la ejecución del planeamiento urbanístico

Donde reside el interés del estudio por la materia objeto de análisis es en la ejecución urbanística que, en parte, si puede ser objeto de delegación y gestión indirecta, como ocurre con las actuaciones de rehabilitación edificatoria, regeneración y reforma urbana.

La ejecución del planeamiento comprende diversas actividades entre la que se encuentra la gestión urbanística que es modelo para la posible ejecución de actuaciones de rehabilitación, regeneración y renovación urbanas. Las actividades de la ejecución del planeamiento en la legislación madrileña de suelo se recoge en el artículo 6.1 LSM:

a)   La organización, determinación de las condiciones, programación, dirección y control de las acciones y los actos precisos para la materialización y efectividad de las determinaciones del planeamiento.

b)   La determinación del régimen y sistema de la gestión.

c)   La gestión de las acciones y los actos jurídicos y materiales precisos para la transformación del suelo y, en particular, la urbanización, la construcción y edificación, la explotación y el uso de construcciones, edificaciones e instalaciones, la conservación de éstas y su rehabilitación.

d)   El control de legalidad de los actos de uso y transformación del suelo, la protección de la legalidad urbanística y la imposición de sanciones por la comisión de infracciones administrativas.

Pues bien, la participación de los sujetos privados en la ejecución del planeamiento queda constreñida a la gestión urbanística que se describe en la anterior letra c).

La participación de los sujetos legitimados para la ejecución de actuaciones de rehabilitación, de regeneración y de renovación urbanas se constriñe a las actuaciones indicadas en la anterior letra c).

Estudiemos, por tanto, el régimen de gestión indirecta o delegación en los particulares de la ejecución del planeamiento, que es donde va a tener entrada la figura del agente urbanizador que abordaremos más adelante en relación con la iniciativa empresarial para la ejecución de actuaciones de rehabilitación edificatoria, de regeneración y renovación urbanas.

Para ello es importante concretar el «régimen y sistema de gestión» indicado en la letra b). Es decir si la gestión es pública o privada y si se realiza mediante la modalidad de:

a)   Actuación integrada o sistemática mediante la delimitación de unidades de ejecución delimitados en sectores o unidad física equivalente y se fija un sistema para su ejecución.

Su objeto es la ejecución conjunta de dos o más parcelas.

b)   Actuación aislada o asistemática en actuaciones donde no se delimita un ámbito de ejecución a los efectos del cumplimiento de los deberes de cesión, equidistribución y urbanización y su ejecución no precisa de la aplicación de los sistemas de ejecución.

Se corresponden con las actuaciones urbanísticas que tienen lugar en una única parcela.

Para las **actuaciones de rehabilitación edificatoria**, de regeneración y renovación urbanas existe un régimen de gestión similar que se adaptará al propio de la legislación urbanística de cada Comunidad Autónoma. De esta manera el artículo 10 y 12 LRRRU regulan la delimitación de ámbitos de gestión y ejecución de las actuaciones que clasifican en:

a)   Ámbitos de actuación conjunta, continúa o discontinua. A su vez los ámbitos de actuación conjunta son clasificados atendiendo a si la actuación precisa alterar la ordenación urbanística vigente o no requiere tal modificación, siendo únicamente necesaria la delimitación y aprobación de un ámbito de actuación conjunta.

b)   Ámbitos de ejecución aislada.

Los ámbitos de ejecución de las actuaciones de rehabilitación edificatoria, de regeneración y renovación urbanas deberán permitir la equidistribución que sea precisa, con previsión de los realojos, mediante un plan temporal y definitivo, así como de retorno.

Una vez firme en vía administrativa la aprobación del ámbito de actuación de la actuación de rehabilitación edificatoria, de regeneración o renovación urbana, se producen determinados efectos de forma automática, entre los que se encuentra el inicio de las actuaciones a realizar, de conformidad con la forma de gestión, directa o indirecta, por que haya optado la Administración actuante, artículo 12.1.c) TRRRU.

Al definirse los **sujetos que intervienen** en la ejecución del planeamiento mediante **gestión indirecta**, por un lado se encuentran:

a)   Las Administraciones Públicas a las que se les atribuye tanto la dirección, inspección y control como la ejecución jurídica y material en actuaciones aislada o integradas en los que el sistema de ejecución sea público. A la Administración Territorial, se le añade la Administración instrumental y del sector público de ellas dependiente de que pueda valerse.

b)   Los particulares a los que se les atribuye la ejecución material y jurídica del planeamiento.

Esta previsión urbanística tiene su equivalencia en los sujetos legitimados para la ejecución de actuaciones de rehabilitación edificatoria, de regeneración y renovación urbanas, previstos en el artículo 15 LRRRU, objeto de comentario más adelante.

2.5. Ejecución del planeamiento mediante actuaciones aisladas o asistemáticas

Se aplica en los casos en que la ejecución del planeamiento se realice en una parcela aislada.

La modalidad de gestión mediante actuaciones aisladas o asistemática, en general, tienen acotada sus finalidades acotadas a:

a) Para la obtención de suelo, urbanización, edificación y puesta en servicio de infraestructuras, equipamientos y servicios públicos de las Administraciones públicas ordenados a través del correspondiente Plan Especial.

b) Para la ejecución de obras públicas ordinarias.

c) Para la edificación en suelo urbano consolidado, incluso cuando se requieran obras accesorias de urbanización para dotar a las parcelas de la condición de solar, siempre que el planeamiento prevea su ejecución mediante dichas actuaciones.

d) Para las obras de reforma interior, mejora o saneamiento respecto de parcelas aisladas consolidadas conforme planeamiento.

La legislación valenciana regula la figura del **Programa de Actuación Aislada,** artículo 146 de la Ley 16/2005, de 30 de diciembre, de la Generalitat, Urbanística Valenciana, («LUV») cuya iniciativa puede ser pública o privada.

La ejecución del planeamiento mediante actuaciones aisladas tiene su equivalencia en las actuaciones de rehabilitación edificatoria en las también denominadas como *actuaciones aisladas* por el artículo 10 LRRRU, que se propondrá por los sujetos particulares legitimados para tener la iniciativa de las actuaciones o bien por el Ayuntamiento, artículo 9 LRRRU.

2.6. Ejecución del planeamiento urbanístico mediante actuaciones integradas o sistemáticas

La modalidad de gestión urbanística mediante actuaciones integradas o sistemática supone la delimitación de una unidad de ejecución y la elección de un sistema de ejecución.

Por tanto en cada sector, unidad de ejecución o ámbito físico equivalente se especificará el sistema de ejecución elegido bien mediante el planeamiento general o de desarrollo o, en su defecto, al delimitar la unidad de ejecución.

El protagonismo público o privado en la ejecución del planeamiento estará íntimamente ligado con el sistema de ejecución que se elija entre los denominados públicos y privados, consideración que atiende al protagonismo de la Administración actuante (públicos) o particulares (privados) en su gestión e iniciativa.

Tradicionalmente el urbanismo dividía los sistemas en tres, dos públicos (cooperación y expropiación) y uno privado (compensación), artículo 152 RGU.

Éste último ha sido el más empleado y el que ha venido atribuyendo la responsabilidad de la gestión urbanística a los propietarios mayoritarios de la unidad de ejecución correspondiente, con la posibilidad de incorporación de empresas urbanizadoras (6).

En el urbanismo autonómico se ha producido una alteración notable en atención a dos aspectos esenciales:

a) **Algunas Comunidades Autónomas han suprimido**, con carácter general, los tradicionales **sistemas de ejecución** como es el caso de la Comunidad Valenciana y la Castellano-Manchega.

En estas Comunidades la ejecución de actuaciones integradas (por dos o más parcelas) se realiza en atención al Programa de Actuación Integrada (C. Valenciana) o Programa de Actuación Urbanística (C. Castellano-Manchega) que se aprueba y se adjudica su ejecución directa a la Administración actuante o indirectamente a la iniciativa particular, propietaria o no, mediante la designación de un urbanizador.

b) **El resto de las Comunidades Autónomas** que realizan la ejecución sistemática o integrada mediante los sistemas de ejecución, **han incorporado**, junto a los tradicionales, **sistemas de ejecución nuevos** y con requisitos de aplicación diversos atendiendo a la legislación concreta de cada Comunidad Autónoma.

En estos sistemas de ejecución se mantiene la distinción entre los públicos y los privados, íntimamente ligada con la distinción entre gestión directa e indirecta del planeamiento y con la intervención del agente urbanizador particular que veremos más adelante.

Como ejemplo de sistemas de ejecución podemos citar a la **Comunidad de Madrid** que determina los siguientes sistemas de ejecución del planeamiento:

• **Sistemas de ejecución públicos**:

---

(6)   El sistema de compensación venía regulado en el artículo 157 y ss. RGU; cooperación en el artículo 186 y ss. RGU y expropiación en el 194 y ss. RGU.

— Cooperación, artículos 115 y 116 LSM.

— Expropiación, artículos 117 y 124 LSM.

— Ejecución Forzosa, artículos 125 y 129 LSM.

En estos sistemas de ejecución públicos hay que tener presente que la expropiación es susceptible de gestión indirecta mediante concesionario privado seleccionado al efecto mediante concurso público.

• **Sistema de ejecución privado**:

— Compensación, artículos 104 y 114 LSM.

En el que, hasta su derogación, se incorporaba la actuación del agente urbanizador o promotor mediante el que se permitía la gestión indirecta del planeamiento a los propietarios minoritarios o iniciativa empresarial no propietaria (7).

La elección de la gestión urbanística en su modalidad indirecta o directa siempre corresponde a la Administración actuante.

Cuando la **gestión del planeamiento** es **directa** la Administración actuante lo ejecutará:

a) Por sus propios medios directamente

b) Mediante la atribución de competencias a un órgano existente o de nueva creación, (ej. gerencia de urbanismo).

c) Creando una entidad dotada de personalidad jurídica al efecto, bien en forma de entidades urbanísticas especiales, organismos autónomos locales o sociedades anónimas de capital totalmente municipal.

En la gestión directa el Ayuntamiento también puede asociarse con otras entidades o Administraciones públicas mediante la constitución de consorcios o mancomunidades, tal y como permite el artículo 13 LRRRU para las actuaciones de rehabilitación, regeneración y renovación urbanas.

Hay que apuntar que los particulares pueden participar tanto en los consorcios como en las sociedades mercantiles que tengan por objetivo la ejecución urbanística, existiendo en este caso un modelo de gestión mixto.

---

(7) Artículos 110 a 113 que regulaban la ejecución del planeamiento mediante adjudicatario seleccionado en concurso, derogados por el artículo 17.1 de la Ley [COMUNIDAD DE MADRID] 3/2007, 26 julio, de Medidas Urgentes de Modernización del Gobierno y la Administración de la Comunidad de Madrid (*BOCM* 30 julio). Modificación con vigencia desde el 31de julio de 2007.

En las actuaciones de rehabilitación, de regeneración y de renovación urbanas la participación de la Administración en empresas de capital mixto o Consorcios que constituya a estos efectos, debe ser mayoritaria.

Finalmente, la Administración actuante puede permitir la gestión indirecta por los particulares de la función pública de la ejecución de planeamiento, manteniendo en todo caso las potestades públicas que supongan el ejercicio de autoridad, así como la de tutela, control y dirección.

La gestión indirecta en el ámbito de las actuaciones de rehabilitación se concreta en los sujetos legitimados para participar en las actuaciones de rehabilitación edificatoria, de regeneración y renovación urbanas y las facultades que con este fin se les atribuye por el artículo 15 LRRRU.

Es en este momento cuando entra en juego la dicotomía particular propietario e iniciativa empresarial no propietaria.

Tradicionalmente la gestión indirecta de la ejecución del planeamiento se ha realizado por los propietarios de la mayoría del suelo de la unidad de ejecución y sistemas generales adscritos.

Éstos se integran en una entidad urbanística colaboradora por ellos mismos constituida bajo la denominación de Junta de Compensación.

La Junta de Compensación adopta naturaleza administrativa, personalidad jurídica independiente a los propietarios que la integran y plena capacidad para el cumplimiento de los fines que tiene encomendados, a la que se pueden incorporar empresas urbanizadoras.

De forma equivalente en la legislación de rehabilitación, los artículos 13, 15 y 16 LRRRU regulan las asociaciones administrativas en las que tienen cabida los sujetos legitimados a participar en la actuación concreta, enumerados en el artículo 15 LRRRU. Legitimación para la participación amplísima, cuya extensión va mucho más allá de los propietarios de bienes y derechos afectados por la concreta actuación rehabilitadora, de regeneración o de renovación urbana.

Hay que subrayar la legitimación para participar en las actuaciones de rehabilitación, de regeneración o de renovación urbana a los particulares no propietarios, al igual que ha ocurrido en la legislación urbanística autonómica y que ahora también se reconoce para estas actuaciones en los epígrafes 2 y 5 del artículo 6 TRLSE.

El nuevo urbanismo autonómico, en buena medida trasunto del de contratación pública de finales del siglo XIX y principios del XX, permite la gestión indirecta del planeamiento por la iniciativa empresarial, propietaria o no, desde una perspectiva más ajustada a lo que es la adjudicación de la gestión indirecta de una actividad pública en la que debe primar los principios de concurrencia y publicidad.

Esta dicotomía propiedad e iniciativa empresarial en la gestión indirecta de la ejecución del planeamiento o en las actuaciones de rehabilitación, de regeneración o de renovación urbana es la que resulta más interesante desde una vertiente jurídico-doctrinal y de aplicación práctica.

El legislador estatal no ha estado ajeno a esta cuestión en el vigente TRLSE al regular el derecho de iniciativa de los particulares, sena o no propietarios de terrenos, en el ejercicio de la libre empresa, para la actividad de ejecución de la urbanización **cuando ésta no deba o no vaya a realizarse por la propia Administración** competente (artículo 6 TRLSE y 15 LRRRU).

Al analizar los sujetos legitimados para participar en la ejecución de las actuaciones de rehabilitación edificatoria, de regeneración y renovación urbanas previsto en el artículo 15 LRRRU veremos con detalle como este precepto realiza una legitimación a los particulares, propietarios o no de bienes y derechos, aunque la legitimación a la iniciativa particular se limita a las personas jurídicas.

3.   REGLAS PROCESALES COMUNES. PAGO EN ESPECIE DEL JUSTIPRECIO EXPROPIATORIO

3.1.   Referencias en la Ley

La regulación del derecho de propiedad en el artículo 348 del Código Civil («CC») se define como un derecho tan amplio como la normativa de cada momento lo configure, siendo éste *«el derecho de gozar y disponer de una cosa, sin más limitaciones que las establecidas en las leyes.»*

Esas limitaciones ya parten de nuestro texto constitucional que reconoce el derecho a la propiedad y a la herencia, aunque en el artículo 33 los doblega a su función social conforme su delimitación las Leyes vigentes en cada momento.

Con carácter general se subordina al interés general toda la riqueza del país en sus distintas formas y sea cual fuere su titularidad, según predica el artículo 128 CE.

La propiedad del suelo tiene una configuración estatutaria, tal y como ha sido definida por el Tribunal Constitucional y doctrina que ha sistematizado sus pronunciamientos en relación con la normativa civil que delimitaba este derecho de forma primigenia y la urbanística que la configura, en buena medida, junto con las diferentes limitaciones a las que se ve sometida por la normativa sectorial: aguas, costas, servidumbres aeronáuticas, carreteras, medio ambiente, etc. Entre esta doctrina científica destacar a Sánchez Goyanes que ha tratado esta materia en numerosas publicaciones (8).

El Tribunal Constitucional define el contenido y límites del derecho de propiedad individual en el Fundamento Jurídico 8.º de la sentencia del Pleno 111/1983, de 2 de diciembre:

> «(…desde la vertiente institucional y desde la vertiente individual, siendo, desde este último punto de vista, un derecho subjetivo que cede para convertirse en un equivalente económico, cuando el bien de la comunidad (…) legitima la expropiación.»

Lo anterior no supone una desprotección ante el vaciamiento total de su derecho de propiedad, para su privación es necesario que concurra una causa motivada en la utilidad pública o interés social, conforme a norma con rango de Ley y a cambio de indemnización según establece el artículo 33.3 C.E.:

> «3. Nadie podrá ser privado de sus bienes y derechos sino por causa justificada de utilidad pública o interés social, mediante la correspondiente indemnización y de conformidad con lo dispuesto por las leyes.»

Como antecedente esencial de la función delimitadora de la propiedad por las Leyes y análisis del régimen constitucional de la propiedad son clarificadoras las Sentencias del Tribunal Constitucional 111/1983, de 2 de diciembre y la 37/1987, de 18 de diciembre, en la que también es objeto de estudio pormenorizado la potestad expropiatoria de las Comunidades Autónomas.

La materialización de estas reglas y mandatos constitucionales se encuentran, entre otras, en la presente LRRRU.

Así los requisitos previos para la expropiación de bienes y derechos, referentes a la declaración de utilidad pública y, en su caso, interés social se recoge en el artículo 12.1.a) LRRRU que define los efectos de la delimitación de ámbitos de gestión y ejecución de las actuaciones:

> «1. La delimitación espacial del ámbito de actuación de rehabilitación edificatoria y de regeneración y renovación urbanas, sea conjunta o aislada, una vez firme en vía administrativa, provoca los siguientes efectos:
>
> a) **comporta la declaración de la utilidad pública o, en su caso, el interés social, a los efectos de la aplicación de los regímenes de expropiación,**

---

(8) Sánchez Goyanes, E., entre otras en «La concurrencia competencial para la integración del Estatuto de la Propiedad del Suelo. La técnica de la clasificación del suelo», dentro de la obra colectiva *Derecho Urbanístico del País Vasco*, de la que el autor también es director. LA LEY, 2008. Páginas 77 y siguientes.

venta y sustitución forzosas de los bienes y derechos necesarios para su ejecución, y su sujeción a los derechos de tanteo y retracto **a favor de la Administración actuante, además de** aquellos **otros** que **expresamente se deriven de lo dispuesto en la legislación aplicable.**»

Reseñar que para declaración de utilidad pública o, en su caso, interés social, el artículo 12.1.a) LRRRU requiere la firmeza en vía administrativa. Firmeza en vía administrativa porque se hayan agotado los recursos administrativos contra la resolución concreta o bien aunque la resolución no se haya recurrido en plazo, con independencia de que ésta ponga fin o no a la vía administrativa, artículo 109 LRJPAC. Sin entrar en mayor detalle, por razón de la materia en estudio, señalar que contra los actos firmes en vía administrativa se podrán interponer recurso extraordinario de revisión previsto en los artículos 108, 118 y 119 LRJPAC, siempre que concurra una de las cuatro causas enumeradas en el artículo 118 LRJPAC.

Los **efectos y ejecutividad de la delimitación espacial del ámbito de actuación de rehabilitación edificatoria y de regeneración y renovación urbanas**, sea conjunta o aislada, se produce una vez firme en vía administrativa, al igual que ocurre con los actos administrativos sancionadores en aplicación del artículo 138.3 LRJPAC.

Los efectos prácticos de la posposición de la declaración de utilidad pública o interés social a la firmeza del acuerdo de delimitación, supone que el inicio del procedimiento expropiatorio se retrasará a la resolución de los posibles recursos administrativos de reposición que se presenten contra el acuerdo de delimitación del ámbito de actuación de rehabilitación edificatoria y de regeneración y renovación urbanas (9).

Ya se ha hecho referencia al artículo 8 LRRRU en el que se relacionan los sujetos obligados para la ejecución de las obras comprendidas en las actuaciones detalladas de forma general en el artículo 7 de la misma norma.

Dentro de las facultades de los sujetos legitimados para participar en la ejecución de las actuaciones urbanizadoras se encuentra la de ser beneficiarios de la expropiación que sea precisa, en los siguientes términos:

«g) **Ser beneficiarios de la expropiación** de aquellas partes de pisos o locales de edificios, destinados predominantemente a uso de vivienda y constituidos en régimen de propiedad horizontal, que sean indispensables para instalar los servicios comunes que haya previsto la Administración en planes, delimitación de ámbitos y órdenes de ejecución, por resultar inviable, técnica o económicamente cualquier otra solución y siempre que quede garantizado el respeto de la superficie mínima y los estándares exigidos para locales, viviendas y espacios comunes de los edificios.»

---

(9) Artículo 12.1.a) LRRRU en relación con el 107, 109, 116 y 117 LRJPAC.

La expropiación y su beneficio se pueden considerar:

a)   Desde una perspectiva general como medio de actuación en la actuación conjunta o aislada de sistema de actuación urbanística;

b)   Desde la expropiación como herramienta aplicable a los concretos obligados cuando éstos incumplan con su obligación de rehabilitar, regeneración y renovación urbanas;

c)   La expropiación como herramienta complementaria en la ejecución de la actuación que permita obtener suelo indispensable para instalar los servicios comunes para instalación de servicios previstos en planes o actos administrativos.

3.2.   Pago de justiprecio expropiatorio en especie

3.2.1.   Regulación general del pago en especie del justiprecio expropiatorio previamente a la LRRU

El pago del justiprecio expropiatorio en especie, principalmente mediante inmuebles, en lugar de su pago en metálico ya tenía una previsión normativa previa, aunque siempre se condicionaba a la aceptación por el expropiado de esta forma de pago.

El pago en especie encuentra una regulación con cierto detalle en el artículo 207 RGU que, en lo que ahora interesa, requiere la conformidad del expropiado y se puede realizar mediante terrenos, dentro o fuera del ámbito dependiendo que quién sea el beneficiario de la expropiación:

1.   Cuando exista un beneficiario de la expropiación el justiprecio en especie será mediante parcelas propiedad del beneficiario, dentro o fuera del ámbito de actuación.

2.   Cuando la expropiación se produzca por la Administración en actuaciones urbanísticas de promoción pública en nuevos polígonos para la creación de suelo urbanizado, el pago del justiprecio de los bienes y derechos expropiados se podrá efectuar con parcelas resultantes de la propia actuación.

El artículo 30.1 TRLSE recoge la posibilidad del pago del justiprecio en especie cuando concurra acuerdo con el expropiado:

«1. El justiprecio de los bienes y derechos expropiados se fijará conforme a los criterios de valoración de esta Ley mediante expediente individualizado o por el procedimiento de tasación conjunta. **Si hay acuerdo con el expropiado, se podrá satisfacer en especie.**»

Las previsiones del TRLSE concuerdan con la del Derecho urbanístico autonómico como, por ejemplo, el actualmente vigente en Castilla-La Mancha. Los artículos 147.2 y 153.3 TRLOTAU disponen que:

> «… el pago del justiprecio podrá producirse, de acuerdo con el expropiado, mediante permuta con otras fincas, parcelas o solares, no necesariamente localizados en la unidad de actuación, pertenecientes al beneficiario de la expropiación.»

Recordar que el valor del terreno expropiado es necesario se incremente con el 5% de premio de afección, artículo 47 LEF:

> «En todos los casos de expropiación se abonará al expropiado, además del justo precio fijado en la forma establecida en los artículos anteriores, un 5 por 100 como premio de afección.»

Por tanto, el valor del inmueble que se entregue el expropiado como pago en especie deberá incrementarse en un 5% de afección.

Es requisito indispensable del pago en especie la equivalencia del valor entre el bien expropiado y el que se recibe como justiprecio, regla que ya se establecía en el artículo 208.4 RGU.

3.2.2. Régimen del pago del justiprecio en especie en las expropiaciones en ejecución de actuación de las previstas en la LRRRU

Según se ha señalado, la LRRRU elimina la regla general de la necesidad de consentimiento del expropiado para que el justiprecio se pueda abonar en especie en lugar de en especie, siempre que concurran determinados requisitos que analizaremos, artículo 13.2.a) LRRRU:

> «a) en la expropiación, **no será preciso el consentimiento del propietario** para pagar el correspondiente justiprecio expropiatorio en especie, cuando el mismo se efectúe dentro del propio ámbito de gestión y dentro del plazo temporal establecido para la terminación de las obras correspondientes.»

En todo caso, el ofrecimiento del pago del justiprecio en especie debe reunir los requisitos que se enuncian en el epígrafe siguiente, además e acompañar una valoración y descripción completa de bien que se ofrece como pago del justiprecio por la Administración o beneficiario de la expropiación cuando existiese.

3.2.3. Requisitos para que la Administración acuerde el pago de justiprecio en especie

Los **requisitos** para que se pueda acordar unilateralmente el pago en especie por la Administración actuante es:

a) **Que el pago se efectúe dentro del propio ámbito de gestión.**

El ámbito de la actuación se delimitará y aprobará, con forma continua o discontinua, en las actuaciones conjuntas. En las actuaciones aisladas se identificará la concreta actuación.

La delimitación del ámbito de gestión se acordará por el Ayuntamiento en el que radique la actuación (artículo 10 LRRRU), de oficio o a propuesta de los sujetos legitimados para tener la iniciativa en la ordenación de actuaciones que detalla el artículo 9 LRRRU.

La exigencia de que el pago se realice con terrenos situados dentro del propio ámbito de gestión, casa con el artículo 207 RGU, para los supuestos en que la beneficiaria sea la propia Administración expropiante. Concretamente en expropiaciones realizadas en actuaciones urbanísticas de promoción pública en nuevos polígonos para la creación de suelo urbanizado, en la que se puede pagar el justiprecio de los bienes y derechos expropiados con parcelas resultantes de la propia actuación.

A diferencia del Reglamento de Gestión Urbanística, en las actuaciones de rehabilitación, reforma o renovación urbana, el pago en especie se puede imponer por la Administración.

b) **Que el pago en especie se realice dentro del plazo temporal establecido para la terminación de las obras correspondientes**.

El acuerdo administrativo por el que se apruebe una actuación concreta y se delimite un ámbito de actuación conjunto o aislada debe contar con un cronograma o plazo de ejecución, que además debiera ser garantizado, al menos cuando la gestión se realice por particulares.

El legislador no ha señalado de forma concluyente la obligación de incorporar un plazo de ejecución en cada una de las actuaciones que se aprueben, aunque sí lo hace de forma indirecta al regular la memoria de viabilidad económica y efectos de la delimitación de ámbitos de gestión y ejecución de actuaciones, artículos 11 y 12 LRRRU.

El plazo de ejecución o cronograma de ejecución es un elemento esencial que debiera ser exigido en la aprobación de las actuaciones, así como en la delimitación de sus ámbitos de ejecución y gestión. En su caso, se deberá contener en el instrumento de ordenación urbanística que recoja la actuación.

La necesidad de fijar un plazo de ejecución deriva de la especial trascendencia de la ejecución de las actuaciones, que son una actividad pública de interés general, cuyo plazo de terminación debe ser condición esencial. Condición esencial a reflejar en la iniciativa, resolución administrativa de aprobación de la actuación y, en su caso, adjudicación de su ejecución cuando ésta sea mediante gestión indirecta.

Este plazo debe coincidir con el de terminación de las obras de conformidad con lo previsto en la actuación concreta, con la finalidad de la firma del acta de pago con el expropiado con el que se le entregue el inmueble.

La posibilidad de imposición obligatoria del pago en especie al expropiado, prevista como regla procedimental común en la ejecución de las actuaciones por el artículo 13 LRRRU, entra en íntima relación con el derecho de realojo del artículo 14 de la Ley.

Este último precepto reconoce el derecho de realojo de los ocupantes legales de un inmueble que constituya su residencia habitual, cuando la ejecución de una de las actuaciones previstas en la Ley en estudio requiera su desalojo.

Para el realojo se produce una remisión expresa a las reglas de la Ley de Suelo y por la legislación sobre ordenación territorial y urbanística, con la siguiente previsión especial para ejecuciones por expropiación que ahora interesan, artículo 14.1.a) LRRRU:

> «a) la Administración expropiante o, en su caso, el beneficiario de la expropiación, cuando se actúe por expropiación. A tales efectos, deberán poner a disposición de aquéllos, viviendas en las condiciones de venta o alquiler vigentes para las viviendas sometidas a algún régimen de protección pública y superficie adecuada a sus necesidades, dentro de los límites establecidos por la legislación protectora. **La entrega de la vivienda de reemplazo, en el régimen en** que **se viniera ocupando la expropiada, equivaldrá al abono del justiprecio expropiatorio, salvo** que **el expropiado opte por percibirlo en metálico, en cuyo caso no tendrá derecho de realojo.**»

Es decir, la entrega de una vivienda de reemplazo supone el pago en especie del justiprecio, aunque el precepto permite. El expropiado opte por el cobro en metálico del justiprecio, perdiendo en éste caso el derecho de realojo.

Hasta ahora el derecho de realojo de ocupantes legales de vivienda habitual era plenamente compatible con la percepción de justiprecio, según se desprendía de la Disposición adicional undécima del TRLSE que ahora ha sido derogada por el apartado 2.º de la disposición derogatoria única de la LRRU. Con la norma comentada se ha producido un cambio sustancial en el régimen de realojo y retorno.

A primera vista encontramos una contradicción entre la regla general sobre la posibilidad de imponer el pago en especie y la opción del expropiado de optar por el realojo o justiprecio en metálico cuando el objeto de expropiación sea la vivienda habitual del expropiado.

Una interpretación sistemática de la Ley otorga a la Administración la facultad de imponer el pago en especie en toda expropiación necesaria para la ejecución de una actuación, incluso cuando el objeto de la expropiación sea la residencia habitual del expropiado.

Consideramos que las razones esenciales del pago en especie son:

a) La integración de los propietarios y titulares de derechos sobre los inmuebles en el ámbito de actuación una vez rehabilitado, regenerado o renovado.

b) La aquilatación de los costes de la actuación mediante el pago del justiprecio con la adjudicación de parte de los inmuebles resultado de la actuación, lo que implicará mantener la liquidez en la actuación en un momento en el que lo que hay un exceso de inmuebles.

Recordar que el valor del inmueble de reemplazo o equivalente a justiprecio debe estar incrementado en un **5% de afección**.

Por otro lado cabe preguntarse, ¿qué ocurre si el expropiado no está conforme con el valor del inmueble que recibe como justiprecio?. En este supuesto el expropiado podrá acudir al Jurado Provincial de Expropiación Forzosa o equivalente de la Comunidad Autónoma correspondiente solicitando el pago de la diferencia que, de elevarse, se podrá abonar en metálico (10).

La resolución del Jurado será recurrible ante la Jurisdicción contencioso-administrativa, concretamente ante la Sala de lo Contencioso-administrativo del Tribunal Superior de Justicia que corresponda por razón de la competencia territorial, artículo 25, 10 y 14 de la Ley 29/1998, de 13 de julio, Reguladora de la Jurisdicción Contencioso-administrativa.

Con independencia de que el expropiado o cualquiera de las partes interponga recurso contencioso-administrativo contra la resolución del Jurado, aquél tendrá derecho al cobro del justiprecio, en especie o metálico, hasta donde haya conformidad, es el conocido como «justiprecio concurrente» regulado por el artículo 50.2 LEF.

Finalmente, ¿qué ocurrirá si no se entrega al expropiado el inmueble que supone el pago en el plazo fijado? Entendemos que procederá una **retasación de los bienes y derechos del expropiado** previa su solicitud, tal y como señala el artículo 58 LEF en concordancia con el artículo 13.2.a) LRRRU objeto de análisis.

4. REGLAS PROCEDIMENTALES COMUNES. LIBERACIÓN DE LA EXPROPIACIÓN

4.1. Régimen jurídico previo a la LRRRU

La liberación de la expropiación ha tenido su regulación esencial en la siguiente normativa estatal expropiatoria y urbanística, que sigue siendo de aplicación a las actuaciones regulados por la LRRU:

---

(10) En la Comunidad de Madrid los artículo 240 y 241 LSM regulan el Jurado Territorial de Expropiación de la Comunidad de Madrid y el artículo 152 del Decreto Legislativo 1/2010, de 18/05/2010, por el que se aprueba el texto refundido de la Ley de Ordenación del Territorio y de la Actividad Urbanística («TRLOTAU») el Jurado Regional de Valoraciones de Castilla-La Mancha.

a)   Ley de Expropiación Forzosa, de 16 de diciembre de 1954.

b)   Decreto de 26 de abril de 1957, por el que se aprueba el Reglamento de la Ley de Expropiación Forzosa.

c)   Decreto 458/1972, de 24 de febrero, de liberación de las expropiaciones forzosas, declarado vigente por la LS/1976.

La liberación de la expropiación también encontraba su regulación detallada en los artículo 173 a 176 del Real Decreto Legislativo 1/1992, de 26 de junio, por el que se aprueba el Texto Refundido de la Ley sobre el Régimen del Suelo y Ordenación Urbana, vigentes hasta el 16 de Abril de 1997, que fueron declarados nulos por la Sentencia del Tribunal Constitucional 61/1997.

Sin embargo, esta regulación ha sido posteriormente trasladada a la normativa urbanística de cada Comunidad Autónoma que regula esta materia.

En el TRLS 1992 la liberación de la expropiación se configuraba como una medida excepcional que llevaba aparejada la imposición de las oportunas condiciones, a determinados bienes de propiedad privada o patrimoniales.

Hasta ahora la liberación de la expropiación tenía un carácter excepcional y era tratada dentro del régimen del derecho de petición previsto en el artículo 29 CE. Mientras en el TRLS 1992 la solicitud de liberación de la expropiación partía del interesado, la legislación autonómica ha admitido que también se pueda solicitar por el concesionario o beneficiario de la expropiación, con exposición razonada de la solicitud de la expropiación de determinados bienes y derechos, así en el artículo 122 de la Ley 9/2001, de Suelo de la Comunidad de Madrid, («**LSM**»).

Como ejemplo de la excepcionalidad con la que la legislación autonómica ha seguido tratando la liberación de la expropiación, se encuentra el artículo 148 del Decreto Legislativo 1/2010, de 18 de mayo, por el que se aprueba el texto refundido de la Ley de Ordenación del Territorio y de la Actividad Urbanística («TRLOTAU»), que tiene por objeto regular el régimen jurídico de la liberación de la expropiación, sus requisitos y las consecuencias del incumplimiento:

> «1. A solicitud del interesado, *la Administración actuante podrá*, excepcionalmente y previo trámite de información pública por veinte días, *liberar de la expropiación determinados bienes o derechos,* mediante la imposición de las condiciones urbanísticas que procedan para asegurar la ejecución del planeamiento.»

En todo caso la liberación de la expropiación queda vinculada al cumplimiento de unas obligaciones por el titular del bien o derecho liberado, incluso registralmente.

En ningún caso podía acordarse la liberación si la expropiación viene motivada por el incumplimiento de deberes urbanísticos.

4.2. Liberación de la expropiación en las actuaciones de rehabilitación edificatoria, las de regeneración y renovación urbanas

La diferencia que aporta la Ley de rehabilitación frente al régimen anterior es la pérdida del carácter excepcional de la liberación de la expropiación para estas actuaciones concretas, artículo 13.2.a) LRRRU:

> «2. En función de la forma de gestión que se adopte, las siguientes reglas procedimentales comunes resultarán de aplicación en todo caso:
>
> a) en la expropiación, (…). Asimismo, **la liberación de la expropiación no tendrá carácter excepcional**, y podrá ser acordada discrecionalmente por la Administración actuante, cuando se aporten garantías suficientes, por parte del propietario liberado, en relación con el cumplimiento de las obligaciones que le correspondan.»

La pérdida de la excepcionalidad de la liberación de la expropiación para este tipo de actuaciones no implica que una vez solicitada por expropiado ésta deba de concederse de forma automática o reglada tras la comprobación de la concurrencia de determinados requisitos previamente fijados por la norma, esencialmente mediante la aceptación de cumplimiento de determinadas condiciones y su garantía.

El acuerdo de liberación por la Administración territorial expropiatoria es discrecional, aunque debe ser un acto motivado, en los términos previstos en el artículo 54 LRJPAC.

El procedimiento de liberación de un bien o derecho afectado por una expropiación realizada en el marco de la ejecución de una actuación de rehabilitación, regeneración o renovación urbana, se regulará en la normativa urbanística autonómica, con pleno respeto a las determinaciones generales en materia de expropiación forzosa, tanto del precepto estudiado como del TRLSE y normativa general expropiatoria arriba reseñada.

El procedimiento orientativo de liberación de una expropiación en una de las actuaciones abordadas podría tener las siguientes fases:

1. **Solicitud de liberación por el expropiado o del beneficiario de la expropiación**, con descripción de los bienes que se pretenden liberar. La solicitud de liberación de expropiación formulada por el propietario del inmueble debiera acompañar:

— Detalle de los motivos en que se fundamente con la justificación de la compatibilidad entre el mantenimiento del bien o bienes inmuebles o de los derechos sobre ellos con la ejecución de la actuación.

— Detalle de los deberes legales por la actuación en ejecución a los que estén afectados los bienes y derechos que estén aún pendientes de cumplimiento, así como las propuesta de las condiciones resolutorias de la liberación en caso de incumplimiento de los términos de ésta y las garantías a prestar para asegurar el cumplimiento de los mismos.

— Acreditación de la titularidad del inmueble o derecho (certificación del Registro de la Propiedad).

— Plano en el que se identifique el ámbito de las fincas registrales cuya liberación se pretende y fotografías que detallen las particularidades del inmueble.

— Cuando el inmueble perteneciera a varios propietarios, relación detallada de todos ellos, con sus datos personales y acreditación de la titularidad de cada uno de ellos.

— Cuando el inmueble esté sujeto a Régimen de Propiedad horizontal y afecte a sus elementos comunes, copia autenticada del certificado del acuerdo instando a la liberación de la expropiación y del nombramiento del Presidente, facultándole para la tramitación del expediente.

— Escritura de constitución cuando el solicitante sea una persona jurídica.

— Primera copia o copia notarial autorizada del poder o escritura en la que consten las facultades en ejercicio de las cuales se interviene, cuando se actúe mediante representante.

2. **Periodo de información pública** con un plazo mínimo de veinte días.

3. **Resolución de la Administración sobre la solicitud de liberación** aceptando o rechazando discrecionalmente la solicitud de liberación de la expropiación, con motivación.

4. **Cuando la resolución del órgano expropiante fuese estimatoria** de la petición de expropiación, indicará al propietario:

a) Los bienes y derechos afectados por la liberación.

b) Las condiciones, términos y proporción en que el mismo habrá de vincularse a la actuación de rehabilitación, regeneración y renovación.

c) Las garantías a prestar por el titular interesado para el supuesto de incumplimiento.

5. Será necesaria la **aceptación expresa por el propietario las condiciones** fijadas, el órgano expropiante para la eficacia de la liberación.

6. **Inscripción en el Registro de la Propiedad,** deberá precisar, para su validez, los bienes y derechos afectados por la liberación; los términos y condiciones de la vinculación de dichos bienes y derechos a la concreta actuación y las garantías a prestar por el beneficiario para asegurar el cumplimiento de tales términos y demás condiciones impuestas.

7. La resolución se deberá notificar a los interesados y publicarse en el Boletín Oficial correspondiente, artículo 58 y 59 LRJPAC.

El incumplimiento de las obligaciones establecidas en la resolución liberatoria de la expropiación podría supone la elección de la Administración, cuando así lo recoja la legislación específica, la aplicación del régimen de sustitución o la expropiación por incumplimiento de la función social de la propiedad, con pérdida en favor de la Administración de las garantías en todo caso.

5. REGLAS PROCEDIMENTALES COMUNES. SOBRE EJECUCIÓN SUBSIDIARIA

5.1. La ejecución forzosa de los actos administrativos

Los actos de la Administración deben ser cumplidos y ejecutados directamente por los administrados, es ante la resistencia en su ejecución por éstos cuando la Administración puede doblegar su oposición mediante la ejecución forzosa del acto administrativo.

Uno de los rasgos característicos de la Administración y de la eficacia de sus actos administrativos es el de la capacidad de hacerlos efectivos directamente, sin necesidad de acudir a la jurisdicción contencioso-administrativa, mediante la potestad de autotutela ejecutiva que tiene la Administración según le reconoce nuestro derecho positivo.

El artículo 93 LRJPAC dota de título ejecutivo a las resoluciones administrativas indicando que son ejecutables desde su notificación.

Siguiendo al Profesor SANTAMARÍA PASTOR la potestad de ejecución de los actos administrativos cuenta con cuatro **caracteres básicos** (11):

1.   La necesaria existencia de un acto administrativo formal como título habilitante de la ejecución.

---

(11)   SANTAMARIA PASTOR, J. A., *Principios de Derecho Administrativo General II*, segunda edición, 2009. Iustel. Página 157 y siguientes.

El acto administrativo debe ser formal y puesto en conocimiento del interesado, mediante su notificación que permita el cumplimiento voluntario por parte del administrado.

No es posible la actuación material por parte de la Administración sin que previamente se haya dictado la resolución o acto administrativo que sirva de fundamento jurídico, artículo 93.1 LRJCA:

«1. Las Administraciones Públicas no iniciarán ninguna actuación material de ejecución de resoluciones que limite derechos de los particulares sin que previamente haya sido adoptada la resolución que le sirva de fundamento jurídico.»

2. La firmeza del acto administrativo, con carácter general, no es precisa para su ejecución.

Con las salvedades de las suspensión de los efectos de los actos administrativos y propios del derecho sancionador, son directamente ejecutables con independencia de que éstos hayan adquirido firmeza.

Es decir, son directamente ejecutables con independencia de que se hayan recurrido en vía administrativa o contencioso-administrativa salvo que expresamente se haya obtenido la suspensión de sus efectos o nos encontremos en un procedimiento sancionador que se haya recurrido en vía administrativa, (artículos 111 y 138 LRJPAC).

3. El acto a ejecutar debe tener un grado de determinación suficiente para que el obligado a ello pueda llevarlo a cabo sin necesidad de una definición posterior.

En la materia objeto de estudio, la aplicación de la ejecución subsidiaria debe venir precedida de un acto de la Administración actuante que defina con detalle suficiente las obras concretas a realizar de las comprendidas en una actuación de rehabilitación edificatoria, regeneración y renovación urbanas.

4. Es preceptiva la previa notificación de resolución administrativa que autorice y obligue, en este caso, a edificar o rehabilitar un determinado inmueble a su titular o titulares. Así en el artículo 93.2 LRJPAC:

«2. El órgano que ordene un acto de ejecución material de resoluciones estará obligado a notificar al particular interesado la resolución que autorice la actuación administrativa.»

La notificación debe señalar un plazo máximo para su cumplimiento e ir acompañada de la intimación sobre la ejecución subsidiaria por la Administración para el caso de incumplimiento por el propietario de la ejecución en el plazo voluntario de ejecución otorgado, según indica el artículo 95.2 LRJPAC:

«Las Administraciones Públicas, a través de sus órganos competentes en cada caso, podrán proceder, **previo apercibimiento**, a la ejecución forzosa de los actos administrativos, salvo en los supuestos en que se suspenda la ejecución de acuerdo con la ley, o cuando la Constitución o la ley exijan la intervención de los Tribunales.»

La **previsión general de la ejecutividad** de los actos administrativos encuentra cuatro **excepciones** que están directamente relacionadas con el recurso contra el acto administrativo concreto:

a)   Una ordinaria referente a la suspensión de los actos que sean recurridos en vía administrativa cuando el órgano competente en resolver el recurso aprecie que la ejecución del acto:

   i)   Pueda causar perjuicios de difícil o imposible reparación o

   ii)   La fundamentación de la impugnación sea alguna de las causas de nulidad previstas en el artículo 62.1 LRJPAC. Así en el artículo 111.2 LRJPAC.

   Por otro lado, se produce la suspensión automática del acto administrativo si transcurridos treinta días desde que la solicitud de suspensión haya tenido entrada en el registro del órgano competente para decidir sobre la misma, éste no ha dictado resolución expresa, artículo 111.3 LRJPAC.

b)   Las resoluciones sancionadoras, cuya ejecución queda en suspenso si se recurre en vía administrativa la resolución según señala el artículo 138.3 LRJPAC: «3. La resolución será ejecutiva cuando ponga fin a la vía administrativa.»

c)   Que una disposición establezca que determinados actos no son inmediatamente ejecutivos.

d)   Que la ejecución del acto dictado y notificado necesite posterior aprobación o autorización.

Cuando el administrado no ejecutase la Resolución dictada y notificada por la Administración, ésta puede optar por los siguientes **medios** para conseguir su **ejecución forzosa** que se emplearán, respetando siempre el principio de proporcionalidad y menos restrictivo para el administrado, *ex* artículo 96 LRJPAC:

a)   Apremio sobre el patrimonio.

b)   Ejecución subsidiaria.

c) Multa coercitiva.

d) Compulsión sobre las personas.

5.2. La ejecución subsidiaria como medio de ejecución forzosa

Para una mejor sistemática y comprensión se considera de interés el estudio previo de la eficacia y ejecutividad de los actos administrativos que predica la normativa de procedimiento administrativo general, así como la potestad de ejecución forzosa y los medios que cuenta para ello.

El hecho de que el legislador regule unas reglas generales para la ejecución forzosa en la que la Administración sustituya al propietario en la labor de edificar o rehabilitar, no supone que en una actuación no se pueda emplear otro medio de ejecución forzosa.

Los cuatro medios de ejecución forzosa con los que cuenta la Administración no se pueden emplear de forma simultánea sino que en cada momento debe optar por uno de ellos. La elección no impide que se utilicen distintos medios de ejecución forzosa de manera sucesiva, dentro del principio *pro libertate* con que cuenta la Administración, y la elección en cada momento del medio menos restrictivo, tal y como señala el artículo 96.2 LRJPAC.

Para la ejecución forzosa de actos administrativos que tengan por objeto obras de rehabilitación edificatoria, de regeneración o de renovación, parece más adecuado emplear inicialmente la multa coercitiva y, en caso de no vencer la resistencia del administrado a ejecutar el acto, pasar a la ejecución subsidiaria, previo apercibimiento y descripción detallada la actuación a realizar de modo subsidiario por la Administración o tercero designado por ésta.

En la materia en estudio, entre los medios de ejecución forzosa de los actos administrativos, el legislador pone a disposición de la Administración actuante la ejecución subsidiaria, medio que consideramos puede ser aplicado con otros como la multa coercitiva aunque, eso sí, de forma sucesiva.

Es decir, en aplicación de los principios generales de mínima intervención y proporcionalidad que rigen en esta materia, la ejecución forzosa puede ir precedida de multas coercitivas (artículo 99 LRJPAC), siempre y cuando la posibilidad de imposición de éstas vengas previstas norma con rango de Ley.

La ejecución subsidiaria de los actos administrativos encuentra su regulación en el artículo 98 LRJPAC, medio de ejecución forzosa para actos que puedan ser realizados por terceros distintos al obligado por no ser personalísimos.

Para su empleo es necesario que el administrado obligado a ejecutar el acto administrativo no lo haya realizado por sí mismo y que previamente sea requerido por la Administración con esta finalidad con descripción precisa de la actuación a realizar. Es necesario que la Administración acredite la oposición u obstrucción del administrado para su aplicación. Es preciso, en suma, se constate la resistencia efectiva del administrado a la ejecución, aunque sea por omisión.

Por tanto, la facultad de edificar o rehabilitar que se ejecuta por la Administración mediante ejecución subsidiaria, debe estar precedido por el requerimiento con un plazo de ejecución voluntaria que contenga una definición concreta de la actuación edificatoria o de rehabilitación a realizar por el titular o los titulares del inmueble.

Mientras la potestad de autotulela ejecutiva de la Administración confiere ejecutividad a sus actos y la facultad de ejecutarlos, los administrados no tienen esta facultad recíproca con la Administración.

Para los supuestos en los que la Administración no realice una prestación concreta en favor de una o varias personas determinadas, en virtud de una disposición general que no precise actos de aplicación, acto administrativo, contrato o convenio o bien no ejecute sus actos firmes realizar, quienes tuvieran derecho a ella pueden reclamar de la Administración el cumplimiento de dicha obligación e, incumplido el plazo de tres meses o un mes, dependiendo del supuesto en que se incardine, acudir a la jurisdicción contencioso-administrativa presentando recurso contra la inactividad de la Administración en relación con los artículos 25.2 y 29 LRJCA.

A diferencia de otros medios de ejecución forzosa, para la ejecución subsidiaria de un acto administrativo por la Administración no es preciso que la aplicación de ésta venga previsto en una disposición, sino que es suficiente acreditar el incumplimiento por parte del administrado obligado y el requerimiento.

La ejecución subsidiaria puede llevarse a cabo directamente por la Administración competente o por terceros que ésta determine, corriendo los gastos, daños y perjuicios de la ejecución a costa del obligado sobre los que se hará una liquidación provisional a falta de la liquidación definitiva que resulte una vez finalizada la ejecución (12).

El cobro de la suma correspondiente a los daños y perjuicios que cause el administrado como consecuencia de tener que ejecutar forzosamente, se recaudará por la Administración mediante el procedimiento de apremio, tanto la liquidación provisional como la definitiva. Cuando la liquidación definitiva sea inferior a la

---

(12)   Por ejemplo, en ejecución subsidiaria de las obras relacionadas con el deber de conservación, lo habitual es la Administración contrate las obras con empresas constructoras, mediante concurso publico convocado al efecto, salvo las excepciones legales motivadas por seguridad y urgencia cuando el contrato no existiese previamente.

provisional sea inferior a la provisional, el administrado tendrá derecho de devolución o reintegro de la diferencia.

En materia económica es preciso tener presente y contrastar la actuación concreta sujeta a ejecución subsidiaria con la la memoria de viabilidad económica de la actuación que recoge el artículo 11 LRRRU que, aunque tiene una función de valorar la viabilidad general de la actuación, puede dar unos parámetros de los costes de la actuación que se pretende ejecutar subsidiariamente.

Procedimiento equiparable a los instrumentos de ejecución urbanística en los que una persona jurídica diferente de los propietarios realiza en su nombre obligaciones urbanísticas y les repercute proporcionalmente gastos y beneficios (equidistribución). Los gastos se reflejan en una cuenta de liquidación provisional sobre la que se realiza la imputación de pago al propietario que sólo se convierte en definitiva cuando se produce la terminación de la actuación concreta.

Cuando la Administración sustituya al administrado y realice la ejecución material a través de un tercero, la relación jurídica entre éste y la Administración debe ajustarse a Real Decreto Legislativo 3/2011, de 14 de noviembre, por el que se aprueba el texto refundido de la Ley de Contratos del Sector Público, («TRLCSP»).

Por tanto, como garantía de legalidad de la ejecución subsidiaria, ésta debe tener como título habilitante un acto administrativo previo cuya ejecución se ha requerido previamente por la Administración al administrado, concediéndole un plazo adecuado para su ejecución voluntaria, con apercibimiento de realizarse en plazo se iniciaría la ejecución subsidiaria por la Administración.

El procedimiento de ejecución subsidiaria no está regulado en la normativa de procedimiento administrativo general, aunque sí se ha modulado por la jurisprudencia que exige sea un procedimiento contradictorio en el que se comunique el inicio al Administrado que pueda realizar las alegaciones que considere convenientes, muy especialmente en materia de la determinación de los gastos por liquidación provisional que se le pretenden imputar o el alcance de la actuación que pretenda realizar la Administración.

6. EJECUCIÓN MEDIANTE INICIATIVA PÚBLICA DE LAS ACTUACIONES DE REHABILITACIÓN, DE REGENERACIÓN Y RENOVACIÓN URBANAS

6.1. Régimen general de la ejecución de las actuaciones de iniciativa pública

Para los supuestos de ejecución de la actuación por expropiación, ejecución subsidiaria o «todos los supuestos que deriven de una actuación por iniciativa pública» la Administración decidirá:

a) Si ejecuta las obras directamente o,

b) Si procede a su adjudicación por medio de un concurso público

La **iniciativa en la ordenación de las actuaciones** ya ha sido abordada al analizar el artículo 9 LRRRU en el que se contiene su regulación, no obstante analizaremos sus rasgos esenciales como partida de la ejecución de actuaciones de iniciativa pública.

Recordar que la iniciativa para proponer la ordenación de las actuaciones de rehabilitación edificatoria y las de regeneración y renovación urbanas, podrá partir de:

a) Las Administraciones Públicas, las entidades públicas adscritas o dependientes de las mismas y

b) Los propietarios.

   Dentro de los propietarios el legislador crea una legitimación extensiva que incluye tanto a:

   (i) Los propietarios de bienes afectados por la actuación: las comunidades y agrupaciones de comunidades de propietarios, las cooperativas de vivienda constituidas al efecto, los propietarios de terrenos, construcciones, edificaciones y fincas urbanas,

   (ii) Los titulares de derechos reales o de aprovechamiento,

   (iii) Las empresas, entidades o sociedades que intervengan en nombre de cualesquiera de los sujetos anteriores.

Por otro lado, los **sujetos obligados a la realización de las obras comprendidas en las actuaciones**, estudiados en el marco del análisis del artículo 8 LRRRU, son los siguientes si únicamente atendiésemos a la dicción literal del precepto:

a) Los propietarios y los titulares de derechos de uso otorgados por ellos.

b) Las comunidades de propietarios y, en su caso, las agrupaciones de comunidades de propietarios, así como las cooperativas de viviendas, con respecto a los elementos comunes de la construcción, el edificio o complejo inmobiliario en régimen de propiedad horizontal y de los condominios.

c) Las Administraciones Públicas, cuando afecten a elementos propios de la urbanización y no exista el deber legal para los propietarios de asumir su coste, o cuando éstas financien parte de la operación con fondos públicos, en los supuestos de ejecución subsidiaria, a costa de los obligados.

Realmente más que lo que se desprende de la literalidad del artículo 8 LRRU, en cuanto a la obligación de realización de obras comprendidas en las actuaciones por los «sujetos obligados», lo que pretende el legislador es que cada uno de esos «sujetos obligados» contribuya a los gastos de ejecución de dichas obras, con independencia de quién sea adjudicatario de su ejecución y gestión. La anterior afirmación hay que tomarla con ciertas matizaciones, nos explicamos en los siguientes párrafos.

Respecto de la obligación de contribuir proporcionalmente a los gastos de ejecución de las obras comprendidas en las actuaciones según la cuota de participación en la actuación y atendiendo a la titularidad de cada propietario.

Es evidente que aunque la dicción literal del primer párrafo del artículo 8 LRRU obliga a los anteriores propietarios a «la realización de las obras comprendidas en las actuaciones de rehabilitación edificatoria, regeneración o renovación urbanas», el artículo 13.1 LRRU, ahora comentado, nos indica que para el desarrollo de la actividad de ejecución de estas las actuaciones, las Administraciones Públicas podrán utilizar todas las modalidades de gestión directa e indirecta admitidas por la legislación.

La contribución a los gastos de ejecución de los gastos comprendido en una actuación se realizarán:

a) Según la cuota de participación atendiendo a la titularidad del propietario.

b) Con fondos públicos que la financia o participación sobre la totalidad de la actuación de la ejecución subsidiaria utilizada por la Administración actuante.

Posteriormente, el epígrafe 3 del artículo 13, señala que en los supuestos de ejecución subsidiaria, expropiación o actuación por iniciativa pública, la Administración decidirá si las obras las ejecuta directamente o procede a su adjudicación por medio de la convocatoria de un concurso público. Concurso público que veremos tiene un objeto más amplio que las obras, su contenido es adjudicar la «**gestión de la actuación**» a «cualquier persona física o jurídica interesada.»

Por tanto, cabe concluir que los sujetos obligados, enumerados en el artículo 8 LRRRU, respecto de una actuación concreta, lo estarán no necesariamente a ejecutar las obras que ésta implique, sino a someterse al régimen de obligaciones de la actuación concreta, contribuyendo a ella dentro del límite del deber de conservación y obteniendo proporcionalmente los beneficios que resulten, siempre que la ejecución no se realice por expropiación.

La obligación de ejecutar la actuación será del sujeto que resulte su adjudicatario, dentro de la opción elegida por la Administración, de entre las modalidades de gestión directa e indirecta admitidas.

Respecto de la gestión de la actuación, hay que seguir el mismo razonamiento. Los «sujetos obligados» enunciados en el artículo 8 LRRU pueden tener una posición pasiva cumpliendo sus obligaciones en proporción a su cuota de participación en el ámbito o bien ser los adjudicatarios de su gestión y ejecución.

6.2. Ejecución de las actuaciones de iniciativa pública mediante su adjudicación por concurso

6.2.1. Planteamiento

La ejecución de la actuación por la Administración se puede realizar por medio de cualquiera de las modalidades de gestión directa antes estudiadas, a las que nos remitimos, así como los contratos públicos indicados, esencialmente contrato de gestión de servicios públicos y de obra pública. No obstante el contrato de gestión de las actuaciones se puede enmarcar dentro de los contratos administrativos especiales de los previstos en el artículo 5 y 19 TRLCSP, a los que le son de aplicación en primer término sus normas específicas a la vista del epígrafe 2 del artículo 19.

En el marco de la gestión indirecta, mayor interés tiene la adjudicación de la ejecución de las actuaciones mediante concurso público, debido a ello desarrollamos su estudio.

6.2.2. Presupuestos

El legislador nos deja una regulación muy somera, en la que como presupuestos previos para la ejecución de las «obras» de una actuación sólo requiere que derive de una actuación de iniciativa pública, actuación expropiatoria o por ejecución subsidiaria.

La iniciativa de la actuación pública consideramos debe ir seguida de la tramitación y acuerdo administrativo mediante el cual se delimite un ámbito de actuación conjunta, o bien se autoricen las actuaciones que deban realizarse de forma aislada que establecerá sus condiciones esenciales.

El avance de la equidistribución y el plan de realojo y retorno debiera ir ligado a las condiciones de adjudicación de la actuación mediante el concurso, debido a que están condicionadas el cumplimiento de estos requisitos.

6.2.3. Sujetos legitimados

Son las asociaciones administrativas constituidas al efecto por cualquiera de los sujetos legitimados a participar en la ejecución y que se relacionan en el artículo 15.1 LRRRU.

6.2.4. Bases del concurso

Con la finalidad de conceder objetividad a la valoración de las diferentes alternativas que se presenten en el procedimiento de selección del responsable de la gestión de la actuación, el legislador ha recogido la obligatoriedad de que las bases del concurso que se convoque contengan unos determinados criterios de selección del adjudicatario (artículo 13.3 LRRRU).

Por ello, este precepto regula el contenido mínimo de las bases que deben regir dicho concurso:

a) Los criterios aplicables para su ejecución.

b) El porcentaje mínimo de techo edificado que se atribuirá a los propietarios del inmueble objeto de la sustitución forzosa, en régimen de propiedad horizontal.

Estas bases orientativas pueden aportar criterios adicionales de valoración de las proposiciones, respecto de los criterios legales que arriba enumerados que tienen carácter mínimo. Será la Administración convocante del concurso, poder adjudicador, quien puede incorporar criterios adicionales de selección que considere convenientes para la actuación de acuerdo con sus características.

Estas bases tienen un contenido y función similar a los pliegos de contratación, permitirán ajustar el contenido de las proposiciones, criterio de selección y las obligaciones del futuro adjudicatario.

Las bases que fijasen los criterios de selección se han venido utilizando en la legislación urbanística autonómica parea la selección del agente urbanizador y sus figuras equivalentes, para la aprobación y adjudicación de los antiguos Programas de Actuación Urbanística o a los concursos convocados para adjudicar el beneficio de la expropiación en las actuaciones urbanísticas ejecutadas por el sistema de expropiación. Como referencia general, ya se recogían por el legislador valenciano en el artículo 45 de la inicial Ley 6/1994, de 15 de noviembre Reguladora de la Actividad Urbanística valenciana («**LRAU**»), normativa primigenia sobre la que evoluciona la restante legislación autonómica en materia del urbanizador, como pueden ser entre otras el artículo 154 de la Ley 2/2006, de 30 de junio, de Suelo y Urbanismo del País Vasco («**LSPV**») o el artículo 177 del Reglamento de las Ley de Urbanismo Catalana que se aprueba mediante el Decreto 305/2006, de 18 de julio, («**RLUC**»).

En materia de contratación pública son de aplicación subsidiaria los artículos 114 a 120 TRLCSP, referentes a los pliegos de cláusulas administrativas particulares, generales y de prescripciones técnicas.

6.2.5. *Criterios de valoración de las alternativas u ofertas*

Seguidamente veremos como buena parte de los criterios de valoración de las ofertas y adjudicación preferente del concurso se refieren a aspectos propios o finalidades de las actuaciones cuyo contenido y ordenación puede no estar totalmente definido, pudiendo incluso corresponder al adjudicatario proponer la ordenación de desarrollo o pormenorizada. Este grado de definición tiene una doble lectura:

1. Por un lado una mayor flexibilidad.

    Puesto que permite incorporar mejoras y modificaciones en atención a las proposiciones u ofertas de los licitadores sin tener que modificar las resoluciones referentes a la actuación a ejecutar.

2. Por otro lado se puede producir una mayor indefinición e inseguridad jurídica.

Puesto que no se conoce con certeza el marco de actuación y el concreto alcance material y económico al que se vinculan los licitadores y los propietarios del ámbito, contradiciendo el principio general de contratación pública de que, salvo casos excepcionales, debe estar aprobado previamente el proyecto que la contratación de la obra.

Los criterios objetivos de valoración preferente de las proposiciones que se enumeran legalmente no son objeto de una ponderación entre ellos, ni son excluyentes de cualquier otro criterio que la Administración quiera añadir en las bases que regulan el concurso.

Alguno de los criterios de adjudicación preferente legalmente establecidos pueden quedar diluidos o desvirtuados por carácter genérico, pudiendo añadirse por la Administración otros criterios adicionales.

Los criterios legales mínimos de valoración de las alternativas u ofertas que se presenten, son ampliables mediante las bases y convocatoria del concurso (13).

Estos **criterios legales para la adjudicación preferente** los podemos **clasificar** en dos grandes bloques, uno primero en el que se prima el interés particular de los propietarios y otra que valora el beneficio al interés general o, en palabras del legislador, para la colectividad. Son los siguientes:

> **1. «Las que propongan términos adecuadamente ventajosos para los propietarios afectados, salvo en el caso de incumplimiento de la función social de la propiedad o de los plazos establecidos para su ejecución, tal como se regula en el artículo 9.2 del texto refundido de la Ley de Suelo, aprobado por el Real Decreto Legislativo 2/2008, de 20 de junio, estableciendo incentivos, atrayendo inversión y ofreciendo garantías o posibilidades de colaboración con los mismos.»**

Se valorará preferentemente aquellas ofertas que «propongan términos más ventajosos para los propietarios.»

---

(13)   Así ocurre en el País Vasco conforme al artículo 166.1 LSPV.

Se excluyen de la valoración preferente las propuestas que se realicen a los propietarios que hayan incumplido con su obligación del deber de conservación ordenada por acto administrativo firme, que hayan incumplido de forma injustificada las obras ordenadas por la Administración, dentro del plazo conferido para ello, obligando a ésta su ejecución forzosa.

El artículo 9.2 TRLSE, según su nueva redacción dada por la LRRRU, impone como deber del derecho de propiedad el de conservación de los inmuebles y recoge la previsión de la ejecución forzosa de las resoluciones de la Administración que ordenen la realización de obras de conservación, elevando incluso el límite del coste del deber de conservación del propietario incumplidor hasta el 75% del importe de reposición de la construcción o edificio correspondiente (14).

¿Qué debemos entender por ofertas que «propongan términos más ventajosos para los propietarios afectados»?.

La norma enuncia esos términos ventajosos en los siguientes términos: «estableciendo incentivos, atrayendo inversión y ofreciendo garantías o posibilidades de colaboración con los mismos.»

Es decir, por un lado se fomenta la atracción de inversión y ventajas económicas que pueda ofrecer el licitador y por otro la colaboración o acuerdos con los propietarios afectados.

La garantía de incentivos e inversión es esencial para la viabilidad económica de la actuación y, en definitiva, del buen fin de la actuación.

---

(14) El artículo 9.2 TRLSE tiene la siguiente literalidad: «La Administración competente podrá imponer en cualquier momento la realización de obras para el cumplimiento del deber legal de conservación, de conformidad con lo dispuesto en la legislación estatal y autonómica aplicables. El acto firme de aprobación de la orden administrativa de ejecución que corresponda, determinará la afección real directa e inmediata, por determinación legal, del inmueble, al cumplimiento de la obligación del deber de conservación. Dicha afección real se hará constar, mediante nota marginal, en el Registro de la Propiedad, con referencia expresa a su carácter de garantía real y con el mismo régimen de preferencia y prioridad establecido para la afección real, al pago de cargas de urbanización en las actuaciones de transformación urbanística.
Conforme a lo dispuesto en la normativa aplicable, en los casos de inejecución injustificada de las obras ordenadas, dentro del plazo conferido al efecto, se procederá a su realización subsidiaria por la Administración Pública competente o a la aplicación de cualesquiera otras fórmulas de reacción administrativa a elección de ésta. En tales supuestos, el límite máximo del deber de conservación podrá elevarse, si así lo dispone la legislación autonómica, hasta el 75% del coste de reposición de la construcción o el edificio correspondiente. Cuando el propietario incumpla lo acordado por la Administración, una vez dictada resolución declaratoria del incumplimiento y acordada la aplicación del régimen correspondiente, la Administración actuante remitirá al Registro de la Propiedad certificación del acto o actos correspondientes para su constancia por nota al margen de la última inscripción de dominio.»

Es esencial que la adjudicación de las obras y la gestión de la actuación recoja su ejecución en unas condiciones determinadas, con un plazo y, en su caso, compromiso inversor contenido.

Las condiciones de ejecución material a cumplir sobre la rehabilitación, regeneración o renovación urbana quedarán definidas en el correspondiente proyecto y/u oferta a presentar, más documentación que se apruebe por la Administración en la ejecución el contrato.

La atracción de la inversión constituye parte esencial a valorar en cada propuesta, ya sea inversión propia del licitador o mediante compromiso inversor de terceros. Compromiso de inversión que debe ser garantizado.

La garantía o compromiso de inversión para la ejecución de la actuación puede ser realizado por el propio licitador o por terceros inversores que deberán prestar ese compromiso a aportar junto con la oferta.

Recordar que una de las dificultades del desarrollo de estas actuaciones es la financiera, sufragar los costes de su ejecución. La dificultad esencial estriba en que buena parte de estas actuaciones se desarrollan en ámbitos desfavorecidos en los que los propietarios no tienen capacidad para afrontar los gastos que se generan.

La mayor parte de los propietarios, esencialmente residentes en edificios afectados, aportarán a la actuación el inmueble del que son propietarios, e incluso se van a ver obligados a desalojar su vivienda durante la actuación, siendo posteriormente adjudicatarios de una vivienda o inmueble de reemplazo que cumplirá con las condiciones adecuadas al desarrollo, tanto de habitabilidad, accesibilidad, calidad adecuada e integrada socialmente, etc. Esa vivienda podrá ser la originaria adecuada a los criterios u objetivos de la actuación o bien una nueva vivienda en sustitución de la aportada.

 En definitiva, el propietario obtendrá un inmueble adecuado a los fines que resultan del artículo 3 LRRRU, salvo que medie su expropiación con pago en metálico.

Mientras la mayor parte de los propietarios realizan una aportación de sus inmuebles a cambio de otros futuros, con posible realojo, el responsable de la actuación y la Administración, cuando la gestión es directa, debe contar con recursos económicos suficientes para afrontar los gastos de la actuación.

Uno de los medios para garantizar esos recursos es el compromiso inversor, del propio licitador o de terceros. Ese compromiso inversor debiera no sólo hacerse de forma fehaciente, como por ejemplo mediante un acta notarial en la que se identifique el compromiso inversor, con identificación del obligado, alcance del compromiso asumido y plazos.

El compromiso inversor puede ser tanto en forma de aportación económica como de aportación de ejecución de obras a cambio de la adjudicación de parte de los inmuebles resultado de la actuación como pago. Así vemos como sujetos legitimados para participar en la ejecución de las actuaciones a «las empresas, entidades o sociedades que intervengan por cualquier título», artículo 15 LRRRU. Es posible que el sujeto legitimado principal, ej. asociación administrativa compuestas por propietarios de actuación, se auxilie de empresas inmobiliarias y constructoras a cambio de una retribución en especie en inmuebles, lo que dará viabilidad financiera a la actuación.

En todo caso, el compromiso inversor para ser realmente efectivo, a nuestro entender, debe de ir garantizado por cualquiera de los medios que recoge la normativa de contratación pública, artículo 96 TRLCSP (15).

Ante la falta de previsión en la norma y siempre que lo prevean los pliegos, consideramos también será aceptable la constitución de garantía mediante cheque conformado o bancario así como la acreditación de la constitución de la garantía por medios electrónicos, informáticos y telemáticos. Estas posibilidades se recogen en la nueva redacción del artículo 137 de la Ley 33/2003, de 3 de noviembre, de Patrimonio de las Administraciones Públicas, redacción dada por la disposición final sexta de la LRRRU (16).

---

(15)   «*Artículo 96 Garantías admitidas*

   1. Las garantías exigidas en los contratos celebrados con las Administraciones Públicas podrán prestarse en alguna de las siguientes formas:

   a) En efectivo o en valores de Deuda Pública, con sujeción, en cada caso, a las condiciones establecidas en las normas de desarrollo de esta Ley. El efectivo y los certificados de inmovilización de los valores anotados se depositarán en la Caja General de Depósitos o en sus sucursales encuadradas en las Delegaciones de Economía y Hacienda, o en las Cajas o establecimientos públicos equivalentes de las Comunidades Autónomas o Entidades locales contratantes ante las que deban surtir efectos, en la forma y con las condiciones que las normas de desarrollo de esta Ley establezcan.

   b) Mediante aval, prestado en la forma y condiciones que establezcan las normas de desarrollo de esta Ley, por alguno de los bancos, cajas de ahorros, cooperativas de crédito, establecimientos financieros de crédito y sociedades de garantía recíproca autorizados para operar en España, que deberá depositarse en los establecimientos señalados en la letra a) anterior.

   c) Mediante contrato de seguro de caución, celebrado en la forma y condiciones que las normas de desarrollo de esta Ley establezcan, con una entidad aseguradora autorizada para operar en el ramo. El certificado del seguro deberá entregarse en los establecimientos señalados en la letra a) anterior.

   2. Cuando así se prevea en los pliegos, la garantía que, eventualmente, deba prestarse en contratos distintos a los de obra y concesión de obra pública podrá constituirse mediante retención en el precio.

   3. Cuando así se prevea en el pliego, la acreditación de la constitución de la garantía podrá hacerse mediante medios electrónicos, informáticos o telemáticos.»

(16)   Se modifican el artículo 137 y la disposición adicional décima de la Ley 33/2003, de 3 de noviembre, del Patrimonio de las Administraciones Públicas, en los siguientes términos:

   Uno. El apartado 6 del artículo 137 queda redactado como sigue:

   «**6.** La participación en procedimientos de adjudicación de inmuebles requerirá la constitución de una garantía de un 5 por 100 del valor de tasación de los bienes. En casos especiales, atendidas las características del inmueble y la forma o circunstancias de la enajenación, el órgano competente para la tramitación del expediente podrá elevar el importe de la garantía hasta un 10 por 100 del valor de tasación.

Dentro del compromiso inversor debiera valorarse muy significativamente que el licitador aportase compromiso de financiación de la actuación por entidad financiera con unas condiciones adecuadas. Compromiso de financiación que por su dificultad de obtener, especialmente en la fase preliminar de la licitación, supone un aspecto a valorar muy positivamente.

Respecto de las **posibilidades de colaboración con los propietarios** como criterio de adjudicación preferente, implica una preocupación del legislador por cohonestar el interés particular de los propietarios con el interés general que lleva implícita la actuación.

La colaboración con los propietarios puede estar implícita por razón de la persona jurídica que presenta su oferta. Es decir, cuando sean los propietarios los que estén interesados en asumir la gestión de la actuación, constituyendo para ello una asociación administrativa en los términos previstos en el artículo 13.3 en relación con el 16 LRRRU.

El licitador no propietario puede acreditar la colaboración con los propietarios aportando convenio suscrito con éstos, en los que se les ofrezca unas condiciones determinadas durante la fase de ejecución y en el resultado de la adjudicación.

Los convenios o acuerdos con los propietarios pueden regular los siguientes aspectos:

1. Acuerdos de realojo provisional y definitivo con los propietarios cuando éstos sean precisos, por ser necesaria la sustitución forzosa.

2. Mejora del porcentaje mínimo de techo edificado a adjudicar a los propietarios respecto al que se determine en las bases.

3. Indemnización en metálico, con bases de cuantificación acordadas, de los propietarios cuando así se elija por éstos.

4. Pago aplazado y sus condiciones de la parte del coste que corresponda a los propietarios.

Dentro de este criterio de valoración preferente entendemos que se debería hacer una interpretación extensiva y valorar también los acuerdos con los titulares de

---

La garantía podrá constituirse en cualquier modalidad prevista en la legislación de contratos del sector público, depositándola en la Caja General de Depósitos o en sus sucursales de las Delegaciones de Economía y Hacienda. **En caso de que así se prevea en los pliegos, la garantía también podrá constituirse mediante cheque conformado o cheque bancario, en la forma y lugar que se señalen por el órgano competente para tramitar el expediente.**

Cuando así se prevea en el pliego, la acreditación de la constitución de la garantía podrá hacerse mediante medios electrónicos, informáticos o telemáticos.

La garantía constituida en efectivo o en cheque conformado o bancario por el adjudicatario se aplicará al pago del precio de venta.»

otros derechos sobre los inmuebles afectados, derechos distintos del de propiedad como arrendamientos, derechos de uso, usufructo, acreedores hipotecarios, concesiones u autorizaciones administrativas cuando existan bienes públicos, ...

> **2. «Aquellas que produzcan un mayor beneficio para la colectividad en su conjunto y propongan obras de eliminación de las situaciones de infravivienda, del cumplimiento del deber legal de conservación, de garantía de la accesibilidad universal, o de mejora de la eficiencia energética.»**

Este epígrafe recoge los motivos de adjudicación preferente que hemos denominado antes como beneficio a la colectividad o al interés general, que se identifica plenamente con los objetivos y finalidad de la norma que se detalla en la Exposición de Motivos de la LRRRU.

La valoración preferente se producirá sobre aquellas proposiciones que «produzcan un mayor beneficio para la colectividad en su conjunto», enunciado de por si genérico y difícil de ponderar de forma objetiva, por lo que tendrá que ser concretado en cada una de las bases que se aprueben.

Estos criterios se concretan en los criterios de valoración que seguidamente se detallan y que sintetizan los fines comunes de las políticas públicas para un medio urbano más sostenible, eficiente y competitivo que reúne el artículo 3 LRRRU, concretamente en su letra a):

> «a) Posibilitar el uso residencial en viviendas constitutivas de domicilio habitual en un contexto urbano seguro, salubre, accesible universalmente, de calidad adecuada e integrado socialmente, provisto del equipamiento, los servicios, los materiales y productos que eliminen o, en todo caso, minimicen, por aplicación de la mejor tecnología disponible en el mercado a precio razonable, las emisiones contaminantes y de gases de efecto invernadero, el consumo de agua, energía y la producción de residuos, y mejoren su gestión.»

Seguidamente la Ley nos guía por algunos aspectos a valorar que examinamos brevemente:

1. Obras de eliminación de las situaciones de infravivienda

Para conocer el alcance de este punto objeto de valoración es necesario recordar la definición de infravivienda recogida en el artículo 2 LRRRU:

> **«Infravivienda**: la edificación, o parte de ella, destinada a vivienda, que no reúna las condiciones mínimas exigidas de conformidad con la legislación aplicable. En todo caso, se entenderá que no reúnen dichas condiciones las viviendas que incumplan los requisitos de superficie, número, dimensión y características de las piezas habitables, las que presenten deficiencias graves en sus dotaciones e instalaciones básicas y las que no cumplan los

requisitos mínimos de seguridad, accesibilidad universal y habitabilidad exigibles a la edificación».

Las condiciones que deben reunir las viviendas en cuanto a superficie, número, dimensión y características de las piezas habitables, etc., deben venir recogidas en el planeamiento general de cada municipio.

Tomando como ejemplo el Plan General de Ordenación Urbana de Madrid de mayo de 1997, observamos como en su capítulo 6.7 establece las condiciones de calidad e higiene de los edificios, en el 6.8 las condiciones de dotaciones al servicio del edificio, (energía eléctrica, calefacción y climatización, agua caliente sanitaria, etc.), en el 6.9 las condiciones de acceso y seguridad de los edificio, o la definición de vivienda exterior o el programa de las viviendas, en sus artículos 7.3.3. y 7.3.4. respectivamente.

El artículo 7.3.4. define el programa de vivienda de la siguiente forma.

> «1. A efectos de estas Normas Urbanísticas se considera como vivienda mínima aquella que cuenta con estancia-comedor, cocina, dormitorio y aseo, y cuya superficie útil sea superior a treinta y ocho (38) metros cuadrados, no incluyéndose en el cómputo de las mismas las terrazas, balcones, balconadas, miradores, tendederos, ni espacios de altura libre de piso inferior a doscientos veinte (220) centímetros. Podrá admitirse reducir la superficie útil hasta veinticinco (25) metros cuadrados, en el caso de que sólo disponga de una estancia-comedor-cocina, que puede servir de dormitorio y cuarto de aseo.»

Recordar que la normativa reguladora del régimen de viviendas sujetas a protección pública establecen unas características concretas del programa de cada vivienda, la superficie mínima de cada una de sus piezas y máxima del total de la vivienda. Todo ello dependiendo del régimen de protección a que se encuentre sujeta la vivienda y regulación autonómica en la materia.

2. Obras que propongan el cumplimiento del deber legal de conservación

Estriba en la ejecución de obras que suponen un deber legal de los propietarios de los inmuebles y que se configura como una de las finalidades esenciales de la Ley de rehabilitación.

El deber legal de conservación de forma primigenia corresponde a los propietarios, viene impuesto por el artículo 9 TRLSE que define los deberes y cargas del contenido del derecho de propiedad del suelo. El derecho de propiedad de los terrenos, las instalaciones, construcciones y edificaciones, comprende con carácter general, la obligación de:

a) Conservarlos en las condiciones legales para servir de soporte a los usos que permita la ordenación,

b) Conservarlos para que tengan las condiciones de seguridad, salubridad, accesibilidad universal y ornato legalmente exigibles,

c) A realizar obras adicionales por motivos turísticos o culturales, o para la mejora de la calidad y sostenibilidad del medio urbano, hasta donde alcance el deber legal de conservación que será el límite a sufragar por el propietario.

El importe de la contribución que debe sufragar el propietario para hacer frente al deber de conservación se corresponde con la mitad del valor actual de construcción de un inmueble de nueva planta, equivalente al original en relación con las características constructivas y la superficie útil, realizado con las condiciones necesarias para que su ocupación sea autorizable o, en su caso, quede en condiciones de ser legalmente destinado al uso que le sea propio.

El importe que exceda dicho límite deberá ser sufragado por la Administración, siendo justificadas tales obras cuando sean de interés general. Como ejemplo tendríamos el deber de conservación impuesto en determinadas zonas históricas de las ciudades por razón de la protección de estos inmuebles e interés turístico.

Como **excepción del límite del deber de conservación de los propietarios** se encuentran los casos de inejecución injustificada de las obras ordenadas dentro del plazo otorgado, con inicio procedimiento de ejecución forzosa por parte de la Administración para exigir su cumplimiento. Aquí el límite máximo del deber de conservación puede elevarse por la legislación autonómica, hasta el 75% del coste de reposición de la construcción o el edificio correspondiente, conforme al artículo 9.2 TRLSE.

En el caso de las edificaciones, el deber legal de conservación también comprende las obras necesarias para su adecuación a las exigencias requeridas para la edificación establecidos en el artículo 3.1 de la Ley 38/1999, de 5 de noviembre, de Ordenación de la Edificación («LOE») y Código Técnico de la Edificación. De forma complementaria es preciso adaptar las instalaciones del edificio a la normativa vigente que le sea de aplicación.

En estas actuaciones el licitador actuará como coadyuvante de la Administración para la gestión y ejecución de la actuación, que es obligación primigenia de los propietarios en cumplimiento de este deber legal. La gestión de la actuación por un tercero no supone la exención de éstos últimos de contribuir a los costes de la actuación hasta el límite legal señalado.

3.   Obras que propongan la garantía de la accesibilidad universal

La accesibilidad universal es otra de las finalidades esenciales de la Ley de Rehabilitación, concretamente en su artículo 3.a).

La obligación de la contribución por los propietarios a las obras que posibiliten la accesibilidad universal encuentra su límite en lo que el legislador ha definido como una «carga desproporcionada» contraria a «ajustes razonables» en el artículo 2.4 LRRRU. Como carga desproporcionada, en los edificios constituidos en régimen de propiedad horizontal, se entenderá cuando el coste repercutido anualmente, exceda de doce mensualidades ordinarias de gastos comunes, descontando las ayudas públicas a las que se tenga derecho.

Al igual que el deber de conservación, el licitador propondrá en su oferta la ejecución de obras para garantizar la accesibilidad universal que son obligación de los propietarios hasta un límite económico fijado legalmente.

Toda actuación que se apruebe por la Administración debiera contener la obligación de conservar, dotar de accesibilidad universal y mejorar la eficiencia energética de los edificios afectados.

Por tanto, como finalidad esencial de estas actuaciones, consideramos que la **valoración preferente** no debiera estribar en su mera ejecución, lo que no es discutible, sino las condiciones que propone el licitador para su ejecución.

Condiciones ofrecidas:

a)   En la colaboración con los propietarios hasta el límite de su obligación de su deber de conservación o de garantizar la accesibilidad universal,

b)   En colaboración con la Administración en la ejecución de la ejecución de las obras de conservación y accesibilidad universal en la proporción que exceda de la obligación de la propiedad.

Una mejora que sí debiera valorarse sería la forma de retribución de esos trabajos al adjudicatario, forma y medio de pago, etc. Es decir, la parte de los trabajos que asume como coste el licitador, como mejora del precio, si acepta dilatar el cobro de los costes repercutibles o si acepta cobrar en especie mediante edificabilidad en lugar de en metálico, contribuyendo con ello a la viabilidad económica de la actuación.

En relación con lo anterior, el artículo 17 LRRRU ofrece un listado abierto de posibles contratos para ayudar a mejorar la financiación de las actuaciones, concediendo los propietarios al ejecutor o quien contribuya económicamente a la actuación derechos sobre los inmuebles, todo ello con la finalidad de evitar el pago de los costes en metálico, ante la contingencia de que sea difícil o imposible. Esos derechos se materializan en otorgar contrato de cesión con facultad de otorgar derecho de arrendamiento o explotación a terceros, contrato de permuta o cesión de terrenos, contrato de arrendamiento o cesión de uso de local, contrato de explotación conjunta del inmueble o partes del mismo y cualquier otro ajustado a derecho que las partes quieran suscribir.

4.   Obras de mejora de la eficiencia energética

Uno de los objetivos de la Ley es fomentar la calidad, la sostenibilidad y la competitividad, tanto en la edificación, como en el suelo. El propósito es adecuar nuestro marco normativo al marco europeo, sobre todo en relación con los objetivos de eficiencia, ahorro energético y lucha contra la pobreza energética, concretamente en las Directivas 2010/31/UE del Parlamento Europeo y del Consejo de 19 de mayo de 2010, relativa a eficiencia energética de edificios y la Directiva 2012/27/UE del Parlamento Europeo y del Consejo de 25 de octubre de 2012, relativa a la eficiencia energética.

Estos objetivos se positivizan y reflejan en el artículo 3.h) LRRRU.

El artículo 9.1 TRLSE recoge como obligación de los propietarios de los edificios las obras adicionales para la mejora de la calidad y sostenibilidad que podrán consistir en la adecuación parcial o completa a todas, o a algunas de las exigencias básicas establecidas en el Código Técnico de la Edificación.

Este objetivo esencial de la norma se plasma en este criterio de valoración preferente de las ofertas que se presenten.

7. CONVENIOS DE COLABORACIÓN ENTRE LAS ADMINISTRACIONES PÚBLICAS Y LAS ENTIDADES PÚBLICAS ADSCRITAS O DEPENDIENTES DE LAS MISMAS

El legislador recoge la posibilidad de que las actuaciones de rehabilitación edificatoria, regeneración y renovación urbanas que se ejecuten mediante gestión directa por las Administraciones Públicas y en las actuaciones en las que se realicen por expropiación o ejecución subsidiaria, se lleven a cabo por medio de Consorcio o sociedad de capital mixto. La ejecución de las actuaciones mediante Consorcio o empresas públicas, cuya constitución debe haber sido previamente regulada en convenio de colaboración que se debe haber suscrito entre las Administraciones Públicas y las entidades públicas adscritas y dependientes de las mismas, artículo 6 LRJPAC.

En las relaciones entre la Administración General del Estado y la Administración de las Comunidades Autónomas, el contenido del deber de colaboración se desarrollará a través de los instrumentos y procedimientos que de manera común y voluntaria establezcan tales Administraciones en aplicación del principio de cooperación, con adecuación a los instrumentos y procedimientos de cooperación a que se refiere el artículo 4 y siguientes LRJPAC.

En materia de colaboración, las Entidades Locales se rigen por la legislación básica en materia local y supletoriamente por la legislación general de procedimiento administrativo. Así en esta materia nos debemos remitir a los artículo 55 a 61 de la Ley 7/1985, de 2 de abril, Reguladora de la Ley de Bases de Régimen Local («**LR-BRL**») y 61 a 71 del Texto Refundido de las disposiciones vigentes en materia de Régimen Local, aprobada por el Real Decreto Legislativo 781/1986, de 18 de abril

(«**TRLBRL**»), todo ello en aplicación del principio de autonomía de los municipios que como garantía institucional establece el artículo 140 CE.

Pues bien como ha señalado el Tribunal Constitucional, el principio constitucional de autonomía local supone una garantía de participar en cuantos asuntos le atañen, constituyendo un derecho limitado que no puede oponerse al principio de unidad estatal. Así en el Fundamento Jurídico 3 de la STC de 28 de julio de 1981 cuya doctrina ha sido confirmada y desarrollada por otras posteriores como la 27/1987 de 27 de febrero y la 240/2006, de 20 de julio.

El artículo 66 TRLBRL recoge la posibilidad de que el Estado y las Comunidades Autónomas deleguen en las Entidades Locales la ejecución de obras, servicios y actividades de su competencia. A su vez los Municipios pueden recibir delegaciones de otras entidades locales. Para la eficacia de la delegación es preciso que la Entidad Local cuente con capacidad de gestión, medios técnicos y se le cedan medios financieros, además de la aceptación.

Es curiosa la diferencia del concepto de delegación de competencias en la legislación local y en la estatal.

La delegación de competencias en el ámbito local puede tener por objeto competencias de varias Administraciones (artículo 66 TRLBRL), mientras que en la legislación de Régimen Jurídico General, la delegación de competencias se produce entre órganos de la misma Administración o entidades de derecho público dependientes o vinculadas a ellas, ex artículo 13.1 LRJPAC.

Sin embargo, para la ejecución de actuaciones de rehabilitación edificatoria, de regeneración y renovación urbanas por parte de las Administraciones Públicas, el legislador ha establecido su preferencia por los convenios de colaboración a la vista de las diferentes competencias y Administraciones afectadas.

Esta herramienta ya ha resultado muy útil en experiencias previas en materia de ejecución de infraestructuras y creación de dotaciones en las que han concurrido competencias estatales, autonómicas, locales y entidades públicas empresariales dependientes y adscritos a la Administración General del Estado de los previstos en el artículo 43.1.b) de la Ley 6/1997, de 14 de abril, de Organización y Funcionamiento de la Administración General del Estado, («**LOFAGE**»).

La legislación de régimen jurídico general de las Administraciones públicas regula los convenios de colaboración en el ámbito de la Administración General del Estado y de sus Organismos dependientes y vinculados, con los de las Comunidades Autónomas en relación y ejercicio de las competencias de cada una, concretamente en el artículo 6 LRJPAC.

Por su parte la legislación de régimen local dispone que las competencias compartidas o concurrentes podrán ser ejercidas conjuntamente por la Administración del Estado o de la Comunidad Autónoma y la Local, mediante la constitución de entes instrumentales de carácter público o privado, conforme a lo dispuesto en los artículos 61 y 69 TRLBRL.

Adicionalmente las Entidades locales podrán también asumir o colaborar en la realización de obras o en la gestión de servicios del Estado mediante la suscripción del correspondiente convenio y, en su caso, la constitución de un consorcio, artículo 70 TRLBRL

A su vez, la normativa de régimen local destaca el carácter voluntario de la cooperación económica, técnica y administrativa entre la Administración local y las Administraciones del Estado y de las Comunidades Autónomas, tanto en servicios locales como en asuntos de interés común. Como forma de cooperación ya se recogen los consorcios o convenios administrativos que suscriban, artículo 57 LBRL. Realmente los consorcios son consecuencia de la previa firma de un convenio.

Para la firma de convenios de colaboración por la Administración General del Estado la disposición adicional decimotercera LRJPAC exige el ajuste a la normativa presupuestaria en cuanto a los recursos que comprometa, así como el informe del Ministerio o Ministerios afectados.

Los convenios que se firmen deben tener el siguiente **contenido mínimo**:

a)   Los órganos que celebran el convenio y la capacidad jurídica con la que actúa cada una de las partes.

b)   La competencia que ejerce cada Administración.

c)   Su financiación.

d)   Las actuaciones que se acuerden desarrollar para su cumplimiento.

e)   La necesidad o no de establecer una organización para su gestión.

f)   El plazo de vigencia, lo que no impedirá su prórroga si así lo acuerdan las partes firmantes del convenio.

g)   La extinción por causa distinta a la prevista en el apartado anterior, así como la forma de terminar las actuaciones en curso para el supuesto de extinción.

Para resolver los problemas de interpretación y cumplimiento que puedan plantearse respecto de los convenios de colaboración, las Administraciones intervinientes pueden constituir un órgano mixto de vigilancia y control, artículo 6.3 LRJPAC.

Es el convenio de gestión en el que debe apreciar la necesidad de crear una organización común, ésta podrá adoptar la forma de Consorcio dotado de personalidad jurídica o sociedad mercantil, instrumentos a los que nos remite la Ley objeto de estudio.

La Ley de rehabilitación en estudio propone el camino inverso, que el convenio conceda la ejecución a un **Consorcio** previamente creado (art.13.3 *in fine*), mientras que la legislación general predica que sea el convenio quien considere conveniente la creación de una organización común para la gestión del convenio, artículo 6.5 LRJPAC.

La lógica de la gestión pública nos indica que ambas soluciones son posibles, tanto que el convenio recoja la previsión de la creación de un Consorcio en ejecución de sus acuerdos, como que el convenio adjudique dicha ejecución a un Consorcio previamente creado, siempre que su composición y estatutos se adecuen a la finalidad de rehabilitación, regeneración y/o renovación urbanas perseguidas.

Ninguna duda ofrece sobre este punto la **sociedad de capital mixto**, sobre la que no se hace referencia al momento de su constitución. En una sociedad preexistente se deberá verificar que cumpla con los requisitos de participación mayoritaria en su capital por las Administraciones Públicas intervinientes y unos estatutos adecuados a la finalidad concreta perseguida. Objeciones fácilmente solucionables con la adquisición de capital social por parte de la Administración que no participase en ella y modificación de sus estatutos para adecuarlos a los fines del convenio.

Tanto en el Consorcio como en la sociedad es preceptivo que las Administraciones Públicas que la conforme tengan una participación mayoritaria en su capital social, que tengan el control en su funcionamiento y sean titulares de la mayoría de sus derechos políticos para que ejerzan de forma real su gestión y decisión en su funcionamiento. Es decir, debe prevalecer el carácter y gestión pública en los consorcios y sociedades mixtas.

Examinado lo anterior cabe preguntarse, ¿qué particulares está legitimados a integrarse y ostentar esa posición minoritaria en los Consorcios o empresas mixtas creadas para este fin?. Se debe acudir a los sujetos legitimados que enumera el artículo 15 LRRRU para participar en las actuaciones de rehabilitación edificatoria, regeneración y renovación urbanas que son los siguientes:

a)   Las comunidades y agrupaciones de comunidades de propietarios.

b)   Las cooperativas de viviendas constituidas al efecto.

c)   Las asociaciones administrativas constituidas al efecto.

d)   Los titulares de terrenos, construcciones, edificaciones, fincas urbanas, titulares de derechos reales.

e)   Empresas, entidades o sociedades que intervengan en la actuación.

f)   Asociaciones administrativas constituidas conforme la normativa urbanística por los anteriores.

Los estatutos del consorcio determinarán los fines del mismo, así como las particularidades del régimen orgánico, funcional y financiero.

Los órganos de decisión estarán integrados por representantes de todas las entidades consorciadas, en la proporción que se fije en los Estatutos respectivos.

Para la gestión de los servicios que se le encomienden podrán utilizarse cualquiera de las formas previstas en la legislación aplicable a las Administraciones consorciadas.

Las empresas públicas se configuran dentro del Sector Público aunque no se integran dentro de la Administración de base no territorial o institucional. Encuentran su regulación en la disposición adicional 12.ª LOFAGE y en el artículo 85 ter LBRL, conforme la redacción dada por la Ley 57/2003.

Su régimen jurídico aplicable es el privado, salvo en lo referente a materias en las que le es de aplicación la normativa presupuestaria, contable y de control financiero, así como parcialmente el régimen de incompatibilidades de los funcionarios y personal al servicio de las Administraciones Públicas previsto en el artículo 2 de la Ley 53/1984, de 26 de diciembre, de incompatibilidades del personal al servicio de las Administraciones Públicas:

«Artículo 2

1. La presente Ley será de aplicación a:

h) El personal que preste servicios en Empresas en que la participación del capital, directa o indirectamente, de las Administraciones Públicas sea superior al 50 por 100.

(…)

2. En el ámbito delimitado en el apartado anterior se entenderá incluido todo el personal, cualquiera que sea la naturaleza jurídica de la relación de empleo.»

Artículo 14. Los derechos de realojamiento y de retorno

1. En la ejecución de las actuaciones previstas por esta Ley que requieran el desalojo de los ocupantes legales de inmuebles que constituyan su residencia habitual, deberán garantizar el derecho de aquéllos al realojamiento en los términos establecidos por la Ley de Suelo y por la legislación sobre ordenación territorial y urbanística:

a) la Administración expropiante o, en su caso, el beneficiario de la expropiación, cuando se actúe por expropiación. A tales efectos, deberán

poner a disposición de aquéllos, viviendas en las condiciones de venta o alquiler vigentes para las viviendas sometidas a algún régimen de protección pública y superficie adecuada a sus necesidades, dentro de los límites establecidos por la legislación protectora. La entrega de la vivienda de reemplazo, en el régimen en que se viniera ocupando la expropiada, equivaldrá al abono del justiprecio expropiatorio, salvo que el expropiado opte por percibirlo en metálico, en cuyo caso no tendrá derecho de realojo.

b) el promotor de la actuación, cuando se actúe mediante ámbitos de gestión conjunta, mediante procedimientos no expropiatorios. En estos casos, el promotor deberá garantizar el realojamiento, en las condiciones que establezca la legislación aplicable.

2. Cuando se actúe de manera aislada y no corresponda aplicar la expropiación, los arrendatarios que, a consecuencia de las obras de rehabilitación o demolición no puedan hacer uso de las viviendas arrendadas, tendrán el derecho a un alojamiento provisional, así como a retornar cuando sea posible, siendo ambos derechos ejercitables frente al dueño de la nueva edificación, y por el tiempo que reste hasta la finalización del contrato.

Para hacer efectivo el derecho de retorno, el propietario de la finca deberá proporcionar una nueva vivienda, cuya superficie no sea inferior al cincuenta por ciento de la anterior y siempre que tenga, al menos, noventa metros cuadrados, o no inferior a la que tuviere, si no alcanzaba dicha superficie, de características análogas a aquélla y que esté ubicada en el mismo solar o en el entorno del edificio demolido o rehabilitado.

3. El derecho de realojamiento es personal e intransferible, salvo en el caso de los herederos forzosos o del cónyuge supérstite, siempre y cuando acrediten que comparten con el titular en términos de residencia habitual, la vivienda objeto del realojo.

4. Todo procedimiento de realojamiento respetará, al menos, las siguientes normas procedimentales comunes:

a) La Administración actuante identificará a los ocupantes legales a que hace referencia el apartado 1, mediante cualquier medio admitido en derecho y les notificará la inclusión del inmueble en la correspondiente actuación, otorgándoles un trámite de audiencia que, en el caso de que exista también un plazo de información pública, coincidirá con éste.

b) Durante el trámite de audiencia o información al público, los interesados, además de acreditar que cumplen los requisitos legales necesarios para ser titulares del derecho de realojamiento podrán solicitar el reconocimiento de dicho derecho o renunciar a su ejercicio. La ausencia de contestación no impedirá a la Administración continuar el procedimiento.

c) Una vez finalizado el trámite previsto en la letra anterior, la Administración aprobará el listado definitivo de las personas que tienen derecho a realojamiento, si no lo hubiera hecho ya con anterioridad y lo notificará a los afectados.

d) No obstante lo dispuesto en los párrafos anteriores, podrá reconocerse el derecho de realojamiento de otras personas que, con posterioridad al momento correspondiente, acrediten que reúnen los requisitos legales para tener dicho derecho.

5. Para hacer efectivo el derecho de realojamiento será preciso ofrecer una vivienda por cada una de las viviendas afectadas por la actuación, bien en el mismo ámbito de actuación, o, si no es posible, lo más próximo al mismo. Cuando no sea materialmente posible ofrecer dicha vivienda, los titulares del derecho de realojamiento tendrán derecho a su equivalente económico.

La vivienda de sustitución tendrá una superficie adecuada a las necesidades del titular del derecho de realojamiento y, en el caso de que éste fuera una persona con discapacidad, será una vivienda accesible o acorde a las necesidades derivadas de la discapacidad.

El derecho de realojamiento respetará en todo caso los límites establecidos por la legislación sobre vivienda protegida que resulte aplicable.

6. El reconocimiento del derecho de realojamiento es independiente del derecho a percibir la indemnización que corresponda, cuando se extingan derechos preexistentes, salvo lo dispuesto en la letra a) del apartado 1.

CONCORDANCIAS

— Andalucía: artículo 113.1,h) de la Ley 7/2002, 17 diciembre, de Ordenación Urbanística.

— Aragón: artículos 24, f) y 112.4de la Ley 3/2009, de 17 de junio, de Urbanismo.

— Asturias: artículo 204 del Decreto Legislativo 1/2004, 22 abril, por el que se aprueba el texto refundido de las disposiciones legales vigentes en materia de Ordenación del Territorio y Urbanismo.

— Canarias: Disposición adicional 2.ª del Decreto 183/2004, de 21 de diciembre.

— Cantabria: artículos 88.4 y 128.1 de la Ley 2/2001, 25 junio, de Ordenación Territorial y Régimen Urbanístico del Suelo.

— Castilla-la Mancha: artículo 78.3,d) del Decreto Legislativo 1/2010, 18 mayo, que aprueba el Texto Refundido de la Ley de Ordenación del Territorio y de la Actividad Urbanística.

— Castilla y León: artículo 68 y DA 1.ª de la Ley 5/1999, 8 abril, de Urbanismo y artículos 48, 4.º, f), 198,1, 4.º y 209 del Decreto 22/2004, 29 enero, modificado por el Decreto 45/2009.

— Cataluña: artículos 109.7, 120 y 172 del Decreto Legislativo 1/2010, de 3 de agosto, por el que se aprueba el Texto Refundido de la Ley de Urbanismo y Decreto 305/2006, de 18 de julio, modificado por el Decreto 80/2009, de 19 de mayo.

— Madrid: artículos 18, 2, e) y 99,2,d) de la Ley 9/2001, 17 julio, del Suelo.

— Murcia: Artículo 161.1 del Decreto Legislativo 1/2005, 10 junio, que aprueba el Texto Refundido de la Ley del Suelo.

— Navarra: Artículo 140 de la Ley foral 35/2002, 20 diciembre, de Ordenación del Territorio y Urbanismo.

— País Vasco: DA 2.ª de la Ley 2/2006, de 30 de junio, de Suelo y Urbanismo, Decreto 39/2008, sobre régimen jurídico de viviendas de protección pública y medidas financieras en materia de vivienda y suelo; Decreto 105/2008, de 3 de junio, de medidas urgentes de desarrollo de la Ley 2/2006y Orden de 29 de marzo de 2010, del Consejero de Vivienda, Obras Públicas y Transportes, sobre realojo derivado de actuaciones aisladas no expropiatorias realizadas por las administraciones municipales.

— Valencia: artículo 47.2 de la Ley 16/2005, de 30 de diciembre.

JURISPRUDENCIA

— Sentencia n.º 61/1997 de 20 marzo, del Tribunal Constitucional, dictada en los recursos de inconstitucionalidad números 2477/1990; 2479/1990; 2481/1990; 2486/1990, 2487/1990 y 2488/1990 interpuestos contra la Ley 8/1990, de 25 julio, de Reforma del Régimen Urbanístico y Valoraciones del Suelo y el Texto Refundido de la Ley del Suelo de 1992, que la sustituyó. Ponentes: Don Enrique Ruiz Vadillo y Don Pablo García Manzano.

— Sentencia n.º 4022/2010, de 7 de julio, de la Sala de lo Contencioso del Tribunal Supremo, dictada en el recurso324/2009. Ponente: D. Agustín Puente Prieto.

— Sentencia del Tribunal Supremo n.º 5237/2009, de cinco de junio, de la Sala de lo Contencioso del Tribunal Supremo, dictada en el recurso 5237/2005. Ponente: D. Juan Carlos Trillo Alonso.

— Sentencia n.º 599/2005, de 11 de mayo, del Tribunal Superior de Justicia de Madrid, dictada en el recurso contencioso-administrativo número 599/2002. Ponente: D. Francisco Javier Canabal Conejos.

COMENTARIO (1)

Sumario

1. Introducción.
2. Antecedentes.
3. Definiciones.
4. Sujetos afectados, naturaleza y forma de hacer efectivos los derechos de realojamiento y de retorno.
   4.1. Sujetos a los que se reconocen los derechos.
   4.2. Sujetos obligados a hacer efectivos los derechos.
   4.3. Naturaleza de los derechos.
   4.4. Forma de hacer efectivos los derechos.
5. Reglas procedimentales comunes.

1. INTRODUCCIÓN

Este artículo constituye una de las novedades más interesantes de la nueva Ley 8/2013, de 26 de junio, de Rehabilitación, Regeneración y Renovación Urbanas (LRRR), en la medida en que trata de superar la situación previa de una regulación estatal, caracterizada por su dispersión y compleja interpretación.

Si a ello se une que no todas las Comunidades Autónomas disponen de regulación propia en relación con ambos derechos, resulta especialmente relevante que la norma básica estatal haya ampliado y sistematizado su ámbito normativo en la mayor medida posible, y siempre sobre la base de las competencias atribuidas al Estado, dado que ambos derechos son de los más directamente afectados por las actuaciones de rehabilitación, regeneración y renovación urbanas. No en vano, dichas actuaciones se proyectan sobre ámbitos, en muchos casos habitados y en los que, normalmente, es preciso garantizar los realojamientos provisionales (durante el tiempo que duran las obras) y los realojamientos y retornos definitivos, una vez que las obras han finalizado y en las condiciones previstas por la ley.

Pese a todo, y como se verá en el siguiente epígrafe, el artículo 14 dista de resultar satisfactorio para otorgar la seguridad jurídica y la protección que merecen los ocupantes legales de viviendas habituales afectados por operaciones de rehabilitación, regeneración y renovación urbanas, cuyo interés esencial (que debería ser compartido por las Administraciones Públicas) es mantener dicha vivienda en su lugar de origen. Pero dicho efecto resulta directamente achacable al difícil reparto competencial que, en esta materia, arbitró el Tribunal Constitucional en su sentencia 61/1997, mediante el cual se encomienda a un ajuste casi de «precisión» entre

---

(1) Comentario a cargo de Ángela de la Cruz Mera, Licenciada en Derecho y Administradora Civil del Estado, Subdirectora General de Urbanismo del Ministerio de Fomento.

la legislación estatal y la legislación urbanística autonómica, la regulación de todos los aspectos que concurren en el completo régimen jurídico de los derechos de realojamiento y de retorno, que es inexistente. Cuando dicho ajuste no se produce, como es el caso, las respuestas son incompletas e insatisfactorias, generándose una inseguridad jurídica indeseable.

Puede plantearse cómo es posible garantizar una adecuada protección de los derechos de realojamiento y retorno, que asista a cualquier ocupante legal de una vivienda habitual en cualquier parte de España, si el Estado sólo es competente para regular aquéllos derechos en las actuaciones expropiatorias, y en las no expropiatorias, sólo cuando afecten a inmuebles arrendados, mientras que las Comunidades Autónomas son las competentes en el resto de los supuestos. Cabe plantearse también si el reconocimiento de unos derechos tan importantes como los aquí analizados, debe hacerse depender, en cuanto a contenidos y garantías, de quién sea el promotor de la correspondiente actuación de rehabilitación, regeneración y renovación urbanas (Administración Pública, propietarios, o terceros no propietarios), o de si la actuación es aislada o integrada desde el punto de vista de la técnica urbanística de gestión por la que se opte.

Y sin embargo, ésta es la situación de origen en la que se inserta el vigente artículo 14, que a su vez se conecta con otros preceptos del Real decreto Legislativo 2/2008, de 20 de junio, por el que se aprueba el Texto Refundido de la Ley de Suelo (TRLS), tal y como a continuación se analizará.

2. ANTECEDENTES

El artículo 14 de la LRRR procede directamente de la Disposición adicional undécima del TRLS que, a su vez, incluyó el contenido de la Disposición Adicional Cuarta, 1.ª y 3.ª (párrafos 1 y 2, respectivamente, de la redacción de la citada Disposición adicional), del Real Decreto Legislativo 1/1992, de 26 de junio, por el que se aprobó el Texto Refundido de la Ley sobre Régimen del Suelo y Ordenación Urbana de 1992 (TRLS 1992).

Teniendo en cuenta que el TRLS era, como su propio nombre indica, un Texto Refundido, en realidad sólo realizó algunas adaptaciones de carácter formal, como la alusión al apartado segundo del artículo 29, que es el que definía las expropiaciones derivadas de la ejecución del planeamiento. Es más, ni siquiera aprovechó la ocasión para integrar sus contenidos con otros preceptos de la Ley, con los que los derechos de realojamiento y retorno guardaban una evidente conexión, de modo que ambos derechos se siguieron manteniendo en una Disposición Adicional (como se ha dicho, la undécima).

Éste es uno de los problemas que afronta la nueva LRRR cuando introduce la regulación sistemática de los derechos de realojamiento y retorno dentro del propio articulado de la norma, prescindiendo, por tanto, de reproducir la técnica normativa de las Disposiciones adicionales, típicas de los dos Textos Refundidos de las Leyes de Suelo antecesores (es decir, el TRLS 1992 y el TRLS —2008—).

Además, la Disposición adicional undécima del TRLS traía causa de la sentencia 67/1997, de 20 de marzo, del Tribunal Constitucional, de acuerdo con la cual (FJ 41): «La obligación de proporcionar alojamiento **en los supuestos en los que se actúa por expropiación** (2) representa, en efecto, una garantía común de los administrados que al Estado le compete establecer», y en relación con **la extinción de los arrendamientos en los casos de viviendas demolidas**, porque «Respecto de este punto ostenta el Estado un evidente título competencial ex art. 149.1.8.º CE, ya que establece una norma materialmente civil, atinente al tráfico jurídico privado.»

La citada sentencia diseccionó la Disposición adicional cuarta del TRLS 1992, para otorgar una interpretación diferente a las competencias estatales que podrían esgrimirse en relación con los derechos a favor de los «ocupantes legales de inmuebles» que, además, constituyeran «su residencia habitual», distinguiendo tres tipos de actuaciones urbanísticas distintas:

A)   **La actuación sistemática por expropiación**. El TRLS 1992 garantizaba el derecho al realojo de los ocupantes legales afectados por el desalojo como consecuencia de la expropiación, obligando a la Administración expropiante o al beneficiario de la expropiación a poner a su disposición viviendas en venta o alquiler en las condiciones de precio y superficie vigentes para las viviendas de protección pública.

En estos casos, concluyó el Alto Tribunal señalando que «Ha de darse la razón al Abogado del Estado cuando invoca el art. 149.1.18.º CE (expropiación forzosa) para justificar el carácter básico del apartado 1 de esta Disposición adicional. La obligación de proporcionar alojamiento en los supuestos en los que se actúa por expropiación representa, en efecto, una garantía común de los administrados que al Estado le compete establecer en virtud de cuanto ya hemos señalado».

B)   **La actuación sistemática a través de otro sistema de actuación (no expropiatorio)**. Habrá que recordar que el TRLS 1992 establecía que los ocupantes legales no tendrían derecho al realojo cuando en correspondencia con su aportación de terrenos hubieren de resultar adjudicatarios de aprovechamientos de carácter residencial superiores a noventa metros cuadrados o los que pudiera fijar, como superficie máxima, la legislación protectora de viviendas. En los demás casos, la obligación de hacer efectivo el derecho de realojo correspondía a la Administración actuante, computándose como gastos de la actuación urbanística los de traslado y otros accesorios que recayesen sobre los ocupantes legales.

---

(2)   La negrita es de la autora.

En estos supuestos, el Tribunal Constitucional concluyó que el apartado 2, párrafo primero, de la misma Disposición adicional cuarta, le merecía distinto juicio. Explicaba así la sentencia que estos supuestos no podían encajar en el concepto de norma básica, «habida cuenta de que incide sobre un terreno material —la ejecución del planeamiento— sobre el que, en principio, el Estado carece de competencias, a no ser que concurra otro título competencial distinto, lo que no es el caso».

Arguyó el Tribunal que la diferencia entre supuesto y el de la expropiación sistemática estriba «en que aquí no se pretende garantizar un derecho del particular frente a una actuación expropiatoria; antes al contrario, su objeto es justamente negarlo, cerrando por completo la regulación del derecho, cuestión ésta que corresponde a las Comunidades Autónomas determinar. En esta sede, pues, **el Estado podría, en su caso, establecer como norma básica una garantía mínima de carácter compensatorio, para aquellos supuestos en los que si bien no se actúa por expropiación los ocupantes legales se ven privados de sus viviendas** (3)». En cambio, la sentencia entiende que este apartado, en su primer párrafo, no establecía garantía alguna, ni siquiera por vía negativa, sino que se introducía abiertamente en el ámbito de lo que no es mínimamente exigible y de libre disposición de las Comunidades Autónomas.

C)   **Las actuaciones aisladas no expropiatorias.** Finalmente, el TRLS 1992 se refería al derecho de realojo que pudiera asistir a los arrendatarios de viviendas demolidas, concretándose o transformándose en el derecho de retorno regulado en la legislación arrendaticia. Establecía la Disposición adicional 4.ª que dicho derecho podía ejercitarse frente al dueño de la nueva edificación (cualquiera que fuera éste), debiendo el propietario garantizar el alojamiento provisional de los inquilinos hasta que fuera posible el retorno (4).

La sentencia 61/1997 declaró que este supuesto (regulado en el apartado 3 de la citada DA) se refiere al derecho de retorno que regula la legislación arrendaticia, el cual es ejercitable frente al dueño de la nueva edificación cualquiera que sea éste, debiendo el propietario garantizar el alojamiento provisional de los inquilinos hasta que sea posible el retorno. Y dijo que «Respecto de este punto ostenta el Estado un evidente título competencial ex art. 149.1.8.º CE, ya que establece una norma materialmente civil, atinente al tráfico jurídico privado».

En suma, que de acuerdo con estos pronunciamientos, la originaria regulación estatal básica en materia de realojamiento y retorno fue declarada constitucional

---

(3)   La negrita es de la autora.
(4)   Cabe recordar que la jurisprudencia había aclarado que la especialidad de este supuesto procedente del urbanismo, requería que la actuación de carácter aislado, estuviese prevista por el planeamiento, sin que resultase aplicable a las demoliciones procedentes de declaraciones de ruina o de urgencia en las que no concurriese tal requisito.

sólo en parte, aunque, desde luego, en importantes aspectos sustanciales de la institución, entre los que cabe mencionar los siguientes:

— Que, con carácter general, toda actuación urbanística que requiera el desalojo de los ocupantes legales de viviendas (no de locales de negocio) que, además, constituyan su residencia habitual, dará derecho a que éstos deban ser realojados.

— Que si se trata de una actuación urbanística integrada por expropiación, las condiciones en las que deba hacerse efectivo ese derecho las fija el legislador estatal y si se trata de una actuación integrada a ejecutar por otro sistema diferente al de expropiación, lo hará la legislación urbanística autonómica.

— Que en las actuaciones aisladas no expropiatorias la regulación estatal aplicable no sólo procederá de la legislación de suelo, sino también, de la legislación de arrendamientos urbanos (básicamente se trataba de la Disposición Adicional Octava de la Ley 29/1994, de 24 de noviembre, de Arrendamientos Urbanos (LAU) y, en su defecto la LAU de 1964), con las especialidades que ésta proyecta sobre el derecho urbanístico.

3. DEFINICIONES

Como podrá observarse a lo largo de este capítulo, los términos «realojamiento» y «retorno» no son sinónimos, ni responden a una misma realidad, aunque habitualmente se mencionen de manera conjunta. Algo así ocurre también en el ámbito de la institución expropiatoria, cuando se utilizan de manera conjunta los términos «causa de utilidad pública o interés social »hasta el punto de llegan a asumirse como términos idénticos, cuando la realidad a la que hacen referencia es diferente.

En el caso que nos ocupa, mientras que el realojamiento hace referencia al derecho de un ocupante legal de vivienda habitual, afectado por una actuación urbanística, a volver a disfrutar de una vivienda en sustitución de la anterior (lógicamente con las condiciones que determine la legislación urbanística y de suelo), el retorno alude exclusivamente a los arrendatarios desalojados de sus viviendas, a consecuencia de una actuación urbanística, a quienes se reconoce el derecho a volver a hacer uso de la vivienda arrendada o, en caso de demolición de la misma, de alguna vivienda que la sustituya de características análogas y ubicada en el mismo solar, o en el entorno del edificio demolido o rehabilitado (5).

---

(5) Pueden encontrarse definiciones doctrinales diversas en Cabral González-Sicilia, Ángel, «Disposición adicional undécima. Realojamiento y retorno», en Gutiérrez Colomina, V. y Cabral González-Sicilia, A. *Estudio del articulado del Texto Refundido de la Ley de Suelo.* Thomson Aranzadi, Madrid, 2009.

Algunas normas urbanísticas autonómicas contienen la definición legal del derecho de realojamiento. Valgan como ejemplos, las siguientes:

— La Ley 2/2006, de 30 de junio de Suelo y Urbanismo del País Vasco, define el derecho de realojo, en la Disposición segunda, como aquél que consiste en la puesta a disposición de una vivienda al precio que se establezca expresamente para este tipo de supuestos, por la normativa protectora del Gobierno Vasco o el Ayuntamiento actuante, de superficie adecuada a las necesidades de quién ejerce el derecho, en el mismo régimen de tenencia en el que éste ocupaba la vivienda.

— El Decreto 80/2009, de 19 de mayo, por el que se establece el régimen jurídico de las viviendas destinadas a hacer efectivo el derecho de realojamiento, y se modifica el Reglamento de la Ley de Urbanismo con respecto al derecho de realojamiento, de Cataluña, define el «Derecho de realojamiento» en su artículo 2,a) como aquél que, en la ejecución del planeamiento urbanístico, se reconoce a las personas ocupantes legales de viviendas afectadas que constituyan su residencia habitual, a ser realojadas en las condiciones y con los requisitos que establece la Ley y el Reglamento de urbanismo y la normativa de vivienda.

El artículo 14.2 de la LRRR explicita el contenido del derecho de retorno demandando una vivienda cuya superficie no sea inferior al cincuenta por ciento de la anterior y siempre que tenga, al menos, noventa metros cuadrados, o no inferior a la que tuviere, si no alcanzaba dicha superficie.

Además, conviene precisar que estos derechos son independientes de las posibles indemnizaciones a que pudiera tener derecho el beneficiario, por otros conceptos diferentes —aunque también vinculados a la actuación urbanística de que se trate—, así como que habitualmente incluyen las prestaciones derivadas del alojamiento transitorio, hasta que se materialice el realojo definitivo.

4. SUJETOS AFECTADOS, NATURALEZA Y FORMA DE HACER EFECTIVOS LOS DERECHOS DE REALOJAMIENTO Y DE RETORNO

4.1. Sujetos a los que se reconocen los derechos

De acuerdo con el apartado 1 del artículo 14 LRRR, el derecho de realojamiento se reconoce exclusivamente a los ocupantes legales de inmuebles que constituyan su residencia habitual, y siempre que deban ser desalojados de la misma a consecuencia de la ejecución de alguna de las actuaciones previstas por la propia Ley. Es decir, estaríamos ante actuaciones de rehabilitación, regeneración y renovación urbanas, además de aquellas otras en las que así se reconoce por el TRLS. En concreto, debe recordarse que el artículo 16.1,e) garantiza de forma idéntica el realojamiento de los ocupantes legales que se precise desalojar de inmuebles situados dentro del área de la actuación y que constituyan su residencia habitual, en todos los supuestos de actuaciones de urbanización, entendiendo por ellas, tanto las de nueva urbanización, como las que tengan por objeto reformar o renovar la urbanización de un ámbito de suelo ya urbanizado(artículo 14.1,a),1).

Esta regla básica estatal se superpondría, al menos por lo que se refiere a las actuaciones expropiatorias, a las normas autonómicas cuya regulación diverge de los elementos fijados por el Estado. Valga como ejemplo el artículo 113 de la Ley 7/2002, de 17 de diciembre, de Ordenación Urbanística de Andalucía, que no exige la condición de «ocupante legal», sino la de «ocupante habitual».En cualquier caso, cabe recordar que el Tribunal Supremo, antes de esta LRRR, ya exigía la condición de «ocupante legal», es decir, con título suficiente y acreditado (véase la Sentencia n.º 4022/2010, de 7 de julio, entre otras), para poder reclamar el derecho al realojamiento.

No es el caso de otras normas autonómicas, en las que la regla estatal mencionada no sólo se cumple, sino que se refuerza. Así ocurre en Cataluña, cuyo Decreto 305/2006, de 18 de julio, modificado por el Decreto 80/2009, de 19 de mayo, mediante el artículo 219.1,exige que, para que pueda tenerse como ocupante legal de una vivienda a cualquier afectado por la ejecución del planeamiento, éste deberá estar en posesión del correspondiente «título de propiedad, de otro derecho real, de un derecho de arrendamiento o de otro derecho personal de uso de la vivienda». Asimismo, la demostración del carácter de «residencia habitual» deberá realizarse por cualquier medio admitido en derecho, aunque con la presunción de que así es cuando la vivienda afectada conste como domicilio de su ocupante en el padrón municipal, o a efectos fiscales. En la misma línea se sitúan otras Comunidades Autónomas, como la de Castilla y León, en dónde se exige, además, que se acredite que se tenía la condición de ocupante legal antes de la aprobación definitiva del instrumento de gestión urbanística de que se trate (artículo 209 de su Reglamento de Urbanismo).

Por lo que respecta al derecho de retorno, de conformidad con lo establecido por el apartado 2 del artículo 14, se reconoce a los arrendatarios que, a consecuencia de la realización de obras de rehabilitación o de demolición, no pueden hacer uso de las viviendas arrendadas. A ello hay que unir lo dispuesto nuevamente por el artículo 16.1,e) del TRLS, de acuerdo con el cual, también se garantiza el derecho de retorno a aquellos ocupantes legales que se precise desalojar de inmuebles situados dentro del área de la actuación(que podría ser, tanto de nueva urbanización, como de reforma o renovación de la urbanización de un ámbito de suelo ya urbanizado —artículo 14.1,a),1—), siempre que, de acuerdo con la normativa específica, «tengan derecho» a ello.

Al margen de la limitación legal que exige a quién reclame estos derechos la acreditación de que es el ocupante legal de la vivienda y de que ésta constituye su residencia habitual, lo cierto es que el espectro de aplicación de dichos derechos es muy amplio y abarca casi cualquier clase de actuación urbanística, salvo cuando, de conformidad con lo dispuesto por el artículo 8.3,d) del TRLS, se hubieren concedido autorizaciones para «usos y obras de carácter provisional», en cuyo caso dicho precepto explicita que «no existirá derecho de realojamiento, ni de retorno».

Conviene precisar también cómo deben entenderse las menciones que, tanto la legislación estatal, como la autonómica, realizan a la normativa protectora de viviendas o a la necesidad de garantizar el realojamiento y el retorno por medio de viviendas sometidas a algún régimen de protección pública. A diferencia de lo que se ha llegado a entender en alguna ocasión, incluso por parte de algunos Tribunales (así ocurrió con la sentencia del Tribunal Superior de Justicia de Madrid 599/2005),el derecho de realojo no está supeditado a que el ocupante legal cumpla los requisitos establecidos para poder acceder a viviendas en las condiciones de venta o alquiler vigentes para las sujetas a algún régimen de protección pública. El Tribunal Supremo, en su sentencia 5237/2009, de 5 de junio, declaró que la mención legal contenida en la Disposición adicional cuarta del TRLS1992 a la «legislación protectora» no podía interpretarse en el sentido restrictivo de que sólo quiénes cumplieran los requisitos para acceder a una vivienda protegida debían ser realojados a costa de la Administración expropiante. Más bien al contrario, la interpretación que otorgó a la mención de dicha «legislación protectora» fue que todo ocupante legal que debiera ser desalojado de la vivienda que constituye su residencia habitual, tenía el derecho de reaolojo, el cual era reclamable frente a la Administración expropiante, en una vivienda en las condiciones de venta o alquiler vigentes para las sujetos a régimen de protección pública y superficie adecuada a sus necesidades. Concluyó el Tribunal Supremo afirmando que: «Cuando el texto legal expresa —dentro de los límites establecidos por la legislación protectora—, hay que entender que no se refiere, como con error interpreta la Sentencia recurrida, a la situación económica del afectado por la actuación expropiatoria, y sí a las condiciones de la vivienda y modalidades de adjudicación».

4.2. Sujetos obligados a hacer efectivos los derechos

De conformidad con los apartados 1 y 2 del artículo 14 de la LRRR, deberán garantizar el derecho de realojamiento y/o de retorno, en los términos establecidos, tanto por la Ley de Suelo estatal, como por la legislación sobre ordenación territorial y urbanística de las Comunidades Autónomas:

a)   **La Administración expropiante o, en su caso, el beneficiario de la expropiación, cuando se actúe por expropiación.**

En tales supuestos, la obligación consiste en poner a disposición de quién ostente el derecho, una vivienda en las condiciones de venta o alquiler que estén vigentes para las viviendas sometidas a algún régimen de protección pública y de superficie adecuada a sus necesidades, todo ello dentro de los límites establecidos por la legislación propia de dicha clase de viviendas.

Teniendo en cuenta que se está ante actuaciones expropiatorias, la entrega de la vivienda que sustituya a aquélla que se venía ocupando legalmente como vivienda habitual, equivaldrá al abono del justiprecio expropiatorio. En consecuencia, si el expropiado decide percibir el justiprecio en metálico, no tendrá derecho de realojo.

b)   **El promotor de la actuación, cuando se actúe mediante ámbitos de gestión conjunta, que no se ejecuten por expropiación.**

Se trata de la ejecución de unidades o ámbitos por medio de los sistemas de actuación previstos por la legislación urbanística de las Comunidades Autónomas, excluyendo el expropiatorio. En estos supuestos, la obligación del promotor de la actuación será garantizar el realojamiento, en las condiciones que establezca la citada legislación urbanística, aunque la obligación legal, como tal, está reconocida en el artículo 16.1,e) del TRLS, que la incluye, como uno más, entre los deberes vinculados a la promoción de las actuaciones de transformación urbanística, del modo siguiente: «Garantizar el realojamiento de los ocupantes legales que se precise desalojar de inmuebles situados dentro del área de la actuación y que constituyan su residencia habitual, así como el retorno cuando tengan derecho a él, en los términos establecidos en la legislación vigente».

La legislación urbanística autonómica es heterogénea y desigual en este punto. Así, destacan normas autonómicas en las que, directamente, no existe regulación para estos derechos, o la que existe es puramente testimonial: se trata de las leyes urbanísticas o de suelo de las Comunidades Autónomas de La Rioja, Castilla-la Mancha, Extremadura y Galicia.

Otras normas son muy parcas en este asunto, como ocurre con la andaluza, la asturiana, la cántabra, la murciana y la valenciana, que sólo contienen alguna referencia aislada a la necesidad de que el promotor de una actuación de urbanización se haga cargo de los derechos de realojo. Nada dicen, desde luego, de estos derechos en relación con las actuaciones de rehabilitación, regeneración y renovación urbanas, que son las que se enfrentan a zonas ya habitadas, en las que habitualmente será preciso el realojo provisional y definitivo, así como el retorno, a consecuencia de las obras.

En las Comunidades Autónomas de Canarias y Madrid, por ejemplo, se establece la garantía de los derechos de realojamiento y retorno como uno de los requisitos exigidos a la hora de delimitar las unidades de ejecución, pero luego se conecta dicha garantía a lo dispuesto en la legislación básica estatal (así lo hace la Disposición adicional segunda del Decreto 183/2004, de 21 de diciembre, por el que se aprueba el Reglamento de gestión y ejecución del sistema de planeamiento de Canarias), que, como se ha visto, no regula estos supuestos porque, a tenor de la sentencia del Tribunal Constitucional 61/1997, incurriría en inconstitucionalidad.

En otras Comunidades Autónomas, como ocurre con Castilla y León y Navarra se regula algo más pormenorizadamente el derecho de realojo. Así, la Disposición Adicional Primera, apartado B) de la Ley 5/1999, de 8 de abril, de Urbanismo de Castilla y León reconoce la obligación de hacer efectivo el derecho de realojo, en las actuaciones integradas no expropiatorias, al urbanizador (habrá que entender el «promotor de la actuación» con carácter más amplio), y el derecho de retorno al propietario, respecto de los ocupantes legales en régimen de arrendamiento. Curiosamente, el artículo 140 de la Ley Foral 35/2002, de 20 de diciembre, de Ordenación del Territorio y Urbanismo, de Navarra, establece el derecho de realojo y retorno como una obligación de la Administración actuante (o del beneficiario de la expropiación), en las actuaciones integradas, sea cual sea el sistema de ejecución por el que haya optado la Administración. Para facilitar el cumplimiento de este deber a dicha Administración, se permite que los ingresos provenientes del rescate de plusvalías urbanísticas se destinen a esta finalidad. Ésta es una regla que se ha incluido, aunque en un sentido algo diferente, por otras normas urbanísticas autonómicas. Así, Aragón, en el artículo 112.4 de su Ley urbanística permite la utilización de los bienes de los patrimonios públicos de suelo para pagar las indemnizaciones correspondientes a los realojamientos y retornos, opción que también aparece en el Texto Refundido 1/2010, 18 mayo, de Castilla-La Mancha.

Por último, dos Comunidades Autónomas han otorgado una regulación completa, o más acabada de estos derechos. Se trata del País Vasco y Cataluña. Para el País Vasco (Disposición adicional 2.ª de la Ley 2/2006, de 30 de junio, de Suelo y Urbanismo)la obligación de garantizar el derecho de realojo en las actuaciones sistemáticas no expropiatorias es del promotor. Esta regla se complementa con otras más pormenorizadas, relativas a los casos de ocupantes legales de viviendas, e incluso de actividades económicas en funcionamiento, que resulten radicalmente incompatibles con el planeamiento en ejecución. Además de reconocérseles su derecho a ser realojados o trasladados, se les legitima para firmar acuerdos con el promotor de la actividad, tendentes a garantizar dichos derechos. Por lo que se refiere a Cataluña, el artículo 219 bis del Decreto 305/2006, de 18 de julio, establece que la obligación de hacer efectivo el derecho de realojamiento corresponde a la comunidad reparcelatoria, al propietario único, a la comunidad de bienes que formule la reparcelación, o al concesionario de la gestión urbanística integrada, en su caso, cuando se esté ante un sistema de actuación urbanística por reparcelación.

c)   **El dueño de la nueva edificación, cuando se actúe de manera aislada y no se aplique la expropiación,** por el tiempo que reste hasta la finalización del contrato de arrendamiento. Además, hasta tanto se haga efectivo el derecho de retorno, deberá garantizar también el alojamiento provisional.

Hasta aquí llegan las reglas básicas estatales, pero resulta evidente que existe un supuesto al que la legislación urbanística autonómica deberá dar también respuesta. Se trata de la actuación aislada, no expropiatoria, que expulse a un ocupante legal de un inmueble que constituya su residencia habitual, cuando dicho ocupante legal no sea el arrendatario de la vivienda. De acuerdo con el artículo 14.1, tiene derecho al realojamiento, pero el legislador estatal, al tratarse nuevamente de una actuación aislada de carácter urbanístico, no es competente para desarrollar el régimen jurídico aplicable al reconocimiento de dicho derecho.

Y resulta que en varias Comunidades Autónomas éste supuesto concreto no cuenta con regulación específica. Así ocurre en Andalucía, Cantabria y Murcia, por ejemplo, en cuya legislación urbanística sólo se regula el derecho de realojo en relación con las actuaciones integradas (además, sólo en las de «nueva urbanización», en la medida en que incluyen el coste de dichos realojos entre los gastos de urbanización que debe soportar el promotor de la actuación).

Bien es cierto que, en estos casos, la mayor parte de las actuaciones serán promovidas por los propios propietarios de las viviendas y que su cuota de participación en el edificio les garantizará la titularidad de una vivienda de sustitución, pero tales efectos no tienen por qué producirse siempre. El mal estado de un edificio, la existencia de infravivienda, etc. podría llevar a la Administración a adoptar la decisión de intervenir, tanto de forma directa, como indirecta, y en tales casos, la falta de articulación entre la legislación básica estatal y la legislación urbanística de las Comunidades Autónomas podría generar una laguna legal que, en definitiva, genere inseguridad jurídica.

Destaca específicamente entre la normativa autonómica, la Orden de 29 de marzo de 2010, del Consejero de Vivienda, Obras Públicas y Transportes del País Vasco, sobre realojo derivado de actuaciones aisladas no expropiatorias realizadas por las administraciones municipales, en cuyo artículo 3 se regula este concreto derecho con las siguientes especialidades:

— Será preciso que exista una previa declaración municipal de que una determinada vivienda o viviendas situadas en un mismo inmueble están incluidas en una operación aislada no expropiatoria para su demolición, a los efectos del derecho de realojo.

— Deberá constar el consentimiento expreso de los afectados por la actuación aislada no expropiatoria, a cuyos efectos podrá acreditarse mediante la suscripción de los convenios de realojo que correspondan, entre el promotor de la actuación y las personas afectadas por la misma.

— Deberá existir una comunicación conjunta a la Delegación Territorial competente, del Departamento de Vivienda, Obras Públicas y Transportes del Gobierno Vasco, tanto de la declaración municipal, como de los convenios de realojo.

4.3. Naturaleza de los derechos

Dispone el artículo 14, en su apartado 3, que «El derecho de realojamiento es personal e intransferible [...]».

El artículo 219 ter, del Decreto catalán al que ya se ha hecho referencia en este capítulo, establece también el carácter de derecho personalísimo de los mismos en relación con los ocupantes legales de la vivienda afectada, de modo que se impide específicamente su transmisión, tanto intervivos, como por causa de muerte.

La norma básica estatal es, no obstante, más amplia, en la medida en que dicha naturaleza personal e intransferible no impide que puedan reconocerse los derechos a los herederos forzosos o cónyuges supérstites, siempre y cuando acrediten que comparten con el titular, en términos de residencia habitual, la vivienda objeto del realojo.

4.4. Forma de hacer efectivos los derechos

El artículo 14, en su apartado 5, establece algunas reglas básicas acerca de la forma en la que deberá hacerse efectivo el derecho de realojamiento, pero éste no es el único apartado que las contiene. Así, realizando una exégesis de este largo artículo, se pueden extraer las siguientes reglas:

a) Para hacer efectivo el derecho de realojamiento es preciso ofrecer una vivienda por cada una de las viviendas afectadas por la actuación. La vivienda de sustitución tendrá una superficie adecuada a las necesidades del titular del derecho de realojamiento y, en el caso de que éste fuera una persona con discapacidad, será una vivienda accesible o acorde a las necesidades derivadas de la discapacidad (apartado 5 del artículo 14).

b) La vivienda de sustitución deberá estar situada en el mismo ámbito de actuación, y si ello no fuese posible, lo más próxima que se pueda, a aquél (nuevamente, apartado 5 del artículo 14).

c) No obstante lo señalado en las dos reglas anteriores, cuando la actuación que genere los derechos sea expropiatoria, las viviendas reunirán las condiciones de venta o alquiler que estén vigentes para las viviendas sometidas a algún régimen de protección pública, y su superficie deberá ser adecuada a las necesidades del destinatario, pero siempre respetando los límites establecidos por la legislación protectora (apartado 1, a) del artículo 14).

d) Cuando se trate de hacer efectivo el derecho de retorno, el propietario de la finca deberá proporcionar una nueva vivienda, cuya superficie no sea inferior al cincuenta por ciento de la anterior y siempre que tenga, al menos, noventa metros cuadrados, o no inferior a la que tuviere, si no alcanzaba dicha superficie. Además, deberá tener características análogas a aquélla y también estará ubicada en el mismo solar, o en el entorno del edificio demolido o rehabilitado (apartado, último párrafo del artículo 14) (6).

---

(6)   Esta regla incorpora la Disposición adicional 8.ª de la Ley de Arrendamientos Urbanos, evitando la difícil sistemática interpretativa a que daba lugar la Disposición adicional undécima del TRLS.

e) Cuando no sea materialmente posible ofrecer una vivienda de sustitución, los titulares del derecho de realojamiento tendrán derecho a su equivalente económico y todo ello sin perjuicio de las demás indemnizaciones que pudieran proceder a consecuencia de la extinción de otros derechos preexistentes (artículo 14, apartados 5 y 6).

f) El derecho de realojamiento respetará en todo caso los límites establecidos por la legislación sobre vivienda protegida que resulte aplicable (último párrafo del apartado 5 del artículo 14).

Un somero análisis de estas reglas permite atisbar algunos problemas interpretativos. Quizás la regla más complicada a estos efectos sea la establecida para el derecho de retorno. En efecto, el artículo 14 no contiene, como si hacía la Disposición adicional undécima del TRLS, la remisión a la legislación arrendaticia, porque la ha integrado en la LRRR, con aquéllas condiciones que ha entendido aplicables. Desde ese punto de vista, podría entenderse que la Disposición adicional 8.ª de la LAU, al resultar incompatible con la nueva regulación queda afectada por la Disposición derogatoria única, en la medida en que deroga todas las disposiciones de igual o inferior rango que se opongan a la presente Ley. El artículo 14, por ejemplo, no limita el ámbito de actuación a la necesidad de que el mismo esté previsto en el planeamiento, tampoco a que las obras sean impuestas y no facultativas, no exige que la rehabilitación integral conserve la fachada o la estructura del edificio en el que existan las viviendas urbanas arrendadas (7)y mucho menos aún limita el derecho de retorno a las reglas que podrían deducirse de la Ley de Arrendamientos Urbanos de 1964, incluso con la intervención del Gobernador Civil —hoy el Delegado del Gobierno, de conformidad con la LOFAGE— en aras a autorizar la demolición que pudiera solicitar un propietario (que, de acuerdo con la LAU, sería de aplicación supletoria).

Otra cuestión diferente, que no podría entenderse afectada por la regulación contenida en el artículo 14, es la regla referida a la extinción del arrendamiento, que recoge el artículo 28 de la LAU. Dispone este precepto que: «El contrato de arrendamiento se extinguirá, además de por las restantes causas contempladas en el presente Título, por las siguientes:

a) Por la pérdida de la finca arrendada por causa no imputable al arrendador.

b) Por la declaración firme de ruina acordada por la autoridad competente».

No estamos aquí ante una regla del derecho de retorno, sino ante una norma común propia de la legislación arrendaticia, que determina cuándo se considera extinguido el contrato de arrendamiento.

---

(7)   Todas ellas reglas procedentes de la DA 8.ª de la LAU.

5. REGLAS PROCEDIMENTALES COMUNES

Dispone el artículo 14, en su apartado 4 que todo procedimiento de realojamiento respetará, al menos, las normas procedimentales comunes a las que se hará referencia a continuación. Es decir, en relación con la aplicación de este apartado habría que hacer ya abstracción del tipo de actuación, expropiatoria o no, integrada o aislada, que dé lugar a los derechos de realojamiento y retorno. No en vano, la Disposición final decimonovena de la LRRR recuerda que el artículo 14 se dicta al amparo de lo dispuesto en el artículo 149.1.8.ª y 18.ª. En concreto, el apartado 4 responde a la competencia estatal para fijar normas de «procedimiento administrativo común, sin perjuicio de las especialidades derivadas de la organización propia de las Comunidades Autónomas».

Pues bien, dichas normas procedimentales comunes son las siguientes:

a) La Administración actuante identificará a los ocupantes legales a quiénes pudieran asistir los derechos de realojamiento y retorno, mediante cualquier medio admitido en derecho y les notificará la inclusión del inmueble en la correspondiente actuación, otorgándoles un trámite de audiencia que, en el caso de que exista también un plazo de información pública, coincidirá con éste.

b) Durante el trámite de audiencia o información al público, los interesados, además de acreditar que cumplen los requisitos legales necesarios para ser titulares del derecho correspondiente podrán solicitar el reconocimiento de dicho derecho, o renunciar a su ejercicio. La ausencia de contestación no impedirá a la Administración continuar el procedimiento.

c) Una vez finalizado el trámite de audiencia o información al público, la Administración aprobará el listado definitivo de las personas que tienen derecho a realojamiento, si no lo hubiera hecho ya con anterioridad, y nuevamente lo notificará a los afectados.

d) Además de lo expuesto, la Administración podrá reconocer el derecho de realojamiento de otras personas que, con posterioridad al momento correspondiente, acrediten que reúnen los requisitos legales para tener dicho derecho.

Estas reglas no contienen la pormenorización que requeriría la puesta en marcha de las actuaciones que provoquen el nacimiento de los derechos de realojamiento y retorno. Obviamente se trata de normas procedimentales comunes muy básicas, que deberían tener su complemento en la legislación o normativa urbanística de las Comunidades Autónomas. No es el caso, desde luego, si se excluye a las Comunidades Autónomas catalana y del País Vasco.

Todo ello abunda en una conclusión que parece clara. El hecho de que exista una importantísima restricción competencial (así interpretada por el Tribunal Constitucional) para que el Estado regule los derechos de realojamiento y retorno, unida a la muy deficiente regulación autonómica de los mismos (con carácter general), está provocando una indefinición en su régimen jurídico que afecta, tanto a sus contenidos, como a los aspectos procedimentales más básicos.

Ello contrasta con el hecho de que éste sea uno de los temas más complicados y que acapara gran parte de los problemas de mayor calado social y económico, a la hora de abordar operaciones de rehabilitación, regeneración y renovación urbanas.

De ahí que sea posible afirmar que, hasta tanto las Comunidades Autónomas no hagan uso de sus competencias exclusivas en materia de urbanismo y vivienda desarrollando estos aspectos, no será posible garantizar con un mínimo rigor la aplicación de estos derechos. Ello afectará también, sin duda, a la propia viabilidad de aquéllas operaciones que requieran el desalojo de ocupantes legales de inmuebles que constituyan su residencia habitual, salvo que se trate de actuaciones de iniciativa privada de los propios propietarios de las viviendas en las que, por medio de las libres estipulaciones a las que lleguen voluntariamente, se solucionen todos estos problemas.

CAPÍTULO III

Fórmulas de cooperación y coordinación para participar en la ejecución

Artículo 15. Facultades de los sujetos legitimados

1. Podrán participar en la ejecución de las actuaciones de rehabilitación edificatoria y en las de regeneración y renovación urbanas, además de las Administraciones Públicas competentes, las entidades públicas adscritas o dependientes de las mismas y las comunidades y agrupaciones de comunidades de propietarios, las cooperativas de viviendas y las asociaciones administrativas constituidas al efecto, los propietarios de terrenos, construcciones, edificaciones y fincas urbanas y los titulares de derechos reales o de aprovechamiento, así como las empresas, entidades o sociedades que intervengan por cualquier título en dichas operaciones y las asociaciones administrativas que se constituyan por ellos de acuerdo con lo previsto en la legislación sobre ordenación territorial y urbanística o, en su defecto, por el artículo siguiente.

2. La participación en la ejecución de las actuaciones previstas en esta Ley se producirá, siempre que sea posible, en un régimen de equidistribución de cargas y beneficios.

3. A los efectos de su participación en las actuaciones reguladas por esta ley, los sujetos referidos en el apartado 1, de acuerdo con su propia naturaleza, podrán:

a) Actuar en el mercado inmobiliario con plena capacidad jurídica para todas las operaciones, incluidas las crediticias, relacionadas con el cumplimiento del deber de conservación, así como con la participación en la ejecución de actuaciones de rehabilitación y en las de regeneración y renovación urbanas que correspondan. A tal efecto podrán elaborar, por propia iniciativa o por encargo del responsable de la gestión de la actuación de que se trate, los correspondientes planes o proyectos de gestión correspondientes a la actuación.

b) Constituirse en asociaciones administrativas para participar en los concursos públicos que la Administración convoque a los efectos de adjudicar la ejecución de las obras correspondientes, como fiduciarias con pleno poder dispositivo sobre los elementos comunes del correspondiente edificio o complejo inmobiliario y las fincas pertenecientes a los propietarios miembros de aquéllas, sin más limitaciones que las establecidas en sus correspondientes estatutos.

c) Asumir, por sí mismos o en asociación con otros sujetos, públicos o privados, intervinientes, la gestión de las obras.

d) Constituir un fondo de conservación y de rehabilitación, que se nutrirá con aportaciones específicas de los propietarios a tal fin y con el que podrán cubrirse impagos de las cuotas de contribución a las obras correspondientes.

e) Ser beneficiarios directos de cualesquiera medidas de fomento establecidas por los poderes públicos, así como perceptoras y gestoras de las ayudas otorgadas a los propietarios de fincas.

f) Otorgar escrituras públicas de modificación del régimen de propiedad horizontal, tanto en lo relativo a los elementos comunes como a las fincas de uso privativo, a fin de acomodar este régimen a los resultados de las obras de rehabilitación edificatoria y de regeneración y renovación urbanas en cuya gestión participen o que directamente lleven a cabo.

g) Ser beneficiarios de la expropiación de aquellas partes de pisos o locales de edificios, destinados predominantemente a uso de vivienda y constituidos en régimen de propiedad horizontal, que sean indispensables para instalar los servicios comunes que haya previsto la Administración en planes, delimitación de ámbitos y órdenes de ejecución, por resultar inviable, técnica o económicamente cualquier otra solución y siempre que quede garantizado el respeto de la superficie mínima y los estándares exigidos para locales, viviendas y espacios comunes de los edificios.

h) Solicitar créditos con el objeto de obtener financiación para las obras de conservación y las actuaciones reguladas por esta Ley.

TRAMITACIÓN PARLAMENTARIA (1)

Proyecto de Ley publicado en el Boletín Oficial del Congreso de los Diputados de 12 de abril de 2013, Núm. 45-1.

Art. 15. Facultades de los sujetos legitimados

1. Podrán participar en la ejecución de las actuaciones de rehabilitación edificatoria y en las de regeneración y renovación urbanas, además de las Administraciones Públicas competentes, las entidades públicas adscritas o dependientes de las mismas y las comunidades y agrupaciones de comunidades de propietarios, las cooperativas de viviendas y las asociaciones administrativas constituidas al efecto, los propietarios de terrenos, construcciones, edificaciones y fincas urbanas y los titulares de derechos reales o de aprovechamiento, así como las empresas, entidades o sociedades que intervengan por cualquier título en dichas operaciones y las asociaciones administrativas que se constituyan por ellos de acuerdo con lo previsto en el artículo siguiente.

2. La participación en la ejecución de las actuaciones previstas en esta Ley se producirá, siempre que sea posible, en un régimen de equidistribución de cargas y beneficios.

3. A los efectos de su participación en las actuaciones reguladas por esta ley, los sujetos referidos en el apartado 1, de acuerdo con su propia naturaleza, podrán:

a) Actuar en el mercado inmobiliario con plena capacidad jurídica para todas las operaciones, incluidas las crediticias, relacionadas con el cumplimiento del deber de conservación, así como con la participación en la ejecución de actuaciones de rehabilitación y en las de regeneración y renovación urbanas que correspondan. A tal efecto podrán elaborar, por propia iniciativa o por encargo del responsable de la gestión de la actuación de que se trate, los correspondientes planes o proyectos de gestión correspondientes a la actuación.

b) Constituirse en asociaciones administrativas para participar en los concursos públicos que la Administración convoque a los efectos de adjudicar la ejecución de las obras correspondientes, como fiduciarias con pleno

---

(1)   Se incorpora modificación en la parte final del epígrafe 1 del precepto como consecuencia de la enmienda nº 158 al Proyecto de Ley presentada el 10 de mayo de 2013 por D. Joseph Antoni Duran i Lleida en nombre del Grupo Parlamentario Catalán (Convergencia i Unió). Enmienda que fue publicada en el Boletín Oficial de las Cortes Generales, Congreso de los Diputados de 21 de mayo de 2013, junto con las restantes enmiendas presentadas en relación con el Proyecto de Ley de rehabilitación, regeneración y renovación urbanas.

poder dispositivo sobre los elementos comunes del correspondiente edificio o complejo inmobiliario y las fincas pertenecientes a los propietarios miembros de aquéllas, sin más limitaciones que las establecidas en sus correspondientes estatutos.

c) Asumir, por sí mismos o en asociación con otros sujetos, públicos o privados, intervinientes, la gestión de las obras.

d) Constituir un fondo de conservación y de rehabilitación, que se nutrirá con aportaciones específicas de los propietarios a tal fin y con el que podrán cubrirse impagos de las cuotas de contribución a las obras correspondientes.

e) Ser beneficiarios directos de cualesquiera medidas de fomento establecidas por los poderes públicos, así como perceptoras y gestoras de las ayudas otorgadas a los propietarios de fincas.

f) Otorgar escrituras públicas de modificación del régimen de propiedad horizontal, tanto en lo relativo a los elementos comunes como a las fincas de uso privativo, a fin de acomodar este régimen a los resultados de las obras de rehabilitación edificatoria y de regeneración y renovación urbanas en cuya gestión participen o que directamente lleven a cabo.

g) Ser beneficiarios de la expropiación de aquellas partes de pisos o locales de edificios, destinados predominantemente a uso de vivienda y constituidos en régimen de propiedad horizontal, que sean indispensables para instalar los servicios comunes que haya previsto la Administración en planes, delimitación de ámbitos y órdenes de ejecución, por resultar inviable, técnica o económicamente cualquier otra solución y siempre que quede garantizado el respeto de la superficie mínima y los estándares exigidos para locales, viviendas y espacios comunes de los edificios.

h) Solicitar créditos con el objeto de obtener financiación para las obras de conservación y las actuaciones reguladas por esta Ley.

Informe de la Ponencia del Congreso de 28 de mayo de 2013 publicada en el Boletín Oficial del Congreso de los Diputados de 31 de mayo de 2013, núm. 45-3.

Art. 15. Facultades de los sujetos legitimados

1. Podrán participar en la ejecución de las actuaciones de rehabilitación edificatoria y en las de regeneración y renovación urbanas, además de las Administraciones Públicas competentes, las entidades públicas adscritas o dependientes de las mismas y las comunidades y agrupaciones de comunidades de propietarios, las cooperativas de viviendas y las asociaciones administrativas constituidas al efecto, los propietarios de terrenos, construcciones, edificaciones y fincas urbanas y los titulares de derechos reales o de aprovechamiento,

así como las empresas, entidades o sociedades que intervengan por cualquier título en dichas operaciones y las asociaciones administrativas que se constituyan por ellos de acuerdo con lo previsto **en la legislación sobre ordenación territorial y urbanística o, en su defecto,** por el artículo siguiente.

2. La participación en la ejecución de las actuaciones previstas en esta Ley se producirá, siempre que sea posible, en un régimen de equidistribución de cargas y beneficios.

3. A los efectos de su participación en las actuaciones reguladas por esta ley, los sujetos referidos en el apartado 1, de acuerdo con su propia naturaleza, podrán:

a) Actuar en el mercado inmobiliario con plena capacidad jurídica para todas las operaciones, incluidas las crediticias, relacionadas con el cumplimiento del deber de conservación, así como con la participación en la ejecución de actuaciones de rehabilitación y en las de regeneración y renovación urbanas que correspondan. A tal efecto podrán elaborar, por propia iniciativa o por encargo del responsable de la gestión de la actuación de que se trate, los correspondientes planes o proyectos de gestión correspondientes a la actuación.

b) Constituirse en asociaciones administrativas para participar en los concursos públicos que la Administración convoque a los efectos de adjudicar la ejecución de las obras correspondientes, como fiduciarias con pleno poder dispositivo sobre los elementos comunes del correspondiente edificio o complejo inmobiliario y las fincas pertenecientes a los propietarios miembros de aquéllas, sin más limitaciones que las establecidas en sus correspondientes estatutos.

c) Asumir, por sí mismos o en asociación con otros sujetos, públicos o privados, intervinientes, la gestión de las obras.

d) Constituir un fondo de conservación y de rehabilitación, que se nutrirá con aportaciones específicas de los propietarios a tal fin y con el que podrán cubrirse impagos de las cuotas de contribución a las obras correspondientes.

e) Ser beneficiarios directos de cualesquiera medidas de fomento establecidas por los poderes públicos, así como perceptoras y gestoras de las ayudas otorgadas a los propietarios de fincas.

f) Otorgar escrituras públicas de modificación del régimen de propiedad horizontal, tanto en lo relativo a los elementos comunes como a las fincas de uso privativo, a fin de acomodar este régimen a los resultados de las obras de rehabilitación edificatoria y de regeneración y renovación urbanas en cuya gestión participen o que directamente lleven a cabo.

g) Ser beneficiarios de la expropiación de aquellas partes de pisos o locales de edificios, destinados predominantemente a uso de vivienda y constituidos en régimen de propiedad horizontal, que sean indispensables para instalar los servicios comunes que haya previsto la Administración en planes, delimitación de ámbitos y órdenes de ejecución, por resultar inviable, técnica o económicamente cualquier otra solución y siempre que quede garantizado el respeto de la superficie mínima y los estándares exigidos para locales, viviendas y espacios comunes de los edificios.

h) Solicitar créditos con el objeto de obtener financiación para las obras de conservación y las actuaciones reguladas por esta Ley.

Se añade al epígrafe 1.º del art. 15 el siguiente texto: «de acuerdo con lo previsto en la legislación sobre ordenación territorial y urbanística o, en su defecto,»

Se incorpora el texto señalado como consecuencia de la **enmienda n.º 158 al Proyecto de Ley presentada el 10 de mayo de 2013 por D. Joseph Antoni Duran i Lleida en nombre del Grupo Parlamentario Catalán (Convergencia i Unió).**

La enmienda que fue publicada en el Boletín Oficial de las Cortes Generales, Congreso de los Diputados de 21 de mayo de 2013, junto con las restantes enmiendas presentadas en relación con el Proyecto de Ley de rehabilitación, regeneración y renovación urbanas.

La motivación de la enmienda por el Grupo Parlamentario Catalán es otorgar una regulación homogénea a las actuaciones de rehabilitación edificatoria con la aplicación de la normativa de ordenación del territorio y urbanismo vigente en cada Comunidad Autónoma, lo que es expresado por el grupo parlamentario con la siguiente literalidad:

«En el mismo sentido de otras enmiendas, se trata de establecer una regulación genérica de las actuaciones de rehabilitación edificatoria, considerando que las de regeneración urbana se sujetan a la legislación sobre ordenación territorial y urbanística, de ámbito autonómico.

En relación al inciso final del apartado 1, por coherencia con la regulación y la enmienda del apartado 3 del art. 13.»

Aprobación del Proyecto de Ley por la Comisión de Fomento con Competencia Legislativa Plena, publicado en el Boletín Oficial del Congreso de los Diputados de 4 de junio de 2013, número 45-4.

Art. 15. Facultades de los sujetos legitimados

1. Podrán participar en la ejecución de las actuaciones de rehabilitación edificatoria y en las de regeneración y renovación urbanas, además de las Administraciones Públicas competentes, las entidades públicas adscritas o dependientes de las mismas y las comunidades y agrupaciones de comunidades de propietarios, las cooperativas de viviendas y las asociaciones administrativas constituidas al efecto, los propietarios de terrenos, construcciones, edificaciones y fincas urbanas y los titulares de derechos reales o de aprovechamiento, así como las empresas, entidades o sociedades que intervengan por cualquier título en dichas operaciones y las asociaciones administrativas que se constituyan por ellos de acuerdo con lo previsto en la legislación sobre ordenación territorial y urbanística o, en su defecto, por el artículo siguiente.

2. La participación en la ejecución de las actuaciones previstas en esta Ley se producirá, siempre que sea posible, en un régimen de equidistribución de cargas y beneficios.

3. A los efectos de su participación en las actuaciones reguladas por esta ley, los sujetos referidos en el apartado 1, de acuerdo con su propia naturaleza, podrán:

a) Actuar en el mercado inmobiliario con plena capacidad jurídica para todas las operaciones, incluidas las crediticias, relacionadas con el cumplimiento del deber de conservación, así como con la participación en la ejecución de actuaciones de rehabilitación y en las de regeneración y renovación urbanas que correspondan. A tal efecto podrán elaborar, por propia iniciativa o por encargo del responsable de la gestión de la actuación de que se trate, los correspondientes planes o proyectos de gestión correspondientes a la actuación.

b) Constituirse en asociaciones administrativas para participar en los concursos públicos que la Administración convoque a los efectos de adjudicar la ejecución de las obras correspondientes, como fiduciarias con pleno poder dispositivo sobre los elementos comunes del correspondiente edificio o complejo inmobiliario y las fincas pertenecientes a los propietarios miembros de aquéllas, sin más limitaciones que las establecidas en sus correspondientes estatutos.

c) Asumir, por sí mismos o en asociación con otros sujetos, públicos o privados, intervinientes, la gestión de las obras.

d) Constituir un fondo de conservación y de rehabilitación, que se nutrirá con aportaciones específicas de los propietarios a tal fin y con el que podrán cubrirse impagos de las cuotas de contribución a las obras correspondientes.

e) Ser beneficiarios directos de cualesquiera medidas de fomento establecidas por los poderes públicos, así como perceptoras y gestoras de las ayudas otorgadas a los propietarios de fincas.

f) Otorgar escrituras públicas de modificación del régimen de propiedad horizontal, tanto en lo relativo a los elementos comunes como a las fincas de uso privativo, a fin de acomodar este régimen a los resultados de las obras de rehabilitación edificatoria y de regeneración y renovación urbanas en cuya gestión participen o que directamente lleven a cabo.

g) Ser beneficiarios de la expropiación de aquellas partes de pisos o locales de edificios, destinados predominantemente a uso de vivienda y constituidos en régimen de propiedad horizontal, que sean indispensables para instalar los servicios comunes que haya previsto la Administración en planes, delimitación de ámbitos y órdenes de ejecución, por resultar inviable, técnica o económicamente cualquier otra solución y siempre que quede garantizado el respeto de la superficie mínima y los estándares exigidos para locales, viviendas y espacios comunes de los edificios.

h) Solicitar créditos con el objeto de obtener financiación para las obras de conservación y las actuaciones reguladas por esta Ley.

Texto aprobado por el Pleno del Senado en su sesión de 19 de junio de 2013, publicado en el Boletín Oficial de las Cortes Generales, Senado, de 24 de junio de 2013.

Art. 15. Facultades de los sujetos legitimados

1. Podrán participar en la ejecución de las actuaciones de rehabilitación edificatoria y en las de regeneración y renovación urbanas, además de las Administraciones Públicas competentes, las entidades públicas adscritas o dependientes de las mismas y las comunidades y agrupaciones de comunidades de propietarios, las cooperativas de viviendas y las asociaciones administrativas constituidas al efecto, los propietarios de terrenos, construcciones, edificaciones y fincas urbanas y los titulares de derechos reales o de aprovechamiento, así como las empresas, entidades o sociedades que intervengan por cualquier título en dichas operaciones y las asociaciones administrativas que se constituyan por ellos de acuerdo con lo previsto en la legislación sobre ordenación territorial y urbanística o, en su defecto, por el artículo siguiente.

2. La participación en la ejecución de las actuaciones previstas en esta Ley se producirá, siempre que sea posible, en un régimen de equidistribución de cargas y beneficios.

3. A los efectos de su participación en las actuaciones reguladas por esta ley, los sujetos referidos en el apartado 1, de acuerdo con su propia naturaleza, podrán:

a) Actuar en el mercado inmobiliario con plena capacidad jurídica para todas las operaciones, incluidas las crediticias, relacionadas con el cumplimiento del deber de conservación, así como con la participación en la ejecución de actuaciones de rehabilitación y en las de regeneración y renovación urbanas que correspondan. A tal efecto podrán elaborar, por propia iniciativa o por encargo del responsable de la gestión de la actuación de que se trate, los correspondientes planes o proyectos de gestión correspondientes a la actuación.

b) Constituirse en asociaciones administrativas para participar en los concursos públicos que la Administración convoque a los efectos de adjudicar la ejecución de las obras correspondientes, como fiduciarias con pleno poder dispositivo sobre los elementos comunes del correspondiente edificio o complejo inmobiliario y las fincas pertenecientes a los propietarios miembros de aquéllas, sin más limitaciones que las establecidas en sus correspondientes estatutos.

c) Asumir, por sí mismos o en asociación con otros sujetos, públicos o privados, intervinientes, la gestión de las obras.

d) Constituir un fondo de conservación y de rehabilitación, que se nutrirá con aportaciones específicas de los propietarios a tal fin y con el que podrán cubrirse impagos de las cuotas de contribución a las obras correspondientes.

e) Ser beneficiarios directos de cualesquiera medidas de fomento establecidas por los poderes públicos, así como perceptoras y gestoras de las ayudas otorgadas a los propietarios de fincas.

f) Otorgar escrituras públicas de modificación del régimen de propiedad horizontal, tanto en lo relativo a los elementos comunes como a las fincas de uso privativo, a fin de acomodar este régimen a los resultados de las obras de rehabilitación edificatoria y de regeneración y renovación urbanas en cuya gestión participen o que directamente lleven a cabo.

g) Ser beneficiarios de la expropiación de aquellas partes de pisos o locales de edificios, destinados predominantemente a uso de vivienda y constituidos en régimen de propiedad horizontal, que sean indispensables para instalar los servicios comunes que haya previsto la Administración en planes, delimitación de ámbitos y órdenes de ejecución, por resultar inviable, técnica o económicamente cualquier otra solución y siempre que quede garantizado el respeto de la superficie mínima y los estándares exigidos para locales, viviendas y espacios comunes de los edificios.

h) Solicitar créditos con el objeto de obtener financiación para las obras de conservación y las actuaciones reguladas por esta Ley.

CONCORDANCIAS CON TRLSE

Arts. 2, 3, 6, 8, 9, 10, 11, 14, 16, 17, 18 y 20 TRLSE.

COMENTARIO (2)

Sumario

1. Planteamiento.
2. Sujetos legitimados para participar en actuaciones de rehabilitación edificatoria, en las de regerenación y en las de renovación urbanas.
    2.1. Aproximación.
    2.2. Sujetos legitimados por razón de sus derechos en el ámbito.
    2.3. Las empresas, entidades o sociedades que intervengan por cualquier título en dichas operaciones.
        2.3.1. Planteamiento.
        2.3.2. Evolución de la iniciativa empresarial en la ejecución de actuaciones.
        2.3.3. Naturaleza jurídica de la relación entre particulares legitimados para la ejecución indirectas de las actuaciones edificatorias de rehabilitación y las de regeneración y renovación urbanas y la Administraciones actuantes.
3. Participación en equidistribución.
    3.1. Planteamiento.
    3.2. Síntesis de la equidistribución en la ejecución del planeamiento.
        3.2.1. Ejecución urbanística y equidistribución.
        3.2.2. Formas de equidistribución.
        3.2.3. Análisis general de los ámbitos de equidistribución urbanísticos.
        3.2.4. Proyecto de reparcelación o de equidistribución.
    3.3. Régimen de equidistribución de cargas y beneficios en las actuaciones previstas en la LRRRU.
4. Facultades de los sujetos legitimados.

1. PLANTEAMIENTO

El análisis de este precepto se realiza siguiendo su propio esquema, con tres partes claramente diferenciadas, por razón de su objeto:

a) Los sujetos legitimados para participar en las actuaciones de rehabilitación edificatoria, de regeneración y renovación urbanas.

b) La equidistribución de beneficios y cargas en la ejecución de las actuaciones, siempre que sea preciso.

---

(2) Comentario a cargo de Alfonso VÁZQUEZ OTEO. Abogado. Doctor en Derecho. Profesor Honorario de Derecho Administrativo.

c)   Las facultades legales de los sujetos legitimados.

En la primera parte se prestará especial atención a la diferenciación entre los sujetos **obligados** a contribuir a la actuación concreta y los sujetos **legitimados** a participar en su ejecución, con la particularidad de producirse una coincidencia de tal obligación y facultad en muchos de ellos.

Dentro de estos sujetos legitimados merecen comentario más detallado aquellos que no coinciden con los obligados, más especialmente aquellos en los que interviene la iniciativa particular.

Por haberse estudiado en profundidad en el previo análisis de los arts. 10 y 11 de la **Ley 8/2013, de 26 de junio, de rehabilitación, regeneración y renovación urbanas** («LRRRU»), la parte correspondiente a la preferencia por la ejecución en régimen de equidistribución se abordará ahora de forma somera.

Finalmente, se estudiarán las facultades atribuidas a los sujetos legitimados para participar en la ejecución de actuaciones de rehabilitación edificatoria, de regeneración y renovación urbanas, facultades legales éstas que se confieren para facilitar el cumplimiento de los deberes y objetivos de la norma, tanto para la fase de postulación a un concurso, como para la de ejecución de las actuaciones.

2. SUJETOS LEGITIMADOS PARA PARTICIPAR EN ACTUACIONES DE REHABILITACIÓN EDIFICATORIA, EN LAS DE REGENERACIÓN Y EN LAS DE RENOVACIÓN URBANAS

2.1. Aproximación

Conforme se ha recogido en el planteamiento inicial, una de las tres partes de este precepto tiene como función la definición de los sujetos legitimados para participar en la ejecución de actuaciones de rehabilitación edificatoria, de regeneración y renovación urbanas.

Como punto de partida al abordar la legitimación, analizaremos con detalle quienes son considerados sujetos obligados a contribuir a las obras comprendidas en la actuación prevista en el art. 8 LRRRU y quienes legitimados para proponer la ordenación de estas actuaciones de acuerdo con el art. 9 LRRRU.

Haciendo una primera aproximación, a modo de encuadre sintético, indicar que los **sujetos obligados** son los titulares de bienes y derechos de uso sobre inmuebles afectados, incluyendo las comunidades de propietarios, agrupaciones de éstas o cooperativas, cuando quede afectado algún elemento común y, finalmente, las Administraciones Públicas titulares de urbanización afectada en la que esté obligada a costear la actuación, así como cuando la Administración financie parte de la operación con fondos públicos, además de los casos de ejecución subsidiaria a costa de los propietarios.

Los **sujetos legitimados para presentar la iniciativa** que proponga la ordenación de actuaciones de rehabilitación edificatoria, de regeneración y renovación urbanas, coinciden con los obligados, a cuya relación habría que añadir los titulares de derechos reales o de aprovechamiento y las empresas, entidades o sociedades que intervengan en nombre de cualquiera del resto de los sujetos legitimados para plantear la iniciativa.

Finalmente, son **sujetos legitimados para participar en la ejecución** de las actuaciones de rehabilitación edificatoria, además de los enunciados en el epígrafe anterior:

a)   Las empresas, entidades o sociedades que intervengan por cualquier título en dichas operaciones.

b)   Las asociaciones administrativas que se constituyan por cualquiera de los sujetos legitimados.

De las dos legitimaciones anteriores en materia de ejecución que incorpora la norma, destacar, de un lado, la iniciativa empresarial privada, con independencia de que sea propietario o titular de derechos en el ámbito de actuación, y de otro, el fomento del asociacionismo entre los sujetos legitimados para participar en la ejecución de las actuaciones permitiendo que se agrupen en asociaciones administrativas.

Las empresas, entidades o sociedades intervinientes no tendrán que hacerlo actuando en nombre de un titular de un bien o derecho afectado, sino que podrán hacerlo en nombre propio.

En coherencia con lo anterior, el análisis de los sujetos legitimados para participar en la ejecución de las actuaciones de rehabilitación se va a realizar en esos dos grupos: (i) los sujetos que previamente están obligados y/o legitimados para la ejecución de las actuaciones o proponer su iniciativa y (ii) los nuevos legitimados en materia de participar en la ejecución de las actuaciones. Especial atención se dedicará a estos últimos.

En lo que ahora interesa, para un análisis integrador del precepto hay que referirse a dos de las facultades que se conceden a los sujetos legitimados para la ejecución de las actuaciones:

«b) Constituirse en asociaciones administrativas para **participar en los concursos públicos que la Administración convoque a los efectos de adjudicar la ejecución de las obras correspondientes,** como fiduciarias con pleno poder dispositivo sobre los elementos comunes del correspondiente edificio o complejo inmobiliario y las fincas pertenecientes a los propietarios miembros de aquéllas, sin más limitaciones que las establecidas en sus correspondientes estatutos.

c) **Asumir**, por sí mismos o en asociación con otros sujetos, públicos o privados, intervinientes, **la gestión de las obras.**»

La legitimación general para «participar en la ejecución de las actuaciones de rehabilitación edificatoria y en las de regeneración y renovación urbanas» se concreta en las dos facultades esenciales para su materialización: la ejecución de las obras correspondientes y su gestión.

En suma, se faculta a todos los sujetos privados enumerados a la gestión y ejecución de las actuaciones, en las que serán titulares de facultades amplias para el cumplimiento de sus objetivos con la asistencia de la Administración para auxiliarle en el ejercicio a su favor de las competencias indelegables cuando sea necesario (ej. expropiación, cobro por vía de apremio de gastos a los propietarios en mora, etc.).

2.2. Sujetos legitimados por razón de sus derechos en el ámbito

En esta categoría se engloba ta ados los sujetos que ya constaban como obligados a contribuir a las obras comprendidas en la actuación, así como a los legitimados para proponer la ordenación de estas actuaciones, de acuerdo con los arts. 8 y 9 LRRRU, respectivamente.

La única diferencia respecto de la legitimación para ostentar la iniciativa de proponer la ordenación de actuaciones de rehabilitación es que para las empresas, entidades o sociedades, el art. 9 LRRRU requiere que intervengan en nombre de propietarios o titulares de derechos en el ámbito.

Por tanto, el núcleo esencial de obligaciones y legitimación para proponer la ordenación se encuentra justificada en el hecho de resultar titular de bienes o derechos, o de ser personas jurídicas que actúen en representación de las anteriores.

Para evitar reiteraciones, nos remitimos al análisis que de estos sujetos se ha abordado de forma pormenorizada en el estudio de los arts. 8 y 9 LRRRU.

2.3. Las empresas, entidades o sociedades que intervengan por cualquier título en dichas operaciones

2.3.1. Planteamiento

El legislador ha dotado de legitimación para participar en la ejecución de actuaciones de rehabilitación edificatoria, de regeneración y renovación urbanas a la iniciativa empresarial privada, con independencia de que sea propietaria o titular de derechos en el ámbito de actuación.

Este precepto enlaza con la redacción anterior del art. 6 del Real Decreto Legislativo 2/2008, de 20 de junio, por el que se aprueba el Texto Refundido de la ley de suelo

(«TRLSE»), que es trasunto de la Ley precedente, concretamente del art. 6 LSE. Con este artículo, el Estado requiere al legislador autonómico para que en su normativa sobre ordenación territorial y urbanística regule la iniciativa privada en la urbanización.

Este mandato se hace en atención a las competencias constitucionales que tiene atribuidas el Estado, exclusivas o básicas, como ha querido justificar la Exposición de Motivos de la Ley de Suelo Estatal (3).

La actual redacción del art. 6 TRLSE trae causa del apartado tres de la disposición final duodécima de la LRRRU, ahora con el título de «Iniciativa pública y

---

(3)   La Ley 8/2007, de 28 de mayo, de suelo estatal vino a ser la segunda dentro del nuevo marco de competencias en materia urbanismo delimitado por el Tribunal Constitucional mediante su Sentencia 61/1997, que declaraba inconstitucional buena parte del TRLS 1992, y la posterior STC 164/2001, que depuraba la constitucionalidad de la LSRV, primera Ley estatal ajustada al precitado marco competencial.

La promulgación del posterior TRLSE trae causa del cumplimiento de la Disposición final segunda de la Ley 8/2007, de 28 de mayo, de Suelo, que delegó en el Gobierno la potestad de dictar un Real Decreto Legislativo que refundiera el texto de ésta y los preceptos que aún quedaban vigentes del Real Decreto Legislativo 1/1992, de 26 de junio, por el que se aprobó el Texto Refundido de la Ley sobre Régimen del Suelo y Ordenación Urbana.

Debido a este reparto constitucional de competencias y las depuraciones legislativas en materia de urbanismo que ha realizado el Tribunal Constitucional, la LSE la asumió como marco de referencia dogmático y organizativo, en atención al ejercicio de otras competencias que el Estado tiene en otras materias y que inciden transversalmente en la urbanística.

Por tanto, estamos ante lo que podríamos denominar legislación matricial o cruzada que incide en el urbanismo y que encuentra su motivación en regular el ejercicio de una serie de derechos constitucionales cuya competencia exclusiva o concurrente es estatal.

Entre los derechos constitucionales sobre los que el Estado tiene competencia e inciden en el urbanismo, encontramos el derecho a la propiedad privada, la función social a la que se encuentra sometida y la debida indemnización por su privación (artículo 33 CE), el derecho a la libertad de empresa en el marco de la economía de mercado (artículo 38 CE), derecho a un medio ambiente y calidad de vida vinculados con el desarrollo sostenible que, entre otros aspectos, se relaciona con el modelo de ciudad (artículo 45 CE), derecho a la conservación y enriquecimiento del patrimonio histórico, cultural y artístico (artículo 46 CE), derecho a la vivienda adecuada que se vincula con los usos del suelo (artículo 47 CE).

Por ello, el legislador estatal promulga la LSE, para regular precisamente las condiciones básicas en el ejercicio de los derechos y el cumplimiento de los correspondientes deberes constitucionales referentes a las bases del régimen de las Administraciones Públicas, de la planificación general de la actividad económica y del medio ambiente, todas ellas dictadas en atención a las competencias atribuidas al legislador estatal por virtud del artículo 149.1.1, 13, 18 y 23 CE.

Además, el legislador estatal ejerce la competencia que tiene atribuida en materia de defensa, legislación civil, expropiación forzosa y responsabilidad patrimonial de las Administraciones Públicas, en atención al artículo 149.1. 4, 8 y 18 CE.

De las anteriores competencias estatales, las que más repercusión e influencia práctica tienen sobre el urbanismo, son:

a) La regulación de las condiciones básicas que garanticen la igualdad de todos los españoles en el ejercicio de los derechos y cumplimiento de los deberes constitucionales (artículo 149.1.1ª CE).

b) Las bases y coordinación de la planificación general de la actividad económica (Artículo 149.1.13ª CE).

c) Las bases del régimen jurídico de las Administraciones Públicas que garantizarán a los administrados un tratamiento en común ante ellas.

privada en las actuaciones de transformación urbanística y en las edificatorias». Después de atribuir la dirección del proceso a «los entes públicos», dispone:

> «2. **En los supuestos de ejecución de las actuaciones de transformación urbanística y edificatorias mediante procedimientos de iniciativa pública podrán participar, tanto los propietarios de los terrenos, como los particulares que no ostenten dicha propiedad,** en las condiciones dispuestas por la legislación aplicable. Dicha legislación garantizará que el ejercicio de la libre empresa se sujete a los principios de transparencia, publicidad y concurrencia.
>
> (…)
>
> 4. La iniciativa privada podrá ejercerse, en las condiciones dispuestas por la Ley aplicable, por los propietarios.
>
> 5. Tanto los propietarios, en los casos de reconocimiento de la iniciativa privada para la transformación urbanística o la actuación edificatoria del ámbito de que se trate, como los particulares, sean o no propietarios, en los casos de iniciativa pública en los que se haya adjudicado formalmente la participación privada, podrán redactar y presentar a tramitación los instrumentos de ordenación y gestión precisos, según la legislación aplicable. A tal efecto, previa autorización de la Administración urbanística competente, tendrán derecho a que se les faciliten, por parte de los Organismos Públicos, cuantos elementos informativos precisen para llevar a cabo su redacción, y a efectuar en fincas particulares las ocupaciones necesarias para la redacción del instrumento con arreglo a la Ley de Expropiación Forzosa.»

Resulta necesario, llegados a este punto, detenernos para hacer una llamada de atención y destacar la concurrencia de dos contradicciones entre los criterios que presentan la LRRRU y el TRLSE:

a) Mientras que el art. 15.1 LRRRU legitima a terceros no propietarios del ámbito de actuación para las actuaciones edificatorias, siempre que, «sean empresas, entidades o sociedades que intervengan por cualquier título», el art. 6 TRLSE otorga una legitimación general a todos los particulares, sean propietarios o no, sean **personas físicas o personas jurídicas** («las actuaciones de transformación urbanística y edificatorias mediante procedimientos de iniciativa pública podrán participar, tanto los propietarios de los terrenos, como los particulares que no ostenten dicha propiedad»).

b) Por su parte, cuando el art. 15.1 LRRRU legitima a la iniciativa empresarial no propietaria para ejecutar actuaciones, hayan sido de i**niciativa pública o privada,** la legislación de suelo (art. 6 TRLSE) limita la participación de los particulares a aquellos supuestos en los que la **iniciativa es pública** («en los supuestos de ejecución de las actuaciones de transformación urbanística y edificatorias mediante procedimientos de iniciativa pública podrán participar, tanto los propietarios de los terrenos, como los particulares que no ostenten dicha propiedad, en las condiciones dispuestas por la legislación aplicable».

Lo realmente destacable de la presencia de estas discrepancias normativas lo constituye el hecho de que la nueva redacción de la legislación de suelo parte de la propia Ley de Rehabilitación, con el objeto de adecuar y dar coherencia normativa de su regulación al resto de leyes estatales directamente afectadas.

La solución a esta discordancia entre estas dos normas la podemos encontrar en la remisión que la legislación de suelo hace a las condiciones que se establezcan por la legislación aplicable, que será la incorporación y desarrollo de la normativa estatal en materia de rehabilitación en la autonómica.

2.3.2.   *Evolución de la iniciativa empresarial en la ejecución de actuaciones*

Al igual que lo venía haciendo la normativa de suelo y urbanismo estatal y de las Comunidades Autónomas, el legislador ha legitimado a la iniciativa particular, propietaria y no propietaria en el ámbito de actuación, para ser responsable de la ejecución y gestión de las actuaciones de rehabilitación edificatoria y en las de regeneración y renovación urbanas.

Sin embargo, mientras el antecedente inmediato de la legitimación de la iniciativa empresarial no propietaria para la ejecución de las actuaciones se encuentra en la legislación urbanística, ésta trae causa de la normativa de contratación pública de final del siglo XIX, cuyos criterios se incorporaron a la actual legislación urbanística.

La legitimación a la iniciativa particular no propietaria para la gestión urbanística en las Comunidades Autónomas se ha realizado de forma desigual, con una evolución legislativa para su adecuación a la normativa sectorial, especialmente en materia de contratación pública y procedimiento administrativo común.

La implantación en la legislación histórica de la iniciativa empresarial particular en las actuaciones esencialmente urbanizadoras, ha tenido como objetivo dotar de mayor agilidad a la fase de gestión urbanística, permitiendo la rápida ejecución de las infraestructuras y la pronta puesta en el mercado de los solares resultantes de las actuaciones integradas.

La mayor parte de esta normativa permitía la convivencia de los propietarios originarios con el empresario constructor o concesionario y la Administración, tal y como ocurre con la legislación de rehabilitación que legitima a la iniciativa empresarial para ser adjudicatario de la ejecución de actuaciones, con independencia de que sean titulares de bienes y derechos.

El vínculo contractual de la relación entre la iniciativa empresarial y la Administración responsable de la actuación tiene su origen en la legislación de obra pública y expropiación forzosa de mediados del siglo XIX en adelante.

Como antecedente primigenio, citaremos la **Instrucción de Obras Públicas de 10 de octubre de 1845**, que permitía la ejecución de las obras públicas:

a) Por empresa.

b) Por contrata

c) Por la Administración.

Así, disponía el art. 5 de la citada Instrucción:

> «En las **obras por empresa**, la Administración contrata con particulares la ejecución de las obras, cediéndoles en pago los productos y rendimientos de las mismas; y cuando éstos no sean suficientes, estipulando concesiones en compensación de la industria de los empresarios o del capital que adelanten, de lo cual resultará a su favor en los más de los casos un privilegio por tiempo determinado.»

Por tanto, en la ejecución de la obra por empresa, los particulares realizan una obra pública y a cambio la Administración les cede en pago sus productos o rendimientos que genera su propia actuación, es decir, les cede solares edificables. Solo cuando este pago no sea suficiente se les concede la explotación de las obras que han ejecutado por tiempo determinado.

Este esquema es muy similar al que se produce en la legislación autonómica que regula el Agente Urbanizador, en la que éste realiza la urbanización y se puede cobrar en terrenos edificables fruto de su actuación urbanizadora. Esta posibilidad también se concreta en la normativa de rehabilitación, regeneración y renovación urbana, que en su art. 17 fomenta el pago en especie de los costes de la actuación rehabilitadora y urbanizadora.

Seguidamente, la norma confiere una legitimación universal para iniciar la ejecución de las obras públicas:

> «La ejecución de una obra por empresa puede proponerse por empresarios o compañías particulares, y también por las Provincias y pueblos interesados»

La **Ley de Expropiación Forzosa de 10 de enero de 1879** es la primera norma de aplicación general que regula la reforma interior y saneamiento. Así, la innovación que a este respecto presenta esta Ley es la de recoger la expropiación de las zonas laterales y establecer las concesiones de obras de reforma interior, según el modelo francés impuesto por Georges Eugène HAUSMANN, en el que además de la actuación directa por el Ayuntamiento (sistema régie), se podía conferir a los particulares el sistema de concesión que les concedía el derecho a expropiar y de reventa de los terrenos (4).

La expropiación de las zonas laterales quedaba establecida en su art. 47:

> «Estarán sujetas en su totalidad a la enajenación forzosa para los efectos previstos en el artículo anterior, no solo las fincas que ocupen el terreno indispensable para la vía pública, sino también las que en todo o en parte estén emplazadas dentro de las dos zonas laterales y paralelas a dicha vía, no pudiendo, sin embargo, exceder de 20 metros de fondo o latitud de las mencionadas zonas».

La Ley de Expropiación de 1879, además de la gestión directa de las obras del municipio, preveía la gestión indirecta de la urbanización por cualquier particular o Compañía que solicitase la concesión de las obras, acompañando el proyecto correspondiente (5).

Este esquema, en mayor o menor medida fue seguido por la legislación posterior, que confería una posición concesional o de beneficiaria de expropiaciones a la iniciativa empresarial que urbanizaba y se cobraba con el fruto de su actividad empresarial solares edificables.

Es el antecedente de la iniciativa empresarial urbanizadora al que le unía un vínculo contractual con la Administración, en la mayoría de los casos mediante un contrato expresamente regulado o típico (6).

---

(4)   Abordado en profundidad por LORA-TAMAYO VALLVÉ, M. *Urbanismo de obra pública.... op. cit.* ver especialmente páginas 64 a 68. La autora recoge cómo en la Ley de 7 de julio de 1833 se adoptan diferentes medidas por la Administración para la apertura de nuevas vías. Por un lado, se realiza un plano de la ubicación de las nuevas vías, con indicación de los terrenos a expropiarse; posteriormente se expone en el Ayuntamiento; y, a continuación, una Comisión se encarga de valorar las indemnizaciones y el jurado declara la utilidad y necesidad de expropiación por causa de utilidad pública.

Posteriormente, en 1855, el procedimiento se unifica con informes de diferentes administraciones y de forma paralela e independiente a la aprobación del proyecto, se produce el acuerdo de concesión de las obras a un concesionario, *entrepreneur*, que expropiaba y ejecutaba las obras de urbanización, cobrándose en terrenos edificables que podía disponer libremente, a lo que se añadía una subvención correspondiente al valor de los terrenos de las nuevas vías públicas obtenidas y que por su propia naturaleza no eran susceptibles de ser vendidos.

El sistema de concesión, frente al de ejecución directa, era el preferido por Haussmann, debido a que eximía de costes al Ayuntamiento, salvo ligeras subvenciones.

(5)   PARADA VÁZQUEZ, J.R. «La privatización del urbanismo español». *Documentación Administrativa*, n.º 252-253, (septiembre 1998-abril 1999), página 110.

(6)   Entre éstas debemos destacar la Ley de Expropiación Forzosa de 10 de enero de 1879, la Ley de Obras de Saneamiento y Mejora Interior de Grandes Poblaciones de 18 de marzo de 1895 y el Reglamento para su ejecución, aprobado por el Real decreto de 15 de diciembre de 1896.

Posteriormente, desde la **Ley de 12 de mayo de 1956 sobre Régimen del Suelo y Ordenación Urbana** (LS 1956) comienza una fase en la que el protagonismo de la gestión pasa a la propiedad y, salvo supuestos como el adjudicatario de los PAUs, no hay muchos antecedentes de participación de la iniciativa empresarial no propietaria en la gestión urbanística (7).

En este marco, con la compilación de la normativa urbanística por la LS 1956, el legislador declaró pública la actividad urbanística, aunque la carga de la ejecución del planeamiento ha descansado en los propietarios, mientras que se reservaba mayor intervención administrativa en la redacción del planeamiento, con exclusividad en el planeamiento general (8).

Este criterio de adjudicación directa, con carácter preferente y general a la propiedad del suelo, tiene su continuidad en la legislación estatal posterior, hasta llegar al TRLS 1992 (9).

Es en 1994 cuando el legislador valenciano, mediante la **Ley 6/1994, de 15 de noviembre, Reguladora de la Actividad Urbanística** («**LRAU**»), introduce un nuevo modelo de gestión urbanística integrada que encomienda a la figura que denomina agente urbanizador.

La legitimación a la iniciativa empresarial en actuaciones urbanizadoras integradas, con mayor o menor protagonismo en la gestión urbanística, es continuado por el resto de las Comunidades Autónomas que promulgan legislación urbanística propia.

Volver a destacar que, entre las innovaciones fundamentales del legislador valenciano, se encuentra la introducción de la figura del Agente Urbanizador, público o privado, que gestiona el planeamiento en ausencia de los tradicionales sistemas de ejecución urbanística y como adjudicatario del Programa de Actuación Urbanística, verdadera figura vertebradora del contenido, objetivos y obligaciones que se derivan de la ejecución del planeamiento.

---

(7)   A la Ley del suelo de 1956, la siguen la Ley de 2 de mayo de 1975 (LS 1975) que la reformaba, el Texto Refundido de la Ley de Régimen del Suelo y Ordenación Urbana aprobado por Real Decreto 1346/1976, de 9 de abril (TRLS 1976), la Ley 8/1990, de 25 de julio, de Reforma y Régimen Urbanístico y Valoraciones del Suelo (LS 1990) y, finalmente, el Real Decreto Legislativo 1/1992, de 26 de junio, por el que se aprueba el Texto Refundido de la Ley sobre el Régimen del Suelo y Ordenación Urbana (TRLS 1992), que cierra esta etapa.

(8)   No obstante, como señala Santos Díez, R., existe una directa relación entre el planeamiento urbanístico y el derecho de propiedad, siendo aquél normativa reguladora de los elementos esenciales del contenido de la propiedad de suelo. «Técnicas de Determinación de Aprovechamiento de Referencia». *Monográfico dedicado al Urbanismo, extra 1999. Revista de Estudios Locales*. Página 223.

(9)   Legislación ya relacionada previamente: LS 1975, TRLS 1976, LS 1990 y TRLS 1992.

Se diseña la gestión urbanística desligando a la propiedad del suelo del derecho—deber de urbanizar, que es una actividad pública a gestionar directamente por la Administración o bien indirectamente por un particular, propietario o no de suelo, tal y como la ha previsto el legislador estatal en la redacción del **TRLSE (10)** y ahora la **LRRRU** en estudio.

En la gestión de la ejecución de las **actuaciones de rehabilitación edificatoria, renovación y regeneración urbana** se sigue el mismo esquema que en la legislación urbanística a la hora de legitimar a los particulares no propietarios, si bien se introducen ciertos matices en cuanto a su extensión, ya señalados en el epígrafe anterior.

Es decir, el legislador quiso desvincular la actividad pública de la gestión de la ejecución en los supuestos de ejecución de las actuaciones de transformación urbanística y edificatorias de la esfera estrictamente de los propietarios a los que hasta el momento les venía siendo atribuida por la sucesiva legislación estatal.

Esta concepción personifica la apertura de la gestión urbanística y, ahora también, edificatoria, a la iniciativa particular no propietaria, que gestiona el planeamiento y la actividad edificatoria y urbanizadora, sin desplazar a la propiedad y la Administración, sino que únicamente coadyuva con ésta para la transformación del suelo mediante la actuación urbanizadora.

Como ya indicábamos, este modelo de actuación por particulares, propietarios o no, surgió en el urbanismo autonómico con la figura del Agente Urbanizador, más concretamente con su diseño inicial esbozado por la legislación urbanística valenciana, que se transpuso casi literalmente a la legislación castellano-manchega, en la LOTAU de 1998, cuya esencia se mantiene en el vigente TRLOTAU.

La legislación urbanística valenciana de 1994 y la castellano manchega de 1998 supusieron una verdadera revolución en la gestión urbanística al suprimir los tradicionales sistemas de ejecución, por una figura que regula la fase de ejecución del planeamiento denominada Programa y que se ejecuta por un sujeto que denomina Urbanizador.

El Urbanizador puede ser, bien la propia Administración actuante, cuando la gestión de la ejecución del planeamiento es directa, o bien la iniciativa particular, propietaria o no, cuando la gestión del planeamiento es indirecta.

Tras los primeros años de aplicación de la LRAU, se dicta la Sentencia del Tribunal Constitucional 61/1997, de 20 de marzo, que supuso una auténtica redefinición

---

(10) El fomento de la iniciativa particular, propietaria o no, para la ejecución de la actividad urbanizadora, se recogía en el anterior art. 4.1 de la Ley 6/198, de 13 de abril, sobre Régimen del Suelo y Valoraciones (LRSV).

del urbanismo desde la base, produciendo, al mismo tiempo una nueva delimitación de la competencia en materia de urbanismo y ordenación del territorio (11).

La delimitación competencial se termina de perfilar tras la Sentencia del Tribunal Constitucional 164/2001, de 11 de julio, que confirma la constitucionalidad del art. 4.3 de la **Ley 6/1998, de 13 de abril, sobre Régimen del Suelo y Valoraciones** («**LRSV**»), en el que se apremia a las administraciones para que promuevan y susciten la participación privada, propietaria o no propietaria, en la gestión urbanística, dando cobertura expresa al Agente Urbanizador que había previsto la legislación urbanística autonómica.

La previsión de que la iniciativa particular no propietaria se pudiese hacer cargo de la ejecución de planeamiento encontró su respaldo en el art. 4.3. LRSV y posterior declaración expresa de constitucionalidad, según destaca el Profesor MENÉNDEZ REXACH. De esta manera, el epígrafe 3 del art. 4 se incorporó durante el proceso parlamentario para dar cobertura al urbanizador valenciano (12).

Como se analizará con más profundidad posteriormente, el modelo inicial de urbanizador valenciano diseñado por la LRAU fue objeto de cuestionamiento doctrinal y jurisprudencial por su presunta inadecuación a la normativa de contratación pública estatal y comunitaria, así como a los principios rectores del procedimiento administrativo común (13).

En esta misma línea, debemos hacer mención al previo cuestionamiento constitucional del diseño del Agente Urbanizador en la LRAU por la **Sección Primera de la Sala de lo Contencioso-Administrativo del Tribunal Superior de Justicia de la Comunidad Valenciana**, que tras su inadmisión a trámite por el Tribunal Constitucional por motivos formales, comenzó a dictar sucesivas sentencias en las que desplazaba determinados artículos de la legislación valenciana de 1994 a favor de

---

(11) Aunque anteriormente, de forma indirecta, ya había habido pronunciamientos del Tribunal Constitucional que incidían en materia de urbanismo, como la Sentencia 149/1991, de de 4 de julio, que examinaba la constitucionalidad de la Ley de Costas de 1988, depurándola mínimamente en atención a los conflictos de competencias planteados por diversas Comunidades Autónomas que consideraban invadida por el legislados estatal sus competencias exclusivas sobre ordenación del territorio y urbanismo.

(12) MENÉNDEZ REXACH, A. En el Prólogo a *Comentarios a la Ley sobre Régimen del Suelo y Valoraciones*, de ENÉRIZ OLACHEA, F.J., BELTRAÁN AGUIRRE, J.L., NAGORE SORABILLA, H.M. y OTAZU AMÁTRIAIN, B. Aranzadi, 2.ª edición. Página 36.

(13) SÁNCHEZ GOYANES ha defendido desde hace más de una década la aplicación de la normativa de contratación pública en la contratación por las Entidades Urbanísticas Colaboradoras, así como por las sociedades públicas que, desde la nueva LCSP, ahora ya nadie discute. SÁNCHEZ GOYANES, E. «Contratación Local. Contratos Locales Problemáticos». *Cuadernos de Administración Local*, Serie Teórica n.º 6. Consejería de Medio Ambiente y Desarrollo Regional, Comunidad de Madrid, 1997. Páginas 42 y 43.

la normativa de procedimiento administrativo, esencialmente en materia de notificaciones, y de contratación pública estatal y comunitaria (14).

El Tribunal Superior de Justicia de la Comunidad Valenciana llega a la conclusión inicial de que la naturaleza jurídica de la relación entre agente urbanizador y Administración es un contrato público de concesión de servicio público, conclusión que alcanza tras el análisis de la normativa estatal y comunitaria sobre contratación pública.

Especial relieve en esta posición ha tenido la jurisprudencia del **Tribunal de Justicia de la Unión Europea («TJUE»)** de Luxemburgo, concretamente la *Sentencia de 12 de julio de 2001*, «caso Scala», en la que considera que la previsión por la legislación italiana de la adjudicación directa de las obras de urbanización y edificación cumple con todos los requisitos de un contrato público de obras, que definía el art. 1.a) de la Directiva 93/37/CEE sobre coordinación de procedimientos de adjudicación de contratos públicos de obras y que ha sido mantenido por la vigente Directiva 2004/18/CE (15).

La doctrina de la anterior sentencia se ratifica, con más rotundidad si cabe, en la Sentencia de la Sala Primera del Tribunal de Justicia de la Unión Europea de *18 de enero de 2007* en la que se concluye que los convenios mediante los que una entidad adjudicadora adjudica a otra una obra pública son un contrato de obras, aunque la primera pueda no ser la propietaria de las obras y con independencia de lo previsto en la legislación nacional al respecto (16).

Adicionalmente, esta sentencia exige aplicar los procedimientos de adjudicación de los contratos de obras previstos en la Directiva, aunque no lo exija el Derecho nacional, y considera que los adjudicatarios de estos contratos pueden tener también la condición de entidad adjudicadora obligada a aplicar tales procedimientos para celebrar procedimientos para celebrar contratos subsiguientes.

Estamos, en definitiva, ante la rotunda consideración contractual del convenio administrativo en que concluye la adjudicación de un Programa a un Urbanizador.

---

(14)   Entre las numerosas Sentencias que presentan esta línea jurisprudencial, citaremos las Sentencia de la Sección Primera de la Sala de lo Contencioso-Administrativo del TSJ de la Comunidad Valenciana de 1 de octubre de 2002 (P. Ilmo. Sr. D. José Díaz Delgado); Sentencia de la Sala de lo Contencioso-Administrativo del Tribunal Supremo de 22 de noviembre de 2006 (P. Excmo. Sr. Segundo Méndez Pérez); Sentencia de la Sala de lo Contencioso-Administrativo del Tribunal Supremo de 27 de marzo de 2007 (P. Excmo. Sr. D. Jesús Ernesto Pérez Morate).

(15)   Directiva 2004/18/CE del Parlamento Europeo y del Consejo, de 31 de marzo de 2004, sobre coordinación de los procedimientos de adjudicación de los contratos públicos de obras, de suministros y de servicios.

(16)   Esta sentencia también tiene por objeto una decisión prejudicial, planteada por el Tribunal Administratif de Lyon en el asunto Jean Auroux y otros contra Commune de Roanne. *Vid.* Táboas Bentanachs, M. Boletín de Urbanismo, n.º 20, diciembre 2008, página 10.

Esta consideración se realiza desde un análisis de la vertiente funcional del convenio que tiene por objeto la ejecución de una obra pública de urbanización.

Todas estas sentencias fueron objeto de un amplio debate doctrinal, al mismo tiempo que las emanadas del TSJ de la Comunidad Valenciana fueron recurridas en casación ante la Sala de lo Contencioso-Administrativo del Tribunal Supremo, Tribunal éste que, en reiteradas sentencias, ha sentado la necesaria adaptación del derecho autonómico a la legislación básica estatal de contratación pública (17). El necesario análisis detallado de esta cuestión lo abordaremos más adelante.

No obstante esta afluencia de pronunciamientos jurisprudenciales en esta materia emanados de nuestros órganos internos, **en el ámbito de la Unión Europea ha habido condenas directas al procedimiento de selección de urbanizador** y el desarrollo de la ejecución del planeamiento por esta figura, esencialmente como consecuencia de las quejas sufridas por ciudadanos españoles y de otros países comunitarios por vulneración de derechos en su patrimonio y el medio ambiente.

Mediante el denominado ***Informe Fourtou***, al adoptar el nombre de su ponente la eurodiputada Janelly Fortou, cuyo nombre oficial es «Informe sobre las alegaciones de aplicación abusiva de la LRAU y sus repercusiones para los ciudadanos europeos», el Parlamento Europeo puso de manifiesto y advirtió a la Generalitat Valenciana de los numerosos ajustes que eran precisos para adecuar la LRAU, entre otras cuestiones, a la normativa comunitaria de contratación pública y de medio ambiente (18).

Si bien la Comisión Europea no tiene competencias en materia urbanística, sí analiza su adecuación desde el ámbito del ejercicio de la competencia sobre medio ambiente (19).

---

(17)   *Vid.* Bustillo Bolado, R.: «Derecho Urbanístico y concurrencia en la adjudicación de contratos públicos de obras: la Sentencia del Tribunal de Justicia de las Comunidades Europeas de 12 de julio de 2001», *Revista Urbanismo y Edificación*. Año 2001-1, número 5.

Baño León, J.M.ª. «La influencia del Derecho Comunitario en la interpretación de la Ley de Contratos de las Administraciones Públicas». *RAP*, n.º 151 (enero-abril), 2000 .

García de Enterría, E. «El Tribunal de Justicia de las Comunidades Europeas constata y censura dos grandes quiebras de nuestro Derecho Administrativo en materia de entes sujetos al Derecho público y a medidas cautelares Contencioso-Administrativas. La sentencia Comisión c. España. C-214/2000, de 15 de mayo de 2003». *REDA*, n.º 119, julio-septiembre 2003. Thomson-Civitas, y en «Una nueva Sentencia del Tribunal de Justicia de las Comunidades Europeas sobre la sumisión a las normas comunitarias sobre la contratación pública de las sociedades mercantiles de titularidad de las administraciones públicas. (Sentencia Comisión contra España, de 16 de octubre de 2003, C-283/2000).» *REDA*, n.º 120, octubre-diciembre 2003. Thomson-Civitas.

(18)   Estudio completo y riguroso sobre este informe por González Alonso, A., «Normativa comunitaria y actuaciones de la Unión Europea de vigilancia y control del urbanismo español tras el informe Fourtou 2005», *Revista de Derecho Urbanístico y Medio Ambiente*, n.º 248, marzo 2009, páginas 13 a 52.

(19)   Con independencia de la normativa interna que ha transpuesto la comunitaria, en España, a nivel estatal, esencialmente mediante el RDL 1/2008, de 11 de enero, por el que se aprueba el TR de la

El 12 de febrero de 2009 la Comisión de Peticiones del Parlamento Europeo aprobó el conocido como **«informe Auken»**, que extiende la crítica del urbanismo de la Comunidad Valenciana al de toda España, informe que tuvo su aprobación definitiva por el Pleno del Parlamento Europeo el 26 de marzo de 2009 (20).

Tal fue la crítica realizada en este informe, que entre las peticiones que realizó a las autoridades españolas se encontraba la de «que se deroguen todas las figuras legales que favorecen la especulación, tales como el agente urbanizador», al mismo tiempo que pedía a la Comisión «que garantice el respeto riguroso de la aplicación

---

Ley de Impacto Ambiental, la Comisión examina el ejercicio de la competencia legislativa plena de un Estado miembro en una materia a la luz de la competencia que ésta tiene en materia medio ambiental.

Esencialmente se analiza el respeto de Directivas que inciden directamente en materia urbanística, como la Directiva 2004/35/CE, de 21 de abril de 2004, sobre responsabilidad medioambiental en relación con la prevención y reparación de daños ambientales, en relación con el art. 174 TCE.

Adicionalmente hay que reseñar la aplicación de las disposiciones sobre impacto ambiental de las obras públicas, entre las que se pueden encontrar las que se ejecuten en el marco de una actuación urbanística.

Así, la Directiva 85/337/CEE, del Consejo, de 27 de junio de 1985 para la evaluación de las repercusiones de determinados proyectos públicos y privados sobre el medio ambiente, que incide en materia urbanística, tanto en la necesaria información pública en fase inicial y previa a la aprobación del proyecto correspondiente, así como los proyectos que constan en su anexo II que somete a evaluación de impacto ambiental a varios proyectos con incidencia urbanística, tanto de planeamiento, su ejecución y desarrollo de actividades, como proyectos de urbanizaciones, construcción de centros comerciales, aparcamientos de determinada dimensión, urbanizaciones turísticas y hoteleras fuera de zonas urbanas, etc.

La Directiva 92/43/CEE, del Consejo, para la conservación de los hábitats naturales y de la fauna y de la flora silvestres, en la que se crea la denominada red «Natura 2000», en cuyos hábitats delimitados los Estados miembros deben adoptar medidas para su recuperación y conservación. Como consecuencia de esto, ahora es objeto de examen en la Comunidad Castellano-Manchega como consecuencia del trazado del AVE Madrid-Extremadura (tramo Madrid-Oropesa) aprobado en el Estudio Informativo a su paso por la ZEPA «Área estaparia de la margen derecha del Río Guadarrama».

La Directiva Marco de Aguas o Directiva comunitaria 2000/60/CE, del Parlamento y del Consejo, de 23 de octubre de 2000, que promueve el uso sostenible del agua y la reducción de su contaminación, dando un especial protagonismo a las Confederaciones Hidrográficas.

Especial importancia en la materia urbanística tiene la Directiva 2001/42/CE, de Parlamento y el Consejo, de 27 de junio de 2001, y que evalúa la incidencia y protección del medio ambiente de determinados planes y programas, entre los que se encuentran los de ordenación del territorio urbano o la utilización del suelo, cuando permitan la implantación de proyectos incluidos en los anexos I y II de la Directiva 85/337/CEEE o queden sujetos a los arts. 6 y 7 de la Directiva 92/43/CEE. Nos encontramos ante una fase evaluadora y preventiva que se enmarca en la fase inicial de ordenación, previa a la de ejecución que, cuando aquella fuese viable, determinará las condiciones de dicha ejecución.

(20) Un análisis detallado de este informe lo realiza FERNÁNDEZ TORRES, J.R, «Aprobado un informe sobre la «urbanización masiva» en España por parte de la Comisión de Peticiones, con respaldo del Pleno del Parlamento Europeo», *Revista Aranzadi de Urbanismo y Edificación*, año 2009-1, n.º 19, páginas 356 a 367.

El profesor FERNÁNDEZ TORRES reproduce íntegramente el informe y reseña la dirección donde puede consultarse: http://www.europarl.europa.eu/sides/getDoc.do?pubRef=-//EP//TEXT+TA+P6-TA-2009-0192+0+DOC+XLM+V0//ES&language=ES.

del Derecho Comunitario y de los objetivos establecidos en las Directivas cubiertas por esta Resolución» (21).

Entre las amplias y contundentes críticas que realizaba este informe a causa de lo que denominaba «urbanización masiva» en España, cuestionaba los métodos de elección de los agentes urbanizadores, detectando en determinadas actuaciones examinadas infracciones contra la legislación comunitaria en materia de protección del medio ambiente, participación pública, política del agua y contratación pública.

Para ello, amenazó a España o a la Comunidad Autónoma que persista en las vulneraciones apuntadas con interrumpir la provisión de fondos estructurales y colocar en reserva los fondos destinados a políticas de cohesión, para persuadir sobre el cumplimiento de la normativa comunitaria infringida.

Finalmente, esta interpretación no se realizó por el **Tribunal de Justicia de la Unión Europea**, concretamente en su relevante sentencia de 26 de mayo de 2011, en la que se dirimía la adecuación de la legislación urbanística valenciana a la normativa comunitaria de contratación pública, veremos más adelante que la sentencia respaldó la compatibilidad del procedimiento de selección y adjudicación de la ejecución del planeamiento al Agente Urbanizador con la normativa comunitaria. De no haber sido así, la eficacia directa y la primacía del Derecho comunitario implicaría que sus determinaciones relativas a los contratos públicos de obras fuesen inmediatamente aplicables al procedimiento de selección de Agente Urbanizador antes recogido en la LRAU y ahora en el vigente TRLOTAU. En todo caso, siempre que el importe de las obras supere el umbral económico marcado por la Directiva.

Todas estas críticas hubieran sido extrapolables a la ejecución de actuaciones de rehabilitación edificatoria, que legitima a los no propietarios a su ejecución, de no ser

---

(21)   Esencialmente las Directivas cuya observancia requiere el informe son:
— Directiva 2004/18/CE del Parlamento Europeo y del Consejo, de 31 de marzo de 2004, sobre coordinación de los procedimientos de adjudicación de los contratos públicos de obras, de suministros y de servicios.
— Directiva 2000/60/CE del Parlamento Europeo y del Consejo, de 23 de octubre de 2000, por la que se establece un marco comunitario de actuación en el ámbito de la política de aguas.
— Directiva 2001/42/CE del Parlamento Europeo y del Consejo, de 27 de junio de 2001, relativa a la evaluación de los efectos de determinados planes y programas en el medio ambiente.
— Directiva 2000/60/CE del Parlamento Europeo y del Consejo, de 23 de octubre de 2000, por la que se establece un marco comunitario de actuación en el ámbito de la política de aguas.
— Directiva 92/43/CEE del Consejo, de 21 de mayo de 1992, relativa a la conservación de los hábitats naturales y de la flora y la fauna silvestres.
— Directiva79/409/CEE del Consejo, de 2 de abril de 1979, relativa a la conservación de las aves silvestres.
— Directiva 85/337/CEE del Consejo, de 27 de junio de 1985, relativa a la evaluación de las repercusiones de determinados proyectos públicos y privados sobre el medio ambiente.
— Directiva 2001/42/CE del Parlamento Europeo y del Consejo, de 27 de junio de 2001, relativa a la evolución de los efectos de determinados planes y programas en el medio ambiente.
— Directiva 2005/29/CE del Parlamento Europeo y del Consejo, de 11 de mayo de 2005, relativa a las prácticas comerciales desleales de las empresas en sus relaciones con los consumidores en el mercado interior.

porque finalmente el Tribunal de Justicia de la Unión Europea, en su sentencia de 26 de mayo de 2011, resolvió que la vinculación entre urbanizador y administración no era subsumible en el concepto de contrato de obras comunitario y, en consecuencia, no resultaba de aplicación la normativa comunitaria de contratación pública cuando lo que se atribuía era la gestión de la actuación y no solo la ejecución de las obras.

En el siguiente epígrafe estudiaremos la naturaleza jurídica de la relación entre los sujetos legitimados para la ejecución de actuaciones de rehabilitación edificatoria, regeneración y renovación urbana, como extensión del modelo ya debatido de la naturaleza jurídica del Urbanizador.

A la vista de lo anterior, la regulación autonómica del régimen jurídico del Agente Urbanizador evolucionó hacia un acercamiento a la legislación de contratación pública y de procedimiento administrativo de carácter básico y aplicación general. De esta evolución y acercamiento a la publicidad y concurrencia se ha impregnado la regulación para la selección de sujeto responsable de ejecución de las actuaciones edificatorias y de transformación urbanística reguladas con detalle en los art. 15 LRRRU en estudio y en el art. 6 TRLSE, conforme la redacción dada por la primera.

Para la seguridad jurídica de cada uno de estos procesos, es imprescindible delimitar la naturaleza jurídica de la relación entre los sujetos privados que ejecutan una actuación edificatoria y la Administración o Administraciones actuantes. Es preciso delimitar el régimen aplicable a la selección de sujeto responsable de la ejecución de las actuaciones edificatorias de rehabilitación, regeneración y renovación urbanas.

Para ello, ha tenido una enorme importancia el examen de la adecuación de la regulación del agente urbanizador a la normativa comunitaria de contratación pública (22). En este punto ha sido determinante la Sentencia del Tribunal de

---

(22) Podemos ver un diferente tratamiento o incorporación de la legislación de contratación pública a la que se han aproximado las Comunidades Autónomas de Asturias, Extremadura, Andalucía o Galicia, y muy especialmente la vigente legislación urbanística valenciana y la del País Vasco. Concretamente, la regulación de la iniciativa empresarial en la actividad urbanizadora se encuentra en una segunda generación desde la aprobación de la **Ley 16/2005, de 30 de diciembre, de la Generalitat, Urbanística Valenciana** (desde ahora «LUV») y de inmediato desarrollo reglamentario mediante el Reglamento de Ordenación y Gestión Territorial y Urbanística, aprobado mediante Decreto del Consell 67/2006, de 19 de mayo.
En esta normativa se dio un paso decisivo hacia la adecuación de las normas urbanísticas autonómicas a las competencias estatales y comunitarias en materia de contratación pública y procedimiento administrativo.
Así lo apreció el Profesor Sánchez Goyanes al considerar que con la promulgación de la LUV «es palmario el giro filosófico-jurídico en el planteamiento de 2005 respecto del planteamiento de 1994» (…) «Sea como fuere, importaba aludir a la reorientación dogmática subyacente en esta nueva legislación para corroborar que la misma (…) no es inocua, sino que despliega sustanciosos efectos».
Actualmente, la Ley Urbanística Valenciana está en un proceso de reforma para adaptarla a la normativa interna y comunitaria de contratación pública y de medio ambiente.
Esta estela es seguida por el legislador del País Vasco en la regulación de la ejecución del planeamiento mediante el sistema privado de agente urbanizador, que recoge en su **Ley 2/2006, de 30 de junio, de Suelo y Urbanismo del País Vasco** (en adelante «LSPV»), aunque con una ordenación parca, que tendrá que ser completada mediante el oportuno desarrollo reglamentario.

Justicia de la Unión Europea de 26 de mayo de 2011, que desestima el recurso interpuesto contra la legislación urbanística valenciana, por considerar que infringía la normativa de contratación pública comunitaria, en materia de selección y contratación del Agente Urbanizador, cuya infracción fue instada por la Comisión Europea.

En la **Ley 8/2007, de 28 de mayo, de Suelo** («**LSE**»), sustituida inmediatamente por el **RDL 2/2008, de 20 de junio, por el que se aprueba el Texto Refundido de la Ley de Suelo** («**TRLSE**»), se sustrae del estatuto jurídico de la propiedad del suelo el derecho a urbanizar, cuando la urbanización se realiza en régimen privado, al igual que en su día hizo el legislador valenciano mediante la LRAU.

Para ello, el art. 6 TRLSE remite a la legislación autonómica sobre ordenación territorial y urbanística para que sea ésta la que regule «el derecho a la iniciativa de los particulares» para la *ejecución de la urbanización,* cuando la misma no vaya a realizarse por la Administración competente.

Como apuntamos, el derecho a la iniciativa se atribuye a los particulares, propietarios o no de suelo, en un régimen continuista del establecido al respecto por el anterior legislador estatal, mediante el anterior art. 4.2 LRSV.

La particularidad del TRLSE, respecto de la legislación estatal anterior, es doble: por un lado, determina que la habilitación a los particulares para la atribución de la actividad de ejecución de la urbanización se debe realizar *mediante un procedimiento con publicidad y concurrencia.* Dicha habilitación debe alcanzarse con unos criterios de adjudicación que salvaguarden la adecuada participación de la comunidad en las plusvalías de la actuación urbanística (23).

Con la nueva redacción dada al art. 6 TRLSE por la LRRRU, la habilitación para ejecutar actuaciones a los particulares copropietarios se constriñe únicamente a los supuestos en os que la iniciativa sea pública, las actuaciones de iniciativa privada se reserva a los propietarios (art. 6.5 TRLSE).

La **legislación de rehabilitación, regeneración y renovación urbanas** ahora analizada como ya ha quedado indicado, incorpora a la iniciativa particular no propietaria entre los sujetos legitimados para participar en la ejecución, siempre que la actuación sea de iniciativa pública. Así, el art. 15 LRRRU faculta a participar en

---

(23) Para mayor claridad, reproducimos a continuación el texto del art. 6.a) in fine TRLSE vigente hasta la aprobación de la modificación causada por la comentada Ley 8/2013, de 26 de junio:

«La habilitación a particulares para el desarrollo de **esta actividad deberá atribuirse mediante procedimiento con publicidad y concurrencia con criterios de adjudicación que salvaguarden una adecuada participación de la comunidad en las plusvalías derivadas de las actuaciones urbanísticas,** en las condiciones dispuestas por la legislación aplicable, sin perjuicio de las peculiaridades o excepciones que ésta prevea a favor de la iniciativa de los propietarios de suelo».

la ejecución de actuaciones de rehabilitación edificatoria, en las de regeneración y renovación urbanas, entre otros, a:

> «las empresas, entidades, personas o sociedades que intervengan por cualquier título en dichas operaciones»

Además de los anteriores, quedan igualmente legitimadas para actuar las «asociaciones administrativas» que se constituyan por cualquiera de los sujetos legitimados. Este segundo marco de actuación permite que, a los sujetos legitimados tradicionalmente — propietarios o la Administración—, se sumen las empresas urbanizadoras o constructoras, entidades financieras, gestoras, etc., puesto que cualquiera de ellos puede incorporarse como responsable de la ejecución de iniciativa privada no propietaria. Advertir en este punto que este ha sido el modelo mediante el que tradicionalmente las Juntas de Compensación, en su condición de Entidades Urbanísticas Colaboradoras, han tenido la posibilidad de incorporar a empresas urbanizadoras que, a cambio de su labor, reciben una retribución mediante la entrega de parcelas resultantes.

Como sabemos, la influencia de la legislación de rehabilitación, regeneración y renovación urbanas va mucho más allá de la propia norma, incorporando sus principios esenciales en la numerosa normativa sectorial que modifica mediante diecisiete disposiciones finales.

La disposición adicional duodécima de la LRRRU modifica sustancialmente el TRLSE. Entre otras modificaciones, con respecto a la regulación previa, altera el régimen de iniciativa pública y privada regulada en su art. 6, precepto en el que ahora se mantienen expresamente las actuaciones edificatorias junto a las de transformación urbanística, tal y como constaba en la redacción anterior. Se trascribe el art. 6.2 TRLSE con su actual redacción:

> «2. En los supuestos de ejecución de las actuaciones de transformación urbanística y edificatorias mediante procedimientos de iniciativa pública podrán participar, tanto los propietarios de los terrenos, como los particulares que no ostenten dicha propiedad, en las condiciones dispuestas por la legislación aplicable. Dicha legislación garantizará que el ejercicio de la libre empresa se sujete a los principios de transparencia, publicidad y concurrencia.»

Dentro de la actuación privada, el legislador diferencia entre propietarios y particulares, pudiendo ser estos últimos propietarios o no.

Se permite la participación de los particulares, propietarios o no, en los supuestos de ejecución de actuaciones de transformación urbanística y edificatoria, siempre que éstos sean procedimientos de iniciativa pública (art. 6.1 TRLSE). La habilitación a los particulares en la redacción previa se producía para todos los casos en los que la Administración competente no los fuese a realizar por gestión directa.

Se mantiene el requisito de respeto a los principios de transparencia, publicidad y concurrencia, para la selección de los particulares, sin diferenciar su tratamiento por razón de ser propietarios o no (24).

Así, por ejemplo, con la Ley 2/2009, se derogó el contenido del anterior art. 123 TRLOTAU 2004, desapareciendo en Castilla-La Mancha la adjudicación preferente a favor de los propietarios que se constituyesen en Agrupación de Interés Urbanístico y cumpliesen unos determinados requisitos.

La **derogación de la adjudicación preferente** mejora la igualdad de oportunidades de adjudicación en la concurrencia de la iniciativa privada, propietaria o no, aunque entre los criterios de valoración de las proposiciones presentadas se encuentra la de la colaboración o acuerdos con la propiedad, ponderación que se mantiene y parece, a todas luces, lógica.

2.3.3. Naturaleza jurídica de la relación entre particulares legitimados para la ejecución indirecta de las actuaciones edificatorias, de rehabilitación, las de regeneración y renovación y la Administración o Administraciones actuantes

Como comentario adicional, en relación con la evolución y últimos avatares de la figura de la iniciativa empresarial urbanizadora en nuestra legislación autonómica, creemos que **se ha perdido una oportunidad excepcional de clarificar la naturaleza jurídica** los particulares que ejecuten las actuaciones de rehabilitación, regeneración y renovación.

La falta de regulación del régimen jurídico de la adjudicación, preparación y efectos a la iniciativa particular o empresarial de la ejecución del planeamiento es una carencia sustancial de la inicial LSE, que no ha sido aclarada en el vigente TRLSE, ni, desgraciadamente, en la LRRRU.

Debería haberse concretado si nos encontramos ante un contrato administrativo especial de los previstos en el art. 19.1.b) TRLCSP, anterior art. 5.2.b) TRLCAP, discriminando los contratos armonizados que a la luz del importe del coste de las obras de urbanización pudiesen ser calificados como contratos públicos de obras en aplicación del derecho comunitario.

Atendiendo al art. 19.2 LCSP a los contratos administrativos especiales les serán de aplicación, en primer término, sus normas específicas.

---

(24)   Con la anterior redacción del precepto, el mandato estatal a las Comunidades Autónomas referente a que la selección del responsable de la ejecución de la actividad de urbanización se realice mediante un procedimiento concurrencial sujeto a publicidad, se rompía con una excepción, que de una forma u otra se viene recogiendo en la legislación urbanística de las Comunidades Autónomas. Esta *excepción legitimada los sistemas de actuación privados* en los que la ejecución es atribuida directamente a la propiedad del suelo por razón de su conformidad y porcentaje de participación en el ámbito de actuación. En estos casos, la legislación permite eludir la publicidad y concurrencia para seleccionar al responsable de la ejecución.

Esta indefinición legal no parece congruente con la seguridad jurídica de la iniciativa empresarial o inversora que se pretende fomentar con el TRLSE y LRRRU. En este sentido, hay que recordar que el legislador estatal, pese a no tener competencias en materia de urbanismo, sí las tiene en contratación pública, conforme sabemos dispone el art. 149.1.18 CE.

Una sentencia del TJUE que declarase la violación del Derecho comunitario por alguna norma interna, como la que es objeto de estudio, tendría eficacia retroactiva o *ex tunc,* salvo que, excepcionalmente, el Alto Tribunal europeo limite los efectos retroactivos en el tiempo por causa de seguridad jurídica (25).

Las dudas han quedado despejadas con la Sentencia de 26 de mayo de 2011 del Tribunal de Justicia de la Unión Europea, por cuanto que en ella se declara la adecuación de la Ley Urbanística Valenciana a la normativa de contratación pública comunitaria, considerando que no existe infracción del derecho de contratación pública denunciada por la Comisión Europea (26).

En esta sentencia podemos comprobar cómo, a juicio del Tribunal de Justicia de la Unión Europea, el vínculo existente entre urbanizador y Administración no se corresponde con un contrato de obra pública cuando su objeto es más amplio que la mera ejecución de las obras. Sin embargo, no niega que las obras de urbanización por sí solas sean obras públicas y estén excluidas de la normativa de contratación, como también las de edificación cuando se realicen mediante gestión directa por la Administración.

La Sentencia concluye de modo categórico: «De todo ello resulta que la Comisión no ha demostrado que el objeto principal del contrato celebrado entre el ayuntamiento y el urbanizador corresponda a contratos públicos de obras en el sentido de la Directiva 93/37 o de a Directiva 2004/18, lo que constituye una condición previa para la declaración de incumplimiento alegado».

Nos encontramos, en definitiva, ante un contrato administrativo especial que se rige por sus propias reglas específicas, todo ello conforme al contenido del art. 19.2 TRLCSP.

3. PARTICIPACIÓN EN EQUIDISTRIBUCIÓN

3.1. Planteamiento

El legislador requiere que la participación en la ejecución de las actuaciones de rehabilitación, regeneración y renovación se realicen en un régimen de equidistribución de beneficios y cargas:

---

(25) Sentencia del TJUE de 6 de octubre de 2005, párrafos 29 y 30.

(26) Ver comentario de la sentencia por García Gómez de Mercado, F., en «La Sentencia del Tribunal de Justicia de la Unión Europea sobre el urbanismo valenciano», *Revista Derecho Urbanístico y Medio Ambiente,* nº 267, julio-agosto 2011, páginas 37 y siguientes.

«15.2 LRRRU. La participación en la ejecución de las actuaciones previstas en esta Ley se producirá, siempre que sea posible, en un régimen de equidistribución de cargas y beneficios.»

El comentario de este precepto viene precedido de referencias a la equidistribución y comentarios completos sobre el concepto y mecanismo, por lo que solo señalaremos unas breves notas características sobre la equidistribución urbanística, sus ámbitos y proyecto.

Estas notas características son el antecedente inmediato y marco de referencia del comentario del mandato del legislador para que la participación en la ejecución de las actuaciones de rehabilitación edificatoria, regeneración y renovación se produzca en régimen de equidistribución de cargas y beneficios.

Por tanto, se hace un breve análisis de la equidistribución urbanística para posteriormente abordar el comentario a la que se debe producir en las actuaciones previstas en la Ley de rehabilitación, reforma y renovación.

La equidistribución de beneficios y cargas en las actuaciones reguladas por la LRRRU hay que valorarla de acuerdo con los deberes y cargas de la propiedad del suelo que recoge el art. 9 y 16 TRLSE, en cuanto a los deberes vinculados a la promoción de actuaciones de transformación urbanística y a las actuaciones edificatorias. Hay que subrayar las diferentes obligaciones entre las actuaciones de transformación urbanística y las edificatorias, concretamente respecto de la aplicación del régimen de equidistribución a la actuación.

3.2. Síntesis de la equidistribución en la ejecución de planeamiento

3.2.1. Ejecución urbanística y equidistribución

La ejecución del planeamiento tiene por objeto el cumplimiento de los deberes de cesión, equidistribución y urbanización que se realiza en ámbitos físicos concretos que se denominan unidades de ejecución o unidades de actuación.

Previamente a abordar la obligación de la equidistribución dentro de las funciones propias de la ejecución del planeamiento, hay que realizar una aproximación a los ámbitos donde se lleva a cabo y las fórmulas de gestión de la ejecución.

Antes del inicio de la ejecución del planeamiento hay que definir la **modalidad de gestión** urbanística, que puede ser mediante actuaciones aisladas o integradas (27).

_____

(27) También denominadas asistemáticas o sistemáticas.

Las actuaciones aisladas se utilizan con carácter excepcional para los supuestos establecidos, en la Comunidad de Madrid, en el art. 79.3 LSM.

La ejecución integrada del planeamiento tiene unos presupuestos o requisitos previos que implican:

a) La delimitación de unidades de ejecución.

b) La determinación de uno de los sistemas de ejecución de los previstos legalmente.

La ejecución del planeamiento tiene unos presupuestos de ejecución previos, que con carácter general lo constituyen la aprobación del planeamiento pormenorizado y la delimitación de unidades de ejecución o actuación donde se lleve a cabo.

Hay que partir de la previa delimitación del ámbito físico (área de reparto, sector o unidad de ejecución), con un aprovechamiento objetivo común o aprovechamiento tipo, a partir del que se determina un aprovechamiento subjetivo de cada propietario (28).

Como señala GARCÍA GÓMEZ DE MERCADO citando la jurisprudencia del Tribunal Supremo (SsTS de 23 de noviembre de 1998 y de 16 de noviembre de 1987), el planeamiento es una lotería que instaura una situación de clara desigualdad entre los propietarios, cuyos terrenos se destinan a muy distintos destinos y usos (29).

Esta desigualdad encuentra su equilibrio con el principio de equidistribución que supone la aplicación de unas técnicas que consiguen la distribución equitativa de los beneficios (esencialmente adjudicación de parcelas con usos lucrativos y edificables) y cargas (costear la urbanización, cesiones de suelo y aprovechamiento a la Administración,…) del planeamiento.

El actual TRLSE, mediante su art. 8.1.c), reconoce el derecho de los propietarios de suelo a participar en la ejecución de las actuaciones de urbanización, «en un régimen de equitativa distribución de beneficios y cargas entre todos los propietarios afectados en proporción a su aportación».

En referencia al esquema normativo urbanístico, vemos que la legislación madrileña, en su art. 82.1 LSM, define equidistribución como:

---

(28) Ver SANTOS DÍEZ, R. y CASTELAO RODRÍGUEZ, J. (1999): *Derecho Urbanístico. Manual para Juristas y Técnicos*, 3ª edición. Madrid: El Consultor, Páginas 493 y ss. En este epígrafe se plasmarán las enseñanzas del Profesor Santos Díez en materia de aprovechamiento y equidistribución que se extraen tanto de la obra citada y su docencia que se extendió hasta el punto de formar parte del Tribunal que juzgó mi tesis doctoral.

(29) GARCIA GÓMEZ DE MERCADO, F. —Coordinador— (2006): *Urbanismo. La propiedad ante el urbanismo. Planificación y gestión urbanística. Licencias y disciplina urbanística. Expropiación Forzosa.* Granada: Editorial Comares. Página 244 y ss.

«La equidistribución es aquella parte de la actividad de ejecución mediante la cual se produce, en los términos señalados en la presente Ley, el reparto de los aprovechamientos asignados por el planeamiento y la distribución equitativa de las cargas y beneficios derivados del mismo, entre los propietarios de suelo comprendidos en determinados ámbitos territoriales delimitados previamente.»

3.2.2. Formas de equidistribución

La equidistribución se produce siempre entre terrenos adscritos a la misma clase y categoría de suelo. Por ejemplo en suelos urbanizables sectorizados o urbanos no consolidados.

Los mecanismos y técnicas por medio de las cuales se realiza la equidistribución están directamente relacionadas con modalidad de gestión urbanística, de tal forma que:

a)   Cuando la ejecución del planeamiento se lleve a cabo a través de **actuaciones aisladas o asistemáticas,** la equidistribución se materializará, si procede, a través de reparcelación.

b)   Cuando la ejecución del planeamiento se lleve a cabo a través de **actuaciones integradas o sistemáticas,** la equidistribución se materializará siempre respecto a la totalidad de los terrenos incluidos en la correspondiente unidad de ejecución, a través del pertinente sistema de ejecución.

En esta última modalidad, cuando la unidad de ejecución se encontrara incluida en un área de reparto, previamente a la reparcelación interna se deberá proceder a materializar la equidistribución del aprovechamiento por referencia al área de reparto o equidistribución externa.

Con **equidistribución interna,** nos referimos a aquella que se produce entre los propietarios de un ámbito concreto de ejecución (unidad de ejecución o sector) entre los que se reparten los beneficios y cargas de la actuación de una forma equivalente.

Por **equidistribución externa** entendemos aquella que se produce entre las diferentes áreas de reparto o ámbitos de actuación que se delimitan en el municipio.

3.2.3. Análisis general de los ámbitos de equidistribución urbanísticos

3.2.3.1.   Área de Reparto

Siguiendo al Profesor Iglesias González (30), podemos determinar que los ámbitos físicos de la equidistribución son el área de reparto y las unidades de ejecución.

---

(30) Menéndez Rexach, A. e Iglesias González, F. *Lecciones de Derecho Urbanístico de la Comunidad de Madrid*, editorial Montecorvo, páginas 173 y ss.

Como explica el propio Profesor IGLESIAS, el área de reparto se identifica con el cálculo del aprovechamiento tipo de los propietarios, equivalente a la media de los aprovechamientos urbanísticos lucrativos del uso característico o predominante.

Por ejemplo, 0,5 m²/m² residencial unifamiliar de techo. Es decir, por cada metro cuadrado de suelo bruto o sin urbanizar, se atribuye una edificabilidad del 0,5 m² de uso residencial unifamiliar.

Las áreas de reparto se delimitan en todas las clases de suelo donde deba operar la equidistribución, es decir en suelo urbano no consolidado y en el urbanizable sectorizado y no sectorizado, a los efectos del cálculo del aprovechamiento unitario o el coeficiente de edificabilidad (31).

El suelo urbanizable sectorizado conformará una única área de reparto en la que se incluirán cada uno de los sectores y sistemas generales o redes adscritos a ellos (32).

El suelo urbanizable no sectorizado se incluirá en un área de reparto conforme se vaya incorporando al desarrollo urbanístico, mediante su sectorización.

Aunque la materia objeto de estudio se relaciona directamente con la equidistribución, podemos decir que también es posible delimitar áreas de reparto en actuaciones asistemáticas, entendiendo por éstas la de urbanización de parcelas aisladas en las que no se opera mediante sistema de ejecución ni se produce equidistribución, salvo que se pudiese aplicar la transferencia de aprovechamiento.

En atención a SANTOS DIEZ, R. y CASTELAO RODRÍGUEZ, J., se puede definir el área de reparto, en sus diferentes acepciones autonómicas, como aquella superficie delimitada que se caracteriza por tener un único aprovechamiento objetivo de referencia (aprovechamiento tipo, aprovechamiento medio, con diversas denominaciones o aprovechamiento objetivo total de referencia), a partir del cual se establece el contenido del aprovechamiento subjetivo que corresponde a los propietarios del suelo (33).

3.2.3.2. Unidad de Ejecución

La unidad de ejecución, polígono o unidad de actuación se identifica con los ámbitos físicos de ejecución de planeamiento en suelo urbano mediante gestión

---

(31) El Profesor Iglesias señala que en la legislación madrileña el concepto de área de reparto se identifica con el suelo urbanizable sectorizado, mientras que en el suelo urbano no consolidado emplea la terminología de ámbito de actuación como ámbito para calcular el coeficiente de edificabilidad (artículo 18.2.c LSM).

(32) En Madrid, ver artículo 84.2 y 3 LSM

(33) SANTOS DIEZ, R. y CASTELAO RODRÍGUEZ, J, . *Derecho Urbanístico. Manual para Juristas y Técnicos*, 3ª edición. El Consultor, Madrid 1999, Página 494.

sistemática o integrada, es decir, de dos o más parcelas y aplicando un sistema de ejecución.

Por tanto, nos encontramos con que las unidades de ejecución (34):

a)   Se identifican con la actividad de ejecución del planeamiento.

b)   Son suelos acotados en el interior de ámbitos de actuación o sectores.

c)   Su delimitación implica que la modalidad de actuación es la integrada.

En consecuencia, las unidades de ejecución son los ámbitos donde se lleva a cabo la equidistribución interna junto con las obligaciones de cesión y urbanización, cuando la modalidad de gestión es integrada o sistemática.

Es decir, en cada unidad de ejecución se cumplirá con la equidistribución y cesión mediante el correspondiente Proyecto de Equidistribución, ahora conocidos como Proyectos de Reparcelación con carácter general, mientras que la obligación de la urbanización se realizará mediante la ejecución material de las obras contenidas en el Proyecto de Urbanización previamente aprobado definitivamente por el Ayuntamiento actuante.

Hay que diferenciar las unidades de ejecución de las áreas de reparto, que son ámbitos propios del planeamiento urbanístico general con la definición de un aprovechamiento tipo o unitario en los que, de cara a la ejecución de éste, en su interior se delimitarán una o varias unidades de ejecución.

Siendo varias las unidades de ejecución que se incluyan dentro de un Sector (en suelo urbanizable sectorizado) o área homogénea (suelo urbano no consolidado), en su delimitación debe tenerse presente el tradicional criterio del art. 36.2 RGU, que establecía que a los efectos de hacer posible una equidistribución equitativa de beneficios y cargas no se podrían delimitar polígonos en un mismo sector con diferencias de aprovechamiento entre sí y los del sector superiores al 15% (35).

Dentro de las áreas de reparto se puede circunscribir una unidad de ejecución coincidente con la delimitación de aquella o, por lo general, diversas unidades de ejecución.

En cada una de las unidades de ejecución se realiza la actividad de gestión urbanística de forma autónoma, pudiendo determinarse sistemas de ejecución independientes en cada una de ellas, es decir, una se podría ejecutar mediante compensación y la otra mediante el sistema de expropiación.

---

(34)   Ver artículo 98.1 LSM.
(35)   Criterio que ahora se confirma en la legislación autonómica, como por ejemplo en el artículo 98.2.c) LSM.

Con carácter general, la delimitación de las unidades de ejecución se puede contener en el planeamiento, o se podrá realizar mediante procedimiento específico instado por el Ayuntamiento de oficio o por particulares.

Este procedimiento de delimitación de las unidades de ejecución, cuando ésta no se contenga en el plan o se pretenda su modificación, es esencialmente el contenido en el art. 38 RGU, ahora reproducido en el art. 99 LSM.

3.2.4.   Proyecto de reparcelación o de equidistribución.

Con la reparcelación se realiza la equidistribución interna de las actuaciones integradas en el ámbito de la unidad de ejecución previamente delimitada y actuando mediante un sistema de ejecución en las Comunidades Autónomas que los mantienen.

Por técnica de reparcelación podemos entender la transformación jurídica de los bienes y derechos originarios afectados por una actuación urbanística a las determinaciones del planeamiento urbanístico, mediante la equidistribución de beneficios y cargas, atendiendo a la aportación de los interesados al proceso.

Estamos ante lo que ha venido a denominarse la materialización jurídica de la ejecución del planeamiento, donde se llevan a cabo dos de sus tres deberes básicos: la equidistribución y la cesión, a los que recientemente se han añadido los deberes de realojo e indemnización (36).

La equidistribución a la que nos referimos es la modalidad de equidistribución interna, abarcando la reparcelación una unidad de ejecución completa.

La ejecución material del deber de urbanización según las determinaciones de planeamiento se realiza mediante la ejecución de las obras de urbanización contenidas en un proyecto de urbanización, que es el proyecto técnico que define las obras de urbanización a realizar.

Si acudimos al art. 82 RGU interpretamos que el proyecto de reparcelación es el documento que concreta el contenido de la reparcelación y que ha recibido la denominación genérica de proyecto de equidistribución.

Es decir, se constituye como el instrumento jurídico mediante el que se materializa la reparcelación y se concretan las cesiones obligatorias y la equidistribución entre las parcelas originarias aportadas por los propietarios y las parcelas resultantes que se les adjudican, junto con las que correspondan a la Administración en

---

(36)   Para estudiar con más detalle la ejecución material y jurídica del planeamiento ver MERELO ABELLA, J. M. *Régimen Jurídico del Suelo y Gestión Urbanística.* Editorial Praxis, S.A. Barcelona, 1995. Página 111 y ss.

concepto de cesiones libres y gratuitas y a los terceros partícipes en la ejecución, como son posibles agentes urbanizadotes o empresas urbanizadoras.

3.3. Régimen de equidistribución de cargas y beneficios en las actuaciones previstas en la LRRRU

Mientras que en la ejecución del planeamiento los deberes son la cesión, urbanización y equidistribución, indemnización y realojo, en la ejecución de actuaciones previstas por la LRRRU solo se requiere que se realicen en un régimen de equidistribución de cargas y beneficios, siempre que sea posible. Este es un requisito general que se debe acomodar a la exigencia de cada una de las actuaciones.

Antes de la ordenación y ejecución de las actuaciones de rehabilitación edificatoria, regeneración y renovación urbanas, es requisito la realización de una memoria que asegure su viabilidad económica en términos de:

a)   Rentabilidad.

b)   Adecuación de los límites del deber legal de conservación.

c)   Adecuado equilibrio entre los beneficios y las cargas derivadas de la misma.

El detalle de los elementos mínimos de este estudio se encuentra en el art. 11 LRRRU.

El cálculo de la rentabilidad económica se obtiene esencialmente de la comparación de los parámetros urbanísticos existentes, tales como edificabilidad, usos, tipologías edificatorias, densidad, con los nuevos parámetros previstos en la ordenación para la ejecución de dichas actuaciones, así como la posible utilización diferenciada de vuelo, suelo y subsuelo para un mayor equilibrio económico.

Dichos beneficios de la actuación tienen como contrapeso las cargas que deben soportar los propietarios, esencialmente el importe de la inversión con identificación de los sujetos responsables de costear las mismas, descontando las ayudas públicas directas e indirectas.

La equidistribución significa el reparto equitativo de beneficios y cargas de la actuación. Por tanto, para comprobar si una actuación puede ser objeto de equidistribución, debemos conocer cuáles son las cargas y obligaciones que debe soportar, no coincidiendo éstas en las actuaciones de edificación y en las de urbanización.

El art. 14 TRLSE incorpora en las actuaciones de transformación urbanística las actuaciones de urbanización de renovación o reforma, frente a las de nueva urbanización:

«a) Las actuaciones de urbanización, que incluyen:

1) Las de nueva urbanización, (…)

2) Las que tengan por objeto reformar o renovar la urbanización de un ámbito de suelo urbanizado, en los mismos términos establecidos en el párrafo anterior.»

Desde la entrada en vigor del TRLSE, las actuaciones edificatorias, aunque precisen obras complementarias de urbanización, son:

«a) Las de nueva edificación y de sustitución de la edificación existente.

b) Las de rehabilitación edificatoria, entendiendo por tales la realización de las obras y trabajos de mantenimiento o intervención en los edificios existentes, sus instalaciones y espacios comunes, en los términos dispuestos por la Ley 38/1999, de 5 de noviembre, de Ordenación de la Edificación .»

Traer a este punto la anterior clasificación no es retórica, debido a que los deberes vinculados a las actuaciones de transformación urbanística y edificatoria son distintos en las actuaciones de rehabilitación y en las edificatorias (art. 16 TRLSE).

En las actuaciones de urbanización, entre las que se encuentran las de reformar y renovar la urbanización de un ámbito de suelo urbanizado (art. 14.1.a TRLSE), los deberes legales son los de cesión, urbanización, equidistribución, realojo e indemnización (art. 16.1 TRLSE).

Con carácter general, entre las facultades del derecho de propiedad en suelo urbanizado se encuentra la de participar en actuaciones de transformación urbanística en régimen de equidistribución, concepto éste de actuaciones de transformación urbanística que incluye las que tengan por objeto reformar o renovar la urbanización en un ámbito de suelo renovado pero no las actuaciones edificatorias, art. 8.5.c) TRLSE:

«5. En el suelo en situación de urbanizado, las facultades del derecho de propiedad incluyen, además de las establecidas en las letras a), b) y d) del apartado 3, en su caso, las siguientes: (…)

c) Participar en la ejecución de actuaciones de transformación urbanística en un régimen de justa distribución de beneficios y cargas, cuando proceda, o de distribución, entre todos los afectados, de los costes derivados de la ejecución y de los beneficios imputables a la misma, incluyendo entre ellos las ayudas públicas y todos los que permitan generar algún tipo de ingreso vinculado a la operación.»

Pues bien, esa regla general **se rompe cuando en suelo urbanizado la Administración imponga una actuación de rehabilitación edificatoria y regeneración urbana. En estos casos el propietario tiene el deber de participar en régimen de**

equidistribución de beneficios y cargas, incluso en los casos de rehabilitación edificatoria, atendiendo a la literalidad del art. 9.5 TRLSE:

> «5. En el suelo en situación de urbanizado, el deber de uso supone el de completar la urbanización de los terrenos con los requisitos y condiciones establecidos para su edificación. Cuando la Administración imponga la realización de actuaciones de rehabilitación edificatoria y de regeneración y renovación urbanas, el propietario tendrá el deber de participar en su ejecución en el régimen de distribución de beneficios y cargas que corresponda, en los términos establecidos en el art. 8.5. c). »

Sin embargo, en materia de obligaciones y deberes, a las actuaciones edificatorias solo son exigibles los deberes de realojamiento, indemnización y, en su caso, completar la indemnización de los terrenos para cumplir con las condiciones necesarias para su edificación (art. 16.3 TRLSE).

En lo que ahora es relevante, observamos como el deber de equidistribución solo se vincula legalmente a las actuaciones de urbanización que tengan por objeto reformar o renovar la urbanización de un ámbito de suelo urbanizado y no así en las actuaciones edificatorias, dentro de la configuración estatutaria del derecho de propiedad que realiza la legislación de suelo estatal.

En todo caso, a la luz del art. 15.2 LRRRU «la ejecución de las actuaciones reguladas por esta ley, **siempre que sea posible»,** se realizará en un régimen de equidistribución de beneficios y cargas.

Las actuaciones comprendidas en la ley incluyen las actuaciones de rehabilitación edificatoria que, siempre que sea posible, se ejecutarán en régimen equidistributivo. La opción de aplicar la equidistribución en la renovación y regeneración urbana no existe, por cuanto la consideramos una obligación legal impuesta por el propio art. 16 TRLSE.

No olvidemos que en las actuaciones edificatorias, la ordenación puede conferir a los propietarios un derecho de incremento de edificabilidad con derecho a edificar nuevas plantas, nuevos usos y tipologías, muy especialmente en los supuestos de sustitución forzosa del inmueble.

Recordar que el límite de la carga que deben asumir los propietarios por el deber de conservación, asciende a la mitad del valor actual de construcción de un inmueble de nueva planta equivalente al existente, pero cumpliendo las condiciones impuestas por la normativa vigente para que sea posible la concesión de licencia de primera ocupación, tal y como indica el art. 9.1 TRLSE:

> «1. El derecho de propiedad de los terrenos, las instalaciones, construcciones y edificaciones, comprende con carácter general, cualquiera que sea la situación en que se encuentren, los deberes de dedicarlos a usos que sean

compatibles con la ordenación territorial y urbanística y **conservarlos en las condiciones legales para servir de soporte a dicho uso, y en todo caso, en las de seguridad, salubridad, accesibilidad universal y ornato legalmente exigibles,** así como realizar obras adicionales por motivos turísticos o culturales, o para la mejora de la calidad y sostenibilidad del medio urbano, hasta donde alcance el deber legal de conservación. **Este deber, que constituirá el límite de las obras que deban ejecutarse a costa de los propietarios cuando la Administración las ordene por motivos turísticos o culturales, o para la mejora de la calidad o sostenibilidad del medio urbano, se establece en la mitad del valor actual de construcción de un inmueble de nueva planta, equivalente al original en relación con las características constructivas y la superficie útil, realizado con las condiciones necesarias para que su ocupación sea autorizable o, en su caso, quede en condiciones de ser legalmente destinado al uso que le sea propio.** Cuando se supere dicho límite, correrán a cargo de los fondos de aquella Administración, las obras que lo rebasen para obtener mejoras de interés general.»

El exceso sobre este importe no es un deber o carga que deba sufragar el propietario, sino que corresponde a la Administración que lo imponga, salvo en los supuestos de incumplimiento de la obligación de conservar por el propietario que supone la elevación del porcentaje del importe de conservación al setenta y cinco por ciento del valor de la edificación con el alcance antes detallado (art. 9.2 TRLSE).

La equidistribución se debe realizar mediante proyecto de equidistribución que al efecto regule cada Comunidad Autónoma, siguiendo el modelo de la legislación urbanística autonómica y, en su caso, de forma supletoria, por el Reglamento de Gestión Urbanística.

Las **actuaciones de rehabilitación, regeneración y reforma** se pueden realizar en **ámbitos de actuación conjunta** o mediante la identificación de la **actuación aislada** concreta (art. 10.1 LRRRU).

La delimitación de los ámbitos de actuación conjunta o identificación aislada se deben aprobar simultánea o posteriormente al instrumento de modificación de la ordenación urbanística, cuando esta modificación fuese necesaria. En las actuaciones que no sea precisa la modificación de la ordenación urbanística vigente, será precisa la delimitación y aprobación de un ámbito de delimitación conjunta o indicación de la actuación aislada concreta.

La delimitación de ámbitos de actuación conjunta que no se incluyan o requieran una modificación de la ordenación urbanística, se realizará de conformidad con el procedimiento previsto en la legislación urbanística, con las particularidades previstas en el art. 10.2 LRRRU.

De esta forma, si la delimitación se produjese en la Comunidad de Madrid, la delimitación se realizaría siguiendo los criterios previstos en el art. 98 y siguientes

LSM. Previamente a la aprobación de la delimitación se producirá un período de información pública con notificación individualizada a los interesados en el que, en cumplimiento del art. 10.2 LRRRU, como mínimo, se refleje:

a)   Avance de la equidistribución precisa.

b)   Plan de realojo, temporal y definitivo, y, en su caso, de retorno.

4.   FACULTADES DE LOS SUJETOS LEGITIMADOS

Conviene recordar la definición de las actuaciones sobre el medio urbano que contiene el art. 7 LRRRU y que comprende las actuaciones para las que se otorgan facultades concretas a los sujetos legitimados.

Éstas aparecen definidas como «aquéllas que tienen por objeto realizar obras de rehabilitación edificatoria, cuando existan situaciones de insuficiencia o degradación de los requisitos básicos de funcionalidad, seguridad y habitabilidad de las edificaciones, y de regeneración y renovación urbanas, cuando afecten, tanto a edificios, como a tejidos urbanos, pudiendo llegar a incluir obras de nueva edificación en sustitución de edificios previamente demolidos.»

Para conseguir la ejecución de estas obras y su gestión, el precepto otorga facultades a los sujetos en estudio, facultades que abarcan las diferentes fases de las actuaciones y su gestión.

Las facultades que relaciona el precepto, las cuales serán objeto de análisis detallado, conceden al sujeto legitimado para participar en la ejecución facultades muy amplias para llevarla a buen fin, facultades todas ellas que dependerán de la posición jurídica de cada uno de los sujetos respecto de la concreta actuación, sin que la totalidad de las mismas pertenezcan a la fase de ejecución.

De este modo, hay algunas previas al inicio y adjudicación de la ejecución. Así, cuando cualquiera de los sujetos pretenda postularse para ser adjudicatario del concurso público convocado por la Administración para adjudicar la ejecución de las obras correspondientes, puede constituirse en asociación administrativa, tal y como permite el art. 15.3.b) LRRRU.

El precepto comentado indica que los sujetos legitimados para participar en la ejecución de las actuaciones, participarán conforme su propia naturaleza, y ostentarán las siguientes facultades

> **a) Actuar en el mercado inmobiliario con plena capacidad jurídica para todas las operaciones, incluidas las crediticias, relacionadas con el cumplimiento del deber de conservación, así como con la participación en la ejecución de actuaciones de rehabilitación y en las de regeneración y renovación urbanas que correspondan. A tal efecto podrán elaborar, por**

propia iniciativa o por encargo del responsable de la gestión de la actuación de que se trate, los correspondientes planes o proyectos de gestión correspondientes a la actuación.

Se concede facultades y capacidad jurídica plena a todos los sujetos a realizar todas las actuaciones necesarias para:

(i)   El cumplimiento del deber de conservación.

(ii) La participación en la ejecución de actuaciones de rehabilitación y en las de regeneración y renovación urbanas.

Para el cumplimiento de estos objetivos se les confiere, primero, y con carácter general, facultades amplias para la realización de «todas las operaciones», incluidas las crediticias.

A estas facultades generales se añade la de elaborar planes o proyectos correspondientes a la actuación de la que son responsables de su ejecución o por encargo de éste.

Esta última facultad está directamente relacionada con la ejecución y la necesidad de alterar la ordenación urbanística vigente, actuaciones de rehabilitación edificatoria y las de regeneración y renovación urbanas y la delimitación de los ámbitos de gestión y ejecución de las actuaciones. Así también en el art. 6.5 TRLSE.

Cada ámbito de ejecución tendrá unas necesidades concretas para su ordenación y delimitación. Así, en unos u otros ámbitos será preciso, indistintamente, modificar la ordenación urbanística o presentar una ordenación pormenorizada, delimitar el ámbito de gestión o el programa o instrumento de gestión equivalente, el proyecto de equidistribución, proyectos de rehabilitación, de obras, etc.

La norma permite a los sujetos legitimados a «participar» tanto con la responsabilidad directa en la ejecución como a cualquier otro de los sujetos legitimados que colaboré con él en la ejecución, sin ser el directo responsable.

De esta forma, los propietarios pueden asumir la gestión de la actuación y obtener la colaboración de terceros en la redacción de proyectos, ejecución de las obras, etc.

b) Constituirse en asociaciones administrativas para participar en los concursos públicos que la Administración convoque a los efectos de adjudicar la ejecución de las obras correspondientes, como fiduciarias con pleno poder dispositivo sobre los elementos comunes del correspondiente edificio o complejo inmobiliario y las fincas pertenecientes a los propietarios miembros de aquéllas, sin más limitaciones que las establecidas en sus correspondientes estatutos.

Para el estudio detallado del régimen de las asociaciones administrativas y su naturaleza jurídica nos remitimos al comentario que haremos del siguiente art. 15 LRRRU.

Mediante este precepto, más allá de fomentarlo, se exige que los anteriores sujetos se agrupen en asociaciones administrativas como requisito para participar en concursos convocados por la Administración para adjudicar la ejecución de la obras de la actuación concreta.

Las asociaciones administrativas, a la luz de las facultades fiduciarias con pleno poder dispositivo que se otorgan, tendrán por objeto realizar obras de rehabilitación edificatoria, cuando existan situaciones de insuficiencia o degradación de los requisitos básicos de funcionalidad, seguridad y habitabilidad de las edificaciones.

La previa constitución de las asociaciones administrativas aparece constituida como requisito preceptivo para licitar y ser adjudicatario de los concursos que convoque la Administración para la adjudicación de las obras de las actuaciones que se deriven de una iniciativa pública, expropiatoria o realizada por ejecución forzosa (art. 13.3 LRRRU).

Mientras que la constitución de asociaciones administrativas es un requisito para participar en las actuaciones de iniciativa pública indicadas, para el resto de las actuaciones, los sujetos legitimados pueden constituir voluntariamente una asociación administrativa y agruparse para asumir la ejecución de forma conjunta.

La agrupación de varios sujetos en una asociación administrativa encuentra la ventaja de aglutinar las capacidades de cada uno de ellos. Es decir, una asociación administrativa que esté integrada por propietarios afectados, empresas gestoras o promotoras, constructoras, consultora y, si es posible, una entidad financiera, agrupará en una persona jurídica independiente a las personas que ostenten la titularidad de los terrenos y a las que presenten las capacidades técnica y económica necesarias para la ejecución.

Se concede *ex lege* potestad fiduciaria con pleno poder dispositivo sobre los elementos comunes del edificio o complejo inmobiliario y las fincas pertenecientes a los propietarios miembros de aquéllas, con la única limitación que la establecida en los estatutos de la asociación administrativa.

Una vez firme el acuerdo administrativo que delimite ámbitos de actuación conjunta o autorice una actuación aislada, el art. 13 LRRRU posibilita la ocupación efectiva, tanto de superficies de dominio público como de elementos comunes y fincas privativas que resulten indispensables para la instalación de ascensores u otros elementos que garanticen la accesibilidad universal.

«3. Será posible ocupar (...) las superficies comunes de uso privativo, tales como vestíbulos, descansillos, sobrecubiertas, voladizos y soportales, tanto si se ubican en el suelo, como en el subsuelo o en el vuelo, cuando no resulte viable, técnica o económicamente, ninguna otra solución para garantizar la accesibilidad universal y siempre que asegure la funcionalidad de los espacios libres, dotaciones públicas y demás elementos del dominio público.»

El mismo precepto también legitima a los sujetos para la ocupación de espacios comunes necesarios para la realización de obras que consigan reducir, al menos, en un 30 por ciento la demanda energética anual de calefacción o refrigeración del edificio y que consistan en:

a) La instalación de aislamiento térmico o fachadas ventiladas por el exterior del edificio, o el cerramiento o acristalamiento de las terrazas ya techadas.

b) La instalación de dispositivos bioclimáticos adosados a las fachadas o cubiertas.

c) La realización de las obras y la implantación de las instalaciones necesarias para la centralización o dotación de instalaciones energéticas comunes y de captadores solares u otras fuentes de energía renovables, en las fachadas o cubiertas, cuando consigan reducir el consumo anual de energía primaria no renovable del edificio, al menos, en un 30 por ciento.

d) La realización de obras en zonas comunes o viviendas que logren reducir, al menos, en un 30 por ciento, el consumo de agua en el conjunto del edificio.

Las anteriores facultades se han visto arropadas por la modificación de la Ley 49/1960, de 21 de julio, sobre Propiedad Horizontal, («**LPH**») que realiza la disposición final primera de la LRRRU.

No obstante, destacar que a las asociaciones administrativas se les concede el poder dispositivo sobre elementos comunes de comunidad de propietarios y elementos privativos de los propietarios pertenecientes a ellas (viviendas, locales, etc.), incluso con poder dispositivo sobre ellos, con independencia de las limitaciones dispositivas propias de la legislación de propiedad horizontal.

La redacción del art. 10 LPH como consecuencia de la modificación que resulta de la disposición final primera LRRRU, determina el carácter obligatorio y exime de acuerdo previo de la Junta de Propietarios a determinadas actuaciones, con independencia de que éstas modifiquen o no el título constitutivo o los estatutos de la comunidad, se hayan impuesto por la Administración o se realicen a instancia de los propietarios.

Las actuaciones cuya ejecución impone la legislación de propiedad horizontal y elude de acuerdo previo son un desarrollo de las previsiones del art. 15 LRRRU y se concretan en las siguientes:

a) Los trabajos y las obras que resulten necesarias para el adecuado manteni-
    miento y cumplimiento del deber de conservación del inmueble y de sus
    servicios e instalaciones comunes, incluyendo, en todo caso, las necesarias
    para satisfacer los requisitos básicos de seguridad, habitabilidad y accesi-
    bilidad universal, así como las condiciones de ornato y cualesquiera otras
    derivadas de la imposición, por parte de la Administración, del deber legal
    de conservación.

b) Las obras y actuaciones que resulten necesarias para garantizar los ajus-
    tes razonables en materia de accesibilidad universal y, en todo caso, las
    requeridas a instancia de los propietarios en cuya vivienda o local vivan,
    trabajen o presten servicios voluntarios, personas con discapacidad, o ma-
    yores de setenta años, con el objeto de asegurarles un uso adecuado a sus
    necesidades de los elementos comunes, así como la instalación de rampas,
    ascensores u otros dispositivos mecánicos y electrónicos que favorezcan
    la orientación o su comunicación con el exterior, siempre que el importe
    repercutido anualmente de las mismas, una vez descontadas las subven-
    ciones o ayudas públicas, no exceda de doce mensualidades ordinarias
    de gastos comunes. No eliminará el carácter obligatorio de estas obras el
    hecho de que el resto de su coste, más allá de las citadas mensualidades,
    sea asumido por quienes las hayan requerido.

c) La ocupación de elementos comunes del edificio o del complejo inmobi-
    liario privado durante el tiempo que duren las obras a las que se refieren las
    letras anteriores.

d) La construcción de nuevas plantas y cualquier otra alteración de la estruc-
    tura o fábrica del edificio o de las cosas comunes, así como la constitución
    de un complejo inmobiliario, tal y como prevé el art. 17.4 TRLSE, que re-
    sulten preceptivos a consecuencia de la inclusión del inmueble en un ám-
    bito de actuación de rehabilitación o de regeneración y renovación urbana.

e) Los actos de división material de pisos o locales y sus anejos para for-
    mar otros más reducidos e independientes, el aumento de su superficie por
    agregación de otros colindantes del mismo edificio, o su disminución por
    segregación de alguna parte, realizados por voluntad y a instancia de sus
    propietarios, cuando tales actuaciones sean posibles a consecuencia de la
    inclusión del inmueble en un ámbito de actuación de rehabilitación o de
    regeneración y renovación urbanas.

El comentario detallado de las modificaciones producidas en la Ley de Propiedad Horizontal a causa de la disposición final primera de la LRRRU, será estudiada
posteriormente al abordar ésta.

En suma, la **facultad fiduciaria**, incluyendo la dispositiva, **que se concede a las
asociaciones administrativas,** tanto sobre elementos comunes como fincas privativas

sujetas a régimen de propiedad horizontal, tiene un alcance que transciende más allá de las actuaciones obligatorias recogidas en el art. 10 LPH, aunque éste es un respaldo a la ejecución de las actuaciones de rehabilitación edificatoria.

La asociación administrativa tendrá personalidad jurídica propia, independiente de los miembros que la compongan, con plena capacidad para el cumplimiento del objeto del concurso convocado por la Administración para la correspondiente actuación de rehabilitación, regeneración y renovación urbanas.

La capacidad fiduciaria que se atribuye a las asociaciones administrativas supone la transmisión por la ley del pleno dominio de los derechos reales afectados por la concreta actuación sobre:

a)   Inmuebles sujetos a Régimen de Propiedad Horizontal, sean elementos comunes o privativos.

b)   Fincas incluidas en el ámbito de actuación.

El requisito exigido para hacer uso del poder dispositivo sobre esos inmuebles concretos consiste en que los titulares de los mismos deben pertenecer a la asociación administrativa, lo que supondrá su afección a la actuación y la facultad fiduciaria de disposición sobre aquéllos.

Salvo que los estatutos de la asociación administrativa recojan lo contrario, la incorporación de sus titulares a la asociación administrativa no supondrá la transmisión de la titularidad de los inmuebles, si no que únicamente la potestad fiduciaria sobre ellos.

En último extremo, recordar que, con independencia de que el propietario forme parte de la asociación administrativa, la aprobación de la delimitación del ámbito de actuación conjunta o autorización de la actuación, determina la afección real en el Registro de la Propiedad de las fincas constitutivas de elementos privativos de regímenes de propiedad horizontal o de complejo inmobiliario privado, cualquiera que sea su propietario, al cumplimiento del deber de costear las obras.

   c) Asumir, por sí mismos o en asociación con otros sujetos, públicos o privados, intervinientes, la gestión de las obras.

La actuación de los sujetos legitimados como gestores de las obras ha sido abordado en el «epígrafe I» del análisis de este mismo artículo, por lo que nos remitimos a todo lo en él indicado.

Se ha realizado un paralelismo con la figura del agente urbanizador, muy especialmente cuando la gestión la realiza un particular que no es propietario de inmuebles en el ámbito de actuación o de las entidades administrativas colaboradoras (Juntas de Compensación y Entidades Urbanísticas Colaboradoras de Conservación), cuando participen propietarios afectados. La entidades colaboradoras a efectos de la ejecución de las actuaciones se configuran en la norma bajo la denominación de «asociaciones administrativas», con numerosas referencias en la norma y un tratamiento más detallado en los art. 15 y 16 LRRRU.

Cada uno de los sujetos legitimados puede ser titular de la gestión individual de las obras o bien hacerlo conjuntamente con otros.

Estos sujetos encuentran una herramienta que se configura como un instrumento jurídico que les ayuda a agruparse, adoptando una personalidad jurídica distinta a la de sus miembros, con la finalidad de la ejecución de la actuación concreta.

Destacar que en este caso nos estamos refiriendo a la «gestión de las obras» en clara similitud a la gestión urbanística, gestión que supone una actividad mucho más amplia que la mera ejecución, por cuanto que conlleva la responsabilidad sobre la total actuación.

> **d) Constituir un fondo de conservación y de rehabilitación, que se nutrirá con aportaciones específicas de los propietarios a tal fin y con el que podrán cubrirse impagos de las cuotas de contribución a las obras correspondientes.**

Para una mejor comprensión de esta facultad, es conveniente hacer una breve referencia del concepto de **Fondo de Reserva previsto en la LPH**, desde el momento de su creación hasta la actual redacción que presenta la propia legislación sobre propiedad horizontal.

El art. 9.f) LPH, redactado por el número tres de la Disposición final primera de la LRRRU, tiene una directa relación con la facultad en este apartado comentada y obliga a los copropietarios a:

> «f) Contribuir, con arreglo a su respectiva cuota de participación, a la dotación del fondo de reserva que existirá en la comunidad de propietarios **para atender las obras de conservación y reparación de la finca y, en su caso, para las obras de rehabilitación.**
>
> El fondo de reserva, cuya titularidad corresponde a todos los efectos a la comunidad, estará dotado con una cantidad que en ningún caso podrá ser inferior al 5 por ciento de su último presupuesto ordinario.
>
> Con cargo al fondo de reserva la comunidad podrá suscribir un contrato de seguro que cubra los daños causados en la finca o bien concluir un contrato de mantenimiento permanente del inmueble y sus instalaciones generales.»

La Disposición adicional única de la LPH detalla la creación del Fondo de Reserva en el momento de la constitución de la Comunidad de Propietarios, con importe mínimo del 2,5% del presupuesto de la Comunidad, así como la regularización anual de dicho importe, atendiendo al presupuesto ordinario de cada presupuesto.

La Reforma de la Ley de la Propiedad Horizontal de 1997 introdujo como nuevo elemento común de la Comunidad de Propietarios el Fondo de Reserva (art. 9.1.f) y Disposición adicional única de la LPH).

El Fondo de Reserva regulado en la normativa de propiedad horizontal tiene como finalidad la conservación y rehabilitación de los inmuebles, así como que éstas resulten afectadas por la falta de recursos de las comunidades para la conservación y mantenimiento de los inmuebles.

La nueva redacción del art. 10 LPH refuerza la obligación legal de los copropietarios de conservar los elementos comunes, deber relacionado con el art. 9.1, f) LPH, que impone la constitución del Fondo de Reserva con obligación de su dotación por cada uno de los copropietarios. Esta dotación resulta una garantía para el cumplimiento de la obligación de conservación de los elementos comunes, a la que se suma la de conservación y rehabilitación que tiene cada propietario sobre las partes privativas del inmueble.

Esta obligación de conservación de los propietarios sobre sus inmuebles se contiene en numerosa normativa sectorial estatal, autonómica y local.

El art. 16 de la Ley 38/1999, de 5 noviembre, de Ordenación de la Edificación obliga a conservar la edificación en buen estado mediante un adecuado uso y su mantenimiento.

La misma obligación de conservación la encontramos también contenida tanto en la legislación estatal de suelo estudiada (art. 9 TRLSE), como en la de las distintas Comunidades Autónomas (de todas ellas, a modo de ejemplo, el art. 168 y siguientes LSM); e incluso podemos encontrarla en las Ordenanza Municipales que los Ayuntamientos aprueben con la finalidad de regular la obligación de conservación y rehabilitación de terrenos y edificios, tal y como se plasma, entre otras muchas, en la Ordenanza de Conservación, Rehabilitación y Estado Ruinoso de las Edificaciones del Ayuntamiento de Madrid de 30 de noviembre de 2011.

El **Fondo de Conservación y de Rehabilitación**, que se configura por la LRRRU como una garantía para responder de las obligaciones de conservación frente a los impagos de las cuotas de contribución a las obras que correspondan a la actuación concreta, al igual que la finalidad que vimos se perseguía con el Fondo de Reserva en la legislación de propiedad horizontal.

El art. 15.3.d) LRRU no detalla los requisitos ni procedimiento para la constitución y creación del Fondo de Conservación y Rehabilitación; será cada Comunidad Autónoma la que se encargue de desarrollar esta facultad. Entre tanto se aborde este desarrollo, de forma analógica podemos aplicar lo previsto para el Fondo de Reserva en la Disposición Adicional de la LPH.

Por ello, la constitución del Fondo de Conservación y Rehabilitación se podrá exigir una vez aprobado el presupuesto de la actuación de rehabilitación y conservación, siempre con posterioridad a la firmeza administrativa de la delimitación de la actuación edificatoria e inicio de las actuaciones a realizar.

El estudio de viabilidad económica exigido por el art. 11 LRRRU puede contener una previsión de importe del fondo a constituir, en directa relación con las cargas que prevea en el ámbito de conservación y rehabilitación.

Los obligados a contribuir para su constitución y mantenimiento serán los propietarios, de conformidad con el porcentaje de participación en el edificio o ámbito a conservar o rehabilitar.

En coherencia con la legislación reguladora de la propiedad horizontal, el Fondo de Conservación y Rehabilitación supondrá un importe mínimo del cinco por ciento del presupuesto ordinario anual de la actuación de rehabilitación y conservación.

En el momento de su constitución, el Fondo de Conservación y Rehabilitación en ningún caso debería ser inferior al dos con cinco por ciento del presupuesto anual, elevándose al mínimo del cinco por ciento con la aprobación del siguiente presupuesto. Consideramos que en las obras que tengan una duración prevista inferior a la anualidad, el importe mínimo debería ser del cinco por ciento, para poder garantizar la contingencia real de impagos de cuotas a lo largo del plazo de ejecución.

Las cantidades detraídas del fondo para cubrir impagos deberán reintegrarse con aportaciones de los copropietarios, al menos, al inicio del ejercicio siguiente, y siempre que las necesidades de la ejecución de la actuación de conservación o rehabilitación lo requieran.

Recordar la obligación de los propietarios de pagar los costes de la actuación, lo que supone la afección registral, con carácter real, del inmueble, al cumplimiento de la obligación del deber de conservación.

Esta afección real tiene el mismo régimen que la que garantiza el pago de cargas de urbanización en las actuaciones de transformación urbanística.

El impago por parte de los propietarios morosos, aunque se supla transitoriamente mediante el Fondo de Conservación y Rehabilitación, deberá recaudarse por apremio o ante la jurisdicción civil de los propietarios o copropietarios incumplidores.

Cuando el propietario obligado sea único, operará la ejecución forzosa, con posibilidad de ejecución subsidiaria por parte de la Administración, repercutiendo los gastos al propietario. En este caso, el deber de conservación se eleva hasta el setenta y cinco por ciento del coste de reposición del edificio o construcción correspondiente (art. 9.1 TRLSE).

Una de las dificultades cada vez más habituales con la que se encuentra quien tiene encomendada la actividad de ejecución sistemática de la urbanización es la recaudación y cobro de las cuotas de urbanización en metálico.

> **e) Ser beneficiarios directos de cualesquiera medidas de fomento establecidas por los poderes públicos, así como perceptoras y gestoras de las ayudas otorgadas a los propietarios de fincas.**

Como punto inicial, es preciso definir las **medidas de fomento**, para luego abordar las cuestiones concernientes a su tratamiento y destino específico en la LRRRU.

El Profesor Jordana de Pozas clasificó las formas de la actividad administrativa en policía, fomento y servicio público, dividiendo la actividad de fomento en medios honoríficos, jurídicos y económicos. Como señala el Profesor Santamaría Pastor al referirse al anterior, esa división responde a los tres estímulos psicológicos principales de la acción humana: el honor, el derecho y el provecho, estímulos que desafortunadamente no son totalmente trasladables a nuestras fechas (37).

De los estímulos o medidas de fomento económicas, destacar las fiscales (desgravaciones, exenciones o régimen fiscal específico), medios crediticios (préstamos favorables en el tipo de interés, carencia, concesión; prestación de avales, etc.), actividad que hoy se materializan en las líneas de financiación del ICO y medios económicos puros que se concretan en las subvenciones.

Las subvenciones son una donación dineraria para un objetivo concreto, sin contraprestación directa de los beneficiarios, destinada a promover finalidad o actividad de utilidad pública o interés social, como son las actuaciones de rehabilitación, regeneración y renovación urbanas. En este sentido, el art. 2.1 de la Ley 38/2003, de 17 de noviembre, General de Subvenciones («LGS»).

> «Art. 2. Concepto de subvención
>
> 1. Se entiende por subvención, a los efectos de esta ley, toda disposición dineraria realizada por cualesquiera de los sujetos contemplados en el art. 3 de esta ley, a favor de personas públicas o privadas, y que cumpla los siguientes requisitos:
>
> a) Que la entrega se realice sin contraprestación directa de los beneficiarios.

---

(37) Santamaría Pastor, JA.: *Principios de Derecho Administrativo General II*, segunda edición, Iutel 2009. página 359 y siguientes.

b) Que la entrega esté sujeta al cumplimiento de un determinado objetivo, la ejecución de un proyecto, la realización de una actividad, la adopción de un comportamiento singular, ya realizados o por desarrollar, o la concurrencia de una situación, debiendo el beneficiario cumplir las obligaciones materiales y formales que se hubieran establecido.

c) Que el proyecto, la acción, conducta o situación financiada tenga por objeto el fomento de una actividad de utilidad pública o interés social o de promoción de una finalidad pública.»

El art. 3 LGS recoge el ámbito objetivo de la Ley, en cuanto a Administración concedente de las subvenciones, estando comprendidas en ella las Administraciones Públicas y las entidades públicas adscritas o dependientes de las mismas que detallan los art. 8, 9 y 15 LRRRU (38).

Las medidas de fomento previstas en la LRRRU serán esencialmente subvenciones y beneficios fiscales, destinadas a la promoción y estímulo de una actividad que es considerada de interés general por la Administración, como lo es la actividad de rehabilitación, regeneración y renovación.

El legislador faculta a los sujetos legitimados para ser:

---

(38)   «Artículo 3 Ámbito de aplicación subjetivo.
Las subvenciones otorgadas por las Administraciones públicas se ajustarán a las prescripciones de esta ley.
1. Se entiende por Administraciones públicas a los efectos de esta ley:
a) La Administración General del Estado.
b) Las entidades que integran la Administración local.
c) La Administración de las comunidades autónomas.
2. Deberán asimismo ajustarse a esta ley las subvenciones otorgadas por los organismos y demás entidades de derecho público con personalidad jurídica propia vinculadas o dependientes de cualquiera de las Administraciones públicas en la medida en que las subvenciones que otorguen sean consecuencia del ejercicio de potestades administrativas.
Serán de aplicación los principios de gestión contenidos en esta ley y los de información a que se hace referencia en el artículo 20 al resto de las entregas dinerarias sin contraprestación, que realicen los entes del párrafo anterior que se rijan por derecho privado. En todo caso, las aportaciones gratuitas habrán de tener relación directa con el objeto de la actividad contenido en la norma de creación o en sus estatutos.
3. Los preceptos de esta ley serán de aplicación a la actividad subvencional de las Administraciones de las comunidades autónomas, así como a los organismos públicos y las restantes entidades de derecho público con personalidad jurídica propia vinculadas o dependientes de las mismas, de acuerdo con lo establecido en la disposición final primera.
4. Será igualmente aplicable esta ley a las siguientes subvenciones:
a) Las establecidas en materias cuya regulación plena o básica corresponda al Estado y cuya gestión sea competencia total o parcial de otras Administraciones públicas.
b) Aquellas en cuya tramitación intervengan órganos de la Administración General del Estado o de las entidades de derecho público vinculadas o dependientes de aquélla, conjuntamente con otras Administraciones, en cuanto a las fases del procedimiento que corresponda gestionar a dichos órganos.

1. Beneficiarios directos de cualquiera de las medidas de fomento, con independencia de su condición de propietarios u obligación de contribuir a los costes de la actuación.

2. Ser perceptores y gestores de las ayudas otorgadas a los propietarios de las fincas.

    Legitima al responsable de la gestión o ejecución de la actuación a recibir directamente la ayuda correspondiente, generalmente en forma de subvención, para dedicarlas a su destino o finalidad, la actuación concreta. Dentro de la facultad de gestionar la actuación se incluye la de las ayudas que para ésta se concedan.

Cuando las medidas de fomento deban ser solicitadas como requisito para su concesión, los sujetos legitimados para ser sus beneficiarios o gestores deberán tramitar su concesión.

> **f) Otorgar escrituras públicas de modificación del régimen de propiedad horizontal, tanto en lo relativo a los elementos comunes como a las fincas de uso privativo, a fin de acomodar este régimen a los resultados de las obras de rehabilitación edificatoria y de regeneración y renovación urbanas en cuya gestión participen o que directamente lleven a cabo.**

Esta facultad está directamente relacionada con la modificación que la Disposición final primera de la LRRRU realiza en el art. 10 LPH.

La nueva redacción de este precepto exime de acuerdo previo de la Junta de propietarios para la ejecución de determinadas actuaciones impuestas por las Administraciones Públicas o solicitadas a instancia de los propietarios.

La exención de acuerdo previo de la Junta de propietarios tiene una relación previa con la actuación concreta y es independiente de su alcance de si implica o no la modificación del título constitutivo o los estatutos. Estas actuaciones relacionadas por el precepto son las siguientes:

a) Los trabajos y las obras que resulten necesarias para el adecuado mantenimiento y cumplimiento del deber de conservación del inmueble y de sus servicios e instalaciones comunes, incluyendo en todo caso, las necesarias para satisfacer los requisitos básicos de seguridad, habitabilidad y accesibilidad universal, así como las condiciones de ornato y cualesquiera otras derivadas de la imposición, por parte de la Administración, del deber legal de conservación.

b) Las obras y actuaciones que resulten necesarias para garantizar los ajustes razonables en materia de accesibilidad universal y, en todo caso, las requeridas a instancia de los propietarios en cuya vivienda o local vivan, trabajen o presten servicios voluntarios, personas con discapacidad, o mayores de setenta años, con el objeto de asegurarles un uso adecuado a sus necesidades de los elementos comunes, así como la instalación de rampas, ascensores u otros dispositivos mecánicos y electrónicos que favorezcan la orientación o su comunicación con el exterior, siempre que el importe repercutido anualmente de las mismas, una vez descontadas las subvenciones o ayudas públicas, no exceda de doce mensualidades ordinarias de gastos comunes. No eliminará el carácter obligatorio de estas obras el hecho de que el resto de su coste, más allá de las citadas mensualidades, sea asumido por quienes las hayan requerido.

c) La ocupación de elementos comunes del edificio o del complejo inmobiliario privado durante el tiempo que duren las obras a las que se refieren las letras anteriores.

d) La construcción de nuevas plantas y cualquier otra alteración de la estructura o fábrica del edificio o de las cosas comunes, así como la constitución de un complejo inmobiliario, tal y como prevé el art. 17.4 TRLSE, que resulten preceptivos a consecuencia de la inclusión del inmueble en un ámbito de actuación de rehabilitación o de regeneración y renovación urbana.

e) Los actos de división material de pisos o locales y sus anejos para formar otros más reducidos e independientes, el aumento de su superficie por agregación de otros colindantes del mismo edificio, o su disminución por segregación de alguna parte, realizados por voluntad y a instancia de sus propietarios, cuando tales actuaciones sean posibles a consecuencia de la inclusión del inmueble en un ámbito de actuación de rehabilitación o de regeneración y renovación urbanas.

Se faculta a los sujetos legitimados a participar en la actividad de ejecución de las actuaciones a realizar las modificaciones relativas a elementos comunes o privativos, que resulten de la anterior enumeración y precisen otorgamiento de escrituras de modificación del régimen de propiedad horizontal.

Consideramos que también se les faculta para el otorgamiento de escrituras de modificación del régimen de propiedad horizontal que exceda de las actuaciones arriba detalladas, cuando se lleven a cabo en el marco de la ejecución de una actuación de rehabilitación edificatoria en la que sean los responsables de la ejecución, previo acuerdo de la Junta con el quórum legal preciso, de acuerdo con lo previsto en el art. 14 y siguientes LPH.

g) Ser beneficiarios de la expropiación de aquellas partes de pisos o locales de edificios, destinados predominantemente a uso de vivienda y constituidos en régimen de propiedad horizontal, que sean indispensables para instalar los servicios comunes que haya previsto la Administración en planes, delimitación de ámbitos y órdenes de ejecución, por resultar inviable, técnica o económicamente cualquier otra solución y siempre que quede garantizado el respeto de la superficie mínima y los estándares exigidos para locales, viviendas y espacios comunes de los edificios.

El concepto de beneficiario de la expropiación lo encontramos en el art. 2 LEF y 23.2 de su reglamento:

> «2. Además podrán ser beneficiarios de la expropiación forzosa por causa de utilidad pública las entidades y concesionarios a los que se reconozca legalmente esta condición.
>
> 3. Por causa de interés social podrá ser beneficiario, aparte de las indicadas, cualquier persona natural o jurídica en la que concurran los requisitos señalados por la Ley especial necesaria a estos efectos.»

El beneficiario de la expropiación lo podrá ser cualquiera de los sujetos legitimados para participar en la actuación que resulten adjudicatarios o responsables de su ejecución.

La condición legal de beneficiario de la expropiación le habilita para adquirir el bien o derecho expropiado que pasa a integrar su patrimonio y, como contrapartida, asume la obligación de abonar el justiprecio.

El bien expropiado del que resultarán beneficiarios los sujetos serán «aquellas partes de pisos o locales de edificios, destinados predominantemente a uso de vivienda y constituidos en régimen de propiedad horizontal, que sean indispensables para instalar los servicios comunes».

Para que exista causa de utilidad pública e interés social, es necesario que los servicios comunes indispensables hayan sido previstos por «la Administración en planes, delimitación de ámbitos y órdenes de ejecución».

Recordar que la delimitación de un ámbito de rehabilitación edificatoria, una vez firme en vía administrativa, comporta la declaración de utilidad pública o, en su caso, de interés social a los efectos expropiatorios (art. 12.1.a) LRRRU). Interés social que, a su vez, es requisito necesario para que una persona natural o jurídica obtenga el beneficio de la expropiación, en atención al art. 2.3 LEF.

El legislador no detalla cuales son estos servicios comunes, simplemente se remite a su previsión en planes, delimitación de ámbitos y órdenes de ejecución. Será en estos instrumentos normativos o administrativos en los que se determinen los servicios comunes que justifiquen la expropiación.

En todo caso, esos servicios comunes estarán justificados cuando nos encontremos en presencia de alguno de los supuestos detallados en la nueva redacción del art. 10 LPH como exentos del deber de acuerdo previo de la Junta de propietarios para implantarse:

> «a) Los trabajos y las obras que resulten necesarias para el adecuado mantenimiento y cumplimiento del deber de conservación del inmueble y de sus servicios e instalaciones comunes, incluyendo en todo caso, las nece-

sarias para satisfacer los requisitos básicos de seguridad, habitabilidad y accesibilidad universal, así como las condiciones de ornato y cualesquiera otras derivadas de la imposición, por parte de la Administración, del deber legal de conservación.

b) Las obras y actuaciones que resulten necesarias para garantizar los ajustes razonables en materia de accesibilidad universal y, en todo caso, las requeridas a instancia de los propietarios en cuya vivienda o local vivan, trabajen o presten servicios voluntarios, personas con discapacidad, o mayores de setenta años, con el objeto de asegurarles un uso adecuado a sus necesidades de los elementos comunes, así como la instalación de rampas, ascensores u otros dispositivos mecánicos y electrónicos que favorezcan la orientación o su comunicación con el exterior, siempre que el importe repercutido anualmente de las mismas, una vez descontadas las subvenciones o ayudas públicas, no exceda de doce mensualidades ordinarias de gastos comunes. No eliminará el carácter obligatorio de estas obras el hecho de que el resto de su coste, más allá de las citadas mensualidades, sea asumido por quienes las hayan requerido.»

Al establecer las reglas básicas para la ordenación y ejecución de las actuaciones, el art. 10 LRRRU legitima la ocupación de superficies comunes de uso privativo cuando no resulte técnica o económicamente viable ninguna otra solución a fin de garantizar la accesibilidad, al igual que los espacios requeridos para la mejora sustancial (en más de un 30%) la eficacia térmica y/o consumo de agua del edificio, en los siguientes términos:

«3. Será posible ocupar las superficies de espacios libres o de dominio público que resulten indispensables para la instalación de ascensores u otros elementos, así como las superficies comunes de uso privativo, tales como vestíbulos, descansillos, sobrecubiertas, voladizos y soportales, tanto si se ubican en el suelo, como en el subsuelo o en el vuelo, cuando no resulte viable, técnica o económicamente, ninguna otra solución para garantizar la accesibilidad universal y siempre que asegure la funcionalidad de los espacios libres, dotaciones públicas y demás elementos del dominio público. A tales efectos, los instrumentos de ordenación urbanística garantizarán la aplicación de dicha regla, bien permitiendo que aquellas superficies no computen a efectos del volumen edificable, ni de distancias mínimas a linderos, otras edificaciones o a la vía pública o alineaciones, bien aplicando cualquier otra técnica que, de conformidad con la legislación aplicable, consiga la misma finalidad.

4. Lo dispuesto en el apartado anterior será también de aplicación a los espacios que requieran la realización de obras que consignan reducir al menos, en un 30 por ciento la demanda energética anual de calefacción o refrigeración del edificio y que consistan en:

a) la instalación de aislamiento térmico o fachadas ventiladas por el exterior del edificio, o el cerramiento o acristalamiento de las terrazas ya techadas.

b) la instalación de dispositivos bioclimáticos adosados a las fachadas o cubiertas.

c) la realización de las obras y la implantación de las instalaciones necesarias para la centralización o dotación de instalaciones energéticas comunes y de captadores solares u otras fuentes de energía renovables, en las fachadas o cubiertas cuando consigan reducir el consumo anual de energía primaria no renovable del edificio, al menos, en un 30 por ciento.

d) La realización de obras en zonas comunes o viviendas que logren reducir, al menos, en un 30 por ciento, el consumo de agua en el conjunto del edificio.»

El precepto permite la ocupación tanto de dominio público como de elementos comunes o de uso privativo, especificando para el primero la necesidad de mantener su funcionalidad. Por razón del precepto comentado, en este caso la expropiación se refiere únicamente a elementos privativos, que se convertirían en comunes una vez expropiados en beneficio de la comunidad de propietarios, tal y como se razona más adelante.

La funcionalidad que también debe mantenerse en los elementos comunes, viviendas o locales de edificios constituidos en régimen de propiedad horizontal no se requiere en el art. 10 LRRRU antes citado, pero sí en la letra del precepto ahora objeto de análisis. Así, de su lectura, comprobamos dicha exigencia:

« (…) siempre que quede garantizado el respeto de la superficie mínima y los estándares exigidos para locales, viviendas y espacios comunes de los edificios.»

Ya se ha analizado con anterioridad que los requisitos sobre estándares y superficies mínimas se regulan esencialmente en el planeamiento general municipal, normativa sectorial en materia de prevención de incendios y Código Técnico de la Edificación.

Hay que considerar que el beneficio de la expropiación y, con ello, la adquisición de los bienes por el expropiado a cambio del pago del justiprecio, no tiene por qué estar ligado con la condición de responsable de la gestión de la actuación y, menos, con el de la ejecución material de las obras que requiera.

En los casos en que la gestión de la actuación se atribuya a los propietarios del edificio tiene todo el sentido, por cuanto que supone la adquisición de espacios, muchos de ellos de titularidad privada, para la implantación de servicios comunes previstos por la Administración en los planes. Sin embargo, cuando el responsable o gestor de la actuación sea un tercero, particular o público, no tiene lógica la adquisición de esas partes de pisos o locales para implantar servicios comunes.

La finalidad de la expropiación requiere que su beneficio se conceda a la Comunidad de Propietarios para que incorpore estos bienes a los elementos comunes de la Comunidad, aunque la gestión de la actuación de rehabilitación edificatoria corresponda a un tercero.

En este último caso operaría la facultad analizada en la letra anterior consistente en otorgar escrituras de modificación del régimen de propiedad horizontal, para acomodar la titularidad de esos bienes inicialmente privativos, adquiridos con destino a elemento común de la Comunidad (art. 15.3.f) LRRRU).

h) Solicitar créditos con el objeto de obtener financiación para las obras de conservación y las actuaciones reguladas por esta Ley.

El art. 17 LRRRU regula cómo la Administración, los agentes responsables de la gestión y ejecución de las actuaciones, así como cualquiera de los restantes sujetos legitimados para participar en la ejecución, pueden **suscribir entre ellos** los contratos que se indican en el propio precepto, con el objeto de obtener la oportuna financiación para la realización de las actuaciones.

Sin embargo, la solicitud de créditos a la que se legitima a los sujetos previstos en el art. 15.1 LRRRU, son créditos externos.

La financiación tiene por objeto las obras de conservación, regeneración y renovación previstas en la norma, pudiendo solicitarse por el responsable de la gestión de las mismas o por los obligados a su pago, entre los enunciados en el art. 8 LRRRU.

Especial interés despiertan las asociaciones administrativas, a las que se les atribuye carácter fiduciario con poder dispositivo sobre los inmuebles (art. 15.3.b) LRRRU). Entre las facultades de ésta se encuentra la de solicitar financiación y prestar garantía hipotecaria sobre los inmuebles incluidos en el ámbito de actuación o incluidos en la actuación aislada sobre el que tiene potestad fiduciaria.

Artículo 16. Asociaciones administrativas

1. Las asociaciones administrativas a que se refiere el artículo 15 tendrán personalidad jurídica propia y naturaleza administrativa, y se regirán por sus estatutos y por lo dispuesto en este artículo, con independencia de las demás reglas procedimentales específicas que provengan de la legislación de ordenación territorial y urbanística. Dependerán de la Administración urbanística actuante, a quien competerá la aprobación de sus estatutos, a partir de cuyo momento adquirirán la personalidad jurídica.

2. Los acuerdos de estas asociaciones se adoptarán por mayoría simple de cuotas de participación, salvo que en los estatutos o en otras normas se establezca un quórum especial para determinados supuestos. Dichos acuerdos podrán impugnarse en alzada ante la Administración urbanística actuante.

3. La disolución de las asociaciones referidas en este artículo se producirá por el cumplimiento de los fines para los que fueron creadas y requerirá, en todo caso, acuerdo de la Administración urbanística actuante. No obs-

tante, no procederá la aprobación de la disolución de la entidad mientras no conste el cumplimiento de las obligaciones que queden pendientes.

TRAMITACIÓN PARLAMENTARIA (1)

Proyecto de Ley publicado en el Boletín Oficial del Congreso de los Diputados de 12 de abril de 2013, Núm. 45-1.

«Artículo 16. Asociaciones administrativas

1. Las asociaciones administrativas a que se refiere el artículo 15 tendrán personalidad jurídica propia y naturaleza administrativa, y se regirán por sus estatutos y por lo dispuesto en este artículo, con independencia de las demás reglas procedimentales específicas que provengan de la legislación de ordenación territorial y urbanística. Dependerán de la Administración urbanística actuante, a quien competerá la aprobación de sus estatutos, a partir de cuyo momento adquirirán la personalidad jurídica.

2. Los acuerdos de estas asociaciones se adoptarán por mayoría simple de cuotas de participación, salvo que en los estatutos o en otras normas se establezca un quórum especial para determinados supuestos. Dichos acuerdos podrán impugnarse en alzada ante la Administración urbanística actuante.

3. La disolución de las asociaciones referidas en este artículo se producirá por el cumplimiento de los fines para los que fueron creadas y requerirá, en todo caso, acuerdo de la Administración urbanística actuante. No obstante, no procederá la aprobación de la disolución de la entidad mientras no conste el cumplimiento de las obligaciones que queden pendientes.»

Informe de la Ponencia del Congreso de 28 de mayo de 2013 publicada en el Boletín Oficial del Congreso de los Diputados de 31 de mayo de 2013, núm. 45-3.

«Artículo 16. Asociaciones administrativas

1. Las asociaciones administrativas a que se refiere el artículo 15 tendrán personalidad jurídica propia y naturaleza administrativa, y se regirán por sus estatutos y por lo dispuesto en este artículo, con independencia de las demás reglas procedimentales específicas que provengan de la legislación de ordenación territorial y urbanística. Dependerán de la Administración urbanística actuante, a quien competerá la aprobación de sus estatutos, a partir de cuyo momento adquirirán la personalidad jurídica.

---

(1)   No se produce alteración del texto del Proyecto de Ley durante la tramitación parlamentaria.

2. Los acuerdos de estas asociaciones se adoptarán por mayoría simple de cuotas de participación, salvo que en los estatutos o en otras normas se establezca un quórum especial para determinados supuestos. Dichos acuerdos podrán impugnarse en alzada ante la Administración urbanística actuante.

3. La disolución de las asociaciones referidas en este artículo se producirá por el cumplimiento de los fines para los que fueron creadas y requerirá, en todo caso, acuerdo de la Administración urbanística actuante. No obstante, no procederá la aprobación de la disolución de la entidad mientras no conste el cumplimiento de las obligaciones que queden pendientes.»

Aprobación del Proyecto de Ley por la Comisión de Fomento con Competencia Legislativa Plena, publicado en el Boletín Oficial del Congreso de los Diputados de 4 de junio de 2013, número 45-4.

«Artículo 16. Asociaciones administrativas

1. Las asociaciones administrativas a que se refiere el artículo 15 tendrán personalidad jurídica propia y naturaleza administrativa, y se regirán por sus estatutos y por lo dispuesto en este artículo, con independencia de las demás reglas procedimentales específicas que provengan de la legislación de ordenación territorial y urbanística. Dependerán de la Administración urbanística actuante, a quien competerá la aprobación de sus estatutos, a partir de cuyo momento adquirirán la personalidad jurídica.

2. Los acuerdos de estas asociaciones se adoptarán por mayoría simple de cuotas de participación, salvo que en los estatutos o en otras normas se establezca un quórum especial para determinados supuestos. Dichos acuerdos podrán impugnarse en alzada ante la Administración urbanística actuante.

3. La disolución de las asociaciones referidas en este artículo se producirá por el cumplimiento de los fines para los que fueron creadas y requerirá, en todo caso, acuerdo de la Administración urbanística actuante. No obstante, no procederá la aprobación de la disolución de la entidad mientras no conste el cumplimiento de las obligaciones que queden pendientes.»

Texto aprobado por el Pleno del Senado en su sesión de 19 de junio de 2013, publicado en el Boletín Oficial de las Cortes Generales, Senado, de 24 de junio de 2013.

«Artículo 16. Asociaciones administrativas

1. Las asociaciones administrativas a que se refiere el artículo 15 tendrán personalidad jurídica propia y naturaleza administrativa, y se regirán por sus estatutos y por lo dispuesto en este artículo, con independencia de las demás reglas procedimentales específicas que provengan de la legislación de ordenación territorial y urbanística. Dependerán de la Administración

urbanística actuante, a quien competerá la aprobación de sus estatutos, a partir de cuyo momento adquirirán la personalidad jurídica.

2. Los acuerdos de estas asociaciones se adoptarán por mayoría simple de cuotas de participación, salvo que en los estatutos o en otras normas se establezca un quórum especial para determinados supuestos. Dichos acuerdos podrán impugnarse en alzada ante la Administración urbanística actuante.

3. La disolución de las asociaciones referidas en este artículo se producirá por el cumplimiento de los fines para los que fueron creadas y requerirá, en todo caso, acuerdo de la Administración urbanística actuante. No obstante, no procederá la aprobación de la disolución de la entidad mientras no conste el cumplimiento de las obligaciones que queden pendientes.»

CONCORDANCIAS CON TRLSE

Artículos 2, 3, 6, 8, 9, 10, 11, 14, 16, 17, 18 y 19 TRLSE.

COMENTARIO (2)

Sumario

1. Planteamiento.
2. Régimen jurídico, constitución y composición.
3. Funcionamiento y régimen de acuerdos.
4. Disolución de las acociaciones administrativas.

1. PLANTEAMIENTO

Este precepto tiene por objeto las asociaciones administrativas que se constituyan a efecto de participar en actuaciones de rehabilitación edificatoria y en las de regeneración y renovación urbanas.

El interés de las asociaciones administrativas es doble:

a) Por un lado, al ser un requisito para licitar en los concursos públicos que convoque la Administración para adjudicar la gestión de una actuación de iniciativa pública, por requerirse su constitución a cualquier persona física o jurídica que quiera licitar en el concurso (artículo 13.3 LRRRU).

---

(2) Comentario a cargo de Alfonso Vázquez Oteo. Abogado. Doctor en Derecho. Profesor Honorario de Derecho Administrativo.

b) Por otro lado, es una posibilidad que confiere el legislador para que se agrupen varios de los sujetos legitimados para gestionar una actuación.

Las asociaciones administrativas son una alternativa a las fórmulas asociativas y de colaboración administrativa previstas en el artículo 13.3 LRRRU, en directa relación con el artículo 6 LRJPAC. Las Administraciones Públicas y entidades públicas adscritas o dependientes de ellas pueden suscribir convenios de colaboración entre ellas para la ejecución de las actuaciones en estudio, incluso concediendo su ejecución y gestión a entes asociados con personalidad jurídica propia como son los Consorcios (artículo 12 RGU y 13.3 LRRRU) o a una empresa mixta (artículo 21 RGU y 13.3 LRRRU).

Mientras que el artículo 13.3 LRRU exige participación mayoritaria y control efectivo en la organización común que se constituya para la ejecución de un convenio entre Administraciones Públicas (consorcio o empresa pública mixta), las asociaciones administrativas permiten una composición y porcentaje de participación libre.

En suma, en los supuestos de gestión indirecta de la actuación rehabilitadora o de regeneración y renovación, los sujetos legitimados podrán agruparse para su gestión y ejecución en una asociación administrativa que constituyan al efecto, dotada de personalidad jurídica propia e independiente de la de sus componentes.

Veremos que la voluntariedad de constitución de las asociaciones administrativas sólo se produce en las actuaciones de iniciativa privada, por cuanto que en las actuaciones de iniciativa pública es necesaria la constitución de una asociación administrativa si se pretende licitar para su ejecución, artículo 13.3 en relación con los artículos 15 y 16 LRRRU.

Para el análisis del precepto se seguirá su propia sistemática, marcada por los epígrafes en que se divide. Inicialmente se abordará la constitución y composición de las asociaciones administrativas, para seguir a continuación con su funcionamiento y régimen de acuerdos, concluyendo finalmente con su extinción o disolución.

2. RÉGIMEN JURÍDICO, CONSTITUCIÓN Y COMPOSICIÓN

Las asociaciones administrativas tienen personalidad jurídica propia, independiente a la de los sujetos que las integran y naturaleza administrativa en el ejercicio de la actividad pública referente a la actuación de rehabilitación, regeneración o renovación, cuya ejecución tengan encomendada.

El concepto de asociaciones administrativas se incluye en el RGU como una de las categorías de las Entidades Urbanísticas Colaboradoras mediante las que los interesados pueden participar en la gestión urbanística, concretamente cuando ésta se ejecuta por el sistema de ejecución de compensación.

La clasificación de Entidades Urbanísticas Colaboradoras incluidas en el artículo 24 RGU son las siguientes:

a) Juntas de Compensación.

b) Las **Asociaciones administrativas de propietarios** en el sistema de cooperación.

c) Las Entidades de conservación.

Mientras que en las asociaciones administrativas constituidas en el marco de la ejecución del sistema de cooperación la asociación se conforma por propietarios afectados por la ejecución dentro de este sistema en el que la Administración es la encargada de la gestión y ejecución, el modelo de las asociaciones administrativas ahora estudiadas permite una participación y composición mucho más variada y versátil.

Las asociaciones administrativas que ahora nos ocupan pueden constituirse por propietarios que coadyuven o colaboren con la administración cuando ésta sea la que gestione y ejecute directamente la actuación, al igual que ocurre con las asociaciones administrativas de propietarios en el sistema de cooperación, siendo su constitución voluntaria (3).

---

(3)   Es clarificadora para este estudio la regulación de las asociaciones administrativas de propietarios que se contiene en el Reglamento de Gestión Urbanística, concretamente en los artículos 191 a 193, en desarrollo del artículo 24, que simplemente las enuncia:
      «Asociaciones administrativas de cooperación
      Artículo 191
      1. En el sistema de cooperación, los propietarios de las fincas de un polígono o unidad de actuación podrán constituir asociaciones administrativas con la finalidad de colaborar en la ejecución de las obras de urbanización.
      2. Las Asociaciones administrativas de cooperación se formarán por iniciativa de los propietarios o de la Administración actuante.
      Artículo 192
      1. Las Asociaciones administrativas de cooperación estarán constituidas por los propietarios de bienes que se incorporen a las mismas dentro de un polígono o unidad de actuación. La pertenencia a una asociación será voluntaria, pero no podrá constituirse más de una en cada polígono o unidad de actuación.
      2. Las normas o estatutos por los que haya de regirse la asociación serán sometidos a la aprobación de la Administración actuante. Acordada, en su caso, la aprobación, se inscribirá en el Registro de Entidades Urbanísticas Colaboradoras.
      3. Los propietarios constituidos en asociación elegirán de entre ellos un Presidente, que tendrá la representación de todos y a través del cual se establecerán las relaciones con la Administración actuante.
      4. Los acuerdos de la Asociación administrativa de cooperación se adoptarán siempre por mayoría de los presentes, ejercitando voto personal.
      Artículo 193
      Serán funciones de las Asociaciones administrativas de cooperación las siguientes:

A diferencia de las asociaciones administrativas de cooperación, las asociaciones administrativas constituidas en el marco de las actuaciones en estudio pueden constituirse tanto para participar y colaborar con un tercer sujeto responsable de la gestión y ejecución, como para postularse o ser responsable de esa ejecución y gestión de la actuación.

Además, comprobaremos que la posibilidad de composición de las asociaciones administrativas es mucho más amplia, al estar legitimados para conformarlas todos los sujetos que se enuncian en el artículo 15.1 LRRRU, tal y como se abordará más adelante.

Por remisión expresa del artículo 13.1 el régimen preferente de regulación de las asociaciones administrativas es el urbanístico, concretamente el regulado en la legislación territorial y urbanística de cada Comunidad Autónoma. Con carácter supletorio, para todo aquello no previsto en la legislación urbanística autonómica, será de aplicación la LRRRU, muy especialmente el artículo 16 objeto de análisis.

Se pretende por el legislador dar una regulación uniforme en las actuaciones de rehabilitación, de regeneración y renovación en la legislación urbanística, con las especialidades concretas que detalla la LRRRU para este tipo de actuaciones.

Las asociaciones administrativas pertenecen a lo que se conoce como **Administración corporativa de base privada** en la que, dependiendo de la actividad que ejerzan, sus actos tendrán carácter público o privado con la diferencia en el régimen jurídico de aplicación, público o privado, atendiendo caso por caso al tipo de actividad.

Nos situamos ante lo que se conoce como una asociación de base legal, a la que se le puede atribuir el ejercicio o gestión de unas determinadas funciones públicas, en virtud del acuerdo de la Administración de encomendarle la gestión de una actuación concreta.

Cuando la **iniciativa de la actuación es privada,** la constitución de una asociación es voluntaria y no necesaria. Para ser el responsables de su ejecución y gestión pueden postularse cualquiera de los sujetos legitimados por el artículo 15 LRRRU,

---

a) Ofrecer a la Administración sugerencias referentes a la ejecución del plan en el polígono o unidad de actuación de que se trate.

b) Auxiliar a la Administración en la vigilancia de la ejecución de las obras y dirigirse a ella denunciando los defectos que se observen y proponiendo medidas para el más correcto desarrollo de las obras.

c) Colaborar con la Administración para el cobro de las cuotas de urbanización.

d) Examinar la inversión de las cuotas de urbanización cuyo pago se haya anticipado, formulando ante la Administración actuante los reparos oportunos.

e) Gestionar la concesión de los beneficios fiscales que procedan.

f) Promover con la Administración actuante Empresas mixtas para la ejecución de obras de urbanización en el polígono o unidad de actuación.»

entre los que se encuentran las propias asociaciones administrativas, junto con la Administración territorial e instrumental, los propietarios y titulares de derechos reales o de aprovechamiento y la iniciativa empresarial. Cada uno de los sujetos legitimados puede ser el agente responsable de la gestión y ejecución de la actuación, sin necesidad de constituir una asociación administrativa.

Por el contrario, **cuando la iniciativa de la actuación es pública y la Administración decide la adjudicación de la ejecución de las obras y su gestión mediante concurso público**, los sujetos legitimados para participar en la actuación por el artículo 15, con carácter preceptivo y previo a licitar, deben constituir una asociación administrativa, según requiere el artículo 13.3 LRRRU:

> «(…) En dichos concursos podrán presentar ofertas cualesquiera personas físicas o jurídicas, interesadas en asumir la gestión de la actuación, incluyendo los propietarios que formen parte del correspondiente ámbito. **A tales efectos, éstos deberán constituir previamente una asociación administrativa** que se regirá por lo dispuesto en la legislación de ordenación territorial y urbanística, en relación con las Entidades Urbanísticas de Conservación. (…)»

Las asociaciones constituidas con esta finalidad, obligatoria y de carácter legal para poder postularse en concursos para ejecutar actuaciones de iniciativa pública, no encajan con el derecho constitucional a la asociación previsto en el artículo 22 CE y, por su emplazamiento en la norma, uno de los derechos fundamentales que ésta reconoce.

En los casos en que la asociación resulta obligatoria y se rija por una Ley especial, como es la asociación administrativa que nos ocupa, su regulación corresponde a esa normativa especial y no a la Ley Orgánica 1/2002, de 22 de marzo, reguladora del Derecho de Asociación («**LODA**»).

En este orden de cosas, es clarificadora la Sentencia de Tribunal Constitucional 67/1985, de 24 de mayo, con el siguiente fundamento a lo que ahora interesa:

> «Uno de los problemas que se plantea en el estado social y democrático de derecho es determinar en qué medida el Estado puede organizar su intervención en diversos sectores de la vida social a través de la regulación de asociaciones privadas a las que confiere el ejercicio de funciones públicas de carácter administrativo relativas a todo un sector… Cuando el Estado utiliza la vía asociativa para atribuir a un determinado tipo de asociaciones el ejercicio de funciones públicas de carácter administrativo en indeterminado sector de la vida social puede limitar el número de asociaciones al que atribuye el ejercicio de tales funciones»

A la vista de lo anterior, concluimos que el carácter voluntario en las actuaciones de iniciativa privada y carácter obligatorio en las actuaciones de iniciativa pública es previo e independiente de la adjudicación del ejercicio de una actividad pública.

Estas características suponen la aplicación de un régimen especial a las asociaciones administrativas, que encuentra su regulación específica en la LRRRU y normativa urbanística de cada una de las Comunidades Autónomas. Son asociaciones privadas de configuración legal, tal y como lo son el resto de las entidades urbanísticas colaboradoras, según ha reconocido el Tribunal Supremo, entre otras, en su sentencia de la Sala Tercera de 22 de abril de 1994. Así también en la sentencia del Tribunal Supremo, Sala Tercera, de lo Contencioso-administrativo, Sección 7.ª, Sentencia de 25 de mayo de 1993, Ponente: Excmo. Sr. don Luis Alfonso Burón Barba (LA LEY 2467/1993).

Esta última sentencia resuelve un recurso en el que es relevante determinar la naturaleza jurídica de las Entidades Urbanísticas de Colaboración. Concluye que son asociaciones privadas de configuración legal y de naturaleza administrativa y no el resultado del ejercicio del derecho fundamental de asociación previsto en el artículo 22 CE, en los siguientes términos:

> «Segundo. La cuestión esencial es la de si las Asociaciones recurrentes —hoy apelantes— son resultado del puro ejercicio del derecho fundamental consagrado en el art. 22 de la Constitución Española, teniendo en cuenta que las entidades personadas en los recursos iniciales y la apelación traen causa de una Asociación de Propietarios que consintió la transformación de la misma en Entidades Urbanísticas Colaboradoras —S. y V.— cuyos estatutos fueron aprobados por el Ayuntamiento de San Javier (Murcia).
>
> Tercero. No cabe duda sobre el carácter administrativo de las Entidades Colaboradoras, y en particular no cabe duda tampoco de la sujeción de tales entidades a la llamada Ley del Suelo —(Texto refundido aprobado por el Real Decreto 1346/1976)— y al Reglamento de Gestión Urbanística (RD 3288/1978), adaptándose al mismo en cuanto a la disolución de dichas colaboradoras a sus propios estatutos y al art. 30 del Real Decreto antes citado, (3288/1978) en cuanto asumieron expresamente el carácter administrativo de dichos Colaboradores. No se ha dilucidado claramente si la primitiva Asociación de Propietarios se transformó por entero o siguió existiendo en cuanto asociación que podía subsistir para fines lícitos distintos de los que habían asumido al transformarse en Colaboradores dependientes en cuanto tales del Ayuntamiento.
>
> Cuarto. Tanto así se entiende que subsiste la primitiva asociación regida por la Ley de Asociaciones y amparada por el art. 22 de la Constitución Española, como si se considera que hubo transformación completa, con extinción de la anterior es evidente que la Resolución de 28 de diciembre de 1989 no afecta nada más que las Entidades Colaboradoras de carácter

administrativo, y no a ninguna asociación incardinable en el citado precepto constitucional.»

El carácter prevalente de la aplicación de la LRRRU y los estatutos de la propia asociación viene recogido expresamente en su artículo 16.1:

> «... **se regirán por sus estatutos y por lo dispuesto en este artículo,** con independencia de las demás reglas procedimentales específicas que provengan de la legislación de ordenación territorial y urbanística. (...)»

El legislador estatal no siempre deja del todo clara la prevalencia de la regulación de la LRRRU y estatutos frente a la legislación de ordenación territorial y urbanística autonómica, al establecer en el artículo 15.1 LRRRU una remisión a la legislación sobre ordenación territorial y urbanística y, en su defecto o supletoriamente, por la regulación específica sobre las asociaciones del artículo 16 LRRRU:

> «(...) y las asociaciones administrativas que se constituyan por ellos de acuerdo con lo previsto en la legislación sobre ordenación territorial y urbanística o, en su defecto, por el artículo siguiente.»

Previamente, el artículo 13.3 LRRRU exige la constitución de una asociación administrativa por las personas interesadas en concurrir en concurso convocado por la Administración para adjudicar la gestión de una actuación de iniciativa pública. Este precepto establece que la asociación administrativa que se constituya ha de regirse por lo dispuesto en la legislación de ordenación territorial y urbanística, en relación con las Entidades Urbanísticas de Conservación:

> « En dichos concursos podrán presentar ofertas cualesquiera personas físicas o jurídicas, interesadas en asumir la gestión de la actuación, incluyendo los propietarios que formen parte del correspondiente ámbito. **A tales efectos, éstos deberán constituir previamente una asociación administrativa que se regirá por lo dispuesto en la legislación de ordenación territorial y urbanística, en relación con las Entidades Urbanísticas de Conservación.**»

La aparente contradicción en la determinación del régimen jurídico aplicable (normativa y orden de aplicación) puede generar inseguridad jurídica aunque una lectura detallada del artículo 15 LRRRU permite una interpretación sistemática y global de la norma, eliminando cualquier duda al respecto, teniendo prevalencia la legislación sobre ordenación territorial y urbanística.

Así, a modo de ejemplo, veremos que la legislación de ordenación urbanística exige la inscripción en un registro administrativo para la constitución y adquisición de personalidad de las entidades urbanísticas colaboradoras, mientras que en el artículo 16.1 LRRRU, la adquisición de personalidad jurídica de la asociación se alcanza con la mera aprobación de sus estatutos, cuya especialidad y relevancia en estas asociaciones se aborda al final de este epígrafe.

Por razón del artículo 15 LRRRU debe acudirse inicialmente a la regulación de ordenación territorial y urbanística. De esta forma, la prelación normativa en la regulación del régimen de las asociaciones administrativas se encuentra, primero, en dicha normativa de ordenación del territorio y urbanística de aplicación en la actuación correspondiente, y supletoriamente, para todo aquello no regulado por ésta, en la LRRRU.

Recordemos que el artículo 16 LRRRU tiene por objeto exclusivo la regulación de las asociaciones administrativas, en toda su extensión, a todas las asociaciones administrativas a las que se refiere el artículo 15 LRRRU, entre las que se incluyen las recogidas en el artículo 13.3 LRRRU referentes a las que se constituyan para participar en concursos públicos que se regirán preferentemente por el régimen de las Entidades Urbanísticas de Conservación previsto en la Comunidad Autónoma correspondiente.

Por tanto, insistir en la prevalencia de la aplicación de las normas contenidas en la legislación de ordenación territorial y urbanística y supletoria de las previsiones del artículo 16 LRRRU, al que se imbricarán las restantes reglas contenidas sobre las asociaciones administrativas en la misma Ley y, para lo no regulado por ésta, habrá que acudir a la normativa en materia de ordenación territorial y urbanística de la Comunidad Autónoma correspondiente.

A modo de ejemplo, esta interpretación supone la adquisición de personalidad jurídica de una asociación administrativa con la aprobación de sus estatutos por la administración actuante siempre que no exista previsión en contra en la legislación urbanística (artículo 16.1 LRRRU). Así ocurrirá aún cuando su finalidad sea la de concurrir en concurso convocado por la Administración para adjudicar la gestión de una actuación de iniciativa pública, en la que la asociación administrativa se rige por el régimen urbanístico de las Entidades Urbanísticas de Conservación, a las que la legislación urbanística requiere su previa inscripción en registro administrativo para la adquisición de personalidad jurídica (art. 13.3 LRRRU) (4).

Las asociaciones administrativas podrán estar **compuestas** por uno o varios de los sujetos legitimados en participar en las actuaciones de rehabilitación edificato-

---

(4) Así por ejemplo, en la legislación urbanística valenciana en la que se requiere la inscripción en registro administrativo para la adquisición de la personalidad jurídica por las Entidades Urbanísticas de Conservación, concretamente en el *artículo 444* del Decreto 67/2006, de 19 de mayo, del Consell, por el que se aprueba el Reglamento de Ordenación y Gestión Territorial y Urbanística («ROGTU») en desarrollo del artículo 188 de la Ley Urbanística Valenciana:
«5. Las Entidades urbanísticas de conservación adquieren personalidad jurídica desde el momento de su inscripción en el Registro Urbanístico de la Comunitat Valenciana, Sección de Agrupaciones de Interés Urbanístico.»

ria y en las de regeneración y renovación urbana (artículo 16.1 en relación con el artículo 15.1 LRRRU).

Subrayar igualmente que cuando el legislador enuncia en el artículo 15.1 LRRRU los sujetos legitimados para participar en la ejecución de las actuaciones, otorga por duplicado la legitimación a las asociaciones administrativas, como si se tratase de dos sujetos distintos, lo que también puede generar dudas interpretativas de la norma:

> «1. Podrán participar en la ejecución de las actuaciones de rehabilitación edificatoria y en las de regeneración y renovación urbanas, además de las Administraciones Públicas competentes, las entidades públicas adscritas o dependientes de las mismas y las comunidades y agrupaciones de comunidades de propietarios, las cooperativas de viviendas y **las asociaciones administrativas constituidas al efecto,** los propietarios de terrenos, construcciones, edificaciones y fincas urbanas y los titulares de derechos reales o de aprovechamiento, así como las empresas, entidades o sociedades que intervengan por cualquier título en dichas operaciones y **las asociaciones administrativas que se constituyan por ellos** de acuerdo con lo previsto en la legislación sobre ordenación territorial y urbanística o, en su defecto, por el artículo siguiente.»

Podríamos pensar que la segunda de las referencias se hace a entidades urbanísticas colaboradoras, como son las Juntas de Compensación, Agrupaciones de Interés Urbanístico, etc. Entidades diferentes de las asociaciones administrativas y que se han constituido previamente conforme la normativa urbanística autonómica que les resulta de aplicación. Si así fuese, hubiera sido conveniente que el legislador lo hubiese especificado y no incluir, como hace, a estas entidades urbanísticas bajo la denominación común de asociaciones administrativas, por cuanto que tienen un régimen específico en la LRRRU para las concretas actuaciones de rehabilitación, regeneración y renovación urbanas.

Señalado lo anterior, no se encuentra ninguna objeción a la legitimación de las entidades urbanísticas colaboradoras tradicionales para participar en estas actuaciones, si ya estuviesen constituidas, al tener una personalidad jurídica propia. En todo caso, la participación sería sobre ámbitos en los que coincidiese su objeto y cuando estuviesen previamente constituidas. En otro caso, consideramos necesaria la constitución de una asociación administrativa para la actuación, de conformidad con el régimen previsto en la LRRRU (5).

---

(5) Cabe la posibilidad de la coexistencia de una asociación administrativa responsable de la ejecución y gestión y otra conformada por los propietarios que colaboren con aquella.

La composición de las asociaciones administrativas puede comprender a varios de los sujetos legitimados para la ejecución de la actuación, tal y como se desprende de la letra del precepto aquí analizada.

La composición múltiple aporta mayor facilidad para la ejecución y mayor consenso. De esta forma, si se agrupa en una asociación a propietarios, empresa gestora de la actuación o inmobiliaria, empresas urbanizadoras o constructoras, empresas o entidades financieras, e incluso a una Administración, tendremos como resultado una persona jurídica que convoca intereses y conocimientos necesarios para el buen fin de la actuación.

Se crea un vínculo de dependencia directa de la asociación con la Administración urbanística actuante, generalmente el Ayuntamiento donde radique el ámbito de actuación. La asociación administrativa ejercerá competencias delegables de la Administración bajo la tutela y dependencia del Ayuntamiento correspondiente, que es quien tiene atribuida, entre otras facultades, la aprobación de los estatutos y nacimiento de la asociación, resolución de los recursos administrativos que se presenten contra acuerdos de la asociación, así como el acuerdo por el que apruebe su disolución y extinción.

Los **estatutos de la asociación administrativa** toman una relevancia mayor que la que ya de por sí tienen en las entidades urbanísticas colaboradoras. La aprobación de los estatutos supone la adquisición de la personalidad jurídica de la asociación administrativa **sin la necesidad de inscripción en registro correspondiente de entidades urbanísticas colaboradoras,** tal y como tradicionalmente se ha requerido por la normativa urbanística, en la que la inscripción tiene carácter constitutivo y determina el nacimiento de la personalidad jurídica, así por el artículo 163.7 RGU, artículo 124.1 TRLOTAU, artículo 188 LUV y 444 del Decreto 67/2006, de 19 de mayo, del Consell, por el que se aprueba el Reglamento de Ordenación y Gestión Territorial y Urbanística («**ROGTU**»).

Parece lógico que no se exija la inscripción de la asociación en el correspondiente Registro público, siendo suficiente la aprobación por la Administración actuante de los correspondientes estatutos.

Decimos que es lógico, por cuanto que la constitución de una asociación administrativa no tiene un carácter finalista, como ocurre con las entidades urbanísticas colaboradoras en las que ya existe un destino cierto de ejecutar una actuación por un sistema de ejecución privado (junta de compensación como responsable de la gestión del sistema de compensación o equivalente), asociaciones de propietarios en el sistema de cooperación o equivalente y entidades urbanísticas de conservación que tienen por objeto el mantenimiento y conservación de las obras públicas de urbanización.

La agilidad en la adquisición de la personalidad jurídica es una razón para omitir la necesidad de inscripción en el registro público de las asociaciones administrativas. Muy especialmente cuando su constitución es un requisito imprescindible para licitar en los concursos convocados para adjudicar actuaciones de iniciativa pública en los que no habría excesivo plazo para el cumplimiento del requisito de su inscripción.

No obstante, recordar en este punto que la inscripción en Registro no siempre ha sido un requisito constitutivo del nacimiento de la personalidad jurídica de las entidades urbanísticas colaboradoras; no lo era en la legislación urbanística navarra, tal y como se desprendía de la disposición adicional primera del Reglamento aprobado por el Decreto 85/1995, de 3 de abril, que desarrolla la anterior Ley Foral 10/1994, de 4 de julio, de Ordenación del Territorio y Urbanismo, derogada por la Ley 35/2002, de 20 de diciembre, de Ordenación del Territorio y Urbanismo.

Las entidades urbanísticas colaboradoras tienen su regulación general en los artículos 24 a 30 RGU. No se detalla el contenido mínimo de los estatutos, por lo que debemos acudir a la regulación supletoria del artículo 166 RGU, dedicado a los estatutos de las Juntas de Compensación, y a la normativa autonómica en materia de entidades urbanísticas colaboradoras.

La redacción y preparación de los estatutos de la asociación administrativa corresponde a cualquiera de los sujetos legitimados para participar en las actuaciones, de forma individual o conjuntamente por varios de ellos, que quieran asumir su ejecución.

Una vez redactados los deben someter a su aprobación por parte de la Administración actuante, generalmente el Ayuntamiento en el que radique la actuación, para lo que se seguirá el procedimiento previsto en la legislación urbanística, al que se aplicarán las particularidades de la LRRRU (6).

Con el acuerdo de la Administración actuante de aprobación de la propuesta de estatutos se podrá otorgar escritura de constitución de la asociación que acompañará testimoniados sus estatutos. En la escritura de constitución deberán constar sus miembros y su legitimación para formar parte de ésta, así como las personas designadas para ocupar los cargos rectores y acuerdo de constitución.

Siguiendo este criterio, los Estatutos de las asociaciones administrativas deben incorporar el contenido mínimo que a continuación se detalla. Aprovechando el

---

(6)   A falta de una regulación específica por la legislación autonómica sobre el procedimiento de aprobación de estatutos, podrá adoptarse el previsto en la legislación autonómica para los de las Entidades Urbanísticas de Conservación, estatutos del sistema de compensación cuando exista, Agrupación de Interés Urbanístico o equivalente, etc. Supletoriamente se puede adoptar el procedimiento de aprobación de los proyectos de estatutos del artículo 161 y 162 RGU.
Este precepto exige la aprobación inicial seguida de información pública mediante su publicación en Boletín Oficial y notificación individual a los interesados para que realicen, en su caso, las alegaciones que estimen oportunas. Informadas las alegaciones, la Administración actuante aprobaría, en su caso, los estatutos, con publicación del acuerdo de aprobación y notificación a los interesados.

enunciado del contenido de los estatutos, se harán los oportunos comentarios, por entenderlo de interés:

a) Nombre, domicilio, objeto y fines.

b) Órgano urbanístico bajo cuya tutela se actúe, que será la Administración urbanística actuante conforme el artículo 16 LRRRU.

c) Ámbito de gestión y ejecución de la actuación rehabilitadora, de regeneración o de ordenación, sea mediante actuación conjunta o deba ejecutarse de manera aislada (artículos 10 y 12 LRRRU).

d) Duración, que en todo caso será hasta el cumplimiento de los fines para el que fueron creadas, con acuerdo expreso de disolución de la administración actuante (artículo 16.3 LRRRU).

e) Condiciones o requisitos para incorporarse a la asociación administrativa por los miembros no fundadores, cuando esté prevista esta posibilidad.

En las asociaciones que se constituyan para la ejecución de actuaciones de iniciativa privada, consideramos debiera existir la posibilidad de que cualquier otro de los sujetos legitimados pudiera incorporarse a las asociaciones, especialmente si se trata de los propietarios de bienes o titulares de derechos reales o de aprovechamiento en el ámbito.

Para las asociaciones administrativas que se constituyan para licitar en concurso convocado para ejecutar una iniciativa pública, la posibilidad de incorporarse a la asociación si resultase seleccionada sería un ofrecimiento a valorar positivamente para su adjudicación preferente.

Dentro de los criterios legales de adjudicación preferente de las ofertas que se presenten al concurso, se encuentran aquellas que «propongan términos adecuadamente ventajosos para los propietarios afectados, (…), estableciendo incentivos, atrayendo inversión y ofreciendo garantías o posibilidades de colaboración con los mismos».

Para el cumplimiento de estos criterios, las ofertas podrán incorporarlos desde el inicio, incorporando propietarios o inversores, u ofrecer la posterior incorporación de éstos a la asociación administrativa en las mismas condiciones que los *socios fundadores* o iniciales. En estos mismo términos se prevé esta posibilidad en el artículo 13.3 LRRRU.

Las condiciones de incorporación a la asociación administrativa del resto de los sujetos legitimados no debiera ser más gravosa que para los miembros que la fundaron.

Teniendo en cuenta que el artículo 15.1 LRRRU proclama una legitimación general para ejecutar las actuaciones, la posibilidad de incorporarse podría limitarse a titulares de bienes y derechos reales o de aprovechamiento en el ámbito de actuación o de cualquier otro. En este caso, se requeriría previo acuerdo con los miembros ya incorporados a la agrupación. El procedimiento para la incorporación a la asociación de particulares no propietarios se podrá regular conforme la letra f) siguiente.

El plazo para la adhesión inicial del resto de propietarios y titulares de derechos reales o de aprovechamiento debería estar limitado (7).

Una vez incorporado un propietario de bienes y derechos, la asociación tendrá potestad fiduciaria sobre sus bienes con pleno poder dispositivo, *ex lege* en las que tengan como objeto las actuaciones de iniciativa pública, atendiendo al artículo 15.3.b) LRRRU.

La transmisión de bienes y derechos de un asociado supondrá la subrogación del adquirente en los derechos y obligaciones del anterior titular, salvo que los estatutos aprobados y norma autonómica de aplicación dispongan lo contrario.

f) Condiciones o requisitos para incorporarse a la asociación de empresas urbanizadoras, gestoras, financieras y cualquier otra que se determine, si expresamente se previera la posibilidad de su participación.

En este punto nos remitimos a lo detallado en la letra anterior, para diferenciar la incorporación, posteriormente a su constitución, de dos tipos de sujetos legitimados para participar por el artículo 15.1 LRRRU para participar en la ejecución: (i) de los propietarios y titulares de derechos reales o de aprovechamiento y (ii) el resto de los sujetos legitimados por dicho precepto.

En este punto será de aplicación supletoria la normativa urbanística autonómica y el artículo 165 RGU.

g) Órganos de gobierno y administración, forma de designarlos y facultades de cada uno de ellos.

Salvo regulación contraria de los estatutos aprobados y legislación urbanística de aplicación, los órganos rectores o de gobierno por las que se regirán

---

(7) Ejemplo, un mes desde la notificación de la aprobación de los estatutos y constitución de la asociación o de la adjudicación de la actuación, en analogía a lo previsto en el artículo 162 RGU como plazo para incorporarse a la Junta de Compensación por los propietarios no adheridos en la escritura de constitución.

las asociaciones administrativas, bajo las denominaciones concretas previstas en la normativa urbanística de cada Comunidad Autónoma, serán:

(i) **Junta General.** Constituida por todos los miembros de la asociación, más un representante de la Administración actuante cuando así se recogiese en estatutos o normativa.

Entre otras, corresponderán a la Junta General las siguientes facultades:

— La modificación de los estatutos para su propuesta de aprobación al Ayuntamiento.

— Elección y nombramiento de los miembros de la Junta Directiva.

— Aprobación de los presupuestos de gastos e inversiones, ordinarios y extraordinarios.

— Aprobación de la Memoria anual y de las cuentas.

— Propuesta de disolución de la asociación al Ayuntamiento.

(ii) **Junta Directiva**. Estará constituida por un mínimo de tres miembros: Presidente, Tesorero y Secretario, elegidos por la Junta General. La Administración urbanística actuante, generalmente Ayuntamiento, podrá designar un representante que se integrará como vocal.

Entre otras, las facultades más destacables de la Junta Directiva, serán:

— Gestionar la asociación y el objeto para el que se ha constituido, de acuerdo con los estatutos y normativa de aplicación.

— Realizar todo tipo de actos de gestión a esos efectos, dentro de sus facultades estatutarias y de la normativa de aplicación.

— Ejecutar los acuerdos de la Asamblea General.

— Realizar la gestión económica de la asociación de conformidad con los presupuestos y acuerdos de la Asamblea.

— Informar a los miembros de los contratos, proyectos y actuaciones relevantes para la ejecución de la actuación, sometiendo a su consideración cualquier actuación relevante o de disposición para la que no exista un acuerdo previo.

— Preparar y formalizar, antes de la celebración de la correspondiente Asamblea General, la memoria anual y las cuentas del ejercicio anterior, así como el plan de actuación y presupuesto del ejercicio siguiente.

— Realizar todas las facultades de gobierno, organización y gestión que los estatutos no atribuyan expresamente a la Asamblea General.

Debe especificarse la vigencia para la elección y renovación de cargos, los cuales serán, con carácter general, anuales.

Los cargos deben ser comunicados fehacientemente a la Administración actuante. Su régimen retributivo y de compensación de gastos se fijarán bien en los estatutos o mediante acuerdo de la Junta General.

La pérdida de condición de miembro de la asociación supondrá la pérdida automática de miembro de la Junta Directiva, que podrá ser sustituido por quien designe ésta por mayoría, con duración hasta que se celebre la primera Asamblea ordinaria o extraordinaria en la que se designe su sustituto. Los estatutos también podrán hacer previsión de la condición de miembro de la Junta Directiva por inasistencia reiterada a sus reuniones.

h) Requisitos de la convocatoria de los órganos de gobierno y administración, requisitos y forma de la adopción de acuerdos, quórum mínimo y forma de computarse los votos, con expresión de los casos en que sean proporcionales al derecho o interés económico de cada miembro y aquellos otros en que el voto sea individualizado.

El criterio general, no vinculante, que establece el artículo 16.2 LRRRU es que el quórum requerido para la adopción de acuerdos sea el de mayoría simple de las cuotas.

i) Derechos y obligaciones de sus miembros, directamente ligadas con el objeto de la actuación y la oferta a presentar, en el caso de que la asociación se constituya para presentar oferta en concurso convocado para la ejecución de actuación de iniciativa pública.

j) Medios económicos y reglas para la exacción de aportaciones que, con carácter tanto ordinario como extraordinario, pudieran acordarse.

k) Expresión de los recursos que con arreglo a la Ley sean procedentes contra los acuerdos de la Junta.

El recurso que está regulado expresamente por el artículo 16.2 LRRRU es el recurso administrativo de alzada, previsto en los artículos 107, 114 y 115 LRJPAC.

l) Regulación de los medios económicos de la asociación administrativa, que estarán constituidos por las aportaciones de sus miembros, así como de las donaciones, subvenciones y restantes medidas de fomento que se le pudiesen otorgar.

Las aportaciones deberán aprobarse por la Junta General, determinando cuantía y plazo de ingreso o aportación voluntaria.

Salvo previsión en contra, la distribución de aportaciones entre los propietarios y titulares de derechos se realizará proporcionalmente a su cuota de participación en la actuación o cuota de valor del derecho aportado. Entre los propietarios regirá el siguiente criterio de distribución, que deberá ponderarse con la cuota de atribución a los no propietarios que pudiesen formar parte de la asociación administrativa (8):

(i) Conforme a la cuota que les esté asignada en la comunidad de propietarios, si se ha constituido una en régimen de propiedad horizontal.

(ii) En su defecto, a tenor de lo que dispongan los Estatutos de la asociación administrativa.

m) Normas sobre su disolución y liquidación, en desarrollo de las previsiones del artículo 16.3 LRRRU que requiere acuerdo expreso de disolución por parte de la Administración, previa acreditación del cumplimiento de las obligaciones de la actuación.

Un modelo completo del contenido de los estatutos y su tramitación, que es útil y de referencia en esta materia, se recoge por SANTOS DIEZ y CASTELAO RODRIGUEZ (9).

Se establece una **dependencia de las asociaciones urbanísticas de la Administración**, concretamente de «la Administración urbanística actuante», que generalmente se corresponderá con el Ayuntamiento en el que radique la actuación.

La dependencia se infiere del propio precepto 16 LRRRU comentado, que atribuye a la Administración la facultad de aprobar los estatutos que suponen el nacimiento o adquisición de la personalidad jurídica de la asociación, la competencia para resolver los recursos de alzada que se susciten contra los acuerdos de la asociación administrativa y, finalmente, en la medida en que se requiere la aprobación expresa de su disolución.

---

(8) Este es el criterio seguido por el artículo 445 ROGTU al regular el régimen jurídico de las entidades urbanísticas de conservación en la Comunidad Valenciana, y que consideramos es de plena aplicación cuando la asociación administrativa esté participada por propietarios, incorporando los coeficientes correctores para atribuir cuota de participación a los no propietarios.

(9) SANTOS DIEZ, R. y CASTELAO RODRÍGUEZ, J., en *Derecho Urbanístico. Manual para Juristas y Técnicos*, Editorial La Ley, en 7.ª edición, Madrid — 2008, páginas 786 y siguientes. Recogiendo a su vez cita de BALLESTEROS FERNÁNDEZ, en «El sistema de compensación», El Consultor de los Ayuntamientos y de los Juzgados, 21, 15 de noviembre de 1993, páginas 2630 a 2636.

De lo anterior observamos en unas pinceladas como la Administración tiene la potestad sobre las fases esenciales de la trayectoria de una asociación: su nacimiento, la resolución de conflictos en desarrollo de la actividad y, finalmente, la disolución o extinción de la asociación.

La potestad de la Administración actuante va más allá de lo regulado por el artículo 16 LRRRU. Requiere una actuación de inspección y seguimiento, de intervención y tutela de la actividad de la asociación, ejerciendo incluso a favor de ella competencias indelegables como la expropiación o la recaudación por vía de apremio, cuando sea preciso. En este orden, la Sentencia del Tribunal Superior de Justicia de Castilla y León de Burgos, Sala de lo Contencioso-administrativo, Sección 1.ª, Sentencia de 27 de marzo de 2009, rec. 32/2009, ponente: Ilma. Sra. doña María Begoña González García, (LA LEY 51213/2009), que en su Fundamento de Derecho segundo, afirma:

> «También citábamos la STS de 14 de diciembre de 1989, en la que se señalaba que "El carácter administrativo de la entidad urbanística de conservación, en cuanto forma de participación de los interesados en la gestión urbanística, ha sido ratificada en los arts. 24 y 26 Reglamento de Gestión, que destaca asimismo la dependencia en este orden de la Administración urbanística actuante, en este caso el Ayuntamiento de..., lo que se reconoce expresamente en los arts. 37 y 38 de los Estatutos en cuanto **atribuyen a la citada Corporación municipal la resolución de los recursos de alzada contra los acuerdos de la Asamblea General así como la fiscalización de la actuación de la comunidad, con facultades para proceder a la inspección de los documentos, libros y demás elementos necesarios para conocer la actuación de aquélla y su desenvolvimiento económico"**»

A falta de una mayor regulación normativa, la adecuada previsión de las condiciones de tutela de la Administración que se incorpore en los Estatutos es esencial. Esta incorporación se debe realizar por la Administración actuante antes de la aprobación de los Estatutos.

3. FUNCIONAMIENTO Y RÉGIMEN DE ACUERDOS

La LRRRU, al regular las asociaciones administrativas, presenta un contenido parco en materia del funcionamiento, adopción, ejecución e impugnación de acuerdos.

El epígrafe segundo del artículo 16 únicamente nos ofrece una regla, no vinculante y para su incorporación a los estatutos correspondientes, sobre el régimen jurídico del quórum de los acuerdos de las asociaciones administrativas, junto con la indicación del recurso administrativo procedente contra estos acuerdos. Este párrafo es trasunto del artículo 29 RGU, que tiene por objeto regular los acuerdos de las Entidades Urbanísticas Colaboradoras.

Los **acuerdos** que se adopten por las asociaciones administrativas serán por mayoría simple de las cuotas, salvo que los estatutos o normativa de aplicación establezcan otro quórum diferente para supuestos determinados. Así se ha detallado al tratar el contenido mínimo de los estatutos, poniendo de relieve la posibilidad de modificar este quórum por los estatutos o por previsión normativa diferente.

La **Junta General** u órgano equivalente de las asociaciones administrativas estará constituida por todos los miembros de la asociación, conociendo y decidiendo sobre las materias cuya competencia tiene atribuida.

A tal fin, la Junta General celebrará **Asambleas**, ordinarias o extraordinarias, aplicando los requisitos de convocatoria que se fije en la normativa urbanística o, en su defecto, en los estatutos. Habitualmente, la facultad de convocatoria se concede al Presidente o a los miembros de asociación que representen, al menos, un veinticinco por ciento de las cuotas de participación.

Las Asambleas ordinarias por lo general son anuales y obligatorias. Lo habitual es que se celebre dentro del primer trimestre de cada año natural y en ellas se aprueben las cuentas anuales del ejercicio, la memoria de la actuación anual, además del plan de actuación y presupuesto del ejercicio siguiente o en curso, con aprobación de cuotas y procedimiento de recaudación.

A falta de regulación autonómica, son los estatutos los que determinan las condiciones de la convocatoria de las Asambleas. No obstante, la convocatoria de la Junta General y de la Junta directiva se debe realizar por el Secretario y por orden del Presidente, de forma fehaciente y adjuntando el orden del día propuesto.

Los estatutos regularán el quórum o porcentaje mínimo de asistencia a las reuniones y la forma de computarse los votos, siendo lo habitual que el quórum requerido sea la mayoría de las cuotas y que el cómputo de votos sea proporcional al derecho o interés económico de cada miembro.

La Junta de Gobierno o Consejo Rector de la asociación ejecutarán los acuerdos de la Asamblea y ejercerán las facultades que les hayan otorgado los estatutos, esencialmente de gestión. Es una figura que dota de agilidad en la toma de decisiones de gestión, además de las que tengan expresamente encomendadas por acuerdo de Asamblea. No obstante, si los estatutos no habilitasen la existencia de la Junta de Gobierno, sería igualmente válido.

Así puede ocurrir en las asociaciones administrativas con pocos miembros en los que exista una práctica equivalencia entre Junta General y Consejo Rector. Este criterio ha sido acogido por la jurisprudencia entre la que podemos citar la sentencia del Tribunal Superior de Justicia de La Rioja, Sala de lo Contencioso-administrativo, Sentencia de 25 de enero de 2012, rec. 138/2011, Ponente: Ilmo. Sr. don Jesús Miguel Escanilla Pallas, (LA LEY 7049/2012) (10).

En las Corporaciones de Derecho Público y base privada, como son las asociaciones administrativas, cuando adopten acuerdos de los máximos órganos de la asociación en ejercicio de las funciones públicas que tienen atribuidas, éstos serán recurribles en vía administrativa. Sus acuerdos se pueden impugnar por cualquier interesado mediante recurso administrativo de alzada (recurso impropio), que permite someter a un examen de legalidad por parte del Ayuntamiento donde radique la actuación, que será la Administración urbanística actuante de la que dependan (artículo 16.1 *in fine* LRRRU, en relación con el artículo 31 y el 107 y siguientes LRJPAC).

Denominamos el recurso de alzada que se interpone contra los acuerdos de la asociación administrativa como impropio o jerárquico, debido a que no se interpone ante el superior jerárquico del órgano del que emana el acto recurrido (asamblea general o equivalente), sino ante una persona jurídica distinta de la asociación administrativa, esto es, ante la Administración actuante.

----

(10) «La Sala considera que de los preceptos indicados y los artículos de la LOTUR se refieren a un "órgano rector", pero no establecen obligatoriamente la existencia de un "órgano rector" para el funcionamiento de la Junta de Compensación, no existe precepto normativo que obligue a la constitución de tal órgano. El artículo 166 del RGU establece "personas que hayan sido designadas para ocupar el 'órgano rector'', y el artículo 166 (letras g y h) del RGU, establecen las previsión de "órganos de gobierno y administración", y en idéntico sentido el artículo 27.3 del RGU. Los artículos 135, 136.4 y 140 de la Ley 5/2006 no establecen tampoco la obligación de constituir tal órgano.»
El artículo 166 del RGU y concordantes establecen como una de las determinaciones de los Estatutos, los órganos de Gobierno y Administración, la forma de designarlos y las facultades de cada uno de ellos. En consecuencia, en principio existe una cierta libertad a la hora de determinar cuáles son los órganos de gobierno y administración de las Juntas. En consecuencia lo que exige la normativa (LOTUR y RGU), es que se cumplan las funciones de Gobierno y Administración, bien a través de un Órgano Rector o de otros Órganos, y en el supuesto de autos, no puede desconocerse que la Junta de Compensación está formada por seis propietarios, por lo que si analizamos los Estatutos y la escritura de Constitución, se observa que tales funciones del Órgano rector son cumplidas por la Asamblea, el Presidente y el Secretario, así, en el artículo 16 de los Estatutos se establece «Los Órganos de Gobierno y Administración de la Junta de Compensación son la Asamblea General, el Presidente, el Vicepresidente y el Secretario y la Administración de la Junta de Compensación actuará en el ámbito de sus facultades». EL TSJ de Madrid en sentencia de 2 diciembre de 2003 declara: «De acuerdo con la regulación contenida en el Reglamento de Gestión Urbanística (RGU), no ofrece dudas que las entidades urbanísticas no son sociedades civiles, ni mercantiles, ni asociaciones sometidas a la Ley general, sino que tienen carácter jurídico administrativo y dependen de la Administración urbanística actuante (art. 26.1 RGU), y solo adquieren personalidad mediante su inscripción en un Registro administrativo y éste es el único que ha de reflejar el nacimiento y la disolución de estas entidades (art. 27.2, 3 y 4). El Reglamento de Gestión contempla la constitución y liquidación de estas entidades, así como las modificaciones de sus Estatutos, que requieren, para su eficacia, de un acto de aprobación administrativa (arts. 27.1 y 30.1).
Por todo lo anteriormente expuesto procede la estimación del recurso de apelación interpuesto y declaramos el derecho del demandante a la inscripción de la Junta de Compensación de la UE-3 de P.O.S.U a la inscripción en el Registro de Entidades Urbanísticas Colaboradoras de La Rioja.»

Los acuerdos de las asociaciones administrativas no ponen fin a la vía administrativa, son recurribles mediante recurso administrativo de alzada, debido a la dependencia de aquellas de la Administración Urbanística actuante que, insistimos, se corresponderá generalmente con el Ayuntamiento (artículo 16.1 LRRRU en relación con el 107, 109, 114 y 115 LRJPAC) (11).

El recurso de alzada se configura como un instrumento de control y revisión de la actividad de las asociaciones administrativas, como requisito previo a acudir a la jurisdicción contencioso-administrativa.

Este recurso administrativo se encuentra regulado esencialmente en los artículos 107, 114 y 115 LRJPAC. Sus rasgos generales con los siguientes:

a) Los requisitos formales para la interposición del recurso son los previstos en el artículo 110 LRJPAC, no siendo obstáculo para la tramitación del recurso el error en su calificación, siempre que se deduzca su verdadero carácter. En materia de recursos administrativos se aplica un criterio o principio antiformalista (12).

b) La resolución del recurso corresponde al Ayuntamiento del que dependa la asociación administrativa.

c) El plazo de interposición del recurso es de un mes desde la notificación de los actos expresos o tres meses contra los actos presuntos.

---

(11) El artículo 109 LRJPAC enumera los actos administrativos que ponen fin a la vía administrativa:
a) Las resoluciones de los recursos de alzada.
b) Las resoluciones de los procedimientos de impugnación a que se refiere el artículo 107.2.
c) Las resoluciones de los órganos administrativos que carezcan de superior jerárquico, salvo que una Ley establezca lo contrario.
d) Las demás resoluciones de órganos administrativos cuando una disposición legal o reglamentaria así lo establezca.
e) Los acuerdos, pactos, convenios o contratos que tengan la consideración de finalizadores del procedimiento.
(12) «*Artículo 110 Interposición del recurso*
1. La interposición del recurso deberá expresar:
a) El nombre y apellidos del recurrente, así como la identificación personal del mismo.
b) El acto que se recurre y la razón de su impugnación.
c) Lugar, fecha, firma del recurrente, identificación del medio y, en su caso, del lugar que se señale a efectos de notificaciones.
d) Órgano, centro o unidad administrativa al que se dirige.
e) Las demás particularidades exigidas, en su caso, por las disposiciones específicas.
2. El error en la calificación del recurso por parte del recurrente no será obstáculo para su tramitación, siempre que se deduzca su verdadero carácter.
3. Los vicios y defectos que hagan anulable un acto no podrán ser alegados por quienes los hubieren causado.»

d) El recurso se puede interponer ante la propia asociación administrativa o ante el Ayuntamiento competente para resolverlo.

e) La interposición del recurso no suspende la ejecución del acto o acuerdo impugnado, salvo que así se acuerde expresamente por la Administración o lo recoja una disposición (ej. en materia sancionadora por aplicación del artículo 138 LRJPAC). No obstante, cuando se solicite la suspensión de la ejecución del acto, ésta se producirá de forma automática si transcurren treinta días sin que se notifique contestación a la solicitud, plazo a computar desde la entrada por registro del órgano competente para resolver (artículo 111.3 LRJPAC).

En los actos recurribles en alzada en los que se pretenda solicitar suspensión del acto impugnado, es recomendable presentar el recurso directamente ante la Administración competente para resolver dicho recurso.

Finalmente, señalar que producida la suspensión en vía administrativa, ésta se prolongará cuando en vía contencioso-administrativa se solicite medida cautelar para la suspensión del acto impugnado, hasta la resolución judicial que acuerde o deniegue la suspensión en vía contencioso-administrativa.

f) El plazo máximo de resolución del recurso y su notificación es de tres meses desde la fecha de su interposición. Ante la falta de resolución y notificación en el plazo de tres meses, se deberá considerar desestimado el recurso de alzada, salvo que el recurso se haya interpuesto contra una desestimación presunta (artículo 43 LRJPAC).

La resolución expresa o presunta de un recurso de alzada interpuesta contra un acuerdo o acto de una asociación administrativa en ejercicio de competencias públicas atribuidas por la Administración para la ejecución o gestión de una actuación pone fin a la vía administrativa (artículo 109 LRJPAC), y contra ésta sólo caben los siguientes recursos:

a) Recurso administrativo extraordinario de revisión, en el supuesto de que concurriesen alguno de los supuestos del artículo 118.1 LRJPAC.

b) Recurso contencioso-administrativo, conforme dispone el artículo 25 de la Ley 29/1998, de 13 de julio, Reguladora de la Jurisdicción Contencioso-Administrativa («LRJCA»).

No cabe duda de la capacidad para ser parte de las asociaciones administrativas en los procesos contencioso-administrativos. Ocasionalmente, se ha cuestionado en sede jurisdiccional en donde se ha resuelto favorablemente y sin fisuras, más aun cuando tienen personalidad jurídica propia. De este modo lo indica el Fundamento Jurídico Segundo de la Sentencia del Tribunal Superior de Justicia de Madrid, Sala de lo Contencioso-administrativo, Sección 1.ª, Sentencia de 2 Dic. 2003, rec. 886/1999, Ponente: Ilmo. Sr. don José Félix Martín Corredera, (LA LEY

200132/2003), con el siguiente razonamiento jurídico que resuelve una alegación previa presentada por el Ayuntamiento demandado:

> «En efecto, aunque tradicionalmente la aptitud genérica para ser parte se vinculaba al instituto de la capacidad, que se ligaba estrictamente a la personalidad, la Ley Orgánica el Poder Judicial, en su artículo 7.3 ha venido a reconocer capacidad a determinados entes, entre ellos las asociaciones y grupos, carentes de personalidad jurídica, que resulten afectados en defensa de intereses colectivos. Y la ley 29/1998, de este orden jurisdiccional, admite la capacidad procesal de las uniones sin personalidad aptas para ser titulares de derechos y obligaciones. En nuestro caso está funcionando una asociación que agrupa elementos personales y patrimoniales, que opera similarmente a una Entidad de Colaboración y cuyos intereses están directamente comprometidos por la resolución que se combate.»

4. DISOLUCIÓN DE LAS ASOCIACIONES ADMINISTRATIVAS

El legislador condiciona la disolución de las asociaciones administrativas a tres requisitos legales:

1. El cumplimiento de los fines para los que fueron creadas.

2. Constancia del cumplimiento de la totalidad de las obligaciones de la asociación.

3. Acuerdo de la Administración Urbanística actuante en la que se autorice la disolución.

Los requisitos para la disolución de las asociaciones administrativas responden literalmente al artículo 30 RGU. Estamos viendo un acercamiento del legislador a los principios generales de la tradición urbanística, como columna vertebral a desarrollar posteriormente por legislador autonómico o, en su defecto, los Estatutos de cada asociación que apruebe la Administración actuante de la que dependan.

El cumplimiento de los fines para los que fue creada la asociación estará directamente relacionado con el objeto de sus estatutos, la ordenación urbanística vigente y el acuerdo de adjudicación de la gestión a la asociación por parte de la Administración actuante y proyectos aprobados para la actuación de rehabilitación, regeneración y renovación urbanas.

Es importante validar el grado de cumplimiento de los deberes y cargas urbanísticas intrínsecas a la propia actuación, tanto legales como las específicas impuestas por la Administración. Recordar los deberes y cargas de los propietarios de suelo que, con carácter general, impone el artículo 9 TRLSE con especial atención a las obligaciones para las actuaciones de rehabilitación edificatoria y de regeneración y renovación urbanas que impone el epígrafe cinco de ese precepto.

A la vista de los requisitos examinados, el procedimiento a seguir para la disolución de las asociaciones administrativas, en síntesis, sería el siguiente:

a) **Acreditación del cumplimiento de los fines de la asociación y de la inexistencia de obligaciones pendientes.**

Es necesario constatar que las obligaciones de la asociación respecto de la concreta actuación en cuya gestión y/o ejecución ha participado, hayan sido cumplidas en su totalidad.

En todo caso, los estatutos de la asociación deberán contener las reglas y requisitos detallados para la disolución de la asociación, tal y como predica el artículo 166 RGU para las Juntas de Compensación.

Cuando la asociación tenga encomendada la gestión y ejecución de una actuación, será necesario acreditar la finalización de su ejecución material y jurídica.

Así, cuando la actuación sea de rehabilitación edificatoria, se acreditará su terminación mediante el certificado final de obras emitido por la Dirección Facultativa así como, cuando fuese necesario y dependiendo del alcance de la actuación, licencia de primera ocupación, declaración de obra nueva terminada inscrita en Registro de la Propiedad, modificación de la división horizontal inscrita en el Registro de la Propiedad, certificaciones, boletines, manuales de funcionamiento, garantías y puestas en marcha de las nuevas instalaciones implantadas con la actuación, póliza de seguro de responsabilidad decenal, cumplimiento del deber de realojo y retorno e indemnización en su caso, etc.

Cuando la actuación fuese de regeneración y renovación urbanas, será necesaria también la recepción de las obras públicas de urbanización por la Administración titular de las mismas. Lo mismo ocurre con las actuaciones de rehabilitación que tengan que completar la urbanización de los terrenos con los requisitos y condiciones establecidos para su edificación.

En este punto, hay que resaltar que la actuación concreta pueda estar liberada de ciertas obligaciones generales, como la de cesión de terrenos cuando concurra esa exención en el planeamiento urbanístico. La exención de la obligación de ceder se puede producir en actuaciones con un alto grado de degradación e inexistencia material de suelos disponibles en su entorno inmediato o bien en actuaciones con aumento de edificabilidad o densidad, para sustituir infraviviendas por nuevas viviendas con destino a realojo o retorno, todo ellos en aplicación del artículo 16 TRLSE.

La constancia del cumplimiento de las obligaciones de la asociación no sólo responde a las administrativo urbanísticas, también a las obligaciones con terceros, la inexistencia de procesos judiciales o reclamaciones pendientes, etc.

b) **Acuerdo de disolución por parte de la asociación administrativa.**

El procedimiento de disolución debe iniciarse con la convocatoria de Asamblea General de la asociación, en la que conste como punto del orden del día la disolución.

Celebrada la Asamblea con quórum de asistencia suficiente, será necesaria la adopción de acuerdo de disolución con la mayoría que especifiquen los estatutos.

c) **Solicitud de disolución por la asociación a la Administración actuante.**

La asociación deberá presentar escrito ante la Administración urbanística actuante mediante el que solicite la disolución de la asociación administrativa.

La solicitud debe estar suscrita por el Presidente de la asociación, como su representante, además de acompañar documentación que acredite el cumplimiento de los fines para el que fue creada, así como la no existencia de obligaciones pendientes.

Además, la solicitud debe aportar certificación del acuerdo adoptado por la Asamblea General de disolución y liquidación de la asociación.

d) **Acuerdo de disolución por la Administración actuante.**

Para garantizar el cumplimiento de los requisitos legales de la liquidación de la asociación, esencialmente la inexistencia de obligaciones pendientes, es recomendable que la aprobación de la disolución por la Administración vaya precedida de un periodo de información pública y alegaciones, con notificación individualizada a interesados, además de publicación en periódico y diario oficial.

Con carácter previo a la información pública se debería realizar una aprobación inicial o una verificación previa del cumplimiento de los requisitos legales y estatutarios para la disolución. Presentadas e informadas, en su caso, las alegaciones, se produciría la resolución municipal por virtud de la cual se acordase la aprobación de la disolución de la asociación por parte de la Administración actuante.

Ni la LRRRU ni el RGU establecen el órgano competente para acordar la disolución. Por aplicación del artículo 21.1 j) LRBRL, en los municipios de régimen común, corresponde al Alcalde la facultad de acordar las aprobaciones de los instrumentos de gestión urbanística y de los proyectos de urbanización, sólo siendo las aprobaciones referentes al planeamiento urbanístico municipal competencias del Pleno.

Por tanto, se considera que la competencia para acordar la disolución de las asociaciones administrativas corresponden al Alcalde, salvo que esta facultad se haya delegado. La competencia correspondería igualmente al Alcalde en atención a lo previsto en el art. 21.1 s) LRBRL, que le otorga las demás competencias que le asignen las leyes y aquellas que la legislación del Estado o de las Comunidades Autónomas asignen al municipio y no atribuyan a otros órganos municipales.

La autorización de la disolución es un acto administrativo que pone fin a la vía administrativa, recurrible potestativamente mediante recurso administrativo de reposición o ante la jurisdicción contencioso-administrativa.

Ante la falta de contestación por parte de la Administración actuante de la solicitud de disolución de la Asociación Administrativa, la desestimación presunta de la disolución puede ser recurrida ante la jurisdicción contencioso-administrativa y acordarse la disolución mediante sentencia judicial. Así, en sentencia del Tribunal Superior de Justicia de Madrid, Sala de lo Contencioso-administrativo, Sección 1.ª, Sentencia de 20 de noviembre de 2008, rec. 519/2006, Ponente: Ilmo. Sr. don José Félix Martín Corredera (LA LEY 249212/2008) (1).

Artículo 17. Convenios para la financiación de las actuaciones

1. Las Administraciones Públicas actuantes, los agentes responsables de la gestión y ejecución de actuaciones de rehabilitación edificatoria y de regeneración y renovación urbanas, así como los demás sujetos mencionados en el artículo 15.1, podrán celebrar entre sí, a los efectos de facilitar la gestión y ejecución de las mismas, entre otros, los siguientes contratos:

a) Contrato de cesión, con facultad de arrendamiento u otorgamiento de derecho de explotación a terceros, de fincas urbanas o de elementos de éstas por tiempo determinado a cambio del pago aplazado de la parte del coste que corresponda abonar a los propietarios de las fincas.

b) Contrato de permuta o cesión de terrenos o de parte de la edificación sujeta a rehabilitación por determinada edificación futura.

c) Contrato de arrendamiento o cesión de uso de local, vivienda o cualquier otro elemento de un edificio por plazo determinado a cambio de pago por el arrendatario o cesionario del pago de todos o de

---

(1)   La sentencia estima recurso contencioso-administrativo de la Asociación en defensa de los derechos fundamentales de Nuevo Baztán y Villar del Olmo contra la inactividad de la Administración Autonómica en orden a la disolución de la Entidad Urbanística de Conservación «Eurovillas» con la pretensión de que dicte sentencia por la que se reconozcan las irregularidades en la gestión de la Entidad Urbanística Colaboradora de Conservación de Eurovillas y se condene a la Consejería de Medio Ambiente y Ordenación del Territorio a cumplir con lo establecido legal y estatutariamente ordenando la disolución de la citada Entidad Urbanística Colaboradora, condenando asimismo a la demandada Entidad de Conservación Urbanística de Eurovillas a proceder a su disolución en los términos legal estatutariamente establecidos.

alguno de los siguientes conceptos: impuestos, tasas, cuotas a la comunidad o agrupación de comunidades de propietarios o de la cooperativa, gastos de conservación y obras de rehabilitación y regeneración y renovación urbanas.

d) Convenio de explotación conjunta del inmueble o de partes del mismo.

2. En el caso de las cooperativas de viviendas, los contratos a que hacen referencia las letras a) y c) del apartado anterior sólo alcanzarán a los locales comerciales y a las instalaciones y edificaciones complementarias de su propiedad, tal y como establece su legislación específica.

TRAMITACIÓN PARLAMENTARIA (2)

Proyecto de Ley publicado en el Boletín Oficial del Congreso de los Diputados de 12 de abril de 2013, Núm. 45-1.

«Artículo 17. Convenios para la financiación de las actuaciones

1. Las Administraciones Públicas actuantes, los agentes responsables de la gestión y ejecución de actuaciones de rehabilitación edificatoria y de regeneración y renovación urbanas, así como los demás sujetos mencionados en el artículo 15.1, podrán celebrar entre sí, a los efectos de facilitar la gestión y ejecución de las mismas, entre otros, los siguientes contratos:

a) Contrato de cesión, con facultad de arrendamiento u otorgamiento de derecho de explotación a terceros, de fincas urbanas o de elementos de éstas por tiempo determinado a cambio del pago aplazado de la parte del coste que corresponda abonar a los propietarios de las fincas.

b) Contrato de permuta o cesión de terrenos o de parte de la edificación sujeta a rehabilitación por determinada edificación futura.

c) Contrato de arrendamiento o cesión de uso de local, vivienda o cualquier otro elemento de un edificio por plazo determinado a cambio de pago por el arrendatario o cesionario del pago de todos o de alguno de los siguientes conceptos: impuestos, tasas, cuotas a la comunidad o agrupación de comunidades de propietarios o de la cooperativa, gastos de conservación y obras de rehabilitación y regeneración y renovación urbanas.

d) Convenio de explotación conjunta del inmueble o de partes del mismo.

---

(2)   No se produce alteración del texto del Proyecto de Ley durante la tramitación parlamentaria.

2. En el caso de las cooperativas de viviendas, los contratos a que hacen referencia las letras a) y c) del apartado anterior sólo alcanzarán a los locales comerciales y a las instalaciones y edificaciones complementarias de su propiedad, tal y como establece su legislación específica.»

Informe de la Ponencia del Congreso de 28 de mayo de 2013 publicada en el Boletín Oficial del Congreso de los Diputados de 31 de mayo de 2013, núm. 45-3.

«Artículo 17. Convenios para la financiación de las actuaciones

1. Las Administraciones Públicas actuantes, los agentes responsables de la gestión y ejecución de actuaciones de rehabilitación edificatoria y de regeneración y renovación urbanas, así como los demás sujetos mencionados en el artículo 15.1, podrán celebrar entre sí, a los efectos de facilitar la gestión y ejecución de las mismas, entre otros, los siguientes contratos:

a) Contrato de cesión, con facultad de arrendamiento u otorgamiento de derecho de explotación a terceros, de fincas urbanas o de elementos de éstas por tiempo determinado a cambio del pago aplazado de la parte del coste que corresponda abonar a los propietarios de las fincas.

b) Contrato de permuta o cesión de terrenos o de parte de la edificación sujeta a rehabilitación por determinada edificación futura.

c) Contrato de arrendamiento o cesión de uso de local, vivienda o cualquier otro elemento de un edificio por plazo determinado a cambio de pago por el arrendatario o cesionario del pago de todos o de alguno de los siguientes conceptos: impuestos, tasas, cuotas a la comunidad o agrupación de comunidades de propietarios o de la cooperativa, gastos de conservación y obras de rehabilitación y regeneración y renovación urbanas.

d) Convenio de explotación conjunta del inmueble o de partes del mismo.

2. En el caso de las cooperativas de viviendas, los contratos a que hacen referencia las letras a) y c) del apartado anterior sólo alcanzarán a los locales comerciales y a las instalaciones y edificaciones complementarias de su propiedad, tal y como establece su legislación específica.»

Aprobación del Proyecto de Ley por la Comisión de Fomento con Competencia Legislativa Plena, publicado en el Boletín Oficial del Congreso de los Diputados de 4 de junio de 2013, número 45-4.

«Artículo 17. Convenios para la financiación de las actuaciones

1. Las Administraciones Públicas actuantes, los agentes responsables de la gestión y ejecución de actuaciones de rehabilitación edificatoria y de regeneración y renovación urbanas, así como los demás sujetos mencionados en el artículo 15.1, podrán celebrar entre sí, a los efectos de facilitar la gestión y ejecución de las mismas, entre otros, los siguientes contratos:

a) Contrato de cesión, con facultad de arrendamiento u otorgamiento de derecho de explotación a terceros, de fincas urbanas o de elementos de éstas por tiempo determinado a cambio del pago aplazado de la parte del coste que corresponda abonar a los propietarios de las fincas.

b) Contrato de permuta o cesión de terrenos o de parte de la edificación sujeta a rehabilitación por determinada edificación futura.

c) Contrato de arrendamiento o cesión de uso de local, vivienda o cualquier otro elemento de un edificio por plazo determinado a cambio de pago por el arrendatario o cesionario del pago de todos o de alguno de los siguientes conceptos: impuestos, tasas, cuotas a la comunidad o agrupación de comunidades de propietarios o de la cooperativa, gastos de conservación y obras de rehabilitación y regeneración y renovación urbanas.

d) Convenio de explotación conjunta del inmueble o de partes del mismo.

2. En el caso de las cooperativas de viviendas, los contratos a que hacen referencia las letras a) y c) del apartado anterior sólo alcanzarán a los locales comerciales y a las instalaciones y edificaciones complementarias de su propiedad, tal y como establece su legislación específica.»

Texto aprobado por el Pleno del Senado en su sesión de 19 de junio de 2013, publicado en el Boletín Oficial de las Cortes Generales, Senado, de 24 de junio de 2013.

«Artículo 17. Convenios para la financiación de las actuaciones

1. Las Administraciones Públicas actuantes, los agentes responsables de la gestión y ejecución de actuaciones de rehabilitación edificatoria y de regeneración y renovación urbanas, así como los demás sujetos mencionados en el artículo 15.1, podrán celebrar entre sí, a los efectos de facilitar la gestión y ejecución de las mismas, entre otros, los siguientes contratos:

a) Contrato de cesión, con facultad de arrendamiento u otorgamiento de derecho de explotación a terceros, de fincas urbanas o de elementos de éstas por tiempo determinado a cambio del pago aplazado de la parte del coste que corresponda abonar a los propietarios de las fincas.

b) Contrato de permuta o cesión de terrenos o de parte de la edificación sujeta a rehabilitación por determinada edificación futura.

c) Contrato de arrendamiento o cesión de uso de local, vivienda o cualquier otro elemento de un edificio por plazo determinado a cambio de pago por el arrendatario o cesionario del pago de todos o de alguno de los siguientes conceptos: impuestos, tasas, cuotas a la comunidad o agrupación de comunidades de propietarios o de la cooperativa, gastos de conservación y obras de rehabilitación y regeneración y renovación urbanas.

d) Convenio de explotación conjunta del inmueble o de partes del mismo.

2. En el caso de las cooperativas de viviendas, los contratos a que hacen referencia las letras a) y c) del apartado anterior sólo alcanzarán a los locales comerciales y a las instalaciones y edificaciones complementarias de su propiedad, tal y como establece su legislación específica.»

CONCORDANCIAS CON TRLSE

Artículos 2, 3, 5, 6, 8, 9, 11, 14, 16, 17, 20, 38 y 39 TRLSE.

COMENTARIO (3)

Sumario

1. Planteamiento.
2. Sujetos legitimados.
3. Contratos a celebrar.
   3.1.   Objetivo de los contratos: viabilidad de la actuación.
   3.2.   Precisiones sobre el contrato de cesión y distinción de figuras afines.
   3.3.   Contrato de cesión, con facultad de arrendamiento u otorgamiento de derecho de explotación a terceros, de fincas urbanas o de elementos de éstas por tiempo determinado a cambio del pago aplazado de la parte del coste que corresponda abonar a los propietarios de las fincas.
   3.4.   Contrato de permuta o cesión de terrenos o de parte de la edificación sujeta a rehabilitación por determinada edificación futura.
   3.5.   Contrato de arrendamiento o cesión de uso de local, vivienda o cualquier otro elemento de un edificio por plazo determinado a

---

(3)   Comentario a cargo de Alfonso Vázquez Oteo. Abogado. Doctor en Derecho. Profesor Honorario de Derecho Administrativo.

cambio de pago por el arrendatario o cesionario del pago de todos o de alguno de los siguientes conceptos: impuestos, tasas, cuotas a la comunidad o agrupación de comunidades de propietarios o de la cooperativa, gastos de conservación y obras de rehabilitación y regeneración y renovación urbanas.

3.6. Convenio de explotación conjunta del inmueble o de partes del mismo.

3.7. En el caso de las cooperativas de viviendas, los contratos de cesión (con derecho de arrendamiento u otorgamiento de derecho de explotación a terceros) y el contrato de arrendamiento o cesión de uso, sólo alcanzarán a los locales comerciales y a las instalaciones y edificaciones complementarias de su propiedad, tal y como establece su legislación específica.

1. PLANTEAMIENTO

Por medio de este precepto el legislador permite que cualquiera de los sujetos legitimados para participar en la ejecución de actuaciones de rehabilitación edificatoria y en las de regeneración y renovación urbanas, suscriban negocios jurídicos con la finalidad de facilitar su gestión, ejecución y, muy especialmente, su financiación.

Estos negocios jurídicos tienen como finalidad última dar viabilidad, esencialmente económica, a las actuaciones en estudio. Para ello, se aporta un esquema abierto de contratación que permita a los sujetos ejecutores y gestores el cobro con el resultado de la actuación, liberando con ello a los obligados a tener que realizar su pago en metálico, ofreciendo alternativas que giran entorno al otorgamiento de derechos sobre inmuebles.

2. SUJETOS LEGITIMADOS

Los **sujetos legitimados para participar en la ejecución de actuaciones** aparecen relacionados en el artículo 15.1 LRRRU:

a) Los titulares de bienes y derechos de uso sobre inmuebles afectados, incluyendo las comunidades de propietarios, agrupaciones de éstas o cooperativas, cuando quede afectado algún elemento común.

b) Las Administraciones Públicas titulares de urbanización afectada en la que esté obligada a costear la actuación, así como cuando la Administración financie parte de la operación con fondos públicos, además de los casos de ejecución subsidiaria a costa de los propietarios, los titulares de derechos reales o de aprovechamiento

c) Las empresas, entidades o sociedades que intervengan en nombre de cualquiera del resto de los sujetos legitimados para plantear la iniciativa.

d) Las empresas, entidades o sociedades que intervengan por cualquier título en dichas operaciones.

e) Las asociaciones administrativas que se constituyan por cualquiera de los sujetos legitimados.

En este grupo de sujetos legitimados para participar en la ejecución también se incluyen los sujetos obligados a sufragarla (artículo 8 LRRRU), los sujetos legitimados para presentar la iniciativa (artículo 9 LRRRU) que conforman, junto con la iniciativa particular y las asociaciones administrativas, el círculo de los sujetos legitimados, a los que ahora se les faculta y anima, a suscribir determinados contratos que faciliten la ejecución.

La efectividad o entrada en carga de este precepto se produce una vez se ha producido la adjudicación de la ejecución y/o gestión de la actuación determinada. La adjudicación supone la asignación de facultades y obligaciones concretas a cada uno de los sujetos legitimados.

La asignación supone la clasificación de los sujetos legitimados a participar enunciados en el artículo 15 LRRRU en cuatro grandes grupos, que podrían incluso reducirse a tres:

1. Administración o Administraciones actuantes.

2. Sujeto/s responsable/s de la gestión y ejecución la actuación.

3. Sujeto/s obligado/s al pago de la actuación.

4. Restantes sujetos no afectados por la actuación.

Entre los anteriores no intervienen en la actuación aquellos sujetos que aun estando legitimados a participar no lo hayan hecho, con independencia de su no participación en la ejecución, siempre que no tengan una vinculación legal por su condición de propietario o titular de derechos o bien, por se Administración actuante.

Así por ejemplo, una asociación administrativa constituida para licitar en concurso de actuación de iniciativa pública que no resulte adjudicataria, frente a otra asociación compuesta por empresas no propietarias que también licitase y resultase finalmente adjudicataria. En este caso los sujetos intervinientes y protagonistas de la actuación serían: los propietarios y titulares de derechos, la asociación titular de la gestión de la actuación y la Administración o Administraciones actuantes.

Pues bien, la voluntad del legislador es permitir la participación en la ejecución a cualquiera de los sujetos legitimados, incluso después de la adjudicación de la actuación y aunque no estén vinculados *ob rem* (por su derecho sobre los inmuebles afectados) o por las competencias públicas que ejercen en relación con la actuación (las Administraciones actuantes). De esta manera el artículo 17.1 LRRRU permite a cualquiera de los sujetos inicialmente legitimados que hayan quedado fuera de la actuación, una vez adjudicada, su incorporación con la suscripción de un contrato con el resto. Así se desprende de la dicción literal del precepto:

> «1. Las Administraciones Públicas actuantes, los agentes responsables de la gestión y ejecución de actuaciones de rehabilitación edificatoria y de regeneración y renovación urbanas, así como los demás sujetos mencionados en el artículo 15.1, podrán celebrar entre sí, a los efectos de facilitar la gestión y ejecución de las mismas, entre otros, los siguientes contratos: (…).»

3.   CONTRATOS A CELEBRAR

3.1.   Objetivo de los contratos: viabilidad de la actuación

El punto primero del artículo señala que estos contratos se suscriben:

> «a los efectos de facilitar la gestión y ejecución de las mismas»

Por otro lado, el título del artículo es descriptivo de la pretensión u objetivo de los contratos que se suscriba: « Artículo 17. Convenios para la financiación de las actuaciones».

El objetivo de este precepto no es otro que el de poner en primera línea diferentes contratos que facilitan el pago de las actuaciones a los sujetos obligados. Destaca diferentes negocios jurídicos que se enuncian, con carácter indicativo y no limitativo, que las partes pueden suscribir.

En suma, los contratos enunciados son una llamada de atención del legislador sobre las diferentes formas de sufragar los costes de las actuaciones de forma distinta al pago en metálico del precio de cada contrato o actuación, pago en metálico que podría hacer inviable económicamente su desarrollo.

En materia expropiatoria ya se ha analizado la innovadora regulación del legislador de la imposición del pago en especie para eludir el abono en metálico del justiprecio. El artículo 13.2 LRRRU promueve el pago en especie del justiprecio en las expropiaciones que se realicen en el marco de estas actuaciones y elimina el requisito de la necesidad de la concurrencia del consentimiento del expropiado para que se pudiese abonar el justiprecio en especie.

La viabilidad económica de la actuación debe estar en su germen o nacimiento, gestación relacionada con la financiación y pago de los costes de la actuación mediante el otorgamiento a sus gestores y ejecutores de derechos de propiedad, cesión, arrendamiento o explotación sobre bienes inmuebles situados dentro o fuera del ámbito de actuación.

Toda ordenación y ejecución de una actuación de rehabilitación edificatoria y las de regeneración y renovación urbanas, requieren previamente a su aprobación una memoria que « asegure su viabilidad económica, en términos de rentabilidad, de adecuación a los límites del deber legal de conservación y de un adecuado equilibrio entre los beneficios y las cargas derivados de la misma, para los propietarios incluidos en su ámbito de actuación» (artículo 11 LRRRU).

La viabilidad de la operación se analiza con un estudio de los parámetros urbanísticos existentes, y de las determinaciones urbanísticas básicas que habría que modificar. Determinaciones urbanísticas referidas al incremento de edificabilidad y densidad, modificación o introducción de nuevos usos, tipologías edificatorias y redes públicas a modificar, así como la posible utilización del suelo, vuelo y subsuelo de forma diferenciada para conseguir un mayor rendimiento económico, artículo 11 LRRRU.

La mejora de las condiciones urbanísticas del ámbito de actuación, en forma de mayor edificabilidad, intensidad, inclusión de usos más lucrativos y utilización diferenciada de suelo, subsuelo y vuelo, son activos determinantes de la actuación para hacerla viable y resulta una compensación de las cargas que supone su ejecución (4).

Mejora de la condiciones o valor del resultado que es contrapeso de las cargas a sufragar, que las equilibraría. Evidentemente este mayor valor supondría la necesidad de modificar la ordenación (planeamiento) urbanística, alteración que puede tener como única finalidad dar cabida a esas mejores condiciones que hagan rentable la actuación, artículo 10.1 en relación con el 11 LRRRU.

Como refuerzo de la viabilidad de la actuación, la disposición final duodécima LRRRU modifica la redacción del artículo 16 TRLSE, precepto que abre la posibilidad de eximir de la obligación de realizar cesiones en determinadas actuaciones en estudio con un alto grado de degradación o con destino a sustituir la infravivienda existente con el realojo y el retorno de sus ocupantes legales (5).

---

(4)   Recordar que cuando los instrumentos de ordenación urbanística destinen superficies superpuestas, en la rasante y el subsuelo o el vuelo, a la edificación o uso privativo y al dominio público se deberá constituir un complejo inmobiliario entre éstas, pudiendo estar constituidas por edificaciones ya realizadas o suelo no edificado. Constitución o modificación del complejo inmobiliario que requerirá lo establecido en el artículo 17.4 TRLSE.

(5)   Art. 16.4 TRLSE: «4. Con independencia de lo establecido en los apartados anteriores, con carácter excepcional y siempre que se justifique adecuadamente que no cabe ninguna otra solución técnica o económicamente viable, los instrumentos de ordenación urbanística podrán eximir del cumplimiento de los deberes de nuevas entregas de suelo que les correspondiesen, a actuaciones sobre zonas con un alto grado de degradación e inexistencia material de suelos disponibles en su entorno inmediato. La misma regla podrá aplicarse a los aumentos de la densidad o edificabilidad que fueren precisos para sustituir la infravivienda por vivienda que reúna los requisitos legalmente exigibles, con destino al realojamiento y el retorno que exija la correspondiente actuación».

3.2. Precisiones sobre el contrato de cesión y distinción de figuras afines

Entre los posibles contratos que relaciona el legislador para la financiación de las actuaciones se encuentra, de forma recurrente, el contrato de cesión.

Antes de iniciar el análisis del objeto de cada uno de los negocios jurídicos que se proponen interesa **delimitar el alcance del contrato de cesión**, descartando algunas figuras que podrían generar confusión.

La **cesión es un negocio jurídico de tracto único por el cual se produce la transmisión a un tercero de los derechos y obligaciones dimanantes de un contrato o posición jurídica concreta,** como la propiedad, con subrogación del adquirente de la posición jurídica del cedente o relación jurídica creada en el contrato cedido, *v. gr.* arrendamiento (6).

El contrato de cesión no se corresponde con la **cesión de un crédito**, sino con la cesión de un derecho en los términos previstos en el artículo 1526 en relación con el 1218 y 1227 del Código Civil.

No se debe confundir el contrato de cesión con la cesión de créditos o la cesión de un contrato.

La cesión de un crédito supone la sustitución de la persona del acreedor por otra respecto del mismo crédito, permaneciendo inalterada la relación obligacional de origen, tal y como ha señalado reiteradamente la jurisprudencia, entre otras Sentencias del Tribunal Supremo de 15 de noviembre de 1999, de 22 de febrero de 1994 (RJ 1994, 1252) y de 26 de septiembre de 2002 (RJ 2020, 7873).

En la cesión de créditos no es necesario el consentimiento del cedido, sólo es preciso, para que sea eficaz la cesión obligándose con el nuevo acreedor con la mera puesta en su conocimiento, que tiene como finalidad impedir que se produzca la liberación por pago al acreedor inicial antes de la puesta en conocimiento de la cesión, tal y como señala el artículo 1527 del Código Civil.

Sólo es precisa la inscripción de la cesión en el Registro de la Propiedad cuando la cesión de créditos afecte a bienes inmuebles, momento hasta el que no surtirá efectos la cesión frente a terceros (artículo 1526 del Código Civil).

La **cesión de un contrato** ha sido reconocida de forma pacífica por la jurisprudencia y la doctrina, aunque no encuentra regulación en el Código Civil.

---

(6) Como ejemplo, para la mejor comprensión, a diferencia de la cesión que es negocio de tracto único, un subarriendo es un negocio derivado y de tracto sucesivo de contenido paralelo al contrato principal de arrendamiento que mantendría todos sus efectos entre las partes originarias.

Cuando la cesión es traslativa de la propiedad, de forma onerosa o gratuita, ésta supone la sustitución del propietario original o cedente por el adquirente o cedido que le sustituye a todos los efectos.

La cesión de un contrato encaja dentro de lo que la doctrina y jurisprudencia han denominado como contrato trilateral en el que, para su perfeccionamiento, ha de concurrir el consentimiento de las tres partes para las que produce efectos jurídicos: cedido, cedente y cesionario. La subrogación y asunción por el cesionario de las obligaciones pendientes que incumben al cedente requieren el consentimiento, expreso o tácito, del contratante cedido. Así se comprueba en las sentencias del Tribunal Supremo de 5 de diciembre de 2000 (RJ 2000, 9435) y de 7 de octubre de 2002 (RJ 2002, 9801).

El contrato de cesión en estudio tampoco coincide con el **contrato de dación en pago** *(datio pro soluto)*.

La dación en pago es un contrato mediante el que el acreedor transmite determinados bienes de su titularidad al acreedor para que éste los aplique en la extinción del crédito. Se trata ésta de una institución jurídica que se configura como una novación del contrato de crédito o negocio complejo, al que fiscalmente le resulta de aplicación las normas de la compraventa, tal y como recogen las sentencias del Tribunal Supremos de 19 de octubre de 1992 y de 7 de diciembre de 1985. El crédito, ante la falta de una regulación propia, tal y como se deduce del artículo 1521 CC, que se extingue como consecuencia de la entrega de bienes, teniendo el tratamiento de precio de compraventa.

La dación en pago requiere la aceptación y consentimiento del acreedor, el cual recibe como pago un bien distinto del pactado, produciéndose de esta manera una novación objetiva de la obligación originaria del contrato de financiación que ligaba a las partes.

3.3. Contrato de cesión, con facultad de arrendamiento u otorgamiento de derecho de explotación a terceros, de fincas urbanas o de elementos de éstas por tiempo determinado a cambio del pago aplazado de la parte del coste que corresponda abonar a los propietarios de las fincas

En bienes pertenecientes al **Patrimonios Públicos de Suelo,** generalmente municipales, el **contrato de cesión** es un negocio jurídico vinculado con su gestión y enajenación.

Antes de entrar a analizar el régimen jurídico del contrato de cesión de bienes públicos, conviene detenernos en resaltar los rasgos esenciales de los Patrimonios Municipales de Suelo y Patrimonios Públicos de Suelo, como instrumentos de intervención en el mercado de suelo.

Los **instrumentos de intervención de la Administración en el mercado inmobiliario** tradicionalmente tenía como finalidad evitar la especulación y la escasez de suelo, con medidas que luchaban contra la especulación con el suelo, promoviendo los medios para la creación de suelo finalista y viviendas con un precio adecuado para que las capas de la sociedad que no podían adquirirlas en el mercado libre, pudiesen acceder a ellos.

Podemos deducir sin dificultad que los instrumentos de intervención de la Administración en el mercado de suelo tienen como finalidad el cumplimiento del mandato constitucional previsto en el artículo 47 CE, del que ahora interesamos su literalidad:

«Todos los españoles tienen derecho a disfrutar de una vivienda digna y adecuada. Los poderes públicos promoverán las condiciones necesarias y establecerán las normas pertinentes para hacer efectivo este derecho, regulando la utilización del suelo de acuerdo con el interés general para impedir la especulación.

La comunidad participará en las plusvalías que genere la acción urbanística de los entes públicos.»

Con la aprobación de la Ley de Rehabilitación, Regeneración y Renovación urbanas, **las acciones de los poderes públicos para promover las condiciones necesarias para dotar a los españoles de una vivienda digna y adecuada se encuentra en las intervenciones sobre el suelo urbano y edificaciones ya ejecutadas, y no, como venía ocurriendo hasta ahora en su mayor parte, en el crecimiento de la ciudad.**

El cambio de ciclo económico, junto con las enormes «bolsas de suelo» urbanizado o urbanizables sin edificar o a desarrollar, así como un número cercano al millón de viviendas construida vacías, requieren que las acciones y respuestas se centren en regular, planificar y dar cobertura a acciones de rehabilitación, así como las de regeneración y reforma urbanas.

Este criterio se recoge expresamente en el Preámbulo de la LRRRU al relacionar la identificación del derecho constitucional a una vivienda digna y adecuada, con las intervenciones de rehabilitación y de regeneración y renovación urbanas.

Estas actuaciones de reforma y conservación, por lo general, son mucho más complejas que las expansivas o de crecimiento de la ciudad, mayoritarias en la anterior situación de crecimiento experimentada durante las últimas décadas.

En el marco económico y de empobrecimiento social debido al cambio de ciclo económico en que se promulga la LRRRU, el legislador ha considerado necesario remover los obstáculos normativos y regular los vacíos legales para poder intervenir en los tejidos urbanos existentes mediante actuaciones de rehabilitación y de regeneración y renovación urbanas.

Los obstáculos a remover no sólo son normativos, sino también los referentes a la viabilidad técnica y económica de la actuación.

Los Patrimonios Públicos de Suelo, junto con el derecho de superficie y los derechos de tanteo y retracto, constituyen los instrumentos jurídicos de los que los poderes públicos se han servido para intervenir en el mercado del suelo y perseguir los fines de interés general.

El patrimonio público de suelo de cada Administración está integrado por un patrimonio diferenciado y separado del resto, quedando su destino queda afecto con carácter legal a los fines señalados en la Ley, tal y como señala el artículo 38.2 TRLSE (7).

El patrimonio público de suelo se integra por las cesiones de «suelo libre de cargas de urbanización correspondiente al porcentaje de la edificabilidad media ponderada de la actuación, o del ámbito superior de referencia en que ésta se incluya, que fije la legislación reguladora de la ordenación territorial y urbanística», además de los demás bienes que determine la legislación de ordenación territorial y urbanística de cada Comunidad Autónoma (artículo 38.1 TRLSE).

La legislación autonómica ha ampliado sustancialmente los bienes que integran parte del patrimonio municipal de suelo. A modo de ejemplo, nos remitimos al artículo 111 y siguientes de la Ley vasca 2/2006, de 30 de junio, de Suelo del País Vasco («LSPV») y al artículo 174 LSM (8).

---

(7)   Artículo 16.2 TRLSE «Los bienes de los patrimonios públicos de suelo constituyen un patrimonio separado y los ingresos obtenidos mediante la enajenación de los terrenos que los integran o la sustitución por dinero a que se refiere la letra b) del apartado 1 del artículo 16, se destinarán a la conservación, administración y ampliación del mismo, siempre que sólo se financien gastos de capital y no se infrinja la legislación que les sea aplicable, o a los usos propios de su destino».

(8)   *«Artículo 174 Bienes integrantes de los patrimonios públicos de suelo*

1. Integran el patrimonio público de suelo:

a) Los bienes patrimoniales de la Administración correspondiente, a los que el planeamiento urbanístico, o por acto expreso de la Administración, le asigne tal destino.

b) Los terrenos, construcciones y edificaciones no afectos a un uso o servicio público adquiridos al ejecutar el planeamiento, incluidos los adquiridos mediante convenios urbanísticos.

c) Los terrenos, construcciones y edificaciones adquiridos en virtud de las cesiones correspondientes a la participación de los municipios en el aprovechamiento urbanístico de los sectores o unidades de ejecución.

d) Los derechos correspondientes sobre los terrenos a obtener por cesión en la equidistribución reparcelatoria de beneficios y cargas con destino a dotaciones para redes locales y supramunicipales en cualquier clase de suelo, en virtud del valor económico de la diferencia entre las edificabilidades objetivas y las normales establecidas por el planeamiento urbanístico.

e) Los terrenos, construcciones y edificaciones adquiridos por la Administración titular, en virtud de cualquier título y, en especial, mediante expropiación, con el fin de su incorporación al correspondiente patrimonio de suelo.

f) Los terrenos, las construcciones y las edificaciones que los municipios y la Comunidad de Madrid se cedan entre sí con carácter gratuito, para su incorporación al patrimonio de suelo de la Administración cesionaria y su aplicación, en su caso, a una finalidad específica.

g) Las cesiones que se obtengan en especie o en metálico para infraestructuras, equipamientos y servicios públicos, distintas de las derivadas del cumplimiento de deberes u obligaciones, legales o voluntarios, asumidas en convenios o concursos públicos celebrados en aplicación de la ordenación urbanística.

Tal es la sumisión de estos bienes y recursos al destino legal de los patrimonios públicos de suelo que, como referencia, el artículo 111.4 LSPV les vincula directamente incluso en los casos en los que la Administración Pública titular no haya constituido el patrimonio público de suelo (9).

Especial atención merece **la gestión y disposición de los bienes de los patrimonios públicos de suelo**, muy especialmente por la modificación introducida por la LRRRU en el apartado 1 del artículo 39 TRLSE con la finalidad de que los bienes y recursos que integran los patrimonios públicos de suelo puedan ser **destinados a usos de carácter socio-económico para atender a las necesidades que requiera el carácter integrado de las operaciones de regeneración urbana:**

> «1. Los **bienes y recursos que integran necesariamente los patrimonios públicos de suelo** en virtud de lo dispuesto en el apartado 1 del artículo anterior, deberán ser destinados a la construcción de viviendas sujetas a algún régimen de protección pública, salvo lo dispuesto en el artículo 16.2 a). Podrán ser destinados también a otros usos de interés social, de acuerdo con lo que dispongan los instrumentos de ordenación urbanística, sólo cuando así lo prevea la legislación en la materia especificando los fines admisibles, que serán urbanísticos, de protección o mejora de espacios naturales o de los bienes inmuebles del patrimonio cultural, **o de carácter socio-económico para atender las necesidades que requiera el carácter integrado de operaciones de regeneración urbana.**»

La regulación estatal del TRLSE, incluso la ahora reformada, ya se había visto superada por legislación urbanística y de ordenación del territorio autonómica previa. La normativa urbanística autonómica ya permitía la aplicación de los bienes y recursos de los patrimonios públicos de suelo para fines que encajan dentro de los

---

h) Los terrenos que reciban los Ayuntamientos como consecuencia del pago del canon que prevé esta Ley respecto de los proyectos de actuación especial.

i) Los demás bienes inmuebles que legalmente deban incorporarse al patrimonio público de suelo.

j) Los demás ingresos que legalmente deban incorporarse al patrimonio público de suelo.

2. Son fondos adscritos al patrimonio público de suelo:

a) Los ingresos obtenidos en la gestión y disposición del patrimonio público de suelo.

b) Los créditos que tengan como garantía hipotecaria los bienes incluidos en el patrimonio público de suelo.

c) Los beneficios de sociedades públicas o mixtas, cuando la aportación de capital público consista en bienes integrantes del patrimonio público de suelo.

d) Las transferencias presupuestarias que tengan como finalidad específica la adquisición de bienes para el patrimonio público de suelo.

e) Los ingresos que perciban los Ayuntamientos como consecuencia del pago del canon que prevé esta Ley respecto de los proyectos de actuación especial».

(9) Para un estudio más detallado ver DE RENTERÍA AROZAMENA, A., «Urbanismo y Registro de la Propiedad en el País Vasco», perteneciente a la obra colectiva *Derecho Urbanístico del País Vasco*, dirigida por SÁNCHEZ GOYANES, E., Editorial LA LEY, Madrid, 2008. Pág. 1395 y ss.

objetivos de la LRRRU, en la materia estudiada. Así por ejemplo en la legislación de suelo madrileña en su artículo 176 LSM permite:

«Los bienes integrantes de los patrimonios públicos de suelo, una vez incorporados al proceso urbanizador o edificatorio, se destinarán, de conformidad con las técnicas y los procedimientos establecidos en la presente Ley, a cualquiera de los siguientes fines:

a) Construcción, rehabilitación o mejora de viviendas sujetas a algún régimen de protección pública o de integración social, en el marco de las políticas o programas establecidos por las Administraciones públicas.

b) Conservación o mejora del medio ambiente, o la protección del patrimonio histórico-artístico.

c) Actuaciones públicas para la obtención de terrenos y ejecución, en su caso, de las redes de infraestructuras, equipamientos y servicios públicos.

d) Actuaciones declaradas de interés social.

e) Conservación y ampliación de los patrimonios públicos de suelo.

f) A la propia gestión urbanística, con cualquiera de las siguientes finalidades:

1.º Incidir en el mercado inmobiliario, preparando y enajenando suelo edificable.

2.º Pagar en especie, mediante permuta, suelo destinado a redes públicas.

3.º Compensar, cuando proceda, a quienes resulten con defecto de aprovechamiento, como consecuencia de operaciones de equidistribución, o de la imposición de limitaciones singulares.»

No cabe duda de la **compatibilidad en los objetivos de la legislación de Rehabilitación, Regeneración y Reforma urbana con los destinos de los bienes integrantes en el Patrimonio Público de Suelo madrileño:** bienes con destino de construcción, rehabilitación y mejora de viviendas destinadas a usos sociales, la conservación del medio ambiente o mejora del patrimonio, las actuaciones para mejora de las infraestructuras y dotaciones públicas, la incidencia en el mercado inmobiliario preparando y enajenado suelo edificable y compensar a aquellos que reciban menos aprovechamiento (incluso económico) como consecuencia de la equidistribución realizada en el seno de una actuación de rehabilitación, de regeneración y de reforma urbanas, al igual que las mayores cargas que se impongan como consecuencia de las limitaciones u obligaciones que sobrepase el deber de conservación.

Este es el encaje que busca el legislador estatal mediante la modificación de la legislación sectorial del estado que obstaculice las actuaciones (LPH, TRLSE, LOE, etc.) o su complemento en aquellos aspectos que no hayan sido regulados y sean precisos para las actuaciones de rehabilitación, regeneración y renovación urbanas. Por razón de la distribución competencial entre Estado y Comunidades Autónomas, serán estas últimas las que incorporen las previsiones del legislador estatal en esta materia a sus respectivas normas autonómicas.

Llegados a este punto debemos abordar el estudio de los **negocios jurídicos de disposición realizados por las Administraciones titulares de sus patrimonios públicos de suelo**.

Los patrimonios públicos de suelo no tienen el carácter de dominio público, sino que son bienes públicos de carácter patrimonial, enajenables mediante actos de disposición que autorizan la totalidad de las legislaciones de las Comunidades Autónomas. Hasta hace poco existía la salvedad de determinados bienes que se califican legalmente como demaniales por la Comunidad de Galicia, calificación demanial que ha sido superada por la reciente reforma legislativa que ha suprimido esta previsión (10).

El carácter enajenable y patrimonial se confirma, entre otros, en artículo 173.2 LSM, 116 y siguientes LSPV, 216 del Decreto Legislativo del Principado de Asturias 1/2004, por el que se aprueba el Texto Refundido de las Disposiciones legales vigentes en materia de Ordenación del Territorio y Urbanismo («**TROTUA**»).

Como regla general, la legislación territorial y urbanística recoge el concurso como procedimiento de enajenación onerosa de los bienes y derechos del patrimonio público de suelo (así artículo 116 LSPV o 178.a LSM). No obstante, se recogen otros posibles negocios jurídicos para la enajenación. Así el legislador madrileño incorpora la cesión como posibles actos de disposición de estos bienes (artículo 178 LSM):

«1. Los bienes de los patrimonios públicos de suelo, así como los restantes bienes de la Comunidad de Madrid y de los municipios clasificados como suelo urbano y urbanizable pueden ser:

(…)

b) **Cedidos, por precio fijado en convenio interadministrativo suscrito al efecto,** a cualquier Administración pública o entidades de ella dependientes o a ella adscritas para el fomento de viviendas sujeta a cualquier régimen de protección pública o la realización de programas de conservación o mejora medioambiental.

---

(10)   Hasta el año 2012 en Galicia se calificaban los terrenos del inventario público de suelo para vivienda pública como bienes demaniales, quedando el resto de los terrenos integrados en el patrimonio público de suelo como patrimoniales. Sin embargo, esta previsión de demanialidad, recogida el número 3 del artículo 174 de la ley urbanística gallega, ha sido derogada por la disposición derogatoria segunda de la Ley [GALICIA] 8/2012, 29 junio, de vivienda de Galicia. Ahora también la Ley 9/2002, de 30 de diciembre, de ordenación urbanística y protección del medio rural de Galicia («LOUGA»), recoge como patrimoniales la totalidad de los bienes integrados en los patrimonios públicos de suelo.

c) Adjudicados, por el precio fijado al efecto, o, en su caso, **cedidos gratuitamente**, en uno y otro caso por concurso, a entidades cooperativas o de carácter benéfico o social sin ánimo de lucro para la construcción de viviendas sujetas a cualquier régimen de protección pública o la realización de fines de interés social.

d) **Cedidos gratuitamente**, mediante convenio suscrito a tal fin, a cualquier Administración Pública o entidad de ella dependiente o adscrita, para la ejecución de dotaciones públicas o promoción de viviendas sujetas a algún régimen de protección pública o de integración social.»

Por su parte la legislación urbanística del País Vasco, permite la enajenación de los bienes y derechos del patrimonio municipal de suelo mediante concurso (artículo 116 LSPV), mediante la enajenación directa sin necesidad de concurso (artículo 117 LSPV), así como **cesiones o enajenaciones gratuitas o bien por debajo de su valor** (artículo 118 LSPV). Alcanzado este punto, detengámonos un momento en el análisis de las cesiones de bienes de los patrimonios públicos de suelo:

«Artículo 118. Enajenaciones gratuitas o por debajo de valor

No obstante lo dispuesto en los artículos anteriores, los bienes del patrimonio público de suelo podrán cederse gratuitamente o por debajo de su valor cuando concurra alguna de las siguientes circunstancias:

a) Que el cesionario sea una administración pública o sus entes instrumentales y el destino cualquiera de los contemplados en el artículo 115.

b) Que el peticionario sea una entidad privada de interés público y sin ánimo de lucro y el destino de los terrenos sea la construcción de viviendas sujetas a algún régimen de protección pública o equipamientos de interés social y uso común o general.

c) Que el cesionario sea ocupante legal de la vivienda afectada por acuerdo de realojo en forma de permuta total o parcial, justificado por acuerdo expreso con la administración actuante o incluido en la reparcelación.»

Por su parte, la legislación gallega recoge la posibilidad de ceder los bienes integrados en el patrimonio público de suelo cuando vaya destinado a determinados fines (artículo 177.4 LOUGA):

«4. Los municipios podrán **ceder gratuitamente** los bienes incluidos en el patrimonio municipal del suelo, en los supuestos previstos en la legislación vigente y cumpliendo los requisitos establecidos en la misma, observando su finalidad urbanística con destino a la vivienda de promoción pública o para equipamientos comunitarios, debiendo constar en documento público la cesión y el compromiso de los adquirentes.»

La **adecuación y desarrollo normativo de las previsiones de la LRRRU en la legislación de ordenación del territorio y urbanística de cada Comunidad Autónoma debe pasar porque éstas incorporen en los destinos de los patrimonios públicos de suelo los objetivos de rehabilitación, de regeneración y renovación urbanas**.

Buena parte de los destinos posibles de los patrimonios públicos de suelo se ajustan a los objetivos de la LRRRU. Cabe añadir la legislación urbanística castellano-manchega, la cual califica como bienes patrimoniales aquellos que normativamente se vinculen a la rehabilitación de viviendas (artículo 77 TRLOTAU).

La legislación de régimen local también regula la cesión gratuita de bienes a instituciones privadas de interés público sin ánimo de lucro, previa instrucción de un procedimiento especial y aprobación por mayoría absoluta del órgano colegiado municipal que lo acuerde, conforme regulan los artículos 109 y 110 del Real Decreto 1372/1986, de 13 de junio, por el que se aprueba el Reglamento de Bienes de las Entidades Locales (**«RBEL»**).

La enajenación de los bienes integrantes de los patrimonios públicos de suelo deben asegurar su destino legal. Se ha observado cómo dependiendo del interés general de que esté investido el destino o aplicación del patrimonio público de suelo, además de su destinatario, el negocio jurídico permitido para su enajenación varía. Los requisitos y onerosidad del contrato disminuye cuanto mayor es el interés general del fin de los bienes objeto de transmisión.

Para su enajenación o disposición nos encontramos, entre otros, con el **contrato administrativo de cesión**. Se trata de un contrato administrativo especial, por cuanto que:

a)　Satisface una necesidad pública provista en la LRRRU, normativa urbanística, consistente en una actuación de rehabilitación, de regeneración y renovación concreta.

b)　Está vinculado con el giro y tráfico específico de la Administración, que trae causa del patrimonio municipal del suelo.

　　Siendo la causa del contrato el cumplimiento de una de las actuaciones de rehabilitación, de regeneración y reforma, nos encontramos ante un elemento esencial que determina su carácter público.

Debería haberse concretado si estamos ante un contrato administrativo especial de los previstos en el art. 19.1.b) TRLCSP, anterior art. 5.2.b) TRLCAP. Atendiendo al art. 19.2 TRLCSP a los contratos administrativos especiales les resultaría de aplicación, en primer término, sus normas específicas (11).

---

(11)　«Artículo 19.2 TRLCP. Los contratos administrativos se regirán, en cuanto a su preparación, adjudicación, efectos y extinción, por esta Ley y sus disposiciones de desarrollo; supletoriamente se

El legislador estatal ha perdido una oportunidad única para definir y regular la naturaleza jurídica de este tipo de contratos en atención a la competencia que constitucionalmente tiene atribuida por virtud del art. 149.1.18 CE en materia de legislación básica sobre contratos públicos.

Recordar igualmente que en las enajenaciones de bienes patrimoniales locales se regirán en cuanto su preparación y adjudicación por la normativa reguladora de la contratación de las Corporaciones Locales, tal y como dispone el artículo 112 RBEL, pudiendo únicamente la Administración pública territorial o instrumental que de ella dependa, ceder bienes patrimoniales son las territoriales o la institucional que depende de ellas.

Sin embargo, el **contrato de cesión previsto en el artículo 17 LRRRU** se configura como un contrato de contenido más amplio que el de cesión para enajenar bienes patrimoniales de la Administración, por cuanto que permite ostentar la posición de cedente a cualquiera de los sujetos legitimados para participar en las actuaciones con facultad de permitir al cedido el arrendamiento u otorgamiento de derecho de explotación a terceros.

La **cesión de inmuebles con derecho a arrendamiento o explotación a terceros** ha sido de gran utilidad para el pago del coste de actuaciones de ejecución de obras públicas o privadas, tales como operaciones en las que se realizan construcciones en suelo de entidades públicas empresariales, en las que se cede para el alquiler y la explotación de determinados espacios comerciales por un plazo determinado, a cambio de sufragar total o parcialmente la inversión de la obra.

En el caso de la LRRRU, la cesión con facultad de arrendamiento u otorgamiento de derecho de explotación a terceros se realiza sobre fincas urbanas o parte de éstas sujetas a una actuación de rehabilitación edificatoria, de regeneración y renovación urbanas. El encaje de este contrato parece que encuentra mayor acomodo en las actuaciones de rehabilitación edificatoria, en las que se podrá ceder parte de las viviendas objeto de reforma, locales o espacios comunes.

La cesión con facultad de arrendamiento o derecho de explotación supone el pago aplazado de parte del coste de los propietarios de las fincas.

Nada impide que ese derecho de arrendamiento o explotación se realice no sólo por el inmueble sujeto a rehabilitación, sino incluso con un inmueble futuro cuando la actuación concreta requiera la sustitución del edificio existente por otro futuro o, incluso, del resultado de actuaciones de regeneración y renovación urbanas o de inmuebles situados fuera del ámbito concreto de actuación.

---

aplicarán las restantes normas de derecho administrativo y, en su defecto, las normas de derecho privado. No obstante, a los contratos administrativos especiales a que se refiere la letra b) del apartado anterior les serán de aplicación, en primer término, sus normas específicas».

El plazo del derecho de explotación y arrendamiento no podrá superar el del contrato de cesión. Es recomendable que los contratos derivados de arrendamiento y explotación contengan una estipulación relativa a la extinción automática ligada a la del contrato de cesión.

Evidentemente **también se puede suscribir entre particulares un contrato de cesión de inmuebles, con facultad de arrendamiento u otorgamiento de derecho de explotación con terceros** a cambio del pago aplazado de parte del coste que corresponda abonar a los propietarios de las fincas. Se ha detallado el supuesto de intervención de la Administración como cedente de bienes públicos por su singularidad y reglas específicas.

Los propietarios pueden ceder a la empresa constructora o gestora de la actuación fincas urbanas o parte de éstas para su explotación o arrendamiento como pago en especie del coste de las obras de rehabilitación, de regeneración o de renovación que tengan que sufragar.

Estamos ante un negocio jurídico con camino paralelo a la permuta que se analiza en el siguiente epígrafe. La distinción se encuentra en que el contrato de cesión para arrendar o explotar se produce un derecho personal de arrendamiento o explotación con plazo limitado, contrariamente a la permuta que tiene carácter real y es traslativo de la propiedad al tercero que sufraga los gastos.

La finalidad del propietario obligado al pago es la misma, poner a disposición de un tercero un inmueble para que por éste se sufraguen, total o parcialmente, los gastos de la actuación que inicialmente le correspondían. De esta forma se consigue eludir el pago de esos costes en metálico, dando viabilidad económica y financiera a la actuación aprobada por la Administración actuante.

En una misma actuación, dependerá de varios factores la elección de un contrato de cesión, para arrendamiento o explotación, con efectos limitados en el tiempo o bien de permuta, traslativo de la propiedad. Esencialmente del carácter público o privado de los inmuebles, el coste a sufragar por el tercero que recibe el derecho de arrendamiento o explotación, con mayor coste a sufragar en los casos de recibir la propiedad del inmueble o parte de él mediante permuta, etc.

3.4. Contrato de permuta o cesión de terrenos o de parte de la edificación sujeta a rehabilitación por determinada edificación futura

Para facilitar la financiación de las actuaciones el legislador incluye un negocio jurídico clásico, la **permuta de inmueble por cosa futura** en el que no existe precio.

La cesión de suelo por cosa futura consiste en la entrega actual de un suelo o parte de él a cambio de una contraprestación de inmuebles en el suelo originariamente cedido (12).

La actuación de regeneración, renovación o rehabilitación edificatoria se sufraga con el resultado propio de la actuación, terrenos regenerados o renovados, edificación rehabilitada o futura, resultado de una actuación de rehabilitación o sustitución.

De esta forma se consigue cohonestar la ejecución de la actuación sin la necesidad de hacer un desembolso económico por parte de los sujetos obligados al pago, propietarios y Administración en los supuestos previstos en el artículo 8 LRRRU.

Es un supuesto similar al del pago en especie al agente urbanizador con solares resultantes de su actuación urbanizadora o al pago en especie del justiprecio expropiatorio que regula para estas actuaciones el artículo 13 LRRRU.

En suma, mediante el contrato de permuta, cesión de terrenos o de parte de la edificación sujeta a rehabilitación o de terrenos se anticipa la ejecución y gestión de la actuación por el resultado de esta, consiguiendo que los obligados al pago no tengan que desembolsar su importe en metálico.

El régimen jurídico del **contrato de cesión** se ha analizado en la letra anterior, a la que nos remitimos, con la precisión de que en este supuesto estamos ante una cesión traslativa de la propiedad y onerosa.

El **contrato de permuta** encuentra su definición en el artículo 1538 del Código Civil, rigiéndose supletoriamente por las determinaciones del contrato de compraventa en todo aquello que no quede previsto en los tres artículos restantes que se dedican a este contrato, ex artículo 1541 Código Civil. La definición legal de permuta por el artículo 1538 del Código Civil es realmente sencilla y aplicable a estos supuestos:

> «La permuta es un contrato por el cual cada uno de los contratantes se obliga a dar una cosa para recibir otra»

Es importante que el contrato de permuta por cosa futura se documente en escritura o documento público, en caso de otorgarse en documento privado no se estará ante un derecho real sobre los terrenos, viviendas o locales sino ante un mero derecho de crédito.

Lo anterior es consecuencia de que la escritura pública produce la tradición, *traditio ficta* diferida al momento de entrega de la cosa futura. Así entre otras la

---

(12) Cervera-Mercadillo Tapia, V., «La adquisición del suelo», dentro de la obra colectiva *Manual de Derecho de la Construcción*, Coordinado por San Cristóbal Reales, S. LA LEY, 2008. Pág. 203 y ss.

Sentencia de la Sala primera del Tribunal Supremos de 21 de julio de 1997 (RJ 1998, 219). Si bien es preciso que opere la *tradición* para que se produzca el traspaso de la propiedad (artículos 1538, 609 y 1095 del Código Civil), le es aplicable la *tradición instrumental* por medio de escritura pública en relación a las previsiones de los artículos 462.2 en relación con el 1541 del Código Civil. Para su perfeccionamiento la permuta la tradición instrumental necesita un acta de declaración de obra nueva o acta de finalización de la edificación que inicialmente constituía la cosa futura.

La permuta que propone el legislador se identifica en la mayoría de los supuestos como un la cesión de solar por pisos y locales en edificación a rehabilitar o a construir, negocio jurídico que se configura como un contrato atípico <do ut res» de permuta con prestación subordinada de obra. Es un negocio jurídico subsumible en el contrato de permuta del artículo 1538 CC, en el que uno de los bienes está presente y se intercambia por otro que no tiene existencia real en el momento del contrato, tratándose de una prestación de cosa futura.

El carácter atípico del contrato de permuta de suelo por edificación futura ha sido señalado por la jurisprudencia. En la sentencia del Tribunal Supremo, Sala Primera, de lo Civil, de 3 de noviembre de 2009, rec. 217/2005, Ponente: Excmo. Sr. don Francisco Marín Castán, n.º de Sentencia: 701/2009 (LA LEY 212163/2009) y la sentencia también del Tribunal Supremo, Sala Primera, de lo Civil, Sentencia de 22 de marzo de 2010, rec. 1052/2006, Ponente: Excmo. Sr. don Xavier O'Callaghan Muñoz, n.º de Sentencia: 190/2010, (LA LEY 16954/2010). En el primero de los Fundamentos de Derecho de la última sentencia citada lo define en los siguientes términos:

> «PRIMERO.— El presente recurso de casación se centra en la interpretación de un determinado contrato de permuta de cosa futura, frecuente en la práctica y reconocido en la jurisprudencia como contrato de permuta atípico (así, sentencias de 8 de marzo de 2001, 19 de julio de 2002 y 30 de mayo de 2006; ésta última la denomina "especie del contrato de permuta")»

En la permuta cabe la posibilidad de que no exista una equivalencia entre el valor de los terrenos o parte de la edificación sujeta a rehabilitación que se aporta respecto de la edificación futura que se recibe, debiendo abonarse la diferencia en metálico. La naturaleza jurídica del contrato de permuta no se pierde mientras el valor de los inmuebles permutados represente más de un cincuenta por ciento del importe del contrato.

Mediante el contrato de permuta el promotor se compromete a entregar al cedente una parte del edificio sujeto a actuación de rehabilitación en un plazo determinado y con unas condiciones concretas, muchas de ellas impuestas externamente por la Ordenación vigente y/o Administración actuante que ha aprobado la actuación rehabilitadora concreta.

Cuestión distinta es la **seguridad jurídica de estos contratos y la inscripción registral de la contraprestación futura** (viviendas, locales o solares).

La transmisibilidad sin posesión e inscripción registral de la transmisión de las viviendas, locales o solares que constituyen la cosa futura al cedente del solar no se admitió hasta la **Resolución de la Dirección General de los Registros y del Notariado de 16 de mayo de 1996** *(BOE* núm. 142, de 12 de junio de 1996) (13).

Hasta esa fecha se denegaba la inscripción al considerarse la entrega de la contraprestación futura un derecho estrictamente personal u obligacional, pendiente de su perfeccionamiento con la entrega de la cosa futura, momento en el que se producía la traslación de la propiedad y se tenía acceso al Registro de la Propiedad mediante su inscripción. Por tanto, mientras el adquirente (generalmente promotor) inscribía desde la firma del contrato el local o edificio a rehabilitar a su nombre por título de permuta, el cedente no podía inscribir los inmuebles futuros hasta que recibiese la contraprestación (14).

El criterio de la Dirección General de los Registros y el Notariado se plasmó mediante la **reforma legislativa del Reglamento Hipotecario,** concretamente con una nueva redacción del artículo 13 del Reglamento Hipotecario dada por el Real Decreto 1867/1998 («RD 1867/1998»), que tenía la siguiente literalidad (el subrayado es nuestro):

> «Artículo 13.
>
> En las cesiones de suelo por obra futura, en las que se estipule que la contraprestación a la cesión consiste en la transmisión actual de pisos o locales del edificio a construir, que aparezcan descritos en el propio título de permuta conforme a la Ley de Propiedad Horizontal y con fijación de la cuota que les corresponderá en los elementos comunes, al practicarse la inscripción se hará constar la especial comunidad constituida entre cedente y cesionario, siempre que se fije un plazo para realizar la edificación, que no podrá exceder de diez años.

---

(13)   Las partes pactaron la obligación del cesionario de entregar las futuras viviendas mediante acta notarial una vez terminados y como contraprestación del suelo cedido. Sin embargo, en la escritura de permuta se estableció la adquisición de las futuras viviendas a construir mediante la misma escritura. La inscripción de las futuras viviendas a favor del cedente fue denegada por el Registrador de la Propiedad al no acompañarse la escritura de permuta del correspondiente acta notarial que acreditase la terminación de la edificación.

   La DGRN resolución que la tradición instrumental se producía con la misma escritura de permuta y que las viviendas a construir no son una cosa futura sino un objeto jurídico complejo en proceso de transformación que se incorpora a la propiedad del cedente conforme se van ejecutando las obras. Con la escritura de permuta más que los pisos futuros lo que se entrega, en ese momento, es una cuota del solar sobre el que se edificará, configurándose una *comunidad especial* sobre el solar, que se anticipa a la constitución de la propiedad horizontal.

(14)   Ver estudio detallado de Chamorro Posada, M., «Financiación no bancaria de la construcción: la percepción de cantidades a cuenta en la nueva Ley de Ordenación de la Edificación», *Diario LA LEY*, Sección Doctrina, 2000, Ref. D-39, tomo 2, Editorial LA LEY.

Salvo que en el título de cesión se pacte otra cosa, **el cesionario podrá por sí solo otorgar las escrituras correspondientes de obra nueva y propiedad horizontal,** siempre que coincida exactamente la descripción que se haga en ellas de los elementos independientes a que se refiere el párrafo anterior. La inscripción de la propiedad horizontal determinará que tales elementos queden inscritos a favor del cedente, sin necesidad de formalizar acta notarial de entrega.

Salvo pacto en contrario, **el cesionario no podrá enajenar ni gravar, sin consentimiento del cedente, los elementos independientes que constituyen la contraprestación**.

El régimen previsto en este artículo no será aplicable cuando los contratantes hayan configurado la contraprestación a la cesión de forma distinta a lo contemplado en el párrafo primero o como meramente obligacional. En este caso se expresará de forma escueta en el cuerpo del asiento que la contraprestación a la cesión es la obra futura, pero sin detallar ésta. En el acta de inscripción y en la nota al pie del documento se hará constar que el derecho a la obra futura no es objeto de inscripción.

No obstante, si se hubiera garantizado la contraprestación con condición resolutoria u otra garantía real, se inscribirán estas garantías conforme al artículo 11 de la Ley Hipotecaria.»

Sin embargo, la **sentencia de la Sala Tercera del Tribunal Supremo de 31 de enero de 2001** declaró nulos por ser contrarios a Ley tres párrafos del artículo 13 del Reglamento Hipotecario («**LH**») redactado conforme al RD 1867/1998 (15) (16).

Tres de los cinco epígrafes del artículo 13 RH fueron anulados por el Tribunal Supremo al considerarse que:

a) Introducían en el sistema jurídico español un procedimiento de transmisión de la propiedad que vulneraba una norma con rango de Ley, concretamente el artículo 609 CC.

Las previsiones del artículo 13 LH anuladas desnaturalizan el sistema de adquirir la propiedad en nuestro ordenamiento jurídico que precisa la concurrencia de título y modo, de manera que no basta con la existencia del contrato si no se encuentra unida a la entrega de la cosa. Entrega que no concurre en los párrafos anulados al no existir en la fecha de la permuta las viviendas y locales a entregar en la fecha de la permuta.

---

(15) *Diario LA LEY* número 5.272, de 21 de marzo de 2001, 3000, págs. 15 a 28.

(16) Comentario pormenorizado de esta sentencia por Ruda González, A, «El contrato de cesión de suelo por obra tras la sentencia del Tribunal Supremo (Sala 3.ª) de 31 de enero de 2001», *Diario LA LEY*, Sección Doctrina, 2001, Ref. D-223, tomo 6, Editorial LA LEY.

No es amparo suficiente para salvaguardar la redacción anulada acudir a la regulación de la *tradición instrumental* del artículo 1462 CC, al no existir en la realidad el objeto de la entrega, que es cosa futura y producirse la imposibilidad del objeto (artículo 1272 CC), lo que viciaría al contrato de nulidad y sin efecto entre las partes a la vista del artículo 6.3 CC.

b)   Se regulaba por norma con rango reglamentario derechos y obligaciones entre las partes que son aspectos sustantivos del contrato, fuera de su alcance.

Tras la Sentencia de 31 de enero de 2001 la redacción del artículo 13 LH ha quedado con la siguiente literalidad, vigente y útil en la materia ahora en estudio:

«El régimen previsto en este artículo no será aplicable cuando los contratantes hayan configurado la contraprestación a la cesión de forma distinta a lo contemplado en el párrafo primero o como meramente obligacional. En este caso se expresará de forma escueta en el cuerpo del asiento que la contraprestación a la cesión es la obra futura, pero sin detallar ésta. En el acta de inscripción y en la nota al pie del documento se hará constar que el derecho a la obra futura no es objeto de inscripción.

No obstante, si se hubiera garantizado la contraprestación con condición resolutoria u otra garantía real, se inscribirán estas garantías conforme al artículo 11 de la Ley Hipotecaria.»

Lo anterior no significa que esté prohibido el contrato de cesión de suelo por obra como contrato de cosa futura. La transmisión de las cosas futuras, pisos y locales, se adquieren de forma gradual según se van construyendo.

La situación vuelve al estado previo al de la declaración de nulidad parcial del artículo 13 LH. El vacío legal existente se puede suplir por la vía convencional entre las partes que la ejerzan en aplicación del principio general de autonomía de la voluntad previsto en el artículo 1255 CC.

En la práctica, la situación actual se ha resumido por la **Resolución de la Dirección General de los Registros y del Notariado de 19 de julio de 2005** que en síntesis indica (17):

a)   La transmisión del solar o edificio a rehabilitar al promotor tiene plenos efectos reales y acceso al Registro de la Propiedad.

b)   La contraprestación al aportante:

---

(17) Hernández Antolín, J.M., «El negocio de aportación de solar a cambio de edificación a construir», perteneciente a la obra colectiva *Manual de Derecho de la Construcción*, Coordinado por San Cristóbal Reales, S. LA LEY, 2008. Págs. 1258 y 1259.

b1) Cuando se configure como una obligación personal de construir y entregar parte de lo construido no tiene acceso al Registro, sin perjuicio de la posible constancia de la forma de pago convenida en aplicación del artículo 10 LH (18).

b2) Cuando se garantice mediante garantía real el cumplimiento de la obligación por el promotor al aportante, la garantía tendrá acceso registral.

b3) Cuando la contraprestación se configure con carácter real, ésta tendrá acceso al Registro de la Propiedad.

La inscripción de la cosa futura se producirá con el acta notarial que acredite su finalización equivalente al de obra nueva terminada, en la que se testimonie con certificado final de obra de la Dirección Facultativa y, si fuese preciso por el tipo de actuación al que se ha sometido el inmueble, póliza de seguro decenal y licencia municipal de obras.

Insistir que no es precisa la equivalencia de valor entre el terreno o parte de edificación sujeta a rehabilitación aportada o cedida y la edificación futura a recibir, aunque sí tiene que ser la prestación esencial del contrato. La diferencia de valor se podrá suplir en metálico por la parte que reciba el inmueble de más valor, sin que se pueda calificar de precio que es inexistente en el contrato de permuta.

El contrato de permuta debiera contener unas estipulaciones que regulen el plazo de entrega de la cosa futura y los plazos parciales (solicitud de licencia, inicio y finalización de la obra,...), la determinación de las características del inmueble a entregar, garantías para asegurar las obligaciones, todas ellas ligadas a la actuación de rehabilitación edificatoria en la que se enmarca.

El incumplimiento de las obligaciones contractuales dará derecho a la resolución del contrato, mediante el ejercicio de acción resolutoria del contrato de permuta de cosa futura por incumplimiento contractual. Este criterio es pacífico en la jurisprudencia y se refleja, entre otras, en la sentencia del Tribunal Supremo, Sala Primera, de lo Civil, de 28 de junio de 2010, rec. 1258/2006, Ponente: Excmo. Sr. don Xavier O'Callaghan Muñoz (LA LEY 104014/2010).

En los contratos en estudio el constructor o gestor de la actuación que recibe los inmuebles presentes como pago de su actuación futura rehabilitadora y urbanizadora, deberá asegurar ante los propietarios y, en su caso Administración actuante, el cumplimiento de sus obligaciones.

---

(18) Artículo 10 LH: » En la inscripción de los contratos en que haya mediado precio o entrega de metálico, se hará constar el que resulte del título, así como la forma en que se hubiese hecho o convenido el pago».

Es práctica tanto habitual como recomendable, que en los contratos de permuta de suelo por cosa futura se asegure la reciprocidad o entrega de la cosa futura mediante la **prestación de garantía** por valor equivalente a la cosa futura que asegure la entrega en el plazo y condiciones pactadas, generalmente se presta mediante aval bancario a primer requerimiento.

También es posible que se incorpore en el contrato de permuta una **condición resolutoria** a favor del aportante o titular inicial del suelo de modo, en aplicación del artículo 1504 CC que es de aplicación supletoria al contrato de permuta. Es habitual pactar la posposición de la condición resolutoría a un posible crédito con garantía hipotecaria para facilitar la financiación, aunque siendo conocedores que la ejecución de la hipoteca haría perder los derechos del cedente sobre la finca a favor del acreedor hipotecario (19).

Además de las anteriores garantías cabe incorporar en el contrato de permuta una **condición suspensiva** que condicione la perfección y efectos del contrato a la terminación de la construcción, o un **pacto de reserva de dominio,** o una hipoteca que garanticen al cedente el cumplimiento de las obligaciones del contrato de permuta. Reseñar que todas estas garantías a favor del cedente o aportante dificultarán o imposibilitarán la financiación externa, cuando sea necesaria por el promotor.

El procedimiento más seguro para el aportante es la transmisión de una participación indivisa del edificio sujeto a rehabilitación. Participación que tendrá una equivalencia en el porcentaje de adjudicación sobre el futuro edificio rehabilitado por el promotor una vez finalice su obligación de pagar la rehabilitación y ejecutarla, bien directamente o bien a través de un tercero. En este caso la escritura de permuta tiene por objeto una parte indivisa y tendrá pleno acceso al Registro de la Propiedad, con la protección y publicidad que ello supone.

Finalmente, señalar que tanto la legislación reguladora de bienes públicos, como el Tribunal Supremo ha **admitido que la Administración permute suelo patrimonial por la construcción de edificación futura** de interés general, siempre que éste quede acreditado en el expediente administrativo. De esta forma se pronuncia

---

(19) La posposición de la condición resolutoria es práctica habitual y se permite por el artículo 241 RH:

«Para que la posposición de una hipoteca a otra futura pueda tener efectos registrales será preciso:

1.º Que el acreedor que haya de posponer consienta expresamente la posposición.

2.º Que se determine la responsabilidad máxima por capital, intereses, costas u otros conceptos de la hipoteca futura, así como su duración máxima.

3.º Que la hipoteca que haya de anteponerse se inscriba dentro del plazo necesariamente convenido al efecto.

La posposición se hará constar por nota al margen de la inscripción de hipoteca pospuesta sin necesidad de nueva escritura, cuando se inscriba la hipoteca futura.

Transcurrido el plazo señalado en el número 3.º sin que haya sido inscrita la nueva hipoteca caducará el derecho de posposición, haciéndose constar esta circunstancia por nota marginal».

la sentencia del Tribunal Supremo, Sala Tercera, de lo Contencioso-administrativo, Sección 7.ª, de 16 de Julio de 2001, rec. 1563/1996, Ponente: Excmo. Sr. don Manuel Goded Miranda, (LA LEY 6954/2001):

«**Cuarto:** Los restantes argumentos que, dentro de los términos en que aparece planteado el debate, se hacen valer contra el acuerdo municipal de aprobación de la permuta, no pueden ser aceptados.

El requisito de que la permuta de bienes inmuebles que se encuentra regulada en el artículo 112.2 del Reglamento de Bienes de Entidades Locales haya de tener por objeto único y exclusivo la adquisición de un inmueble determinado y específico que sea propiedad particular, como acertadamente expone el Ayuntamiento de La Rinconada, no aparece exigido por precepto alguno del ordenamiento jurídico. La necesidad de efectuar la permuta ha de entenderse en la forma expresada en la sentencia de 1 Jul. 1988 (antes mencionada), sin que haya razones válidas que permitan imponer a las Entidades Locales la señalada limitación (adquisición de un bien singular) cuando se trata de acudir a la permuta, como medio de enajenación excepcional de un bien inmueble del patrimonio municipal, para cumplir una finalidad de interés público y concurriendo las condiciones que el ordenamiento establece.

La permuta en cuestión no necesita autorización del órgano competente de la Comunidad Autónoma, ya que su valor no excede del 25 por 100 de los recursos ordinarios del presupuesto (artículo 109.1 del Reglamento de Bienes de las Entidades Locales), como se encuentra debidamente justificado en el acuerdo del Pleno del Ayuntamiento de La Rinconada de 6 Sep. 1993, por el que se desestimó el recurso de reposición contra el acto de aprobación de la permuta, por lo que ninguna eficacia tiene para la resolución de la litis el hecho de que la Delegación de Gobernación de Sevilla de la Junta de Andalucía no otorgase su conformidad al expediente de permuta, en virtud de las motivaciones consignadas en la propuesta de resolución, motivaciones que han quedado desvirtuadas por cuanto en la presente sentencia se ha expresado.

D. Francisco P. R. defiende que el contrato autorizado por el Ayuntamiento de La Rinconada no es un contrato de permuta, porque la prestación debida por la contraparte no es un bien inmueble, sino la realización de una obra. El informe que sirve de base al acuerdo de la Delegación de Gobierno de Sevilla de la Junta de Andalucía de no conceder su conformidad al expediente de permuta, entiende que la jurisprudencia civil califica este tipo de contratos como atípicos, aunque expone su opinión de que parece más adecuado calificar su naturaleza jurídica, desde la óptica del Derecho Administrativo, como un típico contrato administrativo de obras. También estas alegaciones, contrarias a la validez del acto enjuiciado, deben desestimarse. El contrato autorizado por el Ayuntamiento de La Rinconada constituye una permuta de cosa presente (la parcela de propiedad municipal) por cosa futura (las 48 viviendas de promoción pública que han de construirse sobre dicha parcela). El artículo 1538 del Código Civil dispone que la permuta es un contrato para el cual cada uno de los contratantes se obliga a dar una cosa para recibir otra. El artículo 1271 de dicho texto legal previene que pueden ser objeto de contrato todas las cosas que no estén fuera del comercio de los hombres, aún las futuras. En consecuencia, la entrega de un solar a cambio de la entrega de las viviendas a construir sobre dicho solar tiene la condición de contrato de permuta, en que las viviendas a construir sobre el solar constituyen una cosa futura, pero perfectamente cierta y determinada. El objeto de la contraprestación no es la realización de una obra, sino las viviendas que el otro permutante se obliga a entregar al Ayuntamiento. El Tribunal Supremo ha calificado en alguna ocasión este contrato como permuta (sentencia de 9 Nov. 1972) y la sentencia de esta Sala Tercera de 12 Feb. 2001 (recurso de casación 2295/1995) acepta tal concepción con relación a la entrega de una parcela de propiedad municipal a cambio de 1.686 m² de locales a construir en otra parcela del mismo Polígono de propiedad particular».

3.5. Contrato de arrendamiento o cesión de uso de local, vivienda o cualquier otro elemento de un edificio por plazo determinado a cambio de pago por el arrendatario o cesionario del pago de todos o de alguno de los siguientes conceptos: impuestos, tasas, cuotas a la comunidad o agrupación de comunidades de propietarios o de la cooperativa, gastos de conservación y obras de rehabilitación y regeneración y renovación urbanas

Una vez más el legislador *orienta* a los sujetos legitimados a participar en la actuaciones para que utilicen herramientas que permitan dar viabilidad a que los gastos por las obras de rehabilitación, de regeneración o renovación urbanas se sufraguen mediante el arrendamiento o cesión de parte de los inmuebles a cambio de que el arrendatario o cedente abone determinados gastos que corresponden a los titulares de los inmuebles.

Por un lado, el arrendatario o cesionario abonará todos o parte de los gastos en la actuación, de los que el precepto enumera: los impuestos, tasas, cuotas a la comunidad o agrupación de comunidades de propietarios o de la cooperativa, gastos de conservación y obras de rehabilitación y regeneración y renovación urbanas.

A cambio, el arrendador o cedente le concede un derecho de arrendamiento o uso por un plazo determinado de cuantas viviendas, locales o elementos comunes disponga y sean suficientes para compensar el importe de los pagos asumidos.

El arrendatario o cesionario que asuma los gastos puede ser, a su vez, el responsable de la ejecución o gestión de la actuación concreta o puede ser un tercero que simplemente sufrague esos gastos a cambio del derecho de arrendamiento o cesión de uso por un plazo determinado.

Cuando el inmueble objeto de arrendamiento o cesión de uso no se encuentre disponible inicialmente por estar sujeto a rehabilitación, regeneración o renovación y se adelante, parcial o totalmente, el pago de los gastos a la fecha de entrega o inicio del plazo de arrendamiento o cesión, se podrá solicitar por el arrendatario o cesionario garantías del cumplimiento de las obligaciones futuras por los propietarios respecto del arrendamiento o cesión pactadas.

En todo caso será el contrato de arrendamiento o el de cesión de uso el que deba regular los derechos y obligaciones de las partes, atendiendo a las características de la actuación de rehabilitación, de regeneración y renovación concreta.

Tanto el contrato de arrendamiento como el de cesión de uso son actos de administración en los que sólo se transmite la posesión del inmueble arrendado o cedido por un tiempo determinado. Es del todo claro que no se configuran como un acto dispositivo y menos de enajenación, sólo genera derechos personales entre las partes.

Es sabido que la cesión de un inmueble en arrendamiento o su uso no son actos de riguroso dominio y no se incluyen como tal en el artículo 648 CC, ni dicha exigencia se presupone en los artículos 1564 y 1565 LEC. Por el contrario, como se ha señalado nos encontramos ante actos de mera administración y gestión, lo que no es obstáculo para que en la mayoría de los casos sea el propietario del inmueble el que los contrate.

Recordar que las asociaciones administrativas adjudicatarias de concursos para ejecutar actuaciones de iniciativa pública son fiduciarias, con pleno poder dispositivo, sobre elementos comunes y fincas de propietarios afectados por la actuación concreta (artículo 15.3.b LRRRU), facultad mucho más extensa que la de suscribir por terceros un contrato de cesión de uso o arrendamiento.

Se configura el **contrato de arrendamiento regulado en esta el artículo 17.1.c) LRRRU como un contrato complejo con pago en especie.** El pago en especie del precio es perfectamente compatible con el contrato de arrendamiento, a diferencia de la compraventa que se transformaría en contrato de permuta cuando el valor de la contraprestación en especie supere el cincuenta por ciento.

El arrendamiento puede ser de cosas, o de obras o de servicios, artículo 1542 CC. El artículo 1.543 del Código Civil define el contrato de arrendamiento de cosas en los siguientes términos:

«En el arrendamiento de cosas, una de las partes se obliga a dar a la otra el goce o uso de una cosa por un tiempo determinado y precio cierto».

El carácter complejo del arrendamiento no desvirtúa su naturaleza jurídica mientras se mantenga inalterada la esencia del contrato. Así resulta de reiterada doctrina jurisprudencial de la que destaca la sentencia del Tribunal Supremo, Sala Primera, de 8 de enero de 1980:

«(…) califica de arrendamiento de cosas a la convención por la que se pacta, según estipulación contractual de autos, la cesión de uso y disfrute del objeto locado por cierto tiempo y precio determinado, aunque se añadan otras estipulaciones que no desvirtúan la esencia jurídica del negocio, es decir, de arrendamiento, sea o no complejo»

El precio del arrendamiento tiene que ser cierto, lo que es relevante en el supuesto en estudio donde se asumen unos gastos, impuestos y cuotas que pueden no estar completamente definidos. Inicialmente estarán reflejados en un presupuesto o una cuenta de liquidación provisional aprobada a expensas de que finalice la actuación rehabilitadora, de regeneración o renovación urbana.

La solución a esta indefinición no entraña dificultad, es suficiente que sea determinable con un criterio objetivo, sin que quede al arbitrio de una de las partes. Basta con establecer un precio mensual o por metro cuadrado de de superficie arrendada (valor unitario), variando el plazo o superficie objeto de arrendamiento atendiendo al importe de los conceptos que se asuman por el arrendatario.

Dentro de los arrendamientos complejos con pago en especie resultan de interés los arrendamientos en los que el pago o renta consiste en edificar o reformar el inmueble. El contenido de estos contratos de arrendamiento es próximo al ahora previsto en el artículo 17.1.c) LRRRU, en el que la contraprestación o precio en especie es el pago por el arrendatario de impuestos, tasas y cuotas atribuidas a la comunidad o agrupación de comunidades de propietarios, gastos de conservación y obras de rehabilitación y regeneración y renovación urbanas.

Los arrendamientos en los que los arrendatarios se comprometen a realizar obras de nueva planta o rehabilitación de edificios también entrarían dentro de los posibles contratos adecuados para «facilitar la gestión y ejecución» de las actuaciones, atendiendo a la finalidad última del artículo 17 LRRRU.

La doctrina ha definido estos contratos como (20):

a) Arrendamientos *ad meliorandum*, aquellos en los que el arrendatario paga como precio, total o parcial, la mejora de una finca concreta. Encajaría este tipo de contrato dentro de aquél que tiene por objeto una actuación de rehabilitación edificatoria, en la que el arrendatario abona gastos de rehabilitación a cambio del arrendamiento del inmueble.

b) Arrendamientos *ad aedificandum*, la renta estribaría en la obligación del arrendatario de construir un edificio o realizar las actuaciones de regeneración o renovación urbanas, a cambio del arrendamiento por un plazo determinado.

---

(20) De La Asunción Rodríguez, M.T., «Rentas en especie», *Enciclopedia Jurídica*, LA LEY 3868/2008.

Hasta ahora los contratos complejos con pago en especie de la renta se consideraban excluidos de la normativa de arrendamientos urbanos, actualmente regulados por la Ley 24/1994, de 24 de noviembre de Arrendamientos Urbanos (LAU). Sin embargo, el pago en especie de la renta se ha introducido en la reforma realizada por la Ley 4/2013, de 4 de junio, de medidas para la flexibilización y fomento del mercado de alquiler de viviendas. Se incorpora un nuevo apartado al artículo 17 LAU que tiene por objeto la determinación de la renta y permite se aplique al pago de la renta el coste de las obras de reforma o rehabilitación de la vivienda costeadas por el arrendatario, en los siguientes términos:

> «5. En los contratos de arrendamiento podrá acordarse libremente por las partes que, durante un plazo determinado, **la obligación del pago de la renta pueda reemplazarse total o parcialmente por el compromiso del arrendatario de reformar o rehabilitar el inmueble en los términos y condiciones pactadas**. Al finalizar el arrendamiento, el arrendatario no podrá pedir en ningún caso compensación adicional por el coste de las obras realizadas en el inmueble. El incumplimiento por parte del arrendatario de la realización de las obras en los términos y condiciones pactadas podrá ser causa de resolución del contrato de arrendamiento y resultará aplicable lo dispuesto en el apartado 2 del artículo 23.»

3.6. Convenio de explotación conjunta del inmueble o de partes del mismo

El negocio jurídico que propone el legislador se puede suscribir entre las Administraciones Públicas actuantes, agentes responsables de la gestión y ejecución de las actuaciones de rehabilitación edificatoria, de regeneración y renovación urbanas.

El contrato de explotación conjunta del inmueble o parte del mismo puede hacerse entre particulares, entre Administraciones públicas actuantes o entre éstas y particulares.

Dentro del concepto de convenio de colaboración se enmarcan diferentes formas de colaboración y cooperación entre las propias Administraciones Públicas y entidades públicas adscritas o dependientes de las mismas en el marco de los convenios previstos en el artículo 6 LRJPAC, incluso con la constitución de una organización común en forma de sociedad o consorcio a los que hace referencia el epígrafe 3 del precepto, al que se le adjudique la explotación del inmueble.

Sin embargo, el contrato o convenio a que hace referencia la letra comentada remite a un acuerdo de voluntades entre la parte titular del inmueble y la que sufrague los gastos de la actuación para la recuperación de la inversión con la explotación conjunta del inmueble.

La participación de las partes en esta fórmula de financiación de las actuaciones puede ser variada. Desde la mera aportación por el propietario del inmueble para el pago de todos o parte de los costes de la actuación por un tercero, al que se le compensa mediante la explotación conjunta del inmueble o parte del mismo.

Existe la posibilidad de que la fórmula de colaboración entre las partes sea la de constitución de una sociedad mercantil como persona jurídica independiente, a la que se conceda por el propietario el derecho de explotación del inmueble a cambio de sufragar los costes de la actuación concreta. La participación en la sociedad de cada una de las partes, deberá guardar proporción a la valoración de su aportación y plazo de concedido de explotación para recuperarla.

Otra alternativa jurídica próxima a la figura del convenio de explotación conjunta es el **contrato de cuentas en participación** en el que no se produce la constitución de una nueva persona jurídica entre las partes. El partícipe obtiene el derecho a participar en los resultados de la explotación de los inmuebles pero sin la intervención en la gestión, no aportando desembolso económico alguno, ni asumiendo la representación o denominación del promotor y sin necesidad de adoptar ninguna solemnidad en su participación. No obstante resulta recomendable la contratación escrita, más cuando se trata de un negocio complejo en el que se debe regular las cuentas en participación en relación con la actuación de rehabilitación o regeneración a acometer.

De esta forma el propietario puede otorgar al promotor o quien sufrague la actuación un derecho de explotación de determinados inmuebles resultantes por un plazo determinado, suscribiendo a su vez un contrato de cuentas en participación mediante el que obtenga una participación en los resultados de la explotación de los inmuebles, sean positivos o negativos.

La regulación del contrato de cuentas y participación se encuentra en los artículos 239 al artículo 243 del Real Decreto de 22 de agosto de 1885, por el que se publica el Código de Comercio.

> «Podrán los comerciantes interesarse los unos en las operaciones de los otros, contribuyendo para ellas con la parte del capital que convinieren, y haciéndose partícipes de sus resultados prósperos o adversos en la proporción que determinen.»

3.7. En el caso de las cooperativas de viviendas, los contratos de cesión (con derecho de arrendamiento u otorgamiento de derecho de explotación a terceros) y el contrato de arrendamiento o cesión de uso, sólo alcanzarán a los locales comerciales y a las instalaciones y edificaciones complementarias de su propiedad, tal y como establece su legislación específica

Es necesario realizar un comentario del régimen jurídico de las cooperativas de viviendas, antes de entrar a analizar en la exclusión expresa que realiza el legislador estatal sobre la aplicación de los contratos previstos en las letras a) y c) del artículo 17.1 LRRRU, en cuanto a determinados inmuebles propiedad de las cooperativas de viviendas.

Para mayor claridad reproducimos los contratos que en las cooperativas de viviendas sólo pueden alcanzar a los locales comerciales, instalaciones y edificaciones complementarias de su propiedad:

> «a) Contrato de cesión, con facultad de arrendamiento u otorgamiento de derecho de explotación a terceros, de fincas urbanas o de elementos de éstas por tiempo determinado a cambio del pago aplazado de la parte del coste que corresponda abonar a los propietarios de las fincas.
>
> c) Contrato de arrendamiento o cesión de uso de local, vivienda o cualquier otro elemento de un edificio por plazo determinado a cambio de pago por el arrendatario o cesionario del pago de todos o de alguno de los siguientes conceptos: impuestos, tasas, cuotas a la comunidad o agrupación de comunidades de propietarios o de la cooperativa, gastos de conservación y obras de rehabilitación y regeneración y renovación urbanas.»

Las cooperativas de viviendas entran dentro de las fórmulas de promoción conocidas como asociativas, en las que los contratos de permuta o cesión de terrenos (artículo 17.1.b LRRRU) y explotación conjunta entre el dueño del inmueble y el constructor o financiador (artículo 17.1.d LRRRU) encuentran una fácil acogida.

En esos supuestos el propietario del inmueble y ejecutor de la actuación rehabilitadora pueden crear una cooperativa de viviendas que proporcione viviendas a los partícipes en condiciones adecuadas. Para ello el aportante puede obtener ventajas económicas mediante la comercialización o gestión,

Otra de las posibilidades próximas a las cooperativas es la fórmula jurídica de la creación de una **comunidad para construir** en las que el propietario aporta el suelo o edificio a rehabilitar y la otra la construcción o sufragar e coste de la actuación para posteriormente adjudicarse en la proporción pactada el producto resultante.

Las cooperativas tienen personalidad jurídica propia e independiente de los miembros que la componen, existe un sustrato de origen muy significativo: su carácter asociativo. No hay una definición legal de cooperativa uniforme, sino que va a depender del tipo de cooperativa de que se trate. La clase de cooperativa más numerosa es la de viviendas, seguidas de las laborales, las agrícolas, etc.

La doctrina considera que las cooperativas de viviendas son una asociación que utiliza la persona jurídica de la cooperativa para actuar frente a terceros sin que por ello se diluya el sustrato asociativo. Las cooperativas son asociaciones de derecho privado e interés particular, sin fin de lucro (21).

---

(21) LAMBEA RUEDA, A. *Cooperativas de viviendas. La promoción, construcción y adjudicación de la vivienda al socio operativo.* Editorial Comares. Granada, 2012. Pág. 5.

Las cooperativas de viviendas tienen su regulación estatal en la Ley 27/1999, de 16 de julio, de Cooperativas («**LC**»), concretamente en los artículos 89 a 92, así como en la normativa autonómica en las que existe una legislación específica en la materia. Las Comunidades Autónomas tienen competencia exclusiva sobre la materia, que ha sido asumida por los Estatutos de Autonomía de cada una de ellas en aplicación del artículo 149.3 CE, al no referirse a esta materia dentro de las que son competencia exclusiva del Estado.

La definición legal del **objeto de las cooperativas de viviendas** por el legislador estatal la encontramos en el artículo 89 LC:

> «1. Las cooperativas de viviendas asocian a personas físicas que precisen alojamiento y/o locales para sí y las personas que con ellas convivan. También podrán ser socios los entes públicos y las entidades sin ánimo de lucro, que precisen alojamiento para aquellas personas que dependientes de ellos tengan que residir, por razón de su trabajo o función, en el entorno de una promoción cooperativa o que precisen locales para desarrollar sus actividades. **Asimismo, pueden tener como objeto, incluso único, en cuyo caso podrán ser socios cualquier tipo de personas,** el procurar edificaciones e instalaciones complementarias para el uso de viviendas y locales de los socios, la conservación y administración de las viviendas y locales, elementos, zonas o edificaciones comunes y **la creación y suministros de servicios complementarios, así como la rehabilitación de viviendas, locales y edificaciones e instalaciones complementarias.**»

Encontramos una clara compatibilidad del objeto de las cooperativas con la rehabilitación de viviendas, locales, edificaciones e instalaciones, ajustándose a las pretensiones de la LRRRU en estudio.

Esta compatibilidad hace que el artículo 15.1 LRRRU legitime expresamente a las cooperativas de viviendas para participar en las actuaciones de rehabilitación, regeneración y reforma urbanas.

La cooperativas legitimadas son aquellas «constituidas al efecto», que tengan por objeto una actuación rehabilitadora, tal y como se recoge en el citado artículo 15.1 LRRRU.

Respecto de lo que ahora nos interesa, a los no socios de las cooperativas de viviendas podrán enajenar o arrendar a terceros, no socios, **los locales comerciales y las instalaciones y edificaciones complementarias de su propiedad.** El importe obtenido por la enajenación o arrendamiento de éstos se debe decidir por la Asamblea General de la cooperativa.

En las actuaciones de rehabilitación, regeneración y reforma urbana se excluye que las viviendas de la cooperativa pueda ser objeto de contrato de cesión (con

facultad de arrendar u otorgar derecho de explotación a terceros) y de contrato de arrendamiento.

Los ingresos por los inmuebles titularidad de las cooperativas por estos contratos se deben dedicar a sufragar los gastos de la actuación como contraprestación al tercero beneficiario de esos contratos por los costes que sufrague en la actuación rehabilitadora o de regeneración o renovación urbana.

Con carácter general los socios de las cooperativas deben ser personas físicas, con la salvedad de los entes públicos y entidades sin ánimo de lucro que precisen alojamiento para sus empleados o precisen locales para sus actividades (artículo 89.1 LC). La Legislación madrileña limita aún más la posibilidad de que personas físicas puedan ser cooperativistas, limitándola a entes públicos e institucionales, artículo 114.1 de la Ley 4/1999, de 30 de marzo, de Cooperativas de la Comunidad de Madrid (**«LCM»**) (22).

La legislación estatal, en su artículo 89 LC, recoge que la propiedad o el uso y disfrute de las viviendas y locales sólo pueden ser adjudicados o cedidos a:

a)   Los socios mediante cualquier título admitido en derecho, así como

b)   Prever en sus estatutos la posibilidad de cesión o permuta del derecho de uso y disfrute de la vivienda o local con socios de otras cooperativas de viviendas que tengan establecida la misma modalidad.

Esta previsión supone una limitación a la suscripción por la cooperativa con terceros de los contratos para la financiación de las actuaciones que nos ocupan, previstos en el artículo 17.1 LRRRU.

Sin embargo, la legislación autonómica permite enajenar a terceros viviendas terminadas, previa autorización administrativa. Así, v.gr., en el artículo 114.4 LCM:

> «4. Las Cooperativas de Viviendas podrán **enajenar o arrendar a terceros**, no socios, los locales comerciales y las instalaciones y edificaciones complementarias de su propiedad. La Asamblea General acordará el destino del importe obtenido por enajenación o arrendamiento de los mismos.

> Asimismo, para **enajenar viviendas** en caso necesario, podrán estas Entidades acogerse al régimen autorizatorio de operaciones con terceros previsto en el artículo 58 de la presente Ley, acompañando a la solicitud una memoria justificativa de los precios propuestos para estas operaciones.»

---

(22) Tomando como referencia la legislación de la Comunidad de Madrid se realiza un análisis de las Cooperativas de Viviendas por Carballo Quiroga, S., «Las Cooperativas de Viviendas», perteneciente a la obra colectiva *Manual de Derecho de la Construcción*, Coordinado por San Cristobal Reales, S. LA LEY, 2008. Páginas 235 a 290.

En este epígrafe vemos de forma clara la distinción que el artículo 17.2 LRRRU realiza respecto del objeto de cada tipo de contrato que se pueden suscribir por las cooperativas de viviendas con terceros no socios:

a) Los que supongan la disposición o enajenación pueden alcanzar a cualquiera de los inmuebles propiedad de las cooperativas.

b) Los que supongan ceder el derecho de arrendamiento únicamente pueden tener por objeto los locales comerciales y las instalaciones y edificaciones complementarias de su propiedad.

Parece que el legislador estatal ha considerado que el convenio de explotación conjunta del inmueble no se ve afectado por estas restricciones, al participar también la propia cooperativa junto con el tercero.

Artículo 18. Cooperación interadministrativa

1. Podrán beneficiarse de la colaboración y la cooperación económica de la Administración General del Estado, en cualquiera de las formas previstas legalmente y teniendo prioridad en las ayudas estatales vigentes, las actuaciones con cobertura en los correspondientes planes estatales que tengan por objeto:

a) La conservación, la rehabilitación edificatoria y la regeneración y renovación urbanas tal y como se definen en esta Ley y se conciban en los correspondientes Planes estatales.

b) La elaboración y aprobación de los instrumentos necesarios para la ordenación y la gestión de las actuaciones reguladas por esta Ley y, en especial, de aquellos que tengan por finalidad actuar sobre ámbitos urbanos degradados, desfavorecidos y vulnerables o que padezcan problemas de naturaleza análoga que combinen variables económicas, ambientales y sociales.

c) Aquellas otras actuaciones que, con independencia de lo dispuesto en la letra anterior, tengan como objeto actuar en ámbitos de gestión aislada o conjunta, con la finalidad de eliminar la infravivienda, garantizar la accesibilidad universal o mejorar la eficiencia energética de los edificios.

2. Las Administraciones Públicas fomentarán de manera conjunta la actividad económica, la sostenibilidad ambiental y la cohesión social y territorial. A tales efectos, podrán suscribir los convenios interadministrativos de asignación de fondos que correspondan.

COMENTARIO (1)

Sumario

1. La organización de las diversas AAPP con funciones de regeneración urbana
2. La cooperación en materia rehabilitadora. Aspectos generales
3. Concepto y sujetos de la cooperación en materia de regeneración urbana
4. El marco de la cooperación económica local del Estado
5. Objetivos de la cooperación estatal en materia de rehabilitación urbana
6. La suscripción de convenios como instrumento para la consecución de estos objetivos

1. LA ORGANIZACIÓN DE LAS DIVERSAS AAPP CON FUNCIONES DE REGENERACIÓN URBANA

A) La organización administrativa. Presupuestos básicos

Para desarrollar el objeto de este comentario deberemos de analizar, a nuestro juicio, de forma separada y previa el concepto general de organización administrativa en todos sus ámbitos partiendo de la definición del Profesor Coscullela Montaner (2) de distribución de medios humanos, materiales y financieros para el cumplimiento de un fin establecido por el ordenamiento jurídico, y posteriormente describir el marco jurídico específico de la organización de los servicios y de la organización general de las administraciones públicas en nuestros días.

El conjunto de estas formulas analizadas separadamente supone el ámbito nuclear objeto de este trabajo, que se combinan con las fórmulas de prestación de servicios por vía directa a través de organizaciones intermunicipales o supramunicipales.

Ahora bien esas distintas formulas organizativas suponen una existencia de un diverso régimen jurídico, que tienen consecuencias lógicas directas sobre el sistema de contratación administrativa, la naturaleza y relación de servicio de los empleados con la organización, la capacidad para el ejercicio de potestades, etc., que a su vez deberemos de precisar y profundizar en sus conceptos y modulaciones.

El estudio de las organizaciones se puede realizar desde muy diversos puntos de vista, puesto que desde que Aristóteles (3) demostró que el hombre es un animal po-

---

(1)   Comentario a cargo de Fernando García Rubio. Profesor titular de Derecho Administrativo de la Universidad Rey Juan Carlos. Titular de la Asesoría Jurídica del Ayuntamiento de San Sebastián de los Reyes (Madrid).

(2)   Luis Coscullela Montaner, *Manual de Derecho Administrativo,* 23.ª ed. Thomson-Civitas. Pág. 154. 2012.

(3)   El hombre como animal político, esto es objeto de las relaciones sociales puede constatarse en la obra de Aristóteles, *Política,* editado Espasa Calpe (colección Austral), diversas ediciones.

lítico, considerado como sujeto necesitado de relaciones sociales y salvo circunstancias excepcionales, a través de las cuales el hombre se aísla de sus semejantes, como el caso de los eremitas (cuyo paradigma es Simeón el estagirita, magistralmente satirizado por Buñuel), toda actividad compleja del ser humano se ubica dentro de un entorno social, igualmente complejo, con Entidades que le dan soporte, y cuya concreción, funcionamiento y desarrollo pertenecen al fenómeno de la organización.

La organización es el fundamento de la civilización bajo cualquier prisma ideológico, puesto que, incluso bajo el fenómeno extremo del anarquismo (4), si se quiere mantener un clima de convivencia adecuado deberá de adecuarse los cauces necesarios para las relaciones interpersonales, que hagan viable el funcionamiento de cada Comunidad (asambleas, votaciones, turnos, etc.).

Pero en nuestra sociedad actual, caracterizada por la economía social de mercado, y en su modelo occidental, los elementos de la organización y sus variaciones son igualmente fundamentales para el diagnóstico de los diversos problemas sociales, económicos, de mera gestión, políticos y jurídicos a que nos debemos enfrentar y, por tanto para adoptar las variadas soluciones en el marco de cada una de las organizaciones. Desde los más complejos supraestatales (Unión europea, ONU, etc.) hasta las más nimias, caracterizadas por meras agrupaciones de personas con un espacio de convivencia común (comunidades de propietarios, concejos abiertos municipales, etc.).

Aunque todos los organismos sociales tienen unas pautas de estudio comunes, la pluralidad de éstas evidencia la necesidad de unos enfoques diferentes para su análisis, implementación y mejora.

Igualmente estos enfoques variarán enormemente si se realizan desde un prisma jurídico, meramente gerencial, economicista o sociológico. Así en el caso de las Administraciones Públicas, que es el que nos ocupa, aunque exista una base común muy característica, como son las realidades administrativas, tan diferentes a otras organizaciones sociales complejas como pueden ser las empresas, los sindicatos, los partidos políticos (5), o el sector no lucrativo, el estudio de dicha realidad organizativa administrativa es muy distinto si se aborda desde el punto de vista estrictamente económico-presupuestario (que normalmente olvida la denominada rentabilidad social), meramente de gestión organizativa, (la denominada Ciencia de la Administración y las técnicas gerenciales de las Administraciones Públicas), o desde una modalidad jurídica, elemento clásico y consustancial al estudio de las Administraciones en el sistema continental europeo, por la estricta vinculación de dichas organizaciones al principio de legalidad, al menos desde la Revolución Francesa.

---

(4)   Un análisis de la citada doctrina la encontramos en Mijail A. Bakunin *Estatismo y anarquía*. Folio 2002.
(5)   Sobre los partidos la bibliografía es extensa, pero señalaremos la aportación clásica de Maurice Duverger *Los partidos políticos* (Fondo de Cultura Económica). México, 1957, con numerosas reimpresiones.

Este prisma jurídico es esencial, no sólo porque se ubique dentro de un trabajo de la denominada disciplina del derecho administrativo, sino por la vinculación que de la Administración a la *«ley y al derecho»,* hace la Constitución española de 1978 en su artículo 103, bajo el paradigma de *«sometimiento pleno.»*

No obstante esta necesidad absoluta de contemplar el prisma jurídico para un análisis de las organizaciones administrativas, no debemos encasillarnos en las viejas construcciones basadas en los *ârrets* del Consejo de Estado francés (6) y su transposición, más o menos orientada a la realidad hispánica, puesto que la Administración tiene su razón de ser en la sociedad a la que presta sus servicios y que representa e institucionaliza (caso de los municipios conforme la LRBRL). Por ello los cambios sociales tienen una especial importancia a la hora del pensamiento organizativo, que debe ser constante y permeable a las referidas necesidades sociales. Eso sí, sin olvidar los necesarios privilegios del que están dotadas las Administraciones para el ejercicio de sus funciones de defensa del interés general, así como la necesaria preservación de los derechos subjetivos, a través del procedimiento garantista a que están sometidos los actos de las Administraciones Públicas. Pero sin olvidar esos principios cardinales de cualquier organización administrativa, el resto de los elementos integrantes de las organizaciones y por ende el derecho organizatorio, deben ser absolutamente permeable a las transformaciones sociales, al cambio y la evolución, para configurar una organización más eficaz, objetivo este esencial y de carácter constitucional como guía del funcionamiento de una organización administrativa.

Así los nuevos parámetros de la calidad en los servicios, la consideración en la participación de los funcionarios en la determinación de las condiciones de trabajo, la implantación del cambio tecnológico y la posibilidad de la interacción entre ciudadanos y Administraciones, a través de las nuevas tecnologías de la información y la comunicación (7) deben considerarse en cualquier organización administrativa como de carácter esencial para el diseño o modificación de estructuras y funciones de futuro.

La pura teoría de la organización tiene, en palabras de MOUZELIS (8), dos sentidos en la literatura organizacional: el amplio, que se refiere a todo tipo de estudios sobre la organización formal y el restringido, que abarca una aproximación específica a los problemas organizativos cuyo paradigma más ilustre es la obra de Herbert A. SIMON.

Es evidente que los hombres se organizan para alcanzar determinados objetivos, lo cual obliga a coordinar sus actuaciones de forma consciente, siendo esa intencionalidad, esa coordinación consciente de relaciones, lo que distingue de

---

(6)   Dicha doctrina profundamente configuradora del derecho administrativo francés y por ende continental pude consultarse en Charles DELBASCH y Marcel PINET, *Les grandes textes administratifs* Ediciones Sirey, 1970.

(7)   Al respecto véase Julián VALERO TORRIJOS «Administración Pública, ciudadanos y nuevas tecnologías», págs. 2943 a 2968 de *El derecho administrativo en el umbral del siglo XXI.* Tomo III, homenaje al Profesor Martín Mateo. Tirant lo Blanch, Valencia 2000.

(8)   Véase Nicos P. MOUZELIS, *Organización y Burocracia,* Península 3.ª edición 1991.

forma principal la organización formal de otros tipos de agrupación social y conforme el citado Mouzelis, el punto central de la teoría de la Administración debe ser la noción de esa toma de decisión.

La mejora de la cultura organizativa, el perfeccionamiento de los directivos para la adecuada toma de decisiones es, por tanto, el gran reto de cualquier organización, lo que es evidente, necesario, y diría imprescindible en el ámbito de las organizaciones empresariales, dada la feroz competencia a la que aboca la economía de libre mercado.

Es en este ámbito privado donde mayor producción ideológica y en consecuencia bibliográfica se ha producido y desde donde se pretenden importar hacia organizaciones publicas los conceptos y modelos que posibiliten la incorporación de nuevas fórmulas gerenciales, en especial de las consecuencias del «anagement» y sus gurús (9).

Estos enfoques de la Administración cuyos grandes sistemas son la Administración por objetivos en la perspectiva de Peter Drucker (10) y la teoría de la decisión ya enunciada de Herbert Alexander Simon con la correspondiente consecuencia del desarrollo organizacional, son la culminación de una amplia gama de pensadores que han constituido las escuelas del pensamiento administrativo.

Siguiendo a Sergio Hernández y Rodríguez (11) podemos citar desde las escuelas clásicas (la Escuela Científica de Frederick Winslov Taylor y la teoría clásica de la Administración de Henri Fayol), la escuela de las relaciones humanas (con Mary Parker Follet y Elton Mayo), la escuela estructuralista (desde Max Weber a Ralph Dahrendorf), la escuela de sistemas (Kotz y Khon, Tavistock, Kast y Rosenzweig), la escuela cuantitativa (con la escuela matemática la obra de Walter Shewhort y la toma de decisiones) y finalmente el neohumanorrelacionismo (desde Maslow a Likert, pasando por McClellond, Strauss y Sayles).

El modelo organizativo de la Administración Pública continental es con matices el descrito por el sociólogo alemán Max Weber (1864-1920) (12), a través de sus aportaciones del concepto de burocracia, de autoridad, (la legal, la carismática, y la tradicional) y del modelo de burocracia ideal.

---

(9)   Este término dirigido al conjunto de pensamientos y escritos de los principales teóricos de la gestión empresarial consigna un nutrido grupo de autores, principalmente norteamericanos cuyo estudio es la base de las escuelas de negocios, al respecto Carol Kennedy, *Los gurús del manegement. Ideas de los líderes más influyentes del pensamiento empresarial,* Euroliber SA, 1994.

(10)   Sobre este máximo representante del management véase Peter Drucker, *Las nuevas realidades* Edhasa, Barcelona, 1989, *Administración para el futuro. La década de los noventa y más allá.* Parramon, Barcelona, 1993 y *La gerencia en tiempos difíciles,* Orbis SA, 1985.

(11)   Sergio Hernández y Rodríguez, *Introducción a la Administración.* McGraw-Hill. México. 1995, págs. 65 a 78.

(12)   Las principales obras de Weber son *Teoría de la organización económica y social, Economía y sociedad* y *La ética protestante y el espíritu del capitalismo,* todos ellos disponibles en diversas ediciones en castellano, destacando las de Alianza Editorial y Orbis S.A. Un análisis de la obra de dicho autor en materia de política y sociología lo tenemos en Anthony Giddens, *Política y Sociología en Max Weber,* Colección Sociología, Alianza Editorial, 2002.

Dicho modelo se caracteriza por la máxima división del trabajo, la jerarquía de la autoridad, la existencia de reglas que definen la responsabilidad y la labor, la actitud objetiva del administrador, la calificación técnica y seguridad en el trabajo (fundamento de la Función Pública profesional) y la diferencia clara de las fuentes de ingresos para evitar la corrupción.

El Profesor Cosculluela Montaner (13) considera, como hemos apuntado, que es este modelo, con el impulso napoleónico y su inspiración en el modelo militar el que más ha caracterizado a la organización administrativa, señalando que el citado modelo ha influido de forma histórica más sobre las organizaciones empresariales privadas que a la inversa. No obstante, dicha afirmación debemos matizarla en los albores del siglo XXI por la constante influencia y permeabilidad de las organizaciones públicas a los modelos ideados en los Estados Unidos de Norteamérica por las teorías del Management, que se importan bajo el marchamo de la excelencia y eficacia para las organizaciones públicas. Estas traslaciones suponen la implantación, ya afortunadamente corregida, de la huida del derecho administrativo.

El origen del modelo arranca, tal y como señala García de Enterría (14), en la reacción contra el orden feudal, estando su configuración influenciada por la Iglesia católica y el fenómeno de la recepción del derecho romano.

El concepto de la Administración propiamente dicho, como organización pública ha sido objeto de muchos estudios y tratados, no obstante citaremos a J. Meyer (15) para el que Administración *(Verwaltung)* es la actividad política dirigida a promover los intereses del Estado y los del pueblo *(Volk)*.

Esta definición de la Administración nos puede conducir, conforme el citado autor y la influencia de Lorenz Von Stein (16), a la teoría de la Administración como la exposición científica de los principios relativos a la Administración que se subdivide en un modelo jurídico y un modelo de política administrativa (17).

Dicho modelo de política administrativa, enfoque no jurídico de la Administración, es estudiado por la Ciencia de la Administración que, según Baena del

---

(13) Luis Cosculluela Montaner, *op. cit. Manual de derecho administrativo*, 23.ª edición, Thomson-Civitas, 2012. Págs. 159 a 161.

(14) Eduardo García de Enterría, *La Administración española. Estudios de ciencia administrativa*, 6.ª edición Civitas 1999 y en concreto el estudio sobre la organización y sus agentes. Págs. 173 y ss.

(15) J. Meyer, *La Administración y la Organización administrativa en Inglaterra, Francia, Alemania y Austria y exposición de la organización administrativa en España*, La España Moderna, Págs. 137 a 146.

(16) El citado personaje pese a su encuadramiento no jurídico ha sido estudiado por su contribución al derecho administrativo y así Francisco Sosa Wagner, *Maestros alemanes del derecho público I*, Marcial Pons 2002, pags. 112 a 136.

(17) Una descripción del espacio de la aproximación no jurídica a la Administración se encuentra en Ramón Martín Mateo, *Manual de derecho administrativo*, pág. 75. Tirant lo Blanch. 2000. 22.ª edición.

ALCÁZAR (18), históricamente se ha implantado con las características de su necesariedad y apoliticidad.

Así, dentro de ese enfoque gerencial de la organización administrativa con carácter interdisciplinar es indispensable, hoy en día, contar con la obra Henry MINTZBERG (19) que se ocupa de un estudio y un enfoque de la organización administrativa, con especial implicación del trabajo directivo a la hora de la mejora de las organizaciones.

B) La organización administrativa y la regeneración urbana

Entrando ya en concreto en la organización administrativa española actual no debemos olvidar la plasmación constitucional de los principios que la rigen, tanto en sentido estricto (artículo 103.1), como en sentido amplio (artículos 103.2 y 3, 2.º, 106, 152, 137, 140 y 141) donde se determina una verdadera Constitución administrativa o derecho constitucional de la organización administrativa, que en base a la descentralización absoluta del derecho urbanístico tiene especial importancia en el tema que nos ocupa.

Este carácter referido a la constitucionalización de los principios de la organización administrativa ha implicado la existencia de unos criterios generales en cuanto a la dimensión de la organización de la administración y sus características que, conforme la competencia general sobre las bases de régimen jurídico de las diversas Administraciones Públicas, que el artículo 149.1.18.ª de la Constitución otorga al Estado, sea determinado en la legislación de este sobre la referidas bases del Régimen Jurídico de las Administraciones Públicas, específicamente desarrolladas por la Ley 30/1992, de 26 de noviembre sobre Régimen Jurídico de las Administraciones Públicas y del Procedimiento Administrativo Común, cuya regulación contiene los principios generales de la organización administrativa, exigidos a cada una de las administraciones, así como diversos aspectos sobre las relaciones interadministrativas.

Dentro de los principios generales de la organización administrativa (20), previstos por los artículos 103.1 de la Constitución y 3.1 de la citada LRJAPC, debemos destacar los referidos a la eficacia, jerarquía, descentralización, desconcentración, coordinación, legalidad y objetividad al servicio de los intereses generales,

Junto a estos principios igualmente debemos destacar los de: eficiencia, determinado por el menor gasto público para la consecución de los mayores objetivos

---

(18)   Mariano BAENA DEL ALCÁZAR, *Curso de Ciencia de la Administración*. Tecnos 1994.
(19)   La obra más característica de dicho autor es *La estructuración de las organizaciones* Henry MINTZ-BERG, Ariel (Barcelona), 1993.
(20)   Un acercamiento a los principios constitucionales lo tenemos en: Manuel ÁLVAREZ RICO, *Principios constitucionales de organización de las administraciones públicas*, I.E.A.L, Madrid,1986.

posibles, y los principios de cooperación y colaboración en las relaciones entre las diversas administraciones públicas,

La organización administrativa básica por lo tanto, viene determinada por la citada Ley 30/1992 y ha sido expresamente interpretada por la Sentencia del Tribunal Constitucional n.º 50/1999 de 6 de abril que declaro el artículo 23.1 y 2, el artículo 24.1, 2 y 3, el artículo 25.2 y 3, y el artículo 27.2.3 no tienen carácter básico, por lo que son contrarios al orden constitucional de competencias. Por lo que los referidos principios de organización contenidos en la LRJAPC deben ser complementados o determinados por las correspondientes normas de organización de las diversas Administraciones Públicas y especialmente en las materias afectadas por la doctrina del Tribunal Constitucional expuesta.

En este sentido debemos destacar que para la administración local la regulación básica de su organización por lo que respecta a los municipios está contenida en los artículos 19 al 24 de la Ley 7/1985, de 2 de abril, LRBRL, dictada con el título habilitante del artículo 149.1.18.ª de la Constitución, Susceptible por tanto de ser desarrollada, en cuanto a básica, por las diversas legislaciones de las Comunidades Autónomas sobre régimen local, en lo que se refiere a las líneas generales y el régimen de los municipios general, quedando disperso en diversos aspectos de la ley otros elementos organizativos, como por ejemplo el de las comarcas (artículo 42) o el de los municipios de gran población (Título X) (21).

Por lo que respecta a la administración general del Estado su régimen organizativo va a venir configurado por la Ley 6/1997 de 14 de abril, de Organización y Funcionamiento de la Administración General del Estado, que derogó las antiguas Leyes 10/1983 sobre la organización de la administración central y la ley de Régimen Jurídico de la Administración General del Estado de 1957.

Esos principios generales de la organización administrativa, son aplicables al Estado pero deben modularse por el de autonomía recogido en el artículo 2.º de la propia Carta Magna (22) que, como gran novedad en nuestra historia jurídico-constitucional, introduce el sistema de Comunidades Autónomas del Título VIII, que son entidades administrativas con potestad de autoorganización en el marco de las bases estatales.

---

(21) Una aproximación al estudio de este régimen de organización la tenemos en Alfredo GALÁN GALÁN, «El régimen especial de los municipios de gran población» en *Anuario de Gobierno Local*, núm. 1, págs. 143 a 176 (2003). Fundación Democracia y Gobierno Local; y Fernando GARCÍA RUBIO, «El régimen general de los municipios de gran población», tomo IV del *Tratado de derecho municipal*, obra colectiva dirigida por Santiago MUÑOZ MACHADO.

(22) Un estudio de las repercusiones del Texto Constitucional sobre la organización administrativa lo tenemos en Santiago MUÑOZ MACHADO, «Los principios constitucionales de unidad y autonomía y el problema de la nueva planta de las administraciones públicas» *Revista de Administración Pública* núm. 100-102, Volumen III, págs. 1893 a 1874, 1983.

En el ámbito de las Comunidades Autónomas se produce una prolijidad y dispersión normativa derivada de las diversas articulaciones legales, que cada una de ellas ha decidido para la determinación en su régimen organizativo administrativo. En esa línea podemos citar las siguientes leyes principales, por orden alfabético, de cada una de las Comunidades Autónomas, sin perjuicio de las disposiciones específicas previstas en los respectivos Estatutos de Autonomía.

Conforme esa distribución legislativa, cada una de las Comunidades y Ciudades Autónomas, ha regulados sus órganos, funciones, competencias, relaciones de jerarquía y todas las disposiciones relacionadas con la organización administrativa peculiar y propia de cada una de ellas. No obstante debemos recordar que la estructura general de carácter administrativo copió en líneas generales con carácter mimético la estructura existente en el momento de la constitución de las Comunidades Autónomas en la Administración del Estado.

En esa línea debemos destacar que las funciones de los presidentes de los Consejos de Gobiernos o Presidentes de las Comunidades Autónomas, han asumido con carácter general las de la Presidencia de Gobierno, eso sí supeditadas a su ámbito competencial propio. Igualmente los Consejeros y los Consejos de Gobierno se asimilan a los Ministros y Consejo de Ministros, etc (23).

En el propio Título VIII de la Constitución Española se recoge otro espacio de organización administrativo que es el de la administración local, dotado igualmente de autonomía pero, tal y como indicó el Tribunal Constitucional, *«cualitativamente inferior»* a la de las Comunidades Autónomas.

Por lo que se refiere a la Organización propia de las citadas Entidades Locales, y más concretamente de los Ayuntamientos, deberemos señalar que la organización básica, esto es, lo que se ha venido en denominar órganos necesarios, está contenida en la anteriormente citada LRBRL, siendo susceptible de ser desarrollada por cada una de las Leyes de Régimen Local de las respectivas Comunidades Autónomas, en el marco de la autonomía local consagrada por el artículo 140 de la Constitución (24).

Igualmente deberemos destacar que el Reglamento de Organización, Funcionamiento y Régimen Jurídico de las Entidades Locales, aprobado por Real Decreto 2568/1986, de 28 de noviembre, contiene diversas disposiciones, de desarrollo de los referidos preceptos básicos, así como otras normas de carácter supletorio que junto con las contenidas en el Texto Refundido de las disposiciones legales vigentes en materia de régimen

---

(23) Así lo describe Ramón Martín Mateo en su *Manual de derecho autonómico,* IEAL, 1984, págs. 136 a 147, donde destaca la doble condición del Presidente autonómico de jefe de su ejecutivo y máximo representante del Estado en su territorio.

(24) Al respecto de la potestad de organización de las entidades locales véase Juan Luis De la Vallina Velarde, «Potestad organizatoria y autonomía local», *Revista de Estudios de la Administración Local y Autonómica* núm. 255-256, julio-diciembre 1992, MAP-INAP, págs. 517 a 548.

local, aprobado por Real Decreto Legislativo 781/1986, de 18 de abril, constituyen el cuerpo principal de la legislación estatal supletoria sobre la organización municipal.

Por lo que respecta a la organización concreta debemos señalar que, según COLLADO MARTÍNEZ (25), podemos distinguir entre los parámetros constitucionales de la organización local y en especial sobre la potestad de autoorganización, sobre la que debemos destacar la doctrina del Tribunal Constitucional al respecto.

Así en primer lugar la Sentencia del Pleno del Tribunal Constitucional número 214/1989, de 21 de diciembre, dictada en los recursos de inconstitucionalidad acumulados números 610, 613, 619/1985, en relación con determinados artículos de la Ley 7/1985, de 2 de abril, declaró inconstitucionales el artículo 5 en su totalidad y por conexión todas las remisiones al mismo contenidas en la Ley, junto con el inciso final (*sin otro límite que el respeto a la organización determinada por esta Ley*) del artículo 20.1.c) y el inciso (*sin otro límite que el respeto a la organización determinada por esta Ley*) del artículo 33.2 (*que regirán en cada provincia en todo aquello en lo que ésta no disponga lo contrario en ejercicio de su potestad de autoorganización*).

La declaración de inconstitucionalidad del artículo 5 en su redacción originaria, en cuanto basada en motivos estrictamente formales, permite seguir afirmando que la potestad normativa correspondiente, en cuanto a referida a la organización de los entes locales, tiene un marco legal único y preciso: la legislación de régimen local, tal y como resulta de ello, de la Ley Reguladora de las Bases de Régimen Local.

Actualmente, tras la reforma de la Ley Reguladora de las Bases del Régimen Local operada por la Ley 11/1999 de 21 de abril, el contenido del artículo 5 refleja la capacidad jurídica de las Entidades Locales, circunstancia esta ratificada por la ley de modernización del gobierno local 57/2003, que volvió a retocar la LRBRL.

La potestad organizativa local permite que el Reglamento Orgánico aborde el estatuto de los miembros de la correspondiente Corporación, sus tratamientos honoríficos, el registro de intereses, el funcionamiento y la modificación de grupos políticos, la ordenación de los órganos complementarios, la desconcentración sectorial o funcional, las posibilidades de participación ciudadana y promoción del asociacionismo de los particulares o la regulación de las entidades territoriales descentralizadas.

Además la Entidad Local puede, desde luego, determinar la relación de puestos de trabajo y crear, extinguir y definir los que se reserven a funcionarios de carrera, y sin duda, dirigir y controlar los servicios públicos.

_____

(25) Rosa COLLADO MARTÍNEZ «La organización de las entidades locales», págs. 99 a 156 de *El derecho local en la doctrina del Consejo de Estado,* Consejo de Estado, BOE 2002.

En principio no existía la posibilidad de que hubiera legislación básica distinta de la contenida en la Ley Reguladora de las Bases del Régimen Local en la materia de organización, ya que el Estado utilizaba el título del 149.1.18, pero la Disposición Final séptima, 1.a) del Real Decreto Legislativo 781/1986, de 18 de abril, por el que se aprueba el Texto Refundido de las disposiciones legales vigentes en materia de régimen local, atribuyó carácter básico a una serie de preceptos del propio TRRL.

La Sentencia 385/1993, de 23 de diciembre, estimando los recursos 862/1986, 839/1986 y 842/1986, declaró inconstitucional lo indicado de la disposición final séptima, que atribuía carácter básico, de acuerdo con la transitoria primera de la Ley 7/1985, de 2 de abril, a las materias reguladas por los cinco primeros títulos, en los artículos 1; 2; 3.2; 12; 13; 14; 15; 16; 18; 22 inciso primero; 25; 26; 34; 48; 49; 50; 52; 57; 58; 59; 69; y 71.

Más recientemente la STC 103/2013 declaró inconstitucional el nombramiento de integrantes de la Junta de Gobierno Local a personas que no ostenten la condición de Concejales.

Por otra parte, y en cuanto el Régimen Específico de los Órganos previstos por nuestra legislación, sin perjuicio de las peculiaridades autonómicas, podemos distinguir, conforme apunta el profesor Sosa Wagner entre órganos necesarios y complementarios (26).

Ahora bien, en los denominados órganos complementarios, denominación ésta que corresponde a aquellos órganos que no son obligatorios en todo el territorio nacional por el carácter básico a aquellos reservados en la LRBRL y en el resto de legislación básica estatal (así el caso de la Comisión Especial de Cuentas que la Ley 39/1988 y el posterior Texto Refundido de la Ley de Haciendas Locales 2/2004, de 5 de marzo establecen como obligatoria para la aprobación de la cuenta general), son susceptibles de ser creados con número, características y regulación variables con carácter opcional por las legislaciones de las diversas Comunidades Autónomas en el ejercicio de sus competencias sobre régimen local, como desarrollo de los preceptos básicos establecidos por la legislación estatal.

No obstante y con carácter meramente supletorio, el Estado procedió a regular mediante el Real Decreto 2568/1986, de 28 de noviembre, por el que se aprobó el Reglamento de Organización, Funcionamiento y Régimen Jurídico de las Entidades Locales (en adelante ROF), dichos órganos estableciendo un sustrato, que con ligeras variaciones y alguna novedad ha sido asumido por la legislación propia de las diferentes, Comunidades Autónomas, no solo para los municipios, sino con matices y como más adelante veremos para las distintas entidades locales y por tanto las fórmulas organizativas que de éstas se vean sometidas al referido ordenamiento jurídico-administrativo local.

---

(26)   Francisco Sosa Wagner, *Manual de derecho local*. Aranzadi 6.ª edición 2001, Págs. 88 a 96.

Así podemos señalar como órganos básicos: El Pleno, la Alcaldía, la Junta de Gobierno Local (en los municipios de más de 5.000 habitantes), los Tenientes de Alcalde (igualmente para más de 5.000 habitantes) y tras la modificación operada en la LRBRL por la Ley 11/1999 y pese a su inclusión el ROF como órgano complementario, las Comisiones informativas y de control, que son obligatorias para los municipios de más de 5.000 habitantes.

Junto a los órganos necesarios o básicos nos encontramos con los órganos complementarios y aquí la enumeración tradicional nos señala a los Concejales y Diputados delegados, las Juntas Municipales de Distrito, los Consejos sectoriales, etc.

Pero este régimen tradicional de organización podía, en principio y en virtud de la posibilidad concedida a las Comunidades Autónomas, alterarse mediante regímenes municipales especiales por leyes de las propias Comunidades Autónomas. Tal y como se especificaba en el artículo 30 de la LRBRL, posibilidad ésta que las diversas Autonomías han utilizado para contemplar regímenes específicos para municipios turísticos, industriales, de montaña, de pequeña población e históricos-artísticos, y así es en los casos de Cataluña, Aragón y la Comunidad de Madrid, por citar tan solo algunos.

Partiendo de dicha posibilidad, que ya suponía una variación de un régimen uniforme de organización municipal, y en base a las criticas generadas desde multitud de ámbitos doctrinales, se planteo la necesidad, de a partir de la propia legislación básica estatal, variar el régimen uniforme para todos los municipios de organización. Pues es cierto que pocos elementos tienen en común la Villa de Madrid con el municipio de Madarcos en la Comunidad Autónoma de Madrid, por poner tan solo un ejemplo.

Es fruto de dichas reflexiones, y con un indudable empuje político para alguna candidatura a las elecciones municipales de 2003 de carácter singular, por lo que se aprobó la Ley 57/2003, de 16 de diciembre de Modernización del Gobierno Local que supone una profunda reforma en el aspecto organizativo de la LRBRL, a la que incorpora un Título X (27), en el cual se establece un régimen organizativo singular de los municipios de gran población.

Ese régimen supone lo que PAREJO (28) ha denominado la lofagización de la Administración Local, puesto que establece un refuerzo del ejecutivo municipal introduciendo las técnicas de las Administraciones estatal y autonómica con las figuras de los Coordinadores Generales (los subsecretarios o viceconsejeros autonómicos transplantados al ámbito local), los Directores Generales, el Titular de la Asesoría Jurídica, etc.

---

(27)   Una aproximación general a la referida «modernización del gobierno local» la encontramos en *Modernización del Gobierno Local (Comentarios a la Ley 57/2003, de 16 de diciembre)*, obra colectiva coordinada por Ángel BALLESTEROS FERNÁNDEZ, El Consultor, 2004.

(28)   Luciano PAREJO ALFONSO ha calificado la Ley de Medidas de Modernización del Gobierno Local como lofagización y así puede consultarse el documento base para la elaboración de la Ley de Administración Local del Principado de Asturias de Oviedo de 30 de marzo de 2005 elaborado por el citado Profesor http://www.facc.info/actualidad/documento Pág. 3.

Junto a dichos órganos que tienen carácter directivo frente a los órganos superiores como son el Alcalde, Concejales Delegados y la Junta de Gobierno Local, como órgano colegiado de gobierno, nos encontramos con otros órganos de existencia preceptiva en los municipios acogidos a este régimen especial de municipios de gran población, como son la Comisión Especial de Sugerencias y Reclamaciones, las Juntas Municipales de Distrito (obligatorias para este tipo de municipios, frente al carácter potestativo que el ROF les otorgaba) y el Consejo Social de la Ciudad.

Por tanto, la incorporación del régimen especial para los municipios de gran población supone en la práctica la existencia de tres regímenes organizativos municipales básicos en todo el Estado, sin perjuicio de la implantación de regímenes especiales respetando los órganos básicos, ya comentados, por las diversas Comunidades Autónomas.

Dichos regímenes serán:

a) El de los municipios que funcionen en Concejo abierto (29) conforme a lo previsto en el artículo 29 de la LRBRL, en el cual existirá tan sólo con carácter obligatorio el órgano de la Alcaldía y asumiendo la Asamblea vecinal las funciones que la legislación atribuya al Pleno, pudiendo las Comunidades Autónomas establecer el régimen de funcionamiento municipal y la existencia o no de Tenientes de Alcalde, conforme las costumbres y usos del lugar.

Este régimen especial es de aplicación a los municipios de menos de 100 habitantes, a aquellos que tradicionalmente vinieran funcionando así y a los que decidan incorporarlo por acuerdo adoptado por los 2/3 de los miembros de la Corporación y posterior autorización de la Comunidad Autónoma.

b) El ya señalado y regulado en el Título X de la LRBRL, para los municipios de gran población (30), aplicable conforme el artículo 121 de dicha Ley con carácter directo a todos los municipios de más de 250.000 habitantes, a las capitales de provincia con más de 175.000 y previa autorización de la Asamblea autonómica correspondiente al resto de capitales de provincia, capitales autonómicas o sedes de instituciones de dichas Comunidades Autónomas y los de más de 75.000 habitantes, que tengan circunstancias económicas, sociales, históricas o culturales especiales.

El régimen de gran población supone en la práctica un refuerzo importante de las funciones de la Junta de Gobierno Local y una configuración del Pleno como un órgano cuasi-parlamentario de control, legislación y aprobación de presupuestos,

---

(29) Al respecto del Concejo abierto véase Luis Cosculluela Montaner. «El Concejo Abierto» en *Revista de Estudios de la Administración Local y Autonómica* n.º 234 (INAP), págs. 199 a 223.

(30) Un análisis de dicho régimen lo tenemos en Miguel Sánchez Morón, «Observaciones sobre el régimen de organización de los municipios de "gran población"», *Revista Justicia Administrativa* n.º 25, Págs. 5 a 18. Editorial Lex Nova, octubre 2004.

incorporándose a la vida municipal toda una panoplia de nuevos órganos administrativos con capacidad para dictar actos administrativos.

c) Finalmente nos encontraremos ante el denominado régimen común, que será el de carácter residual para aquellos municipios que ni funcionen en Concejo abierto ni tengan carácter de gran población, que se estructurarán en cuanto a su organización conforme a determinaciones clásicas de Pleno, Alcaldía, etc. (31).

Junto a los municipios la organización local se ve complementada con las Provincias como entidades necesarias de carácter local caracterizadas por la agrupación forzosa de todos los municipios de cada una de ellas.

Dicho carácter obligatorio de las provincias partiendo de su creación por Javier DE BURGOS en 1833 tiene su fundamento constitucional en el artículo 141 de la Constitución de 1978, habiendo sido refrendado por la Sentencia del Tribunal Constitucional 32/1981, de 28 de julio, sobre la Ley de transferencia urgente y plena de las Diputaciones catalanas a la Generalitat

No obstante el nuevo Estatuto de Autonomía de la Comunidad Autónoma Catalana aprobado por Ley Orgánica 6/2006, de 19 de julio, vuelve a poner en cuestión el papel de las Diputaciones como entes representativos provinciales, puesto que establece la Veguería tanto como circunscripción de la Generalitat, como lo que es más importante, como corporación representativa de los municipios, remitiendo la modificación de los límites provinciales para acompasarlos a la demarcación veguerial al procedimiento posterior previsto por la legislación.

La organización provincial se sustenta en una dualidad entre el régimen común y los regímenes especiales (Comunidades uniprovinciales, Diputaciones Forales, Provincias Insulares). Correspondiendo al régimen común una organización sustancialmente similar a la prevista para los municipios en torno a: Pleno, Presidente de la Diputación, Vicepresidentes, Junta de Gobierno, regulados en los artículos 31 a 36 de la actual LRBRL.

A diferencia de las Corporaciones municipales, las Corporaciones provinciales, al ser de segundo grado, esto es, representativas de los municipios y no de los ciudadanos directamente, ven elegidos a los miembros de ésta, los Diputados Provinciales integrantes del Pleno, mediante sufragio indirecto a través de los votos de los Concejales en los diferentes partidos judiciales.

Otro nivel organizativo local de carácter necesario y obligatorio es el de las Islas, tal y como se recoge en el artículo 141 de la Carta Magna de 1978. Estas se

---

(31)   Un estudio de la organización municipal puede realizarse a través de «La organización municipal» *Revista Documentación Administrativa* n.º 228, MAP-INAP, 1991, octubre-diciembre, AAVV.

institucionalizan en sus organizaciones a través de los Cabildos (32) para el Archipiélago canario y los Consells insulares para el Balear, organizándose según el artículo 41 de la LRBRL, en la medida de lo posible, conforme lo hacen las Diputaciones Provinciales, destacando sin embargo la singularidad establecida por la Ley Orgánica 5/1985, de 19 de junio, en su Título IV, de elección directa de los Cabildos insulares canarios y por el Estatuto de Autonomía para las Islas Baleares, que contempla igual elección directa para los citados Consells.

Finalmente el régimen local español contempla la existencia de otras entidades compuestas, caracterizadas por la agrupación de municipios (mancomunidades, comarcas y áreas metropolitanas) y por entidades de carácter tradicional con ámbito inferior al municipio como las parroquias y pedanías.

La posición de estas últimas organizaciones queda remitida, dentro de unos principios básicos estatales, a la legislación de las diversas Comunidades Autónomas y es en ese ámbito organizativo de entidades locales y Comunidades Autónomas, donde se debe incardinar las funciones sobre rehabilitación urbana, así como las relaciones entre las diversas AA.PP. convergentes a través de la cooperación (voluntaria) y coordinación.

2. LA COOPERACIÓN EN MATERIA REHABILITADORA. ASPECTOS GENERALES

Estos aspectos en la denominada cooperación y coordinación son los previstos en los arts.18 y 19 de la ley ubicados dentro del capitulo tercero sobre la forma de cooperación y coordinación para participar en la ejecución, esto es en la regulación de las determinaciones legales con respecto a las actuaciones concretas sobre el medio urbano, que en buena medida por todas las argumentaciones anteriormente reiteradas exigen de buenas dosis de colaboración interadministrativa de una forma u otra .

Así junto a la figura de las asociaciones administrativas y los convenios para finalización de las actuaciones nadie utilizara la rubrica de cooperación interadministrativa en el art. 18 diferenciando lógicamente dicha cooperación de la figura de la coordinación a que hemos hecho referencia anteriormente, no tanto por objeto material ya que nos encontramos ante actuaciones directas de rehabilitación urbana, frente a las actuaciones de evaluación de las edificaciones a que nos hemos referido anteriormente, sino mas bien en relación con el absoluto respeto que para las competencias propias y ajenas tiene el principio de cooperación, que requiere como hemos apuntado de una voluntariedad que a veces la coordinación puede omitir, por la naturaleza coercitiva final que el Tribunal Constitucional ha determinado.

---

(32) El régimen específico de los Cabildos puede analizarse en Joaquín Valle Benítez «Los Cabildos insulares», págs. 69 a 84 de *Estudios de derecho Administrativo Especial Canario,* dirigidos por Alejandro Nieto. Cabildo Insular de Tenerife, 1967 (reimpresión de 1994) desde un punto de vista histórico y desde un prisma más actual José Suay Rincón.

Así, de forma concreta, el art. 18 de la Ley 8/2013, de 26 de junio, se ocupa del contenido de la cooperación especialmente en relación con la cooperación económica de Administración General del Estado y el art. 19 entra a recoger la organización de la cooperación.

Por tanto la cooperación interadministrativa requiere como su propio nombre indica la pluralidad de administraciones publicas interesadas en los aspectos de rehabilitación regeneración y renovación urbana que la Ley 8/2013, de 26 de junio regula en ese sentido la articulación de la cooperación interadministrativa en relación con los aspectos de las operaciones e intervención urbana reguladas por el Titulo II de la Ley optan en la línea establecida por el Tribunal Constitucional sobre posibilidades de legislación estatal en relación con la financiación a la vivienda y de manera extensible a la rehabilitación de esta, tal y como ya se contempló en los últimos planes de vivienda estatales, a un principio rector de dicha colaboración económica por parte de la Administración General del Estado, puesto que el apartado 1 del art. 18 habla con carácter potestativo de «*podrán beneficiarse de la colaboración y cooperación económica de la Administración General del Estado*».

Este enunciado posibilita por tanto que otras entidades administrativas, en principio como son las Corporaciones Locales y las Comunidades Autónomas, o Entidades Institucionales creadas o dependientes de esta podrán acceder a esos fondos de la Administración General del Estado, aunque se recoge una prioridad determinada por los apartados a), b), y c) del art. 18.1 en relación con la conservación rehabilitación y regeneración y renovación urbana, en los términos que rigen los planes estatales, puesto que las determinaciones legales en relación con la regeneración urbana previstas sobre todo en el art. 10.º de la Ley, en cuento a las reglas básicas para ordenación y ejecución de las actuaciones y del art. 13, sobre formas de ejecución,. así como las determinaciones especificas en relación con las políticas publicas para un medio urbano mas sostenible, implican en la relación del art. 18 una necesaria (en los aspectos de acogerse a la financiación) remisión a los planes estatales correspondientes, que obviamente se aprueban por Real Decreto. Existiendo por tanto una expresa remisión reglamentaria a dicha formula de financiación, como no podía ser de otra manera financiación que lógicamente debe de estar prevista en las correspondientes leyes de presupuestos generales del estado, en el marco de la estabilidad presupuestaria prevista por la Ley Orgánica 2/2012, de 27 de abril y en los créditos disponibles al efecto.

En cuanto al segundo de los aspectos que priorizara la colaboración económica del Estado en relación con las actuaciones de otras administraciones, se recogen la elaboración y aprobación de los instrumentos necesarios para la ordenación y gestión de las actuaciones previstas en la propia el Ley 8/2013, que debemos recordar se recogen de forma expresa en el Titulo II de la propia Ley y que son actuaciones que tienen por objeto realizar obras de rehabilitación edificatoria cuando están en situaciones de insuficiencia o degradación de los requisitos básicos de funcionalidad seguridad y habitabilidad de las edificaciones y de regeneración y renovación urbanas, cuando puedan afectar en tanto a edificios como a tejidos urbanos pudiendo llegar a incluir obras de nueva edificación en sustitución de edificios previamente demolidos tal y como se establece en el art. 7.1 de la propia Ley. En ese aspecto igualmente puede llegarse a requerir la necesidad de modificar el planeamiento urbanístico, tal y como se establece en el apartado 1 del art. 10 y la necesidad de una delimitación de ámbito de actuación conjunta, lógica para dicha rehabilitación, regeneración y renovación urbana. Todas estas determinaciones, así como otras que no corresponden abordar en el presente comentario, son lógicamente primadas en cuanto a la financiación

3. CONCEPTO Y SUJETOS DE LA COOPERACIÓN EN MATERIA DE REGENERACIÓN URBANA

La cooperación se inserta en el marco de las relaciones interadministrativas. A diferencia de otras técnicas relacionales —delegación o transferencia de funciones— la cooperación no altera el orden de las competencias de los entes intervinientes en la acción administrativa. Estas continúan siendo municipales o autonómicas, si bien asistidas por la Administración estatal, la Administración autonómica o la Administración provincial.

De otra parte, a diferencia de otras técnicas como la coordinación, que modula las competencias administrativas en cuanto aquélla persigue la racionalización de la actividad de las Corporaciones locales (art. 59 LRBRL), la cooperación es una institución de estímulo o fomento, y no limitadora (33). Los sujetos activos de la acción de cooperación son el Estado, las Comunidades autónomas y las Diputaciones, y los sujetos pasivos o beneficiarios son los Municipios, sin distinción de tamaño, los entes supramunicipales (Comarcas, Áreas Metropolitanas) y los entes locales (Mancomunidades) que sean el resultado de la asociación de aquellos. Aunque en la regulación sectorial de la Ley 8/2013 que aquí comentamos no se establece un ámbito concreto de carácter subjetivo.

La naturaleza de la cooperación es según LLISET (34) paccionada, ya que no se puede obligar a los Municipios a que canalicen sus actuaciones a través de los planes provinciales de cooperación, aunque, si obtienen subvenciones de cooperación, estarán sometidos a su regulación específica en cuanto a plazos y niveles de calidad exigidos. En el caso de la cooperación rehabilitadora: está por ver a través de qué instrumentos se canaliza.

La cooperación se puede instrumentar en formas diversas, pero cobra su máxima expresión en el régimen general el Plan provincial de obras y servicios, en el

---

(33) Véase: CLIMENT BARBERÁ, J.: «La cooperación estatal y autónomica en los servicios municipales», en el *Tratado de Derecho municipal*, dirigido por Santiago MUÑOZ MACHADO, 1.ª edición, Civitas Madrid, 1988.

(34) Francisco LLISET BORRELL «Comentarios al artículo 156 y siguientes» de la obra colectiva *Comentarios al reglamento de servicios de las corporaciones locales* El Consultor, 2.ª edición, año 2002.

que el protagonismo de la Diputación es destacado, por más que en alguna Comunidad autónoma, como Cataluña, ese protagonismo ha tratado de ser anulado a través del Plan único de obras y servicios de Cataluña, que lógicamente incorporará las transferencias que dicha Comunidad realice en materia de regeneración interna.

Entre las competencias mínimas de las provincias figuran, en el art. 36.1 LRBRL, las siguientes:

a)   La coordinación de los servicios municipales entre sí para la garantía de la prestación integral y adecuada en la totalidad del territorio provincial de los servicios de competencia municipal, y

b)   La asistencia y la cooperación jurídica, económica y técnica a los Municipios, especialmente los de menor capacidad económica y de gestión.

A los efectos de lo dispuesto en las letras a) y b) del apartado 1 del art. 36, la Diputación, según el art. 36, 2, «aprueba anualmente un Plan provincial de cooperación a las obras y servicios de competencia municipal en cuya elaboración deben participar los Municipios de la provincia. El Plan, que deberá contener una Memoria justificativa de sus objetivos y de los criterios de distribución de fondos, podrá financiarse con medios propios de la Diputación, las aportaciones municipales y las subvenciones que acuerden la Comunidad autónoma y el Estado con cargo a sus respectivos presupuestos. Sin perjuicio de las competencias reconocidas en los Estatutos de autonomía y de las anteriormente asumidas y ratificadas por éstos, la Comunidad autónoma asegura, en su territorio, la coordinación de los diversos planes provinciales de acuerdo con lo previsto en el art. 59 LRBRL. El Estado y la Comunidad autónoma, en su caso, pueden sujetar sus subvenciones a determinados criterios y condiciones en su utilización y empleo.»

Estos fondos pueden ser de muy diverso matiz sectorial, como es indudable para los referidos a la rehabilitación en el marco de los planes estatales de vivienda para su empleo por las corporaciones locales, eso si previo paso por las CCAA y en el contexto de la reforma de la LRBRL en los municipios de menos de 20.000 habitantes que así lo deseen por las diputaciones.

Esas funciones de las Diputaciones provinciales se ven reforzadas en relación con la atención a los municipios de menos de 20.000 habitantes, por el proyecto de ley sobre racionalización y sostenibilidad de la administración local, que les otorga, previa evaluación de los servicios, el carácter de entidades gestoras en la prestación de los servicios obligatorios previstos por el art. 26 de la LRBRL, si existe un acuerdo y voluntariedad entre ellos.

Así la Legislación estatal sobre cooperación provincial de carácter local esta recogida por la LBRL: arts. 26, 3, 36.2, 57 a 62, el TRRL: arts. 61 a 71.y el RD 835/2003 de 27 de junio, por el que se regula la cooperación económica del Estado a las inversiones de las entidades locales

En ejecución de los preceptos citados de la LRBRL, el RD 835/2003 de 27 de junio, por el que se regula la cooperación económica del Estado a las inversiones de las entidades locales que sustituye al Real Decreto 1328/1997, de 1 de agosto, que regulaba la cooperación económica del Estado a las inversiones de los entes locales, que a su vez derogaba el régimen inmediatamente anterior contenido en el RD 665/1990, de 25 de mayo, se recoge en traslación de la doctrina del Tribunal Constitucional sobre la posibilidad de cooperación directa del Estado con los EE.LL.

El RD 665/1990, había reordenado los instrumentos de cooperación económica con las entidades locales, ajustándola a la ley de Bases de Régimen local y a la Ley reguladora de las Haciendas locales, y había afianzado la especialización de dichos instrumentos creando al efecto tres secciones: general, especial y sectorial; incorpora a la cooperación los contenidos concretos, dentro de sus competencias, de la potestad planificadora de las Diputaciones y había utilizado una base objetiva común de información, la Encuesta de Infraestructura y equipamiento local. También quiso contribuir a paliar la desconexión existente entre la planificación provincial y otros instrumentos de planificación de inversiones, de carácter estatal y autonómico, y a posibilitar el acceso de las Entidades locales a los fondos estructurales europeos.

El RD 1328/1997, por su parte, presentaba respecto del anterior, como indica su exposición de motivos de la Orden ministerial de desarrollo de 7 de mayo de 1998, importantes modificaciones, cuya finalidad obedece a incrementar la agilidad y flexibilidad del procedimiento de concesión y pago de las subvenciones y el grado de autonomía en esta materia de las Diputaciones provinciales, Cabildos y Consejos insulares y Comunidades autónomas uniprovinciales. En este sentido, desaparecieron en aquella disposición la sección especial para Programas de acción especial en Comarcas o Zonas deprimidas y la sección especial sectorial destinada a financiar programas específicos, se incrementaron los porcentajes de participación del Estado en la financiación de obras incluidas en los Programas operativos financiados por la Unión europea, y se suprimieron determinados trámites.

El actual régimen se establece y regula por el Real Decreto 835/2003 de 27 de junio, por el que se regula la cooperación económica del Estado a las inversiones de las entidades locales, que se puede ver reformado o complementado por una normativa específica en el seno de los planes de vivienda.

La cooperación estatal, regulada con carácter general, en los arts. 61 a 71 TRRL, y con mayor detalle en las disposiciones reglamentarias señaladas en el epígrafe anterior, puede ser *técnica* (estudios y proyectos) y *financiera* (subvenciones en los presupuestos estatales y de otros organismos estatales).

La cooperación estatal general puede instrumentarse a través de entes de gestión de carácter público o privado (arts. 64, 69 y 110 TRRL). La cooperación autonómica se regula en la legislación de régimen local de las respectivas Comunidades autónomas, y lógicamente por los planes propios de viviendas aunque la tendencia no es tanto la prestación de ayudas técnicas y financieras a los Municipios como la de la centralización de las funciones de cooperación de las Diputaciones provinciales por la vía de la coordinación de los planes provinciales de obras y servicios así en los casos Catalán y de la Comunidad Valenciana. Aunque en el caso de vivienda está por ver.

La cooperación estatal se canaliza a través de los planes provinciales de cooperación a las obras y servicios municipales (art. 5 y ss. RD 835/2003 de 27 de junio, por el que se regula la cooperación económica del Estado a las inversiones de las entidades locales), sin perjuicio de que dichos planes puedan recibir aportaciones de los Fondos estructurales comunitarios (Disposición Adicional Primera del RD 835/2003 de 27 de junio, por el que se regula la cooperación económica del Estado a las inversiones de las entidades locales).

4. EL MARCO DE LA COOPERACIÓN ECONÓMICA LOCAL DEL ESTADO

Al encontrarnos con una ley estatal reguladora de una materia en la que tienen sustancialmente competencia las CC.AA., será necesario tener en cuenta el régimen de cooperación económica de aquél con los EE.LL. como sujetos finales de la actividad rehabilitadora.

Así, el programa específico de cooperación económica local del Estado tiene como objetivo prioritario la financiación de las inversiones recogidas en los Planes provinciales e insulares de Cooperación, necesarias para la efectiva prestación de los servicios obligatorios del art. 26 de la LRBRL, pudiendo, sin embargo, incluirse otras obras y servicios de la competencia municipal con arreglo al art. 25 de la LRBRL, tanto si son realizadas por los municipios como por los demás entes locales del art. 3.2 de la LRBRL, y obras de la red viaria provincial (art. 1 del RD 835/2003 de 27 de junio, por el que se regula la cooperación económica del Estado a las inversiones de las entidades locales), circunstancia ésta (sobre algún aspecto conexo a la rehabilitación como la mejora del saneamiento) en la cual incidirán las actuaciones de regeneración urbana.

En ese sentido y con singularidad propia la ley 8/2013 establece un marco para la financiación estatal a través de la reglamentación de los planes de vivienda, pero nada impide la utilización de los instrumentos de cooperación regular

Como ya se ha indicado el RD 1328/1997 eliminó la estructuración del Plan provincial de Inversiones en tres secciones, tal y como indicaron Lliset, F y Lliset, A. (35)

Por su parte RD 835/2003 de 27 de junio, por el que se regula la cooperación económica del Estado a las inversiones de las entidades locales en su art. 3, dice así:

«1. La cooperación económica local estará integrada por las siguientes líneas de ayuda:

---

(35) Lliset, F. y Lliset A: *Los planes sectoriales de coordinación*, Barcelona, 1990.

Aportación a las inversiones incluidas en los Planes provinciales e insulares de cooperación a las obras y servicios de competencia municipal, con prioridad de aquellas necesarias para la efectiva prestación de los servicios obligatorios enumerados en el artículo 26 de la Ley 7/1985, de 2 de abril, reguladora de las Bases de Régimen Local, sin perjuicio de que se puedan incluir otras obras y servicios que sean de competencia municipal, de acuerdo con lo establecido en el artículo 25 de la misma Ley.

Igualmente, con cargo a esta línea, podrán obtener subvención estatal los proyectos de obra de mejora y conservación de la red viaria de titularidad de las diputaciones provinciales, con el límite del 30 % de la subvención asignada al Plan de cooperación a las obras y servicios de competencia municipal de la correspondiente provincia.

Aportación a las Intervenciones comunitarias aprobadas por la Comisión de la Unión Europea cofinanciadas por el Programa de cooperación económica local.

Aportación a los proyectos de modernización administrativa local.

Aportación a los proyectos con participación de la sociedad civil.

2. La cooperación del Estado a los planes provinciales e insulares, así como a las Intervenciones comunitarias, se realizará a través de las diputaciones provinciales, cabildos y consejos insulares y comunidades autónomas uniprovinciales no insulares, de acuerdo con lo establecido en la Ley 7/1985, de 2 de abril, reguladora de las Bases de Régimen Local, y en el texto refundido de las disposiciones legales vigentes en materia de régimen local, aprobado por el Real Decreto Legislativo 781/1986, de 18 de abril. Estas entidades tendrán la consideración de beneficiarias de las subvenciones estatales y asumirán todos los derechos y obligaciones inherentes a tal condición frente al Ministerio de Administraciones Públicas.

3. La cooperación económica del Estado a los proyectos de modernización administrativa local se realizará directamente con las entidades locales solicitantes y beneficiarias de la subvención.

Pueden solicitar y obtener subvenciones para esta finalidad:

Los municipios con población superior a 5.000 habitantes.

Los municipios con población inferior a 5.000 habitantes, siempre que el proyecto objeto de subvención afecte a un conjunto de municipios que superen los 5.000 habitantes.

Las diputaciones provinciales, cabildos y consejos insulares y comunidades autónomas uniprovinciales, estas últimas en el ejercicio de las competencias que corresponden a las diputaciones provinciales, para proyectos propios o que afecten a un conjunto de municipios que superen los 5.000 habitantes, supuesto previsto en el párrafo anterior.

4. La cooperación económica del Estado a los proyectos con participación de la sociedad civil se realizará directamente con las entidades locales solicitantes y beneficiarias de la subvención.

Pueden solicitar y obtener subvención para esta finalidad las entidades locales que tengan regulada la participación de la sociedad civil mediante consejos u otras estructuras.»

Es de interés reproducir aquí los fundamentos jurídicos quinto, sexto y séptimo de la Sentencia del Tribunal Superior de Justicia de Cataluña de 4 de julio de 1991 (ponente Sr. Barrachina) dictada en el recurso formulado por la Diputación de Barcelona contra el Decreto autonómico 341/1988, de 1 de diciembre, por el que se aprobó el Plan único de obras y servicios de Cataluña 1988 y sus Bases de ejecución.

«Quinto. La nueva organización territorial del Estado que aparece reconocida en el artículo 137 de la Constitución, supone la aparición continua de problemas y conflictos, no sólo entre el Estado y las Comunidades Autónomas, sino que en una escala menor, también entre las Comunidades Autónomas y los Entes Locales. Como sea que dichos Entes cuentan con la existencia de una Administración Pública, que si bien gestiona intereses generales propios del Ente territorial al que pertenece, siempre tienen un objeto final, como es la de gestionar esos intereses generales en función del principio de eficacia (artículo 103.1 de la Constitución). Ello obliga a construir las relaciones inter-administrativas en función del necesario y siempre polémico principio de coordinación que se reconoce a los Entes superiores respecto de los interiores y que si no es bien entendido, se corre el riesgo de que en nombre de la coordinación se asuman competencias del ente coordinado, vaciando de contenido competencial a este último.

El principio de coordinación surge, pues, en todos los centros dotados de propia autonomía decisoria que concurren a una misma tarea y por ello, toda gestión de este principio supone un cierto poder de dirección que resulta de la posición de supraordenación en que se encuentra el que coordina con respecto al coordinado. De este modo, el principio de coordinación no es un mero concepto teórico, sino que tiene, desde el mismo momento de su reconocimiento constitucional como fundamento de la organización de las relaciones entre las distintas Administraciones Públicas, una vocación de aplicabilidad inmediata. Pero bien entendido que la difícil función de coordinar parte siempre de la idea previa de reconocimiento de las competencias del ente coordinado, pues si éstas se absorben o se anulan, ya no tendría sentido aplicar el principio de coordinación, pues no se puede coordinar en entes u órganos que carezcan de una determinada potestad de decisión.

Por ello, puede considerarse el principio de coordinación, tal como lo entiende este Tribunal, como sinónimo de eficacia. Es un principio de lógica política y de actuación adjunta que favorece a todos los participantes en una determinada acción. Incluso se puede afirmar que la coordinación supone competencias concurrentes en una misma materia, y, asimismo, la existencia de intereses diversos, pues de lo contrario no tendría sentido alguno la coordinación del ejercicio de las competencias reconocidas.

En estos términos es como debe entenderse las normas, que sobre este principio aparecen en la Ley 7/1985, de 2 de abril, especialmente las ya comentadas del artículo 36.2.b) en relación con el artículo 59, donde se atribuye a las Comunidades Autónomas una facultad de coordinar "la actividad de la Administración Local y, en especial, de las Diputaciones Provinciales en el ejercicio de sus competencias."

En el Decreto 341/1988 impugnado en esta instancia jurisdiccional, no se reconocen las competencias que en materia de Planes Provinciales de obras y servicios se reconocen a las Diputaciones Provinciales, en los términos expuestos anteriormente, e incluso se llega a disponer de las correspondientes subvenciones estatales destinadas a financiar los Planes Provinciales, lo que ya ha sido objeto de pronunciamiento judicial, como es la sentencia del Tribunal Supremo de 23 de junio de 1989, donde se anula el Decreto de la Generalitat de Catalunya al no reconocer la potestad de elaborar, aprobar y defender sus propios presupuestos a la Diputación de Barcelona y exigir obligatoriamente la aportación de la Diputación al Plan de Obras de Cataluña.

Por todo lo cual, y como resumen de lo expuesto hasta aquí, la competencia atribuida a la Generalidad de Cataluña en materia de coordinación con Planes Provinciales, no la autorizan para atraer a su órbita particular cualquier competencia de las Diputaciones Provinciales, por el mero hecho de que su ejercicio pueda incidir en el desarrollo de las competencias de entidades territoriales inferiores a la Comunidad Autónoma, pues, lógicamente, debe partirse siempre en el análisis de un conflicto como el presente, de la previa existencia de competencias en favor de la entidad coordinada.

Sexto. Por su parte, y como una lógica consecuencia de lo dicho en los apartados anteriores, no está de más el recordar cómo la función de coordinación llevada a cabo por la Generalidad de Cataluña, también supone una vulneración del principio de autonomía local. Este principio que tiene su propio reconocimiento constitucional en el artículo 137, tuvo un desarrollo legislativo en la Ley 7/1985, de 2 de abril, de Bases del Régimen Local, en cuyo artículo 2, de nuevo el legislador utilizó el principio de autonomía local con el fin de que la legislación del Estado y de las Comunidades Autónomas, asegurasen a los entes locales "su derecho a intervenir en cuantos asuntos afecten directamente al círculo de sus intereses, atribuyéndoles las competencias que proceda en atención a las características de la actividad pública de que se trate y a la capacidad de gestión de la entidad local, de conformidad con los principios de descentralización y de máxima proximidad de la gestión administrativa a los ciudadanos."

Con ello se demuestra que el legislador no se contentó con la proclamación de este principio, como un mero buen deseo, sino que, por el contrario, en su redacción subyace una plena vocación de efectividad. En la actualidad, y conociendo cómo se cumplen algunos principios, entre ellos el de coordinación, tanto por parte del Estado como por las Comunidades Autónomas, el de autonomía local es un verdadero escudo protector frente a las continuas agresiones que sufren los Entes locales que siempre aparecen en una situación de inferioridad. Tanto es así, que el Tribunal Constitucional ya tuvo oportunidad de pronunciarse sobre esta cuestión, en su benefactora Sentencia 37/1981, de 28 de julio, cuyo contenido es bien conocido por todos.

Además, el Consejo de Europa, consciente de la crítica situación que atraviesa en nuestros días el principio de autonomía local, aprobó en Estrasburgo, la denominada Carta Europea de Autonomía Local el día 15 de octubre de 1985, donde, después de definir lo que se entiende por autonomía local (artículo 3.1), llega a determinar el alcance de este principio, y en el artículo 4.4, nada menos que dispone lo siguiente: "Las competencias encomendadas a las Entidades locales, deben ser normalmente plenas y completas, no pueden ser puestas en tela de juicio ni limitadas por otra autoridad central o regional, más que dentro del ámbito de la Ley."

Por todo ello, y siendo consciente este Tribunal de las dificultades por las que en la actualidad atraviesa el Derecho Local o régimen local, fruto de la continua pugna entre el Estado y las Comunidades Autónomas por acaparar competencias propias de los entes locales, a través de la transformación de funciones y actividades "locales" en cometidos "supralocales", auto-atribuyéndose competencias o funciones al margen de la esfera local, incluso la propia proliferación de zonas comunes de intereses hace que la Entidad local salga perjudicada, también la propia existencia de funciones de planificación o competencias de coordinación, y, en definitiva, la dificultad en llegar a conceptuar cuáles son los verdaderos intereses locales, que no estén exentos al mismo tiempo de intereses estatales o autonómicos, provocan en numerosas ocasiones una desvirtuación progresiva del ámbito competencial de los entes locales, que encuentran en la efectividad del principio del principio de autonomía local, la lógica defensa de los intereses.

Séptimo. El hecho de que la legislación autonómica pueda atribuir a la Generalitat de Catalunya competencia excluyente en la aprobación del P.U.O.S. con respecto a las competencias que la legislación estatal se reconoce en esta misma materia, en modo alguno puede resultar la legislación básica modificada, a pesar de lo que pueda disponer el artículo 9.b) de la Ley 5/1987, de 4 de abril, de Régimen Provisional de las competencias de las Diputaciones Provinciales, en lo que de confrontación tenga con las disposiciones legales citadas anteriormente, incluso el propio Estatuto de Autonomía de Cataluña, pues la legislación básica tiene como función la de establecer como mínimo común denominador normativo para toda la Nación, y ello debe ser respetado por la legislación autonómica.»

La más importante de las cooperaciones que actualmente se prestan es la de la cooperación intraprovincial (36). Esa cooperación atribuida directamente por la Ley de Bases, tal y como afirma Alejandro Nieto (37) divide en primer lugar el fin objetivo de dicha cooperación que es la gestión de actividades y servicios públicos competencia de los Entes locales, los previstos en el artículo 25 de la Ley de Bases y sobre todo en el artículo 26 en cuanto a servicios de obligatoria e inexcusable existencia que el propio artículo 156 del aún vigente Reglamento de Servicios de las Corporaciones Locales aprobado por Decreto de 17 de junio de 1955 reserva a las Diputaciones Provinciales y por tanto al no ser una reserva de carácter legal puede ser sustituida por una norma autonómica en la materia atribuyéndolo a otras entidades locales de ámbito supramunicipal, máxime en la materia que nos ocupa donde las competencias de las CC.AA. se derivan de un título competencial diferente al de régimen local.

Dentro de ese fin objetivo por un lado, distingue Nieto, los referidos al tamaño de los municipios, esto es a su capacidad económica y de gestión conforme el artículo 36 de la LRBRL y el 161 del Reglamento de Servicios, dicho precepto 161 referido en su momento, año 55, a municipios de menos de 20.000 habitantes, teniendo en cuenta los avances de la técnica, etc., esa referencia hay que entenderla superada lógicamente por que el tamaño poblacional de menos de 20.000 puede que haga posible a los municipios prestar directamente los servicios.

En segundo lugar la calidad de los servicios conforme al punto 4 del artículo 30 del Texto Refundido de las Disposiciones Legales vigentes en materia de Régimen Local aprobado por Real Decreto-Legislativo 781/1986 de 18 de abril.

En tercer lugar y dentro de esa prioridad la de que dicha operación puede ser total, por la totalidad de los servicios o su funcionamiento por lo cual poco quedaría más que la propia institución en cuanto organización del municipio y ayuntamiento, o parcial que es lo más habitual.

---

(36) El origen de esta fórmula la tenemos en los Estatutos de Calvo Sotelo y así puede estudiarse en Juan D´Anjou González «El principio de cooperación en los estatutos, municipal y provincial, de Calvo Sotelo», págs. 353 a 375 de *Estatutos Conmemorativos del Cincuentenario del Estatuto municipal*, IEAL, 1975.

(37) Alejandro Nieto. «Cooperación y asistencia», Capítulo VI de la obra *La Provincia en el sistema constitucional*. Diputación de Barcelona, 1993, obra colectiva dirigida por Rafael Gómez Ferrer y en concreto págs. 153 y 154.

Al ejercicio de dichas funciones Nieto habla de los medios disponibles conforme el precepto del artículo 30.1 del Texto Refundido, que serán los económicos propios que se asignen para la realización de dicha cooperación, la dotación de subvenciones o ayudas financieras por parte del Estado o de la Comunidad Autónoma y en el caso de que existieran dos niveles supramunicipales de uno sobre otro, de la Diputación sobre las Comarcas en su caso, las subvenciones con ayuda de cualquier otra procedencia, singularmente se nos ocurre aquí destacar la cooperación con los programas europeos y participación en ellos, y el producto clásico de las operaciones de crédito ya sea como avalista o garante de los pequeños municipios.

Por lo que respecta a las formas de la cooperación Alejandro Nieto señala conforme a lo dispuesto por el artículo 30.6 TRLL las siguientes características:

Primero.—   La existencia administrativa del ejercicio de las funciones públicas necesarias.

Segundo.—   El asesoramiento jurídico, económico y técnico.

Tercero.—   Las ayudas de igual carácter, esto es jurídica, económica y técnica, en la redacción de estudios y proyectos.

Cuarto.—   Las subvenciones a fondo perdido.

Quinto.—   La ejecución de obras e instalaciones de servicios.

Sexto.—   La concesión de créditos y la creación de Cajas de Crédito para facilitar a los ayuntamientos operaciones de dicho tipo.

Séptimo.—   La creación de consorcios u otras formas asociativas que fueran legalmente autorizadas.

Octavo.—   La suscripción de convenios administrativos.

Décimo.—   cualquiera otra que se establezca por parte del ente supramunicipal con arreglo a la ley.

Quizá de los instrumentos de cooperación el más representativo es el clásico Plan Provincial de cooperación a las obras y servicios municipales, que no tiene por que ser necesariamente realizado por una Diputación Provincial (38), como de hecho ocurre en las Comunidades Autónomas uniprovinciales cuyo plan lo realiza la Comunidad Autónoma, así en la Comunidad de Madrid el Plan Regional de Inversiones y Servicios de Madrid, el PRISMA, cuyas determinaciones quedan establecidas en la Ley de la Administración Local 2/2003, de 11 de marzo y que

---

(38)   Un estudio de la materia lo tenemos en Rafael Molina Mendoza *Cooperación provincial a obras y servicios municipales* Universidad de Valencia, IEAL, 1980.

para el período 2006-2007 se contemplaba por el Decreto 73/2005, de 28 de julio *(BOCM* n.º 179, de 29 de julio de 2005).

Dichos Planes creados por la Ley de Presupuestos de 1957, tal y como afirma NIETO (39) no son objeto de variación en cuanto al ente promotor y difusor de dicho Plan en el caso de las Comunidades uniprovinciales, sino que en el caso por ejemplo de Cataluña se establece a través de un Plan único de obras y servicios para toda la Comunidad que pretende alcanzar un máximo de homogeneidad en las actuaciones parciales de cada Diputación.

Tiene su aval constitucional en base al inciso final del artículo 36.2.a) de la Ley 7/1985 que atribuye a las Comunidades Autónomas la potestad genérica de coordinar los planes provinciales. Puesto que señala que sin perjuicio de las competencias reconocidas en los Estatutos de Autonomía y de las anteriormente asumidas y ratificadas por éstos, la comunidad autónoma asegura, en su territorio, la coordinación de los diversos planes provinciales.

Dicha figura de coordinación fue objeto de regulación por la Ley de las Cortes Valencianas de 4 de octubre de 1986, de Coordinación de los intereses comunes de las Diputaciones Provinciales, considerada constitucional por la Sentencia del Tribunal Constitucional de 27 de febrero de 1987, que contiene la regulación de la competencia prevista por el Estatuto originario de Autonomía de Valencia en su artículo 47.3 que preveía y autorizaba formas de coordinación de las actividades provinciales muy concretas.

Pero la existencia de un Plan único no implica la inexistencia de los Planes provinciales puesto que, tal y como señala Nieto la existencia de estos Planes sigue siendo también incuestionable de forma legal (40) no pudiendo imponerse desde el ente imponente, en este caso la Generalidad de Cataluña, el plan único o aportaciones a dicho plan único a las Diputaciones Provinciales, tal y como confirmo expresamente la Sentencia del Tribunal Supremo de 1 de septiembre de 1990 que: *«No existe un régimen especial regional para la Generalidad de Cataluña reconocido en la LRBRL que permita a esta el uso de su facultad de coordinación, fijar con carácter de obligatorio para la Diputación la cuantificación de su aportación al Plan de Obras y Servicios de la Generalidad».* Dicha Sentencia sigue la línea de otra anterior de 23 de junio de 1989. Esta línea ha sido cuestionada hoy, las competencias «exclusivas» sobre régimen local de los nuevos estatutos del período 2006-2008, pero el Tribunal Constitucional en sus SSTC 31/2010 y 103/2013 ha mantenido el régimen de la preferencia de la legislación básica (41).

---

(39) Alejandro NIETO, *op. cit.* «Cooperación y asistencia», pág. 155.

(40) Alejandro NIETO, *op. cit.* «Cooperación y asistencia», pág. 162.

(41) Al respecto vid Rosario TUR AUSINA y Enrique ÁLVAREZ CONDE, *op. cit. Las consecuencias jurídicas de la Sentencia 31/2010...*, José Carlos REMOTTI CARBONELL *op. cit.* «El Estatuto de autonomía de

Y lo señalado para el estudio superior debemos tenerlo en cuenta para el inferior si lo supramunicipal es asumido teniendo como prototipo el Plan de Cooperación por la entidad autonómica, la garantía institucional de las Diputaciones operará como salvaguarda para la existencia de Planes provinciales pero en el caso de lo infraprovincial y supramunicipal o bien se establecen mecanismos de cooperación o normalmente tenemos figuras de reduplicación, lo cual en el supuesto de existencia de entes parece difícil puesto que las relaciones son voluntarias de cooperación o difícilmente podrán establecerse mediante mecanismos coordinadores puesto que las propias Diputaciones son los primeros enemigos de la existencia de entidades infraprovinciales de carácter local.

Una buena salida al supuesto es lo que sucede en la Diputación Provincial de Valencia (42) que es la comarcalización de los Planes de cooperación u otra en el sentido de mayor cooperación y participación de los municipios es lo que se establece por la Diputación Provincial de Granada como elemento pionero que es la determinación de las inversiones por parte de los municipios a través del programa «*Granada en red*» (43) realizando estos y solicitando las inversiones plurianuales.

Por ahora la Cooperación económica del Estado a las inversiones de las Entidades locales se realiza a través de las Diputaciones Provinciales, Cabildos y Consejos Insulares y Comunidades autónomas uniprovinciales no insulares, y se instrumenta económicamente con los créditos consignados en los Presupuestos Generales del Estado en la sección correspondiente del Ministerio de Administraciones públicas, a través del Programa de Cooperación Económica Local del Estado (art. 2.1 y 3.3.c) del RD 835/2003, de 27 de junio). Ahora bien, en el caso de desarrollo de la cooperación prevista en la Ley 8/2013, el Estado ¿debe subsumirse en sus fórmulas para la cooperación en obras locales, establecer una nueva o delegarlo en las CC.AA.?

Al igual que en el RD 1328/1997, de 1 de agosto que en su art. 3.3 señala que «*Los Planes provinciales e insulares se basarán en los datos contenidos en la Encuesta de Infraestructuras y Equipamiento local, lo que se justificará adecuada y suficientemente en la Memoria correspondiente*», el actual RD 835/2003, de 27 de junio, en su art. 10.2 hace referencia tan sólo a que deberán justificar el contenido dispuesto en la Encuesta Loca, respetando tanto la autonomía local como la competencia sobre régimen local de las Comunidades Autónomas y así establece:

> «En la memoria que debe acompañar al plan, las diputaciones provinciales justificarán que su elaboración se ha basado en los datos contenidos en la

---

Cataluña y su interpretación...» y el número 12 de la revista *d' Estudis Autonomics i federals*, especial sobre la indicada sentencia de marzo de 2011.

(42) Supuesto estudiado por Juan CLIMENT BARBERÁ en «La cooperación estatal y autonómica en los servicios municipales», págs. 279 a 317 del *Tratado de Derecho Municipal* dirigido por Santiago MUÑOZ MACHADO, Civitas, 1.ª edición, 1988. Volumen I.

(43) Acerca del referido proyecto véase José Ignacio MARTÍN GARCÍA «Las Diputaciones Provinciales de régimen común en los albores del Siglo XXI (El proyecto "Granada en Red")». *Revista de Estudios Locales* núm. 77, octubre, 2002. Págs. 43 a 46.

Encuesta de Infraestructura y Equipamientos Locales y, en general, en criterios objetivos para la distribución de los fondos.»

Los planes provinciales de inversiones se anexarán a los presupuestos generales de la Diputación (art. 147 TRLHL). Una vez aprobados los planes provinciales, con participación de los Municipios y con la coordinación de la Comunidad autónoma, se remitirán al Subdelegado del Gobierno para que sean informados por este de acuerdo con el art. 29.2.c) de la LOFAGE. Asimismo, deberán ser sometidos a informe de la Comisión provincial de colaboración del Estado con las Corporaciones locales Cumplido este trámite, aprobados inicialmente los planes provinciales y sometidos a información pública, se solicitará la subvención resultante de los porcentajes establecidos, al Ministerio para las Administraciones públicas, antes del 31 de marzo del año de aprobación del Plan.

Deberá, obviamente, acreditarse que las obras y servicios cuentan con proyecto técnico, disponibilidad de los terrenos y las autorizaciones pertinentes por razón de la obra o actividad. Cumplido este trámite y determinada la subvención se aprobará definitivamente el plan provincial, y en el plazo de 45 días, desde la comunicación de la subvención, se remitirá al Ministerio para las Administraciones públicas que tendrá un plazo de 45 días para la corrección de deficiencias. En otro caso, el Plan se entenderá aprobado por silencio positivo.

Las obras deberán iniciarse antes del 1.º de octubre del ejercicio correspondiente, salvo casos de fuerza mayor que deberán ser comunicados al Ministerio, no después del 1 de noviembre (art. 11 RD 835/2003, de 27 de junio).

En base a las certificaciones de obra aportadas durante el ejercicio de concesión de la subvención, se librará por el Estado a la Diputación el 75% de la subvención. La documentación justificativa del 25% restante deberá remitirse antes del 31 de diciembre del ejercicio posterior (art. 12.3 del RD 835/2003, de 27 de junio).

El plan provincial, salvo prórroga, deberá ser totalmente ejecutado el año siguiente a aquel en que hubiera sido concedida la subvención (art. 14.1).

Los remates de subvención podrán ser utilizados en la financiación de las obras recogidas en el Plan Comentario (art. 8 y 15).

De todas las formas de cooperación, no cabe duda que la económica es la que alcanza un mayor volumen e interés. Los planes provinciales están condicionados por las consignaciones de la Administración del Estado en sus presupuestos generales y, en su caso, por las de la Comunidad autónoma en sus presupuestos respectivos. Ahora bien, la propia ley de presupuestos generales del Estado de cada anualidad puede como ha hecho hasta ahora en relación con la vivienda protegida recoger otras consignaciones.

Los topes de subvención estatal por obra son, según el art. 6 del RD 835/2003, de 27 de junio, por el que se regula la cooperación económica del Estado a las inversiones de las entidades locales son los siguientes:

«1. La subvención del Estado a las inversiones de los Planes provinciales e insulares de cooperación podrá alcanzar hasta:

a. El 50 % del importe del presupuesto consignado en el plan, para las obras y servicios de carácter obligatorio enumerados en el artículo 26 de la Ley 7/1985, de 2 de abril, Reguladora de las Bases de Régimen Local.

b. El 40 % del importe del presupuesto consignado en el plan, para las restantes obras y servicios que, sin ser obligatorios, sean de competencia municipal, de acuerdo con lo establecido en el artículo 25 de la Ley 7/1985, de 2 de abril, Reguladora de las Bases de Régimen Local.

c. El 50 % del importe del presupuesto consignado en el plan, para las obras de mejora y conservación de la red viaria de titularidad de las diputaciones provinciales.

2. Los porcentajes de financiación del Estado para las obras y servicios indicados en los párrafos a y b anteriores podrán incrementarse hasta el 60 y 50%, respectivamente, cuando sean de carácter supramunicipal. En este supuesto, para la determinación de los servicios que se consideran obligatorios, se tendrá en cuenta la totalidad de la población de los municipios afectados.»

Las Entidades locales participarán como mínimo con el 5% del importe de los proyectos, sin que estos puedan ser inferiores a 30.000 euros (art. 7.1 del RD 835/2003, de 27 de junio).

Los Planes provinciales también podrán recibir aportaciones de los fondos estructurales comunitarios (Disposición Adicional Primera del RD 835/2003, de 27 de junio, por el que se regula la cooperación económica del Estado a las inversiones de las entidades locales). Por tanto el Estado puede utilizar esta fórmula, una nueva regulación singular u optar por transferencias a las CC.AA. para que ellas regulen el procedimiento y la asignación y gestión de los fondos.

5. OBJETIVOS DE LA COOPERACIÓN ESTATAL EN MATERIA DE REHABILITACIÓN URBANA

5.1. La sostenibilidad ambiental

En las determinaciones del art 18 se pone especialmente incidencia sobre aquellos instrumentos que tengan por finalidad actuar sobre ámbitos urbanos degradados desfavorecidos y vulnerables, o que padezcan problemas de naturaleza análoga que convergen variables tanto económicas, ambiéntales, como sociales, esto es que supongan un punto de desarrollo, para lo que ya desde la Ley 8/2007 fue el concepto de sostenibilidad, que implicaba no solo la sostenibilidad ambiental, sino la de naturaleza económica, en cuanto a la posibilidad de mantener esas actuaciones, desde el punto económico y la de carácter social, para evitar degradación, o marginación social, que pudiera implicar incluso riesgo de exclusión social (44).

En cuanto a la sostenibilidad ambiental debemos señalar que dicho principio derivado lógicamente de los instrumentos formales concretados tras la cumbre de Río de Janeiro de 1992 sobre biodiversidad y los principios de la carta de AAL-BORG concretados en la Agenda 21 da lugar a un principio rector de toda la actuación urbana ya consagrado desde la ya indicada Ley 8/2007 de suelo y que se concreta en la actual regulación del art. 2 de la Ley de suelo aprobada en su Texto Refundido actual por Real Decreto Legislativo 2/2008, de 20 de junio (45).

Así debemos recordar en relación con el concepto de sostenibilidad la importancia de la denominada agenda 21, que es principal documento donde se plasma la sostenibilidad urbana.

El desarrollo del denominado **programa 21** se inició el 22 de diciembre de 1989 con la aprobación en la asamblea extraordinaria de las Naciones Unidas en Nueva York de una **conferencia sobre el medio ambiente y el desarrollo** como fuera recomendada por el informe Brundtland y con la elaboración de borradores del programa —que como todos los acordados por los estados miembros de la ONU— sufrieron un complejo proceso de revisión, consulta y negociación que culminó con la Conferencia de las Naciones Unidas sobre Medio Ambiente y Desarrollo mejor conocida como **Cumbre de Río** o **Cumbre de la Tierra**, llevada a cabo del 3 al 14 de junio de 1992 en Río de Janeiro, en donde representantes de 179 gobiernos acordaron adoptar el programa.(Entre ellos la Unión Europea y el Reino de España)

Hoy en día muchos de los miembros signatarios del **programa 21** han ratificado los acuerdos y organizado sus propios programas a nivel nacional y local, siguiendo las guías que para tal fin han desarrollado diversas entidades asociadas a las Naciones Unidas. Un ausente notable es Estados Unidos, país que asistió a la Cumbre de Río pero que se abstuvo de firmar la declaración y el programa.

El **programa 21** ha tenido un estrecho seguimiento a partir del cual se han desarrollado ajustes y revisiones. Primero, con la conferencia denominada Río+5, se llevó a cabo del 23 al 27 de junio de 1997 en la sede de la ONU en Nueva York; posteriormente con la adopción de una agenda complementaria denominada Objetivos de desarrollo del milenio *(Millennium Development Goals)*, con énfasis particular en las políticas de globalización y en la erradicación de la pobreza y el hambre, adoptadas por 199 países en la 55.ª Asamblea de la ONU, celebrada en Nueva York del 6 al 8 de septiembre del 2000; la Cumbre de Johannesburgo, reunida en esta ciudad de Sudáfrica del 26 de

---

(44) Al respecto puede consultarse Juli PONCE SOLÉ «Poder local y gastos urbanos. Las relaciones entre el derecho urbanístico, la segregación espacial y la sostenibilidad social». MAP-INAP, 2002.
(45) Sobre el citado texto refundido es indispensable Enrique SÁNCHEZ GOYANES (dir.) la obra colectiva: *Ley de Suelo. Comentario sistemático del Texto refundido de 2008.* LA LEY-El Consultor 2009.

agosto al 4 de septiembre de 2002 y la más reciente nueva cumbre de Río + 20, de junio de 2012, celebrada nuevamente en la ciudad brasileña del 16 al 22 de junio de 2012.

Así sin perjuicio del interés de todo el programa para las administraciones afectadas por la Ley 8/2007 y el actual TRLS, debemos destacar los capítulos 18, 21 y 28 del documento original de la cumbre de Río sobre el programa 21, que se ocupa en primer lugar de la calidad y suministro de las aguas, materia que es un servicio mínimo obligatorio para todos los municipios en el Reino de España conforme a lo especificado en el art. 26.a) de la Ley 7/1985, de 2 de abril, Reguladora de las Bases de Régimen Local, y que a su vez en cuanto al suministro está reservado en régimen de monopolio a las entidades locales, tal y como se preceptúa igualmente en el art. 86.3 de dicha norma.

Por lo que se refiere a la recogida de residuos sólidos y a las aguas residuales (cloacales en los términos indudablemente hispanoamericanos del documento de naciones unidas) debemos destacar igual competencia a favor de los municipios como servicio reservado en los términos del indicado art. 86.3 del LRBRL, de la Ley 22/2011, de 28 de julio, de residuos y suelos contaminados y el Real Decreto-Ley 11/1995, de 28 de diciembre, por el que se establecen las Normas Aplicables al Tratamiento de las Aguas Residuales Urbanas

Finalmente el capítulo 28 es el que se encarga de establecer ya un papel concreto de las entidades locales con respecto al cumplimiento del citado plan 21.

En concreto la Agenda 21 en su Capítulo 28 dice textualmente al respecto y como objetivos, después de justificar la importancia de las autoridades locales en esta materia del Desarrollo Sostenible o sustentable, en las Bases para la acción:

- 28.2).

    a) «Para 1996, la mayoría de las autoridades locales de cada país deberían haber llevado a cabo un proceso de consultas con sus respectivas poblaciones y haber logrado un CONSENSO sobre un Programa 21 Local para la comunidad.»

Por otro lado con DEL RIEGO ARTIGAS (46), por tanto, la **Agenda 21** LOCAL no es otra cosa que un plan de acción socioeconómico a la luz del Programa **21**, pactado entre autoridades locales y ciudadanos de un municipio para emprender el desarrollo sostenible del mismo en toda su extensión y que se produce mediante el ejercicio de la participación más directa posible, real y efectiva de los ciudadanos en consenso con las autoridades locales representativas.

Se ha permitido desde gobiernos firmantes del Programa **21** —haciendo dejación de su compromiso, pues quienes firmaron fueron los gobiernos, no los

---

(46) Pelayo DEL RIEGO ARTIGAS «La agenda local 21. Una institución tergiversada», *El Consultor de los Ayuntamientos y de los Juzgados*, n.º 22, Sección Colaboraciones, Quincena del 30 Nov. al 14 Dic. 2008, Ref. 3697/2008, pág. 3697, tomo 3, Editorial LA LEY.

ayuntamientos ni otras entidades— que la **Agenda 21** Local para los municipios del planeta haya sido interpretada por la asociación ICLEI que ha obviado y conculcado, absurdamente, la literalidad de lo prescrito en el capítulo 28. Ha reducido jíbaramente la importancia de la participación directa de los ciudadanos a la vez que ha complicado gratuitamente su implantación con unas auditorias, diagnósticos y dictámenes previos «que ha prescrito arbitrariamente», desnaturalizando la institución y haciéndola prácticamente infactible en la gran mayoría de los municipios del planeta. Como resultado la **Agenda 21** Local se ha convertido en una entelequia de la que nadie es responsable, se ha centrado absurdamente en «ciudades», es algo complicado y caro, que nadie sabe para qué sirve, que no obtiene resultados patentes y que ha tomado, en Europa, derroteros de huída hacia adelante como lo de las «ciudades por el clima» «ciudades **21**» y otros sucedáneos, olvidando que es una institución planetaria y de primera necesidad.

La ciudad de Aalborg (Dinamarca), mantiene un censo de las entidades locales firmantes de la **Agenda 21 Local (47)**, en la que España es líder absoluto en Europa, con 1237 entidades locales de un total de 2600, ahora bien teniendo en cuenta que el número de entidades locales en España es de 8.112, es evidente que existe una muy limitada adhesión a los principios de desarrollo sostenible por parte de las autoridades locales, pese a que indudablemente superamos en nuestro país ampliamente, el número de suscriptores al de otras naciones de Europa.

Así la carta de Aalborg, pretende realizar una implantación en el seno de la Unión Europea de los objetivos del programa 21 de Naciones Unidas, pero a diferencia de aquel, se centra tan sólo en las ciudades, y no en las «autoridades locales». No obstante debemos destacar que tanto en la primera carta de Aalborg, como en la más reciente Aalborg + 10,

Según análisis generalmente aceptados, es necesario un marco nacional para promover la sostenibilidad urbana de manera integral y coherente, lo cual desde un punto de vista jurídico en el Estado español es incuestionable, en tanto que el art. 149.1.23 preserva al estado las competencias sobre legislación básica en materia de medio ambiente, e igualmente en materia de relaciones internacionales.

Sin embargo, experiencias ya implementadas como política de estado, compromisos con políticas sostenibles podrían ser más fuertes a nivel local/regional, que a nivel nacional y ese ámbito local obviamente por razones de cercanía y capacidad técnica de los municipios y competencias ambientales (aguas, residuos y urbanismo) tienen un necesario abordaje en un espacio local. Estas experiencias pueden realizarse en la red de ICLEI-Europa, cuando los reglamentos regionales y locales y las políticas de investigación establecidas en Aalborg implican que dichos

---

(47) Sobre esta Agenda en general *vid.* María del Mar Muñoz Amor (coord.): *Agenda Local 21 como instrumento de revalorización local,* El Consultor, 2013.

acuerdos puedan jugar el papel de núcleo para prácticas ambientales amigables. Debemos destacar que un tratado internacional (Río 92) no ha sido formalmente implementado una vez que los participantes locales y regionales en las conferencias de Aalborg adoptaron las normas correspondientes de vuelta a casa.

Debemos destacar como Observaciones preliminares las siguientes:

• **Programa 21 (Río 92):** alrededor de 40 acciones que se organizan en tres secciones:

1. Dimensión Social y económica;

2. Conservación y gestión de recursos para el desarrollo;

3. Afianzamiento del papel de los grupos de Alcaldes: incluye el conocido Capítulo 28:

«III.2. Iniciativas de las autoridades locales en apoyo de la Agenda 21

Uno de los objetivos era mejorar en 1994 los vínculos entre las entidades locales y sus representantes y asociaciones (destacándose por tanto aquí el papel de las agrupaciones municipales al efecto de la consecución de los objetivos, eso si, sin especificar su forma jurídica, muy al estilo anglosajón) con el fin de promover el intercambio de información y programas comunes. 1994: ICLEI.

Otro objetivo a conseguir en 1996 era que la mayoría de las autoridades locales de cada país deberían haber emprendido un proceso consultivo con sus poblaciones y lograr un consenso sobre "una agenda local 21" para la comunidad. Debemos destacar 4 Medios de ejecución.

III.2 A) Carta de Aalborg (1994) en torno a los 2500 gobiernos locales firmantes.

Este es el documento aprobado por los participantes de la Conferencia Europea sobre ciudades sostenibles y pueblos (Aalborg 1994), apoyado por la Comisión Europea y la ciudad de Aalborg y organizado por el ICLEI.

Según la carta, las entidades comprometidas acordaron desarrollar programas a largo plazo hacia un desarrollo sostenible, de acuerdo con las iniciativas de la Agenda 21. Ese documento está estructurado en tres partes:

III.2 A a): Declaración de consenso: Ciudades europeas y pueblos hacia la sostenibilidad; esta parte se centra en 14 diferentes elementos o requisitos, incluidos los requisitos institucionales (I.12 autogobierno Local como prerrequisito) y una lista de instrumentos comunes de dirección sostenible (I.14 instrumentos y herramientas para la gestión hacia la sostenibilidad urbana)

Así debe reseñarse el prerrequisito del autogobierno Local como una precondición y en concreto el I.12 de la Carta de Aalborg señala de forma literal:

Nosotras, ciudades, estamos convencidas de que tenemos la fuerza, el conocimiento y el potencial creativo necesarios para desarrollar modos de vida sostenibles y para concebir y gestionar nuestras colectividades en la perspectiva de un desarrollo sostenible. En tanto que representantes de nuestras comunidades locales por elección democrática, estamos listos para asumir la responsabilidad de la reorganización de nuestras ciudades con la mira puesta en el desarrollo sostenible. La capacidad de las ciudades de hacer frente a este desafío depende de los derechos de autogestión que les sean otorgados en virtud del principio de subsidiariedad. Es fundamental que las autoridades locales tengan los poderes suficientes y un sólido apoyo financiero» (48).

Por otra parte el punto I.14 de dicha carta Instrumentos y herramientas de la gestión urbana orientada hacia la sostenibilidad indica:

«Nosotras, ciudades, nos comprometemos a utilizar los instrumentos políticos y técnicos disponibles para alcanzar un planteamiento ecosistemático de la gestión urbana. Recurriremos a una amplia gama de instrumentos para la recogida y el tratamiento de datos ambientales y la planificación ambiental, así como instrumentos reglamentarios, económicos y de comunicación tales como directivas, impuestos y derechos, y a mecanismos de sensibilización, incluida la participación del público. Trataremos de crear nuevos sistemas de contabilidad ambiental que permitan una gestión de nuestros recursos naturales tan eficaz como la de nuestro recurso artificial, "el dinero".

Sabemos que debemos basar nuestras decisiones y nuestros controles, en particular la vigilancia ambiental, las auditorías, la evaluación del impacto ambiental, la contabilidad, los balances e informes, en diferentes indicadores, entre los que cabe citar la calidad del medio ambiente urbano, los flujos y modelos urbanos y, sobre todo, los indicadores de sostenibilidad de los sistemas urbanos.

Nosotras, ciudades, reconocemos que ya se han aplicado con éxito en muchas ciudades europeas toda una serie de políticas y actividades positivas para el medio ambiente.

Éstas constituyen instrumentos válidos para frenar y atenuar el desarrollo no sostenible, aunque no pueden por sí solas invertir esta tendencia de la sociedad. No obstante, con esta sólida base ecológica, las ciudades se

---

(48) Con respecto a la financiación de las haciendas locales la literatura especializada es muy amplia, pudiendo destacarse en ese sentido el número monográfico de la revista *Papeles de economía española*, n.º 115 de 2008, dedicado a «Competencia, financiación y gestión de los Entes Locales. Elementos para un debate». Colegio de Economistas de Madrid.

hallan en una posición excelente para dar el primer paso e integrar estas políticas y actividades en su sistema de administración a fin de gestionar las economías urbanas locales a través de un proceso de sostenibilidad global. En este proceso estamos llamados a concebir y probar nuestras propias estrategias y a compartir nuestras experiencias.»

«III.2 B: Campaña de ciudades y pueblos europeos, donde acordaron establecer planes de acción locales a largo plazo (Local Agendas 21)

III. 2 C: Participación en las iniciativas locales del Programa 21:planes de acción local en favor de la sostenibilidad

En esta parte, los participantes se comprometen con los programas sobre medio ambiente urbano aprobados por la Comisión Europea y priorizan las ocho etapas que participan en el proceso de preparación de un plan de acción local.

Por otra parte, diez años más tarde (Compromisos de Aalborg o Aalborg+10), los participantes acordaron desarrollar los "principios de impacto que adoptaron en la Carta de Aalborg", por medio de la adopción de medidas concretas en 10 áreas:

1) Gobernanza

2) Gestión local hacia la sostenibilidad

3) Bienes naturales comunes

4) Consumo y formas de vida responsables

Formalización de la exclusiva, se comprometen a promover activamente sistemas sostenibles de producción y consumo, en particular para los productos con etiqueta ecológica, orgánicos, productos de ética y comercio justo.

5) Planificación y diseño urbano (49).

5.1 Reutilizando y regenerando las zonas desfavorecidas o abandonadas.

5.2. Evitando la dispersión urbana por lograr densidades urbanas apropiadas y priorizando el desarrollo de sitio *brownfield* sobre sitio *greenfield*

5.3. Asegurar el uso mixto de edificios y desarrollos con un buen equilibrio de puestos de trabajo, vivienda y servicios, dando prioridad para uso residencial en los centros urbanos.

---

(49)   Coincidencia con la estrategia europea sobre medio ambiente urbano de COM 2004), sobre esta materia, nuestro estudio, GARCÍA RUBIO, Fernando, «La armonización legislativa de la Unión Europea», CESIF, Ramón Carande, 1999, págs. 95-104.

5.4. Asegurar la adecuada conservación, renovación y uso del patrimonio cultural urbano.

5.5. Aplicar los requerimientos de diseño sostenible y construcción y promover la arquitectura de alta calidad y construcción tecnológicas.

6) Mejor movilidad y reducción del tráfico:

6.1. Reducir la necesidad de transporte motorizado privado y promover alternativas atractivas accesibles a todos.

6.2. Aumentar la proporción de viajes realizados en transporte público, a pie y en bicicleta.

6.3. Fomentar la transición a los vehículos de bajas emisiones.

6.4. Desarrollar un plan de movilidad urbana integrada y sostenible.

6.5. Reducir el impacto del transporte sobre el medio ambiente y la salud pública.

7) Acción local para la salud;

8) Economía Local viva y sostenible;

9) Igualdad y justicia social

10) De lo Local a lo Global.»

El éxito de la agenda local 21 en Europa —donde ha sido implementada—, se basó en una armonización legal anterior, que afecta a algunos conceptos básicos de derecho público.

— En primer lugar y desde una perspectiva institucional y organizativa, el alcance de la autonomía local, aunque no es lo mismo, tiene un alto grado de similitud (parecido) en Europa, al menos sobre lo que estamos tratando.

A pesar de su diversidad jurídica, hay un corpus iuris de derecho público europeo armonizado declarado por el Consejo de Europa, empezando por la Carta Europea de Autonomía Local (1985) y siguiendo con las correspondientes resoluciones y recomendaciones sobre los servicios públicos (2001) y servicios (2007), instrumentos financieros locales para el medio ambiente (1997), cooperación transfronteriza e interterritorial (2005), entre muchos otros.

En todos los sistemas jurídicos, no es para las entidades locales el estatuto legal sobre estas cuestiones; Sin embargo, en algunos de ellos, están legalmente facultados para afectar derechos fundamentales mientras que implementan la planificación urbana u obras públicas.

Más allá de esta perspectiva institucional, hay, por otro lado, una funcional. Esta afecta el estatuto jurídico que las entidades locales tienen que seguir para la contratación de bienes, obras y servicios, que son actividades frecuentemente involucradas en la implementación de políticas de desarrollo sostenible.

El Reglamento de contratación pública tiene un alto grado de armonización en Europa debido a la Directiva Europea, que recientemente promovió la contratación pública como instrumento ambiental por significan las denominadas cláusulas verdes y sociales.

De hecho, este enfoque ha sido adoptado por el ICLEI Stratgey 2010-2015, y en este marco muy teórico donde debe desenvolverse el objetivo de la regeneración urbana y la cooperación interadministrativa para su consecución.

5.2.   La eliminación de la infravivienda, la eficiencia energética y la accesibilidad

Finalmente el tercero de los aspectos que la ley pretende fomentar para el destino, como principio rector podíamos denominar de los gastos del Estado en estas materias, tiene un carácter residual con respecto a la determinación de actuaciones en la materia de instrumentos para la ordenación y gestión para rehabilitar zonas degradadas y desfavorecidas, que son los que tengan como objeto actuar en ámbitos de gestión arriesgada o conjunta con objetivo claro de eliminar la infravivienda o de garantizar tanto la accesibilidad universal, o mejorar la eficiencia energética de los edificios (50).

Por lo tanto esta cláusula residual aparte de la rehabilitación integrada sobre ámbitos concretos de caracteres desfavorecidos, o que produzcan problemas que podamos hablar de sostenibilidad en su aspecto amplio, tanto económico, como ambiental, o social, es el referido a aquellas actuaciones generales o especificas tanto de gestión conjunta como de forma de actuación singular en esos aspectos que vamos a desarrollar.

Por lo que se refiere a la cohesión social y territorial (51) son conceptos que requieren de un mayor poso para su precisión puesto que el concepto de cohesión igualmente derivado de los fondos europeos incrementados para la convergencia entre zonas mas desfavorecidas y las mas favorecidas en el seno de la Unión Europea, supone un principio de solidaridad a la hora del acercamiento y homogenización entre zonas de diversa configuración social, evitando riesgo de exclusión social e integrando con zonas mas favorecidas tanto económicamente, como desde un punto de vista territorial siendo ya desde la exposición de motivos de la Ley 8/2007, un aspecto más partidario de la ciudad homogénea que de la ciudad dispersa, pero entendemos que son conceptos muy teóricos y que requiere una mayor precisión legislativa de carácter positivo

---

(50) Sobre la eficiencia energética véase Lorenzo Mellado Ruiz y Fernando García Rubio (directores) *Eficiencia energética y derecho*. Dykinson, 2013, obra colectiva que aborda dicho régimen jurídico.
(51) En relación con esta materia, *vid.* Juli Ponce Solé (coord.) *Derecho urbanístico, vivienda y cohesión social y territorial*, 2006. Marcial Pons.

En primer lugar la eliminación de la infravivienda, que es una de las actuaciones generales de siempre, que se mantuvieron desde el extinto Ministerio de Obras Publicas y anteriormente Ministerio de la Vivienda y que desde un punto de vista actualmente autonómico se sigue gestionando en relación con la erradicación del chabolismo, el reagrupamiento, u otros aspectos de infraviviendas, o del chabolismo que debería estar ya claramente erradicado y en ese sentido por ejemplo en la Comunidad Autónoma de Madrid debemos destacar la existencia del Instituto de Realojo e Integración Social (IIRIS),que se ocupa administrativamente de estas actividades de realojo.

El realojo siempre es uno de los elementos esenciales de cualquier tipo de urbanización y mas en los aspectos de combinación de políticas sociales dirigidas al cumplimiento del principio del art. 47 de la Constitución, sobre el acceso de una vivienda digna con respecto a unas políticas de rehabilitación y renovación urbana previstas en este Ley 8/2013 de 26 de junio.

El concepto de infravivienda no esta precisado con carácter general en nuestra doctrina, en tanto en cuanto en el evidente avance y desarrollo económico al que se ha sometido España Se ha producido una modificación clara de los estándares de vivienda y de los servicios de los que se pueden componer en estas construcciones destinadas al alojamiento permanente de los ciudadanos.

Así por su parte la Ley 8/2013 establece claramente en su art. 2.2 el concepto de infraviviendas entendiendo aquella por la cual

> «la edificación, o parte de ella, destinada a vivienda, que no reúna las condiciones mínimas exigidas de conformidad con la legislación aplicable. En todo caso, se entenderá que no reúnen dichas condiciones las viviendas que incumplan los requisitos de superficie, numero dimensión y características de las piezas habitables, las que presentan deficiencias graves en sus dotaciones e instalaciones básicas y las que no cumplan los requisitos mínimos de seguridad accesibilidad y habitabilidad exigidos en la edificación»

Por lo tanto la regulación de infravivienda, tiene en sus aspectos básicos reflejados en la legislación estatal una concepción precisa desde esta ley 8/2013, sin perjuicio de los desarrollos autonómicos y de la necesidad y evidente de complementaria de especificación por el planeamiento urbanístico, de las condiciones determinadas de las viviendas o de las condiciones de accesibilidad universal de cada una de las tipologías edificatorias (52).

Existiendo por tanto un amplio campo al desarrollo reglamentario de estas concepciones, tanto estatal como autonómico e incluso local.

---

(52) Sobre la accesibilidad puede consultarse a Eduardo Elkouss Luski «La accesibilidad. Hacia la plena integración social del discapacitado en el entorno urbano y natural». *Cuadernos de investigación urbanística* n.º 46 (2006), págs. 3 a 87.

El segundo de los aspectos que implica la potenciación de las actuaciones económicas del Estado para aquellos supuestos de actuaciones especificas no vinculadas a los programas de actuación general de regeneración, es el de la garantía de la accesibilidad universal, la accesibilidad universal entendida por el carácter del termino latino «universitas»,esto es para todo el mundo especialmente y lógicamente para aquellas personas que por su discapacidades, físicas especialmente, pero también psíquicas o avanzado estado de edad, no pueden utilizar o acceder de forma fácil a las edificaciones,

En ese aspecto debemos recordar que existen legislaciones como la Ley 8/1993, de 22 de junio, de la Comunidad de Madrid sobre promoción de la accesibilidad y supresión de las barreras arquitectónicas que establece las obligación de supresión de barreras arquitectónicas, por lo cual el Estado lo que hace es complementar esas competencias autonómicas mediante el destino de fondos económicos propios hacia dicha actuación.

La accesibilidad universal requiere lógicamente de medidas de planeamiento urbanístico pero también de medidas arquitectónicas especificas de facilitación de acceso circunstancia esta para lo cual se fomenta el destino de los dineros públicos estatales.

Finalmente el ultimo de los aspectos de esa cláusula residual genérica es la mejora de la eficiencia energética de los edificios. Esta mejor eficiencia energética debe de encuadrarse en todo el marco del apartado n.º 2 del art. 18 y entra dentro de lo que Jordana de Pozas denomino actividad de fomento, esto es la propiciación de objetivos mediante ayudas, incentivos, bonificaciones y otras actuaciones indirectas por parte de las diferentes administraciones publicas, que animen a la ciudadanía, o al sector privado para actuar en una determinada línea deseada por esas administraciones publicas, de hecho la dicción especifica del precepto utiliza el termino «fomentaran», por lo que es una vinculación directa hacia todas las administraciones como medida de política económica, dado que no puede señalarse como un condicionante, o determinación de carácter urbanístico, o de política urbana, la denominación o regulación recogida en el texto publicado en el BOE.

Por lo que dejando al margen el principio de cooperación y colaboración voluntario derivado de la expresión «de manera conjunta» lo que se pretende es un fomento de la actividad económica la sostenibilidad ambiental y la cohesión social y territorial, circunstancia esta que independientemente de ser un principio general de actividad económica, tiene un carácter evidentemente redundante y una relación muy remota con los objetivos de la ley de rehabilitación renovación y regeneración urbana, en tano en cuanto la actividad económica fomentada no se circunscribe a la edificatoria, sino que tiene un margen absolutamente general con respecto a la determinación legal.

En ese sentido lógicamente si existe titulo competencial en tanto en cuanto se recoge en la Disposición Final Decimonovena 1 la reivindicación de la competencia estatal de legislación básica sobre Bases y coordinación de la planificación general de actividad económica prevista en el art. 149.1.13.ª de la Carta Magna.

En cualquier caso se establece como principios a fomentar por todas y cada una de las administraciones, ya sea individualmente, o como posteriormente veremos mediante instrumentos de colaboración la sostenibilidad ambiental y la cohesión social y territorial amen de la ya mentada actividad económica.

A la vista del prisma para la cooperación sobre la eficiencia energética se hace necesario profundizar en ese aspecto.

La crisis económica tiene en su vertiente de los países industrializados, como es el caso de España, un componente muy importante vinculada a los costes de la energía, elemento indispensable para el desarrollo de estas sociedades y que supone uno de los costes mas importes de la producción y desarrollo de la vida social, circunstancia esta que en un contexto de crisis debe tenerse en cuenta, aunque sea por porcentaje de dicho coste sobre el conjunto general del gasto de la sociedad y de las administraciones publicas.

Pero a ese carácter general y concepto especifico de los costes energéticos en un marco de crisis económica debemos añadir el hecho especifico reduplicado de que España es un país energéticamente dependiente en muy buena parte del total de la producción energética, que se supedita tradicionalmente al suministro de hidrocarburos, de los cuales carece nuestra nación y por lo tanto deben importarse, con los costes correspondientes, y especialmente con la dependencia energética exterior.

Esta circunstancia hace que junto con otras políticas publicas sobre diversificación energética, se debe de proceder en un marco de ahorro evidente y optimización de los costes a la utilización de técnicas de eficiencia energética, en el marco de las políticas de la Unión Europea.

Así en el seno de dicha unión se han producido diversas directivas concretamente la 2002/91/CE, del Parlamento Europeo del Consejo, de 16 de diciembre de 2002 y la directiva 2010/31/UE del Parlamento Europeo y del Consejo, del 19 de mayo de 2010 (la más reciente 2012/27/UE, de 25 de octubre relativa a la eficiencia energética), referentes a certificación energética de edificios y eficiencia energética de los edificios, que junto con otra serie de directivas y reglamentos comunitarios ha supuesto un acerbo del derecho de la Unión Europea en esta materia.

Partiendo de la obligación que tiene el Estado Español de transponer dichos ordenamientos, fue aprobado en su momento en el Real Decreto 47/2007,de 19 de enero por el que se aprueba el procedimiento básico para certificación de eficiencia energética de edificios de nueva construcción, quedando en su momento pendiente la regulación de los edificios ya existentes.

Basándose en la necesidad de transposición de la directiva 2012/27/UE antes citada, el Estado Español ha procedido a la aprobación del Real Decreto 235/2013 de 5 de abril, por el cual se aprueba el procedimiento básico para la certificación de la eficiencia energética de los edificios, que deroga el anteriormente referido Real

Decreto 47/2007, de 19 de enero, por el cual se aprobaba el procedimiento básico para la certificación de eficiencia energética de edificios de nueva construcción, incorporando sus determinaciones al nuevo Real Decreto 235/2013.

6. LA SUSCRIPCIÓN DE CONVENIOS COMO INSTRUMENTO PARA LA CONSECUCIÓN DE ESTOS OBJETIVOS

Para la consecución de los objetivos de la cooperación anteriormente descritos se hacen necesarios instrumentos de concreción y a tales efectos y como medida vinculada en el marco de las relaciones inter administrativas que el art. 18 de la Ley articula en la materia de renovación regeneración y rehabilitación urbana, se establece con carácter meramente voluntario, como no podía ser de otra forma en virtud del principio de las respectivas autonomías administrativas consagradas en su vertiente política en el art. 137 de la Constitución, la capacidad para subscribir los convenios administrativos de asignación de fondos que correspondan.

En ese sentido se circunscribe la capacidad de colaboración no solo por el límite material al que el art. 18 hace referencia, si no por la reiterada jurisprudencia en relación con el uso de competencias a la capacidad para asignación de fondos, puesto que en el marco de la cooperación como ocurre la cooperación municipal a pesar de que el Estado no goza de competencias directas en alguna Comunidad Autónoma en la materia para la relaciones con las entidades locales, así en este caso la vivienda y el urbanismo, si lo tiene para la asignación de sus propios fondos y para el fomento de actividades. Por lo cual el contenido de los convenios, al menos con la redacción aprobada la ley, se debe de circunscribir a la asignación de fondos, aunque nada impide que con la extensión lógica del control de esa asignación de fondos derivado de los principios generales de la Ley 38/2003 General de Subvenciones (53) se puede articular formulas complementarias para la determinación de esa asignación que impliquen comisiones de seguimiento u otras modalidades administrativas de control.

---

(53) Sobre la aplicabilidad de esta norma vid. José Pascual García «Las distintas Administraciones públicas ante la Ley general de subvenciones, principales innovaciones». *Revista jurídica de Castilla y León*, n.º 3 (2004), págs. 49 a 78.

Artículo 19. Organización de la cooperación

1. Las Administraciones Públicas que cooperen en la gestión de las actuaciones reguladas por esta Ley podrán acordar mediante convenio, en el que podrán participar las comunidades y agrupaciones de comunidades de propietarios, así como, en su caso, las asociaciones administrativas de unas y otras y los restantes sujetos mencionados en el artículo 15, los siguientes aspectos:

a) La organización de la gestión de la ejecución, que podrá revestir la forma de consorcio o de sociedad mercantil de capital mixto, incluso con participación privada minoritaria.

b) El procedimiento y la competencia para la determinación del gestor directamente responsable de la ejecución cuando no la asuma directamente una de las Administraciones actuantes o el consorcio o la sociedad constituidos al efecto.

c) Los términos y las condiciones concretas, incluidas las ayudas e incentivos públicos, de la ordenación y la ejecución de la actuación de que se trate, los cuales podrán, a su vez, ser concretados mediante acuerdos entre el gestor responsable de la actuación y cualesquiera de los sujetos mencionados en el artículo 15.

2. Todos los convenios a que se refiere el apartado anterior tendrán carácter jurídico-administrativo, correspondiendo a la jurisdicción contencioso-administrativa el conocimiento de cualesquiera cuestiones relacionadas con ellos.

COMENTARIO (1)

Sumario

1. Determinaciones sobre la organización de la cooperación rehabilitadora mediante convenios.
2. Los convenios en materia de rehabilitación. Sujetos y régimen jurídico.
3. El procedimiento para la suscrición de convenios.
4. Régimen jurídico y fórmulas organizativas.

---

(1)   Comentario a cargo de Fernando GARCÍA RUBIO. Profesor titular de Derecho Administrativo de la Universidad Rey Juan Carlos. Titular de la Asesoría Jurídica del Ayuntamiento de San Sebastián de los Reyes (Madrid).

1. DETERMINACIONES SOBRE LA ORGANIZACIÓN DE LA COOPERA-CIÓN REHABILITADORA MEDIANTE CONVENIOS

La anteriormente destacada determinación y regulación de los convenios tiene su complemento absolutamente imprescindible en las determinaciones del art. 19 de la Ley 8/2013, que bajo la rubrica de organización de cooperación, se encarga de elaborar los preceptos necesarios para la posible suscripción de convenios puesto que el apartado 19.1 de la Ley habla de «*podrán acordar mediante convenio.*»

En este aspecto tiene especial singularidad y novedad la determinación del art. 19.1 de la posible incorporación al convenio de carácter administrativo de las entidades administrativas reguladas en el art. 16 de la ley, como por otro lado y más novedosamente de las comunidades y agrupación de comunidades de propietarios, entidades estas últimas, o sujetos que tienen una peculiaridad jurídica, en cuanto su personalidad jurídica, en tanto y en cuanto al ser comunidades de bienes de las previstas en el art. 396 del Código Civil su reglamentación se acoge a la ley de Propiedad Horizontal 49/1960,de 21 de julio con sus sucesivas modificaciones (2).

Así queda claro pese a las determinaciones anteriormente referidas que conforme a la determinación del art. 19.1 de la ley rehabilitación regeneración y regeneración urbana, al menos para estos aspectos se le otorga personalidad jurídica, o al menos para la capacidad de obligarse frente a las administraciones, puesto que los convenios por su propia naturaleza tienen un carácter obligacional.

Así debemos destacar que en relación con la participación de personas de naturaleza jurídico privada en organizaciones administrativas ya existen en el ámbito del régimen local el precedente de los consorcios administrativos (3) previstos en el art. 87 de la Ley 7/1985 de 2 de abril, Reguladora de las Bases del Régimen Local, que permiten dicha participación (la de las personas privadas) lo cual, es perfectamente predicable para las comunidades y mancomunidades de propietarios previstas en el art. 19 de la comentada Ley 8/2013, sobre rehabilitación regeneración y renovación urbana .

Esa participación lógicamente debe regirse en cuanto a las presiones a concretar del ámbito de participación privado por lo establecido en los estatutos de la citadas comunidades y mancomunidades, puesto que la habilitación legal para la suscripción del convenio no puede alejarse de los fines que el propio ordenamiento jurídico privado otorga a la citadas comunidades y mancomunidades de propietarios,

---

(2)   Sobre dicha ley puede, entre otras muchas, consultarse a Sergio Vázquez Barros *La ley de propiedad horizontal comentada*. Tecnos, 2002.

(3)   Sobre consorcios véase entre otros *El consorcio administrativo* de Eva María Nieto Garrido. Cedesc, 1997; y de igual título José Antonio Moreno Molina en Civitas *Revista española de Derecho administrativo*, n.º 102 (1999), págs. 339-342.

esto es la gestión y conservación de los espacios comunes, en este caso en relación con la rehabilitación .

Cuestión importante dada la casuística habitual en el seno de las comunidades es la vinculación para cada uno de los propietarios individuales en sus respectivas cuotas de los acuerdos y obligaciones que la suscripción del convenio con las administraciones suponga sobre la rehabilitación del in mueble, o la mera ejecución de las obras de conservación necesarias.

En ese sentido debemos considerar la plena vinculación en relación con los espacios comunes de todos los copropietarios, siempre que los acuerdos se adopten por la correspondiente Asamblea General debidamente celebrada y notificada en los términos recogidos por los diferentes estatutos y por la ley de propiedad horizontal, en la redacción operada por la Ley 8/1999, 6 abril.

Igualmente la propia ley de rehabilitación en su disposición final primera uno establece una modificación de la indicada ley de propiedad horizontal en sus arts. 2, 3, 9, 10, 17 y disposición adicional segunda .

Esa inclusión de las comunidades y mancomunidades en el marco de la actuación administrativa de rehabilitación, regeneración y renovación urbana supone un elemento practico de primera necesidad para la consecución de los objetivos de la ley máxime en el marco de escasez presupuestaria de las diferentes administraciones y de la imperatividad de la contención del gasto a los efectos del cumplimientos de los objetivos de reducción de déficit publico comprometidos por España ante la Unión Europea, lo que implicara necesariamente la colaboración de los ciudadanos en este caso mediante los instrumentos de copropiedad sobre los inmuebles y complejos in mobiliarios que a sus efectos de conservación serán objeto ya no solo de una condición de sujeto pasivo del deber de conservación de los inmuebles previsto en el art. 9.º del Texto Refundido de la Ley de suelo 2/2008 (4), sino como sujetos activos en el marco de instrumentos de cooperación y colaboración (en este caso los convenios) que impliquen a las comunidades en dicha labor rehabilitadora.

Esta vinculación conforme al art 3 de la LPH compromete a las comunidades en relación con los elementos comunes, tales como fachadas, etc., pero en ningún caso podría hacerlo con respecto a los elementos sujetos a propiedad individualizada, que por el propio concepto de propiedad y por la falta de aplicabilidad subjetiva a los particulares de las determinaciones del art 19.1 de la ley de rehabilitación.

La suscripción del convenio corresponderá en nombre de las comunidades, tal y como se prescribe en el art 13.3 de la LPH, al presidente de cada una de

---

(4)   Al respecto de dicho deber *vid.* Pablo SÁMANO BUENO «Notas sobre el deber de conservación». *Revista de Derecho Urbanístico y medio ambiente*, n.º 269 (2011), págs. 159-200.

ellas, eso si en los términos autorizados por la asamblea de propietarios y conforme a sus estatutos.

2. LOS CONVENIOS EN MATERIA DE REHABILITACIÓN. SUJETOS Y RÉGIMEN JURÍDICO

La figura del convenio recoge un acuerdo entre voluntades, que en nuestra legislación administrativa se articula a través de una formulación concreta que supone la configuración de la voluntad de una administración en su relación o bien con otra administración, o bien con los particulares, excluyendo este último aspecto el ámbito de su actuación de la legislación de contratos del sector público, tal y como se recoge de forma expresa en cuanto a la exclusión específica de los convenios de dicho ámbito de aplicación en el art. 4.1 apartados c) y d) del Texto Refundido de la Ley de Contratos del Sector Público, aprobado por Real Decreto Legislativo 3/2011, de 14 de noviembre.

Así el *Diccionario de la Real Academia de la Lengua (5)* sostiene que el término convenio corresponde a «ajuste, convención, contrato». Por tanto un convenio supone un acuerdo bilateral entre dos o más partes por el cual se convergen voluntades para un fin concreto, obligándose las partes al respecto.

Así los convenios propiamente dichos han sido siempre objeto de una cierta regulación administrativa pese a la capacidad, en virtud de las potestades, de imposición unilateral de su voluntad que tienen las administraciones. En ese sentido debemos destacar los convenios que ya en su momento estudiara García Trevijano (6) en materia de expropiación forzosa, o más recientemente por su generalización los convenios urbanísticos previstos en la totalidad de las legislaciones autonómicas y con carácter general para el ámbito de las administraciones públicas y la totalidad de sus materias, la posibilidad establecida en el artículo 88 de la Ley 30/1992, de 26 de noviembre, sobre Régimen Jurídico de las Administraciones Públicas y del Procedimiento Administrativo Común de terminación convencional de los procedimientos, tal y como especifica el artículo 88 de dicha norma.

Ahora bien la suscripción de convenios puede darse entre las administraciones y cualquier persona física o jurídica, por lo cual, dentro de estas últimas debemos de entender una diferenciación clara en virtud del objeto que persiguen esas personas físicas o jurídicas: convenios que se suscriben con personas con ánimo de lucro, que generalmente caerán dentro del ámbito específico de la legislación de la contratación del sector público, tal y como se desprende de los dispuesto en el artículo 4 del TRLCSP y, concretamente, convenios suscritos con personas sin ánimo

---

(5)   *Diccionario de la Lengua Española. Real Academia Española* 23.ª Edición. 2009.
(6)   José Antonio García-Trevijano y Fos «Actos y contratos ante el Tribunal Supremo. El caso del arrendamiento del hotel Andalucía Palace de Sevilla», *Revista de administración pública* n.º 28, 1959.

de lucro, entre las cuales a su vez podemos subdistinguir entre convenios suscritos con personas jurídico-privadas y personas jurídico-públicas.

Esta distinción es de suma importancia, puesto que la suscripción de convenios con unas u otras están sometidas a diversidad de procedimientos, en tanto en cuanto, los convenios suscritos con personas jurídico públicas se sustentan en un principio de colaboración entre las diversas administraciones públicas conforme lo dispuesto en el artículo 4 de la Ley 30/1992, de 26 de noviembre, sobre Régimen Jurídico de las Administraciones Públicas y del Procedimiento Administrativo Común, mientras que la actuaciones convencionales con particulares se circunscriben, además de en la habilitación expresa legal correspondiente, en una voluntad derivada de la propia potestad administrativa que supone la concurrencia entre varias voluntades para un aspecto singular.

Así por tanto en el entramado administrativo derivado de la organización compleja de las organizaciones administrativas implantadas en España desde 1978, con tres niveles territoriales y multitud de administraciones institucionales fundacionales derivadas del principio de descentralización funcional recogido en los artículos 103.1 y 103.2 de la Constitución la consecución de los principios de eficacia y correcta asignación del gasto público recogidos en el propio artículo 103.1 de la Carta Magna y el artículo 31, imponen necesariamente una relación entre administraciones, que aúnen esfuerzos para la concurrencia de voluntades en la ejecución del más correcto desempeño de las funciones encaminadas al fin público. Máxime tras la nueva redacción del art. 135 de la Constitución.

Partiendo pues de la referida distinción deberemos de precisar los convenios específicos que serán objeto de la habilitación concreta en la Ley 8/2013, y en ese sentido debemos destacar, tal y como afirman García de Enterría y Fernández Rodríguez (7), partiendo de su concepto de actividad multilateral de la administración, entendida como una actividad contractual, esto es sujeto de obligaciones entre dos partes que estos establecen una primera distinción apoyándose en el criterio de dicha actividad, cuando siendo uno de los suscriptores siempre la administración pública lo hace con otro ente público, o por el contrario es un particular, siendo la primera categoría la denominada convenios interadministrativos, y la segunda la de los convenios entre administración y administrados, circunstancia esta que es apuntada por su parte por González-Antón Álvarez (8).

Esta categoría de relación interadministrativa parte a diferencia de los acuerdos con los particulares, ya sean convencionales ya sean contra actos en sentido estricto de una diferencia sustancial, en tanto en cuanto los convenios interad-

---

(7)   Eduardo García de Enterría y Tomás Ramón Fernández Rodríguez. *Curso de Derecho Administrativo*, Tomo I, 15.ª edición. Madrid. Civitas 2011. pags. 663 y ss.

(8)   Carlos González Antón-Álvarez. *Los convenios interadministrativos de los entes locales*. Montecorvo S. A. 2002 pág 23

ministrativos se rigen por principio de igualad entre las partes a diferencia de la propia naturaleza del contrato administrativo, y del convenio con particulares que se fundamentan siempre en la existencia de potestades administrativas a favor de la administración instructora. Que al encontrarnos ante varias administraciones en el caso de los convenios interadministrativos no tienen razón de ser.

De hecho estos convenios de colaboración interadministrativos se inscriben fundamentalmente dentro de las técnicas de la organización administrativa y no de la actividad de las administraciones, y por tanto en ese aspecto tienen un carácter fundamentalmente intraadministrativo entendiendo el concepto de administración en sentido amplio, no en sentido estricto referido a una persona jurídica concreta. En el caso de los convenios «rehabilitadores» sí se pretende una actuación concreta aunque ya tienen precedentes en las ARI.

Así cada una de las administraciones está dotada de unas competencias que deben de ponderar en su ejercicio en relación con las competencias de las otras administraciones, tal y como se recoge expresamente en el artículo 4 de la Ley 30/1992, de 26 de noviembre, sobre Régimen Jurídico de las Administraciones Públicas y del Procedimiento Administrativo Común, circunstancia esta que es igualmente recogida en relación con los principios de las relaciones específicas de las entidades locales con carácter básico estatal en el artículo 55 de la Ley 7/1985, de 2 de abril, reguladora de las Bases de Régimen Local.

En esa línea debemos destacar la existencia, como fundamento de los convenios objeto de regulación en los arts 18 y 19 de la Ley 8/2013, de los principios de cooperación y colaboración entre las diversas entidades administrativas y las ya analizadas comunidades de propietarios, con el fin de conseguir los principios generales de rehabilitación, regeneración y renovación urbana recogidos en la Ley 8/2013 y que a su vez fundamentan la razón de ser del conjunto de las administraciones públicas.

Por tanto a la vista de dichos principios de colaboración y cooperación deberemos de centrarnos en el aspecto de las relaciones interadministrativas como fundamento de estos convenios y, por tanto la plasmación jurídica que de relaciones entre entes diferentes y con personalidad jurídica supone el propio convenio.

Así dentro de la pluralidad organizativa que tanto desde un punto de vista territorial como institucional gozan las administraciones públicas españolas, deberemos de distinguir entre multitudes de convenios dependiendo de los sujetos suscriptores en este ámbito interadministrativo y así en primer lugar debemos partir de tres grandes niveles el territoriales en que se organiza la administración española: esto es, la administración general del estado(en este supuesto través fundamentalmente del ministerio de fomento), las diversas administraciones de las 17 comunidades autónomas y de las ciudades autónomas de Ceuta y Melilla y en tercer lugar a su vez, de la pluralidad de entes integrantes de la administración local, esto es, diputaciones provinciales y forales, municipios, consejos y cabildos insulares, con carácter necesario y luego, con carácter potestativo e igual capacidad jurídica para suscribir convenios en los supuestos en que así lo contemple la correspondiente legislación autonómica en materia de régimen local conforme al artículo 3.2 del a LRBRL, las entidades de ámbito territorial inferior al municipio y las comarcas, mancomunidades y áreas metropolitanas.

Igualmente debe recordarse la posible incorporación de comunidades y mancomunidades de propietarios.

En primer lugar podemos distinguir los convenios multilaterales entre todos los niveles administrativos anteriormente relatados, ya sean del total (cuestión difícil que todas las administraciones españolas concurran en algo de forma voluntaria) en, los cuales intervengan la administración general del estado, las comunidades autónomas y las entidades locales, como pudieran ser los convenios de realización de un ARI.

Por otro lado nos encontramos con convenios horizontales de colaboración dentro de ese mismo nivel administrativo territorial, pero entre pluralidad de personas jurídicas, por ejemplo los convenios que pueden suscribir las diversas comunidades autónomas entre sí.

Una segunda gran tipología de los convenios implica la actuación convencional entre administraciones territoriales y entes institucionales, debiéndose a su vez distinguir entre aquellos convenios suscritos entre el ente matriz y sus entes fundacionales, por ejemplo para regular actuaciones, financiación de programas, etc. y por otra parte los convenios que se acuerdan entre una administración institucional y una administración territorial que no sea la fundadora de aquella, con la cual venga a concordar algún aspecto. Igualmente debemos destacar la posibilidad de que existan convenios entre diversas entidades institucionales de diferentes niveles territoriales en cuanto a su formulación.

Un última tipología genérica de clasificación de los convenios interadministrativos por razón del sujeto suscriptor, la encontraríamos en la posibilidad de suscripción de acuerdos, tanto por parte de administraciones territoriales como por administraciones institucionales, ambas con carácter de administración pública tradicional con las denominadas administraciones corporativas, esto es, las representativas de intereses profesionales (los colegios profesionales recogidos fundamentalmente en el artículo 34 de la Constitución) y las corporaciones representativas de intereses económicos, fundamentalmente las cámaras de comercio, industria y navegación, aunque dependiendo de la legislación de las diferentes CCAA, nos podemos encontrar todavía con cofradías de pescadores, cámaras agrarias, etc., que tengan esa condición de corporación de derecho público y por tanto, naturaleza, aunque sea parcial, administrativa, dado que tienen su fundamento en el artículo 52 de la Carta Magna.

Junto a la clasificación subjetiva de las tipologías de convenios interadministrativos deberemos de hacer una referencia a la enormidad y amplitud de las posibilidades de clasificaciones objetivas, esto es en razón de la materia sobre la cual concurren las voluntades de colaboración de diversas administraciones, para los convenios ínter administrativos. En ese sentido debemos de hacer una referencia, junto a la ya señalada legislación privativa del régimen jurídico de cada una de las administraciones públicas reguladora de la configuración de la voluntad para convenir en cada una de ellas, de las legislaciones específicas sectoriales, que normativizan las diferentes materias sobre las cuales puede transaccionarse u obligarse a través de un convenio.

Este tipo de clasificación es inabarcable de forma sistemática en el presente trabajo por la inmensidad de las regulaciones administrativas donde podrían concurrir las voluntades de diferentes entes públicos, ahora bien, a título meramente enunciativo podemos distinguir y al efecto de que sirva de pauta, algunas de las principales modalidades convencionales en cuanto al objeto de la transacción interadministrativa:

a) Por una parte por su importancia de carácter político y el procedimiento específico a que se ven sometidos, debemos destacar, tal y como estudiara ALBERTÍ ROVIRA (9), los convenios de colaboración interautonómicos; el objeto general de estos convenios será la suscripción de líneas de colaboración en materia de competencia estrictamente autonómica entre diversos entes de dicha naturaleza. Su propia definición supone la existencia de una generalidad de objetivos, y por tanto una pluralidad indeterminada de objetos, simplemente acotados por el límite competencial de los respectivos estatutos de autonomía. Ahora bien, ese límite es estricto en tanto en cuanto, la suscripción de estos convenios requiere acuerdo favorable del Senado como cámara de representación territorial, no pudiendo en ningún caso suponer, esos convenios de colaboración la federación de Comunidades Autónomas, circunstancia esta expresamente prohibida por la Constitución de 1978.

b) Una segunda tipología clasificatoria por razón del objeto de los convenios interadministrativos dentro del ámbito de este comentario a la Ley, es la referente a los de carácter urbanístico y de infraestructuras, muy habitual en cuanto al importe económico y la necesidad de coordinación y concurrencia de voluntades para la consecución de objetivos físicos concretos, tal y como se produce en la regeneración urbana planteada por la Ley 8/2013. En ese sentido los convenios típicamente urbanísticos se suelen regir por la propia normativa de las diferentes CC. AA. en la materia, que como en el caso de la propia Comunidad de Madrid, recogen expresamente la posibilidad de suscribir convenios interadministrativos de carácter urbanístico, tal

---

(9)   Enoth ALBERTÍ ROVIRA. «Los convenios entre el Estado y las Comunidades Autónomas». *Anuario de Derecho Constitucional y Parlamentario* n.º2. 1990.

y como se especifica por ejemplo en el artículo 245 de la Ley 9/2001, de 17 de julio, del Suelo de la Comunidad de Madrid.

Una variante específica de estos convenios es la existencia de aspectos mixtos entre el puro urbanismo, esto es la transformación del suelo y la implantación de infraestructuras derivadas de competencias, bien estatales o bien autonómicas, para la ejecución de infraestructuras o realización de obras públicas en la diversa tipología de servicios competencia de estas administraciones. Así en un ámbito de actuación específico nos podemos encontrar con la necesidad de introducir una línea de alta velocidad ferroviaria, o un desdoblamiento de una carretera, o la necesidad de vincular el pago de las expropiaciones de éstas a la generación de plusvalías del desarrollo urbanístico correspondiente.

c) Una tercera posibilidad clasificatoria es la referida a los convenios interadministrativos para la agilización o establecimiento de líneas de simplificación de procedimientos administrativos como pudiera ser la implantación de una ventanilla única a través de las entidades locales para la recepción de documentos por parte de las administraciones autonómicas y general del estado, en los ámbitos correspondientes a sus diferentes competencias sustantivas, o en nuestro supuesto para los procedimientos de ejecución de actuaciones de rehabilitación.

No obstante, a los efectos de una sistematización más rigurosa deberemos clasificar los convenios interadministrativos por razón de su objeto siguiendo a RODRÍGUEZ DE SANTIAGO (10)

a) Convenios de colaboración en sentido estricto, en los que las partes se comprometen a realizar actuaciones en virtud del principio de cooperación interadministrativa.

b) Convenios de competencias: son aquellos en los que los suscriptores pretenden incidir de forma más o menos eficaz en la distribución de competencias y su delimitación y el sistema de relaciones para ello.

c) Convenios normativos a través de los cuales las partes que los suscriben se ponen de acuerdo sobre el contenido de una norma que ha de ser aprobada por cada una de las administraciones.

d) Convenios de creación de órganos u organizaciones mixtas: tienen por objeto la creación y regulación de una organización común por acuerdo de cada una de las partes suscriptoras.

---

(10) José M.ª RODRÍGUEZ DE SANTIAGO. *Los convenios entre administraciones públicas*. Marcial Pons.1998, págs. 143 a 338.

Por lo que se refiere a la regulación concreta en los convenios interadministrativos, debemos señalar que hasta la propia Constitución Española, en el artículo 145.2, prevé la posibilidad que los estatutos de autonomía puedan prever los supuestos, requisitos y términos en que las comunidades autónomas podrán celebrar convenios entre sí, para la gestión y prestación de servicios propios de las mismas, así como el carácter y efectos de la correspondiente comunicación a las Cortes Generales, los demás supuestos los acuerdos de cooperación entre comunidades autónomas necesitarán autorización de las Cortes Generales.

Por tanto, nos encontramos con una primera regulación de carácter indisponible, prevista en la máxima norma de nuestro ordenamiento jurídico, en relación con una tipología específica de convenios, que es la de los convenios entre comunidades autónomas, que a su vez, pueden distinguirse en dos modalidades de las previsiones del constituyente sobre convenios interadministrativos.

En primer lugar, aquellos previstos en los estatutos, para supuestos, requisitos y términos de gestión y prestación de servicios propios de las diferentes comunidades autónomas, que tan sólo deben ser comunicados a las Cortes Generales y el resto de los convenios de los convenios de cooperación interautonómicos que requieren una autorización expresa de las Cortes.

Una segunda determinación, en este caso indirecta, recogida por la propia Constitución en relación con los convenios interadministrativos, es la reserva de competencia exclusiva para el Estado, en el artículo 149.1.18.ª, de las bases del régimen jurídico de las administraciones públicas, entendiendo por tanto, las características específicas fundamentales de su personalidad jurídica y su capacidad de relación con otras entidades, y por tanto, la realización de convenios como medio de colaboración.

En ese sentido, el artículo 6.º, de la Ley 30/1992, de 26 de noviembre, sobre Régimen Jurídico de las Administraciones Públicas y del Procedimiento Administrativo Común, en su redacción otorgada por la Ley 4/1999, de 13 de enero, establece la capacidad de la Administración General del Estado y los organismos públicos vinculados o dependiente de la misma, de celebrar convenios de colaboración con los órganos correspondientes de las administraciones de las diferentes comunidades autónomas, en el ámbito de sus respectivas competencias, como es el caso de la urbanística.

Junto a las específicas determinaciones constitucionales anteriormente referidas, tanto como régimen jurídico de las administraciones públicas, en relación a la competencia estatal, como con específica relación sobre los convenios de colaboración entre comunidades autónomas, debemos destacar que, los convenios de colaboración, parten del principio de eficacia para relaciones entre todas las administraciones públicas consignando en el artículo 103.1, de la Carta Magna, que supone la necesaria vinculación de relaciones entre éstas, para la prestación de los servicios y actuaciones específicas en que concurren intereses o funciones de varias administraciones públicas.

Esto supone la existencia de un deber de colaboración, que ha sido afirmado por el Tribunal Constitucional, y así, las sentencias 18/1982, de 4 de mayo, en su fundamento jurídico 14, la sentencia 80/1985, de 4 de julio (fundamento jurídico 2.º) y la 214/1989, de 21 de diciembre, (fundamento jurídico 20.f).

En ese sentido, ese deber de colaboración, que supone un principio de cooperación tiene un elemento diferenciador, como ya se ha apuntado, del principio de coordinación, recogido en el artículo 103.1, de la Constitución, como es la naturaleza voluntaria de la colaboración, mientras que la coordinación supone una imposición con una posición de superioridad de un ente coordinador sobre los coordinados.

El referido principio de cooperación, se recoge la legislación básica de las administraciones públicas, tanto en el artículo 55, para las entidades del régimen local, como en el artículo 4.º, con carácter general para todas las administraciones públicas.

De hecho, el convenio es la fórmula prototípica o instrumento jurídico que articula los medios de cooperación, el procedimiento y fórmulas aplicar, y no solo es una consideración metafórica derivada de la ejecución de estos principios, sino que normativa tan importantes como la Ley Orgánica 9/1992, de 23 de diciembre, de transferencia de competencias a las comunidades autónomas que accedieron a la autonomía por la vía del artículo 143 de la Constitución Española, en su artículo 4.º.d), lo recogen de forma específica.

En ese sentido, es especialmente reseñable la concreción en cada uno de los estatutos de autonomía, en su momento reformados por las leyes orgánicas de 24 de marzo de 1994, consecuencia del pacto autonómico, que supusieron con la base de la anterior ley orgánica reseñada, la necesidad de la transferencia de la gestión de museos, archivos y bibliotecas de titularidad del Estado, que no se reservara a éste, añadiéndose que «los términos de la gestión serán fijados mediante convenio.

Ahora bien, los convenios que parten, como se ha indicado del principio de voluntariedad e igualdad en las relaciones entre partes, pueden ser una figura obligada como hemos visto en el caso del ejemplo de la gestión de los museos de antigua titularidad estatal, o con mayor concreción en la disposición recogida en el Decreto 187/1993, de 27 de julio, de la generalidad de Cataluña, sobre delegación en las comarcas de dicha comunidad autónoma, en materia de instalaciones juveniles, que en su artículo 3.º, establece que, *«para hacer posible la efectividad de las competencias que se delega el departamento de la Presidencia ... suscribirá un convenio con cada comarca».*

A la vista de la prolijidad en la tipología de los convenios, tanto por los sujetos, como por los objetos, a que estos pueden referirse, cuando nos encontramos, con estos acuerdos de naturaleza interadministrativa, deberemos de recoger a su vez, una muy importante diversidad, en cuanto al régimen jurídico de éstos, teniendo en cuenta las capacidades legislativas, tanto del Estado, con carácter básico y propio de sus instituciones, e igualmente de las diferentes comunidades autónomas, también con carácter privativo de sus propias instituciones, como en sus competencias desarrollo legislativo de las bases estatales en materia de régimen local, sobre las posibilidades convencionales de dichas entidades locales, a través de las leyes autonómicas. Máxime teniendo en cuenta la indudable competencia autonómica sobre la ordenación urbana.

Así, a título enunciativo podemos llegar, en la anteriormente citado artículo 6, de la Ley 30/1992, en relación con los convenios, que se refiere tan sólo a los convenios entre el Estado y las CC.AA.,

Así por otra parte, el artículo 13, de la Ley 6/1997, de 14 de abril, de Organización y Funcionamiento de la Administración del Estado, modificado por el artículo 81.2, de la Ley 50/1998, de 30 de diciembre, recoge en su apartado 3, la competencia de los Ministros para celebrar en el ámbito de su competencia, contratos y convenios, salvo que éstos últimos correspondan al Consejo de Ministros.

Por otra parte, la Ley Orgánica 3/1980, de 22 de abril, del Consejo de Estado, recoge en el artículo 21.3, como competencia del Pleno de dicho Consejo de Estado, al que deberán ser consultado con carácter preceptivo, las dudas y discrepancias que surgieran la interpretación o cumplimiento de tratados, convenios o acuerdos internacionales en los que Estaña sea parte.

Así en general, las diferentes normas estatutarias de las diversas comunidades autónomas solamente contemplan con el máximo rango, en cada uno de los estatutos de autonomía, los convenios entre comunidades autónomas, y por otra parte, en su caso, los convenios de colaboración con la Administración General del Estado, incluso en el caso de la ciudad autónoma de Ceuta, cuyo reglamento de la Presidencia de la ciudad de Ceuta *(BOCC* n.º 3, de 30 de enero de 1996), atribuye en el artículo 11.b), al Presidente de la ciudad la competencia para firmar los convenios y acuerdos de cooperación de conformidad con lo previsto en el artículo 12.1, del Estatuto de Autonomía se celebren o se establezcan con cualquiera de las Comunidades Autónoma y con la ciudad de Mellilla.

Mención específica requiere el régimen de las comunidades recogidas en la disposición adicional 1.ª de la Constitución, en cuanto a sus derechos históricos de naturaleza foral, y así, la Ley Orgánica 13/1982, de 10 de agosto, sobre reintegración y amejoramiento del régimen foral de Navarra, establece, tanto en su artículo 26.b), la competencia de Diputación Foral, previa autorización del Parlamento para formalizar convenios con el Estado y con las Comunidades Autónomas, como en su artículo 67, que la Administración del Estado y la Diputación Foral colaboraran para la ordenada gestión de sus respectivas facultades y competencias, a cuyo efecto se facilitaran mutuamente las informaciones oportunas, recogiendo en el artículo 65, la posibilidad de celebrar convenios de cooperación para la gestión y prestación de las obras y servicios de interés común entre la Administración del Estado y la Administración Foral. Este carácter de las relaciones enlaza con la concepción paccionada ya recogida en la Ley de 1841, de las relaciones entre la Comunidad Foral y el Estado, circunstancia ésta que puede ser comprobada aún en el caso vasco a los efectos del cupo vasco, en cuanto a la partición de la comunidad autónoma en los gastos generales del Estado, debiendo este ser igualmente reflejado por acuerdo entre las partes, sin perjuicio de su correspondiente plasmación definitiva mediante la oportuna ley. Circunstancia ésta que en el caso de Navarra queda más abierto, puesto que el artículo 64, de la citada Ley Orgánica 13/1982, habla de conforme a la naturaleza del régimen foral, los convenios deben formalizarse en su caso, mediante una disposición del carácter que corresponda, a la hora de recoger las relaciones entre el Estado y la Comunidad.

Por su parte, en el ámbito local el artículo 57 de la Ley 7/1985, de 2 de abril, reguladora de las Bases de Régimen Local, señala en cuanto a la cooperación económica técnica y administrativa entre la Administración Local y las diferentes Administraciones del Estado y las Comunidades Autónomas, el carácter voluntario de ésta y la necesidad de consignarla mediante convenios administrativos suscritos al efecto, debiéndose comunicar éstos a otras administraciones interesadas.

Por su parte, el Texto Refundido de las Disposiciones Legales Vigente en materia de Régimen Local, aprobado por Real Decreto Legislativo 781/1986, de 18 de abril, cuya naturaleza básica es discutible, en tanto en cuanto, la sentencia del Tribunal Constitucional 385/1993, de 23 de diciembre, declara inconstitucional el inciso *conforme a su naturaleza* de la disposición final 7.º.1.b), en los Títulos VI, y VII, pero que mantiene dicho carácter básico para lo indicado en el resto de los preceptos previstos en la citada disposición adicional 7.º, regula en el artículo 70, que a través de acuerdo las Entidades Locales podrán asumir, en su caso, colaborar en la realización de obras o en la gestión servicios del Estado, no teniendo este precepto carácter básico.

Por su parte, con carácter más genérico el artículo 111, de la citada disposición legislativa recoge la capacidad de las Entidades Locales de concertar contratos, pactos o condiciones, en un único límite de que no sean contrarios al interés público, al ordenamiento jurídico y a los principios de buena administración.

3. EL PROCEDIMIENTO PARA LA SUSCRIPCIÓN DE CONVENIOS

Descritas ya aunque sea con carácter somero, la naturaleza de los convenios interadministrativos, su fundamento y el régimen jurídico de éstos, así como por otra parte, las principales clases de convenios interadministrativos en función del sujeto administrativo conveniente, y en función del objeto o materia del convenio dentro del lógico espacio de la ley 8/2013, debemos de centrarnos ya en el procedimiento específico a los efectos de la suscripción y dado que el art 19 de la ley de rehabilitación no establece procedimiento, nos centraremos en la regulación de este en el procedimiento general.

A) La personalidad jurídica de los convenientes y su constitución

La primera de las cuestiones a destacar para analizar el procedimiento de suscripción de convenios interadministrativos en materia de rehabilitación será la constatación de la personalidad jurídica de los diversos entes que van a concurrir en su voluntad de suscribir un acuerdo determinado.

La verificación de dicha personalidad jurídica es indispensable a los efectos de la posterior tramitación del convenio y de su aprobación, así tal y como indica ALBERTÍ (11), la voluntad revelada mediante la adopción de una determinada forma cualifica el pacto y lo reconduce hacia la categoría de los acuerdos de naturaleza contractual, por tanto, la forma convencional tiene por finalidad precisamente dotar o no de vinculación a lo pactado. La eficacia política y la eficacia jurídica se le configuran, por tanto, tal y como afirma por su parte GONZÁLEZ-ANTÓN ÁLVAREZ (12), como elemento realmente diferenciador entre cualquier tipo de acuerdo y los convenios interadministrativos y subrayando el carácter contractual, o la participación en dicha naturaleza contractual de los convenios, por tanto, es fundamental el elemento subjetivo de la voluntad para obligarse y sus vicisitudes, lo cual requiere necesariamente una capacidad jurídica, que en nuestro ordenamiento supone el hecho de la personalidad jurídica.

Esta personalidad jurídica no puede ser una mera capacidad de dictar actos administrativos que afecten a terceros, tal y como viene recogido por el artículo 5.º de la LOFAGE para la administración general del Estado, esto es, no cabe una mera actuación del órgano, sino que el convenio obliga a la totalidad de la persona jurídica, y por tanto, no cabe suscripción de convenios entre órganos, sino que nos encontramos ante la suscripción de convenios entre personas jurídicas, esto es, entidades administrativas.

Así la personalidad jurídica originaria se establece en nuestro ordenamiento jurídico para las entidades públicas de carácter territorial, esto es conforme al artículo 137 de nuestra Constitución, además de la propia Administración General del Estado, que actúa con personalidad jurídica única en los términos de la LOFAGE, ya conocidos desde la Ley de Régimen Jurídico de la Administración del Estado de 1957, a los municipios y provincias, en los términos de la LRBRL, a los cabildos

---

(11) Enoch ALBERTÍ ROVIRA. «El régimen de los convenios de colaboración entre Administraciones un problema pendiente». Eliseo AJA Director *Informe Comunidades Autónomas 1996*. Instituto de Derecho Público. Barcelona 1996. Pág. 619
(12) Carlos GONZÁLEZ-ANTÓN ÁLVAREZ. *op. cit.* Pág.59.

y consells para los archipiélagos Balear y Canario, y además otras entidades públicas de carácter territorial, sí así lo establecen las legislaciones autonómicas, como igualmente las propias Comunidades Autónomas que ostentan, no sólo en virtud del principio del artículo 137, en relación con los artículos 143 y ss., de la Carta Magna personalidad jurídica originaria, sino que a través de su potestad legislativa pueden en los términos del artículo 3.2 de la LRBRL, otorgar mediante sus respectivas leyes personalidad jurídica a Comarcas, Áreas Metropolitanas, Mancomunidades de Municipios, e incluso entidades de ámbito territorial inferior al municipio.

No obstante, podemos señalar la existencia de relaciones jurídicas entre órganos dependientes de una misma administración, que se pueden articular a través de un convenio, esto es, la figura de los convenios interorgánicos pero intradministrativos, circunstancia analizada por GIANNINI y por GÁLVEZ (13), situación ésta que se recoge expresamente en el ámbito de la encomienda de gestión, en el artículo 15.3 de la LRJAPC, que establece la posibilidad de encomienda de gestión entre órganos administrativos o entidades de derecho público pertenecientes a la misma administración a través de acuerdo expreso entre los órganos o entidades intervinientes, mediante un instrumento de formalización de la encomienda que debe ser publicado.

La capacidad de la persona jurídica y, por tanto, la viabilidad final del convenio corresponderá a la capacidad suficiente de obrar para suscribir el correspondiente convenio por parte del órgano o titular del órgano que represente a la correspondiente administración en la firma.

En este sentido, debemos señalar que el artículo 12.3 de la LRJAPC, establece que en caso de que no exista disposición que atribuya de forma específica competencias a un órgano de la correspondiente administración, se entenderá que la facultad de instruir y resolver los correspondientes expedientes corresponden a los órganos competentes inferiores por razón de la materia y territorio, y de existir varios con identidad, al superior jerárquico común. Esta circunstancia se ve reflejada en el artículo 2.º de la LOFAGE.

En el ámbito específico de la Administración General del Estado, la anteriormente citada Ley 6/1997, de 14 de abril, recoge expresamente la personalidad jurídica de la Administración General del Estado (artículo 2.2), debiendo de atenernos a la normativa específica de organización para cada órgano en los términos de la propia LOFAGE, artículos 5.º y ss., o de los Reales Decretos de estructura orgánica de los Ministerios y disposiciones específicas de las entidades descentralizadas o con personalidad jurídica propia de la referida Administración del Estado.

---

(13) Massimo SEVERO GIANNINI. *Derecho Administrativo*. MAP-INAP 1990. Pág 358 y ss. y Javier GÁLVEZ. «Nulidad del convenio celebrado entre dos Ministerios y legitimación para recurrir». *Revista Española de Derecho Administrativo* n.º 21, abril-julio 1979. Pág. 286 y ss.

En el ámbito de las Comunidades Autónomas de las diversas leyes de gobierno, Gobierno de Administración, Presidente, etc., esto es las leyes de régimen jurídico de cada una de las diversas CC.AA., que recogen dicha personalidad jurídica, así en concreto la Ley 6/1983, de 21 de julio, del Gobierno y la Administración de la Junta de Andalucía, establece en su artículo 34.2, que para el cumplimiento de sus fines actúa con personalidad jurídica única, refiriéndose a la Administración de la Comunidad Autónoma.

Así el artículo 2.2 del Decreto Legislativo 2/2001, de 3 de julio que aprueba el Texto Refundido de la Ley de Administración de la Comunidad Autónoma de Aragón, el artículo 1.3 de la Ley 2/1995, de 13 de marzo, que regula el régimen jurídico de la Administración del Principado de Asturias, el artículo 1.1 de la Ley 5/1984, de 24 de octubre, de régimen jurídico de la Administración de la Comunidad Autónoma de las Islas Baleares, etc.

Por lo que se refiere a las entidades locales, debemos destacar, que el artículo 5.º de LRBRL, tras la redacción otorgada por la Ley 11/1999, de 21 de abril, recoge expresamente dicha capacidad jurídica de las diversas entidades locales en el ámbito de sus competencias.

Finalmente con respecto a la personalidad jurídica de las diversas entidades de carácter institucional o fundacional dependientes o creadas por las administraciones de los tres niveles territoriales anteriormente analizados, deberemos de recoger la capacidad jurídica de éstas en cada una de las leyes creadoras de los entes específicos, que normalmente tiene una regulación general específica en las leyes de la administración institucional; así por ejemplo, en la Comunidad de Madrid la Ley 1/1984, de la Administración Institucional de la Comunidad de Madrid o en el ámbito de la Comunidad Autónoma Catalana el texto refundido de la ley del estatuto de la empresa pública catalana.

Cuestión diferente es la personalidad jurídica de la Comunidad de Propietarios, evidentemente de naturaleza privada, que incluso carecen muchas veces de CIF, personalidad que se debe entender en este aspecto otorgada por la Ley 8/2013.

Una vez descrita la capacidad jurídica para suscribir convenios sobre rehabilitación, deberemos distinguir que, para que estos tengan validez deberán ser suscritos no sólo por una persona jurídica, esto es, por un representante de esta que la obligue, sino circunscribiéndose al ámbito competencial de la referida persona jurídica, puesto que, los actos administrativos, recuérdense son nulos de pleno derecho, conforme al artículo 62 de la Ley 30/1992, de 26 de noviembre, en el supuesto de que sean suscritos en materia de la cual no gocen de competencias las referidas entidades.

En ese sentido las Comunidades Autónomas tendrán el ámbito máximo competencial para suscribir convenios en los diferentes Estatutos de Autonomía, que les otorgan las materias y condiciones de ejercicio de las competencias sustanciales sobre los diversos campos de actividad administrativa. Aquí cabe hacer especial referencia a la imposibilidad de establecer convenios entre Comunidades Autónomas en materias que sean competencias exclusiva del Estado, conforme las disposiciones del artículo 149.1 de la Constitución Española.

Por lo que se refiere a las entidades locales, su ámbito competencial parece reflejado con carácter dual, por una parte, en el listado de materias genéricas que aparecen en el artículo 25 de la LRBRL, pero teniendo en cuanta el carácter bifronte del régimen jurídico de dichas corporaciones locales, sustancialmente en los municipios, deberemos de contemplar también el ámbito específico e intensidad de cada competencia, en la legislación sectorial reguladora de cada materia o bien del Estado o bien de las Comunidades Autónomas, teniendo en cuenta la distribución constitucional de competencias legislativas al respecto. En nuestro caso el art. 25.1 d) LRBRL y las diferentes leyes urbanísticas de las CC.AA., así como el TRLS 2/2008 y la propia Ley 8/2013 lo establecen.

Otro tanto es predicable para las entidades institucionales dependientes de unas u otras, en tanto en cuanto, las leyes en el ámbito estatal autonómico y los estatutos y acuerdos plenarios de creación en el caso local, creadoras de las diferentes entidades institucionales determinarán específicamente el ámbito de su competencia, en tanto en cuanto, recuérdese el artículo 12 de la LRJAPC, con carácter básico establece la necesidad de adscripción de competencias a los órganos, y por tanto, a las entidades administrativas creadas *ex novo*.

B) La negociación del texto

Una vez que hemos visto los requisitos y presupuestos previos al inicio de cualquier procedimiento convencional interadministrativo, esto es, capacidad jurídica y competencia, debemos de centrarnos ya en concreto en el desarrollo o íter procedimental, de estos convenios interadministrativos. Así para que se proceda a tramitar cualquier convenio es requisito indispensable previo que exista un texto o borrador, que lógicamente no aparece de la noche a la mañana bajo inspiración divina, que requiere necesariamente un previo estudio mediante los correspondientes técnicos o representantes meramente funcionariales de las diversas administraciones que pretenden converger, en una regulación común de la materia, o en una actuación consensual, y más en materias de tanta complejidad técnica como la renovación urbana.

Obviamente dependiendo del tipo de convenio ante el cual nos encontremos, el procedimiento previo de negociación entre las partes de un texto, será más extenso o complejo en cuanto a la necesidad de intervenir diversos representantes de las administraciones que convergen, ya sean puramente técnicos en la materia objeto del convenio, jurídicos en cuanto a la redacción y ámbito de este tipo de figura o económicos en cuento a los créditos disponibles y la aplicabilidad o los recursos que deben destinarse a la estricta función convencional y para el cumplimiento de las cláusulas allí consignadas.

Dentro de esta materia debemos de hacer referencia expresa a los denominados convenios tipo, en tanto en cuanto, al existir un texto previo ya aprobado por una administración, generalmente la Administración General del Estado y en su caso alguna administración de comunidad autónoma, que requiere de la adhesión sin más, esto es, sin capacidad bilateral de negociación de un texto predeterminado. En esa línea debemos destacar la existencia de esta tipología convencional ya desde antiguo y, por ejemplo, Enrique Rivero (14), recogía expresamente la orden de 24 de mayo de 1962, que regulaba el convenio-tipo a celebrar entre el Instituto Nacional de Urbanización y las Corporaciones Locales, o el Decreto de 8 de agosto de 1974 de Presidencia de Gobierno que aprobó el modelo tipo de convenio, que celebraban las Juntas de Construcción, Instalaciones y Equipo Escolar con las Diputaciones Provinciales y las Corporaciones Locales, más actualmente podemos recoger por su especial intensidad el convenio único o convenio-tipo de ventanilla única, que supone la necesidad de adaptarse por parte de las entidades que pretendan incorporarse a dicho procedimiento a las determinaciones recogidas con carácter general. Igualmente dentro de esa modalidad debemos destacar los diversos convenios de colaboración en materias como servicios sociales, familia, juventud, etc., de las Consejerías autonómicas en la materia con los ayuntamientos de sus respectivas CC.AA. Parece evidente que en rehabilitación se producirá, al menos por el Estado, un único convenio-tipo para su suscripción.

En ese sentido, podemos equiparar a dichos convenios-tipo prácticamente con los contratos de adhesión, puesto que no dejan margen a la capacidad de la entidad adherida, así la doctrina (15), los ha calificado como multibilaterales ya que realmente no existe una toma de postura colectiva que negocie con la administración que tiene la iniciativa, en todo caso, se puede producir las modificaciones necesarias e imprescindibles para adaptar el contenido del convenio a un supuesto concreto o a un régimen organizativo especial, como por ejemplo puede ocurrir en los señalados convenios que aprueben las Comunidades Autónomas con carácter tipo referidos a los Ayuntamientos, que recogerán normalmente el acuerdo plenario o competencia del Alcalde, cuando no se contempla la singularidad de los municipios englobados en el régimen especial de organización del Título X, de la LRBRL, que tienen competencia específica para el consentimiento del Ayuntamiento por parte de la Junta de Gobierno Local y no por el Pleno.

Dejando al margen el caso de los convenios-tipo, sí podemos señalar la existencia específica de un periodo de negociación, en tanto en cuanto, el Tribunal Supremo la ha recogido en su STS de 18 de julio de 1989, para el caso concreto de la falta de voluntad de negociación entre el Ministerio, entonces de Obras

---

(14)　Enrique Rivero Ysern. «Relaciones Interadministrativas». *Revista de Administración Pública* n.º 80, mayo-agosto 1976, pág 61.

(15)　Por ejemplo, Carlos González-Antón Álvarez. *op. cit.* Pág 267.

Públicas, con la Comunidad Autónoma de La Rioja, circunstancia ésta, analizada por MARTÍN HUERTA (16).

La existencia de este periodo de negociación y el contenido del mismo tiene una diversidad en cuanto a su especifica plasmación, puesto que, los actos administrativos recuérdese deben plasmarse por escrito, pero la naturaleza negocial de cualquier periodo previo a la suscripción de un convenio impide la construcción bajo rigideces específicas de documentos que muchas veces son borradores de negociación.

En ese sentido, sí debemos destacar expresamente que el acuerdo de Consejo de Ministros de 2 de marzo de 1990, que regula la realización de convenios entre la Administración General del Estado y las Comunidades Autónomas, establece expresamente la necesidad de que exista una memoria explicativa que debe acompañar a la documentación de todo convenio, circunstancia ésta, que supondría la acreditación y explicación de dicho periodo de negociación, en todo caso el carácter discrecional que tienen todo convenio conforme lo dispuesto en el artículo 54.1.f) de la LRJPAC, supone la necesidad de motivarlo antes de su aprobación en el expediente correspondiente. Por lo tanto, aunque no este previsto para la normativa especifica de otras administraciones el carácter básico de esta disposición, genera que antes de una aprobación debe existir al menos una propuesta del órgano instructor o del titular de la dependencia administrativa correspondiente que motive la necesidad y circunstancias acaecidas en el convenio, haciendo referencia a la negociación.

Dentro de los principios referidos a la negociación y preparación de los convenios ha sido destacados por la doctrina (17), la necesidad de aplicación de los principios de lealtad institucional, objetividad, y de servicio al interés general, plasmado tanto en la Constitución, como en la LRJAPC.

En ese sentido, tiene especial interés el principio de lealtad institucional analizado por MOREL OCAÑA (18), en tanto en cuanto, no cabe en las actuaciones bilaterales de la administración, la discriminación en cuanto a las figuras convencionales entre unas y otras administraciones, especialmente en razones de identidad o gobierno político distinto a la administración que suscribe el convenio.

Este principio ya hemos visto que ha sido enjuiciado por el Tribunal Supremo en cuanto existe una negativa expresa a convenir o a iniciar negociaciones convencionales, pero que ocurrirá en los supuestos de inactividad administrativa, esto es

---

(16) Pablo MARTÍN HUERTA. *Los Convenios Interadministrativos*. INAP. Madrid 2000. Pág. 256 y 257
(17) Así, Carlos González-Antón Álvarez. *op. cit.* Pág. 233 y ss.
(18) Luis MOREL OCAÑA. «La lealtad y otros componentes de la ética institucional de la administración». Pág. 165-194. Civitas. *Revista Española de Derecho Administrativo* n.º 114. Pág. 165-194.

lo que parece más habitual que halla renuencia, pero no exista expresa resolución denegando la apertura de negociaciones, sino simple falta de resolución.

En este supuesto, y sin perjuicio de la aplicabilidad de los principios del silencio en los procedimientos administrativos, y la capacidad de recurrir la referida inactividad, tal y como se recoge en la LRJAPC, y en la Ley 29/1998, de 13 de julio, de la Jurisdicción Contenciosa-Administrativa, nuestra doctrina (19), ha señalado que aunque nos encontremos en presencia de decisiones discrecionales, como es el caso, que hemos apuntado en los convenios, dichas decisiones se hallan «vinculadas» como toda actividad administrativa al ordenamiento jurídico y son susceptibles con arreglo a las técnicas tradicionalmente acuñadas de control discrecional, pudiendo llegar a producirse un ilícito administrativo de concluir un acuerdo sin respetar esto (piénsese, por ejemplo, en el carácter arbitrario y discriminación que tendría la negativa de la administración a concluir un acuerdo, que en igualdad de condiciones, ya ha celebrado con otros sujetos).

En el resto de los supuestos, esto es, cuando halla concurrencia de voluntades para llegar a un acuerdo, y no ser el tope de meras adhesiones a convenios-tipo, el proceso negociador requerirá de las sucesivas reuniones técnicas o de expertos en cuanto a la determinación de las fórmulas concretas para de forma procedimentalizada obtener los objetivos previstos en el ámbito de colaboración que pretende regular el convenio.

C) La instrucción del texto. Los informes

Una vez que existe un borrador de convenio para ser suscrito entre las diversas administraciones, debe de iniciarse un procedimiento interno previo en base a los informes recogidos en la LRJAPC, que sirva para conformar la voluntad del órgano administrativo que deba aprobar, en su caso, como luego veremos y suscribir posteriormente cada uno de estos convenios.

En ese sentido, debemos destacar a nuestro juicio, la importancia de dos tipos de informes en la configuración de este convenio, por una parte la viabilidad, en cuanto al ordenamiento jurídico general del convenio que supondrá la necesidad de que exista un previo informe jurídico, que más adelante abordaremos, y por otra parte, la necesaria existencia de un informe-certificación del titular de la Intervención correspondiente en la administración objeto de configuración de su voluntad que, justifique, en el supuesto de convenio que implique algún tipo de gasto la existencia de crédito que ampare el cumplimiento de este convenio y que éste sea suficiente. Éste es un requisito previo imprescindible, en tanto en cuanto, la inexistencia de crédito que dé cobertura a las disposiciones del convenio, en el supuesto que éstas implicarán gastos supondrían la nulidad de pleno derecho de éste.

---

(19) En ese sentido, Marcos Gómez Puente. *La Inactividad de la Administración*. Aranzadi. Pamplona 1997. Págs 671 a 681, y 826 a 828.

En ese sentido, tanto la Ley General Presupuestaria, como las leyes reguladoras de la hacienda de las diversas Comunidades Autónomas, y el Texto refundido de la Ley reguladora de las Haciendas Locales, establecen la necesidad de que exista cobertura presupuestaria, para la suscripción de obligaciones de las diferentes administraciones, suponiendo la nulidad de pleno derecho aquellas actuaciones que no tengan dicha cobertura, sin perjuicio de la posibilidad de existencia de créditos ampliables y la técnica de las modificaciones de créditos a los efectos de cumplimentar la suficiencia presupuestaria anteriormente relatada.

Pudiera discutirse al no ser un contrato y estar expresamente excluidos del ámbito de aplicación de la LCSP, el ámbito y condición de los convenios, la necesidad de dicho informe o certificación de existencia de crédito, aunque el propio sentido común y la vinculación de la legislación general presupuestaria anteriormente descrita, nos inclina a señalar su obligatoriedad, en esa línea se han pronunciado todos los autores (20).

Ahora bien, la suficiencia presupuestaria no implica que todas las obligaciones contenidas en el convenio están contempladas en el presupuesto vigente, en tanto en cuanto, nos podemos encontrar, circunstancia bastante habitual con convenios que establecen ámbitos temporales de duración muchos más amplios que el propio ejercicio o anualidad presupuestaria.

El referido informe económico-financiero a realizar por la Intervención de cada una de las Administraciones concurrentes se deberá ajustar, tanto a la suficiencia del crédito, como simultáneamente a la intervención específica del gasto, sin perjuicio del ejercicio concreto de esa función en el momento de la orden de pago correspondiente. Esa intervención específica implica tanto el control de la legalidad presupuestaria y económico-financiera, tal y como se describe específicamente para el ámbito local (Real Decreto 1174/1987), la fiscalización del control de oportunidad.

Así para la Administración General del Estado y en cuanto a los convenios específicos, objeto del acuerdo del Consejo de Ministros de 20 de febrero de 1990, desarrollado por resolución de 9 de marzo de 1990, el ámbito de degradación de convenios económico-financiero, debe diferenciarse en estos convenios entre el Estado y las Comunidades Autónomas entre convenios de suscripción generalizada, que incluyan compromisos financieros para la administración General del Estado y convenios específicos con dichas implicaciones financieras.

---

(20) Así, los ya citados RODRÍGUEZ DE SANTIAGO y GONZÁLEZ-ANTÓN ÁLVAREZ, y por otra parte, José María RODRÍGUEZ JORDÁ «Los convenios de colaboración con otras administraciones y entes públicos», dentro de la obra colectiva de Jjornadas sobre panorámica del control interno en la administración pública. Nuevos enfoques de futuro. Vitoria. Servicio Central de Publicaciones del Gobierno Vasco 1991. Págs. 102 y 103.

Una vez que el borrador tiene la conformidad económica, debemos de señalar que puede con carácter facultativo conforme a la LRJAPC, incorporarse cuantos informes se consideren, y en ese sentido, debemos señalar que a nuestro juicio es indispensable un informe jurídico sobre los aspectos sustanciales del convenio a los efectos de configurar la voluntad del órgano competente para la aprobación en su caso, de este convenio en cada una de las administraciones.

En ese sentido, debemos destacar los informes correspondientes a la abogacía del Estado, los Secretarios Generales, Técnicos y unidades jurídicas en general de la Administración General del Estado, de los letrados y servicios de administración general de cada administración autonómica y de los Secretarios, Titulares de las Asesorías Jurídicas y Técnicos de Administración General para el caso de los Ayuntamientos.

D) La autorización del órgano competente

Una vez que existe un documento final negociado objeto de la competencia de las Entidades que pretenden convenir y que tienen todos los informes legales exigibles, sobre su idoneidad y adecuación al ordenamiento jurídico en sentido amplio se debe de producir la siguiente fase para la tramitación de un convenio interadministrativo, que es la necesidad en su caso, de autorización previa por parte del órgano competente, para la suscripción de este convenio, así en la propia Carta Magna, se recoge en el artículo 74.2, en relación con el 94.1, la necesidad de una previa autorización de las Cortes Generales para celebración de tratados internacionales, por lo que esta técnica autorizatoria, esto es, el requisito previo y *sine qua non*, para que pueda validarse la suscripción del convenio esta recogida con carácter general por nuestro ordenamiento jurídico.

Así, la posibilidad o no, de que exista una autorización previa, deberá nuevamente remitirse a cada una de las legislaciones reguladoras del régimen jurídico específico de las diferentes administraciones públicas, en tanto en cuanto, dependiendo de la tipología, cuantía o naturaleza del convenio a suscribir, será requisito necesario previo la obtención de autorización, e igualmente se determinará la competencia de un órgano u otro de las diferentes administraciones, e incluso de los legislativos, en tanto en cuanto, referidos a asambleas de las Comunidades Autónomas o Cortes Generales se deban de establecer para obtener la viabilidad anterior a la firma del convenio.

La autorización previa por parte de una entidad legislativa, ya sea las Cortes Generales o, en su caso las Asambleas Parlamentarias de las diferentes Comunidades Autónomas, deberá de realizarse en aquellos supuestos que expresamente lo prevea la normativa específica de las diferentes Comunidades Autónomas, o en el caso, del Estado la Constitución (caso del ya analizado de convenios entre Comunidades Autónomas), o en los supuestos en que incida o se empiece a incidir sobre una futura norma, competencia de éstas, a los efectos de la autorización del órgano competente, cuestión ésta más que discutible, en tanto en cuanto, los ejecutivos pueden suscribir convenios de intenciones, sobre futuros proyectos de ley, sin incidir en la competencia de las entidades legislativas. No obstante, alguna doctrina como ya reseñara RODRÍGUEZ SANTIAGO (21), así lo considera.

Cuestión distinta es la suscripción de convenios que suponen la alteración de disposiciones presupuestarias vigentes, puesto que tanto en el ámbito del Estado, como en el ámbito de las Comunidades Autónomas, dichas determinaciones presupuestarias vienen aprobada por una ley, y en los términos de ésta, deberán de procederse a las modificaciones, en el supuesto que, requieran modificaciones de crédito competencia de la Asamblea Legislativa o de las propias Cortes Generales, éstas deberán con carácter previo autorizar el convenio a suscribir, en este caso, debemos destacar que el artículo 58 de la Ley 9/1990, de 8 de noviembre, Reguladora de la Hacienda de la Comunidad de Madrid, establece dicha necesidad de autorización previa por parte de la Asamblea, cuando existe la necesidad de aprobación de un crédito extraordinario o suplemento de crédito, antes de la celebración de cualquier convenio, cuya suscripción genere el gasto anteriormente referido.

En el supuesto de las entidades locales, debemos señalar que al carecer éstas de potestad legislativa la cuestión debe plantearse en otro plano, aunque en algún supuesto puede ser parangonable aunque referido a la potestad reglamentaria a ellas reconocidas por el actual artículo 4.º de la LRBRL.

En ese supuesto, debemos de distinguir la celebración de convenios para dos tipos de municipios: aquellos que están englobados en el régimen especial de organización establecido para los municipios de gran población, recogido en el Título X, de la LRBRL, más los municipios con su leyes propias reguladoras organizativas, como son el caso de Barcelona y Madrid, en los cuales la capacidad y competencia, para ratificar o autorizar previamente la suscripción de convenios le corresponde a la Junta de Gobierno Local, y el resto de los municipios, en los cuales deberemos de realizar una serie de distinciones, en tanto en cuanto, dependiendo de la tipología del convenio ante el que nos encontremos se requerirá o no, una previa autorización del Pleno de la Corporación Local.

En los supuestos en que exista una previsión de cambio o redacción de una norma reglamentaria, ordenanza o similar de cualquier entidad local, deberá de intervenir necesariamente el Pleno, puesto que en él esta residenciada dicha potestad reglamentaria, artículo 22.2.d) para los municipios de régimen común y 33.2.b) para las Diputaciones Provinciales de la LRBRL.

Así en el ámbito de la Administración General del Estado esa autorización corresponde con carácter general al Ministro correspondiente, que es el que forma parte del gobierno en los términos del artículo 97 de la Constitución y en la

---

(21) José Manuel RODRÍGUEZ SANTIAGO. *op. cit.* Pág 376.

acepción recogida por la Ley 50/1997, de 27 de noviembre, del Gobierno. De hecho para los organismos autónomos (artículo 49.2, de la Ley 6/1997, de 14 de abril, de organización y funcionamiento de la Administración General del Estado) y entidades públicas empresariales artículo 57.2 de la LOFAGE, es necesario la autorización del titular del Ministerio a que estén adscritas dichas entidades antes de la celebración de los convenios, a partir de la cuantía que exceda de lo previamente dispuesto por el propio Ministro, en el supuesto de los organismos autónomos y en cualquier caso, en idéntica situación para las entidades públicas empresariales.

Este régimen de autorización debe ser diferenciado del de mera comunicación, esto es, la autorización es un requisito previo que exige de un singular acto administrativo para proceder a la consecución del convenio, sin el cual se incurriría en nulidad de pleno derecho, conforme al artículo 62 de la LRJAPC, mientras que por otra parte, las comunicaciones de los convenios, como por ejemplo se recogen en el artículo 8.2 de la LRJAPC, que indica «tanto los convenios de competencia sectorial, como los convenios de colaboración serán comunicados al Senado», simplemente es un requisito de perfeccionamiento que en caso de incumplimiento, supondrá tan sólo la anulabilidad del acto aprobatorio y del convenio en sí mismo, conforme al artículo 63 de la LRJAPC.

Así el artículo 6.º de la LRJAPC, no establece órgano específico alguno en el seno de la Administración General del Estado, por lo que la existencia o no de autorización como señalábamos anteriormente deberá referirse a las diversas normas legales o reglamentarias determinadoras o reguladoras de los diferentes tipos de convenios y sus materias.

Así el acuerdo de Consejo de Ministros, sobre convenios de colaboración entre la Administración del Estado y las Comunidades Autónomas, anteriormente reflejado establece en su punto 1.º, un régimen general de autorización que corresponderá antes de la suscripción de los suscitados convenios, tanto para los Departamentos Ministeriales, como para los organismos autónomos y entidades gestoras de la Seguridad Social, a la Comisión Delegada del Gobierno para política autonómica.

En aquellos supuestos de convenios que fueran de suscripción generalizada con varias comunidades autónomas, éstos deben someterse antes de suscripción y autorización a informe de la Comisión, a través de la Secretaría de Estado para las Administraciones Territoriales, por su parte el punto 7.º de dicho acuerdo señala que no requieren de autorización de dicha comisión delegada la suscripción de convenios que se ajusten a un modelo informado previamente por dicha comisión, como igualmente a un programa previamente aprobado por ella y, en segundo lugar, los acuerdos de prórroga de convenios ya suscritos, que no se hallan extinguido formalmente por el transcurso del plazo, en cuyo caso si requerirán de autorización previa, así como aquellas modificaciones sustanciales o variaciones de los referidos convenios.

En el resto de los convenios a suscribir por la Administración General del Estado, entendemos que, tal y como se indicará posteriormente en cuanto al órgano competente para la suscripción, no será necesaria sino en los supuestos de autorización previa a las Cortes Generales, por modificaciones de crédito presupuestarias anteriormente señaladas, otra autorización que la requerida para efectos financieros o presupuestarios, o de convenio de colaboración con las Comunidades Autónomas, puesto que, en la cantidad restante de tipologías de convenios, con sujetos distintos, simplemente la competencia de autorizaciones y suscripciones estarán residenciadas en el mismo órgano, esto es, el Ministro, que para el caso de las entidades integrantes de la administración institucional, será órgano de autorización y para los de la propia Administración General del Estado será órgano de autorización y suscripción.

Por lo que respecta a las Comunidades Autónomas, debemos distinguir en cuanto al régimen de autorización entre los convenios de colaboración a que hace referencia el texto Constitucional y que tienen su reflejo estatutario en la mayor parte de las normas institucionales básicas de las citadas CC.AA., y por otra parte, los convenios de colaboración interadministrativos con otros niveles, regulados en las leyes de gobierno de la Administración, o leyes de régimen jurídico de las administraciones públicas de las diferentes Comunidades Autónomas.

Así en esta materia, (convenios de colaboración con las Comunidades Autónomas) podemos destacar, por ejemplo, la redacción establecida por el régimen jurídico de las Islas Canarias, que en el artículo 39 de la Ley Orgánica 10/1982, de 10 de agosto, de Estatuto de Autonomía de dicho archipiélago, distingue entre acuerdos de gestión y prestación de servicios propios correspondientes con materias de competencia exclusiva a la Comunidad Autónoma, debiendo los citados convenios de colaboración ser aprobados por el Parlamento Canario y comunicados a las Cortes, y por otra parte, los acuerdos de cooperación con otras Comunidades Autónomas, que requieren previa autorización de las Cortes Generales, circunstancia ésta, expresamente prevista por el artículo 20.f) de la Ley 1/ 1983, de 14 de abril, de Gobierno y Administración Pública de las Islas.

Idéntica redacción, más o menos, tiene el artículo 31 del Estatuto de Autonomía de Cantabria, aprobado por Ley Orgánica 8/1981, de 30 de diciembre, tras la reforma operada por la Ley Orgánica 11/1998, de 20 de diciembre, circunstancia ésta, desarrollada por el artículo 19.j) de la Ley 2/1997, de 28 de abril, de Régimen Jurídico del Gobierno y de la Administración Cántabra.

Una redacción más perfeccionada es la que se deriva del actual texto del artículo 14 del Estatuto de Autonomía de La Rioja, aprobado por Ley Orgánica 3/1982, de 9 de junio, en la redacción otorgada por la Ley Orgánica 2/1999, de 7 de enero, que distingue la posibilidad de celebrar convenios por parte de dicha comunidad con otras comunidades, o territorios de régimen foral, para la gestión y prestación de los servicios propios de su competencia, en los términos del artículo 145.2 de la

Constitución, y conforme al procedimiento que se apruebe por el Parlamento de La Rioja. Dichos convenios, una vez aprobados se deben comunicar por el Parlamento a las Cortes Generales, y entrarán en vigor en los términos que ellos establezcan, transcurridos treinta días desde la recepción de la comunicación en las Cortes, salvo que éstas manifestaran reparo, en caso contrario, se deberán tramitar como convenio de cooperación con Comunidades Autónomas o Entidades Territoriales previa autorización de las Cortes, en dicha Comunidad Autónoma.

Todos los convenios o acuerdos de cooperación que suscriba el Gobierno de La Rioja con otras Comunidades Autónomas, requieren antes de su formalización, la aprobación y autorización del Parlamento de La Rioja, por lo tanto, en dicha Comunidad Autónoma cualquier convenio interautonómico, requiere de una previa autorización del Parlamento Riojano, y en su caso, de las Cortes Generales en los términos del artículo 145.2 de la Carta Magna, en el resto de los convenios de colaboración, esto es aquellos que no son suscitados como convenios de cooperación, regirá la regla general determinada por la Ley de Gobierno de Administración de autorización del Consejo de Gobierno, o en su caso, previa delegación en el Consejero correspondiente, que será el Consejero competente en cada una de las materias objeto de los convenios, aunque generalmente nos encontramos con una autorización de carácter contractual, en tanto en cuanto, se siguen las reglas del TRLCSP, y así el artículo 25, apartado o), de la Ley Asturiana 6/1984, de 5 de julio, del Presidente del Consejo de Gobierno de dicha Comunidad Autónoma, que atribuye al Consejo de Gobierno la autorización de la suscripción de contratos, cuando su cuantía exceda de la cantidad fijada como atribución del Consejero, o cuando ésta fuese indeterminada, o bien tenga un plazo de ejecución superior a un año, y además hallan de comprometerse fondos públicos de futuros ejercicios presupuestarios.

En el caso de las Islas Baleares, el artículo 19, apartado 11 de la Ley 4/2001, de 14 de marzo, del Gobierno de las Illes Balears, establece como competencia del Consejo de Gobierno la autorización de la firma de convenios y acuerdos de colaboración y cooperación, tanto con el Estado, como con las demás Comunidades Autónomas, por lo que habremos diferenciar en base a dicho precepto legal y en general a la estructura administrativa de las diferentes Comunidades Autónomas, la competencia para autorizar convenios a suscribir con otras Comunidades Autónomas y con la Administración General del Estado, que corresponderán en líneas generales y sin perjuicio de las peculiaridades legislativas de las diferentes Comunidades Autónomas a los Consejos de Gobierno de éstas, y los convenios a suscribir con las Entidades Locales que requerirán simplemente, en su caso, de aprobación del Consejero correspondiente o singularmente autorización por parte del Consejo de Gobierno.

El régimen de autorización para las Entidades integrantes de la administración institucional autonómica, sigue sustancialmente las determinaciones referidas en la LOFAGE, para la Administración General del Estado, esto es, autorización previa del titular de la Consejería al que estén adscritas en el ámbito de la Administración Autonómica dichos organismos públicos.

En el ámbito específico de la Administración Local, y sin perjuicio de la distinción anteriormente relatada, sobre municipios de gran población y municipios de régimen común, debemos señalar que, la competencia para autorizar el convenio, en principio, no está atribuida específicamente a ningún órgano, por lo que, en virtud de las funciones residuales, recogidas en el artículo 21.1.s) de la citada LRBRL, se entenderán otorgadas al Alcalde, no obstante, debemos destacar que el artículo 22, apartado 2.n) de la citada ley atribuye al Pleno las contrataciones y concesiones de toda clase, cuando su importe supere el 10 % de los recursos ordinarios del presupuesto y en cualquier caso los mil millones de pesetas, así como los contratos y concesiones plurianuales cuando su duración sea superior al año a cuatro años, y los plurianuales de menor duración cuando el importe acumulado de todas sus anualidades superara el 10 % anteriormente indicado, referido a los recursos señalados del presupuesto del primer ejercicio y, en todo caso, cuando fuera superior a los ya indicados antiguos mil millones de pesetas, equivalentes en la actualidad a unos seis millones de euros.

Esta competencia se ve complementada por la determinación del artículo 23.1.c) de Texto Refundido de las Disposiciones Legales Vigente en materia de Régimen Local, aprobado por Real Decreto Legislativo 781/1986, de 18 de abril, que atribuye al Pleno la contratación de obras, servicios y suministros, cuya duración exceda de un año o exija créditos superiores a los consignados en el prepuesto anual.

E) Comunicación de la autorización

Precedido en su caso, en los supuestos en que exista necesidad de autorización de ésta, debemos encontrarnos en el procedimiento para la suscripción de convenios interadministrativos con otra posible disposición necesaria, para el perfeccionamiento de los referidos convenios, tal y como hemos estudiado en el apartado anterior, que es, en el caso de que sea necesario la comunicación del contenido del dicho convenio a un órgano o entidad específica, para los efectos de su conocimiento y manifestación al efecto de su conformidad.

La regla general es en el supuesto de que no exista disposición específica en contrario, la del silencio positivo en los casos en que no exista contestación por parte del órgano o entidad a la cual se le comunica el convenio.

De hecho el artículo 83.4 de Ley 30/1992, recoge que si el informe debiera ser emitido por una Administración Pública distinta a la que tramita el procedimiento en orden a expresar el punto de vista correspondiente a sus competencias respectivas, y trascurrido el plazo sin que aquél se hubiera evacuado, se podrán proseguir las actuaciones. Señalando de igual forma que el Informe emitido fuera de plazo podrá no ser tenido en cuenta al adoptar la correspondiente resolución.

Por tanto, en cuanto a la comunicación deberemos de tener en cuenta, junto a la existencia o no de ésta, en las diversas normas procedimentales sustantivas de las correspondientes Comunidades Autónomas, que así lo establecieran, o en la norma procedimental específica de la Administración General del Estado, además del hecho de que ésta se produzcan los efectos de la falta de correspondencia o notificación de conformidad por parte del órgano que se ha comunicado el convenio, en tanto en cuanto, que el carácter general se da en el silencio positivo por la falta de contestación.

Los plazos en que se debe producir dicha comunicación son diversos, como hemos visto en el caso de la Rioja, este se establece en treinta días para las Cortes Generales, así, por ejemplo, de igual forma en el artículo 40 del Estatuto de Autonomía de Castilla-La Mancha, aprobado por Ley Orgánica 9/1982, de 10 agosto, establece dicho plazo de treinta días para manifestar reparos desde la redacción del convenio. Igualmente el artículo 31 del Estatuto de Autonomía de la Comunidad de Madrid, recoge en su apartado 1, dicha comunicación a las Cortes, con idéntica redacción a la anteriormente relatado Estatuto de Autonomía de Castilla-La Mancha.

F) Suscripción del convenio

Una vez que el convenio ha sido redactado, negociado, informado, autorizado y en su caso, comunicado, el siguiente paso para la formalización de éste es la correspondiente suscripción, en este supuesto, de no diferenciar nuevamente la competencia para suscribir, esto es, formalizar el convenio mediante la correspondiente firma que obligue a la Administración correspondiente de la facultad autorizatoria, puesto que en algunos de los supuestos que hemos visto en el ámbito de la Administración General del Estado, pudiera coincidir la competencia de autorización y suscripción, mientras que en el caso de las Comunidades Autónomas y de las Entidades Locales las competencias de autorización y suscripción generalmente están atribuidas a órganos distintos, esto es, como el caso de las Islas Canarias y la Comunidad Valenciana, artículos 16 de la Ley de Régimen Jurídico de sus Administraciones Públicas en Canarias, y 42 en el caso de la Ley de Gobierno de la Administración de la citada Comunidad Valenciana donde corresponde al Gobierno la autorización, mientras que la formalización corresponde en ambos casos a los respectivos Consejeros, a excepción de los convenios de colaboración con Comunidades Autónomas que por regla general los Estatutos y Leyes de Gobierno de la Administración, atribuyen expresamente al Presidente de la Comunidad Autónoma.

Por lo que respecta a las Entidades Locales la competencia para formalizar le corresponde con carácter general al Alcalde-Presidente, en tanto en cuanto, el artículo 21 de la LRBRL, para los municipios de régimen común, y el 124, para los municipios de régimen especial, confieren dicha capacidad de representación al máximo órgano de estas entidades, esto es, el referido Alcalde, y por tanto compitiéndole a él la suscripción de los convenios.

Alguna legislación autonómica, como es el caso de la Ley de Administración Local de la Comunidad de Madrid 2/2003, de 11 de marzo, confiere expresamente la capacidad para suscribir convenios a los Alcaldes, en su artículo 30, quedando el resto de las disposiciones referidas a los pactos y acuerdos que hablábamos en el artículo 111, del TRRL, o con carácter general de los contratos y convenciones.

Por lo que se refiere al resto de las Entidades Locales las Diputaciones Provinciales siguen la misma regla y en general las Entidades Locales creadas por Comunidades Autónomas, como pueden ser Comarcas y Áreas Metropolitanas, atribuyen también dicha competencias al máximo órgano unipersonal de representación de dichas entidades, ya sea el Presidente del Consejo Comarcal o del Área Metropolitana, y con carácter tradicional los Estatutos de las Mancomunidades de Municipios, así lo reflejan para el presidente de éstas.

En el ámbito de la Administración General del Estado, el artículo 13.3 de la Ley de Organización y Funcionamiento de dicha Administración (LOFAGE), atribuye dicha competencia de representación a cada uno de los Ministros, tanto en su condición de órgano de contratación, como de órgano representación, circunstancia esta, que pese alguna duda en cuanto a la dicción literal del artículo 6.1 LRJAPC (22), es igual para todo tipo de convenios, en tanto en cuanto, el punto 8.º del acuerdo de Consejo de Ministros, de 2 de marzo de 1990, le atribuye igualmente dicha competencia a este órgano. De hecho por acuerdo de Consejo de Ministros, de 21 de julio de 1995 (BOE 4 de agosto de dicho año) se resolvió delegar en los titulares de los departamentos ministeriales y los máximos órganos de las entidades de derecho público, con personalidad jurídica propia vinculados a la Administración General del Estado la competencia para celebrar convenios de colaboración con las Comunidades Autónomas que se tramitaran con arreglo al acuerdo de dicho Consejo de Ministros, de 2 de marzo de 1990.

No obstante, el artículo 13.3 de la LOFAGE, incide al atribuir la competencia a los Ministros de celebración de convenios, salvo que estos últimos correspondan al Consejo de Ministros, circunstancia ésta, que debe entenderse para el aspecto de la competencia genérica o de autorización, y a nuestros juicio no para la mera firma o rubrica y representación.

Por lo que se refiere a las diferentes Comunidades Autónomas, debemos señalar que, por ejemplo, en Aragón el Decreto Legislativo 2/2001, de 3 de julio, por el cual se aprueba el Texto refundido de la Administración de la Comunidad Autónoma de Aragón, atribuye a los organismos públicos, y en concreto a los organismos autónomos, un régimen específico de contratación que corresponde fijar a los titulares de los departamentos autonómicos que se hallan adscritos en la cuantía para la cual sea necesaria autorización para la celebración de contratos y tendremos que entender en general de convenios.

Así el artículo 38.n) de la Ley 6/1984, de 5 de julio, del Presidente y del Consejo de Gobierno del Principado de Asturias, atribuye al Consejero la contratación

---

(22) Al respecto *vid.* José María Rodríguez Santiago. *op. cit.* Pág. 380.

de obras, servicios, suministros relativos a materia de su Consejería, previa la autorización cuando legalmente corresponde al Consejo de Gobierno, así como firmar las escrituras públicas o documento administrativo según proceda en relación a dicha contratación, regla que sigue, por ejemplo, el artículo 36.j) de la Ley 1/2002, de 28 de febrero, extremeña de Gobierno y Administración de dicha Comunidad Autónoma.

Ahora bien, dicha competencia general contractual y convencional de los Consejeros en las Comunidades Autónomas, debe dejar al margen el aspecto específico anteriormente relatado en los convenios de colaboración con otras comunidades autónomas, puesto que, en el caso ya señalado de Extremadura el artículo 11.b) de la ley 1/2002, atribuye al Presidente de la Comunidad la suscripción de convenios de colaboración y acuerdos de cooperación con otras Comunidades Autónomas.

La firma del convenio normalmente se produce con carácter formal en un acto específico y supone la manifestación del consentimiento de la entidad administrativa correspondiente mediante dicha actuación. En dicho acto de firma el documento formal sobre el cual ésta recae, deberá de tener en los supuestos que sean necesarios los requisitos recogidos en el artículo 6.2 de la LRJAPC, esto es competencia de órganos que celebran el convenio y capacidad jurídica con la que actúa cada una de las partes con carácter fundamental a los efectos de dicha firma, y luego sustancialmente y si fuera necesario financiación, actuaciones que se acuerden a desarrollar para el cumplimiento de los fines, en el supuesto de establecer una organización específica y plazo de vigencia y extinción por causa distinta a lo previsto en el propio convenio.

Una vez firmado el convenio y obligadas las partes, el último aspecto que nos preocupa es, si es necesario o no, la publicación del convenio como actuación de las administraciones públicas, puesto que, si nos encontramos ante un acuerdo privado, no sería necesario, pero recordemos que nos encontramos ante un convenio interadministrativo, así de forma expresa el artículo 8 de la LRJAPC, obliga a que los convenios celebrados en conferencia sectorial, esto es, entre las diversas Comunidades Autónomas y la Administración General del Estado, y los convenios de colaboración que se celebren entre la Administración General del Estado y las Comunidades Autónomas se publiquen en el Boletín Oficial del Estado y en el Diario Oficial de cada una de las Comunidades Autónomas respectivas que lo hayan suscrito.

Con respecto a las relaciones convencionales entre Comunidades Autónomas y Entidades Locales, deberemos de ajustarnos a las diversas legislaciones de las primeras, puesto que, por ejemplo, el artículo 46.5 de la Ley 3/1995, de 8 de marzo de Gobierno y Administración Pública de La Rioja, establece que estos deberán ser inscritos en un registro administrativo especial y hacerse públicos a través del Boletín Oficial de La Rioja, y comunicándose en todo caso, a la Diputación General de La Rioja.

Con dichas circunstancias se concluye el procedimiento y el convenio correspondiente empieza a surtir sus efectos (23).

4. RÉGIMEN JURÍDICO Y FÓRMULAS ORGANIZATIVAS

Obviamente todos los convenios que se vengan a suscribir al amparo de las determinaciones de la Ley 8/2013, tienen en virtud de la determinación del apartado 2, del art. 19 un carácter jurídico-administrativo, incluso para aquellos suscritos con Comunidades de propietarios, siendo tan solo enjuiciables en los términos de la Ley 29/1998, reguladora de la jurisdicción contencioso-administrativa. Por otra parte debe reservarse la distinción entre Ente gestor responsable, que será el que realice las actuaciones concretas (contratos de obras, formulación de planeamientos, etc.) y el resto de intervinientes correspondiendo en buena lógica dicho papel a los municipios, pero no olvidando las importantes capacidades de las CC.AA.

Por lo que se refiere a las fórmulas instrumentales para articular los convenios la ley cita a los consorcios y a las sociedades mercantiles mixtas.

Una de las posibilidades organizativas de ejecución de los convenios es la de los Consorcios. Esta figura de origen y carácter eminentemente local, previsto en la actualidad por los artículos 57 y 87 de la LRBRL, tal y como se ha encargado de demostrar entre nosotros los Profesores MARTÍN MATEO y LÓPEZ-MUÑIZ (24), también tiene sus regulaciones estatal y autonómica aplicándose el régimen jurídico de la entidad mayoritaria, aunque podría afirmarse su dependencia por *ratione materiae* de las CCAA, al encontrarnos ante convenios urbanísticos al fin y al cabo.

Los Consorcios tienen un carácter claramente institucional y su vocación es la temporalidad para realizar determinadas actividades tales como obras, gestión de eventos, etc., de hecho su éxito como figura de gestión interadministrativa, siendo esta circunstancia de participación de diversas Entidades de naturaleza administrativa en una organización específica su principal característica, ha propiciado su extensión al campo general de todas las Administraciones Públicas, a través de la incorporación de dicha figura en la LRJAPC 30/1992, de 26 de noviembre.

La única singularidad específica de los Consorcios de naturaleza local sobre el resto de figuras consorciales es la posibilidad de que en el ámbito local se incorporen entidades privadas de carácter no lucrativo (fundaciones y asociaciones principalmente), lo cual no está previsto en la regulación de la LRJAPC.

---

(23) Fernando GARCÍA RUBIO «Procedimiento de suscripción de convenios interadministrativos» revista *Actualidad Administrativa*, n.º 11, 2007, págs. 1379-1402.

(24) Ramón MARTÍN MATEO, *Entes locales complejos* Trivium, 1987 y José Luis MARTÍNEZ LÓPEZ-MUÑIZ *Los consorcios en el derecho español. (Análisis de su naturaleza jurídica)*. Instituto de Estudios de Administración Local, Madrid, 1974.

De hecho la naturaleza de los Consorcios suele equipararse a la denominada Administración-misión, esto es las organizaciones interadministrativas temporales creadas para la organización de los juegos olímpicos de Barcelona 1992, la capitalidad cultural europea de Madrid en dicho año o con fines más domésticos el denominado pasillo verde ferroviario para el enterramiento de las líneas férreas en el centro de Madrid, siendo fundamentalmente, como destaca Nieto Garrido, un instrumento de cooperación administrativa (25).

Una utilización específica de la figura consorcial se realiza a través de la gestión urbanística, que para acelerar las relaciones interadministrativas, fundamentalmente entre Ayuntamientos y Comunidades Autónomas, pero también cuando es propietario de suelo la AGE, se configura como un modelo mixto de organización y gestión, generando especificidades consagradas en las respectivas leyes urbanísticas y en especial en la Comunidad de Madrid, donde la Ley 9/2001, de 17 de julio, del Suelo, ha venido ha dar carta de naturaleza jurídica a dichas instituciones ya muy usadas en la práctica habitual de dicha Comunidad; recuérdese en esa línea la denominada *«Operación Chamartín»* o los Consorcios Getafe Norte, *«Espartales»* de Alcalá de Henares, El Consorcio de Bomberos de Valencia, etc.).

Tradicionalmente se ha planteado que los consorcios tienen como características frente a otras figuras como las mancomunidades, la agrupación o conjunción de Administraciones de diversos niveles territoriales y así por ejemplo lo indica Gómez-Acebo (26), no obstante más recientemente la vía práctica y otras opiniones (27) han supuesto que se puedan constituir entes consorciales entre Ayuntamientos, sin que sea necesaria la participación de Diputaciones, Comunidades Autónomas o la Administración General del Estado.

Igualmente debemos destacar que el Consorcio es una organización creada para gestionar un previo acuerdo de voluntades de diversas Administraciones Públicas, por lo que, a diferencia de otras entidades, su propia creación se inspira en el acuerdo y la cooperación, además de la consecución de un fin concreto, siendo los estatutos la norma reguladora que configurará los órganos de gestión, los recursos a aportar, etc.

Este carácter facilitador no obsta para con carácter tradicional que, exceptuados los Consorcios urbanísticos el uso de estas figuras se reserve para grandes

---

(25) Eva Nieto Garrido «El consorcio como instrumento de cooperación administrativa» Págs. 327 a 361 de *REALA* núm. 270 (Abril-Junio 1996) MAP-INAP.

(26) Así Francisco Javier Gómez-Acebo Sáenz de Heredia, «Servicios públicos locales. Algunos aspectos financieros», págs. 323 a 341 del *El derecho local en la doctrina del Consejo de Estado* obra colectiva coordinada por Jerónimo Arozamena Sierra, Consejo de Estado-Boletín Oficial del Estado, 2002, y en concreto pág. 326.

(27) Juan Francisco Parra Muñoz «¿Puede constituirse un Consorcio con entes de la misma naturaleza y clase solamente?» *El Consultor de los Ayuntamientos y de los Juzgados* n.º 17, Quincena 15-29 Sep. 2002, Ref.º 2820/2002, págs. 2820 y siguientes.

acontecimientos u operaciones que por su envergadura técnica, económica o política no puedan o no deban abordarse desde una sola Administración; o para dar el realce necesario a la actuación y la máxima eficacia de la actuación de las Administraciones Públicas con competencias concurrentes en la materia se acuerde crear un Ente único de gestión para dar la máxima agilidad al proyecto.

No obstante hoy en día podemos señalar que la institución consorcial se esta generalizando como instrumento de gestión permanente tanto en la vertiente teórica de auxilio o cooperación de administraciones territoriales de mayor tamaño con los pequeños municipios o entidades de escasos medios, como especialmente como fórmula de cooperación forzosa entre municipios, incluso de gran tamaño, y Comunidades Autónomas y así por ejemplo los consorcios instituidos por la Ley catalana 22/1998, de 30 de diciembre, reguladora de la Carta Municipal de Barcelona, para transportes urbanos de viajeros (art. 90), vivienda (art. 85), etc.

En esa línea podemos destacar la existencia de consorcios tan atípicos como el Instituto Ferial de Madrid (IFEMA) o la Casa de América en la ciudad de Madrid (28).

Podemos concluir, en cuanto a los Consorcios, que conforme a su actual regulación legal son, en líneas generales, plenamente complementarios, y en algunos casos necesarios, con las comarcas por lo que su uso y creación no dificulta en ningún caso el establecimiento de una organización comarcal ni en las Comunidades Autónomas pluriprovinciales, ni en las de carácter uniprovincial, siendo por tanto la organización administrativa local de segundo grado de todas las que hemos analizado que menos problemas plantea a la hora de la implantación de un sistema comarcal, aunque también es cierto que al no estar ubicado en los supuestos del artículo 4.º.2 de la LRBRL, ni de los artículos 42 a 45 de dicha norma, no puede configurarse en ningún supuesto como Administración Pública territorial ni gozar de potestades, con lo que su ámbito de competencia con las Comarcas siempre será menor.

De hecho en muchos ámbitos se les ha negado el carácter de Administración Pública que tan sólo ha quedado claro tras la extensión que de los preceptos de la legislación de contratos, mediante la Ley 53/1999 para los referidos Consorcios y hoy el TRLCSP.

Pero tras unos primeros momentos de dudas sobre la naturaleza jurídica de los consorcios, debemos afirmar claramente su carácter administrativo y específicamente local y para ello debemos poner de manifiesto la obligación de crear un puesto de secretaría reservado a un funcionario con habilitación de carácter

---

(28)   Sobre la naturaleza jurídica de este último véase el Informe «Naturaleza jurídica del Consorcio Casa de América» en págs. 151 a 153 de *Estudios e informes de la Secretaría General. Año 1995* Ayuntamiento de Madrid, Primera Tenencia de Alcaldía, 1996.

nacional (29), salvo que les fuera de aplicación el régimen jurídico estatal o de las CC.AA. respectivas m que en el ámbito de los convenios de rehabilitación por el origen de los fondos será lo más común.

Por otra parte la otra modalidad organizativa para la gestión de los convenios prevista por la Ley 8/2013 es la de las empresas mixtas.

Hay que ubicar a las sociedades mercantiles de carácter mixto; esto es, con participación privada, ya sean municipales o de otras administraciones públicas, dentro de las denominadas fórmulas de colaboración público-privada incentivadas desde la Comisión Europea tras su informe «Comunicación interpretativa de la Comisión relativa a la aplicación del derecho comunitario en materia de contratación pública y concesiones a la colaboración publico-privada institucionalizada (CPPI) (2008/C91/02)», que plantean una referencia en cuanto al marco de colaboración entre el sector público y el sector privado a los efectos de solventar fines de interés general, circunstancia esta que deriva a su vez del libro verde de la Comisión de 30 de abril de 2004 referente a las diversas formas de colaboración entre las autoridades públicas y el mundo empresarial, cuyo objeto es lógicamente la financiación para los efectos de la construcción, renovación, gestión o mantenimiento de una infraestructura o para la prestación de servicios (30).

En ese sentido por tanto el marco europeo viene a reforzar la existencia de una legislación nacional de carácter básico estatal tanto en la propia Ley reguladora de las Bases del Régimen Local, como en la Ley de contratos del sector público, de las diversas comunidades autónomas y la práctica institucionalizada de ámbito histórico en el aspecto de las entidades locales a los efectos de la consagración de dichas fórmulas de colaboración.

Así para la configuración de cualquier sociedad de economía mixta, debemos con carácter previo por otra parte distinguir desde un punto de vista administrativo dos tipos de participaciones societarias en dicho sentido: las participaciones societarias en empresas o sociedades destinadas a la gestión de servicios públicos y las meras participaciones empresariales en cualquier tipo de actividad económica, conforme a la habilitación recogida para la administración en el artículo 128 de la Constitución, de ejercicio de la actividad pública económica, que a su vez está expresamente prevista en el Texto Refundido de las disposiciones legales en materia

---

(29) En ese sentido se pronuncia la jurisprudencia mayoritaria y así la STS de 30 de abril de 1999, 3 de noviembre de 1997, al respecto véase Amparo Kominckx Frasquet (Coordinadora) *Gestión Local* Aranzadi (Personal), Boletín 1, año 2002, Págs. 4 a 7.

(30) * Este trabajo tiene su origen en la intervención de Fernando García Rubio en la mesa redonda del curso Administración y gestión del patrimonio público, de la UIMP-AVS en Sevilla el 28 de septiembre de 2011.

     A este respecto se puede consultar el citado libro verde en http:// eurolex.europa.eu/Lexurisevuriu /site/es/com/2004/com2004-0327 es0.PDF

de régimen local, aprobado por Real Decreto legislativo 781/1986, de 18 de abril, para las entidades locales.

Cabe señalar a los efectos de precisar el concepto de empresa mixta que en la STS de 22 de abril de 2005, queda claro que la LRBRL conceptúa como gestión directa cuando el capital de la sociedad pertenece íntegramente a la entidad local y como gestión indirecta cuando el ente local ostenta una participación parcial y así que:

> «Los supuestos de sociedades de economía mixta reúnen capital público y capital privado constituyendo uno de los típicos entes instrumentales que atienden a la necesidad de las administraciones de trasladar a otros sujetos el ejercicio de competencias que satisfagan adecuadamente las necesidades colectivas de interés general. De entrada la participación de la administración en el capital social en una determinada proporción compartiendo la gestión ha de calificarse necesariamente como gestión indirecta al no acreditarse que en tal caso exista un control de la administración como pudiera ser la fiscalización e inspección contable, la aprobación por el ente local de su programa de actuación, financiación e inversiones».

Esa distinción lógica tiene un importante aspecto procedimental y de fondo puesto que dada la capacidad libre de constitución y participación de sociedades mercantiles por parte de las Entidades Locales, que entendemos nosotros en base al artículo 38 de la Constitución, aunque el artículo 96 del Texto Refundido de Régimen Local, pueden en relación con esta colaboración publico-privada en materia de servicios públicos locales, concretamente establecer un marco de cooperación que debe precisarse en relación con diversas tipologías aplicables y así tal y como afirma GUIMERANCE RUBIO (31)que cuando un proyecto se gestiona mediante una colaboración público-privada, no significa que sea un ámbito privado puesto que sigue siendo un proyecto público que va mucho más allá de la mera obtención rápida de unos ingreso privados para las arcas públicas, mediante la enajenación de activos o al externalización de servicios, puesto que mediante dicha colaboración no se produce una reducción de la responsabilidad pública sobre el proyecto o el servicio, adicionamos nosotros, sino que como es lógico y al mantenerse como fórmula de gestión de servicios públicos en los supuestos de las fórmulas gestoras, implica una lógica presencia activa del socio público que tiene un carácter esencial en opinión del citado autor, desde el momento inicial, durante su funcionamiento y hasta la finalización, tras los cuales, recuérdese, el propio servicio y las infraestructuras que se hubieran realizado para la prestación de ese servicio, revertirían al ámbito público.

---

(31) Juan M. GUIMERANCE RUBIO. «Las colaboraciones público-privadas en los servicios públicos locales. El estado de la cuestión en España». Pag. 73 a 85 de *Revista de estudios locales*, número extraordinario de julio de 2007, «los servicios públicos locales» y en concreto pags. 75-76.

Así estas formas de colaboración entre el sector público y privado, se concretan en el contrato actual de colaboración público-privado previsto en el TRLCSP, en las concesiones de obras públicas también previstas en la citada norma básica de contratación pública y en las sociedades de economía mixta, así como lógicamente en las clásicas concesiones de gestión de servicio público, existiendo cuatro modalidades por parte de colaboración público-privada en el marco de nuestro ordenamiento positivo.

Una primera cuestión a tener en cuenta en cuanto a la forma de las sociedades de economía mixta previstas en la legislación de régimen local es la formula jurídica que deben de adoptar, y en ese sentido partiendo de estudios clásicos como el de Pérez Moreno (32). Y teniendo en cuenta la doctrina más reciente (33)entendemos que las entidades locales pueden participar y constituir sociedades bajo las diversas fórmulas de sociedad que establezca un límite a la responsabilidad y no pudiendo por tanto contraer o suscribir participaciones de sociedades de carácter civil o de carácter comanditario, circunscribiéndose por tanto su ámbito en cuanto a la capacidad para participar en sociedades a las sociedades de capital previstas en el Real Decreto Legislativo 1/2010, de 2 de julio, por el que se aprueba el texto refundido de la Ley de Sociedades de Capital, las sociedades anónimas deportivas reguladas por la Ley 10/1990, del Deporte (34) y las sociedades laborales y las sociedades cooperativas.

Cabe recordar que tal y como hemos apuntado con anterioridad para la creación de cualquier sociedad de economía mixta de ámbito local, debemos por otra parte distinguir desde un punto de vista administrativo dos tipos de participaciones societarias en dicho sentido: las participaciones societarias en empresas o sociedades destinadas a la gestión de servicios públicos y las meras participaciones empresariales en cualquier tipo de actividad económica conforme a la habilitación recogida para la administración en el artículo 128 de la Constitución, de ejercicio de la actividad pública económica, que a su vez está expresamente prevista en el Texto Refundido de las disposiciones legales en materia de régimen local para las entidades locales.

Así en este sentido debemos destacar que el artículo 253.d establece a las sociedades de economía mixta como fórmulas para la gestión de los servicios públicos mediante la fórmula de contratación prevista en el citado artículo de la Ley 30/2007, de 30 de octubre de Contratos del Sector público.

---

(32) Alfonso Pérez Moreno *La forma jurídica de la empresa pública*. Instituto García Oviedo. Sevilla. 1969.

(33) Ramón Martín Mateo «Los servicios locales. Especial referencia a la prestación bajo fórmulas societarias». *Revista de estudios de la Administración local y autonómica*, n.º 255, 256. 1992. Págs. 471 y siguientes y Fernando Prieto González *Las empresas mixtas locales*. Montecorvo. Madrid. 1996. Págs. 103 y ss. Y por otro lado Diana Santiago Iglesias *op cit Las sociedades de economía mixta como forma de gestión de los servicios públicos locales.*

(34) Acerca de este tipo de sociedad.

En primer lugar y partiendo de ese precepto, que lógicamente por el carácter básico y de aplicación en el Reino de España de la Directiva comunitaria 2004/18 CE, vincula a todas las administraciones públicas, el artículo 85 de la LRBRL remite tras su última redacción a dichas fórmulas contractuales a los efectos de la gestión de los servicios públicos de formula indirecta.

En segundo lugar debemos señalar que la participación en las sociedades de economía mixta y por mor de lo indicado en el citado precepto no está reservado tan solo a los ayuntamientos, sino que se posibilita su creación tanto a los efectos de suscribir su capital como de la naturaleza fundacional, a otro tipo de entidades locales supramunicipales como las propias Diputaciones, Mancomunidades, áreas metropolitanas, comarcas o entidades locales de ámbito intermunicipal que establezcan las Comunidades Autónomas, pero por otra parte también para entidades creadas o dependientes de las citadas entidades locales de carácter administrativo o incluso sociedades mercantiles de capital íntegramente municipal como pueden ser los organismos autónomos y las entidades públicas empresariales locales que pueden suscribir acciones de entidades de capital con carácter parcial a los efectos de la constitución de las indicadas sociedades mixtas correspondientes.

Debemos destacar, tal y como señala CUETO PÉREZ (35),que la gestión indirecta queda reservada por el legislador a los servicios de competencia administrativa, siempre que tengan un contenido económico que los haga susceptibles de explotación por empresarios particulares, señalándose una prohibición expresa en relación con el ejercicio de facultades administrativas: «*En ningún caso podrán prestarse por gestión indirecta los servicios que impliquen ejercicio de la autoridad inherente a los poderes públicos*» (art. 151.1). La limitación se perfila por el legislador en los mismos términos que la DA duodécima de la LOFAGE señala para las sociedades mercantiles, por lo que nos encontramos con la misma problemática suscitada en relación con las primeras. En el ámbito local son los arts. 85.3 de la LBRL y 95.1 del TRLRL los que prohíben la gestión indirecta de los servicios que impliquen ejercicio de autoridad, igualmente hay que tener en cuenta lo dispuesto en el art. 15.5 de la Ley 30/1992, donde se excluye de la encomienda de gestión regulada en el precepto, la realización de las actividades objeto de encomienda cuando éstas recaigan sobre personas físicas o jurídicas sujetas a Derecho privado, «*ajustándose entonces, en lo que proceda, a la legislación correspondiente de contratos del Estado, sin que puedan encomendarse a personas o entidades de esta naturaleza actividades, que según la legislación vigente, hayan de realizarse con sujeción al Derecho Administrativo*». Por lo tanto, esta norma de nuevo limita la actuación de los sujetos privados, en este caso de forma más amplia ya que ese refiere a actividades que hayan de realizarse bajo la regulación del Derecho Administrativo (los contratos a los que pueden dar lugar estas encomiendas se aproximan más

---

(35) Miriam CUETO PÉREZ. *Procedimiento administrativo, sujetos privados y funciones públicas*. Thomson-Civitas. 2008. Págs. 112 a 115.

a los contratos de servicios que a los de gestión de servicios públicos, pero también en relación con los mismos la LCSP, limita las actividades que impliquen ejercicio de autoridad inherente a los poderes públicos, art. 277.1). Sin embargo, la realidad pone en entredicho de nuevo la lectura que se hace de este precepto, ya que hoy día son objeto de gestión indirecta servicios públicos que implican el ejercicio de autoridad, al menos desde una concepción clásica del término (la seguridad pública, la inspección, la imposición de sanciones o la gestión o liquidación de tributos...) y esta realidad es la que plantea de nuevo el problema sobre el régimen jurídico al que debe someterse, en este caso, el contratista de la Administración cuando gestione dicho servicio y, sobre todo, cuando surjan relaciones jurídicas entre él y los usuarios del servicio.

Por último, en cuanto al contenido de las prestaciones, al menos en este supuesto está meridianamente claro que el régimen de las mismas es un régimen público. La Ley exige entre las actuaciones preparatorias del contrato de gestión de servicios públicos, el establecimiento de su régimen jurídico, que declare expresamente que la actividad de que se trata queda asumida por la Administración respectiva como propia de la misma, atribuya las competencias administrativas, determine el alcance de las prestaciones a favor de los administrados y regule los aspectos de carácter jurídico, económic9o y administrativo relativos a la prestación del servicio (art. 116). Por tanto, el contratista pasaría a gestionar un servicio previamente delimitado por la Administración (art. 255.1). Además le son de aplicación los principios clásicos que rigen la prestación de servicios públicos como el principio de igualdad, continuidad y mutabilidad. Señala el art. 256 que:

> «El contratista estará sujeto al cumplimiento de las siguientes obligaciones:
>
> a. Prestar el servicio con la continuidad convenida y garantizar a los particulares el derecho a utilizarlo en las condiciones que hayan sido establecidas y mediante el abono, en su caso, de la contraprestación económica comprendida en las tarifas aprobadas.
>
> b. Cuidar del buen orden del servicio, pudiendo dictar las oportunas instrucciones, sin perjuicio de los poderes de policía a los que se refiere el artículo anterior.
>
> c. Indemnizar los daños que se causen a terceros como consecuencia de las operaciones que requiera el desarrollo del servicio, excepto cuando el daño sea producido por causas imputables a la Administración.
>
> d. Respetar el principio de no discriminación por razón de nacionalidad, respecto de las empresas de Estados miembros de la Comunidad Europea o signatarios del Acuerdo sobre Contratación Pública de la Organización Mundial del Comercio, en los contratos de suministro consecuencia del de gestión de servicios públicos.»

La Administración, por su parte, conservará los poderes de policía necesarios para asegurar la buena marcha de los servicios de que se trate (art. 255.2), no puede ser de otra forma porque a ella corresponde la titularidad del servicio, pero a la vez y aunque la Ley de contratos no lo dice,, el contratista se coloca en el lugar que le correspondería a la Administración si fuese ella la que gestionase el servicio de forma directa. En este sentido, se ha señalado por la doctrina que la situación del contratista gestor de servicios públicos es peculiar en relación con la de otros contratistas, ya que de alguna forma ese gestor está inserto en la esfera doméstica u organizativa de la Administración de una forma más intensa que el resto. Prueba de ello es que el art. 184 del Reglamento General de la Ley de contratos de las Administraciones Públicas aprobado por RD 1098/2001, de 12 de octubre, señala que en la concesión administrativa de servicios públicos el órgano de contratación podrá atribuir al concesionario determinadas facultades de policía, sin perjuicio de las generales de inspección y vigilancia que incumban a aquel, siendo revisables los actos que dicte el concesionario en el ejercicio de tales facultades ante la Administración concedente. Igual cláusula se recoge en el art. 126.3 del Reglamento de Servicios de las Corporaciones Locales de 17 de junio de 1955, donde dada la importancia de la gestión indirecta en el ámbito local se establece una detallada regulación del papel del concesionario en los arts. 114-137.

En este tipo de sociedades de economía mixta podemos destacar, tal y como afirma Santiago IGLESIAS (36),dos fases a la hora de la constitución de la propia sociedad de economía mixta en los supuestos de que gestione servicios públicos locales: una primera fase se referirá a la elección de la sociedad de economía mixta como modo de gestión y la lógica selección del socio privado y una segunda fase para la constitución de la sociedad.

Así a la hora de la implantación del servicio y su gestión a través de una sociedad de economía mixta, debe en primer lugar determinarse si el servicio constituye o no el ejercicio de una actividad económica, a los efectos de la aplicación o no, independientemente de la legislación autonómica aplicable que pudiera sustituir a esta normativa, de las determinaciones previstas en el artículo 97 del Texto Refundido de Régimen Local aprobado por Real Decreto Legislativo 781/1986, de 18 de abril, en cuanto al expediente de municipalización correspondiente.

En ese sentido, como es lógico cabe distinguir en este aspecto, entre la implantación primigenia de un servicio o la existencia ya de un servicio en el cual se pretende modificar la fórmula de gestión de éste. En ambos casos se requiere lógicamente la tramitación de un expediente justificativo, en el primero de los supuestos nos encontramos ante el ejercicio de una actividad económica, depen-

---

(36) Diana SANTIAGO IGLESIAS *Las sociedades de economía mixta como forma de gestión de los servicios públicos locales*. Iustel. Biblioteca de derecho municipal 2010. Págs 159 a 236.

derá de si esa actividad está reservada a Entidad Local conforme a las determinaciones del 128.2 de la Constitución en relación con el 86.3 de la LRBRL

Por lo que se refiere a la diversidad de formas jurídicas en relación con la participación accionarial publica debemos recordar que, tal y como indica MONTOYA MARTÍN (37),que el articulo 101 del TRRL establece la posibilidad de sociedad mercantil o cooperativa, recogiendo el artículo 103 RSCL que las empresas mixtas se constituirán mediante escritura pública en cualquiera de las formas previstas por la legislación mercantil, estableciendo por tanto el ordenamiento jurídico un margen de discrecionalidad para la elección de la formula concreta.

Ahora bien el valor de la participación concreta de la entidad local, partiendo lógicamente del principio de mayoría de capital para ser sociedad de economía mixta y no una mera participación empresarial (el 51%) deberá de contener, conforme a lo dispuesto en el articulo 105 del TRRL un valor no inferior al de los bienes o derechos aportados por la entidad local, circunstancia esta que también es aplicable a la compra de participaciones sociales de empresas ya existentes, puesto que conforme al artículo 104.1 RSCL dicha compra debe serlo en proporción suficiente para compartir la gestión social.

En relación con la participación del capital publico, las diversas legislaciones autonómicas establecen cuatro grandes modelos:

a) Un porcentaje mínimo de capital, como es el caso de los artículos 198 de la Ley Foral 6/1990, de 2 de julio de Administración Local de Navarra (con una imposición de un mínimo de 1/3 del capital social) y el artículo 308 de la ley 5/1997 de 22 de julio de Administración Local de Galicia

b) Los modelos que permiten tanto una participación minoritaria como mayoritaria como es el caso de los artículos 235.1 del Decreto legislativo 2/2003, de 28 de abril, por el cual se aprueba el Texto Refundido de la Ley local y de Régimen Municipal de Cataluña y el artículo 216.1 de la Ley 1/2003, de 3 de marzo, de Administración Local de la Rioja.

c) Los modelos que prevén una participación minoritaria del capital publico como es el caso del aragonés en la determinación del artículo 215 de la Ley 7/1999, de 9 de abril de Administración Local de Aragón.

d) Los supuestos en que se remiten a la legislación estatal, tal y como ocurre en el artículo 101.3 de la Ley 2/2003, de 11 de marzo de Administración Local de la Comunidad de Madrid.

---

(37) Encarnación MONTOYA MARTÍN «Gestión de servicios locales a través de empresas municipales y mixtas» cap L de *op cit Tratado de derecho municipal.* Tomo III. Págs. 1921 a 2982 y en concreto pág. 2969.

La valoración del capital aportado tiene una importancia que debe de enlazarse con la creación de la sociedad y en ese sentido tal y como recoge Sosa Wagner (38), siendo posible la creación de ésta, tanto mediante la adquisición por la entidad local de acciones o participaciones de una sociedad ya existente a través de acuerdo con titulares de las acciones, o mediante la compra del paquete accionarial en bolsa.

Por otra parte cabe la expropiación de acciones, lógicamente con las garantías constitucionales y legales.

En tercer lugar cabe la creación mediante la participación de la Corporación Local en a fundación junto a otros sujetos privados, ya sea mediante fundación simultanea o sucesiva.

En ese sentido cabe destacar la posibilidad prevista en el artículo 104.2 del RSCL de incorporación de un concurso de iniciativas que supone una convocatoria en la que los participantes deben formular propuestas con respecto a la cooperación municipal y a la particular en la futura sociedad, fijando el modo de constituir el capital social y la participación que se reserva a la entidad local para la dirección de la sociedad y en sus posibles beneficios o perdidas y demás particularidades que figuren en la convocatoria.

En cuarto lugar debemos destacar la posibilidad prevista por el artículo 104.3 del Reglamento de servicios tal y como ya recuerda el ya citado Sosa Wagner (39), de la suscripción de convenio con empresa única ya existente, en el que se fijara el estatuto por el que debe regirse en lo sucesivo. Siendo discutible la vigencia de este precepto (40) en base a las determinaciones sobre contratación, puesto que realmente el carácter único de la empresa debe de justificarse en los términos del TRLCSP y de la directivas comunitarias en materia de contratación publica como una empresa con la que sea posible tratar directamente por inexistencia o imposibilidad de otras en el sector, puesto que si no nos encontraremos ante una clara elusión de esta normativa utilizando la vía de escape del convenio recogida por el articulo 4.º del Texto refundido de la LCSP.

En quinto lugar nos encontramos con la posibilidad de la conversión de una sociedad mercantil de capital íntegramente público en una sociedad mixta mediante la enajenación de un porcentaje del capital por parte de la Corporación local titular. En ese sentido debemos destacar que dicha enajenación debe regirse por un principio de libre concurrencia y mejor oferta en los términos de las enajenaciones patrimoniales previstas en la Ley 33/2003, de 3 de noviembre, del Patrimonio de

---

(38) Francisco Sosa Wagner *op. cit. La gestión de los servicios públicos locales* Thomsom-Civitas. 8.º edición. 2008. pág. 278.

(39) Francisco Sosa Wagner, *op cit.* pág. 281.

(40) Opinión compartida por Encarnación Montoya *op. cit. Gestión de servicios...* pág. 2973.

las Administraciones Públicas, con un procedimiento previo administrativo que se sustancia en la legislación de contratos.

Las aportaciones en la fundación de una sociedad mixta por parte de la entidad local pueden ser tanto de carácter dinerario como en especie, ya sean bienes, debidamente valorados, fundamentalmente bienes de carácter inmueble o derechos reales, entre los que tiene singular importancia a los efectos de la consideración de las empresas mixtas como entidades gestoras de servicios públicos la concesión como formula de aportación.

Cabe igualmente reseñar que a diferencia de lo que opina Montero Pascual (41) no es el método más frecuente la previa constitución de una sociedad mercantil de capital íntegramente municipal a la que luego se atribuye la gestión directa de un servicio publico para luego licitar el socio privado mediante transmisión de acciones o bien mediante una ampliación de capital.

Debemos por tanto con carácter previo a la configuración como tal de una sociedad de economía mixta realizar por parte de la administración promotora al socio o socios privados, en base a los principios de libre concurrencia, publicidad y mejor oferta y así como elemento ejemplificativo de dicho proceso debemos recordar con la STS de 20 de mayo de 2006, Sala de lo Contencioso-Administrativo, Sección 4.ª, que, resume claramente la doctrina aplicable

En cuanto al procedimiento jurídico-privado una vez seleccionado el socio o socios privados debemos de estar a lo dispuesto a la modalidad concreta societaria elegida por la corporación local y por tanto a la ley de sociedades de capital y a la legislación reguladora de sociedades anónimas laborales.

Aquí cabe señalar en primer lugar el procedimiento de fundación ya sea esta simultanea o sucesiva, conforme a lo dispuesto en el artículo 129 del Reglamento del Registro Mercantil, así como en el articulo 26 de la ley 24/1988, de 28 de julio del Mercado de Valores.

Debemos de diferenciar en la fundación sucesiva entre la redacción de un programa de fundación con comunicación del proyecto de emisión de acciones a la Comisión Nacional del Mercado de Valores y en segundo lugar el deposito del programa y folleto informativo en dicho órgano y en el registro mercantil.

No obstante la opinión mayoritaria en la doctrina sobre la posibilidad de utilizar este procedimiento, lo habitual y práctico dada la escasez de socios es la utilización del procedimiento de fundación simultánea.

---

(41) Juan José Montero Pascual «Servicios públicos Locales» cap X de la obra colectiva *Manual de derecho local.* Iustel 2010. Págs. 420-421.

Por otro lado debemos destacar que el artículo 104.2 del Reglamento de Servicios de las Corporaciones locales establece:

«Las empresas mixtas, previo expediente de municipalización o provincialización, podrán quedar instituidas a través de los procedimientos siguientes:

2. Fundación de la sociedad con intervención de la Corporación y aportación de los capitales privados por alguno de los procedimientos siguientes:

a) Suscripción publica de acciones, o

b) Concurso de iniciativas, en el que se admitan las sugerencias previstas en el párrafo 2 del artículo 176 de la Ley.»

Siendo en opinión de Prieto González (42)la norma que habilita para ambos procedimientos en el ámbito administrativo-local, aun con una terminología distinta de la mercantil.

Por otro lado debemos destacar que como es lógico el acuerdo debe elevarse a escritura pública e inscribirse en el registro mercantil.

Las sociedades mercantiles de carácter mixto deben por su condición de entes integrantes del sector público someterse por tanto en alguna medida a las reglas de la contratación publica establecidas por la citada norma, pero tan solo en los supuestos en que las sociedades cumplan con los requisitos recogidos en el TRLCSP y en la jurisprudencia del Tribunal Superior de Justicia de la Unión Europea; esto es que la administración tenga un control decisivo sobre la sociedad (circunstancia esta que concurre en nuestra opinión al ser la titular de mas de las acciones o participaciones de la sociedad mercantil) y por otro lado y como segundo requisito que dicha sociedad hubiera sido creada específicamente para satisfacer necesidades de interés general que no tengan carácter industrial o mercantil.

En ese sentido debemos recordar la sentencia del Tribunal Superior de Justicia de la Unión Europea de 15 de de mayo de 2003, asunto C-214/00, Comisión de las Comunidades Europeas contra el Reino de España.

---

(42)   Luis Fernando Prieto González *Las empresas mixtas locales*. Montecorvo. Madrid 1996, pág 122.

DISPOSICIONES ADICIONALES

Disposición adicional primera. Información al servicio de las políticas públicas para un medio urbano sostenible.

Para asegurar la obtención, actualización permanente y explotación de la información necesaria para el desarrollo de las políticas y las acciones a que se refieren los artículos 3, 4 y 5, la Administración General del Estado, en colaboración con las Comunidades Autónomas y las Administraciones Locales, definirá y promoverá la aplicación de los criterios y principios básicos que posibiliten, desde la coordinación y complementación con las administraciones competente en la materia, la formación y actualización permanente de un sistema informativo general e integrado, comprensivo, la menos, de los siguientes instrumentos.

Censos de construcciones, edificios, viviendas y locales desocupados y de los precisados de mejora o rehabilitación.

Mapas de ámbitos urbanos deteriorados, obsoletos, desfavorecidos o en dificultades, precisados de regeneración y renovación urbanas, o de actuaciones de rehabilitación edificatoria.

El sistema público general e integrado de información sobre suelo y urbanismo, previsto en la Disposición Adicional Primera del Texto Refundido de la Ley del Suelo, aprobado por Real Decreto Legislativo 2/2008, de 20 de junio, a través del cual los ciudadanos tendrán derecho a obtener por medios electrónicos toda la información urbanística proveniente de las distintas Administraciones, respecto a la ordenación del territorio llevada a cabo por las mismas.

CONCORDANCIAS

— Artículo 3 del Real Decreto 233/2013, de 5 de abril, por el que se regula el Plan Estatal de fomento del alquiler de viviendas, la rehabilitación edificatoria, y la regeneración y la renovación urbanas, 2013-2016.

— Disposición Adicional Sexta del Real Decreto-Ley 8/2011, de 1 de jJulio, de medidas de apoyo a los deudores hipotecarios, de control del gasto público y cancelación de dudas con empresas y autónomos contraídas por las entidades locales, de fomento de la actividad empresarial e impulso de la rehabilitación y de simplificación administrativa.

— Artículo 108 de la Ley 2/2011, de 4 de marzo, de Economía Sostenible.

— Artículo 16 del Real Decreto 2066/2008, de 12 de diciembre, por el que se regula el Plan Estatal de Vivienda y Rehabilitación 2009-2012.

— Artículos 3, 4, 11 y Disposición Adicional Primera del Real Decreto Legislativo 2/2008, de 20 de junio, por el que se aprueba el Texto Refundido de la Ley de Suelo.

JURISPRUDENCIA

— Sentencia del Tribunal de Justicia de la Unión Europea (Gran Sala) de 15 de enero de 2013.

COMENTARIO (1)

Sumario

INFORMACIÓN AL SERVICIO DE LAS POLÍTICAS PÚBLICAS PARA UN MEDIO URBANO SOSTENIBLE

1. Antecedentes y aproximación a la información al servicio de las políticas públicas para un medio urbano sostenible.
2. Breve reseña sobre la finalidad y propósito de la instauración de un sistema informativo general e integrado sobre múltiples materias relativas al sector inmobiliario
3. Aspectos más reseñables de la regulación que de la información al servicio de las políticas públicas para un medio urbano sostenible establece el legislador de la Ley 8/2013, de 26 de junio, de rehabilitación, regeneración y renovación urbanas.

1. ANTECEDENTES Y APROXIMACIÓN A LA INFORMACIÓN AL SERVICIO DE LAS POLÍTICAS PÚBLICAS PARA UN MEDIO URBANO SOSTENIBLE

El Derecho Urbanístico se circunscribe, en gran medida, dentro del Derecho Administrativo y por ello, a nadie debe extrañar, que los múltiples avatares por los que ha pasado este último, también hayan repercutido en aquel. En este sentido la infor-

---

(1) Comentario a cargo de Fernando GARCÍA-MORENO RODRÍGUEZ. Profesor Doctor de Derecho Administrativo en la Facultad de Derecho de la Universidad de Burgos.

mación no ha sido ninguna excepción, Así, es bien conocido que la relación que ha tenido a lo largo de la historia el Derecho Administrativo con aquella, no ha sido precisamente armoniosa, pues ha estado plagada de múltiples altibajos, fruto de las tensiones y tiranteces, unas veces manifiestas y otras latentes, existentes. Las mismas se han producido como consecuencia de la visión que respecto de la información tenía la Administración Pública, a la que consideraba una peligrosa arma que de caer en manos de los administrados, perfectamente, podía volverse contra ella. Tal concepción, afortunadamente, ha ido evolucionando con el pasar de los años —de muchos años— y así, resumiendo mucho aquella, podemos decir que se ha pasado de una opacidad contumaz a una más que aceptable transparencia administrativa(2).

Pues bien, tal evolución, con sus buenos y malos momentos, ha tenido fiel reflejo en el Derecho Urbanístico. Así, la regulación de la información y sobre todo, la efectividad real de la misma, en la Ley de 12 de mayo de 1956, sobre Régimen del Suelo y Ordenación Urbana no tiene parangón posible con la contemplada en el Real Decreto Legislativo 2/2008, de 20 de junio, por el que se aprueba el Texto Refundido de la Ley de Suelo. Se ha ido pasando, así, sucesivamente, de un perfil bajo por lo que a la información urbanística se refiere a uno más que admisible y en cualquier caso, parangonable a nivel europeo. En dicha evolución de la información urbanística, se ha ido pasando, asimismo, según, lógicamente, se iba perfeccionando y ampliando la misma, de una información activa a una información pasiva, es decir, de una información en la que si los ciudadanos querían acceder a algún tipo o clase de documento debían ser ellos quien acudiesen a la correspondiente Administración e hiciesen las gestiones oportunas hasta conseguirle —caso de lograrlo finalmente—, a otra en la que es la propia Administración Pública quien facilita determinada información, e incluso, la divulga a pesar de no haberla solicitado o demandado los ciudadanos. Este último o tipo de información es el exponente máximo de aquella y ni que decir tiene, se ha dado hace no muchos años en el Derecho Urbanístico español.

El momento exacto en el que podemos fijar, con toda propiedad, la instauración de tal hito dentro del Derecho Urbanístico, es en la relativamente reciente Ley 8/2007, de 28 de mayo, de Suelo, la cual, entre otras notables virtudes(3), estableció en su Dis-

---

(2) Véase, para tener una visión panorámica de la relación existente entre las Administraciones Públicas y el derecho de acceso a la información de los ciudadanos a lo largo de la historia, en definitiva, de la tan predicada transparencia administrativa, hoy en día, además, de plena actualidad, el trabajo de GARCÍA-MORENO RODRÍGUEZ, F., «La transparencia administrativa: principio rector, ineludible, del actuar administrativo y garante de los derechos de los ciudadanos. De su aceptable regulación presente a su deseable culminación, siguiendo el paradigma del derecho de acceso a la información en materia medioambiental», en *Fortalecimiento Institucional. Transparencia y accountability para un buen gobierno*, Editores: Juan Emilio Cheyre, Nicolás Cobo, Pedro T Nevado-Batalla y Nicolás Rodríguez, Santiago de Chile, 2011, pág. 239 y ss.

(3) La Ley 8/2007, de 28 de Mayo, de Suelo, fue en su momento, indudablemente, una norma revolucionaria, al no seguir, en muchos aspectos, la tradición multisecular que hasta ese momento resultaba incuestionada. Además, incorporó dicha norma, diversas novedades que con anterioridad no se contemplaban, o de hacerse, no con la finalidad y profundidad con lo que lo hizo aquella. En virtud de ello, no debe extrañarnos que dicha norma haya sido criticada de manera contumaz, aunque también

posición Adicional Primera, titulada «Sistema de Información Urbanística», lo siguiente: «Con el fin de promover la transparencia, la Administración General del Estado, en colaboración con las Comunidades Autónomas, definirá y promoverá la aplicación de aquellos criterios y principios básicos que posibiliten, desde la coordinación y complementación con las administraciones competentes en la materia, la formación y actualización permanente de un sistema público general e integrado de información sobre suelo y urbanismo, procurando, asimismo, la compatibilidad y coordinación con el resto de sistemas de información y, en particular, con el Catastro Inmobiliario»(4). Como puede comprobarse, tal disposición, es el germen de la vigente regulación que en relación con tal temática lleva a cabo, también en la Disposición Adicional Primera (¡¡¡casualidades de la vida!!! o, quizá, no) el legislador de la vigente Ley 8/2013, de 26 de junio, de rehabilitación, regeneración y renovación urbanas. La referida disposición de la Ley 8/2007, de 28 de Mayo, de Suelo, posteriormente y sin que mediara mucho tiempo, pasó con el mismo texto e idéntica ubicación al Real Decreto Legislativo 2/2008, de 20 de junio, por el que se aprobó el Texto Refundido de la Ley de Suelo.

El siguiente y último paso reseñable, por su importancia y calado, antes de llegar a la regulación actual que del antaño «Sistema de Información Urbanística» lleva a cabo el legislador de la vigente Ley 8/2013, de 26 de junio, de rehabilitación, regeneración y renovación urbanas, le encontramos en la aun más cercana Ley 2/2011, de 4 de marzo, de Economía Sostenible, la cual pasa a regular tal materia en su artículo 108, bajo la denominación: «Información al servicio de las políticas públicas para un medio urbano sostenible»,(5) en el que establece sobre el particular lo siguiente: «Para asegurar la obtención, actualización permanente y explotación de la información necesaria para el desarrollo de las políticas y las acciones a que se refieren los dos artículos anteriores, la Administración General del Estado, en colaboración con

---

ha contado con fervorosos adeptos y defensores. Con independencia de unos y otros pareceres, lo que resulta innegable, es que la Ley 8/2007, de 28 de Mayo de Suelo, tiene —al menos, a nuestro modo de ver—, numerosos aciertos, entre los que destacamos, sin ánimo de exhaustividad, los siguientes: 1.— Conferir mayor preponderancia y relevancia dentro del urbanismo al denominado por el propio legislador *Bloque ambiental*». 2.— Aminorar la inflación de los valores del suelo, desvinculando o desagregando, para alcanzar tal objetivo, la enraizada clasificación del suelo de su correlativa valoración. 3.— Desterrar el binomio, monopólico, entre propiedad del suelo y gestión del mismo. 4.— Luchar, decidida y enconadamente, contra la denostada especulación del suelo. 5.— Instaurar una mayor transparencia, a la par, que participación ciudadana, en relación con la elaboración y tramitación de todo tipo y clase de planes de urbanismo. 6.— Reservar suelo residencial en cantidad suficiente para acometer la debida promoción y construcción de vivienda protegida. 7.— Adoptar medidas en aras a garantizar el cumplimiento de la función social de la propiedad inmobiliaria,

(4)   Para una mayor profundización en la información y transparencia que, sin lugar a dudas, implementa, la Ley 8/2007, de 28 de Mayo, de Suelo, me remito, por entero, al trabajo de VILLORIA MENDIETA, M, «Las nuevas medidas al servicio de la transparencia, la participación y el control en el gobierno local en la Ley de Suelo», *Ciudad y Territorio: Estudios territoriales*, n.º 152-153, 2007, pág. 493 y ss.

(5)   Para profundizar en la «*Información al servicio de las políticas públicas para un medio urbano sostenible*» regulada por el legislador de la Ley 2/2011, de 4 de marzo, de Economía Sostenible, me remito al trabajo de GARCÍA-MORENO RODRÍGUEZ, F., «La rehabilitación y la renovación urbana: actuaciones estratégicas sobre las que se articula y construye el medio urbano sostenible», en *Comentarios a la Ley de Economía Sostenible*, dir. Santiago A. Bello Paredes, La Ley, Madrid, 2011, pág. 554 y ss

las Comunidades Autónomas y las Administraciones Locales, definirá y promoverá la aplicación de los criterios y principios básicos que posibiliten, desde la coordinación y complementación con las administraciones competentes en la materia, la formación y actualización permanente de un sistema informativo general e integrado, comprensivo, al menos, de los siguientes instrumentos: a) Censos de construcciones, edificios, viviendas y locales desocupados y de los precisados de mejora o rehabilitación. b) Mapas de ámbitos urbanos obsoletos, desfavorecidos o en dificultades, precisados de programas o planes de rehabilitación o de actuaciones de renovación y rehabilitación urbana. c) Un sistema público general e integrado de información sobre suelo y urbanismo, previsto en la disposición adicional primera de la Ley del Suelo, a través del cual los ciudadanos tendrán derecho a obtener por medios electrónicos toda la información urbanística proveniente de las distintas Administraciones, respecto a la ordenación del territorio llevada a cabo por las mismas». Como puede comprobarse tanto el título del artículo, como el contenido del mismo son idénticos(6) a la vigente regulación que sobre el particular lleva a cabo el legislador de la Ley 8/2013, de 26 de junio, de rehabilitación, regeneración y renovación urbanas, en su Disposición Adicional Primera, motivo por el cual no le comentamos, dado que será objeto de comentario al abordar esta última.

De todo lo expuesto debe quedar claro que los auténticos antecedentes de la vigente regulación que de la «Información al servicio de las políticas públicas para un medio urbano sostenible», lleva a cabo el legislador de la Ley 8/2013, de 26 de junio, de rehabilitación, regeneración y renovación urbanas, les encontramos, únicamente, en la Disposición Adicional Primera de la Ley 8/2007, de 28 de Mayo, de Suelo, genuina precursora y alma mater de la vigente regulación y en el artículo 108 de la Ley 2/2011, de 4 de marzo, de Economía Sostenible, que es, al fin y a la postre, a la que se debe la actual y presente regulación de dicha materia. Por tanto, es en el plazo de cinco años a esta parte, donde se ha construido, verdadera y realmente, el sistema de información al servicio de las políticas públicas para un medio urbano sostenible, con el que en la actualidad contamos.

2. BREVE RESEÑA SOBRE LA FINALIDAD Y PROPÓSITO DE LA INSTAURACIÓN DE UN SISTEMA INFORMATIVO GENERAL E INTEGRADO SOBRE MÚLTIPLES MATERIAS RELATIVAS AL SECTOR INMOBILIARIO

La finalidad y propósito de la instauración de un sistema informativo general e integrado sobre múltiples materias relativas al sector inmobiliario, no es otro

---

(6)   Si cotejamos la Disposición Adicional Primera de la Ley 8/2013, de 26 de junio, de rehabilitación, regeneración y renovación urbanas, con el artículo 108 de la Ley 2/2011, de 4 de marzo, de Economía Sostenible, en puridad, encontramos dos o tres mínimas diferencias, pero son tan insignificantes e intrascendentes las mismas, que consideramos que una y otro, tal y como hemos señalado en el texto *ut supra*, pueden ser calificados, perfectamente, como idénticos.

que, como expresamente indica el legislador de la vigente Ley 8/2013, de 26 de junio, de rehabilitación, regeneración y renovación urbanas, asegurar la obtención, actualización permanente y explotación de la información necesaria para el desarrollo de las políticas y las acciones a que se refieren los artículos 3, 4 y 5 de dicha norma, en los que se alude a materias transcendentales para la efectiva y real implementación de la rehabilitación, regeneración y renovación urbana, como son, respectivamente, «Los fines comunes de las políticas públicas para un medio urbano más sostenible, eficiente y competitivo» (artículo 3), «El informe de Evaluación de los edificios» (artículo 4), y por último, «La Coordinación administrativa» (artículo 5). Como fácilmente se comprenderá y ya hemos apuntado con anterioridad, los mismos son pieza clave dentro del engranaje en virtud del cual se busca que la rehabilitación, regeneración y renovación urbana, no solo sean una bonita y acertada construcción dogmática, sino mucho más que eso, una realidad constatable en nuestras ciudades.

En la búsqueda y consecución de tal propósito, establece el legislador que la Administración General del Estado(7) en colaboración con las Comunidades Autónomas y las Administraciones Locales, definirá y promoverá la aplicación de los criterios y principios que posibiliten desde la coordinación y complementación de las Administraciones competentes en la materia, habida cuenta de la distribución de competencias existente sobre el particular, la formación y actualización permanente de un sistema informativo general e integrado, comprensivo, al menos, de los siguientes elementos —instrumentos, dice el legislador—: Primero, censos de construcciones, edificios, viviendas y locales desocupados y de los precisados de mejora o rehabilitación. Segundo, mapas de ámbitos urbanos deteriorados, obsoletos, desfavorecidos o en dificultades, precisados de regeneración y renovación urbanas, o de actuaciones de rehabilitación edificatoria. Tercero, un sistema público general e integrado de información sobre suelo y urbanismo, a través del cual los ciudadanos tendrán derecho a obtener por medios electrónicos toda la información urbanística proveniente de las distintas Administraciones, respecto a la ordenación del territorio llevada a cabo por las mismas (8).

---

(7)   Nótese que «para asegurar la obtención, actualización permanente y explotación de la información necesaria para el desarrollo de las políticas y las acciones, a que se refieren los artículos 3, 4 y 5 de esta Ley...», a quien el legislador atribuye el protagonismo es, sin lugar a dudas, a la Administración General del Estado, el cual, se extiende, asimismo, a la hora de definir y promover «...la aplicación de los criterios y principios básicos que posibiliten, desde la coordinación y complementación con las administraciones competentes en la materia, la formación y actualización permanente de un sistema informativo general e integrado...». No queremos decir con ello, que el resto de Administraciones Públicas (Administración de las Comunidades Autónomas o Administración de las Entidades Locales) no cuenten, o que su presencia y labor sea marginal, sino, únicamente, subrayamos, que no tienen la relevancia de la Administración General del Estado.

(8)   Véase, sobre el particular, el trabajo de Arranz Marina, T., «Participación pública en la actividad urbanística y acceso a la información por medios telemáticos», Práctica Urbanística, n.º 103, 2011, pág. 36 y ss.

3. **ASPECTOS MÁS RESEÑABLES DE LA REGULACIÓN QUE DE LA INFORMACIÓN AL SERVICIO DE LAS POLÍTICAS PÚBLICAS PARA UN MEDIO URBANO SOSTENIBLE ESTABLECE EL LEGISLADOR DE LA LEY 8/2013, DE 26 DE JUNIO, DE REHABILITACIÓN, REGENERACIÓN Y RENOVACIÓN URBANAS**

La Disposición Adicional Primera de la Ley 8/2013, de 26 de junio, de rehabilitación, regeneración y renovación urbanas, trata al regular «Información al servicio de las políticas públicas para un medio urbano sostenible», diversos aspectos, que habida cuenta de su relevancia, juzgamos que merecen ser destacados, los cuales, a continuación y sin más preámbulos pasamos a exponer. El primero de ellos, que el sistema de información al servicio de las políticas públicas para un medio urbano sostenible requiere para su efectiva instauración, como acertadamente apunta el legislador, de la concurrencia de todas y cada una de las Administraciones Públicas territoriales, dado que las diversas materias sobre las que el mismo va a informar, son competencia, en unos casos, de la Administración General del Estado, en otros, de las respectivas Comunidades Autónomas y en otros, finalmente, de la Administración Local. El segundo, que es del todo lógico y coherente con sus fines, que el sistema de información al servicio de las políticas públicas para un medio urbano sostenible, contenga información, exhaustiva y pormenorizada, sobre construcciones, edificios, viviendas y locales desocupados y de los precisados de mejora o rehabilitación, así como mapas de ámbitos urbanos deteriorados, obsoletos, desfavorecidos o en dificultades, precisados de regeneración y renovación o rehabilitación urbanas, o de actuaciones de rehabilitación edificatoria, Ello, supone —sin decirlo expresamente el legislador—, lisa y llanamente, reconocer y hacer palpable, el fin de un ciclo, caracterizado, por la expansión —desmedida e irracional— de las ciudades, para, frente a tal tendencia, potenciar lo que el crecimiento, o, en terminología decimonónica, ensanche de estas —quizá, sin quererlo, ni pretenderlo—, durante tantos años postergó, a la sazón, la reforma, modernización y transformación interior de las mismas. Se busca, por tanto, lograr un urbanismo más introspectivo y sobre todo reflexivo, que mire y valore más la ciudad construida y existente, sin por ello, necesariamente, preterir el crecimiento —racional y sostenible— de la misma. En definitiva, primar el «interiorismo» de las ciudades frente a su «desarrollismo» multisecular.

Volviendo, nuevamente, a los aspectos que dentro de la Disposición Adicional Primera de la Ley 8/2013, de 26 de junio, de rehabilitación, regeneración y renovación urbanas, consideramos más dignos de reseña, nos corresponde, abordar el tercero de ellos, y así el tercer aspecto a destacar es que el referido sistema de información al servicio de las políticas públicas para un medio urbano sostenible es un sistema de sistemas, me explico, es un sistema de información que, a su vez, va a contener otro sistema de información(9), cual es, el sistema de información urbana que contempla el legislador en la Disposición Adicional Primera del Real Decreto Legislativo 2/2008, de 20 de junio, por el que se aprueba el Texto Refundido de la Ley de Suelo(10). El cuarto aspecto reseñable, es que no se pronuncia el legislador, en ningún momento, sobre quien tiene acceso al sistema de información de las políticas públicas para un medio urbano sostenible(11), más allá, obviamente, de las correspondientes Administraciones Públicas que le conforman, considerando, personalmente, que tal olvido u omisión, implica su acceso universal —y me atrevería añadir, gratuito— para toda persona física o jurídica que quiera acceder a la información que aquel contiene. Con ello se lograría también un efecto muy favorable, cual es que los ciudadanos podrían controlar o fiscalizar, en cierta medida, la actuación que las diversas Administraciones Públicas llevan a cabo en relación con la rehabilitación, la regeneración y la renovación urbana. El quinto y último aspecto a subrayar, es que el sistema de información al servicio de las políticas públicas para un medio urbano sostenible, no constituye un fin en sí mismo, sino, única y exclusivamente, un medio o instrumento, a través del cual, facilitar o posibilitar las actuaciones de rehabilitación, regeneración y renovación urbana que las Administraciones Públicas, siguiendo el mandato del legislador, deben fomentar y a la vez exigir (12).

---

(9) En la actualidad hay tres instrumentos que se circunscriben dentro de la órbita de la denominada *«Información al servicio de las políticas públicas para un medio urbano sostenible»*, los cuales, son los siguientes: En primer lugar, el Sistema Urbanístico de Información Urbana (http://visorsiu.fomento.es/siu/PortalSiu.html#). En segundo lugar, el Atlas Estadístico de las Áreas Urbanas (http://atlas.vivienda.es). En tercer y último lugar la Red Europea de Conocimiento Urbano (http://www.eukn.org/Spain/es). Véase, en relación con tal temática, el trabajo de BESCOS ATIN, A., «El sistema de información territorial y urbanística de Navarra (SIUN)», *Mapping*, n.º 144, 2010, pág 53 y ss. En este mismo sentido merece, igualmente, ser consultado el trabajo de MARINERO PERAL, A. M., «Novedades del Reglamento de Urbanismo de Castilla y León sobre información urbanística y nuevas tecnologías», *Práctica Urbanística*, n.º 92, 2010, pág. 17 y ss.

(10) En la Disposición Adicional Primera del Real Decreto Legislativo 2/2008, de 20 de junio, por el que se aprueba el Texto Refundido de la Ley de Suelo, se contempla el Sistema de Información Urbana, estableciéndose al respecto, que: *«Con el fin de promover la transparencia, la Administración General del Estado, en colaboración con las Comunidades Autónomas, definirá y promoverá la aplicación de aquellos criterios y principios básicos que posibiliten, desde la coordinación y complementación con las administraciones competentes en la materia, la formación y actualización permanente de un sistema público general e integrado de información sobre suelo y urbanismo, procurando, asimismo, la compatibilidad y coordinación con el resto de sistemas de información y, en particular, con el Catastro Inmobiliario»*. Véase sobre el particular, el trabajo de LÓPEZ ROMERO, E, BAIGET LLOMPART, M, y MADURGA CHOMET, M. I., «El Sistema de Información Urbana», Ciudad y Territorio: Estudios territoriales, n.º 165-166, 2010, pág. 571 y ss.

(11) Debe tenerse en cuenta que el legislador de la Ley 8/2013, de 26 de junio, de rehabilitación, regeneración y renovación urbanas, sí manifiesta en la letra c) de su Disposición Adicional Primera, que los ciudadanos *«...tendrán derecho a obtener por medios electrónicos toda la información urbanística proveniente de las distintas Administraciones...»*, pero ello, lo hace solo en relación con el *«sistema público general e integrado de información sobre suelo y urbanismo, previsto en la disposición adicional primera del texto refundido de la Ley del Suelo...»* y no sobre el sistema (global) de información de las políticas públicas para un medio urbano sostenible.

(12) En la actualidad, dentro de la labor cotidiana de las Administraciones Públicas, cada vez van adquiriendo más protagonismo e importancia, los Sistemas de Información Geográfica (SIG), los cuales, en las materias relacionadas con el ámbito territorial, como pueda ser el urbanismo, la ordenación del territorio, la vivienda, el medio ambiente, son donde realmente despliegan todas sus potencia-

Disposición adicional segunda. Catastro inmobiliario

Lo dispuesto en esta Ley se entiende sin perjuicio de lo previsto en el texto refundido de la Ley del Catastro Inmobiliario, aprobado por el Real Decreto Legislativo 1/2004, de 5 de marzo (LA LEY 356/2004), en particular en lo que se refiere a la utilización de la referencia catastral, la incorporación de la certificación catastral descriptiva y gráfica y las obligaciones de comunicación, colaboración y suministro de información previstas por la normativa catastral.

CONCORDANCIAS

— Artículos 23, 33, 46, 47, 51, 52 y 105 de la Constitución Española de 1.978.

— Texto refundido de la Ley del Catastro Inmobiliario, aprobado por el Real Decreto Legislativo 1/2004, de 5 de marzo (LA LEY 356/2004)

— Apartados dos, cinco, ocho, nueve, diez, once doce de la disposición final decimoctava de Ley 2/2011, de 4 de marzo, de Economía Sostenible (BOE 5 marzo).

— Apartados dos, tres y cuatro del artículo décimo de la Ley 36/2006, de 29 de noviembre, de medidas para la prevención del fraude fiscal (BOE 30 noviembre).

— Apartado uno del artículo tercero de la Ley 4/2004, de 29 de diciembre, de modificación de tasas y de beneficios fiscales de acontecimientos de excepcional interés público (BOE 30 diciembre).

— Circular 04.03/2006, de 27 de abril, de la Dirección General del Catastro, sobre la acreditación ante el catastro de determinados hechos,actos o negocios que afectan a la descripción de los bienes inmuebles.

— R.D. 417/2006, 7 abril, por el que se desarrolla el texto refundido de la Ley del Catastro Inmobiliario, aprobado por el R.D. Legislativo 1/2004, 5 marzo (BOE 24 abril).

JURISPRUDENCIA

Tribunal Superior de Justicia de Castilla y León de Burgos, Sala de lo Contencioso-administrativo, Sección 2.ª, Sentencia de 22 Mar. 2010, rec. 797/2008. Ponente: Varona Gutiérrez, Valentín Jesús. N.º de Sentencia: 138/2010. N.º de Recurso: 797/2008. Jurisdicción: Contencioso-Administrativa. LA LEY 36468/2010

---

lidades, que, ciertamente, son muchas, si bien, siempre de manera medial, es decir, como medio o instrumento para conseguir un determinado fin. Véase, en este sentido, el trabajo de García-Moreno Rodríguez, F., «La implementación de nuevas tecnologías por el Derecho Administrativo como solución acorde y óptima, ante los actuales y cada vez más complejos retos a los que debe enfrentarse en su actuar: En particular, la utilización medial por las Administraciones Públicas de los Sistemas de Información Geográfica», en Estudios jurídicos sobre la Sociedad de la Información y nuevas tecnologías, Servicio de Publicaciones de la Universidad de Burgos, Burgos, 2005, pág. 305 y ss.

Fundamento Jurídico Segundo. Deficiencias y contradicciones de títulos y realidad que hacen que no pueda considerarse que las resoluciones recurridas infringen las previsiones de los artículo 6.1 (LA LEY 356/2004) y 3, y 11 del RDLeg 1/04 (LA LEY 356/2004) del Catastro Inmobiliario desde el momento en que por las construcciones existentes que ocuparían las distintas fincas que pretenden identificar las recurrentes resulta que no se pueden identificar parcelas que reúnan las condiciones que indica el artículo 6.1 que recordemos dice: A los exclusivos efectos catastrales, tiene la consideración de bien inmueble la parcela o porción de suelo de una misma naturaleza, enclavada en un término municipal y cerrada por una línea poligonal que delimita, a tales efectos, el ámbito espacial del derecho de propiedad de un propietario o de varios pro indiviso y, en su caso, las construcciones emplazadas en dicho ámbito, cualquiera que sea su dueño, y con independencia de otros derechos que recaigan sobre el inmueble.

Es decir las construcciones han de estar emplazados dentro del ámbito definido de cada parcela, lo que no aparece en el presente caso, pues las edificaciones que forman el complejo industrial exceden del ámbito de las parcelas que se pretenden identificar, con lo cual no aparecen debidamente identificadas parcelas en las condiciones que exige el precepto y por ello a falta de identificación de esas parcelas no se infringen las previsiones del apartado 3. A cada bien inmueble se le asignará como identificador una referencia catastral, constituida por un código alfanumérico que permite situarlo inequívocamente en la cartografía oficial del Catastro.

Tribunal Superior de Justicia de Castilla y León de Burgos, Sala de lo Contencioso-administrativo, Sección 2.ª, Sentencia de 25 Oct. 2007, rec. 481/2005. Ponente: Blanco Domínguez, Luis Miguel. N.º de Sentencia: 449/2007. N.º de Recurso: 481/2005. Jurisdicción: Contencioso-Administrativa. LA LEY 194133/2007

Fundamento Jurídico Sexto.— En segundo lugar, se alega la infracción del artículo 3 del Real Decreto Legislativo 1/2004, de 5 de marzo, por el que se aprueba el Texto Refundido de la Ley del Catastro Inmobiliario que dice que la descripción catastral de los bienes inmuebles comprenderá sus características físicas, económicas y jurídicas, entre las que se encontrarán la localización y la referencia catastral, la superficie, el uso o destino, la clase de cultivo o aprovechamiento, la calidad de las construcciones, la representación gráfica, el valor catastral y el titular catastral. A los solos efectos catastrales, salvo prueba en contrario, y sin perjuicio del Registro de la Propiedad, cuyos pronunciamientos jurídicos prevalecerán, los datos contenidos en el Catastro Inmobiliario se presumen ciertos.

Dirección General de los Registros y del Notariado, Resolución de 10 Nov. 2011 (LA LEY 247458/2011)

4.— Respecto a la cuestión de si la doble acreditación de la terminación de la obra en fecha determinada y su descripción coincidente con el título, deben concurrir en uno solo de los medios mencionados o puede ser obtenida mediante dos de ellos por separado, podemos encontrar algunas Resoluciones de este Centro Directivo en que se trata indirectamente la cuestión.

En la Resolución de 20 de septiembre de 2005 se aceptaron como formas de acreditación dos de las mencionadas al mismo tiempo —certificado del Ayuntamiento y del Catastro—, aceptándose la antigüedad acreditada en una de ellas y no obstante denegando la inscripción porque no coincidían ninguna de las descripciones de las formas de acreditación con la del título.

Por su parte, la Resolución de 23 de enero de 2006 solventa la cuestión en su segundo fundamento de Derecho: «Por ello, nada obsta a que la descripción de la edificación coincidente con el título y la antigüedad de la misma, se prueben por el mismo medio probatorio, o como en el caso objeto de recurso por medios probatorios distintos, la antigüedad por la certificación municipal y la descripción coincidente con el título por certificación catastral, siempre que como ocurre en el supuesto objeto de recurso no exista duda fundada de que uno y otro medio se refieren a la misma edificación». Así pues, en este el caso debe ser aceptada aún más la forma de acreditación, ya que ambas circunstancias —antigüedad y coincidencia descriptiva— constan en el mismo documento probatorio —certificado del técnico— y en la certificación catastral se corrobora la antigüedad demostrada. Además, esta última certificación telemática se aporta a los solos efectos de cumplir con la obligación legal de incorporar a la escritura la certificación catastral gráfica y descriptiva.

5.— Respecto de la discrepancia entre los dos medios probatorios —certificado del técnico y certificación catastral—, es necesario señalar que mientras el primero se utiliza para cumplimentar los requisitos exigidos por el artículo 52 del Real Decreto 1.093/1997, de 4 de julio (LA LEY 2688/1997), al incluirse en el epígrafe de la escritura denominado «antigüedad de la construcción» invocando como prueba de la misma, y acreditando además la descripción que coincide con la del título, ese certificado del técnico —arquitecto colegiado visado por colegio profesional competente— que es el que por voluntad del otorgante se utiliza para solicitar la inscripción; el segundo —certificado catastral— se obtiene telemáticamente por el notario y se relaciona en el título bajo el epígrafe «referencia catastral» con la única finalidad, en este caso por el notario, de dar cumplimiento a la exigencia del artículo 3.2 del Real Decreto Legislativo 1/2004 (LA LEY 356/2004) en su nueva redacción de la Ley 2/2011, de 4 de marzo (LA LEY 3603/2011) , de Economía Sostenible.

Audiencia Nacional, Sala de lo Contencioso-administrativo, Sección 3.ª, Sentencia de 5 Feb. 2013, rec. 572/2011. Ponente: Menéndez Rexach, Eduardo. N.º de RECURSO: 572/2011. Jurisdicción: Contencioso-Administrativa (LA LEY 13348/2013)

Fundamento Jurídico Sexto.— La aplicación de las normas acabadas de mencionar a los hechos anteriores determina la procedencia de la reclamación del Ayuntamiento, con la precisión que después se dirá respecto de la cuantía reclamada, por cuanto que la Gerencia catastral actuó de forma descuidada al omitir la notificación individual del valor catastral a que venía obligada o, más bien, al no comprobar que dicha notificación se había realizado correctamente por el servicio de correos y al apreciar esta circunstancia cuando ya no era posible realizar eficazmente dicha notificación, de modo que la liquidación fue anulada y el Ayuntamiento resultó perjudicado en la diferencia, a efectos del IBI-BICE, de la liquidación anulada y el que fue aplicado finalmente. A esta conclusión no puede oponerse eficazmente la alegación del Abogado del Estado que se basa en las relaciones de cooperación entre las dos Administraciones, la local y la del Estado, en lo relativo al impuesto y la obligación de colaboración, lo que obligaría a cada una de ellas a soportar las consecuencias de los actos respectivos, quedando así excluida la antijuridicidad del daño pues, si bien es cierto que existe un deber general de colaboración con el Catastro, como se establece en el art. 36 del Real Decreto Legislativo 1/2004, de 5 de marzo (LA LEY 356/2004), por el que se aprueba el texto refundido de la Ley del Catastro Inmobiliario (LA LEY 356/2004) y, más en concreto por el párrafo último del apartado segundo del propio artículo, en relación con este impuesto, no lo es menos que las competencias de cada Administración vienen claramente diferenciadas de forma que la determinación del valor catastral y su notificación corresponden a la Administración del Estado, conforme al art 65 de la Ley de Haciendas Locales, texto refundido aprobado por R.D. Legislativo 2/2004, de 5 de marzo (LA LEY 362/2004), que establece que «La base imponible de este impuesto estará constituida por el valor catastral de los bienes inmuebles, que se determinará, notificará y será susceptible de impugnación conforme a lo dispuesto en las normas reguladoras del Catastro Inmobiliario» cuyo texto refundido aprobado por Real Decreto Legislativo 1/2004, de 5 de marzo (LA LEY 356/2004), contiene las normas de remisión (en particular, art. 4 y 24 a 32).

TRAMITACIÓN PARLAMENTARIA

Sin enmiendas.

El Catastro Inmobiliario(1) es un registro administrativo dependiente del Ministerio de Hacienda y Administraciones Públicas en el que se describen los bienes inmuebles rústicos, urbanos y de características especiales. Está regulado por el Texto Refundido de la Ley del Catastro Inmobiliario, aprobado por el Real Decreto Legislativo 1/2004, de 5 de marzo (LA LEY 356/2004), la inscripción en el mismo es obligatoria y gratuita, características que lo diferencian del Registro de la Propiedad.

La descripción catastral de los bienes inmuebles incluye sus características físicas, jurídicas y económicas, entre las que se encuentran su localización, referencia catastral, superficie, uso, cultivo, representación gráfica, valor catastral y titular catastral.

El Catastro inmobiliario es un instrumento fundamental en todo lo relacionado con la rehabilitación, la regeneración y la renovación urbanas. La finalidad originaria del catastro es de carácter tributario, proporcionando la información necesaria para la gestión, recaudación y control de diversas figuras impositivas por las Administraciones estatal, autonómica y local. A estos efectos, el Catastro facilita el censo de bienes inmuebles, su titularidad, así como el valor catastral que es un valor administrativo que corresponde a cada inmueble y que permite determinar la capacidad económica de su titular.

Además de la función tributaria, en los últimos años se han incrementado notablemente los usos y utilidades de la información catastral por parte de Administraciones, ciudadanos y empresas. Como novedad más reciente en este ámbito cabe citar el servicio de descarga masiva de información catastral, disponible desde abril de 2011 y que pone gratuitamente a disposición de empresas y particulares la información catastral, incluyendo la posibilidad de su reutilización.

La Dirección General del Catastro, para acercar y mejorar los servicios que presta, ha suscrito convenios con numerosas entidades locales. En virtud de esa colaboración, los ciudadanos pueden acceder desde Ayuntamientos y Diputaciones Provinciales a una serie de servicios catastrales que, dependiendo del tipo de convenio suscrito, abarcan desde la presentación de la documentación correspondiente hasta la tramitación y resolución de los diversos procedimientos que deben iniciarse ante el Catastro en relación con los bienes inmuebles (cambios de titularidad, nuevas construcciones, ampliaciones o reformas…etc).

La reciente entrada en vigor de la Ley de la Ley de rehabilitación, regeneración y renovación urbanas se entiende, según su Disposición Adicional Segunda, «sin perjuicio de lo previsto en el texto refundido de la Ley del Catastro Inmobiliario», «en particular en lo que se refiere a la utilización de la referencia catastral, la incorporación de la certificación catastral descriptiva y gráfica y las obligaciones de comunicación, colabo-

---

(1)   Todas las definiciones del Catastro Inmobiliario han sido recogidas de la página web del Portal de la Dirección General del Catastro Inmobiliario, perteneciente al Ministerio de Hacienda y Administraciones Públicas.

ración y suministro de información previstas por la normativa catastral». Analizaremos, pues, en especial, la referencia catastral, y la certificación catastral descriptiva y gráfica y las obligaciones de comunicación, colaboración y suministro de información.

COMENTARIO (2)

Sumario

1. La referencia catastral.
2. La certificación catastral descriptiva y gráfica.
3. Las obligaciones de comunicación, colaboración y suministro de información.

1. LA REFERENCIA CATASTRAL

La referencia catastral es el identificador oficial y obligatorio de los inmuebles. Consiste en un código alfanumérico, formado por veinte caracteres, que es asignado por el Catastro de manera que todo inmueble debe tener una única referencia catastral. La referencia catastral permite la localización de los bienes inmuebles en la cartografía catastral, con lo que se sabe con exactitud de qué inmueble se trata en los negocios jurídicos (compra-ventas, herencias, donaciones, etc.), no confundiéndose unos bienes con otros. Además, con la constancia de la referencia catastral se proporciona una mayor seguridad jurídica a las personas que realicen contratos relativos a bienes inmuebles, constituyendo una herramienta eficaz de lucha contra el fraude en el sector inmobiliario.

Por todo ello, la referencia catastral debe figurar en todos los documentos que reflejen relaciones de naturaleza económica o con trascendencia tributaria vinculadas al inmueble, tales como instrumentos públicos, mandamientos y resoluciones judiciales, expedientes y resoluciones administrativas, documentos privados que tengan por objeto bienes inmuebles. La referencia catastral debe hacerse constar también en el Registro de la propiedad.

Está Regulado en el artículo 6.3 del Texto Refundido de la Ley del Catastro Inmobiliario, aprobado por el Real Decreto Legislativo 1/2004, de 5 de marzo (LA LEY 356/2004), redactado por el apartado dos de la disposición final decimoctava de Ley 2/2011, de 4 de marzo, de Economía Sostenible *(BOE* 5 marzo), que dice lo siguiente:

---

(2) Comentario a cargo de Julio Castelao Simón. Licenciado en Derecho. Abogado del Ilustre Colegio de Abogados de Madrid.

A cada bien inmueble se le asignará como identificador una referencia catastral, constituida por un código alfanumérico que permite situarlo inequívocamente en la cartografía oficial del Catastro.

Dicha identificación deberá figurar en todos los documentos que reflejen relaciones de naturaleza económica o con trascendencia tributaria vinculadas al inmueble, conforme establece el título V de esta Ley.

Pero su desarrollo completo está en el Título V de la Ley antedicha, que comprende los artículos 38 a 49 y se llama «De la constancia documental de la referencia catastral».

También es importante ver las normas de asignación de la referencia catastral recogidas en el Real Decreto 417/2006, de 7 de abril, por el que se desarrolla el texto refundido de la Ley del Catastro Inmobiliario, aprobado por el Real Decreto Legislativo 1/2004, de 5 de marzo, BOE 24 abril 2006. LA LEY 3853/2006, cuyo tenor literal es el siguiente:

1. Conforme a lo dispuesto en el artículo 6.3 del texto refundido de la Ley del Catastro Inmobiliario, la referencia catastral, código identificador único de cada inmueble, se asignará con motivo de su primera inscripción en el Catastro. En ningún caso se podrá asignar a un inmueble una referencia catastral que hubiera correspondido a otro con anterioridad.

2. El cambio de polígono o manzana o la variación en la clase de los inmuebles no determinará, por sí mismo, la modificación de su referencia catastral.

3. En los supuestos que se determinan, la asignación de la referencia catastral se realizará conforme a las siguientes reglas:

a) Inscripción de nuevas construcciones en régimen de propiedad horizontal: se asignará una nueva referencia a cada inmueble y desaparecerá la que correspondió al inmueble sobre el que se hubiera realizado la nueva construcción.

b) División o agrupación de inmuebles: la referencia de la finca matriz o de las fincas agrupadas desaparecerá y se asignará una nueva a cada una de las fincas resultantes.

c) Segregación de inmuebles: se mantendrá la referencia de la finca sobre la que se practica la segregación y se asignará una nueva a cada una de las fincas segregadas.

d) Agregación de inmuebles: se mantendrá la referencia de la finca sobre la que se practica la agregación.

4. Podrá asignarse una referencia catastral provisional, a petición del notario que autorice la escritura pública correspondiente, a los inmuebles pendientes de su consolidación material o jurídica, en supuestos tales como una obra nueva en construcción o una división en propiedad horizontal en idénticas circunstancias.

Y no debemos dejar de mencionar la Circular 07.04/06 de 9 de junio, de la Dirección General del Catastro, sobre criterios de asignación y modificación de la referencia catastral de los bienes inmuebles, *BOMEH* 9 junio 2006, LA LEY 9600/2006, que en su inicio hace las siguientes precisiones:

El texto refundido de la Ley del Catastro Inmobiliario (TRLCI) aprobado por Real Decreto Legislativo 1/2004, de 5 de marzo (LA LEY 356/2004), establece la obligación de que la referencia catastral, como identificador único de los bienes inmuebles, conste en todos los documentos con trascendencia real.

Por su parte el Real Decreto 417/2006, de 7 de abril (LA LEY 3853/2006), que lo desarrolla (en adelante RLCI), consagra el principio de conservación de la referencia catastral, por lo que no podrá modificarse sin causa regulada que lo justifique.

Otro criterio fijado por el RLCI es la prohibición de reutilizar referencias catastrales que hubiesen correspondido con anterioridad a otros bienes inmuebles. Se especifica asimismo en el citado texto reglamentario que la variación en la clase de los bienes inmuebles no determinará por sí mismo el cambio de la referencia catastral, y se regulan los supuestos de agrupación, agregación, división y segregación, así como la asignación de referencia catastral en las inscripciones de bienes inmuebles en régimen de propiedad horizontal.

Por último el RLCI posibilita la asignación de referencias catastrales provisionales, a petición del notario que autorice la escritura pública correspondiente.

Resultan de particular interés para el tema que nos ocupa, los comentarios de Teresa CARRANCHO HERRERO, «La regulación del catastro. Comentario del artículo 46 y de la disposición final 18.ª» (Esta doctrina forma parte del libro *Comentarios a la Ley de Economía Sostenible*, edición n.º 1, Editorial LA LEY, Madrid, septiembre 2011). LA LEY 19891/2011, cuando dice:

Como ha señalado nuestra doctrina, las últimas modificaciones en la Legislación Hipotecaria y en la Ley del Catastro, junto con el contenido del Nuevo Reglamento Notarial, en el que se exige constancia de la referencia catastral, parecían ir dirigidas a conseguir la ansiada coordinación, de modo que se lograra una adecuada identificación de las fincas y de la publicidad de sus características físicas. Así mismo resulta deseable que coincidan las titularidades en el Catastro y el Registro.

La obligación de que la referencia catastral conste en documentos públicos y privados y en el Registro de la propiedad, tal como establece el art. 38 de la Ley del Catastro, ha facilitado esta concordancia, pero no se ha logrado, entre otras razones, porque la tarea de identificación de las fincas no resulta sencilla, la dificultad proviene de la necesidad de realizar la correlación entre la finca catastral y la finca registral, y, como señala la doctrina, toda finca catastral tiene asignada una única referencia catastral, que ya no se asigna a otras fincas, pero no hay forma de emparejar con absoluta seguridad las fincas catastrales y las civiles. Ha podido producirse una segregación civil de una finca que en el catastro sigue apareciendo como única o, al revés, varias fincas con su referencia catastral han pasado a ser una única finca registral.

Esta necesidad de coordinación tiene reflejo en diversos ámbitos, entre los que cabe destacar el de Ordenación del Territorio, puesto que, como también se ha señalado, la finca registral es el objeto del derecho de propiedad y el soporte de la actividad empresarial que se desarrolla, por lo que su plena identificación y la publicidad de sus características físicas resulta tan importante como la publicación de los derechos que sobre ellas recaen, recogidos en el registro de la propiedad.

La mejora de la coordinación entre el Catastro y el Registro de la Propiedad es uno de los objetivos de la reforma introducida en la normativa del Catastro por la Ley de Economía Sostenible (LA LEY 3603/2011). Las medidas adoptadas, que a continuación se exponen, contribuirán sin duda a facilitar este propósito, pero no sé si resultarán suficientes.

2. LA CERTIFICACIÓN CATASTRAL DESCRIPTIVA Y GRÁFICA

Las certificaciones catastrales son documentos que acreditan los datos físicos, jurídicos y económicos de lo bienes inmuebles que constan en el Catastro Inmobiliario, o bien la inexistencia de tales datos.

Existen distintos tipos de certificaciones catastrales:

— Las certificaciones catastrales literales, que contienen datos alfanuméricos sobre los bienes inmuebles (titularidad, localización, referencia catastral, superficie, uso, cultivos, antigüedad, valor catastral, etc…), que a su vez pueden ser:

• Certificación de un solo bien inmueble, urbano o rústico

- Certificación de todos los bienes inmuebles urbanos o rústicos de un titular en todo el territorio nacional, excepto País Vasco y Navarra.

- Certificación de referencia catastral, sin datos de carácter personal.

- Certificación negativa

— Las certificaciones catastrales descriptivas y gráficas contienen, además de los datos básicos de carácter físico, jurídico y económico del bien inmueble a que se refieren, su representación gráfica. De acuerdo con la normativa catastral, este tipo de certificaciones deberán incorporarse en todos los documentos autorizados por notarios en los que se contengan hechos, actos o negocios jurídicos que puedan dar lugar a modificaciones en el Catastro Inmobiliario (cambios de titularidad, alteraciones físicas de los bienes inmuebles,...etc), así como al Registro de la Propiedad en los supuestos previstos por la ley.

Las certificaciones tendrán validez de un año desde la fecha de su expedición siempre que durante ese plazo no se produzcan modificaciones en las circunstancias determinantes de su contenido.

Las certificaciones catastrales pueden ser solicitadas en las Gerencias y Subgerencias del Catastro, en los Puntos de Información Catastral y en la Sede Electrónica del Catastro. En este último caso no están sujetas al pago de la tasa de acreditación catastral.

Cuando las certificaciones catastrales contengan datos protegidos, es decir, los que hacen referencia a la titularidad o al valor catastral, solamente podrán ser solicitados por los titulares catastrales de cada inmueble. Asimismo pueden ser solicitadas por:

— Quienes cuenten con el consentimiento expreso y por escrito de los titulares catastrales de cada inmueble.

— Los titulares catastrales de las parcelas colindantes, excepto al valor catastral.

— Los titulares o cotitulares de derechos de trascendencia real o de arrendamiento o aparcería que recaigan sobre los bienes inmuebles inscritos en el Catastro.

— Los herederos o sucesores respecto a los bienes inmuebles del causante o transmitente que figuren inscritos en el Catastro

Están regulados en el artículo 3.2 de la Ley del Catastro Inmobiliario (TRLCI) aprobado por Real Decreto Legislativo 1/2004, de 5 de marzo (LA LEY 356/2004), de la siguiente forma:

La certificación catastral descriptiva y gráfica acreditativa de las características indicadas en el apartado anterior y obtenida, preferentemente, por medios telemáticos, se incorporará en los documentos públicos que contengan hechos, actos o negocios susceptibles de generar una incorporación en el Catastro Inmobiliario, así como al Registro de la Propiedad en los supuestos previstos por ley. Igualmente se incorporará en los procedimientos administrativos como medio de acreditación de la descripción física de los inmuebles.

Su desarrollo está en los artículos 61 y siguientes de la misma Ley y en los artículos 83 y 84 del Real Decreto 417/2006, de 7 de abril, por el que se desarrolla el texto refundido de la Ley del Catastro Inmobiliario, aprobado por el Real Decreto Legislativo 1/2004, de 5 de marzo, *BOE* 24 abril 2006. LA LEY 3853/2006, titulados «Expedición y efectos de los certificados catastrales».

Esteban CORRAL, en su trabajo «El pago y la ocupación de la finca», perteneciente al libro *Expropiación municipal. Especial referencia a la expropiación en las Leyes Urbanísticas de las Comunidades Autónomas,* 2.ª edición, Editorial LA LEY-El Consultor, Madrid, 2008, hace las siguientes afirmaciones:

> El Ayuntamiento puede optar por inscribir toda la superficie expropiada como una sola finca o como varias (art. 31.1 LS2008), en cuyo caso el título inscribible en el Registro será la certificación de la resolución aprobatoria del proyecto de expropiación y tasación conjunta al que se unirán el Acta de pago y la de ocupación (en su caso, el justificante de la consignación del justiprecio). A ellos se incorporarán los planos y la oportuna referencia catastral, identificando la nueva finca mediante un adecuado sistema gráfico de coordenadas (art. 31.4 LS2008).

> Esta forma de inscripción, como una sola finca o como varias, de toda la superficie expropiada constituye un modo de doble inmatriculación controlada. La no inmatriculación de alguna de las fincas expropiadas no constituye obstáculo para la inscripción (art. 31.1 LS2008).

> El Ayuntamiento o la Administración expropiante, dentro del procedimiento de tasación conjunta, pueden optar por la inscripción individualizada de cada una de las fincas registrales expropiadas, en cuyo caso el título inscribible estará constituido por las Actas de pago y ocupación (art. 24 (LA LEY 2688/1997) RD 1093/1997). Al Acta de ocupación deben incorporarse: a) la descripción de la finca; b) su identificación conforme a la legislación hipotecaria; c) la referencia catastral; y d) su representación gráfica mediante un sistema de coordenadas. **La referencia catastral y su representación**

gráfica pueden ser sustituidas por una certificación catastral descriptiva y gráfica del inmueble (art. 31.4 LS2008)(3).

3. LAS OBLIGACIONES DE COMUNICACIÓN, COLABORACIÓN Y SUMINISTRO DE INFORMACIÓN

Para el correcto ejercicio de las funciones de formación y mantenimiento del Catastro Inmobiliario, la Dirección General del Catastro recibe información tanto de las Administraciones Públicas como de fedatarios públicos (notarios y registradores)

Una parte de la información suministrada, permite incorporar en el Catastro los bienes inmuebles así como las alteraciones de sus características a través el procedimiento de incorporación mediante comunicación previsto en el artículo 14 de la Ley del Catastro Inmobiliario. Las comunicaciones eximen al ciudadano de la obligación de presentar las correspondientes declaraciones ante la Dirección General del Catastro.

a) Por notarios y registradores

En cumplimiento del artículo 36.3 del texto refundido de la Ley del Catastro Inmobiliario, los notarios y registradores de la propiedad deben remitir telemáticamente a las Gerencias o Subgerencias del Catastro la información relativa a los documentos por ellos autorizados o inscritos de los que se deriven alteraciones catastrales de cualquier orden, en los que se hará constar si se ha cumplido o no la obligación de aportar la referencia catastral por los requirentes u otorgantes.

El suministro de dicha información se realizará dentro de los veinte primeros días de cada mes, con respecto a los documentos otorgados o inscritos en el mes inmediato anterior. Cuando dicho suministro se refiera a las comunicaciones que deben realizar los notarios conforme a lo dispuesto en el artículo 14.a), la remisión de la información deberá producirse dentro de los 5 días siguientes a la autorización del documento público que origine la alteración.

La forma de dar cumplimiento a dicha obligación, viene establecida en la **Orden conjunta del Ministerio de Justicia y Economía y Hacienda de 23 de junio de 1999,** por la que se regula el procedimiento para dar cumplimiento a la obligación establecida en la Ley 13/1996, de 30 de diciembre, sobre suministro de información a la Dirección General del Catastro por los notarios y registradores de la propiedad y se debe realizar a través del envío de un fichero informático.

Para facilitar la tarea de generar o validar los mencionados ficheros, la Dirección General del Catastro pone a su disposición una serie de herramientas de acceso restringido a notarios y registradores, a las que puede acceder introduciendo en

---

(3)   La negrita es nuestra.

el formulario que le corresponda los códigos de notaría o registro de la propiedad: **Manual para la tipificación de las alteraciones catastrales e instrucciones aclaratorias para la cumplimentación informática del fichero de remisión.**

b) Por las Administraciones Públicas

Por Ayuntamientos y otras entidades públicas gestoras del Impuesto sobre Bienes Inmuebles

En cumplimiento del artículo 36.2 de la Ley del Catastro Inmobiliario, las Entidades Locales y otras entidades públicas gestoras del Impuesto sobre Bienes Inmuebles remitirán a las Gerencias y Subgerencias del Catastro la siguiente información:

— Los tipos de gravamen y las exenciones y bonificaciones que vayan a estar vigentes en la fecha de efectividad de los nuevos valores catastrales derivados de un procedimiento de valoración colectiva de carácter general.

— Las propuestas de rectificación de las inexactitudes en la descripción catastral de las que tengan conocimiento.

— Cuanta información estadística relacionada con el Impuesto sobre Bienes Inmuebles sea requerida por el Catastro.

— Los cambios de denominación de las vías municipales y de los identificadores postales de los inmuebles.

c) Por las Administraciones tributarias

De acuerdo con lo establecido en el artículo 14.d) del Texto Refundido de la Ley del Catastro Inmobiliario, la Agencia Estatal de Administración Tributaria comunicará a la Dirección General del Catastro, con la periodicidad que se acuerde en cada caso, la información que obtenga en los procedimientos de aplicación de los tributos relativa a los datos identificativos y cuotas de participación de los titulares de los derechos de propiedad y de usufructo sobre los bienes inmuebles, de la que tenga conocimiento dentro de los dos meses siguientes a la realización de los respectivos hechos, actos o negocios.

d) Otros suministros de información a la Dirección General del Catastro

Las Administraciones competentes en los procedimientos de concentración parcelaria, deslinde administrativo, expropiación forzosa y en la aprobación de actos de planeamiento y de gestión urbanísticos deberán suministrar la información que revista trascendencia para el Catastro Inmobiliario.

Cualquier escenario puede satisfacer el deber de colaboración, influyendo en su selección condicionantes tecnológicos y de posibilidad de servicio, no existiendo una relación directa entre escenarios y amparo jurídico en base al cual se realiza la colaboración.

La comunicación se define en el TRLCI, en su artículo 14, que dice en su literalidad:

a) La información que los notarios y registradores de la propiedad deben remitir conforme a lo dispuesto en el artículo 36, en cuanto se refiera a documentos por ellos autorizados o inscritos cuyo contenido suponga exclusivamente la adquisición o consolidación de la propiedad de la totalidad del inmueble, siempre que los interesados hayan aportado la referencia catastral en los términos a que se refiere el Título V y se formalice en escritura pública o se solicite su inscripción en el Registro de la Propiedad en el plazo de dos meses desde el hecho, acto o negocio de que se trate.

Asimismo constituirá comunicación la información que deben remitir los notarios referida a la segregación, división, agregación o agrupación de los bienes inmuebles, siempre que, realizadas las actuaciones que prevé el artículo 47.2, conste la referencia catastral de los inmuebles afectados, exista correspondencia entre los inmuebles objeto de dichas actuaciones y la descripción que figura en el Catastro y que se aporte el plano, representado sobre la cartografía catastral, que permita la identificación de esas alteraciones.

b) Las que formulen los ayuntamientos que, mediante ordenanza fiscal, se obliguen a poner en conocimiento del Catastro Inmobiliario los hechos, actos o negocios susceptibles de generar un alta, baja o modificación catastral, derivados de actuaciones para las que se haya otorgado la correspondiente licencia o autorización municipal, en los términos y con las condiciones que se determinen por la Dirección General del Catastro.

c) Las que las Administraciones actuantes deben formalizar ante el Catastro Inmobiliario en los supuestos de concentración parcelaria, de deslinde administrativo, de expropiación forzosa y de los actos de planeamiento y de gestión urbanísticos que se determinen reglamentariamente. La comunicación comprenderá la correspondiente certificación administrativa expedida por el órgano actuante.

Cuando las actuaciones mencionadas hayan sido inscritas en el Registro de la Propiedad, la información será igualmente objeto de comunicación al Catastro por el registrador, siempre que, realizadas las actuaciones que prevé el artículo 48.5, conste la referencia catastral de los inmuebles afectados, así como el plano que permita la identificación de dichas actuaciones sobre la cartografía catastral.

También constituirá comunicación la información que los registradores de la propiedad deben remitir, referida a los actos de parcelación que consistan en la segregación, división, agregación o agrupación de los bienes inmuebles, siempre que se cumplan los requisitos expresados en el párrafo anterior y que se solicite su inscripción en el Registro de la Propiedad en el plazo de dos meses desde el hecho, acto o negocio de que se trate.

d) La información con trascendencia catastral que debe remitir la Agencia Estatal de Administración Tributaria al Catastro, en los supuestos y condiciones que se determinen reglamentariamente, con los datos identificativos y cuotas de participación de los titulares de derechos que recaigan sobre bienes inmuebles, obtenida a través de los procedimientos de aplicación de los tributos.

Con respecto a la obligación de colaboración y suministro de información, la Ley le dedica el Título IV, que comprende los artículos 36 y 37, que reproducimos en su integridad por su interés:

Artículo 36 Deber de colaboración

1. Toda persona natural o jurídica, pública o privada, está sujeta al deber de colaboración establecido en el artículo 93 de la Ley 58/2003, de 17 de diciembre, General Tributaria (LA LEY 1914/2003), en relación con los datos, informes o antecedentes que revistan trascendencia para la formación y mantenimiento del Catastro Inmobiliario.

2. Las Administraciones y demás entidades públicas, los fedatarios públicos y quienes, en general, ejerzan funciones públicas estarán obligados a suministrar al Catastro Inmobiliario, en los términos previstos en el artículo 94 de la Ley 58/2003, de 17 de diciembre, General Tributaria (LA LEY 1914/2003), cuantos datos o antecedentes relevantes para su formación y mantenimiento sean recabados por éste, bien mediante disposición de carácter general, bien a través de requerimientos concretos. A tal fin, facilitarán el acceso gratuito a dicha información en los términos que acaban de indicarse, a través de medios telemáticos.

En particular, las entidades locales y demás Administraciones actuantes deberán suministrar a la Dirección General del Catastro, en los términos que reglamentariamente se determinen, aquella información que revista trascendencia para el Catastro Inmobiliario relativa a la ordenación y a la gestión tributaria del Impuesto sobre Bienes Inmuebles, así como al planeamiento y gestión urbanística, concentraciones parcelarias, deslindes administrativos y expropiación forzosa.

3. Los notarios y registradores de la propiedad remitirán telemáticamente al Catastro, dentro de los 20 primeros días de cada mes, información relativa a los documentos por ellos autorizados o que hayan generado una inscripción registral en el mes anterior, en los que consten hechos, actos o negocios susceptibles de inscripción en el Catastro Inmobiliario. En dicha información se consignará de forma separada la identidad de las personas que hayan incumplido la obligación de aportar la referencia catastral establecida en el artículo 40. Asimismo, remitirán la documentación complementaria incorporada en la escritura pública que sea de utilidad para el Catastro.

Cuando dicho suministro se refiera a las comunicaciones que deben realizar los notarios conforme a lo dispuesto en el artículo 14. a), la remisión de la información deberá producirse dentro de los 5 días siguientes a la autorización del documento público que origine la alteración.

Mediante Resolución de la Dirección General del Catastro, previo informe favorable de la Dirección General de los Registros y Notariado, se regularán los requisitos técnicos para dar cumplimiento a las obligaciones de suministro de información tributaria establecidas en este apartado.

4. La cesión al Catastro Inmobiliario de datos de carácter personal en virtud de lo dispuesto en los apartados anteriores no requerirá el consentimiento del afectado.

Artículo 37 Suministro de información a otras Administraciones tributarias

1. La Dirección General del Catastro remitirá, en el plazo más breve posible, a la Administración tributaria estatal y a la Administración autonómica del territorio en el que radiquen los bienes inmuebles, copia de la información suministrada por los notarios y los registradores de la propiedad sobre personas que hayan incumplido la obligación de aportar la referencia catastral establecida en el artículo 40.

2. La Dirección General del Catastro remitirá a las Administraciones tributarias de los tres niveles territoriales, a petición de éstas, la información catastral necesaria para la gestión, liquidación, recaudación e inspección de los tributos cuya aplicación les corresponde, en los términos que reglamentariamente se determinen.

Disposición adicional tercera. Infracciones en materia de certificación de la eficiencia energética de los edificios

1. Constituyen infracciones administrativas en materia de certificación de eficiencia energética de los edificios las acciones u omisiones tipificadas y sancionadas en esta disposición y en la disposición adicional siguiente, sin perjuicio de otras responsabilidades civiles, penales o de otro orden que puedan concurrir.

2. Las infracciones en materia de certificación energética de los edificios se clasifican en muy graves, graves y leves.

3. Constituyen infracciones muy graves en el ámbito de la certificación energética de los edificios:

a) Falsear la información en la expedición o registro de certificados de eficiencia energética.

b) Actuar como técnico certificador sin reunir los requisitos legalmente exigidos para serlo.

c) Actuar como agente independiente autorizado para el control de la certificación de la eficiencia energética de los edificios sin contar con la debida habilitación otorgada por el órgano competente.

d) Publicitar en la venta o alquiler de edificios o parte de edificios, una calificación de eficiencia energética que no esté respaldada por un certificado en vigor debidamente registrado.

e) Igualmente, serán infracciones muy graves las infracciones graves previstas en el apartado 4, cuando durante los tres años anteriores a su comisión hubiera sido impuesta al infractor una sanción firme por el mismo tipo de infracción.

4. Constituyen infracciones graves:

a) Incumplir las condiciones establecidas en la metodología de cálculo del procedimiento básico para la certificación de la eficiencia energética de los edificios.

b) Incumplir la obligación de presentar el certificado de eficiencia energética ante el órgano competente de la Comunidad Autónoma en materia de certificación energética de donde se ubique el edificio, para su registro.

c) No incorporar el certificado de eficiencia energética de proyecto en el proyecto de ejecución del edificio.

d) Exhibición de una etiqueta que no se corresponda con el certificado de eficiencia energética válidamente emitido, registrado y en vigor.

e) Vender o alquilar un inmueble sin que el vendedor o arrendador entregue el certificado de eficiencia energética, válido, registrado y en vigor, al comprador o arrendatario.

f) Igualmente, serán infracciones graves las infracciones leves previstas en el apartado 5, cuando durante el año anterior a su comisión hubiera sido impuesta al infractor una sanción firme por el mismo tipo de infracción.

5. Constituyen infracciones leves:

a) Publicitar la venta o alquiler de edificios o unidades de edificios que deban disponer de certificado de eficiencia energética sin hacer mención a su calificación de eficiencia energética.

b) No exhibir la etiqueta de eficiencia energética en los supuestos en que resulte obligatorio.

c) La expedición de certificados de eficiencia energética que no incluyan la información mínima exigida.

d) Incumplir las obligaciones de renovación o actualización de certificados de eficiencia energética.

e) No incorporar el certificado de eficiencia energética del edificio terminado en el Libro del edificio.

f) La exhibición de etiqueta de eficiencia energética sin el formato y contenido mínimo legalmente establecidos.

g) Publicitar la calificación obtenida en la certificación de eficiencia energética del proyecto, cuando ya se dispone del certificado de eficiencia energética del edificio terminado.

h) Cualesquiera acciones u omisiones que vulneren lo establecido en materia de certificación de eficiencia energética cuando no estén tipificadas como infracciones graves o muy graves.

6. Serán sujetos responsables de las infracciones tipificadas en esta disposición, las personas físicas o jurídicas y las comunidades de bienes que las cometan, aún a título de simple inobservancia.

7. La instrucción y resolución de los expediente sancionadores que se incoen corresponderá a los órganos competentes de las Comunidades Autónomas.

COMENTARIO (1)

Sumario

---

(1)   Comentario a cargo de Joaquín Jalvo Mínguez. Arquitecto Superior en las especialidades de Edificación y Urbanismo. Diplomado en Urbanismo por el IEAL.

1. INTRODUCCIÓN

A los efectos de poder aplicar lo dispuesto en el artículo 18 del Real Decreto 235/2013, de 5 d abril, por el que se aprueba el procedimiento básico para la certificación energética de los edificios, en la presente Ley se concretan de forma específica, sin valorar otros extremos derivados de los posibles incumplimientos de la Ley General de Defensa de los Consumidores, o de las responsabilidades en otros ordenes civiles o penales, los diferentes supuestos que se consideran infracciones administrativas en el cumplimiento del deber de formalizar las certificaciones de eficiencia energética de los edificios que deban disponer de ella.

La metodología para la clasificación de las infracciones que se consideran es la clásica estructurando las infracciones en muy graves, graves y leves, estableciendo el conjunto de acciones u omisiones a las que se refieren las diferentes actuaciones de los agentes que operan con los bienes inmuebles y que deben disponer de la certificación.

El conjunto de infracciones se puede considerar agrupadas en varios bloques. Las dirigidas a los técnicos que redacten los proyectos de los edificios que deban disponer del certificado, a los técnicos que suscriban o realicen los Certificados de Eficiencia Energética de las Edificaciones, las dirigidas a los propietarios o promotores de las edificaciones que deban proveerse de la ciada calificación y la de los agentes que se dediquen a publicitar u operar con los inmuebles que deban disponer de la citada certificación de eficiencia energética.

Para un análisis específico de las infracciones dispuestas en la Ley, y a los efectos de una mejor comprensión por los diferentes intervinientes en el proceso, se pueden agrupar aquéllas en función de los agentes que intervienen en el proceso, mostrándose a continuación cada una de las infracciones, con su graduación, según la asignación que se puede efectuar a los diferentes intervinientes en el proceso de formulación, disposición y publicidad de la Certificación.

Para ello se relacionan a continuación las infracciones que se pueden atribuir a los técnicos redactores de los Proyectos de los inmuebles que deban disponer de la certificación, las atribuibles a los técnicos que redacten la propia certificación, las que pueden atribuirse a los propietarios o promotores, personas físicas o jurídicas o comunidades de bienes que deban disponer para sus inmuebles de la certificación energética y las atribuibles a otros agentes, encargados de la publicitación para diferentes finalidades de los inmuebles que deban disponer de las certificaciones energéticas.

2. LAS INFRACCIONES QUE AFECTAN A LOS TÉCNICOS REDACTORES DE LOS PROYECTOS DE EDIFICACIÓN

El primer grupo de agentes a los que se refieren las posibles infracciones en la emisión de la certificación energética son los técnicos redactores de los proyectos en los que preceptivamente se deba disponer de la certificación energética. Las relaciones de las diferentes infracciones incluidas en cada una de las categorías son:

Infracciones graves

1.   No incorporar el certificado de eficiencia energética de proyecto en el proyecto de ejecución del edificio.

2.   La reincidencia en la comisión de la misma infracción dentro del plazo de un año computado desde la imposición de una sanción firme por la comisión de una infracción leve.

Infracciones leves:

1.   No incorporar el certificado de eficiencia energética del edificio terminado en el Libro del edificio.

3.   LAS INFRACCIONES QUE AFECTAN A LOS TÉCNICOS REDACTORES DE LOS CERTIFICADOS

El conjunto de acciones u omisiones que la Ley atribuye a los técnicos que redacten Las certificaciones de eficiencia energética se corresponden a los tres niveles de intensidad destacando en ese orden la siguiente relación:

Infracciones muy graves.

1.   Falsear la información contenida en los certificados de eficiencia energética.

2.   Actuar como técnico certificador sin reunir los requisitos requeridos para ello.

3.   La reincidencia en la comisión de la misma infracción dentro del plazo de tres años computados desde la imposición de una sanción firme por la comisión de una infracción grave.

Infracciones graves

1.   No adaptarse a las condiciones establecidas en la metodología de cálculo del procedimiento básico para la certificación de la eficiencia energética de los edificios.

2.   La reincidencia en la comisión de la misma infracción dentro del plazo de un año computado desde la imposición de una sanción firme por la comisión de una infracción leve.

Infracciones leves:

1.   La expedición de certificados de eficiencia energética que no incluyan la información mínima exigida.

2. Cualesquiera acciones u omisiones que vulneren lo establecido en materia de certificación de eficiencia energética cuando no estén tipificadas como infracciones graves o muy graves.

4. LAS INFRACCIONES QUE AFECTAN A LOS PROMOTORES O PROPIETARIOS DE LOS INMUEBLES

Infracciones muy graves:

1. Falsear la información de los registros de los certificados de eficiencia energética

2. La reincidencia en la comisión de la misma infracción dentro del plazo de tres años computados desde la imposición de una sanción firme por la comisión de una infracción grave.

Infracciones graves:

1. Incumplir la obligación de presentar el certificado de eficiencia energética ante el órgano competente de la Comunidad Autónoma en materia de certificación energética de donde se ubique el edificio, para su registro.

2. Exhibición de una etiqueta que no se corresponda con el certificado de eficiencia energética válidamente emitido, registrado y en vigor.

3. Vender o alquilar un inmueble sin que el vendedor o arrendador entregue el certificado de eficiencia energética, válido, registrado y en vigor, al comprador o arrendatario.

4. La reincidencia en la comisión de la misma infracción dentro del plazo de un año computado desde la imposición de una sanción firme por la comisión de una infracción leve.

Infracciones leves:

1. No exhibir la etiqueta de eficiencia energética en los supuestos en que resulte obligatorio.

2. Incumplir las obligaciones de renovación o actualización de certificados de eficiencia energética.

3. La exhibición de etiqueta de eficiencia energética sin el formato y contenido mínimo legalmente establecidos.

4. Publicitar la calificación obtenida en la certificación de eficiencia energética del proyecto, cuando ya se dispone del certificado de eficiencia energética del edificio terminado.

5. Cualesquiera acciones u omisiones que vulneren lo establecido en materia de certificación de eficiencia energética cuando no estén tipificadas como infracciones graves o muy graves.

5. LAS INFRACCIONES QUE AFECTAN A OTROS AGENTES

Infracciones muy graves

1. Actuar como controlador de las certificaciones energéticas sin tener los requisitos legalmente establecidos para ello por el órgano competente.

2. Publicitar la venta o alquileres de inmuebles que deban tener el correspondiente certificado de eficiencia energética con una calificación que no esté respaldada con un certificado de eficiencia enérgica y con un Registro del mismo.

3. La reincidencia en la comisión de la misma infracción dentro del plazo de tres años computados desde la imposición de una sanción firme por la comisión de una infracción grave.

Infracciones graves:

1. Exhibición de una etiqueta que no se corresponda con el certificado de eficiencia energética válidamente emitido, registrado y en vigor.

2. La reincidencia en la comisión de la misma infracción dentro del plazo de un año computado desde la imposición de una sanción firme por la comisión de una infracción leve.

Infracciones leves

1. Publicitar la venta o alquiler de edificios o unidades de edificios que deban disponer de certificado de eficiencia energética sin hacer mención a su calificación de eficiencia energética.

2. La exhibición de etiqueta de eficiencia energética sin el formato y contenido mínimo legalmente establecidos.

3. Publicitar la calificación obtenida en la certificación de eficiencia energética del proyecto, cuando ya se dispone del certificado de eficiencia energética del edificio terminado.

4. Cualesquiera acciones u omisiones que vulneren lo establecido en materia de certificación de eficiencia energética cuando no estén tipificadas como infracciones graves o muy graves.

La Ley traslada a los órganos correspondientes de las Comunidades Autónomas la determinación de la instrucción y resolución de los expedientes sancionadores que se puedan incoar a los sujetos responsables de las infracciones y no realiza ninguna matización de las circunstancias agravantes o atenuantes que se puedan considerar en los diferentes tipos de infracciones, o en la aplicación de los grados máximos y mínimos que se establecen para la fijación de la cuantía económicas de las sanciones, expresando únicamente una graduación de la sanción en función del daño producido, el enriquecimiento que se pueda haber producido y de la concurrencia de intencionalidad o de la reiteración de la infracción, lo que complicará la aplicación de lo establecido en la Ley.

Disposición adicional cuarta. Sanciones en materia de certificación energética de edificios y graduación

1. Las infracciones tipificadas en la disposición adicional tercera bis (nueva) serán sancionadas de la forma siguiente:

a) Las infracciones leves, con multa de 300 a 600 euros.

b) Las infracciones graves, con multa de 601 a 1.000 euros.

c) Las infracciones muy graves, con multa de 1.001 a 6.000 euros.

2. No obstante lo anterior, en los casos en que el beneficio que el infractor haya obtenido por la comisión de la infracción fuese superior al importe de las sanciones en cada caso señaladas en el apartado precedente, la sanción se impondrá por un importe equivalente al del beneficio así obtenido.

En la graduación de la sanción se tendrá en cuenta el daño producido, el enriquecimiento obtenido injustamente y la concurrencia de intencionalidad o reiteración.

COMENTARIO (1)

Sumario

1. Introducción
2. La modulación de las sanciones
3. Otras consideraciones

---

(1)   Comentario a cargo de Joaquín JALVO MÍNGUEZ. Arquitecto Superior en las especialidades de Edificación y Urbanismo. Diplomado en Urbanismo por el IEAL.

1. INTRODUCCIÓN

Este artículo complementa lo dispuesto en el anterior estableciendo la cuantía de las sanciones de las diferentes infracciones tipificadas en el artículo anterior.

Habría que haber realizado una lectura antes de la publicación del texto para eliminar de la Ley la errata que procede del Informe de la Ponencia en el trámite parlamentario, al referirse a las infracciones tipificadas en la disposición adicional tercera bis (nueva) ya que ese texto es el publicado en el Boletín Oficial de las Cortes Generales, Congreso de los Diputados, serie A, número. 45-3 de 31 de Mayo de 2013, como Informe de la Ponencia que se pronuncia en los siguientes términos:

«Disposición adicional tercera. (Pasa a ser disposición final decimoctava)

Disposición adicional tercera bis (nueva). Infracciones en materia de certificación de la eficiencia energética de los edificios.

1. Constituyen infracciones administrativas en materia de certificación de eficiencia energética de los edificios las acciones u omisiones tipificadas y sancionadas en esta disposición y en la disposición adicional siguiente, sin perjuicio de otras responsabilidades civiles, penales o de otro orden que puedan concurrir.

2. Las infracciones en materia de certificación energética de los edificios se clasifican en muy graves, graves y leves.

3. Constituyen infracciones muy graves en el ámbito de la certificación energética de los edificios:

a) Falsear la información en la expedición o registro de certificados de eficiencia energética.

b) Actuar como técnico certificador sin reunir los requisitos legalmente exigidos para serlo.

c) Actuar como agente independiente autorizado para el control de la certificación de la eficiencia energética de los edificios sin contar con la debida habilitación otorgada por el órgano competente.

d) Publicitar en la venta o alquiler de edificios o parte de edificios, una calificación de eficiencia energética que no esté respaldada por un certificado en vigor debidamente registrado.

e) Igualmente, serán infracciones muy graves las infracciones graves previstas en el apartado 4, cuando durante los tres años anteriores a su comisión hubiera sido impuesta al infractor una sanción firme por el mismo tipo de infracción.

4. Constituyen infracciones graves:

a) Incumplir las condiciones establecidas en la metodología de cálculo del procedimiento básico para la certificación de la eficiencia energética de los edificios.

b) Incumplir la obligación de presentar el certificado de eficiencia energética ante el órgano competente de la Comunidad Autónoma en materia de certificación energética de donde se ubique el edificio, para su registro.

c) No incorporar el certificado de eficiencia energética de proyecto en el proyecto de ejecución del edificio.

d) Exhibición de una etiqueta que no se corresponda con el certificado de eficiencia energética válidamente emitido, registrado y en vigor.

e) Vender o alquilar un inmueble sin que el vendedor o arrendador entregue el certificado de eficiencia energética, válido, registrado y en vigor, al comprador o arrendatario.

f) Igualmente, serán infracciones graves las infracciones leves previstas en el apartado 5, cuando durante el año anterior a su comisión hubiera sido impuesta al infractor una sanción firme por el mismo tipo de infracción.

5. Constituyen infracciones leves:

a) Publicitar la venta o alquiler de edificios o unidades de edificios que deban disponer de certificado de eficiencia energética sin hacer mención a su calificación de eficiencia energética.

b) No exhibir la etiqueta de eficiencia energética en los supuestos en que resulte obligatorio.

c) La expedición de certificados de eficiencia energética que no incluyan la información mínima exigida

d) Incumplir las obligaciones de renovación o actualización de certificados de eficiencia energética.

e) No incorporar el certificado de eficiencia energética del edificio terminado en el Libro del edificio.

f) La exhibición de etiqueta de eficiencia energética sin el formato y contenido mínimo legalmente establecidos.

g) Publicitar la calificación obtenida en la certificación de eficiencia energética del proyecto, cuando ya se dispone del certificado de eficiencia energética del edificio terminado.

h) Cualesquiera acciones u omisiones que vulneren lo establecido en materia de certificación de eficiencia energética cuando no estén tipificadas como infracciones graves o muy graves.

6. Serán sujetos responsables de las infracciones tipificadas en esta disposición, las personas físicas o jurídicas y las comunidades de bienes que las cometan, aún a título de simple inobservancia.

7. La instrucción y resolución de los expediente sancionadores que se incoen corresponderá a los órganos competentes de las Comunidades Autónomas.

Disposición adicional tercera ter (nueva). Sanciones en materia de certificación energética de edificios y graduación.

1. Las infracciones tipificadas en la disposición adicional tercera bis (nueva) serán sancionadas de la forma siguiente:

a) Las infracciones leves, con multa de 300 a 600 euros.

b) Las infracciones graves, con multa de 601 a 1.000 euros.

c) Las infracciones muy graves, con multa de 1.001 a 6.000 euros.

2. No obstante lo anterior, en los casos en que el beneficio que el infractor haya obtenido por la comisión de la infracción fuese superior al importe de las sanciones en cada caso señaladas en el apartado precedente, la sanción se impondrá por un importe equivalente al del beneficio así obtenido.

En la graduación de la sanción se tendrá en cuenta el daño producido, el enriquecimiento obtenido injustamente y la concurrencia de intencionalidad o reiteración.»

Como se puede observar no se ha corregido en el texto de la Ley la referencia a la nueva numeración del artículo anterior, de la misma forma que se ha renombrado como Disposición adicional cuarta la Disposición adicional tercera ter (nueva) que se publicó en el *Boletín Oficial de las Cortes Generales*.

Es de esperar que se corrija por el procedimiento normal de corrección de erratas esta referencia ya que al no existir una Disposición adicional tercera bis (nueva) sería complejo el procedimiento para aplicar las sanciones a las infracciones tipificadas en la Disposición adicional tercera.

En cuanto al contenido del artículo se sigue, al igual que el artículo anterior, una tipificación de las sanciones en función de la gravedad de las mismas siguiendo una metodología clásica, apuntando asimismo la imposibilidad de que el posible beneficio que se obtenga al cometer las infracciones sea superior a la sanción que se modula en este artículo.

2. LA MODULACIÓN DE LAS SANCIONES

Siguiendo siempre el modelo clásico se modula entre un máximo y un mínimo la cuantía de las sanciones que se deberán aplicar a los diferentes grados de las Infracciones. El abanico y la cuantía en los que se mueven las sanciones, entre 300 y 6.000 euros, se ha considerado por algunos autores como muy reducidos pero hay que considerar que en la aplicación del tipo de infracción siempre existe la posibilidad de que la cuantía de la sanción sea equivalente al beneficio que se haya podio obtener por la ejecución de la infracción.(2)

3. OTRAS CONSIDERACIONES

La imposición de las sanciones que la Ley declara como procedentes cuando se cometa alguna de las infracciones tipificadas se limita a establecer una serie de multas económicas cuya cuantía depende del tipo de sanción que se cometa.

Se echa de menos que se pudieran establecer otro tipo de sanciones a los infractores como son la no accesibilidad a incentivos o subvenciones o algunas de las previsiones de colaboración y cooperación económica previstas en la Ley, la inhabilitación temporal para la realización de los Informes de eficiencia energética de los técnicos infractores, no poder ser beneficiarios de medidas de fomento, inviabilidad de solicitar créditos para obtener financiación de las actuaciones regladas en la Ley u otras que permitieran disponer de un abanico de opciones que estuvieran en proporción a las infracciones que se cometieran.

Asimismo no se especifica cual será el planteamiento en el caso de que resultaren infracciones conexas en el desarrollo de la redacción, emisión, registro o cualquier otro trámite necesario para la Certificación de la Eficiencia Energética de los Edificios.

De la misma forma, se estima que se deberían haber establecido otros aspectos que no aparecen regulados en la Ley como son los plazos de prescripción de las infracciones y sanciones, que se deberían haber fijado para poder observar las particularidades de las infracciones que se cometan, de forma similar a los plazos de prescripción de las infracciones y sanciones urbanísticas establecidos en las leyes autonómicas urbanísticas, dado el paralelismo que se puede advertir al considerar como una infracción urbanística el incumplimiento del deber de cumplimentar en tiempo y forma el Informe de Evaluación de los Edificios, puesto que al no regular nada al particular se deberá entender de aplicación los plazos los establecidos de forma general por las leyes.

---

(2)   LOZANO CUTANDA, Blanca. *Ley 8/2013, de 26 de junio, de rehabilitación, regeneración y renovación urbanas: el nuevo informe de evaluación de edificios*. Análisis GA&P julio 2013, pág. 3.

DISPOSICIONES TRANSITORIAS

Disposición transitoria primera. Calendario para la realización del Informe de Evaluación de los Edificios

1. Con el objeto de garantizar la calidad y sostenibilidad del parque edificado, así como para orientar y dirigir las políticas públicas que persigan tales fines, y sin perjuicio de que las Comunidades Autónomas aprueben una regulación más exigente y de lo que dispongan las ordenanzas municipales, la obligación de disponer del Informe de Evaluación regulado en el artículo 4, deberá hacerse efectiva, como mínimo, en relación con los siguientes edificios y en los plazos que a continuación se establecen:

a) Los edificios de tipología residencial de vivienda colectiva con una antigüedad superior a 50 años, en el plazo máximo de cinco años, a contar desde la fecha en que alcancen dicha antigüedad, salvo que ya cuenten con una inspección técnica vigente, realizada de conformidad con su normativa aplicable y con anterioridad a la entrada en vigor de esta Ley. En este último caso, se exigirá el Informe de Evaluación cuando corresponda su primera revisión de acuerdo con aquella normativa, siempre que la misma no supere el plazo de diez años, a contar desde la entrada en vigor de esta Ley. Si así fuere, el Informe de Evaluación del Edificio deberá cumplimentarse con aquellos aspectos que estén ausentes de la inspección técnica realizada.

b) los edificios cuyos titulares pretendan acogerse a ayudas públicas con el objetivo de acometer obras de conservación, accesibilidad universal o eficiencia energética, con anterioridad a la formalización de la petición de la correspondiente ayuda.

c) El resto de los edificios, cuando así lo determine la normativa autonómica o municipal, que podrá establecer especialidades de aplicación del citado informe, en función de su ubicación, antigüedad, tipología o uso predominante.

2. Con el objeto de evitar duplicidades entre el informe y la Inspección Técnica de Edificios o instrumento de naturaleza análoga que pudiera existir en los Municipios o Comunidades Autónomas, el informe resultante de aquélla se integrará como parte del informe regulado por esta Ley, teniéndose éste último por producido, en todo caso, cuando el ya realizado haya tenido en cuenta exigencias derivadas de la normativa autonómica o local iguales o más exigentes a las establecidas por esta Ley.

COMENTARIO (1)

Sumario

1. Introducción.
2. Los plazos para la elaboración de los Informes de Evaluación de los Edificios.
3. Edificios con menos de 50 años de antigüedad y de cualquier uso.
4. Edificios con más de 50 años de antigüedad, con uso de tipología residencial de vivienda colectiva o asimilado al mismo.
5. Edificios con usos diferentes a la tipología residencial colectiva a los asimilados a ésta, con más de 50 años de antigüedad.
6. Edificios de uso de tipología residencial de vivienda colectiva o asimilados, que cuenten con una Inspección Técnica de Edificios vigente realizada antes del 28 de junio de 2013, de conformidad con su normativa de aplicación y que tengan menos de 50 años de antigüedad
7. Edificios de uso de tipología residencial de vivienda colectiva o asimilados, que cuenten con una Inspección Técnica de Edificios vigente realizada antes del 28 de junio de 2013, de conformidad con su normativa de aplicación y que tengan más de 50 años de antigüedad
8. Edificios de uso diferente al de tipología residencial de vivienda colectiva o asimilados que cuenten con una Inspección Técnica de Edificios vigente realizada antes del 28 de junio de 2013, de conformidad con su normativa de aplicación y que tengan más de 50 años de antigüedad

1. INTRODUCCIÓN

En el presente artículo se concreta temporalmente la obligación para la elaboración y presentación del Informe de Evaluación de los Edificios (IEE) ya analizado en los comentarios al artículo 4 de esta Ley, y se pondera el contenido del mismo en los casos en los que la edificación disponga de una Inspección Técnica de Edificio emitida favorable de acuerdo a la normativa autonómica o municipal que le sea de aplicación.

(1) Comentario a cargo de Joaquín Jalvo Mínguez. Arquitecto Superior en las especialidades de Edificación y Urbanismo. Diplomado en Urbanismo por el IEAL.

Todo ello queda inmerso en la necesidad de conocer, fundamentalmente, el estado del parque de viviendas, puesto que de las otras edificaciones a las que es preceptivo la elaboración del el IEE no se determinan plazos concretos para su elaboración y presentación ante las Administraciones que proceda, excepto si se va a solicitar una ayuda pública, a no ser que se exista normativa autonómica o municipal que así lo disponga. También se expresa en la Ley que la citada obligación de disponer en plazo del IEE se dirige a disponer de los datos oportunos para orientar y dirigir las políticas públicas destinadas a garantizar la calidad y la sostenibilidad del parque edificado.

También se recogen los plazos y momentos en los que se debe proceder a la elaboración del IEE en otros supuestos que no dependen de la edad de los edificios, como son los que dimanan de la solicitud de una ayuda pública, como se ha apuntado anteriormente, con el objetivo de acometer obras de conservación, accesibilidad universal o eficiencia energética o a aquellos que la normativa autonómica o municipal así lo establezca.

2. LOS PLAZOS PARA LA ELABORACIÓN DE LOS INFORMES DE EVALUACIÓN DE LOS EDIFICIOS

En este artículo se establecen diferentes supuestos para el cumplimiento de los plazos que se analizan de forma desagregada.

Los diferentes supuestos pueden ser los siguientes:

1. Edificios con menos de 50 años de antigüedad y de cualquier uso.

2. Edificios con más de 50 años de antigüedad, con uso de tipología residencial de vivienda colectiva o asimilado al mismo.

3. Edificios con usos diferentes a la tipología residencial colectiva a los asimilados a ésta, con más de 50 años de antigüedad.

4. Edificios de uso de tipología residencial de vivienda colectiva o asimilados, que cuenten con una Inspección Técnica de Edificios vigente realizada antes del 28 de junio de 2013, de conformidad con su normativa de aplicación y que tengan menos de 50 años de antigüedad

5. Edificios de uso de tipología residencial de vivienda colectiva o asimilados, que cuenten con una Inspección Técnica de Edificios vigente realizada antes del 28 de junio de 2013, de conformidad con su normativa de aplicación y que tengan más de 50 años de antigüedad

6. Edificios de uso diferente al de tipología residencial de vivienda colectiva o asimilados que cuenten con una Inspección Técnica de Edificios vigente realizada antes del 28 de junio de 2013, de conformidad con su normativa de aplicación y que tengan más de 50 años de antigüedad

El plazo establecido para la determinación de la antigüedad de los edificios a los que se debe exigir el IEE se ha fijado en 50 años, que es coherente con lo dispuesto en el artículo 1.1.4 del DB-SI del Código Técnico de la Edificación como periodo de servicio de los edificios.

Para el cómputo de la antigüedad de los edificios se tendrá que estar a la verificación de su antigüedad por la comprobación de la misma mediante la fecha que conste en el Certificado Final de Obra y si no se pudiese disponer de ese documento por haber sido objeto de autoconstrucción o haberse edificado sin contar con el Proyecto o la Dirección de Obras preceptiva se tendrán que referir la documentación que demuestre la antigüedad de las edificaciones a las fechas en las que el Catastro Inmobiliario establece como la de construcción de las edificaciones o aquellas otras que puedan servir para determinar la antigüedad de las edificaciones de forma pública y fehaciente (escrituras de obras nueva, archivos públicos, recibos de seguros o de suministros de servicios, etc.).

Otra puntualización debe realizarse al citar este articulo a los edificios de tipología residencial de vivienda colectiva, puesto que de acuerdo a lo dispuesto en el artículo 2.6 de la Ley se consideran ese tipo de edificios a aquellos que están compuestos por más de una vivienda, sin perjuicio de que puedan contener otros usos distintos y sobre todo se consideran asimilados a este uso los edificios de carácter residencial como hoteles, instalaciones hoteleras de todos tipo (hoteles, apartoteles, moteles, pensiones, casas rurales y otros asimilados) y las extra-hoteleras como pueden ser los apartamentos turísticos, villas turísticas, albergues, residencias (de estudiantes, de la tercera edad), campings, etc., incluyendo cualquier otro local, con independencia de su uso, que se encuentre ubicado dentro del edificio, conjunto de edificios o complejo inmobiliario

Se procede a analizar seguidamente los supuestos anteriormente relacionados.

3. EDIFICIOS CON MENOS DE 50 AÑOS DE ANTIGÜEDAD Y DE CUALQUIER USO

Se deberá exigir el Informe de Evaluación de los Edificios a aquéllos que tengan menos de 50 años de antigüedad y de cualquier uso, en el caso de que los titulares de esos edificios pretendan acogerse a unas ayudas públicas con el objetivo de acometer obras de conservación, accesibilidad universal o eficiencia energética.

En este caso la exigencia de presentar el IEE es la de una fecha anterior a la formalización de la petición de la correspondiente ayuda.

Cabe plantearse en estos casos que solamente la exigencia de la presentación del IEE es como requisito para solicitar la ayuda pública con independencia de que el resultado del IEE sea positivo o negativo, puesto que si lo que se pretende es solicitar una ayuda pública para realizar obras del tipo de las reseñadas es que podrán ser necesarias, por indicación del propio IEE, la ejecución de obras que sean imprescindibles o que resulten de la mejora de la eficiencia energética de la edificación, por lo que no tendría sentido que el Informe tuviera que ser positivo en cuanto a obras de conservación, o de accesibilidad o que marcase una etiqueta de eficiencia energética que resultase mejorable.

Asimismo la Ley determina que se podrá exigir el IEE a otros edificios cuando así lo determine la normativa autonómica o municipal cuando ésta establezca especialidades de aplicación al IEE debido a su ubicación, antigüedad, tipología o uso predominante. En estos casos será la normativa que disponga su exigencia la que determine los plazos para la presentación del IEE. Por lo tanto hay que entender que la Ley deja una puerta abierta a que las Autonomías o los Ayuntamientos puedan establecer otros plazos para presentar las IEE de los edificios, puesto que como bien establece las determinaciones que la propia Ley considera que los plazos son de carácter mínimo y por lo tanto se pueden establecer por esas Administraciones otros plazos inferiores u otras circunstancias que alteren los plazos mínimos fijados en este artículo para los edificios de menos de 50 años.

En estos casos se tendrá que tener en cuenta lo que la Ley prevé de forma acertada para evitar duplicidades que las ITE o instrumento de naturaleza análoga exigida por las Comunidades Autónomas o por los Ayuntamientos que hayan tenido en cuenta las disposiciones que se exigen en esta Ley se integren en los IEE, o que estos se encuentren como producidos cuando las ITE cuenten como mínimo con las exigencias requeridas por esta Ley para la redacción de los IEE.

4. EDIFICIOS CON MÁS DE 50 AÑOS DE ANTIGÜEDAD, CON USO DE TIPOLOGÍA RESIDENCIAL DE VIVIENDA COLECTIVA O ASIMILADO AL MISMO

Hay que reseñar lo anteriormente comentado en cuanto a los edificios, conjuntos de edificios o Complejos Inmobiliarios, asimilados por la Ley al uso residencial de vivienda colectiva, incluyendo por lo tanto en este apartado a los edificios hoteleros o extra hoteleros a los que se refiere el uso de vivienda colectiva en la aplicación de esta Ley.

A estos edificios el plazo máximo para la presentación del Informe de Evaluación de los Edificios es el de 5 años, a contar desde que el edificio haya cumplido los 50 años de antigüedad.

Siempre hay que considerar las posibles mayores exigencias que puedan establecer las disposiciones Autonómicas o municipales al respecto.

Se pueden considerar los casos que correspondan a edificios de usos residenciales, o asimilados al residencial, cuyos titulares deseen realizar obras que pretendan acogerse a ayudas públicas, lo que conllevaría que deban aportar el IEE antes de la petición de la ayuda. En este supuesto, se pueden presentar dos casos. El primero sería el que la solicitud de la ayuda se formalizase antes de los cinco años después de que el edificio adquiriera los 50 años de antigüedad y que por lo tanto no hubiera tenido la obligación de presentar el IEE antes los organismos de la Administración, lo que conllevaría que deberá, en ese momento realizar y presentar el IEE para poder cumplimentar lo exigido en esos casos. El segundo supuesto se corresponde con aquellos edificios que tengan más de 50 años de antigüedad y que quieran solicitar una ayuda después de pasados los 5 años desde que hayan cumplido esa antigüedad, por lo que ya tendrían que haber presentado el IEE en la Administración competente, por lo que solamente tendrán que notificar la existencia de ese IEE, dada la vigencia de diez años del IEE, sin perjuicio de mayores limitaciones que se realicen por otras Administraciones en la exigencia de los IEE.

5. EDIFICIOS CON USOS DIFERENTES A LA TIPOLOGÍA RESIDENCIAL COLECTIVA A LOS ASIMILADOS A ÉSTA, CON MÁS DE 50 AÑOS DE ANTIGÜEDAD

Al igual que los edificios con menos de 50 años de antigüedad, a estos edificios solamente les será de obligada presentación el IEE en el caso de que los titulares de esos edificios pretendan acogerse a unas ayudas públicas con el objetivo de acometer obras de conservación, accesibilidad universal o eficiencia energética.

Se puede aplicar a este supuesto lo comentado para los edificios con menos de 50 años de antigüedad en cuanto a los plazos para la presentación de los IEE y las particularidades del propio Informe.

También hay que considerar, en todo caso, como en los supuestos anteriores, la posibilidad de que las disposiciones autonómicas o municipales depongan particularidades para estos edificios en cuanto a su obligatoriedad y los plazos para su presentación.

6. EDIFICIOS DE USO DE TIPOLOGÍA RESIDENCIAL DE VIVIENDA COLECTIVA O ASIMILADOS, QUE CUENTEN CON UNA INSPECCIÓN TÉCNICA DE EDIFICIOS VIGENTE REALIZADA ANTES DEL 28 DE JUNIO DE 2013, DE CONFORMIDAD CON SU NORMATIVA DE APLICACIÓN Y QUE TENGAN MENOS DE 50 AÑOS DE ANTIGÜEDAD

Aunque parezca que los edificios que se encuentren en este supuesto solamente tendrían que realizar el IEE dentro de los cinco años posteriores al que cumplan los 50 años de antigüedad, de acuerdo a la norma general, existen casos en lo que se produciría una laguna de aplicación de la normativa entre la ITE y el IEE que conviene analizar.

Por ejemplo, un edificio que cumpla los 30 años de antigüedad en 2012 y que según la normativa autonómica o municipal haya realizado la ITE, y que esta tenga un plazo de vigencia de 10 años, en 2022, tendrá que seguir realizando la ITE al no tener 50 años y no ser obligado la formalización del IEE por lo que en 2032 tendrá o bien que realizar el IEE o la ITE y siempre antes del 2037 tendría que realzar el IEE, al estar dentro del plazo de 5 años posteriores al cumplimiento de la antigüedad de los 50 años.

Para aclarar si este edificio en 2032 tendría que realizar la ITE o el IEE se podría interpretar que la Ley dice que en la primera revisión que se realizase de la ITE se deberá proceder a la elaboración del IEE, pero también cabe interpretar que esa obligación solo es para los edificios que tengan ya 50 años en el momento de la entrada en vigor de la Ley y que dispongan de una ITE realizada de acuerdo a la normativa de aplicación.

Es de esperar que esa laguna de interpretación sea resuelta por las normativas autonómicas o municipales en la coordinación que se deberá producir en las disposiciones de las ITE y de las IEE y no solo en el caso que se ha expuesto sino que también hay que tener en cuenta que algunas ITE existentes son obligatorias antes de los 50 años de antigüedad de las edificaciones por lo que lo enunciado puede producirse en estos momentos en algunos casos.

En el caso de un edificio de 40 años de antigüedad en 2012, que disponga de ITE en ese año con una vigencia de 10 años, en el año 2022 deberá proceder a realizar o bien la ITE para el periodo comprendido entre el año 2022 y el 2027 que es en el que se cumpliría el plazo para disponer del IEE al cumplirse los 5 años posteriores a la antigüedad de los 50 años. Se estaría en un caso similar al comentado anteriormente.

7. EDIFICIOS DE USO DE TIPOLOGÍA RESIDENCIAL DE VIVIENDA COLECTIVA O ASIMILADOS, QUE CUENTEN CON UNA INSPECCIÓN TÉCNICA DE EDIFICIOS VIGENTE REALIZADA ANTES DEL 28 DE JUNIO DE 2013, DE CONFORMIDAD CON SU NORMATIVA DE APLICACIÓN Y QUE TENGAN MÁS DE 50 AÑOS DE ANTIGÜEDAD

Al igual que en el apartado anterior es posible plantear diferentes supuestos que de forma transitoria se pueden presentar.

En primer lugar se puede analizar un edificio que tenga más de 50 años y menos de 55 años de antigüedad en el año 2013, por ejemplo que haya cumplido los 53 años en ese año (edificio construido en 1960) y que tenga la ITE presentada en el año 2010, con un plazo de vigencia de 10 años, deberá presentar un IEE complementario con los aspectos ausentes en la ITE en el año 2015, al ser el año en el que debería presentar el IEE si no tuviera la ITE en vigor y en el año de la primera revisión de la ITE, año 2020, deberá presentar un IEE de acuerdo a la normativa vigente.

Cabe también plantearse que en el mismo supuesto anterior el plazo de vigencia de la ITE fuera superior al de 10 años, por lo que se superaría el plazo marcado en la Ley en este aspecto y por lo tanto se debería presentar el IEE o bien en el plazo límite de vigencia de la propia ITE o bien como límite al plazo anterior, en el plazo de 10 años marcado en la Ley desde su entada en vigor, es decir, en el año 2023.

Otro supuesto que puede plantearse es el de los edificios con una antigüedad superior a los 55 años con una ITE presentada de conformidad a su normativa y por un plazo de 10 años, por lo que a la entrada en vigor de la Ley debería presentar el IEE complementario con los aspectos ausentes en la ITE y cuando se cumpla el plazo de vigencia de la ITE, se debería presentar el IEE de acuerdo a lo dispuesto en la Ley y siempre dentro del plazo de 10 años desde la entrada en vigor de la Ley.

No hay que olvidar que en estos supuestos si se quiere solicitar una ayuda pública para ejecutar obras o mejoras de las relacionadas con los objetivos que dispone la Ley siempre habrá que presentar el IEE de acuerdo a lo establecido en la misma.

Asimismo habrá que presentar el IEE cuando lo disponga la normativa autonómica o municipal si es más exigente que lo reglamentado en la Ley.

8. EDIFICIOS DE USO DIFERENTE AL DE TIPOLOGÍA RESIDENCIAL DE VIVIENDA COLECTIVA O ASIMILADOS QUE CUENTEN CON UNA INSPECCIÓN TÉCNICA DE EDIFICIOS VIGENTE REALIZADA ANTES DEL 28 DE JUNIO DE 2013, DE CONFORMIDAD CON SU NORMATIVA DE APLICACIÓN Y QUE TENGAN MÁS DE 50 AÑOS DE ANTIGÜEDAD

En estos casos al no tener que realizar el IEE, como norma general al no ser edificios de uso residencial de vivienda colectiva o asimilados al mismo, solamente tendrán que presentar el IEE en el momento en el que quisieran solicitar un ayuda pública, según se ha expuesto en los anteriores supuestos, sin perjuicio de mayores limitaciones que impongan las Comunidades Autónomas o los Ayuntamientos.

En estos supuestos hay que tener en cuenta que se deberán seguir realizando las ITE si la normativa existente no se modifica y por lo tanto habrá un régimen igual que el actual para estos edificios y otro para el resto o para los que soliciten una ayuda pública, lo que enrarece el sistema de aplicación de la obligación de las ITE y de los IEE.

Debido a todo ello se observa que el análisis general de la casuística que se puede plantear en el régimen transitorio es bastante complejo y que es de esperar que la reglamentación que se llegue a producir, bien por un Reglamento que desarrolle la Ley o por las normativas que emanen de las Comunidades Autónomas o de los

Ayuntamientos, ayuden a solventar las dudas planteadas en la obligatoriedad y en los tiempos de la presentación de ambos documentos y lo que sería de desear es que la normativa que se realice en el futuro tienda a igualar los requerimientos para la ejecución de las denominadas ITE con los que se han dispuesto para los IEE y que exista un solo documento que con las particularidades que sean requeridas por cada una de las Comunidades Autónomas o por los Ayuntamientos y se disponga de una base común que agilice y clarifique la situación planteada.

Disposición transitoria segunda. Regla temporal de aplicación excepcional de la reserva mínima de suelo para vivienda protegida

Durante un plazo máximo de cuatro años a contar desde la entrada en vigor de esta Ley, las Comunidades Autónomas podrán dejar en suspenso la aplicación de lo dispuesto en el artículo 10.1 b) del texto refundido de la Ley de Suelo, aprobado por el Real Decreto Legislativo 2/2008, de 20 de junio (LA LEY 8457/2008), determinando el período de suspensión y los instrumentos de ordenación a que afecte, siempre que se cumplan, como mínimo, los siguientes requisitos:

a) Que los citados instrumentos justifiquen la existencia de un porcentaje de vivienda protegida ya construida y sin vender en el Municipio, superior al 15 por ciento de las viviendas protegidas previstas o resultantes del planeamiento vigente y una evidente desproporción entre la reserva legalmente exigible y la demanda real con posibilidad de acceder a dichas viviendas.

b) Que dichos instrumentos de ordenación no hayan sido aprobados definitivamente antes de la entrada en vigor de esta Ley o que, en el caso de haber sido aprobados, no cuenten aún con la aprobación definitiva del proyecto o proyectos de equidistribución necesarios.

COMENTARIO (1)

Sumario

1. Introducción
2. La regulación temporal

---

(1)   Comentario a cargo de Joaquín Jalvo Mínguez. Arquitecto Superior en las especialidades de Edificación y Urbanismo. Diplomado en Urbanismo por el IEAL.

3. Las normativas autonómicas de índole semejante al contenido del artículo 10.1.b) de la Ley de Suelo estatal
4. La determinación de los instrumentos de ordenación a los que se debe aplicar la posible suspensión
5. Los problemas derivados cuando la planificación esté aprobada
6. Los requisitos impuestos para poder dejar en suspenso la normativa

1. INTRODUCCIÓN

Se regula en esta disposición transitoria una excepción temporal para que durante un plazo específico se pueda dejar en suspenso por las Comunidades Autónomas la aplicación del contenido del artículo 10.1.b) del texto refundido de la Ley de Suelo, aprobado por el Real Decreto Legislativo 2/2008, de 20 de junio y modificado por la Disposición final duodécima, apartado seis de la Ley a la que pertenece la presente Disposición Transitoria, que se refiere a los criterios básicos para la utilización del suelo y en concreto a la reserva de suelo que la planificación urbanística debe realizar para permitir el emplazamiento de viviendas sujetas a un régimen de protección pública.

Se establecen condiciones de concreción temporal para el plazo de suspensión, se acota en el tiempo las posibilidades de la misma y se exigen ciertos requisitos que dependen de la dinámica del mercado de las viviendas sometidas al régimen de protección pública

Se analizan a continuación los pormenores del contenido de la disposición.

2. LA REGULACIÓN TEMPORAL

La Disposición Transitoria que se analiza dispone que durante un plazo máximo de cuatro años desde la entrada en vigor de la Ley, es decir hasta el 28 de junio de 2017, las Comunidades Autónomas podrán dejar en suspenso la aplicación de lo dispuesto en el artículo 10.1.b) citado.

Según una lectura directa de lo descrito en la Ley, este plazo será el máximo que la presente disposición establece para dejar en suspenso la obligatoriedad de reservar suelo, destinado a la construcción de viviendas sujetas a un régimen de protección pública, mediante las disposiciones oportunas en las leyes autonómicas o en los instrumentos de ordenación que se formalicen.

Asimismo establece la Disposición Transitoria que las Comunidades Autónomas determinarán el periodo de suspensión y los instrumentos de ordenación a los que afecte, cumpliendo ciertos requisitos que se analizarán más adelante.

Por lo tanto hasta la fecha indicada, 28 de junio de 2017, tienen de plazo las Comunidades Autónomas para que regulen, si lo consideran oportuno, dejar en suspenso la obligatoriedad de reservar suelo, destinado a la construcción de viviendas sujetas a un régimen de protección pública y fijar el periodo de vigencia de esta suspensión que consideren adecuado a los fines de su política de planificación.

Se podría interpretar que el plazo de cuatro años establecido en la Ley es para que las Comunidades Autónomas puedan decidir dejar en suspenso el articulado citado, establecer a que instrumentos afectan y determinar un plazo de aplicación de la citada suspensión.

Pero no parece que pueda tener sentido la anterior interpretación ya que la Ley establece el plazo de cuatro años como máximo, y de forma excepcional, para el límite temporal de la suspensión que decreten las Comunidades Autónomas, deján-doles el periodo que crean oportuno, hasta la citada fecha de 28 de junio de 2017, para que sea operativa la suspensión que en su caso acuerden.

De no ser así no tendría sentido la limitación temporal expuesta ni la capacidad otorgada a las Comunidades Autónomas para que fijen un plazo de aplicación a la suspensión puesto que el mismo podría ser de 50 años, lo que dejaría invalidada la aplicación del artículo 10.1.b) de la Ley de suelo estatal y no tendría en absoluto el carácter de transitorio que debe contener esta regulación al estar incluida en la Ley en una disposición de ese carácter.

Por lo tanto, lo que parece correcto, en la interpretación de lo dispuesto, es que las Comunidades Autónomas regulen para el planeamiento que se apruebe defini-tivamente el que disponga de un clausulado que permita temporalmente, hasta el 28 de junio de 2017, no destinar parte del suelo a viviendas sujetas a un régimen de protección.

Asimismo las propias Comunidades Autónomas podrán dejar en suspenso, por el plazo que estimen oportuno y tomando como límite la misma fecha, el cumplimiento de efectuar la reserva ya prevista en la ordenación urbanística aprobada definitivamente siempre que no se hayan aprobado los instrumentos de equidistribución,

Por lo tanto las disposiciones que se tomen por las Comunidades Autónomas tendrán como objetivo transitorio que los terrenos que la ordenación urbanística de nueva aprobación destine a la construcción de viviendas sujetas a un régimen de protección puedan destinarse a otro tipo de viviendas, en el periodo temporal que fijen y que tiene como límite el citado 28 de junio de 2017.

De la misma forma las Comunidades Autónomas podrán dejar en suspenso so-bre los terrenos que aunque dispongan de ordenación urbanística no hayan apro-bado los instrumentos de equidistribución que el planeamiento les haya asignado, durante un periodo temporal, la obligación de destinar esos suelos a la construc-ción de viviendas sujetas a un régimen de protección pública.

Esta regulación transitoria suscita también una duda que tendrán que resolver las normas de las Comunidades Autónomas que regulen su aplicación para poder ejecutar su mandato, en el sentido de que en la fecha del 28 de junio de 2017, o aquella que fije la Comunidad Autónoma, cual es el instrumento que posibilita y concreta la no edificación de viviendas sujetas a algún régimen de protección, si es la solicitud de la licencia, su obtención, la obtención de la cédula de primera ocupación o cualquier otra intervención administrativa o si es simplemente la aprobación definitiva de los instrumentos de equidistribución lo que lleva a poder materializar esa posibilidad.

Para que todas estas cuestiones queden perfectamente aclaradas por los pronunciamientos de las Comunidades Autónomas al respecto, éstos deberán ser lo más precisos posibles en cuanto a las fechas a las que se refiere la posibilidad de la suspensión de reservar los suelos para las viviendas sujetas a algún régimen de protección pública, en cuanto a la ordenación urbanística a la que afecta, especificando los actos administrativos que consolidan esa posibilidad y siempre teniendo en cuenta que se deben cumplir las condiciones impuestas por la Ley.

3. LAS NORMATIVAS AUTONÓMICAS DE ÍNDOLE SEMEJANTE AL CONTENIDO DEL ARTÍCULO 10.1.B) DE LA LEY DE SUELO ESTATAL

Para completar el conjunto de determinaciones que deben contemplar las normas que a estos efectos dispongan las Comunidades Autónomas deberán tener en cuenta las propias disposiciones de su reglamentación urbanística, en la que se disponga asimismo la reserva para este tipo de construcciones, lo que deberá ser tenido en cuenta en las ordenaciones urbanísticas a las que vaya dirigida su normativa, debiendo hacer extensiva la cláusula de suspensión que establece esta Disposición Transitoria a la regulación propia de su Comunidad, para de esa forma ser coherente en la aplicación del articulado que prevé esa reserva de suelo para destino a viviendas sujetas a algún régimen de protección pública.

4. LA DETERMINACIÓN DE LOS INSTRUMENTOS DE ORDENACIÓN A LOS QUE SE DEBE APLICAR LA POSIBLE SUSPENSIÓN

Otra de las disposiciones que se regulan en esta Disposición Transitoria es que se determinen los instrumentos de ordenación a los que afecta la suspensión de la regulación de la reserva para las viviendas sujetas a algún régimen de protección pública.

En efecto las legislaciones urbanísticas disponen de diferentes instrumentos de ordenación que normalmente se agrupan en dos grandes conceptos: los de ordenación territorial y los de ordenación urbanística.

Dentro de los de ordenación territorial cada Comunidad Autónoma dispone de una serie de instrumentos tales como Directrices, Planes, Normas, etc., que posibilitan la ordenación con el ámbito y la competencia que las propias Leyes determinan.

De la misma forma la ordenación urbanística está compuesta por un conjunto de Planes Generales, Planes de Sectorización, Normas Subsidiarias, Planes de Desarrollo, Estudios de Detalle, Catálogos, etc., que, con el contenido propio determinado en cada una de sus leyes, conforman el marco de ordenación del territorio.

En la determinación que las Comunidades Autónomas realicen para cumplimentar lo dispuesto en esta Disposición se deberán tener en cuenta las diferentes relaciones que existen entre cada una de las planificaciones para establecer un marco coherente y que pueda resolver los problemas que se podrán presentar, al establecerse como transitorio en el tiempo y con una fecha de caducidad establecida la posibilidad que se ha planteado, ya que al estar referida esta posibilidad de suspensión a la determinación del uso que se va a asignar al suelo, conllevará una variación en uno de los componentes a tener en cuenta en la determinación del aprovechamiento urbanístico, como se podrá analizar más adelante.

5. LOS PROBLEMAS DERIVADOS CUANDO LA PLANIFICACIÓN ESTÉ APROBADA

La suspensión de las determinaciones del uso del suelo y la posibilidad de destinarlo a otro diferente del previsto por la planificación plantea ciertas indefiniciones que pueden alterar los parámetros que el propio planeamiento aprobado definitivamente dispone para la zona a la que se refiera la calificación de las viviendas sujetas a algún régimen de protección pública.

El planeamiento urbanístico debe establecer, para la determinación del aprovechamiento subjetivo por atribución que esa planificación otorga a cada uno de los propietarios del suelo, como mínimo, una serie de cualidades del mismo que afectan a esa determinación.

Para determinar el aprovechamiento la ordenación urbanística debe asignar una edificabilidad y el uso de la misma, cuando no otras atribuciones como la situación, tipologías, densidad, circunstancias que afecten a su valor u otras que permitan definir el aprovechamiento objetivo a partir del cual se fije el aprovechamiento subjetivo por atribución al que se refiere el párrafo anterior.

Según se ha podido observar, uno de los parámetros imprescindibles para la determinación del aprovechamiento es el uso de cada uno de los terrenos a los que haya que asignar ese aprovechamiento, puesto que es el uso del suelo uno de los parámetros más relevantes para definir una calificación urbanística que permita conocer las características del suelo y por lo tanto su valoración, entre otros elementos.

No es lo mismo disponer en la adjudicación de una equidistribución un suelo calificado con un uso de vivienda libre que otro con el de vivienda sujeta a un régimen de protección pública, o un uso comercial, o terciario u otro de equipamiento o de un uso turístico, en los planes que así lo configuren.

Por lo tanto es notorio que la asignación del uso de vivienda sujeta a un régimen de protección pública conlleva una asignación de coeficientes diferentes a los de la vivienda libre y que ambos son variables en el tiempo y que dependen del momento en el que se realiza la planificación urbana.

La Ley dispone que la aplicación de la Disposición Transitoria debe limitarse a los instrumentos de ordenación que no estén aprobados definitivamente, o a aquéllos que no cuenten con la aprobación definitiva de los proyectos de equidistribución, antes de la entrada en vigor de la Ley, es decir, hasta el 27 de junio de 2013.

Si se tiene en cuenta lo anteriormente expuesto, al modificarse la calificación urbanística de los terrenos que tenían un uso de vivienda sujeta a un régimen de protección pública por el uso de vivienda libre, el aprovechamiento de esa planificación aprobada definitivamente se vería modificado en su propio cálculo.

Esta posibilidad parece que no es la contemplada en la Ley, puesto que la variación temporal del uso al que se destinan los terrenos no parece conllevar un cambio en los instrumentos de ordenación que desembocasen en una nueva determinación del aprovechamiento urbanístico. Al no ser así, se determinará como aprovechamiento objetivo el que la propia ordenación urbanística establece y sería en el momento de la equidistribución cuando se deberían utilizar los nuevos coeficientes que marquen las relaciones entre los nuevos usos los que determinen las verdaderas relaciones de valor entre los aprovechamientos a distribuir.

Esta interpretación daría respuesta a lo previsto en la Ley, ya que ésta ha permitido la posibilidad de establecer la modificación de los usos a los instrumentos de ordenación ya aprobados hasta que se encuentren definitivamente aprobados los instrumentos de equidistribución, lo que es equivalente a decir que en ese momento es cuando hay que fijar unos nuevos coeficientes que respondan a las relaciones de valor entre los diferentes usos y que permitan una verdadera equidistribución del aprovechamiento definido por la ordenación urbanística.

Esa forma de concretar la ponderación del aprovechamiento urbanístico ya está contemplada en alguna legislación autonómica, como puede observarse en el artículo 37.5 Decreto Legislativo 1/2010, de 3 de agosto, por el que se aprueba el Texto Refundido de la Ley de Urbanismo de la Generalitat de Catalunya, en el que se indica que en la gestión urbanística, la ponderación del aprovechamiento urbanístico en un ámbito de actuación, se tiene que ajustar al valor relativo homogeneizado de cada una de las diversas zonas que la integran.

Esta es la única interpretación que cabe hacer para poder equidistribuir el aprovechamiento que el Plan establece, puesto que si los que van a operar en esa equidistribución son los coeficientes que se determinaron en los cálculos de los correspondientes aprovechamientos, para cada uno de los usos, en los instrumentos de ordenación y han variado las circunstancias que los hacen representar las relaciones de valor, no tiene sentido alguno que se mantengan las relaciones de valor que se disponían en el primitivo cálculo de los aprovechamientos. Esa solución se adopta por algunos instrumentos de ordenación urbanística, sobre todo en los de desarrollo, manteniendo los coeficientes de la planificación general cuando han variado notablemente las relaciones de valor entre los usos en el momento de la equidistribución, lo que invalida cualquier equidistribución efectuada con los coeficientes que se atribuyan a relaciones de valor que no estén adecuados al momento en el que se formaliza la equidistribución.

Por lo tanto en el momento de realizar la equidistribución de las unidades en las que se haya formalizado la aplicación de la disposición transitoria, que permite la modificación del uso de vivienda sujeta a algún régimen de protección pública por otra vivienda libre, se deberán aplicar los coeficientes para la distribución del aprovechamiento que el planeamiento haya asignado a la unidad que se gestiona, adaptándolos a las relaciones de valor que existan en el momento de realizar la equidistribución, puesto que de no ser así no se podría hablar de verdadera equidistribución.

Para completar el análisis de las posibles interpretaciones en la utilización de los coeficientes, se puede analizar el supuesto de que se aplicasen a los terrenos en los que se vaya a cambiar la calificación de los suelos los coeficientes que la ordenación haya definido para los usos de viviendas libres y para las viviendas sujetas a algún régimen de protección pública. Este supuesto no tendría sentido puesto que una de las condiciones que exige la Ley para establecer la posibilidad de la suspensión temporal de la calificación específica de viviendas sujetas a un régimen de protección pública es que exista una desproporción evidente entre las viviendas planificadas y la demanda real, lo que conlleva a considerar que si se permite la suspensión temporal de la calificación establecida en los planes es porque se detecta una variación desproporcionada en la existencia del número de unidades de cada una de las dos tipologías, lo que influye directamente en los precios, y es por lo que se hace necesaria esa modificación. Por lo tanto al producirse esa desproporción, imprescindible para que pueda llegar a cambiarse la calificación urbanística, queda anulada la relación entre los coeficientes originarios debido a la propia justificación de la desproporción exigida, lo que invalida la teoría de que se pudiesen mantener los coeficientes utilizados en el planeamiento para las dos calificaciones de vivienda, debiendo calcularse y aplicarse, en los instrumentos de gestión que se lleven a cabo, unos nuevos coeficientes que permitan reflejar la nueva realidad, tal como pone en evidencia la Ley.

6. LOS REQUISITOS IMPUESTOS PARA PODER DEJAR EN SUSPENSO LA NORMATIVA

Para que las Comunidades Autónomas puedan adoptar la suspensión de la obligación de la reserva de suelo destinados a la ubicación de viviendas sujetas a algún régimen de protección pública, se deben cumplir varios requisitos de forma conjunta:

a) Que exista un porcentaje de vivienda protegida ya construida, sin vender en el Municipio superior al 15% de las viviendas protegidas previstas en el planeamiento vigente

b) Que exista una verdadera desproporción entre la reserva legalmente exigible y la demanda real con posibilidad de acceder a esa clase de viviendas

c) Que los instrumentos de ordenación no hayan sido aprobados definitivamente antes de la entrada en vigor de la Ley o si estuvieran aprobados los instrumentos de ordenación que los instrumentos de equidistribución necesarios para su gestión no se hayan aprobado definitivamente.

Estos requisitos plantean ciertas dudas que es necesario comentar para aclarar su contenido.

1. Con respecto a las viviendas protegidas ya construidas.

Para conocer el verdadero significado de lo que la Ley quiere contrastar se debería haber matizado que significado se quiere dar al concepto de vivienda construida, al quedar sometidas esta tipología de viviendas a un régimen de protección pública y estar sometidas a un régimen especial de tramitación.

¿Cuándo se puede entender que esta tipología de viviendas están construidas?:

a) Después de que se haya emitido el Certificado Final de Obra que declara que las construcciones están dispuestas para su normal uso.

b) Cuando dispongan de la calificación definitiva como viviendas de protección por la Administración competente.

c) En el momento de que dispongan de la Licencia de Primera Ocupación.

Parece que el criterio del legislador, expresado en la justificación de la enmienda 188 al articulado de la Ley, por la que se incluyó esta disposición transitoria segunda, es tratar de adecuar la reserva mínima obligatoria de suelo a la realidad del mercado en cada Comunidad Autónoma, así como a la de sus potenciales beneficiarios, con carácter excepcional, y durante un período que no excederá de cuatro años. Por ello lo que parece que se quiere conocer son las viviendas protegidas que existan realmente en el mercado, por lo que habría que considerar al opción que corresponde a las que dispongan de la Licencia de Primera Ocupación, que son las que realmente se pueden ocupar.

2. Con respecto a las viviendas protegidas que estén sin vender.

Este requisito que necesita computar el número de viviendas protegidas y compararlas con las previstas en el planeamiento vigente es desafortunado ya que parece que se olvida el legislador del parque de viviendas protegidas que están sin vender pero que están en régimen de alquiler o en cualquier potro régimen de protección pública, como pueden ser el derecho de superficie o la concesión administrativa y que cada vez más se está considerando en el momento actual dado el estado en el que se encuentra el mercado de la vivienda.

No se debería haber usado esta terminología puesto que si se aplica al pie de la letra la definición de la Ley no se podrán considerar las viviendas protegidas en alquiler que existan en el área que se esté considerando.

Habría sido más coherente con los objetivos y con la justificación de la enmienda que incluyo esta disposición que se considerasen las viviendas construidas protegidas deshabitadas o cualquier otro término similar (que no se encuentren en el mercado de vivienda, etc.), para que se pudieran conocer cuáles son las que realmente están en el mercado para poder ser vendidas o alquiladas.

En el recuento que se deba realizar para justificar el porcentaje aludido del 15% se estima que no se podrán computar las viviendas que estén construidas y sin vender pero que estén habitadas y que no estén en el mercado de la viviendas protegida.

3. Las viviendas protegidas previstas por el planeamiento vigente.

Este dato es el más sencillo de conocer ya que los propios instrumentos de planificación habrán determinado su cuantía. Nos se debe confundir con las viviendas de protección que realmente existan en el área de estudio, puesto que puede haber viviendas con algún régimen de protección construidas sobre suelos que el planeamiento haya destinado a vivienda libre pero que sus promotores hayan destinado a viviendas protegidas, y al no ser las superficies que el planeamiento ha destinado a viviendas sujetas a algún régimen de protección no deben ser computadas en estos cálculos.

4. El área de ordenación a la que puede afectar la posibilidad de dejar en suspenso la obligatoriedad de la reserva.

Ya se ha comentado que la ordenación urbanística a la que va dirigida la disposición es de diversa índole. La ordenación puede ser de carácter general que abarque a todo un municipio (planes generales, normas subsidiarias, etc.) o puede ser una planificación de desarrollo que culmine la ordenación establecida por el planeamiento general (planes parciales, estudios de detalle, etc.).

Para poder cumplimentar los requisitos que la Disposición incluye como obligatorios para que se pueda dejar en suspenso la reserva de viviendas, se ha de verificar, como ya se ha analizado anteriormente, el parque de viviendas construidas y con capacidad para el mercado de venta o alquiler de las mismas y la reserva existente efectuada por el planeamiento para este tipo de viviendas. No parece que tenga sentido que este análisis se vea reducido a una parte del municipio que puede ver distorsionados los parámetros exigidos mientras que en el resto del municipio no se dan las mismas circunstancias.

Por lo tanto parece que el análisis para poder dejar en suspenso cualquier área de ordenación tiene que referirse al conjunto del municipio y no a las áreas a las que se refiera la ordenación a en la que se esté dejando en suspenso la necesidad de realizar la reserva para viviendas sujetas a algún régimen de protección.

El propio texto de la disposición indica que el porcentaje de las viviendas construidas con respecto a las previstas o resultantes del planeamiento vigente debe referirse al Municipio y por lo tanto la referencia a los instrumentos de ordenación que justifiquen este parámetro no supone que estas justificaciones se deban efectuar en su ámbito territorial, sino que es en ellas donde se debe demostrar la existencia de esos porcentajes y de la desproporción que existe en todo el Municipio en el que se encuentre la actuación.

5. El análisis de la desproporción entre la reserva legalmente exigible y la demanda real.

Con respecto al análisis que tendrá que efectuarse para poder acceder a la suspensión de la obligatoriedad de la reserva de suelo para viviendas con algún régimen de protección pública se deben tener en cuenta dos parámetros. El primero es la reserva legalmente exigible de suelo para esta tipología de viviendas que no se debe confundir con la que los planeamientos hayan establecido, y que se ha considerado en apartados anteriores, puesto que las ordenaciones urbanísticas podrán haber realizado, por diferentes razones, reservas de suelo para esta tipología de viviendas en cuantía superior a la que sea legalmente exigible, debido a justificaciones políticas, económicas, de oportunidad, etc., y por lo tanto la cuantía existente en la planificación para este tipo de suelos puede no coincidir con la que legalmente sea exigible.

Por otro lado hay que conocer la demanda real con posibilidad de acceder a dichas viviendas lo cual será más complejo, puesto que esa demanda no será conocida directamente, ya que si bien los censos que pudieran disponer las Empresas Municipales o Autonómicas de Viviendas, o los propios Ayuntamientos en la gestión que hayan podido realizar para la construcción de viviendas con algún régimen de protección pública y que sean de gestión pública, representan por un lado la demanda real para la gestión pública, habrá también que tener en cuenta aquellos posibles adquirentes de estas viviendas que podrían acceder a ellas a través de una gestión privada y por otro lado la demanda tiene que ser real, es decir, tiene que poder soportar las condiciones de solvencia y otras características que hasta el momento de realizar la adjudicación de las viviendas no podría determinarse con cierta exactitud, por lo que habrá que estimar esa demanda con los datos más aproximados que se conozcan por parte de las bases de datos públicas y de los conocimientos de los agentes inmobiliarios que operen en la zona.

Otro punto que es necesario considerar es el concepto de desproporcionado que la Ley establece para poder cumplir esta exigencia. No se aportan datos concretos sino que es un concepto jurídicamente indeterminado que puede producir controversias en su aplicación. Asimismo este concepto puede cambiar en el tiempo, puesto lo que puede ser desproporcionado en un momento histórico puede ser justificable en otro con condiciones de mercado diferentes, por lo que se añade un elemento subjetivo de difícil categorización.

6. El estado de aprobación de la ordenación urbanística y de sus instrumentos de gestión.

Ya se han analizado anteriormente las dificultades que se pueden observar en los cambios que se pueden producir en el planeamiento y en su gestión al producirse la modificación en la calificación urbanística de los suelos destinados a la construcción de viviendas sujetas a algún régimen de protección pública por haberse suspendido la obligatoriedad de realizar la reserva para esta calificación de viviendas.

La Ley limita la posibilidad de realizar la modificación de la calificación otorgada por el planeamiento, en virtud de esa suspensión, a los suelos que vayan a ser regulados por aquellas figuras de ordenación que no hayan sido aprobadas.

Se puede matizar también esa condición, puesto que si bien el planeamiento general puede estar definitivamente aprobado, puede no estarlo el planeamiento de desarrollo, que es el que fija las calificaciones de suelo, de acuerdo a las directrices del planeamiento general, pero que tendrá que prever los terrenos que pueden estar afectados por una posible modificación del uso, si se dan el resto de condiciones expuestas por la Ley y las que observen las Comunidades Autónomas en la normativa que emitan al respecto para autorizar la suspensión, puesto que su Programa de Actuación irá más lejos que los cuatro años previstos para la suspensión y por ello volverían a tener la calificación de suelos para viviendas con algún régimen de protección pública cuando se caduquen los plazos temporales para su implementación.

Por ello se deberán tener en cuenta, en la redacción de los instrumentos de ordenación que recojan estas particularidades, las posibles incidencias ya comentadas en los cálculos de los aprovechamientos urbanísticos y en otras definiciones del planeamiento como pueden ser las que se mantengan cuando se caduquen los plazos temporales de aplicación de la suspensión, por lo que el planeamiento que se apruebe deberá contemplar todo el conjunto de circunstancias que se puedan producir en esos supuestos.

De la misma forma la aprobación de los instrumentos de gestión deberán tener en cuenta la posible suspensión de la calificación de viviendas con algún régimen de protección y deberán contemplar las particularidades ya observadas anteriormente y habrá que plantearse las dificultades que se podrán observar en el momento en el que tienda a concluir el plazo para la suspensión y se estén tramitando instrumentos de gestión que recojan esa posible suspensión, puesto que como ya se ha hecho notar la equidistribución debe hacerse con los datos reales de los usos que se deban implantar en el territorio.

DISPOSICIÓN DEROGATORIA ÚNICA

Quedan derogadas todas las disposiciones de igual o inferior rango que se opongan a la presente Ley y, en particular, las siguientes:

1.ª Los artículos 8 (LA LEY 46/1960), 11 (LA LEY 46/1960) y 12 de la Ley 49/1960, de 21 de julio (LA LEY 46/1960), sobre Propiedad Horizontal.

2.ª El apartado 5 del artículo 2 del Real Decreto 314/2006, de 17 de marzo, por el que se aprueba el Código Técnico de la Edificación (LA LEY 493/2006).

3.ª El artículo 13, la disposición adicional undécima y las disposiciones transitorias segunda (LA LEY 8457/2008) y quinta del texto refundido de la Ley de Suelo, aprobado por Real Decreto Legislativo 2/2008, de 20 de junio (LA LEY 8457/2008).

4.ª El artículo 2 del Real Decreto 1492/2011, de 24 de octubre (LA LEY 20705/2011), por el que se aprueba el Reglamento de valoraciones de la Ley del Suelo.

5.ª Los artículos 107 (LA LEY 3603/2011), 108 (LA LEY 3603/2011), 109 (LA LEY 3603/2011), 110 (LA LEY 3603/2011) y 111 de la Ley 2/2011, de 4 de marzo, de Economía Sostenible (LA LEY 3603/2011).

6.ª Los artículos 17, 18, 19, 20, 21, 22, 23, 24 y 25, la disposición adicional tercera, las disposiciones transitorias primera y segunda y la disposición final segunda del Real Decreto-ley 8/2011, de 1 de julio, de medidas de apoyo a los deudores hipotecarios, de control del gasto público y cancelación de deudas con empresas y autónomos contraídas por las entidades locales, de fomento de la actividad empresarial e impulso de la rehabilitación y de simplificación administrativa. (LA LEY 14238/2011).

COMENTARIO (1)

Las nuevas leyes pueden innovar, modificar y/o derogar otras disposiciones. Es decir, crear, cambiar o hacer desaparecer del panorama legislativo. En el caso de la Ley que nos ocupa, la Ley 8/2013, de 26 de junio, de rehabilitación, regeneración y renovación urbanas *(BOE 27 junio)*, estas tres acciones se llevan a cabo con muchísima fuerza. Precisamente por ello ha sido igualmente criticada y alabada.

Con respecto a la Disposición Derogatoria, el legislador ha decidido hacerla única, situando en el mismo plano la derogación general (todas las disposiciones de igual o inferior rango que se opongan a la presente Ley) y la expresa (y, en particular...).

Resulta muy ilustrativo el trabajo de Jesús María Calderón González, dentro del libro *Jurisdicción contencioso-administrativa. Comentarios a la Ley 29/1998, de 13 de julio, Reguladora de la Jurisdicción Contencioso-Administrativa*, 3.ª edición, Editorial El Consultor de los Ayuntamientos y de los Juzgados, Madrid, septiembre 2007. (LA LEY 8138/2010), en su distinción de cláusulas derogatorias:

> Es clásica la distinción establecida por el Profesor Castán Tobeñas que, al referirse a la cesación de los efectos de la norma, distinguía entre la temporal (suspensión de la ley, moratoria) o definitiva (extinción). Esta última podía tener lugar por causas internas o intrínsecas (caducidad de la ley) o por causas externas o extrínsecas (derogación).

> Esta cesación de efectos, llamada abolición, supone la modificación de una norma por otra posterior.

> Dentro, a su vez, de la derogación, podemos hablar de derogación expresa, que puede resultar de una disposición especial de la ley nueva, bien se determine en ésta, de un modo concreto, la disposición dejada sin efecto, o se haga la derogación genérica o indeterminada, a través de una fórmula general, y de derogación tácita que tiene lugar, simplemente, en el caso de que las disposiciones de la nueva ley sea incompatibles con las de la ley precedente.

> Las dos fórmulas tradicionales de derogación aparecen recogidas en el artículo 2.2 del Código Civil al afirmar que:

> «Las leyes sólo se derogan por otras posteriores. La derogación tendrá el alcance que expresamente se disponga y se extenderá siempre a todo aquello que en la ley nueva sobre la misma materia sea incompatible con la

---

(1)   Comentario a cargo de Julio Castelao Simón. Licenciado en Derecho, abogado.

anterior. Por la simple derogación de una ley no recobran vigencia las que ésta hubiera derogado.»

Vemos, por tanto, que el Código Civil recoge las dos fórmulas de derogación, y añade, para excluirla, la llamada derogación de la ley derogatoria.

Resulta evidente que la apreciación de la incompatibilidad en que se fundamenta la derogación tácita puede suscitar dificultades, de ahí que resulte preferible, por razones de seguridad jurídica, la derogación expresa, aunque suele ser frecuente en nuestro Ordenamiento Jurídico, por propia incuria del Legislador, como ha señalado reiteradamente la doctrina, la utilización de una fórmula genérica de derogación.

En esta cláusula Derogatoria, nos limitamos a transcribir los artículos que, expresamente, se expulsan de nuestro Ordenamiento Jurídico, ya que los distintos autores de este libro ya han comentado, en sus capítulos correspondientes, todo lo que se crea, modifica o elimina en cada una de las especialidades comentadas.

DISPOSICIONES FINALES

Disposición final primera. Modificación de la Ley 49/1960, de 21 de julio, sobre Propiedad Horizontal

Se modifican los artículos 2, 3, 9, 10 y 17 y la disposición adicional de la Ley 49/1960, de 21 de julio, sobre Propiedad Horizontal.

Uno. Se adicionan las letras d) y e) al artículo 2, que quedan redactadas de la siguiente manera:

«d) A las subcomunidades, entendiendo por tales las que resultan cuando, de acuerdo con lo dispuesto en el título constitutivo, varios propietarios disponen, en régimen de comunidad, para su uso y disfrute exclusivo, de determinados elementos o servicios comunes dotados de unidad e independencia funcional o económica.

e) A las entidades urbanísticas de conservación en los casos en que así lo dispongan sus estatutos.»

CONCORDANCIAS

— Artículos 23, 33, 46, 47, 51, 52 y 105 de la Constitución Española de 1.978.

— Artículos 1, 3 y 5 sobre el título constitutivo y artículo 24 sobre complejos inmobiliarios de la presente Ley.

— Ley 8/1999, 6 abril (*BOE* 8 abril), de Reforma de la Ley 49/1960, 21 julio, sobre Propiedad Horizontal.

— Artículo 396 del Código Civil.

— Artículos 8.4.º, 24 y 107 de la Ley Hipotecaria.

— Artículo 16. 2.º del Reglamento Hipotecario.

— Artículo 553-2.2 de la Ley 5/2006, de 10 de mayo, del Libro quinto del Código civil de Cataluña, relativo a derechos reales.

JURISPRUDENCIA

Tribunal Supremo, Sala Primera, de lo Civil, Sentencia de 28 May. 2009, rec. 2401/2004 Ponente: Salas Carceller, Antonio, n.º de Sentencia: 398/2009, n.º de Recurso: 2401/2004 Jurisdicción: Civil LA LEY 92020/2009.

Fundamento Jurídico Cuarto: En conclusión, la posibilidad de que haya situaciones regidas por las normas de la propiedad horizontal sin que haya habido título constitutivo de la misma es evidente y así la reconoce el artículo 2 de la Ley de Propiedad Horizontal, en la redacción que le dio la Ley 8/1.999, de 6 de abril, cuando dice que la ley será de aplicación no sólo a las comunidades de propietarios constituidas con arreglo a lo establecido en el artículo 5, mediante otorgamiento de título, sino también a aquéllas comunidades que, reuniendo los requisitos del artículo 396 del Código Civil, no lo hubiesen otorgado.

Ese reconocimiento ha sido producto de una obviedad, pues cuando se ha constituido una situación de facto idéntica o semejante a las tipificadas en la legislación de propiedad horizontal, no puede dejar de aplicarse esa legislación. Ello no es predicable sólo de los bloques de pisos, sino también de las urbanizaciones. Si se ha dividido en parcelas independientes una finca y se han formado viales, no podría sostenerse que respecto a esos viales pudiese ejercitarse una pretensión de cese en la indivisión. Tampoco sería procedente respecto de otros terrenos puestos al servicio del conjunto, por ejemplo para instalaciones recreativas o deportivas, como ocurre en el presente caso. Los terrenos, en principio segregables del conjunto, pero destinados a instalaciones de uso común, constituyen en realidad elementos comunes accidentales o por destino afectados al uso común por voluntad de los propietarios y que en principio pueden quedar desafectados para de esa utilización conjunta, pero siempre conforme a las normas jurídicas aplicables a este régimen de propiedad.

COMENTARIO (1)

TRAMITACIÓN PARLAMENTARIA

Se presenta ENMIENDA NÚM. 225 por el Grupo Parlamentario Catalán en el Senado Convergència i Unió (GPCIU).

---

(1) Comentario a cargo de Julio Castelao Simón. Licenciado en Derecho. Abogado del Ilustre Colegio de Abogados de Madrid.

El Grupo Parlamentario Catalán en el Senado Convergència i Unió (GPCIU), al amparo de lo previsto en el artículo 107 del Reglamento del Senado, formula la siguiente enmienda a la Disposición final primera. Uno.

ENMIENDA de modificación.

Redacción que se propone:

«e) A las entidades urbanísticas de conservación siempre que se acordase en asamblea convocada al respecto y con el voto afirmativo de 3/5 partes de los asistentes y con el informe favorable de la Administración que tutele a la entidad, la cual seguirá teniendo voz pero no voto.»

JUSTIFICACIÓN

Se cree conveniente que se debe especificar más en qué casos las entidades urbanísticas estarán sujetas a la Ley de propiedad horizontal, ya que las entidades de conservación no contemplan esta sujeción en la actualidad.

DESESTIMADA

Debemos empezar por recordar cómo estaba redactado el artículo 2 de la Ley de Propiedad Horizontal hasta la publicación de la Ley que estamos comentando. Así, esta vieja Ley de 1.960, de difícil interpretación y aplicación, enumeraba a quiénes era aplicable la Ley y decía:

Esta Ley será de aplicación:

a) A las comunidades de propietarios constituidas con arreglo a lo dispuesto en el artículo 5.

b) A las comunidades que reúnan los requisitos establecidos en el artículo 396 del Código Civil (LA LEY 1/1889) y no hubiesen otorgado el título constitutivo de la propiedad horizontal.

Estas comunidades se regirán, en todo caso, por las disposiciones de esta Ley en lo relativo al régimen jurídico de la propiedad, de sus partes privativas y elementos comunes, así como en cuanto a los derechos y obligaciones recíprocas de los comuneros.

c) A los complejos inmobiliarios privados, en los términos establecidos en esta Ley.

De esta manera, a las comunidades de vecinos, otras comunidades, y complejos inmobiliarios privados, vienen a sumarse las subcomunidades y entidades urbanísticas de conservación, realidades actuales que se encontraban fuera de la legislación que debía contemplarlas pero que, por la antigüedad de la Ley que ahora se modifica, no se podían encontrar en ella. Extiende, por tanto, su ámbito de aplicación a entidades ya existentes.

Viene, pues, esta nueva Ley a solucionar una de las lagunas existentes en estos dos tipos de entidades que no tenían acomodo en una Ley estatal. Distinto debate es el de si esta Ley invade competencias autonómicas o no, algo que el Tribunal Constitucional decidirá tras las sentencias que se dicten sobre los recursos presentados.

Dos. El artículo 3 queda redactado de la siguiente manera:

«En el régimen de propiedad establecido en el artículo 396 del Código Civil corresponde a cada piso o local:

a) El derecho singular y exclusivo de propiedad sobre un espacio suficientemente delimitado y susceptible de aprovechamiento independiente, con los elementos arquitectónicos e instalaciones de todas clases, aparentes o no, que estén comprendidos dentro de sus límites y sirvan exclusivamente al propietario, así como el de los anejos que expresamente hayan sido señalados en el título, aunque se hallen situados fuera del espacio delimitado.

b) La copropiedad, con los demás dueños de pisos o locales, de los restantes elementos, pertenencias y servicios comunes.

A cada piso o local se atribuirá una cuota de participación con relación al total del valor del inmueble y referida a centésimas del mismo.

Dicha cuota servirá de módulo para determinar la participación en las cargas y beneficios por razón de la comunidad. Las mejoras o menoscabos de cada piso o local no alterarán la cuota atribuida, que sólo podrá variarse de acuerdo con lo establecido en los artículos 10 y 17 de esta Ley.

Cada propietario puede libremente disponer de su derecho, sin poder separar los elementos que lo integran y sin que la transmisión del disfrute afecte a las obligaciones derivadas de este régimen de propiedad.»

CONCORDANCIAS

— Artículos 23, 33, 46, 47, 51, 52 y 105 de la Constitución Española de 1.978.

— Artículos 1, 4, 5, 7, 9, 10, 14 y 17 de la presente Ley.

— Ley 8/1999, 6 abril (BOE 8 abril), de Reforma de la Ley 49/1960, 21 julio, sobre Propiedad Horizontal.

— Artículos 396 y 399 del Código Civil.

— Artículo 8 de la Ley Hipotecaria.

— Artículo 16 del Reglamento Hipotecario.

— Artículos 553-1,553-2, 553-3, 553-33, 5553-34, 553-35, 553-42, 553-43, 553-52, 553-54, 553-55 de la Ley 52006, de 10 de mayo, del Libro quinto del Código civil de Cataluña, relativo a derechos reales.

JURISPRUDENCIA

Tribunal Supremo, Sala Primera, de lo Civil, Sentencia de 15 Dic. 2008, rec. 861/2004, Ponente: Seijas Quintana, José Antonio. N.º de Sentencia: 1182/2008 N.º de RECURSO: 861/2004, Jurisdicción: CIVIL (LA LEY 189388/2008).

> **Fundamento Jurídico Primero:** la Ley de Propiedad Horizontal limita las facultades del propietario, el cual, si bien usará de su piso o local según le convenga, carece de capacidad para alterar cualquier parte del resto del inmueble, distinguiendo entre la propiedad privada y los elementos comunes del edificio: para la primera, el titular tiene plena libertad de realizar modificaciones, pero no en los servicios generales de la Comunidad, pues sus derechos dominicales terminan allí donde su propia superficie se acaba, conforme al artículo 3 a) de la Ley de Propiedad Horizontal, siendo doctrina reiterada (SSTS de 17 de abril de 1998; 16 de mayo y 22 de octubre de 2008), respecto a la colocación de estos aparatos, que cuando no necesitan de obras de perforación, no se considera como alteración de elementos comunes, pues, en el supuesto contrario, se impediría el uso y disfrute de los adelantos técnicos en todos los edificios no preparados para dicho particular, que no es la interpretación correcta que acepta la sociedad, habida cuenta de la actuación generalizada de los comuneros sobre esta materia en nuestro país, por lo que corresponde acudir a la realidad social impuesta en el artículo 3.1 del Código Civil.

Tribunal Supremo, Sala Primera, de lo Civil, Sentencia de 13 Sep. 2002, rec. 706/1997, Ponente: Martínez-Pereda Rodríguez, José Manuel. N.º de Sentencia: 821/2002. N.º de Recurso: 706/1997. Jurisdicción: CIVIL. LA LEY 10528/2003

> **Fundamento Jurídico Tercero.** El motivo perece inexcusablemente, pues al expresar la sentencia de la Audiencia Provincial de Alicante que al comprobarse en la diligencia de reconocimiento judicial la veracidad de las fotografías aportadas con la demanda se comprobó que ello se encuentra a años-luz de la versión de la parte demandada, «pues se trata de una construcción de obra, con amplios ventanales, entre pilares, también de fábrica, y la correspondiente tabiquería, todo ello coronado por unas cúpulas de forma piramidal que sobrepasan en más de 1 m la altura del suelo del primer piso del edificio...» Ello patentiza que se ha producido una alteración patente de los elementos comunes. No ha sido conculcado por ello el artículo 3 a) de la Ley de Propiedad Horizontal y tampoco ha podido serlo el artículo 5 en su párrafo cuarto del mismo texto legal, porque en el pleito se ha discutido la alteración de los elementos comunes del edificio, pero no

las normas del título constitutivo, no se le ha limitado el uso de la terraza, pero tal utilización debe quedar limitada a lo consignado en el título.

TRAMITACIÓN PARLAMENTARIA

Se presenta ENMIENDA NÚM. 226 por el Grupo Parlamentario Catalán en el Senado Convergència i Unió (GPCIU).

El Grupo Parlamentario Catalán en el Senado Convergència i Unió (GPCIU), al amparo de lo previsto en el artículo 107 del Reglamento del Senado, formula la siguiente enmienda a la Disposición final primera. Dos.

ENMIENDA de modificación.

Redacción que se propone:

«b) La copropiedad, con los demás dueños de pisos o locales, de los restantes elementos, pertenencias y servicios comunes en los términos establecidos en el título constitutivo y en esta Ley.»

JUSTIFICACIÓN

Cabe que los Estatutos establezcan distintas categorías de elementos comunes de forma diferente a como lo hace la Ley (por ejemplo, en los Estatutos puede recogerse que el ascensor es un «bien común particular de las viviendas»; o que la puerta del garaje es un «bien común particular de las plazas de garaje»), por lo que es conveniente abrir expresamente dicha posibilidad para evitar discusiones estériles y dotar de seguridad jurídica a una norma que, por su vocación, ha de procurar evitar conflictos en lugar de provocarlos.

DESESTIMADA

En la versión de la Ley de Propiedad Horizontal vigente hasta la modificación operada por la Ley de de rehabilitación, regeneración y renovación urbanas, el artículo 3 estaba redactado de la siguiente forma:

En el régimen de propiedad establecido en el artículo 396 del Código Civil (LA LEY 1/1889) corresponde al dueño de cada piso o local:

a) El derecho singular y exclusivo de propiedad sobre un espacio suficientemente delimitado y susceptible de aprovechamiento independiente, con los elementos arquitectónicos e instalaciones de todas clases, aparentes o no, que estén comprendidos dentro de sus límites y sirvan exclusivamente al propietario, así como el de los anejos que expresamente hayan sido señalados en el título aunque se hallen situados fuera del espacio delimitado.

b) La copropiedad, con los demás dueños de pisos o locales, de los restantes elementos, pertenencias y servicios comunes.

A cada piso o local se atribuirá una cuota de participación con relación al total del valor del inmueble y referida a centésimas del mismo.

Dicha cuota servirá de módulo para determinar la participación en las cargas y beneficios por razón de la comunidad. Las mejoras o menoscabos de cada piso o local no alterarán la cuota atribuida, que sólo podrá variarse por acuerdo unánime.

Cada propietario puede libremente disponer de su derecho, sin poder separar los elementos que lo integran y sin que la transmisión del disfrute afecte a las obligaciones derivadas de este régimen de propiedad.

¿Cuál es entonces la innovación que introduce la LRRRU en la vieja Ley de Propiedad horizontal?. La sustitución de la necesidad de acuerdo unánime de los propietarios para alterar la cuota atribuida por mejoras o menoscabos en cada piso o local, por lo establecido en los artículos 10 y 17 de la Ley.

En la modificación operada en el artículo 10, se dice:

§ La segregación de pisos o locales, lo que llevará a la fijación de las nuevas cuotas de participación (será necesaria la aceptación por **tres quintos partes del total de los propietarios).**

Es indiscutible que tres quintas partes de los propietarios es un número bastante inferior al requerido para el acuerdo unánime antes exigido y exigible.

Uno de los peros que le ponen a esta modificación algunas asociaciones, es que muchas comunidades donde se «bloqueaban» ciertas actuaciones en el edificio porque necesitaba la unanimidad, se verán con «vía libre» y podría acarrear derramas extraordinarias. Dichas actuaciones son las que se comentarán con mayor profundidad en los comentarios a los artículos 10 y 17 y sus modificaciones.

En cualquier caso, se hace hincapié en el texto que no se puede hacer depender algunos de sus más importantes efectos a que las comunidades de propietarios tengan que adoptar muchas de las decisiones sobre este objetivo por unanimidad, o por mayorías muy cualificadas, máxime cuando van a incluir obras que, aunque afecten al título constitutivo o a los estatutos, en realidad compete a la Administración actuante autorizar o exigir.

Tres. Las letras c), e) y f) del apartado 1 del artículo 9 y el apartado 2 del mismo artículo, quedan redactados de la siguiente manera:

«c) Consentir en su vivienda o local las reparaciones que exija el servicio del inmueble y permitir en él las servidumbres imprescindibles reque-

ridas para la realización de obras, actuaciones o la creación de servicios comunes llevadas a cabo o acordadas conforme a lo establecido en la presente Ley, teniendo derecho a que la comunidad le resarza de los daños y perjuicios ocasionados.

[...]

e) Contribuir, con arreglo a la cuota de participación fijada en el título o a lo especialmente establecido, a los gastos generales para el adecuado sostenimiento del inmueble, sus servicios, cargas y responsabilidades que no sean susceptibles de individualización.

Los créditos a favor de la comunidad derivados de la obligación de contribuir al sostenimiento de los gastos generales correspondientes a las cuotas imputables a la parte vencida de la anualidad en curso y los tres años anteriores tienen la condición de preferentes a efectos del artículo 1.923 del Código Civil y preceden, para su satisfacción, a los citados en los números 3.º, 4.º y 5.º de dicho precepto, sin perjuicio de la preferencia establecida a favor de los créditos salariales en el texto refundido de la Ley del Estatuto de los Trabajadores, aprobado por el Real Decreto Legislativo 1/1995, de 24 de marzo.

El adquirente de una vivienda o local en régimen de propiedad horizontal, incluso con título inscrito en el Registro de la Propiedad, responde con el propio inmueble adquirido de las cantidades adeudadas a la comunidad de propietarios para el sostenimiento de los gastos generales por los anteriores titulares hasta el límite de los que resulten imputables a la parte vencida de la anualidad en la cual tenga lugar la adquisición y a los tres años naturales anteriores. El piso o local estará legalmente afecto al cumplimiento de esta obligación.

En el instrumento público mediante el que se transmita, por cualquier título, la vivienda o local el transmitente, deberá declarar hallarse al corriente en el pago de los gastos generales de la comunidad de propietarios o expresar los que adeude. El transmitente deberá aportar en este momento certificación sobre el estado de deudas con la comunidad coincidente con su declaración, sin la cual no podrá autorizarse el otorgamiento del documento público, salvo que fuese expresamente exonerado de esta obligación por el adquirente. La certificación será emitida en el plazo máximo de siete días naturales desde su solicitud por quien ejerza las funciones de secretario, con el visto bueno del presidente, quienes responderán, en caso de culpa o negligencia, de la exactitud de los datos consignados en la misma y de los perjuicios causados por el retraso en su emisión.

f) Contribuir, con arreglo a su respectiva cuota de participación, a la dotación del fondo de reserva que existirá en la comunidad de propietarios para atender las obras de conservación y reparación de la finca y, en su caso, para las obras de rehabilitación.

El fondo de reserva, cuya titularidad corresponde a todos los efectos a la comunidad, estará dotado con una cantidad que en ningún caso podrá ser inferior al 5 por ciento de su último presupuesto ordinario.

Con cargo al fondo de reserva la comunidad podrá suscribir un contrato de seguro que cubra los daños causados en la finca o bien concluir un contrato de mantenimiento permanente del inmueble y sus instalaciones generales.

2. Para la aplicación de las reglas del apartado anterior se reputarán generales los gastos que no sean imputables a uno o varios pisos o locales, sin que la no utilización de un servicio exima del cumplimiento de las obligaciones correspondientes, sin perjuicio de lo establecido en el artículo 17.4.»

CONCORDANCIAS

— Artículos 23, 33, 46, 47, 51, 52 y 105 de la Constitución Española de 1.978.
— Artículos 3, 5, 6, 7, 10, 13, 14, 15, 16, 17, 20, 21 y 22 de la presente Ley.
— Ley 8/1999, 6 abril (BOE 8 abril), de Reforma de la Ley 49/1960, 21 julio, sobre Propiedad Horizontal.
— Artículos 396, 1484, 1921, 1923 y 1927 del Código Civil.
— Ley 49/1966, de 23 de julio, sobre antenas colectivas de televisión (BOE 27 julio).
— Ley 42/1995, de 22 de diciembre, de las telecomunicaciones por cable (BOE 23 diciembre).
— Real Decreto-Ley 1/1998, de 27 de febrero, sobre infraestructuras comunes para el acceso a los servicios de Telecomunicación (BOE 28 febrero).
— Artículos 553-3, 553-4, 553-5, 553-36, 553-37, 553-38, 553-39, 553-42,, 553-45 de la Ley 5/2006, de 10 de mayo, del Libro quinto del Código civil de Cataluña, relativo a derechos reales.

JURISPRUDENCIA

Audiencia Provincial de Madrid, Sección 13.ª, Sentencia de 11 Sep. 2012, rec. 97/2012

Fundamento Jurídico Tercero.— Según el artículo 24.4 de la Ley de Propiedad Horizontal (LA LEY 46/1960) a los complejos inmobiliarios privados que no adopten ninguna de las formas jurídicas señaladas en el apartado 2 les serán aplicables, supletoriamente respecto de los pactos que establezcan entre si los copropietarios, las disposiciones de esta Ley con las mismas especialidades señaladas en el apartado anterior. Asimismo es conocida la admisión por la jurisprudencia de «propiedades horizontales *de hecho»*, *«propiedad horizontal limitada, acostada o plana»*, antes de la existencia misma del título constitutivo y de su inscripción registral, como acontece con los complejos inmobiliarios que conforman las urbanizaciones privadas — Sentencias del Tribunal Supremo de 1 de febrero y 16 de junio de 1995, 7 de abril de 2003, 25 de marzo de 2004, 17 y 19 de julio de 2006, entre otras—. Todo lo cual entraña, de conformidad con lo dispuesto en el artículo 396 del Código Civil (LA LEY 1/1889), al que se remite el artículo 1 de la Ley de Propiedad Horizontal (LA LEY 46/1960), que se consideren, entre otros, elementos comunes los pozos, las conducciones y canalizaciones para el desagüe y para el suministro de agua y las servidumbre y cualesquiera otros elementos materiales o jurídicos que por su naturaleza o destino resulten indivisibles. Cuyo carácter o naturaleza impide la titularidad particular o privada por alguno o algunos propietarios salvo el supuesto de desafectación, respecto aquéllos que sean susceptibles de ella, por acuerdo unánime de la Junta de Propietarios, con independencia de que el elemento o servicio común se utilice o no por todos los propietarios — artículo 9.2 de la Ley de Propiedad Horizontal (LA LEY 46/1960)

Audiencia Provincial de Pontevedra, Sección 1.ª, Sentencia de 16 Jun. 2011, rec. 262/2011, Ponente: Valdés Garrido, Francisco Javier. N.º de Sentencia: 330/2011. N.º de Recurso: 262/2011. Jurisdicción: Civil. LA LEY 117189/2011

Fundamento Jurídico Tercero. Por lo que se refiere a la segunda pretensión desestimada, es de señalar que la cláusula estatutaria que exonera del gasto de escalera y ascensor del bloque trasero a los propietarios de viviendas del bloque delantero del inmueble contraviene la Exposición de Motivos de la Ley de Propiedad Horizontal, los arts. 9-1 e) y 2 de la LPH y 395 del Código Civil (LA LEY 1/1889) .

Ello determina una nueva redacción de la cláusula en orden a disponer la contribución de todos a dichos gastos con la única exoneración válida del garaje y del local exterior que no usan ni tienen acceso a dichos elementos comunes.

Caso de mantenerse la cláusula, dicha exclusión respondería al mismo criterio que la exclusión de un piso primero por no uso del ascensor, no aceptada ni por la jurisprudencia ni por la norma específica en la materia (artículo 9-2 LPH). Máxime si se tiene en cuenta que las cláusulas de exoneración, en cuanto excepciones al régimen general, deben ser objeto de interpretación restrictiva.

TRAMITACIÓN PARLAMENTARIA

Se presenta ENMIENDA NÚM. 29 por don Jesús Enrique Iglesias Fernández (GPMX) y don José Manuel Mariscal Cifuentes (GPMX).

El Senador Jesús Enrique Iglesias Fernández, IU (GPMX), y el Senador José Manuel Mariscal Cifuentes, IU (GPMX), al amparo de lo previsto en el artículo 107 del Reglamento del Senado, formulan la siguiente enmienda a la Disposición final primera. Tres.

ENMIENDA de modificación.

El primer párrafo de la letra f) del apartado 1 del artículo 9 de la Ley de Propiedad Horizontal, modificado en el apartado tres de la disposición final primera, quedaría redactado en los siguientes términos:

«f) Contribuir, con arreglo a su respectiva cuota de participación, a la dotación del fondo de reserva que existirá en la comunidad de propietarios para atender las obras de conservación y reparación de la finca y, en su caso, para las obras de rehabilitación que sean consecuencia del deber de conservación del inmueble.»

MOTIVACIÓN

En coherencia con otras enmiendas, se propone que el deber de costeo de las obras de rehabilitación a cargo de los propietarios o de los usuarios de los inmuebles solo debe alcanzar las obras que son propias del deber de conservación y sus límites.

DESESTIMADA

Se presenta ENMIENDA NÚM. 114 por el Grupo Parlamentario Entesa pel Progrés de Catalunya (GPEPC).

El Grupo Parlamentario Entesa pel Progrés de Catalunya (GPEPC), al amparo de lo previsto en el artículo 107 del Reglamento del Senado, formula la siguiente enmienda a la Disposición final primera. Tres.

ENMIENDA de modificación.

A la disposición final primera, apartado tres.

El primer párrafo de la letra f) del apartado 1 del artículo 9 de la Ley de Propiedad Horizontal, modificado en el apartado tres de la disposición final primera, queda redactado en los siguientes términos:

«f) Contribuir, con arreglo a su respectiva cuota de participación, a la dotación del fondo de reserva que existirá en la comunidad de propietarios para atender las obras de conservación y reparación de la finca y, en su caso, para las obras de rehabilitación que sean consecuencia del deber de conservación del inmueble.»

JUSTIFICACIÓN

En coherencia con otras enmiendas, se propone que el deber de costeo de las obras de rehabilitación a cargo de los propietarios o de los usuarios de los inmuebles sólo debe alcanzar las obras que son propias del deber de conservación y sus límites

DESESTIMADA

Se presenta ENMIENDA NÚM. 158 por el Grupo Parlamentario Socialista (GPS).

El Grupo Parlamentario Socialista (GPS), al amparo de lo previsto en el artículo 107 del Reglamento del Senado, formula la siguiente enmienda a la Disposición final primera. Tres.

ENMIENDA de modificación.

Se modifica el segundo párrafo del epígrafe e) del apartado 1 del artículo 9 de la Ley de propiedad Horizontal, modificado por el punto tres de la disposición final primera del Proyecto de Ley de rehabilitación, regeneración y renovación urbanas, quedando como sigue:

«Los créditos a favor de la comunidad derivados de la obligación de contribuir al sostenimiento de los gastos generales correspondientes a la parte vencida de la anualidad en curso y los cinco años naturales inmediatamente anteriores tienen la condición de preferentes a efectos del artículo 1.923 del Código Civil y preceden, para su satisfacción, a los enumerados en los apartados 3) o, 4) o y 5) o de dicho precepto, sin perjuicio de la preferencia establecida a favor de los créditos salariales en el Estatuto de los Trabajadores.»

MOTIVACIÓN

Incrementar las garantías en favor de las comunidades de propietarios.

DESESTIMADA

Se presenta ENMIENDA NÚM. 159 por el Grupo Parlamentario Socialista (GPS).

El Grupo Parlamentario Socialista (GPS), al amparo de lo previsto en el artículo 107 del Reglamento del Senado, formula la siguiente enmienda a la Disposición final primera. Tres.

ENMIENDA de modificación.

Se modifica el tercer párrafo del epígrafe e) del apartado 1 del artículo 9 de la Ley de propiedad Horizontal, modificado por el punto tres de la disposición final primera del Proyecto de Ley de rehabilitación, regeneración y renovación urbanas, quedando como sigue:

«El adquirente por cualquier título de una vivienda o local en régimen de propiedad horizontal, incluso con título inscrito en el Registro de la Propiedad, responde con el propio inmueble adquirido de las cantidades adeudadas a la comunidad de propietarios para el sostenimiento de los gastos generales por los anteriores titulares hasta el límite de los que resulten imputables a la parte vencida de la anualidad en la cual tenga lugar la adquisición y a los cinco años naturales inmediatamente anteriores. El piso o local estará legalmente afecto al cumplimiento de esta obligación.»

MOTIVACIÓN

Incrementar las garantías en favor de las comunidades de propietarios.

DESESTIMADA

Se presenta ENMIENDA NÚM. 197 por el Grupo Parlamentario Vasco en el Senado (EAJ-PNV) (GPV).

El Grupo Parlamentario Vasco en el Senado (EAJ-PNV) (GPV), al amparo de lo previsto en el artículo 107 del Reglamento del Senado, formula la siguiente enmienda a la Disposición final primera. Tres.

ENMIENDA de adición.

Se propone la adición de la siguiente expresión al apartado tres, que modifica la letra f) del Artículo 9 de la Ley 49/1960, de 21 de julio, sobre Propiedad Horizontal, quedando redactado como sigue:

«f) Contribuir, con arreglo a su respectiva cuota de participación, a la dotación del fondo de reserva que existirá en la comunidad de propietarios para atender las obras de conservación y reparación de la finca y, en su caso, para las obras de rehabilitación y accesibilidad universal, debiéndose destinar al menos un 50 % del mismo a obras o actuaciones de accesibilidad, cuando fueren necesarias.»

JUSTIFICACIÓN

Actualizar una normativa legal que ha quedado anticuada desde su aprobación hace casi veinte años, para adecuarla a las necesidades presentes de los sectores sociales a los que pretende beneficiar, personas mayores y personas con discapacidad.

DESESTIMADA

Se presenta ENMIENDA NÚM. 227 por el Grupo Parlamentario Catalán en el Senado Convergència i Unió (GPCIU).

El Grupo Parlamentario Catalán en el Senado Convergència i Unió (GPCIU), al amparo de lo previsto en el artículo 107 del Reglamento del Senado, formula la siguiente enmienda a la Disposición final primera. Dos.

ENMIENDA de modificación.

Redacción que se propone:

«A cada piso o local se atribuirá un coeficiente de propiedad con relación al total del valor del inmueble y referida a centésimas del mismo. Dicho coeficiente servirá de módulo para determinar la participación en las cargas y beneficios por razón de la comunidad, salvo que en el mismo título, o por acuerdo de la Junta de propietarios, se le asigne una cuota de participación distinta según la naturaleza del gasto. Las mejoras o menoscabos de cada piso o local no alterarán el coeficiente atribuido, que sólo podrá variarse por acuerdo unánime.»

JUSTIFICACIÓN

Entendemos que son diferentes los conceptos «coeficiente de propiedad» y «cuota de participación», y que la redacción actual de la Ley no acierta al utilizar siempre el concepto «cuota de participación» (apropiada cuando se regula la participación en gastos y que puede coincidir o no con el coeficiente de propiedad asignado en escritura) cuando en ocasiones corresponde utilizar «coeficiente de propiedad» (apropiada cuando nos referimos al porcentaje de propiedad de una finca en los elementos comunes del edificio). Con un ejemplo lo entenderemos: dos viviendas pueden tener un coeficiente de propiedad distinto, porque una sea mayor que la otra, en tanto que para determinados gastos (p.ej. la administración, o el gasto de limpieza de escalera) pueden tener idéntica cuota de participación porque contribuyen a los gastos por partes iguales, independientemente de su coeficiente de propiedad.

La diferenciación de conceptos se hace además precisa por cuanto han de tener un grado de protección distinto. Nos referimos a que, en tanto el coeficiente de propiedad no ha de ser modificado salvo que concurra acuerdo unánime (se modificaría el título constitutivo), la modificación de las cuotas de participación puede adoptarse por acuerdo mayoritario (en un momento determinado la Comunidad puede considerar conveniente modificar el sistema de reparto de un determinado gasto).

De aceptarse esta enmienda, el resto del articulado de la Ley de Propiedad Horizontal habría de acomodarse a la modificación sugerida.

DESESTIMADA

Se presenta ENMIENDA NÚM. 228 por el Grupo Parlamentario Catalán en el Senado Convergència i Unió (GPCIU).

El Grupo Parlamentario Catalán en el Senado Convergència i Unió (GPCIU), al amparo de lo previsto en el artículo 107 del Reglamento del Senado, formula la siguiente enmienda a la Disposición final primera. Tres.

ENMIENDA de modificación.

Redacción que se propone:

«Tres. Las letras a),c),d), e) y f) del apartado 1 del artículo 9 y el apartado 2 del mismo artículo, quedan redactados de la siguiente manera:

'a) Respetar las instalaciones generales de la Comunidad y demás elementos comunes, ya sean de uso general o privativo de cualesquiera de los propietarios, estén o no incluidos en su piso o local, haciendo un uso adecuado de los mismos y evitando en todo momento que se causen daños o desperfectos.

Igualmente, si advirtiere la necesidad de reparaciones urgentes deberá comunicarlo sin dilación al Administrador, el cual procederá en su caso conforme a lo dispuesto en el artículo 20.c).

c) Consentir en su vivienda o local las reparaciones que exija el servicio del inmueble y permitir en él las servidumbres imprescindibles requeridas para la realización de obras, actuaciones o la creación de servicios comunes llevadas a cabo o acordadas conforme a lo establecido en la presente Ley, teniendo derecho a que la comunidad le resarza de los daños y perjuicios ocasionados.

[…]

d) Permitir la entrada en su piso o local a los efectos prevenidos en los tres apartados anteriores. En los casos de infructuosa localización del propietario o usuario, o de la negativa injustificada a permitir el paso por el piso o local a fin de atender a una reparación necesaria, la Comunidad podrá acudir al Juez por medio de su Presidente o Administrador debidamente apoderado, en solicitud de autorización de entrada en el piso o local por el tiempo imprescindible para la reparación Dicha solicitud se tramitará por los cauces del juicio verbal.

En los supuestos en que de no atenderse la reparación de inmediato se pudieran seguir graves perjuicios para la Comunidad o para terceros, el Juez de Guardia autorizará el acceso al piso o local acordando los auxilios precisos por parte de la fuerza pública para su ejecución.

e) Contribuir, con arreglo a la cuota de participación fijada en el título o a lo especialmente establecido por la Junta de propietarios o en el propio título, a los gastos generales para el adecuado sostenimiento del inmueble, sus servicios, cargas y responsabilidades que no sean susceptibles de individualización.

Los créditos a favor de la Comunidad derivados de la obligación de contribuir al sostenimiento de los gastos generales correspondientes a las cuotas imputables a la parte vencida de la anualidad en curso y a los cinco años naturales inmediatamente anteriores tienen la condición de preferentes a efectos del artículo 1923 del Código Civil y preceden, para su satisfacción, a los enumerados en los apartados 3.°, 4.° y 5.° de dicho precepto, sin perjuicio de la preferencia establecida a favor de los créditos salariales en el Estatuto de los Trabajadores.

El adquirente de una vivienda o local en régimen de propiedad horizontal, incluso con título inscrito en el Registro de la Propiedad, responde con el propio inmueble adquirido de las cantidades adeudadas a la Comunidad de propietarios para el sostenimiento de los gastos generales por los anteriores titulares hasta el límite de los que resulten imputables a la parte vencida de la anualidad en la cual tenga lugar la adquisición y a los cinco años naturales inmediatamente anteriores. El piso o local estará legalmente afecto al cumplimento de esta obligación.

En el instrumento público mediante el que se transmita, por cualquier título, la vivienda o local el transmitente deberá declarar hallarse al corriente en el pago de los gastos generales de la Comunidad de propietarios o expresar los que adeude. El transmitente deberá aportar en ese momento certificación sobre el estado de deudas con la Comunidad coincidente con su declaración, sin la cual no podrá autorizarse el otorgamiento del documento público, salvo que fuese expresamente exonerado de esta obligación por el adquirente, en cuyo caso éste vendrá obligado al pago de la totalidad de la deuda pendiente con la Comunidad. La certificación será emitida en el plazo máximo de siete días naturales desde su solicitud por quien ejerza las funciones de Secretario, el cual responderá, en caso de culpa o negligencia, de la exactitud de los datos consignados en la misma y de los perjuicios causados por el retraso en su emisión.

f) Contribuir, con arreglo a su respectivo coeficiente de propiedad, a la dotación del fondo de reserva que existirá en la Comunidad de propietarios para atender las obras de conservación y reparación de la finca y, en su caso, para las obras de rehabilitación.

El fondo de reserva, cuya titularidad corresponde a todos los efectos a la Comunidad, estará dotado con una cantidad que en ningún caso podrá ser inferior al diez por ciento de su último presupuesto ordinario.

Con cargo al fondo de reserva la Comunidad podrá suscribir un contrato de seguro que cubra los daños causados en la finca, o bien concluir un contrato de mantenimiento permanente del inmueble y sus instalaciones generales.

2. Para la aplicación de las reglas del apartado anterior se reputarán generales los gastos que no sean imputables a uno o varios pisos o locales, sin que

la no utilización de un servicio exima del cumplimiento de las obligaciones correspondientes, sin perjuicio de lo establecido en el artículo 17.4."»

JUSTIFICACIÓN

Al párrafo segundo del apartado a).

Por sistemática hemos recogido en este precepto lo que antes aparecía en el artículo 7.1. Al fin y al cabo, estamos hablando de las «obligaciones» de cada propietario, y en una Ley de rehabilitación, regeneración y renovación urbanas se ha de hacer pedagogía: la propiedad no termina en la puerta de nuestra vivienda, sino que se extiende a la fachada, al tejado o al portal del edificio, por ello ha de destacarse que una de las obligaciones principales de los propietarios es la de preocuparse por el estado de los distintos elementos de su edificio y advertir de las reparaciones urgentes que pudieren precisar.

Al apartado d).

La redacción actual nos obliga a acudir al procedimiento ordinario para poder acceder a la finca de un copropietario a fin de efectuar reparaciones en elementos comunes. Proponemos que el procedimiento sea el verbal, dado que la situación de urgencia y gravedad que se produce en estos casos requiere la solución procesal más ágil posible. Así, en caso de especial gravedad y urgencia, que sea el propio Juzgado de Guardia el que autorice el acceso a la finca, con las garantías precisas y para el fin concreto.

Al apartado e) párrafo primero.

Pretendemos quede claro que el sistema de contribución a los gastos comunitarios puede establecerse en el título, o bien por acuerdo posterior de la Junta, evitando así opiniones jurisprudenciales que exigen el reparto de los gastos siempre con arreglo al título. Las Comunidades no son entes inmóviles, sino que evolucionan y se adaptan a las circunstancias y a los tiempos, de ahí que a lo largo de su vida sus miembros vayan adoptando los acuerdos en cada momento más convenientes para el interés general.

Insistimos en la justificación al párrafo segundo del artículo 3.b), es decir, en la importancia de diferenciar los conceptos «coeficiente de propiedad» (fijado en atención a lo dispuesto en el artículo 5 LPH y cuya modificación exige el acuerdo unánime de los propietarios) de la «cuota de participación» o módulo de reparto de gastos (que puede modificarse por acuerdo de los propietarios).

Al apartado e) párrafos segundo y tercero.

Ampliamos el período, en defensa de los derechos de la Comunidad, a cinco años ya que en la práctica, debido a la duración media de los procedimientos judiciales, resulta absolutamente insuficiente tanto el período actual (parte vencida de la anualidad en curso y el año natural inmediatamente anterior) como el de tres años propuesto. De este modo también se garantiza que la Comunidad, en caso de transmisión, percibirá prácticamente la totalidad de la deuda que, en otro caso, resultará fallida, en perjuicio del resto de familias, cumplidoras, que integran la Comunidad.

Al apartado e) párrafo cuarto.

También se propone modificar el cuarto párrafo, para evitar discrepancias doctrinales y no reducir la eficacia de la reforma de 1999, aclarando que, en caso de que el comprador exonere al vendedor de la obligación de presentar el certificado de deudas, el comprador queda obligado al pago de todas las deudas que tuviere la finca con la Comunidad.

Conseguimos así que los compradores exijan siempre el certificado de deudas, evitándose perjuicios económicos a los nuevos copropietarios, a la Comunidad (es decir, al resto de sus convecinos) y conflictos entre ambos.

Asimismo, eliminamos la necesidad de que la certificación obtenga el visto bueno del Presidente: ya que cuando hay Administrador éste es normalmente Secretario, y es el que certifica y se responsabiliza de lo que certifica. Obligar al Presidente a certificar unos datos que no controla, y hacerle responsable de ello nos parece inadecuado.

Al apartado f).

Insistimos en el concepto «coeficiente de propiedad». Y se propone aumentar el fondo de reserva al diez por ciento por resultar totalmente insuficiente el cinco por ciento actualmente vigente, a la vista del aumento del coste de las reparaciones y la tendencia a disminuir al máximo los presupuestos ordinarios en la actual coyuntura económica. Contribuye además a promover la cultura del ahorro para atender al mantenimiento y rehabilitación permanente del inmueble, objetivo a buen seguro compartido con el Anteproyecto que venimos analizando.

DESESTIMADA

La letra c) del punto 1 del artículo 9 decía hasta la modificación:

> c) Consentir en su vivienda o local las reparaciones que exija el servicio del inmueble y permitir en él las servidumbres imprescindibles requeridas para la creación de servicios comunes de interés general acordados conforme a lo establecido en el artículo 17, teniendo derecho a que la comunidad le resarza de los daños y perjuicios ocasionados.

Es decir, que lo único que cambia en este punto es que en la redacción anterior se decía «conforme a lo establecido en el artículo 17» y en la redacción modificada se expresa de la siguiente forma: «conforme a lo establecido en la presente Ley».

Es, por tanto, una modificación formal, pero que abre las puertas a que le sean aplicables a las reparaciones y servidumbres para la creación de servicios comunes de interés general, no sólo ya lo establecido en el artículo 17, sino que puede ser aplicable cualquier otro artículo de toda la Ley que, tras su importante modificación, se abre a distintas posibilidades.

e) Contribuir, con arreglo a la cuota de participación fijada en el título o a lo especialmente establecido, a los gastos generales para el adecuado sostenimiento del inmueble, sus servicios, cargas y responsabilidades que no sean susceptibles de individualización.

Los créditos a favor de la comunidad derivados de la obligación de contribuir al sostenimiento de los gastos generales correspondientes a las cuotas imputables a la parte vencida de la anualidad en curso y al año natural inmediatamente anterior tienen la condición de preferentes a efectos del artículo 1923 del Código Civil (LA LEY 1/1889) y preceden, para su satisfacción, a los enumerados en los apartados 3.º, 4.º y 5.º de dicho precepto, sin perjuicio de la preferencia establecida a favor de los créditos salariales en el Estatuto de los Trabajadores (LA LEY 1270/1995).

El adquirente de una vivienda o local en régimen de propiedad horizontal, incluso con título inscrito en el Registro de la Propiedad, responde con el propio inmueble adquirido de las cantidades adeudadas a la comunidad de propietarios para el sostenimiento de los gastos generales por los anteriores titulares hasta el límite de los que resulten imputables a la parte vencida de la anualidad en la cual tenga lugar la adquisición y al año natural inmediatamente anterior. El piso o local estará legalmente afecto al cumplimiento de esta obligación.

En el instrumento público mediante el que se trasmita, por cualquier título, la vivienda o local el transmitente, deberá declarar hallarse al corriente en el pago de los gastos generales de la comunidad de propietarios o expresar los que adeude. El transmitente deberá aportar en este momento certificación sobre el estado de deudas con la comunidad coincidente con su declaración, sin la cual no podrá autorizarse el otorgamiento del documento público, salvo que fuese expresamente exonerado de esta obligación por el adquirente. La certificación será emitida en el plazo máximo de siete días naturales desde su solicitud por quien ejerza las funciones de secretario, con el visto bueno del presidente, quienes responderán, en caso de culpa o negligencia, de la exactitud de los datos consignados en la misma y de los perjuicios causados en su emisión.

Es esta una de las modificaciones importantes de la Ley de Propiedad Horizontal. En ella se establece el plazo de tres años en la condición de preferentes a efectos del artículo 1.923 del Código Civil de los créditos a favor de la comunidad derivados de la obligación de contribuir al sostenimiento de los gastos generales correspondientes a las cuotas imputables a la parte vencida, además de la anualidad en curso. En la anterior redacción de la LPH, se establecía la anualidad en curso y el año natural inmediatamente anterior.

Era esta una reclamación extensa que se había realizado por los profesionales a fin de extender la responsabilidad del adquirente más allá de la que constaba ahora en el texto legal. De ahí que se eleva a dos años más la responsabilidad del adquirente por las deudas del vendedor.

En palabras de Vicente MAGRO SERVET, Presidente de la Audiencia Provincial de Alicante (2):

> El problema que surge es si esa deuda añadida ahora a dos años más puede reclamarse desde ya a situaciones de adquisiciones realizadas antes de la entrada en vigor de la ley, tema este no resuelto al no incluir la reforma ninguna disposición transitoria que resuelva este u otros problemas que se planteen. En cualquier caso los adquirentes de bienes antes de la reforma pueden alegar que cuando ellos compran o adquieren en subasta (por ejemplos lo bancos acreedores) los inmuebles está en vigor la afección por el año actual a la compra o adquisición y el anterior, no a los tres anteriores. Pero también podría entenderse que es en la junta cuando se liquida y determina el débito de cada comunero y si en la junta que se celebre tras la entrada en vigor de la reforma se fija (ya con la afección real de la extensión del año actual y los tres anteriores) cuál es la deuda el adquirente de inmueble que no la ha satisfecho con la comunidad asume, o debe asumir, que al tratarse de una afección real su inmueble responde de la nueva extensión de la deuda y de no haberse querido así debió haber satisfecho la deuda existente que se correspondía con la extensión de su responsabilidad de solo un año vencido y el anterior, por lo que al no haberla satisfecho y liquidarse la deuda ya con la reforma efectuada su inmueble responde de lo que ahora marca la ley 8/2013 en el art. 9 LPH.

Quizás el aspecto más importante de la reforma es este incremento hasta tres años del plazo para la afección real y los créditos preferentes. Así, el adquirente responde con el inmueble de las cantidades adeudadas hasta el límite de las que resulten de la parte vencida de la anualidad en la que se adquiera y los tres años anteriores, los créditos derivados de esta obligación por este mismo período tienen la condición de preferentes. No obstante, también, como señala el Preámbulo, el objetivo de esta reforma es evitar principalmente que los regímenes de mayorías impidan la realización de las actuaciones previstas en esta Ley.

---

(2) Texto extraído de su ponencia en el curso *Novedades en la comunidad de propietarios,* que tuvo lugar el 10 de julio de 2013 en la Escuela de Negocios DAR, en Las Palmas de Gran Canaria.

Con ello, las comunidades ven ampliadas las opciones de cobro a los vendedores de inmuebles morosos más allá de la actual afección real, ya que una vez que habían vendido el inmueble perdía la comunidad la posibilidad de cobrar su deuda sobre el inmueble, y a eso se añadía los problemas de perder la localización del deudor para reclamarle por el monitorio del artículo 812 de la Ley de Enjuiciamiento Civil, ya que en éste no cabe el emplazamiento edictal, como sí cabe hacerlo en el de reclamación de gastos de comunidad, lo que complicaba en exceso a las comunidades de propietarios perder la pista del moroso. Así, se amplía la cobertura para poder al adquirente reclamarle la anualidad actual y tres años anteriores, lo que cubre bastante las expectativas de cobro de la comunidad.

Ello afectará a los bancos, los cuales por el hecho de la adjudicación, aunque no inscriban ésta en el registro, ya responden con esta afección real.

Según declaraciones realizadas en distintos medios, Miguel Ángel Muñoz, presidente del Colegio Profesional de Administradores de Fincas de Madrid, declara que «la modificación de la Ley de Propiedad Horizontal en cinco artículos de una norma ya de por sí breve no hacen más que confirmar una demandada conversión a una Ley nueva acorde a los tiempos actuales». Se trata, además, «de una batería de medidas que una vez llevadas a la práctica supondrán un revulsivo en materia de vivienda, sobre todo en cuanto a rehabilitación energética de edificios residenciales se refiere».

Según el Colegio Profesional de Administradores de Fincas de Madrid, «es plausible que el Gobierno haya aumentado de uno a tres años naturales el límite de tiempo para que el nuevo adquiriente de una vivienda o local responda de las cantidades adeudadas por parte del anterior propietario», algo que, «esperemos», tenga el efecto deseado para reducir la morosidad de las entidades financieras en las comunidades. No obstante, la institución insiste en la necesidad de mayores recursos técnicos y humanos en los juzgados que posibiliten que realmente la comunidad cobre esa deuda a través de los mecanismos legales existentes.

f) Contribuir, con arreglo a su respectiva cuota de participación, a la dotación del fondo de reserva que existirá en la comunidad de propietarios para atender las obras de conservación y reparación de la finca.

El fondo de reserva, cuya titularidad corresponde a todos los efectos a la comunidad, estará dotado con una cantidad que en ningún caso podrá ser inferior al 5 por 100 de su último presupuesto ordinario.

Con cargo al fondo de reserva la comunidad podrá suscribir un contrato de seguro que cubra los daños causados en la finca o bien concluir un contrato de mantenimiento permanente del inmueble y sus instalaciones generales.

La modificación de este punto es la inclusión de la rehabilitación en la contribución con arreglo a su respectiva cuota de participación, a la dotación del fondo de reserva que existirá en la comunidad de propietarios para atender las obras de conservación y reparación de la finca y, —ahora— en su caso, para las mencionadas obras de rehabilitación.

No debemos olvidar que la Ley que modifica la de Propiedad Horizontal, se titula de rehabilitación, regeneración y renovación urbanas. Se amplía, por tanto con esta modificación, el espectro que se contemplaba para la dotación del fondo de reserva, que se circunscribía a obras menores, viéndose incluida la de rehabilitación, que puede —y suele— ser de mucha mayor entidad.

> **2.** Para la aplicación de las reglas del apartado anterior se reputarán generales los gastos que no sean imputables a uno o varios pisos o locales, sin que la no utilización de un servicio exima del cumplimiento de las obligaciones correspondientes, sin perjuicio de lo establecido en el artículo 11.2 de esta Ley.

Debemos recordar que, según el apartado 1.º de la disposición derogatoria única de la Ley 8/2013, de 26 de junio, de rehabilitación, regeneración y renovación urbanas *(BOE* 27 junio), el artículo 11, así como el 8 y el 12, quedan derogados.

Por ello, la nueva redacción se refiere a que para la aplicación de las reglas del apartado anterior se reputarán generales los gastos que no sean imputables a uno o varios pisos o locales, sin que la no utilización de un servicio exima del cumplimiento de las obligaciones correspondientes, sin perjuicio de lo establecido en el artículo 17.4, que reproducimos a continuación:

> 4. Ningún propietario podrá exigir nuevas instalaciones, servicios o mejoras no requeridos para la adecuada conservación, habitabilidad, seguridad y accesibilidad del inmueble, según su naturaleza y características.
>
> No obstante, cuando por el voto favorable de las tres quintas partes del total de los propietarios que, a su vez, representen las tres quintas partes de las cuotas de participación, se adopten válidamente acuerdos, para realizar innovaciones, nuevas instalaciones, servicios o mejoras no requeridos para la adecuada conservación, habitabilidad, seguridad y accesibilidad del inmueble, no exigibles y cuya cuota de instalación exceda del importe de tres mensualidades ordinarias de gastos comunes, el disidente no resultará obligado, ni se modificará su cuota, incluso en el caso de que no pueda privársele de la mejora o ventaja. Si el disidente desea, en cualquier tiempo, participar de las ventajas de la innovación, habrá de abonar su cuota en los gastos de realización y mantenimiento, debidamente actualizados mediante la aplicación del correspondiente interés legal. No podrán realizarse innovaciones que hagan inservible alguna parte del edificio para el uso y disfrute de un propietario, si no consta su consentimiento expreso.

Cuatro. El artículo 10 queda redactado de la siguiente manera:

«1. Tendrán carácter obligatorio y no requerirán de acuerdo previo de la Junta de propietarios, impliquen o no modificación del título constitutivo o de los estatutos, y vengan impuestas por las Administraciones Públicas o solicitadas a instancia de los propietarios, las siguientes actuaciones:

a) Los trabajos y las obras que resulten necesarias para el adecuado mantenimiento y cumplimiento del deber de conservación del inmueble y de sus servicios e instalaciones comunes, incluyendo en todo caso, las necesarias para satisfacer los requisitos básicos de seguridad, habitabilidad y accesibilidad universal, así como las condiciones de ornato y cualesquiera otras derivadas de la imposición, por parte de la Administración, del deber legal de conservación.

b) Las obras y actuaciones que resulten necesarias para garantizar los ajustes razonables en materia de accesibilidad universal y, en todo caso, las requeridas a instancia de los propietarios en cuya vivienda o local vivan, trabajen o presten servicios voluntarios, personas con discapacidad, o mayores de setenta años, con el objeto de asegurarles un uso adecuado a sus necesidades de los elementos comunes, así como la instalación de rampas, ascensores u otros dispositivos mecánicos y electrónicos que favorezcan la orientación o su comunicación con el exterior, siempre que el importe repercutido anualmente de las mismas, una vez descontadas las subvenciones o ayudas públicas, no exceda de doce mensualidades ordinarias de gastos comunes. No eliminará el carácter obligatorio de estas obras el hecho de que el resto de su coste, más allá de las citadas mensualidades, sea asumido por quienes las hayan requerido.

c) La ocupación de elementos comunes del edificio o del complejo inmobiliario privado durante el tiempo que duren las obras a las que se refieren las letras anteriores.

d) La construcción de nuevas plantas y cualquier otra alteración de la estructura o fábrica del edificio o de las cosas comunes, así como la constitución de un complejo inmobiliario, tal y como prevé el artículo 17.4 del texto refundido de la Ley de Suelo, aprobado por el Real Decreto Legislativo 2/2008, de 20 de junio, que resulten preceptivos a consecuencia de la inclusión del inmueble en un ámbito de actuación de rehabilitación o de regeneración y renovación urbana.

e) Los actos de división material de pisos o locales y sus anejos para formar otros más reducidos e independientes, el aumento de su superficie por agregación de otros colindantes del mismo edificio, o su disminución por segregación de alguna parte, realizados por voluntad y a instancia de sus propietarios, cuando tales actuaciones sean posibles a consecuencia de la inclusión del inmueble en un ámbito de actuación de rehabilitación o de regeneración y renovación urbanas.

2. Teniendo en cuenta el carácter de necesarias u obligatorias de las actuaciones referidas en las letras a) a d) del apartado anterior, procederá lo siguiente:

a) Serán costeadas por los propietarios de la correspondiente comunidad o agrupación de comunidades, limitándose el acuerdo de la Junta a la distribución de la derrama pertinente y a la determinación de los términos de su abono.

b) Los propietarios que se opongan o demoren injustificadamente la ejecución de las órdenes dictadas por la autoridad competente responderán individualmente de las sanciones que puedan imponerse en vía administrativa.

c) Los pisos o locales quedarán afectos al pago de los gastos derivados de la realización de dichas obras o actuaciones en los mismos términos y condiciones que los establecidos en el artículo 9 para los gastos generales.

3. Requerirán autorización administrativa, en todo caso:

a) La constitución y modificación del complejo inmobiliario a que se refiere el artículo 17.6 del texto refundido de la Ley de Suelo, aprobado por el Real Decreto Legislativo 2/2008, de 20 de junio, en sus mismos términos.

b) Cuando así se haya solicitado, previa aprobación por las tres quintas partes del total de los propietarios que, a su vez, representen las tres quintas partes de las cuotas de participación, la división material de los pisos o locales y sus anejos, para formar otros más reducidos e independientes; el aumento de su superficie por agregación de otros colindantes del mismo edificio o su disminución por segregación de alguna parte; la construcción de nuevas plantas y cualquier otra alteración de la estructura o fábrica del edificio, incluyendo el cerramiento de las terrazas y la modificación de la envolvente para mejorar la eficiencia energética, o de las cosas comunes, cuando concurran los requisitos a que alude el artículo 17.6 del texto refundido de la Ley de Suelo, aprobado por el Real Decreto Legislativo 2/2008, de 20 de junio.

En estos supuestos deberá constar el consentimiento de los titulares afectados y corresponderá a la Junta de Propietarios, de común acuerdo con aquéllos, y por mayoría de tres quintas partes del total de los propietarios, la determinación de la indemnización por daños y perjuicios que corresponda. La fijación de las nuevas cuotas de participación, así como la determinación de la naturaleza de las obras que se vayan a realizar, en caso de discrepancia sobre las mismas, requerirá la adopción del oportuno acuerdo de la Junta de Propietarios, por idéntica mayoría. A este respecto también podrán los interesados solicitar arbitraje o dictamen técnico en los términos establecidos en la Ley.»

CONCORDANCIAS

— Artículos 23, 33, 46, 47, 51, 52 y 105 de la Constitución Española de 1.978.

— *1, 3, 4, 5, 7, 9, 14 y 17 de la presente Ley.*

— Ley 8/1999, 6 abril *(BOE* 8 abril), de Reforma de la Ley 49/1960, 21 julio, sobre Propiedad Horizontal.

— *Artículos 392 a 399 del Código Civil.*

— Ley 51/2003, de 2 de diciembre, de igualdad de oportunidades, no discriminación y accesibilidad universal de las personas con discapacidad. BOE 3 diciembre 2003. LA LEY 1828/2003

— Artículo 17.4 y 17.6 del texto refundido de la Ley de Suelo, aprobado por el Real Decreto Legislativo 2/2008, de 20 de junio.

— *Artículos 553-3, 553-4, 553-5, 553-36, 553-37, 553-38, 553-39, 553-42,, 553-45 de la Ley 5/2006, de 10 de mayo, del Libro quinto del Código civil de Cataluña, relativo a derechos reales.*

JURISPRUDENCIA

Tribunal Supremo, Sala Primera, de lo Civil, Sentencia de 28 Sep. 2006, rec. 2741/1999. Ponente: Sierra Gil de la Cuesta, Ignacio. N.º de Sentencia: 929/2006. N.º de Recurso: 2741/1999. Jurisdicción: CIVIL. LA LEY 110202/2006.

Fundamento Jurídico Tercero. Denuncian los recurrentes en el segundo motivo del recurso la infracción, por inaplicación, en la sentencia recurrida del artículo 10,2 de la Ley de Propiedad Horizontal. En el alegato integrador de su contenido, que se complementa con la denuncia que contiene el motivo tercero del recurso, con la misma base procesal que el anterior como es el artículo 1692-4 de la Ley de Enjuiciamiento Civil, de la infracción del artículo 1255 del Código Civil, en relación con los artículos 5,3 y y 6 de la Ley de Propiedad Horizontal, afirman que los acuerdos adoptados conllevan una modificación del régimen de contribución a las gastos que vulnera el artículo 10,2 de la Ley de Propiedad Horizontal, en la medida en que, tratándose de una innovación no necesaria, los propietarios que se hubiesen opuesto a los acuerdos no deben quedar obligados a satisfacer los gastos correspondientes, al exceder de una anualidad ordinaria, de conformidad con lo que dispone el referido precepto, y en cualquier caso, al encontrarse estatutariamente exonerados del pago de los gastos de ascensor los propietarios de las lonjas comerciales o tiendas y de los pisos primeros del inmueble, de manera que de imponerse a éstos la contribución a los gastos de reforma del ascensor se estaría modificando el régimen estatutario mediante un acuerdo mayoritariamente adoptado, siendo así que la modificación estatutaria requiere la unanimidad de los propietarios.

Los dos motivos del recurso, por lógica procesal deben estudiarse conjuntamente, y ambos deben ser desestimados.

Tribunal Supremo, Sala Primera, De lo Civil, Sentencia de 26 nov. 2010, rec. 2401/2005.

Como regla general debe instarse por el vecino la autorización para cerrar terraza.

Pero si la solicitud de instalación es similar a la ya existente en la comunidad la comunidad no puede negarse a que existan cerramientos ya hechos y se le niegue al comunero. En el caso analizado, otro vecino, frente al que ninguna acción se ha llevado a cabo, realizó un cerramiento de la terraza análogo al ejecutado por los recurridos, que ha sido consentido por la Comunidad.

Tribunal Supremo, Sala Primera, De lo Civil, Sentencia de 9 may. 2013, rec. 2072/2010

Nulidad del acuerdo por el que se autorizó la instalación de una chimenea en el patio del inmueble para evacuación de humos del local sito en la planta baja. Las obras efectuadas alteraron sustancialmente la configuración del edificio. El acuerdo, en cuanto afectaba a elementos comunes, solo podía adoptarse por unanimidad, y la oposición de la actora es ilustrativa de que esa no se alcanzó, unido ello a que a la demandante se le produjo un manifiesto perjuicio de carácter objetivo con la instalación de una chimenea que interrumpía el espacio existente entre las dos ventanas de su piso. El hecho de que no manifestase su disconformidad con el acuerdo en el plazo de 30 días establecido en el art. 17 LPH no conlleva la supresión de la facultad de solicitar su anulación. En cuanto a la caducidad de la acción, el plazo es de un año, de acuerdo con el art. 18.3 LPH, dado que se infringe la prohibición de alterar elementos comunes sin autorización unánime de la comunidad

TRAMITACIÓN PARLAMENTARIA

Congreso

— Enmienda transaccional a las enmiendas núms. 137 del G.P. Socialista, 178 del G.P. Catalán (CiU) y 194 del G.P. Popular, de modificación del apartado cuarto de la disposición final primera nueva (antes cuarta), de modificación de la

Ley 49/1960, de 21 de julio, sobre Propiedad Horizontal, en el sentido de dar una nueva redacción a la letra b) del apartado 1 del artículo 10 de la Ley.

— Enmienda transaccional a la enmienda núm. 140 del G.P. Socialista, de modificación del apartado cuarto de la disposición final primera nueva (antes cuarta), de modificación de la Ley 49/1960, de 21 de julio, sobre Propiedad Horizontal, en el sentido de dar una nueva redacción al párrafo segundo de la letra b) del apartado 3 del artículo 10 de la Ley.

Senado

Se presenta ENMIENDA NÚM. 30 por don Jesús Enrique Iglesias Fernández (GPMX)

y don José Manuel Mariscal Cifuentes (GPMX).

El Senador Jesús Enrique Iglesias Fernández, IU (GPMX), y el Senador José Manuel Mariscal Cifuentes, IU (GPMX), al amparo de lo previsto en el artículo 107 del Reglamento del Senado, formulan la siguiente enmienda a la Disposición final primera. Cuatro.

ENMIENDA de modificación.

La letra b) del apartado 1 del artículo 10 de la Ley de Propiedad Horizontal, modificado en el apartado cuatro de la disposición final primera, queda redactada en los siguientes términos:

«b) Las obras y actuaciones que resulten necesarias en materia de accesibilidad universal y, en todo caso, las requeridas a instancia de los propietarios en cuya vivienda o local vivan, trabajen o presten sus servicios altruistas o voluntarios, personas con discapacidad, o mayores de setenta años con el objeto de asegurarles un uso adecuado a su discapacidad de los elementos comunes, así como la instalación de rampas, ascensores u otros dispositivos mecánicos y electrónicos que favorezcan su comunicación con el exterior.

Lo dispuesto en el párrafo anterior no será de aplicación cuando el coste de las obras repercutido anualmente, y descontando las ayudas públicas a las que se pueda tener derecho, exceda de doce mensualidades ordinarias de gastos comunes o tengan una repercusión superior al treinta por ciento de los ingresos anuales acreditados el año anterior de las personas que resulten obligadas a su pago.»

MOTIVACIÓN

En coherencia con la definición propuesta de ajuste razonable en otras enmiendas. Por ello se propone eliminar la referencia del primer párrafo («para garantizar los ajustes razonables») y añadir un párrafo segundo con la definición.

DESESTIMADA

Se presenta ENMIENDA NÚM. 31 por don Jesús Enrique Iglesias Fernández (GPMX) y don José Manuel Mariscal Cifuentes (GPMX).

El Senador Jesús Enrique Iglesias Fernández, IU (GPMX), y el Senador José Manuel Mariscal Cifuentes, IU (GPMX), al amparo de lo previsto en el artículo 107 del Reglamento del Senado, formulan la siguiente enmienda a la Disposición final primera. Cuatro.

ENMIENDA de modificación.

El primer párrafo de la letra b) del apartado 3 del artículo 10 de la Ley de Propiedad Horizontal, modificado en el apartado cuatro de la disposición final primera, queda redactado en los siguientes términos:

> «b) Cuando así se haya solicitado previa aprobación por una tercera parte del total de los propietarios que, a su vez, representen una tercera parte de las cuotas de participación, la división material de los pisos o locales y sus anejos, para formar otros más reducidos e independientes; el aumento de su superficie por agregación de otros colindantes del mismo edificio, o su disminución por segregación de alguna parte; la construcción de nuevas plantas y cualquier otra alteración de la estructura o fábrica del edificio, incluyendo el cerramiento de las terrazas y la modificación de la envolvente para mejorar la eficiencia energética, o de las cosas comunes, cuando concurran los requisitos a que alude el artículo 17.6 del Texto Refundido de la Ley de Suelo, aprobado por Real Decreto Legislativo 2/2008, de 20 de junio.»

MOTIVACIÓN

Se propone reducir el quórum exigido (3/5 partes) para que sea requerida autorización administrativa en las nuevas divisiones de la propiedad horizontal por entender que ello aporta mayor garantía y seguridad a los particulares. No se explica la exigencia de mayorías tan reforzadas para el ejercicio de lo que es una garantía y cautela a favor de la ciudadanía.

DESESTIMADA

Se presenta ENMIENDA NÚM. 32 por don Jesús Enrique Iglesias Fernández (GPMX) y don José Manuel Mariscal Cifuentes (GPMX).

El Senador Jesús Enrique Iglesias Fernández, IU (GPMX), y el Senador José Manuel Mariscal Cifuentes, IU (GPMX), al amparo de lo previsto en el artículo 107 del Reglamento del Senado, formulan la siguiente enmienda a la Disposición final primera. Cuatro.

ENMIENDA de modificación.

La letra a) del apartado 1 del artículo 10 de la Ley 49/1960, modificado en el apartado cuatro de la disposición final primera, queda redactada en los siguientes términos:

> «a) Los trabajos y las obras que resulten necesarias para el adecuado mantenimiento y cumplimiento del deber de conservación del inmueble y de sus servicios e instalaciones comunes, incluyendo en todo caso, las necesarias para satisfacer los requisitos básicos de seguridad y habitabilidad y accesibilidad universal, así como las condiciones de ornato y cualesquiera otras derivadas de la imposición, por parte de la Administración, del deber legal de conservación.»

MOTIVACIÓN

Las obras obligatorias que tienen por objeto la accesibilidad universal se contemplan en la letra b) por lo que procede su supresión en la letra a) para evitar la reiteración.

DESESTIMADA

Se presenta ENMIENDA NÚM. 65 por el Grupo Parlamentario Entesa pel Progrés de Catalunya (GPEPC).

El Grupo Parlamentario Entesa pel Progrés de Catalunya (GPEPC), al amparo de lo previsto en el artículo 107 del Reglamento del Senado, formula la siguiente enmienda a la Disposición final primera. Cuatro.

ENMIENDA de adición.

De adición a la Disposición final primera, punto cuatro.

Se añade un nuevo epígrafe, a continuación del epígrafe b) del apartado 2 del artículo 10 de la Ley de propiedad Horizontal modificado por el punto cuatro de la disposición final primera del Proyecto de Ley de rehabilitación, regeneración y renovación urbanas, con el siguiente contenido:

> «(Nuevo) En caso de discrepancia sobre la naturaleza de las obras a realizar resolverá lo procedente la junta de propietarios. También podrán los interesados solicitar arbitraje o dictamen técnico en los términos establecidos en la Ley.»

JUSTIFICACIÓN

Mantener la posibilidad de revisión de las decisiones sobre la ejecución de las obras enumeradas en el apartado 1 del artículo 10.

DESESTIMADA

Se presenta ENMIENDA NÚM. 66 por el Grupo Parlamentario Entesa pel Progrés de Catalunya (GPEPC).

El Grupo Parlamentario Entesa pel Progrés de Catalunya (GPEPC), al amparo de lo previsto en el artículo 107 del Reglamento del Senado, formula la siguiente enmienda a la Disposición final primera. Cuatro.

ENMIENDA de adición.

De adición a la Disposición final primera, punto cuatro.

Se añade un nuevo epígrafe, a continuación del epígrafe c) del apartado 2 del artículo 10 de la Ley de Propiedad Horizontal, modificado por el punto cuatro de la disposición final primera del Proyecto de Ley de rehabilitación, regeneración y renovación urbanas, con el siguiente contenido:

> «(Nuevo). Lo dispuesto en las tres letras anteriores no será de aplicación cuando la unidad familiar a la que pertenezca alguno de los propietarios que forman parte de la comunidad tenga ingresos anuales inferiores a 3 veces el Indicador Público de Renta de Efectos Múltiples (IPREM), excepto en el caso de que las subvenciones o ayudas públicas a las que esa unidad familiar pueda tener acceso impidan que el coste anual repercutido de las obras que le afecten, privativas o en los elementos comunes, supere el 33 por ciento de sus ingresos anuales.»

JUSTIFICACIÓN

En coherencia con anteriores Enmiendas, se trata de recuperar la regulación hoy existente, tanto en el artículo 111.2 de la Ley 2/2011 de Economía Sostenible, como y sobre todo en el vigente artículo 10.2 de la Ley 49/1960 de Propiedad Horizontal que ahora se pretende modificar, con la finalidad de evitar el riesgo de pérdida de la vivienda en un proceso rehabilitador a los propietarios y arrendatarios con pocos recursos, lo que propiciaría una nueva oleada de desahucios, ahora por causa del impago de las cuotas de rehabilitación.

DESESTIMADA

Se presenta ENMIENDA NÚM. 115 por el Grupo Parlamentario Entesa pel Progrés de Catalunya (GPEPC).

El Grupo Parlamentario Entesa pel Progrés de Catalunya (GPEPC), al amparo de lo previsto en el artículo 107 del Reglamento del Senado, formula la siguiente enmienda a la Disposición final primera. Cuatro.

ENMIENDA de modificación.

A la disposición final primera, apartado cuatro.

La letra b) del apartado 1 del artículo 10 de la Ley de Propiedad Horizontal, modificado en el apartado cuatro de la disposición final primera, queda redactada en los siguientes términos:

> «b) Las obras y actuaciones que resulten necesarias en materia de accesibilidad universal y, en todo caso, las requeridas a instancia de los propietarios en cuya vivienda o local vivan, trabajen o presten sus servicios altruistas o voluntarios, personas con discapacidad, o mayores de setenta años con el objeto de asegurarles un uso adecuado a su discapacidad de los elementos comunes, así como la instalación de rampas, ascensores u otros dispositivos mecánicos y electrónicos que favorezcan su comunicación con el exterior.
>
> Lo dispuesto en el párrafo anterior no será de aplicación cuando el coste de las obras repercutido anualmente, y descontando las ayudas públicas a las que se pueda tener derecho, exceda de doce mensualidades ordinarias de gastos comunes o tengan una repercusión superior al treinta por ciento de los ingresos anuales acreditados el año anterior de las personas que resulten obligadas a su pago.»

JUSTIFICACIÓN

En coherencia con la definición propuesta de ajuste razonable en otras enmiendas. Por ello se propone eliminar la referencia del primer párrafo («para garantizar los ajustes razonables») y añadir un párrafo segundo con la definición.

DESESTIMADA

Se presenta ENMIENDA NÚM. 116 por el Grupo Parlamentario Entesa pel Progrés de Catalunya (GPEPC).

El Grupo Parlamentario Entesa pel Progrés de Catalunya (GPEPC), al amparo de lo previsto en el artículo 107 del Reglamento del Senado, formula la siguiente enmienda a la Disposición final primera. Cuatro.

ENMIENDA de modificación.

A la disposición final primera, apartado cuatro.

El primer párrafo de la letra b) del apartado 3 del artículo 10 de la Ley de Propiedad Horizontal, modificado en el apartado cuatro de la disposición final primera, queda redactado en los siguientes términos:

> «b) Cuando así se haya solicitado previa aprobación por una tercera parte del total de los propietarios que, a su vez, representen una tercera parte de las cuotas de participación, la división material de los pisos o locales y sus anejos, para formar otros más reducidos e independientes; el aumento de su superficie por agregación de otros colindantes del mismo edificio, o su dis-

minución por segregación de alguna parte; la construcción de nuevas plantas y cualquier otra alteración de la estructura o fábrica del edificio, incluyendo el cerramiento de las terrazas y la modificación de la envolvente para mejorar la eficiencia energética, o de las cosas comunes, cuando concurran los requisitos a que alude el artículo 17.6 del Texto Refundido de la Ley de Suelo, aprobado por Real Decreto Legislativo 2/2008, de 20 de junio.»

JUSTIFICACIÓN

Se propone reducir el quórum exigido (3/5 partes) para que sea requerida autorización administrativa en las nuevas divisiones de la propiedad horizontal por entender que ello aporta mayor garantía y seguridad a los particulares. No se explica la exigencia de mayorías tan reforzadas para el ejercicio de lo que es una garantía y cautela a favor de la ciudadanía.

DESESTIMADA

Se presenta ENMIENDA NÚM. 117 por el Grupo Parlamentario Entesa pel Progrés de Catalunya (GPEPC).

El Grupo Parlamentario Entesa pel Progrés de Catalunya (GPEPC), al amparo de lo previsto en el artículo 107 del Reglamento del Senado, formula la siguiente enmienda a la Disposición final primera. Cuatro.

ENMIENDA de modificación.

La letra a) del apartado 1 del artículo 10 de la Ley 49/1960, modificado en el apartado cuatro de la disposición final primera, queda redactada en los siguientes términos:

«a) Los trabajos y las obras que resulten necesarias para el adecuado mantenimiento y cumplimiento del deber de conservación del inmueble y de sus servicios e instalaciones comunes, incluyendo en todo

caso, las necesarias para satisfacer los requisitos básicos de seguridad y habitabilidad y accesibilidad universal, así como las condiciones de ornato y cualesquiera otras derivadas de la imposición, por parte de la Administración, del deber legal de conservación.»

JUSTIFICACIÓN

Las obras obligatorias que tienen por objeto la accesibilidad universal se contemplan en la letra b) por lo que procede su supresión en la letra a) para evitar la reiteración.

DESESTIMADA

Se presenta ENMIENDA NÚM. 160 por el Grupo Parlamentario Socialista (GPS).

El Grupo Parlamentario Socialista (GPS), al amparo de lo previsto en el artículo 107 del Reglamento del Senado, formula la siguiente enmienda a la Disposición final primera. Cuatro.

ENMIENDA de adición.

Se añade un nuevo epígrafe, a continuación del epígrafe b) del apartado 2 del artículo 10 de la Ley de propiedad Horizontal modificado por el punto cuatro de la disposición final primera del Proyecto de Ley de rehabilitación, regeneración y renovación urbanas, con el siguiente contenido:

> «(Nuevo) En caso de discrepancia sobre la naturaleza de las obras a realizar re-solverá lo procedente la junta de propietarios. También podrán los interesados solicitar arbitraje o dictamen técnico en los términos establecidos en la Ley.»

MOTIVACIÓN

Mantener la posibilidad de revisión de las decisiones sobre la ejecución de las obras enumeradas en el apartado 1 del artículo 10.

DESESTIMADA

Se presenta ENMIENDA NÚM. 161 por el Grupo Parlamentario Socialista (GPS).

El Grupo Parlamentario Socialista (GPS), al amparo de lo previsto en el artículo 107 del Reglamento del Senado, formula la siguiente enmienda a la Disposición final primera. Cuatro.

ENMIENDA de adición.

Se añade un nuevo epígrafe, a continuación del epígrafe c) del apartado 2 del artículo 10 de la Ley de Propiedad Horizontal, modificado por el punto cuatro de la disposición final primera del Proyecto de Ley de rehabilitación, regeneración y renovación urbanas, con el siguiente contenido:

> «(Nuevo). Lo dispuesto en las tres letras anteriores no será de aplicación cuando la unidad familiar a la que pertenezca alguno de los propietarios que forman parte de la comunidad tenga ingresos anuales inferiores a 3 veces el Indicador Público de Renta de Efectos Múltiples (IPREM), excepto en el caso de que las subvenciones o ayudas públicas a las que esa unidad familiar pueda tener acceso impidan que el coste anual repercutido de las obras que le afecten, privativas o en los elementos comunes, supere el 33 por ciento de sus ingresos anuales.»

MOTIVACIÓN

En coherencia con anteriores Enmiendas, se trata de recuperar la regulación hoy existente, tanto en el artículo 111.2 de la Ley 2/2011 de Economía Sostenible, como y sobre todo en el vigente artículo 10.2 de la Ley 49/1960 de Propiedad Horizontal que ahora se pretende modificar, con la finalidad de evitar el riesgo de pérdida de la vivienda en un proceso rehabilitador a los propietarios y arrendatarios con pocos recursos, lo que propiciaría una nueva oleada de desahucios, ahora por causa del impago de las cuotas de rehabilitación.

DESESTIMADA

Se presenta ENMIENDA NÚM. 198 por el Grupo Parlamentario Vasco en el Senado (EAJ-PNV) (GPV).

El Grupo Parlamentario Vasco en el Senado (EAJ-PNV) (GPV), al amparo de lo previsto en el artículo 107 del Reglamento del Senado, formula la siguiente enmienda a la Disposición final primera. Cuatro.

ENMIENDA de modificación.

Se propone la modificación del apartado cuatro, que modifica la letra b) del apartado 1 del Artículo 10 de la Ley 49/1960, de 21 de julio, sobre Propiedad Horizontal, quedando redactado como sigue:

«1.

b) Las obras y actuaciones que resulten necesarias para garantizar los ajustes razonables en materia de accesibilidad universal y, en todo caso, las requeridas a instancia de los propietarios en cuya vivienda o local vivan, trabajen o presten sus servicios altruistas o voluntarios, personas con discapacidad, o mayores de setenta años con el objeto de asegurarles un uso adecuado a su discapacidad de los elementos comunes, así como la instalación de rampas, ascensores u otros dispositivos mecánicos y electrónicos que favorezcan la orientación o la comunicación con el exterior.»

JUSTIFICACIÓN

Actualizar una normativa legal que ha quedado anticuada desde su aprobación hace casi veinte años, para adecuarla a las necesidades presentes de los sectores sociales a los que pretende beneficiar, personas mayores y personas con discapacidad.

DESESTIMADA

Se presenta ENMIENDA NÚM. 230 por el Grupo Parlamentario Catalán en el Senado Convergència i Unió (GPCIU).

El Grupo Parlamentario Catalán en el Senado Convergència i Unió (GPCIU), al amparo de lo previsto en el artículo 107 del Reglamento del Senado, formula la siguiente enmienda a la Disposición final primera. Apartado nuevo. Un nuevo apartado 4 bis a la disposición final primera.

ENMIENDA de adición.

Un nuevo apartado 4 bis a la disposición final primera.

Redacción que se propone:

«Cuatro bis. El artículo 10 queda redactado de la siguiente manera:

"Artículo 10.

Serán obligaciones de la Comunidad de Propietarios, impliquen o no la modificación del título constitutivo o de los Estatutos:

a) La realización de las obras necesarias para el adecuado sostenimiento y conservación del inmueble y de sus servicios, de modo que reúna las debidas condiciones estructurales, de estanqueidad, habitabilidad, accesibilidad y seguridad.

b) Las obras y actuaciones que resulten necesarias para garantizar los ajustes razonables en materia de accesibilidad universal y, en todo caso, las requeridas a instancia de los propietarios en cuya vivienda o local vivan, trabajen o presten servicios voluntarios, personas con discapacidad, o mayores de setenta años, con el objeto de asegurarles un uso adecuado a sus necesidades de los elementos comunes, así como la instalación de rampas, ascensores u otros dispositivos mecánicos y electrónicos que favorezcan la orientación o su comunicación con el exterior, siempre que el importe repercutido anualmente de las mismas, una vez descontadas las subvenciones o ayudas públicas, no exceda de doce mensualidades ordinarias de gastos comunes. No eliminará el carácter obligatorio de estas obras el hecho de que el resto de su coste, más allá de las citadas mensualidades, sea asumido por quienes las hayan requerido.

c) La ocupación de elementos comunes del edificio o del complejo inmobiliario privado durante el tiempo que duren las obras a las que se refieren las letras anteriores.

d) Los propietarios que se opongan o demoren injustificadamente la ejecución de las órdenes dictadas por la autoridad competente responderán individualmente de las sanciones que puedan imponerse en vía administrativa, así como de los daños y perjuicios causados.

e) En caso de discrepancia sobre la naturaleza de las obras a realizar resolverá lo procedente la Junta de propietarios. También podrán los interesados solicitar arbitraje o dictamen técnico en los términos establecidos en la ley.

f) Al pago de los gastos derivados de la realización de las obras de conservación y accesibilidad, así como a los del mantenimiento de éstas, a que se refiere el presente artículo estarán afectos todos los pisos y locales del inmueble en los mismos términos y condiciones que los establecidos en el artículo 9 para los gastos generales."»

JUSTIFICACIÓN

La propuesta de redacción de todo este artículo no debería incorporar referencias a la legislación urbanística, la cual en todo caso deberá cumplirse, pero su mención en esta norma civil puede generar confusiones e interpretaciones contradictorias.

Hay que destacar la importancia de que cualquier actuación requiera el acuerdo previo de la Junta, para un adecuado gobierno de la Comunidad.

Al apartado d) Pretendemos evitar las oposiciones injustificadas, y que la Comunidad pueda repetir contra quienes así actuaren para hacerles soportar los daños y perjuicios que se causaren.

Al apartado f) Se aclara, por coherencia con el artículo 17.1, que todas las fincas vienen obligadas a soportar los gastos de las obras de accesibilidad y los de mantenimiento de éstas.

DESESTIMADA

La redacción anterior es la siguiente:

1. Será obligación de la comunidad la realización de las obras necesarias para el adecuado sostenimiento y conservación del inmueble y de sus servicios, de modo que reúna las debidas condiciones estructurales, de estanqueidad, habitabilidad, accesibilidad y seguridad.

2. Asimismo, la comunidad, a instancia de los propietarios en cuya vivienda vivan, trabajen o presten sus servicios altruistas o voluntarios personas con discapacidad, o mayores de setenta años, vendrá obligada a realizar las actuaciones y obras de accesibilidad que sean necesarias para un uso adecuado a su discapacidad de los elementos comunes, o para la instalación de dispositivos mecánicos y electrónicos que favorezcan su comunicación con el exterior, cuyo importe total no exceda de doce mensualidades ordinarias de gastos comunes.

Lo dispuesto en este apartado no será de aplicación cuando la unidad familiar a la que pertenezca alguno de los propietarios, que forman parte de la comunidad, tenga ingresos anuales inferiores a 2,5 veces el Indicador Público de Renta de Efectos Múltiples (IPREM), excepto en el caso de que las subvenciones o ayudas públicas a las que esa unidad familiar pueda tener acceso impidan que el coste anual repercutido de las obras que le afecten, privativas o en los elementos comunes, supere el treinta y tres por ciento de sus ingresos anuales.

3. Los propietarios que se opongan o demoren injustificadamente la ejecución de las órdenes dictadas por la autoridad competente responderán individualmente de las sanciones que puedan imponerse en vía administrativa.

4. En caso de discrepancia sobre la naturaleza de las obras a realizar resolverá lo procedente la junta de propietarios. También podrán los interesados solicitar arbitraje o dictamen técnico en los términos establecidos en la ley.

5. Al pago de los gastos derivados de la realización de las obras de conservación y accesibilidad a que se refiere el presente artículo estará afecto el piso o local en los mismos términos y condiciones que los establecidos en el artículo 9 para los gastos generales.

En este caso podemos ver con claridad que la reforma del artículo es de auténtico calado y no se trata tan sólo de una pequeña modificación formal, de plazos, mayorías exigibles, etc.

Este artículo 10 que ahora se reforma de la LPH fija unas actuaciones obligatorias que tienen que realizar las comunidades, es decir, que no se trata de que éstas se tengan que autorizar, sino que son obligatorias y referidas a:

— Los trabajos y las obras que resulten necesarias para el más adecuado mantenimiento y cumplimiento del deber de conservación del inmueble y de sus servicios e instalaciones comunes.

— Las obras que resulten necesarias para garantizar los ajustes razonables en materia de accesibilidad universal.

— Los actos de división material de pisos o locales y sus anejos que resulten preceptivos a consecuencia de la inclusión del inmueble en un ámbito de actuación de rehabilitación, regeneración o renovación urbana, como indica el título de la nueva Ley.

Pero además, es tal la obligación, que la reforma indica que no requerirán acuerdo de la junta de propietarios. Y esto aunque impliquen modificación de estatutos o del título constitutivo. Se puede observar que estas obligaciones destinadas a la conservación del inmueble y sus servicios, así como a resolver los problemas de accesibilidad deberán plantearse, al menos, en junta, ya que aunque no sea preceptiva su aprobación, al menos sí que debe convocarse la misma, más que una mera comunicación a los comuneros para garantizar el conocimiento de estas actuaciones por si alguno de dichos comuneros entiende que no tiene encaje en esa obligatoriedad a la que se refiere el artículo 10 LPH, ya que debe hacerse notar que en el último párrafo del artículo 10.1 se añade que el acuerdo de la Junta de propietarios se limitará a la fijación de las nuevas cuotas de participación, por mayoría de tres quintas partes del total de los propietarios, sin que sea necesario a tales efectos el consentimiento de los titulares afectados.

A estos efectos, hay que incidir en que frente a la redacción anterior, en la que para modificar la cuota había que recurrir al sistema de la unanimidad, en la actual redacción se modifica el artículo 3 LPH para permitir que se modifique la cuota por los sistemas previstos en los artículos 10 y 17 de la redacción que se propone en el Proyecto, como ya se ha comentado *ut supra*.

Por tanto, se regulan las obras necesarias, obligatorias y requeridas de autorización administrativa, no siendo exigible acuerdo previo de la Junta de Propietarios aunque supusieran modificación del título constitutivo o de los estatutos si vinieran impuestas por las Administraciones Públicas o fueran solicitadas a instancia de los propietarios, quedando comprendidas entre ellas las exigidas por el cumplimiento del deber de conservación, por razones de seguridad, habitabilidad y accesibilidad universal, y las provenientes de actuaciones de rehabilitación o de regeneración y renovación urbana.

Con esto, la junta solamente va a tener que pronunciarse sobre la fijación de la cuota y sin la opción de que si hay algún propietario que se considere afectado pueda oponerse, con lo que también se deroga el derecho (considerado absurdo por buena parte de la doctrina) de oposición que se había introducido en el artículo 10.2.2 LPH (artículo 15 de la Ley 26/2011, de 1 de agosto, de adaptación normativa a la Convención Internacional sobre los Derechos de las Personas con Discapacidad) de que las personas con los reducidos ingresos que consta en el precepto podrían oponerse a las reformas que se iban a llevar a cabo para suprimir las barreras arquitectónicas, lo que había creado un gran malestar y no llegó a entenderse cómo podrían introducirse trabas en la ejecución de estas medidas, cuando mejor hubiera sido eximir del pago de su cuota a los que se encontraban en difícil situación económica, o bien permitirles el aplazamiento en el pago, por ejemplo, por dos años, pero no vetar la ejecución de las obras de accesibilidad del artículo 10. De todos modos hay que recordar que en materia de accesibilidad y discapacidad y el carácter obligatorio de las obras se sigue manteniendo en el artículo 10.1.b) *in fine* que ello lo será siempre que el importe de las mismas, una vez descontadas las subvenciones o ayudas públicas, no exceda de doce mensualidades ordinarias de gastos comunes.

Ahora bien, hay que destacar, para no dar lugar a confusión que en la reforma se sigue manteniendo la diferencia entre accesibilidad universal y accesibilidad, — aunque en realidad no existe, porque en el artículo 10.1, b) convierte en obligatorias las obras que resulten necesarias para garantizar los ajustes razonables en materia de accesibilidad universal y, en todo caso, las que sean requeridas a instancia de los propietarios en cuya vivienda vivan, trabajen o presten sus servicios altruistas o voluntarios, personas con discapacidad, o mayores de setenta años con el objeto de asegurarles un uso adecuado a su discapacidad de los elementos comunes, así como la instalación de rampas, ascensores u otros dispositivos mecánicos y electrónicos que favorezcan su comunicación con el exterior, siempre que el importe de las mismas, una vez descontadas las subvenciones o ayudas públicas, no exceda de doce mensualidades ordinarias de gastos comunes, mientras que en el artículo 17.2 se insiste en que 2. «Sin perjuicio de lo establecido en el artículo 10.1.b), la realización de obras o el establecimiento de nuevos servicios comunes que tengan por finalidad la supresión de barreras arquitectónicas que dificulten el acceso o movilidad de personas con discapacidad y, en todo caso, el establecimiento o supresión de los servicios de ascensor, incluso cuando impliquen la modificación del título constitutivo, o de los estatutos, requerirá el voto favorable de la mayoría de los propietarios, que, a su vez, representen la mayoría de las cuotas de participación.»

Esto quiere decir que si la obra en materia de accesibilidad es superior a la cuantía fijada en el artículo 10.1, b) habría que acudir al artículo 17.2 LPH que se comentará posteriormente, pero si no se alcanza este quórum y excede de la cuantía citada es donde podría haber problemas, ya que el párrafo 2.º del apartado 2.º señala que

> Cuando se adopten válidamente acuerdos para la realización de obras de accesibilidad, la comunidad quedará obligada al pago de los gastos, aun cuando su importe exceda de doce mensualidades ordinarias de gastos comunes.

Con el coste superior expuesto habría que llegar al quórum de la doble mayoría citada, y en caso contrario no podría llevarse a cabo. Pues bien, dentro de las obras a ejecutar con carácter obligatorio hay que remitirse al texto de la Ley.

Según dice Vicente Magro Servet, Presidente de la Audiencia Provincial de Alicante, en su curso

> «no eliminará el carácter obligatorio de estas obras el hecho de que el resto de su coste, más allá de las citadas mensualidades, sea asumido por quienes las hayan requerido. Con ello, si el peticionario decide abonar el exceso la obra será considerada como obligatoria....lo que ahora no era así, ya que una vez que excedía del presupuesto citado se entendía como "no obligatoria".

Se deroga el artículo 10.2 LPH y el veto de quienes ganen menos de 2,5 veces el IPREM a los acuerdos sobre accesibilidad del artículo 10.1 LPH. Suponía un auténtico derecho de veto de aquellas personas que quedaban incluidas en la consideración de "veto de pobreza" para impedir la realización de las obras de accesibilidad universal de carácter obligatorio, por lo que la circunstancia de haber elevado hasta 12 mensualidades ordinarias de gastos comunes la obligación de la comunidad de llevar a cabo tales obras no tenía efecto si algún comunero en el que concurrieran los requisitos del antiguo artículo 10.2 LPH resultaba que la obra de supresión de la barrera no podía llevarse a efecto».

En el camino del desarrollo de la obligación de conservación y rehabilitación, y cuando resulten de aplicación las anteriores disposiciones para llevar a cabo las obras de rehabilitación, hemos visto que la junta se limitará a aprobar por tres quintos la cuota que resulte de abonar a cada comunero (en lugar de la actual unanimidad). Y para ello, el apartado 2.º del artículo 10 fija la obligación de los comuneros de asumir el pago de las obras consideradas como obligatorias fijando la junta la derrama que debe pagar con arreglo al sistema previsto de pago de gastos comunes. De ahí que la letra a) de este apartado 2.º concrete que

«el acuerdo de la Junta se debe limitar a la distribución de la derrama pertinente y a la determinación de los términos de su abono»,

pero nunca vetar su ejecución si concurren los presupuestos de obligatoriedad en la ejecución de obras de conservación y rehabilitación conforme a lo previsto en el Proyecto.

Se añade en el artículo 10 un apartado 3 referido a que para determinadas obras en la comunidad se deberá requerir autorización administrativa, destacando que para cerrar las terrazas ahora se va a requerir una previa autorización administrativa municipal para ello y tres quintos de quórum, como fija la letra b), entre otras que constan en esta letra, aunque se añade que si hay algún comunero afectado por las obras se deberá exigir su consentimiento. Y en los casos en los que las exigencias de ejecución de obras concurran con arreglo al artículo 10, la mayoría para la fijación de cuotas es de tres quintos como se insiste de nuevo en el artículo 10.3., b) 2.º párrafo.

En estos casos es preferible adoptar un acuerdo con este quórum para fijar «los criterios» conforme a los cuales deben hacerse los cerramientos, ya que en caso contrario hay que ir sometiendo a cada junta cada uno de los cerramientos que se soliciten. En tal caso el comunero que deseara hacerlo solo comunicaría al administrador su decisión comprometiéndose a seguir el sistema fijado en tal acuerdo y se evita la junta tener que aprobarlos de uno en uno.

Son muy interesantes al respecto las sentencias del Tribunal Supremo, Sala Primera, de lo Civil, Sentencia de 5 Nov. 2008, rec. 1971/2003 (Los cerramientos de terrazas consentidos por la comunidad durante largo tiempo impide a la comunidad conseguir la demolición), la del Tribunal Supremo, Sala Primera, de lo Civil, Sentencia de 23 Oct. 2008, rec. 1332/2003 (Cerramiento de un balcón en la fachada del edificio verificado sin la preceptiva autorización de la comunidad de propietarios. La nueva situación fue tolerada por la comunidad durante 8 años y, por consiguiente, tácitamente consentida).

Según estas Sentencias, no se trata de hablar de prescripción, (que lo sería de 15 años. STS 16 de Julio de 2009) sino de consentimiento tácito a la situación por la comunidad.

Los quórum nuevos se aplican a las juntas pendientes de celebrar a la fecha de su entrada en vigor. Así, por ejemplo, si ahora se pide que para cerramiento de terrazas, (si no hay autorización general de cómo llevarlas a cabo en cada caso) se exige en el art. 10.3, b) LPH que hace falta 3/5 en doble mayoría, se referirá a las peticiones que se cursen a partir del 28 de junio de 2013 y sus juntas, pero no a las anteriores. Lo mismo en materia de mejoras que ahora hace falta 3/5 en doble mayoría (art. 17.4 LPH), pero a las juntas que se celebren a partir del 28 de junio de 2013.

Cinco. El artículo 17 queda redactado de la siguiente manera:

«Los acuerdos de la Junta de propietarios se sujetarán a las siguientes reglas:

1. La instalación de las infraestructuras comunes para el acceso a los servicios de telecomunicación regulados en el Real Decreto-ley 1/1998, de 27 de febrero, sobre infraestructuras comunes en los edificios para el acceso a los servicios de telecomunicación, o la adaptación de los existentes, así como la instalación de sistemas comunes o privativos, de aprovechamiento de energías renovables, o bien de las infraestructuras necesarias para acceder a nuevos suministros energéticos colectivos, podrá ser acordada, a petición de cualquier propietario, por un tercio de los integrantes de la comunidad que representen, a su vez, un tercio de las cuotas de participación.

La comunidad no podrá repercutir el coste de la instalación o adaptación de dichas infraestructuras comunes, ni los derivados de su conservación y mantenimiento posterior, sobre aquellos propietarios que no hubieren votado expresamente en la Junta a favor del acuerdo. No obstante, si con posterioridad solicitasen el acceso a los servicios de telecomunicaciones o a los suministros energéticos, y ello requiera aprovechar las nuevas infraestructuras o las adaptaciones realizadas en las preexistentes, podrá autorizárseles siempre que abonen el importe que les hubiera correspondido, debidamente actualizado, aplicando el correspondiente interés legal. No obstante lo dispuesto en el párrafo anterior respecto a los gastos de conservación y mantenimiento, la nueva infraestructura instalada tendrá la consideración, a los efectos establecidos en esta Ley, de elemento común.

2. Sin perjuicio de lo establecido en el artículo 10.1 b), la realización de obras o el establecimiento de nuevos servicios comunes que tengan por finalidad la supresión de barreras arquitectónicas que dificulten el acceso o movilidad de personas con discapacidad y, en todo caso, el establecimiento de los servicios de ascensor, incluso cuando impliquen la modificación del título constitutivo, o de los estatutos, requerirá el voto

favorable de la mayoría de los propietarios, que, a su vez, representen la mayoría de las cuotas de participación.

Cuando se adopten válidamente acuerdos para la realización de obras de accesibilidad, la comunidad quedará obligada al pago de los gastos, aun cuando su importe repercutido anualmente exceda de doce mensualidades ordinarias de gastos comunes.

3. El establecimiento o supresión de los servicios de portería, conserjería, vigilancia u otros servicios comunes de interés general, supongan o no modificación del título constitutivo o de los estatutos, requerirán el voto favorable de las tres quintas partes del total de los propietarios que, a su vez, representen las tres quintas partes de las cuotas de participación. Idéntico régimen se aplicará al arrendamiento de elementos comunes que no tengan asignado un uso específico en el inmueble y el establecimiento o supresión de equipos o sistemas, no recogidos en el apartado 1, que tengan por finalidad mejorar la eficiencia energética o hídrica del inmueble. En éste último caso, los acuerdos válidamente adoptados con arreglo a esta norma obligan a todos los propietarios. No obstante, si los equipos o sistemas tienen un aprovechamiento privativo, para la adopción del acuerdo bastará el voto favorable de un tercio de los integrantes de la comunidad que representen, a su vez, un tercio de las cuotas de participación, aplicándose, en este caso, el sistema de repercusión de costes establecido en dicho apartado.

4. Ningún propietario podrá exigir nuevas instalaciones, servicios o mejoras no requeridos para la adecuada conservación, habitabilidad, seguridad y accesibilidad del inmueble, según su naturaleza y características.

No obstante, cuando por el voto favorable de las tres quintas partes del total de los propietarios que, a su vez, representen las tres quintas partes de las cuotas de participación, se adopten válidamente acuerdos, para realizar innovaciones, nuevas instalaciones, servicios o mejoras no requeridos para la adecuada conservación, habitabilidad, seguridad y accesibilidad del inmueble, no exigibles y cuya cuota de instalación exceda del importe de tres mensualidades ordinarias de gastos comunes, el disidente no resultará obligado, ni se modificará su cuota, incluso en el caso de que no pueda privársele de la mejora o ventaja. Si el disidente desea, en cualquier tiempo, participar de las ventajas de la innovación, habrá de abonar su cuota en los gastos de realización y mantenimiento, debidamente actualizados mediante la aplicación del correspondiente interés legal. No podrán realizarse innovaciones que hagan inservible alguna parte del edificio para el uso y disfrute de un propietario, si no consta su consentimiento expreso.

5. La instalación de un punto de recarga de vehículos eléctricos para uso privado en el aparcamiento del edificio, siempre que éste se ubique

en una plaza individual de garaje, sólo requerirá la comunicación previa a la comunidad. El coste de dicha instalación y el consumo de electricidad correspondiente serán asumidos íntegramente por el o los interesados directos en la misma.

6. Los acuerdos no regulados expresamente en este artículo, que impliquen la aprobación o modificación de las reglas contenidas en el título constitutivo de la propiedad horizontal o en los estatutos de la comunidad, requerirán para su validez la unanimidad del total de los propietarios que, a su vez, representen el total de las cuotas de participación.

7. Para la validez de los demás acuerdos bastará el voto de la mayoría del total de los propietarios que, a su vez, representen la mayoría de las cuotas de participación. En segunda convocatoria serán válidos los acuerdos adoptados por la mayoría de los asistentes, siempre que ésta represente, a su vez, más de la mitad del valor de las cuotas de los presentes. Cuando la mayoría no se pudiere lograr por los procedimientos establecidos en los apartados anteriores, el Juez, a instancia de parte deducida en el mes siguiente a la fecha de la segunda Junta, y oyendo en comparecencia los contradictores previamente citados, resolverá en equidad lo que proceda dentro de veinte días, contados desde la petición, haciendo pronunciamiento sobre el pago de costas.

8. Salvo en los supuestos expresamente previstos en los que no se pueda repercutir el coste de los servicios a aquellos propietarios que no hubieren votado expresamente en la Junta a favor del acuerdo, o en los casos en los que la modificación o reforma se haga para aprovechamiento privativo, se computarán como votos favorables los de aquellos propietarios ausentes de la Junta, debidamente citados, quienes una vez informados del acuerdo adoptado por los presentes, conforme al procedimiento establecido en el artículo 9, no manifiesten su discrepancia mediante comunicación a quien ejerza las funciones de secretario de la comunidad en el plazo de 30 días naturales, por cualquier medio que permita tener constancia de la recepción.

9. Los acuerdos válidamente adoptados con arreglo a lo dispuesto en este artículo obligan a todos los propietarios.

10. En caso de discrepancia sobre la naturaleza de las obras a realizar resolverá lo procedente la Junta de propietarios. También podrán los interesados solicitar arbitraje o dictamen técnico en los términos establecidos en la Ley.

11. Las derramas para el pago de mejoras realizadas o por realizar en el inmueble serán a cargo de quien sea propietario en el momento de la exigibilidad de las cantidades afectas al pago de dichas mejoras.»

CONCORDANCIAS

— Artículos 23, 33, 46, 47, 51, 52 y 105 de la Constitución Española de 1.978.

— 1, 3, 4, 5, 7, 9, 14 y Disposición Transitoria 2.ª de la presente Ley.

— Ley 8/1999, 6 abril (BOE 8 abril), de Reforma de la Ley 49/1960, 21 julio, sobre Propiedad Horizontal.

— Artículos 392 a 399 del Código Civil.

— Ley 51/2003, de 2 de diciembre, de igualdad de oportunidades, no discriminación y accesibilidad universal de las personas con discapacidad. BOE 3 diciembre 2003. LA LEY 1828/2003.

— Real Decreto-ley 1/1998, de 27 de febrero, sobre infraestructuras comunes en los edificios para el acceso a los servicios de telecomunicación.

— Artículos 553-3, 553-4, 553-5, 553-36, 553-37, 553-38, 553-39, 553-42,, 553-45 de la Ley 5/2006, de 10 de mayo, del Libro quinto del Código civil de Cataluña, relativo a derechos reales.

JURISPRUDENCIA

Tribunal Supremo, Sala Primera, de lo Civil, Sentencia de 18 Dic. 2008, rec. 2469/2003. Ponente: García Varela, Román. N.º de Sentencia: 1151/2008. N.º de RECURSO: 2469/2003. Jurisdicción: CIVIL. LA LEY 189381/2008.

Fundamento Jurídico Segundo. Por la lo que hace mención a la instalación de un ascensor en el edificio comunitario, amén del derecho de que gozan para ello los minusválidos según lo dispuesto en la Ley 15/1995, sin olvidar que esta cualificación la tienen quienes hayan cumplido setenta años de edad por el artículo 1.3 de la referida Ley, dicha cuestión ha sido objeto del artículo 17, regla 1.ª, en virtud de la Ley 8/1999, a fin de que se pueda acordar, con la obligaciones de todos los comuneros de participación y pago, cuando se alcance el «quórum» determinado en ese precepto, lo que no es objeto de controversia en el debate.

En definitiva, el acuerdo validamente adoptado obliga a todos los comuneros desde la óptica de que existe una norma específica que regula la instalación del servicio de ascensor, con la añadidura de que su interpretación ha de efectuarse de acuerdo con la realidad social del tiempo en que ha de ser aplicada (artículo 3 del Código Civil), y las normas sobre la construcción exigen su existencia cuando en un edificio se elevan tres o más plantas, cuyo presupuesto viene también impuesto por el mercado inmobiliario, y con referencia a fincas antiguas, aparte de satisfacer las referidas necesidades de personas minusválidas, es un elemento esencial para la utilización de un edificio, que redunda en beneficio, sin excepción, de los propietarios de un inmueble, no solo a los efectos de las mentadas atenciones y del bienestar material, sino también porque incrementa el valor de los pisos o apartamentos y revaloriza la finca en su conjunto, y resultaría abusivo que la contribución a su pago no tuviera que ser asumida por todos los condueños.

Tribunal Supremo, Sala Primera, de lo Civil, Sentencia de 10 Jun. 2008, rec. 3326/2001. Ponente: García Varela, Román. N.º de Sentencia: 511/2008. N.º de Recurso: 3326/2001 Jurisdicción: CIVIL. LA LEY 86334/2008

> **Fundamento Jurídico Segundo.** Según relevante doctrina científica, si la pretensión del titular es verificar una división jurídica, de tal manera que un piso o local pase a ser dos o más, con desaparición de la cuota de propiedad inicial y la asignación de otras distintas, aunque fuera con la suma de lo mismo, se necesita el acuerdo unánime de la Junta de Propietarios, toda vez que se entiende que hay modificación del Título, y así lo dispone el artículo 8 de la Ley de Propiedad Horizontal con absoluta claridad.
>
> Asimismo, la doctrina jurisprudencial ha declarado reiteradamente que el contenido del citado artículo 8 no admite interpretaciones diferentes de las indicadas en el párrafo precedente, de manera que no cabe hacer ninguna división, agregación o segregación, con efectos jurídicos, si no hay previa autorización unánime de la Junta de Propietarios, conforme al artículo 17.1 de la Ley de Propiedad Horizontal, donde se señalarán las nuevas cuotas a las fincas resultantes; lo indicado ha provocado que, mayoritariamente, la jurisprudencia haya obligado a este trámite, incluso en algunos supuestos de autorización estatutaria, al considerar que el artículo 8 es de derecho necesario (entre otras, SSTS de 3 de mayo de 1989, 19 de julio de 1993 y 30 de mayo de 2002).

TRAMITACIÓN PARLAMENTARIA

Se presenta ENMIENDA NÚM. 67 por el Grupo Parlamentario Entesa pel Progrés de Catalunya (GPEPC).

El Grupo Parlamentario Entesa pel Progrés de Catalunya (GPEPC), al amparo de lo previsto en el artículo 107 del Reglamento del Senado, formula la siguiente enmienda a la Disposición final primera. Cinco.

ENMIENDA de modificación.

Se modifica la disposición final primera, punto cinco.

Se modifica el segundo párrafo del apartado 3 del artículo 17 de la Ley de Propiedad Horizontal, modificado por el punto cinco de la disposición final primera del Proyecto de Ley de rehabilitación, regeneración y renovación urbanas, quedando como sigue:

«Idéntico régimen se aplicará al arrendamiento de elementos comunes que no tengan asignado un uso específico en el inmueble y el establecimiento o supresión de equipos o sistemas, no recogidos en el apartado 2, que tengan por finalidad mejorar la eficiencia energética o hídrica del inmueble. En éste último caso, los acuerdos válidamente adoptados con arreglo a esta norma obligan a todos los propietarios. No obstante, si los equipos o sistemas tienen un aprovechamiento privativo o bien si se trata de obras de aislamiento térmico en edificios mediante la intervención de empresas de servicios energéticos que se financian con los ahorros obtenidos, para la adopción del acuerdo bastará el voto favorable de un tercio de los integrantes de la comunidad que representen, a su vez, un tercio de las cuotas de participación, aplicándose, en este caso, el sistema de repercusión de costes establecido en el párrafo anterior.»

JUSTIFICACIÓN

Facilitar la realización de obras de mejora de la eficiencia energética cuyo coste se financia con los ahorros energéticos obtenidos.

DESESTIMADA

Se presenta ENMIENDA NÚM. 162 por el Grupo Parlamentario Socialista (GPS).

El Grupo Parlamentario Socialista (GPS), al amparo de lo previsto en el artículo 107 del Reglamento del Senado, formula la siguiente enmienda a la Disposición final primera. Cinco.

ENMIENDA de modificación.

Se modifica el segundo párrafo del apartado 3 del artículo 17 de la Ley de Propiedad Horizontal, modificado por el punto cinco de la disposición final primera del Proyecto de Ley de rehabilitación, regeneración y renovación urbanas, quedando como sigue:

«Idéntico régimen se aplicará al arrendamiento de elementos comunes que no tengan asignado un uso específico en el inmueble y el establecimiento o supresión de equipos o sistemas, no recogidos en el apartado 2, que tengan por finalidad mejorar la eficiencia energética o hídrica del inmueble. En éste último caso, los acuerdos válidamente adoptados con arreglo a esta norma obligan a todos los propietarios. No obstante, si los equipos o sistemas tienen un aprovechamiento privativo o bien si se trata de obras de aislamiento térmico en edificios mediante la intervención de empresas de servicios energéticos que se financian con los ahorros obtenidos, para la adopción del acuerdo bastará el voto favorable de un tercio de los integrantes de la comunidad que representen, a su vez, un tercio de las cuotas de participación, aplicándose, en este caso, el sistema de repercusión de costes establecido en el párrafo anterior.»

MOTIVACIÓN

Facilitar la realización de obras de mejora de la eficiencia energética cuyo coste se financia con los ahorros energéticos obtenidos.

DESESTIMADA

Se presenta ENMIENDA NÚM. 199 por el Grupo Parlamentario Vasco en el Senado (EAJ-PNV) (GPV).

El Grupo Parlamentario Vasco en el Senado (EAJ-PNV) (GPV), al amparo de lo previsto en el artículo 107 del Reglamento del Senado, formula la siguiente enmienda a la Disposición final primera. Cinco.

ENMIENDA de modificación.

Se propone la modificación del apartado cinco, que modifica el Artículo 17 de la Ley 49/1960, de 21 de julio, sobre Propiedad Horizontal, quedando redactado como sigue:

«Quórum y régimen de la aprobación de acuerdos por la Junta de Propietarios.

Los acuerdos de la Junta de Propietarios se sujetarán a las siguientes reglas:

/.../

2. Sin perjuicio de lo establecido en el artículo 10.1.b), la realización de obras o el establecimiento de nuevos servicios comunes que tengan por finalidad la supresión de barreras arquitectónicas que dificulten el acceso o movilidad de personas con discapacidad y, en todo caso, el establecimiento o supresión de los servicios de ascensor, incluso cuando impliquen la modificación del título constitutivo, o de los estatutos, requerirá el voto favorable de la mayoría de los propietarios, que, a su vez, representen la mayoría de las cuotas de participación. En segunda convocatoria serán válidos los acuerdos adoptados por la mayoría de los asistentes.

Cuando se adopten válidamente acuerdos para la realización de obras de accesibilidad, la comunidad quedará obligada al pago de los gastos.»

JUSTIFICACIÓN

Actualizar una normativa legal que ha quedado anticuada desde su aprobación hace casi veinte años, para adecuarla a las necesidades presentes de los sectores sociales a los que pretende beneficiar, personas mayores y personas con discapacidad.

DESESTIMADA

Se presenta ENMIENDA NÚM. 229 por el Grupo Parlamentario Catalán en el Senado Convergència i Unió (GPCIU).

El Grupo Parlamentario Catalán en el Senado Convergència i Unió (GPCIU), al amparo de lo previsto en el artículo 107 del Reglamento del Senado, formula la siguiente enmienda a la Disposición final primera. Cinco.

ENMIENDA de modificación.

Redacción que se propone:

«Cinco. El artículo 17 queda redactado de la siguiente manera:

"Artículo 17. Quórum y régimen de la aprobación de acuerdos por la Junta de propietarios.

Los acuerdos de la Junta de propietarios se sujetarán a las siguientes normas:

1.ª La unanimidad sólo será exigible para la validez de los acuerdos que impliquen la aprobación o modificación de las reglas contenidas en el título constitutivo de la propiedad horizontal o en los estatutos de la comunidad que no tengan previsto ningún régimen específico de mayoría en esta Ley.

El establecimiento o supresión de los servicios de portería, conserjería, vigilancia u otros servicios comunes de interés general, incluso cuando supongan la modificación del título constitutivo o de los estatutos, requerirá el voto favorable de las tres quintas partes del total de los propietarios que, a su vez, representen las tres quintas partes de los coeficientes de propiedad.

El arrendamiento de elementos comunes requerirá igualmente el voto favorable de las tres quintas partes del total de los propietarios que, a su vez, representen las tres quintas partes de los coeficientes de propiedad, así como el consentimiento del propietario directamente afectado, si lo hubiere.

Sin perjuicio de lo dispuesto en los artículos 10 y 11 de esta ley, la realización de obras o el establecimiento de nuevos servicios comunes que tengan por finalidad la supresión de barreras arquitectónicas que dificulten el acceso o movilidad de personas con minusvalía, incluso cuando impliquen la modificación del título constitutivo, o de los estatutos, requerirá el voto favorable de la mayoría establecida en la norma 4.ª de este artículo.

A los efectos establecidos en los párrafos anteriores de esta ley, se computarán como votos favorables los de aquellos propietarios ausentes de la Junta, debidamente citados, que una vez informados del acuerdo adoptado por los presentes, conforme al procedimiento establecido en el artículo 9, no manifiesten su discrepancia por comunicación a quien ejerza las funciones de Secretario de la Comunidad en el plazo de 30 días naturales, por cualquier medio que permita tener constancia de la recepción.

Los acuerdos válidamente adoptados con arreglo a lo dispuesto en esta norma obligan a todos los propietarios, incluso económicamente.

2.ª Podrán ser acordadas, a petición de cualquier propietario, por un tercio de los integrantes de la Comunidad que representa, a su vez, un tercio de los coeficientes de propiedad, las instalaciones:

a) de las infraestructuras comunes para el acceso a los servicios de telecomunicación o la adaptación de las existentes;

b) de las infraestructuras necesarias para acceder a nuevos suministros energéticos colectivos;

c) de sistemas colectivos o particulares de aprovechamiento de la energía solar o cualquier otra energía renovable.

La Comunidad no podrá repercutir el coste de la instalación o adaptación de dichas infraestructuras y sistemas colectivos, ni los derivados de su conservación y mantenimiento posterior, sobre aquellos propietarios que no hubieren votado expresamente en la Junta a favor del acuerdo. No obstante, si con posterioridad solicitasen el acceso a los servicios de telecomunicaciones, a nuevos suministros energéticos colectivos o a sistemas colectivos de la energía solar o cualquier otra energía renovable, y para ello aprovecharan las nuevas infraestructuras o instalaciones o las adaptaciones realizadas en las preexistentes, podrá autorizárseles siempre que abonen el importe que les hubiera correspondido, debidamente actualizado aplicando el correspondiente interés legal.

Sin perjuicio de lo establecido anteriormente respecto a los gastos de conservación y mantenimiento, las infraestructuras y sistemas colectivos a que se refiere la presente norma tendrán la consideración, a los efectos establecidos en esta Ley, de elemento común.

3.ª El establecimiento o supresión de equipos o sistemas distintos de los mencionados en el apartado anterior que tengan por finalidad mejorar la eficiencia energética o hídrica del inmueble, incluso cuando supongan la modificación del título constitutivo o de los Estatutos, requerirá el voto favorable de las tres quintas partes del total de los propietarios que, a su vez, representen las tres quintas partes de los coeficientes de propiedad. Los acuerdos válidamente adoptados con arreglo a esta norma obligan a todos los propietarios.

No obstante, si los equipos o sistemas tienen un aprovechamiento privativo, para la adopción del acuerdo bastará el voto favorable de un tercio de los integrantes de la Comunidad que representen, a su vez un tercio de los coeficientes de propiedad, aplicándose, en este caso, el sistema de repercusión de costes establecido en el apartado anterior.

Si se tratara de instalar en el aparcamiento del edificio un punto de recarga de vehículos eléctricos para uso privado, siempre que éste se ubicara en una plaza individual de garaje, solo se requerirá la comunicación previa a la Comunidad de que se procederá a su instalación. El coste de dicha instalación, del consumo energético, así como del proyecto técnico necesario, será asumido íntegramente por él o los interesados directos en la misma.

4.ª Para la validez de los demás acuerdos, incluída la instalación de rampas, ascensores, u otros dispositivos mecánicos y electrónicos que favorezcan su comunicación con el exterior, bastará el voto de la mayoría del total de los propietarios que, a su vez, representen la mayoría de los coeficientes de propiedad.

En segunda convocatoria serán válidos los acuerdos adoptados por la mayoría de los asistentes, siempre que ésta represente, a su vez, más de la mitad del valor de los coeficientes de propiedad de los presentes.

Cuando la mayoría no se pudiere lograr por los procedimientos establecidos en los párrafos anteriores, el Juez, a instancia de parte deducida en el mes siguiente a la fecha de la segunda junta, y oyendo en comparecencia los contradictores previamente citados, resolverá en equidad lo que proceda dentro de veinte días, contados desde la petición, haciendo pronunciamiento sobre el pago de costas.

5.ª No se computarán para la adopción de ninguno de los acuerdos previstos en este artículo ni la persona ni los coeficientes de propiedad de los propietarios privados del derecho de voto conforme a lo dispuesto en el artículo 15.2 de esta Ley."»

JUSTIFICACIÓN

Somos partidarios de mantener, y mejorar técnicamente del modo reflejado, la redacción del actual artículo 17, introduciendo puntualizaciones y matizaciones que ayudarán a evitar interpretaciones dispares, discusiones doctrinales y pronunciamientos contradictorios de los Tribunales.

DESESTIMADA

Recordemos la redacción vigente hasta la modificación por la LRRRU que estamos comentando:

Los acuerdos de la Junta de propietarios se sujetarán a las siguientes normas:

1.ª La unanimidad sólo será exigible para la validez de los acuerdos que impliquen la aprobación o modificación de las reglas contenidas en el título constitutivo de la propiedad horizontal o en los estatutos de la comunidad.

El establecimiento o supresión de los servicios de ascensor, portería, conserjería, vigilancia u otros servicios comunes de interés general, incluso cuando supongan la modificación del título constitutivo o de los estatutos, requerirá el voto favorable de las tres quintas partes del total de los propietarios que, a su vez, representen las tres quintas partes de las cuotas de participación. El arrendamiento de elementos comunes que no tenga asignado un uso específico en el inmueble requerirá igualmente el voto favorable de las tres quintas partes del total de los propietarios que, a su vez, representen las tres quintas partes de las cuotas de participación, así como el consentimiento del propietario directamente afectado, si lo hubiere.

Sin perjuicio de lo dispuesto en los artículos 10 y 11 de esta ley, la realización de obras o el establecimiento de nuevos servicios comunes que tengan por finalidad la supresión de barreras arquitectónicas que dificulten el acceso o movilidad de personas con minusvalía, incluso cuando impliquen la modificación del título constitutivo, o de los estatutos, requerirá el voto favorable de la mayoría de los propietarios que, a su vez, representen la mayoría de las cuotas de participación.

A los efectos establecidos en los párrafos anteriores de esta norma, se computarán como votos favorables los de aquellos propietarios ausentes de la Junta, debidamente citados, quienes una vez informados del acuerdo adoptado por los presentes, conforme al procedimiento establecido en el artículo 9, no manifiesten su discrepancia por comunicación a quien ejerza las funciones de secretario de la comunidad en el plazo de 30 días naturales, por cualquier medio que permita tener constancia de la recepción.

Los acuerdos válidamente adoptados con arreglo a lo dispuesto en esta norma obligan a todos los propietarios.

2.ª La instalación de las infraestructuras comunes para el acceso a los servicios de telecomunicación regulados en el Real Decreto-ley 1/1998, de 27 de febrero (LA LEY 853/1998), o la adaptación de los existentes, así como la instalación de sistemas comunes o privativos, de aprovechamiento de la energía solar, o bien de las infraestructuras necesarias para acceder a nuevos suministros energéticos colectivos, podrá ser acordada, a petición de cualquier propietario, por un tercio de los integrantes de la comunidad que representen, a su vez, un tercio de las cuotas de participación.

La comunidad no podrá repercutir el coste de la instalación o adaptación de dichas infraestructuras comunes, ni los derivados de su conservación y mantenimiento posterior, sobre aquellos propietarios que no hubieren votado expresamente en la Junta a favor del acuerdo. No obstante, si con posterioridad solicitasen el acceso a los servicios de telecomunicaciones o a los suministros energéticos, y ello requiera aprovechar las nuevas infraestructuras o las adaptaciones realizadas en las preexistentes, podrá autorizárseles siempre que abonen el importe que les hubiera correspondido, debidamente actualizado, aplicando el correspondiente interés legal.

Sin perjuicio de lo establecido anteriormente respecto a los gastos de conservación y mantenimiento, la nueva infraestructura instalada tendrá la consideración, a los efectos establecidos en esta Ley, de elemento común.

3.ª El establecimiento o supresión de equipos o sistemas distintos de los mencionados en el apartado anterior que tengan por finalidad mejorar la eficiencia energética o hídrica del inmueble, incluso cuando supongan la modificación del título constitutivo o de los estatutos, requerirá el voto favorable de las tres quintas partes del total de los propietarios que, a su vez, representen las tres quintas partes de las cuotas de participación. Los acuerdos válidamente adoptados con arreglo a esta norma obligan a todos los propietarios.

No obstante, si los equipos o sistemas tienen un aprovechamiento privativo, para la adopción del acuerdo bastará el voto favorable de un tercio de los integrantes de la comunidad que representen, a su vez, un tercio de las cuotas de participación, aplicándose, en este caso, el sistema de repercusión de costes establecido en el apartado anterior.

Si se tratara de instalar en el aparcamiento del edificio un punto de recarga de vehículos eléctricos para uso privado, siempre que éste se ubicara en una plaza individual de garaje, sólo se requerirá la comunicación previa a la comunidad de que se procederá a su instalación. El coste de dicha instalación será asumido íntegramente por el o los interesados directos en la misma.

En principio hay que significar que de una primera lectura de la redacción del nuevo artículo 17 de la Ley da la impresión de que se acaba con el lastre del quórum de la unanimidad, pero realmente no es así, y lo que se hace es reubicarlo en el apartado 6.º, y, además, con la misma literalidad.

Pues bien, la redacción del precepto se enmarca ahora bajo los siguientes parámetros:

1.— El actual apartado 2.º pasa a ser el apartado 1.º íntegro. Con ello, el voto presunto de los ausentes no se aplica solo a los supuestos antes contemplados en el artículo 17.1 LPH, sino a todo tipo de acuerdos en los que se requiera doble mayoría, por ello ahora se aplica a todas las votaciones excepto a los casos de mayoría simple, obviamente, con lo que será más fácil adoptar acuerdos en los que se exija doble mayoría porque el silencio de los ausentes se interpreta en forma positiva.

2.— En el apartado 2.º se hace mención a las obras afectantes a la discapacidad y accesibilidad ya expuestas al tratar la redacción del artículo 10.1, b) y exigirse el quórum de la mayoría de titulares y cuotas. En este punto también hay que significar que el acuerdo para instalación de ascensor se rebaja ahora a la mayoría de titulares y cuotas en lugar de los 3/5 de la redacción anterior, ya que al tratar de las obras de accesibilidad hace mención a que con el quórum de mayoría de titulares y cuotas se aprobarán, también, «en todo caso, el establecimiento o supresión de los servicios de ascensor, incluso cuando impliquen la modificación del título constitutivo, o de los estatutos».

3.— En el apartado 3 se hace mención a los servicios de portería, conserjería, vigilancia u otros servicios comunes de interés general, (mismo quórum de 3/5 aunque excluyendo ascensor antes expuesto) manteniéndose el relativo al arrendamiento de elementos comunes, incluyéndose aquí lo dispuesto en el actual segundo párrafo de la regla 3.ª.

4.— En el apartado 4 se reubica parcialmente el contenido del actual artículo 11. 1 y 2 aunque se fija la exclusión del pago de las mejoras aprobadas por 3/5 a los disidentes. También se introduce como regla general aplicable a cualquier tipo de acuerdo lo que ahora solo consta en la regla 1.ª del artículo 17 LPH para el arrendamiento de elementos comunes en el sentido de exigirse para la adopción de un acuerdo que pueda afectar a un comunero el consentimiento de este, aunque este apartado no puede interpretarse de forma extensiva, ya que por ejemplo no puede entenderse que un comunero que utiliza un patio de luces que es común puede oponerse a que se instale un ascensor, con lo que es un apartado que deberá observarse con cautela para que no sea utilizado por algunos comuneros para imponer su beneficio al de la comunidad.

5.— En el apartado 5 se sitúan los acuerdos de los puntos de recarga eléctrica de vehículos, pero no lo modifica prácticamente y viene a mantener el texto que ahora consta en el párrafo 3.º de la regla 3.ª, pero sin resolver los problemas existentes acerca del error que se comete de validar esta obra con una mera comunicación a la comunidad, cuando en estas obras puede haber afectación de elementos comunes, con lo que se debería solicitar, al menos, una autorización del presidente una vez se examine si la obra se adecúa a lo establecido reglamentariamente en cuanto a sistema eléctrico, o no afecta a elementos comunes.

6.— En el apartado 6 se mantiene la regla de la unanimidad como antes mencionábamos. Se agrava el régimen porque una abstención impide el acuerdo para el que se exija unanimidad, cuando en la redacción anterior las abstenciones no perjudicaban la unanimidad.

7.— En el apartado 7 se viene a reproducir sin cambios lo dispuesto en la regla 4.ª del actual artículo 17 LPH de la mayoría simple que se puede alcanzar en segunda convocatoria.

8.— En el apartado 8.º se recoge aquí el denominado voto presunto, aunque excluyendo que se aplique a los casos del apartado 4.º en los que los disidentes no tendrán que pagar cuota y también en los casos de acuerdos para aprovechamiento privativo. En estos casos no se aplica el voto presunto y los quórum hay que obtenerlos sin contar con ellos. Pero con esta reforma se consigue ampliar más que en la actual redacción del párrafo 4.º de la regla 1.º del artículo 17 que solo permite aplicar el voto presunto en esta regla 1.ª y no en la 2.ª y 3.ª, a diferencia de la Ley 5/2006 aplicable a Cataluña donde el voto presunto se aplica a todo tipo de acuerdos y, por ello, es más fácil alcanzar estos.

9.— En este apartado 9 no hay modificación alguna a lo previsto en el párrafo 5.º de la actual regla 1.ª.

10.— En el apartado 10 del artículo 17 se reubica lo que hasta ahora constaba en el apartado 4.º del artículo 10. ahora se le dota de autonomía al ubicarse en un apartado propio del art. 17 LPH, a fin de si algún comunero entiende que, por ejemplo, una obra es de mejora y no se ha incluido como tal, y sí que se introduce como obligatorio a realizar por la comunidad, en cuyo caso cualquier comunero podría interesar que la junta se pronuncie por mayoría simple del art. 17.7 LPH sobre si la obra a llevar a cabo es obligatoria y está incluida en el art. 10.1 LPH, o no lo es y se trata, por ejemplo, de una mejora y podrían los comuneros oponerse a ella y evitar que les repercutan los gastos de la obra.

11.— En el apartado 12 se resuelve la vieja polémica acerca de quién estaba obligado al pago de las derramas en los casos de transmisión del inmueble fijándose el criterio ya mantenido por la jurisprudencia de que las derramas para el pago de mejoras realizadas o por realizar en el inmueble serán a cargo de quien sea propietario en el momento de la exigibilidad de las cantidades afectas al pago de dichas mejoras, y no por el que lo era al momento de adoptarse el acuerdo.

Seis El apartado 2 de la disposición adicional queda redactado en los siguientes términos:

«2. La dotación del fondo de reserva no podrá ser inferior, en ningún momento del ejercicio presupuestario, al mínimo legal establecido.

Las cantidades detraídas del fondo durante el ejercicio presupuestario para atender los gastos de las obras o actuaciones incluidas en el artículo 10 se computarán como parte integrante del mismo a efectos del cálculo de su cuantía mínima.

Al inicio del siguiente ejercicio presupuestario se efectuarán las aportaciones necesarias para cubrir las cantidades detraídas del fondo de reserva conforme a lo señalado en el párrafo anterior.»

CONCORDANCIAS

— Artículos 23, 33, 46, 47, 51, 52 y 105 de la Constitución Española de 1978.

— Artículos 9 y 10 de la presente Ley.

— Ley 8/1999, 6 abril *(BOE* 8 abril), de Reforma de la Ley 49/1960, 21 julio, sobre Propiedad Horizontal.

TRAMITACIÓN PARLAMENTARIA

Congreso

Enmienda transaccional a la enmienda núm. 178 del G. P. Catalán (CiU), de adición de un nuevo apartado a la disposición final primera nueva (antes cuarta), de modificación de la Ley 49/1960, de 21 de julio, sobre Propiedad Horizontal, en el sentido de dar una nueva redacción al apartado 2 de la disposición adicional de la Ley.

2. La dotación del fondo de reserva no podrá ser inferior, en ningún momento del ejercicio presupuestario, al mínimo legal establecido.

Las cantidades detraídas del fondo durante el ejercicio presupuestario para atender los gastos de conservación y reparación de la finca permitidos por la presente Ley se computarán como parte integrante del mismo a efectos del cálculo de su cuantía mínima.

Al inicio del siguiente ejercicio presupuestario se efectuarán las aportaciones necesarias para cubrir las cantidades detraídas del fondo de reserva conforme a lo señalado en el párrafo anterior.

Sin necesidad de más comentarios, lo único que introduce esta modificación es la concreción de los gastos de las obras o actuaciones incluidas en el artículo 10, en lugar del genérico de la redacción anterior de los gastos de conservación y reparación de la finca permitidos por la presente Ley.

Disposición final segunda. Modificación de la Ley 13/1998, de 4 de mayo, de Ordenación del Mercado de Tabacos y Normativa Tributaria.

Se modifica el apartado 1 de la disposición adicional séptima de la Ley 13/1998, de 4 de mayo, de Ordenación del Mercado de Tabacos y Normativa Tributaria, que queda redactado en los siguientes términos:

«1. Continuarán subsistentes las autorizaciones y concesiones de expendedurías de régimen especial, otorgadas al amparo de la normativa anterior o aduanera, así como las otorgadas a establecimientos autorizados para la venta de labores de tabaco libre de impuestos existentes al tiempo de la entrada en vigor de esta Ley aunque pierdan con posterioridad este carácter. Asimismo, podrán concederse nuevas autorizaciones para la venta de labores de tabaco, en el régimen fiscal que corresponda, a establecimientos que pudieran ser de este tipo, preexistentes o no, que no contasen con las oportunas autorizaciones a la entrada en vigor de esta Ley. El Gobierno, a propuesta del Ministro de Hacienda y Administraciones Públicas, desarrollará dicho régimen y, en su caso, introducirá las modificaciones del mismo que resulten necesarias.»

COMENTARIO (1)

Sin duda que la **Ley 8/2013, de 26 de junio, de rehabilitación, regeneración y renovación urbanas** sólo pretende en este caso, según se expresa en su Preámbulo, aportar una mejora técnica a la redacción del apartado 1 de la disposición adicional séptima de la Ley 13/1998, de 4 de mayo, de Ordenación del Mercado de Tabacos y Normativa Tributaria.

Cabe resaltar que en la nueva redacción se mencionan expresamente los «impuestos **existentes al tiempo de la entrada en vigor de esta Ley**» y que también se añade el siguiente párrafo:

> «Asimismo, podrán concederse nuevas autorizaciones para la venta de labores de tabaco, en el régimen fiscal que corresponda, a establecimientos que pudieran ser de este tipo, preexistentes o no, que no contasen con las oportunas autorizaciones a la entrada en vigor de esta Ley».

Y al mismo tiempo se suprime el párrafo final de esta disposición que en la redacción anterior contenía la siguiente afirmación:

> «sin que, en ningún caso, puedan otorgarse nuevas autorizaciones o concesiones de este tipo o modificarse las existentes».

Por tanto, se advierte que hay un cambio sustancial en la normativa, ya que se suprime la rigidez de la anterior en cuanto a las autorizaciones para determinados establecimientos expendedores de tabaco, posibilitando a la Administración el que tenga mayor flexibilidad tanto para proceder a nuevas autorizaciones o concesiones como para modificar las ya existentes.

---

(1) Comentario a cargo de Luis Miguel Bris Coello. Doctor en Derecho. Abogado del Ilustre Colegio de Abogados de Madrid.

Disposición final tercera. Modificación de la Ley 38/1999, de 5 de noviembre, de Ordenación de la Edificación.

Se modifican los artículos 2 y 3 de la Ley 38/1999, de 5 de noviembre, de Ordenación de la Edificación.

Uno. El apartado 2 del artículo 2, queda redactado de la siguiente manera:

«2. Tendrán la consideración de edificación a los efectos de lo dispuesto en esta Ley, y requerirán un proyecto según lo establecido en el artículo 4, las siguientes obras:

a) Obras de edificación de nueva construcción, excepto aquellas construcciones de escasa entidad constructiva y sencillez técnica que no tengan, de forma eventual o permanente, carácter residencial ni público y se desarrollen en una sola planta.

b) Todas las intervenciones sobre los edificios existentes, siempre y cuando alteren su configuración arquitectónica, entendiendo por tales las que tengan carácter de intervención total o las parciales que produzcan una variación esencial de la composición general exterior, la volumetría, o el conjunto del sistema estructural, o tengan por objeto cambiar los usos característicos del edificio.

c) Obras que tengan el carácter de intervención total en edificaciones catalogadas o que dispongan de algún tipo de protección de carácter ambiental o histórico-artístico, regulada a través de norma legal o documento urbanístico y aquellas otras de carácter parcial que afecten a los elementos o partes objeto de protección.»

Dos. El párrafo primero del apartado 1 del artículo 3 queda redactado de la siguiente manera:

«Artículo 3. Requisitos básicos de la edificación.

Con el fin de garantizar la seguridad de las personas, el bienestar de la sociedad y la protección del medio ambiente, se establecen los siguientes requisitos básicos de la edificación, que deberán satisfacerse, de la forma que reglamentariamente se establezca, en el proyecto, la construcción, el mantenimiento, la conservación y el uso de los edificios y sus instalaciones, así como en las intervenciones que se realicen en los edificios existentes.»

Tres. El párrafo primero del apartado 2 del artículo 3 queda redactado de la siguiente manera:

«2. El Código Técnico de la Edificación es el marco normativo que establece las exigencias básicas de calidad de los edificios de nueva construcción y de sus instalaciones, así como de las intervenciones que se realicen en los edificios existentes, de acuerdo con lo previsto en las letras b) y c) del artículo 2.2, de tal forma que permita el cumplimiento de los anteriores requisitos básicos.»

CONCORDANCIAS

—Estado: Ley 38/1999, de 5 de noviembre, de Ordenación de la Edificación *(BOE* del 6).

—Estado: Real Decreto 314/2006, de 17 de marzo, por el que se aprueba el Código Técnico de la Edificación *(BOE* del 28).

—C. A. de Andalucía: Ley 1/2010, de 8 de marzo, de del Derecho a la Vivienda *(BOJA* del 19), modificada por Decreto-Ley 6/2013, de 9 de Abril, de Medidas para asegurar el Cumplimiento de la Función Social de la Vivienda *(BOJA* del 11); recurrido por el Estado ante el Tribunal Constitucional.

—C. A. de Canarias: Ley 2/2003, de 30 de enero, de Vivienda *(BOCAN* de 10 de febrero), modificada posteriormente.

—C. A. de Castilla y León: Ley 9/2010, de 30 de agosto, del Derecho a la Vivienda *(BOCYL* de 7 de septiembre).

—C. A. de Cataluña: Ley 18/2007, de 28 de diciembre, del Derecho a la Vivienda *(DOGC* de 9 de enero de 2008), modificada posteriormente.

—Comunidad Valenciana: Ley 3/2004, de 30 de junio, de Ordenación y Fomento de la Calidad de la Edificación *(DOGV* de 2 de Julio), y Ley 8/2004, de 20 de octubre, de Vivienda *(DOGV* del 21).

—C. A. de Extremadura: Ley 3/2001, de 26 de Abril, de la Calidad, Promoción y Acceso a la Vivienda *(DOE* de 29 de Mayo).

—C. A. de Galicia: Ley 8/2012, de 29 de junio, de Vivienda *(DOG* del 24 de Julio).

—C. A. de La Rioja: Ley 2/2007, de 1 de marzo, de Vivienda *(BOR* del 8).

—C. A. de Madrid: Ley 2/1999, de 17 de marzo, de Medidas para la Calidad de la Edificación *(BOCM* del 29).

—C. A. de Murcia: Ley 8/2005, de 14 de diciembre, para la Calidad de la Edificación *(BORM* de 4 de febrero de 2006).

—C. A. de Navarra: Ley 10/2010, de 10 de Mayo, del Derecho a la Vivienda *(BON* del 17 de Mayo).

—C. A. de La Rioja: Ley 2/2007, de 1 de marzo, de Vivienda *(BOR* del 8).

JURISPRUDENCIA:

—SAP La Coruña n.º 270/2009, de 29 de junio: ámbito de aplicación LOE.

—SAP Castellón n.º 464/2005, de 30 de septiembre: ámbito de aplicación LOE.

—SAP Santa Cruz de Tenerife n.º 212/2006, de 14 de junio: concepto de edificación.

—SAP Burgos n.º 635/2002, de 25 de noviembre: obras de reforma o menores.

—SAP Madrid n.º 200/2009, de 16 de Abril: defectos en elementos exteriores de vivienda-requisitos de habitabilidad.

—SAP León n.º 39/2008, de 11 de febrero: concepto de habitabilidad.

COMENTARIO (1)

Sumario

1. Nuevamente se modifica la normativa en materia de suelo, urbanismo y edificación, aunque ahora en la orientación adecuada
2. La integración de consideraciones en materia de rehabilitación, renovación y regeneración urbanas en el marco jurídico de la edificación: la Ley de Ordenación de la Edificación de 1999
3. Las modificaciones de la Ley de Rehabilitación, Regeneración y Renovación Urbanas de 2013 en la Ley de Ordenación de la Edificación

1. NUEVAMENTE SE MODIFICA LA NORMATIVA EN MATERIA DE SUELO, URBANISMO Y EDIFICACIÓN, AUNQUE AHORA EN LA ORIENTACIÓN ADECUADA

Siguiendo una tradición legislativa que viene ya de lejos, se acaba de aprobar una nueva normativa nacional en materia de suelo y edificación, la Ley 8/2013, de 26 de junio, de Rehabilitación, Regeneración y Renovación Urbanas (*BOE* del 27) (2), aunque actualmente sus objetivos parece que van en la dirección adecuada.

---

(1)   Comentario a cargo de Dionisio FERNÁNDEZ DE GATTA SÁNCHEZ, Profesor Titular de Derecho Administrativo de la Facultad de Derecho de la Universidad de Salamanca y Diplomado en Planeamiento Urbanístico.

Agradezco a Fernando Castro Abella y a Julio Castelao Rodríguez la invitación para participar en este interesante proyecto, y especialmente su amistad..

(2)   En relación con la nueva Ley, ver los primeros comentarios de CASTELAO RODRÍGUEZ, J., «Reflexiones sobre la Ley 8/2013, de 26 de junio, de Rehabilitación, Regeneración y Renovación Urbanas. El paso de las ITE a los Informes de Evaluación de los Edificios» (texto en formato digital), *Práctica Urbanística*, 27 de junio de 2013, 9 págs., y de CORCHERO, M., y SÁNCHEZ PÉREZ, L., «Las 14 claves de la Ley de Rehabilitación, Regeneración y Renovación Urbanas» (texto en formato digital), *Práctica Urbanística*, 28 de junio de 2013, 5 págs.

Sobre el Proyecto de Ley, ver CORCHERO, M., y SÁNCHEZ PÉREZ, L., «Administración local y Proyecto de ley de Rehabilitación, Regeneración y Renovación urbanas», *El Consultor de los Ayuntamientos*, n.º 9/2013, de 15 de Mayo, págs. 907-921, y «El Proyecto de Ley de Rehabilitación, Regeneración y Renovación Urbanas», *Práctica Urbanística*, n.º 122/2013, Mayo-junio, págs. 24-44; CORTÉS MORENO, Á., y GURRERO MALDONADO, J.C., «La rehabilitación urbana y la evaluación de los edificios en el marco de la economía sostenible», *El Consultor de los Ayuntamientos*, n.º 8/2013, de 30 de abril, págs. 805-822; ROGER FERNÁNDEZ, G., «Acotaciones al texto del Proyecto de Ley de Rehabilitación, Regeneración y Renovación Urbanas», *Revista de Derecho Urbanístico y Medio*

En efecto, tal como señala su Exposición de Motivos, los problemas socioeconómicos del mercado de suelo y vivienda en España son de diversa naturaleza, muchas son anteriores a la actual crisis económico-financiera y la mayoría tienen carácter estructural, aunque se han agravado con la situación actual. Una de ellas es sin duda la mayor atención que el legislador histórico en la materia ha dedicado a la expansión de las ciudades, descuidando algo (aunque haya habido actuaciones importantes en el pasado) la debida atención a al ámbito urbano existente, tratando de generar bienestar económico y social, y de garantizar la calidad de vida de los habitantes, aunque tales actuaciones son mucho más complejas desde los puntos de vista económico y social, en particular actualmente (teniendo en cuenta que existe suelo para nuevos desarrollos urbanos suficiente para muchos años y varios miles de viviendas nuevas).

Ante esta situación, la rehabilitación y la regeneración y renovación urbanas tienen un relevante papel en la recuperación económica, coadyuvando a la reconversión de otros sectores (principalmente, el turístico), así como en los avances hacia el desarrollo sostenible (3) (al ser actualmente un referente común para cualquier actividad que incida en el medio ambiente, y también en el desarrollo económico y el progreso social, como son las relativas al urbanismo, el uso del territorio y la edificación) (4) y hacia el nuevo modelo energético planteado por

---

Ambiente, n.º 281/2013, págs. 83-108. Asimismo, ver Aparicio Guerrero, A. E., «Rehabilitación y regeneración urbana en el Estado de las autonomías», en Valenzuela Rubio, M. (Coord.), y otros-Proyecto URBSPAIN, *El impacto del modelo autonómico en las ciudades españolas. Una aproximación interdisciplinar*, Ed. UAM, Madrid, 2012, págs. 415-466; Álvarez Mora, A., y Roch Peña, F. (Dir.), y otros, *Regeneración urbana integrada en Europa*, Instituto Universitario de Urbanística-Universidad de Valladolid, 2010; Rubuio del Val, J., «Rehabilitación urbana en España (1989-2010). Barreras actuales y sugerencias para su eliminación», *Informes de la Construcción*, Vol. 63, Extra 5-20, octubre de 2011, págs. 5-20

(3) Con carácter general, ver Fernández de Gatta Sánchez, D., «El régimen de sostenibilidad medioambiental», *Revista Jurídica de Castilla y León*, n.º 25/2011, págs. 163-218, y «Articulación y perspectivas del desarrollo sostenible en la Unión Europea», *Noticias de la Unión Europea*, n.º 264, enero, 2007.

También, *vid.* Unión Europea, «Ciudades del mañana. Retos, visiones y caminos a seguir», octubre de 2011; García Rubio, F., «Planificación urbanística y sectorial: la sostenibilidad», en *Nuevos retos sectoriales del Urbanismo*, Ed. LA LEY-El Consultor (grupo Wolters Kluwer), Las Rozas (Madrid), 2009, págs. 65-78; Comité de las Regiones, Dictamen sobre «Ciudades del mañana: ciudades sostenibles desde el punto de vista social y medioambiental», de 19 de julio de 2012 (DOUE C 277, 13.9.2012); Varios Autores, *Crecimiento y desarrollo urbano del tercer milenio*, XXIII Congreso Iberoamericano de Municipios [22 a 25 de octubre de 1996, Lisboa (Portugal)], Ed. FEMP, Madrid, 1998, y Varios Autores, *III Congreso Internacional de Ordenación del Territorio, Política Regional, Urbanismo y Medio Ambiente (Gijón, 3 a 6 de Julio de 2001)*, Ed. FUNDICOT— Gobierno del Principado de Asturias, Madrid, 2002.

(4) Véanse en especial las obras de Bassols Coma, M., «Ordenación del territorio y medio ambiente: aspectos jurídicos», *Revista de Administración Pública*, n.º 95/1981, «El medio ambiente y la ordenación del territorio», *Documentación Administrativa*, n.º 190/1981, y «La planificación urbanística y su contribución al desarrollo urbanístico sostenible», en Esteve Pardo, J. (Coord.), y otros, *Derecho del Medio Ambiente y Administración Local*, Ed. Fundación Democracia y Gobierno Local, Barcelona, 2006. Asimismo, *vid.* Álvarez-Ude, L., «La sostenibilidad y la edificación en España», *Revista Ecosostenible*, n.º 18 y 19/2006; Arenas Cabello, F.J., *El impacto ambiental en*

la Unión Europea, y que se plasma principalmente en la nueva Directiva de Eficiencia Energética de 2012.

La trascendencia de lo anterior deriva, entre otras razones, de la constatación de una realidad, cual es que la mayor parte de la vida y de la actividad humana, y por supuesto en la Unión Europea y en España, se concentra en las ciudades; y de ahí su trascendencia (5). En efecto, la importancia de las ciudades y del medio urbano es

---

la edificación. Criterios para una construcción sostenible, Ed. Edisofer, Madrid, 2007; DEL ROSAL BLASCO, B., «El impacto social y medioambiental de la actividad urbanística», VARIOS AUTORES y DEFENSORES DEL PUEBLO DE LAS COMUNIDADES AUTÓNOMAS, «El impacto social y medioambiental de la actividad urbanística», *Revista «Derechos Ciudadanos*, monográfico, n.º 1/2006; FOLCH, R., «El urbanismo, agente ambiental», Revista *Derechos Ciudadanos*, citada; LORA-TAMAYO VALLVÉ, M., *Derecho Urbanístico y Medio Ambiente. Hacia el desarrollo urbano sostenible*, Ed. Dykinson, Madrid, 2004; MCGINN, R. E., «El medio ambiente construido: últimos cambios, cuestiones e iniciativas políticas en Estados Unidos», en GARCÍA FERRANDO, M., y PARDO AVELLANEDA, R. (Eds.), y otros, *Ecología, relaciones industriales y empresa*, Fundación BBV, Bilbao-Madrid, 1994; MONTERO FERNÁNDEZ, J. A., «Medio Ambiente y Urbanismo», en VARIOS AUTORES, *Medioambiente Urbano*, Col. Estudios de Derecho Judicial, n.º 82-2005, Ed. Escuela Judicial (CGPJ)-Junta de Andalucía, Madrid, 2006; ORDUÑA REBOLLO, E., y MILLARUELO APARICIO, J. (Coords.) y otros, *Ordenación del Territorio y Desarrollo Sostenible*, Ed. Ciudad Argentina-OICI-Ayuntamiento de Valladolid-Caja Rural, Madrid-Buenos Aires, 2004; VARIOS AUTORES, *Ordenación del Territorio y Medio Ambiente*, II Congreso Mundial Vasco, Ed. IVAP, Bilbao, 1988, y VARIOS AUTORES y DEFENSORES DEL PUEBLO DE LAS COMUNIDADES AUTÓNOMAS, «El impacto social y medioambiental de la actividad urbanística», *Revista Derechos Ciudadanos*, monográfico, n.º 1/2006.

Más en concreto, *vid.* ALFONSO, C., «Edificación sostenible. La vivienda del siglo XXI», *Revista Ambienta*, n.º 23/ 2003; CANAL CONSTRUCCIÓN SOSTENIBLE: http://www.canalconstruccionsostenible. com (Ferrovial y Fundación Entorno); ESCOBAR GUTIÉRREZ, D., «Arquitectura sostenible: el sentido común aplicado en la construcción», *Revista Ecosostenible*, n.º 20/2006; MARTÍN MATEO, R., «La edificación sostenible», *Revista Aranzadi de Derecho Ambiental*, n.º 8/2005; RESPONSABLES-SEMANARIO DIGITAL DE LA CIUDADANÍA CORPORATIVA, «Claves para una construcción sostenible: http:// www.responsables.biz; SOLA SÁNCHEZ, B., y otros, «Aplicación de criterios de sostenibilidad en la vivienda», *Revista Directivos Construcción*, n.º 191/2006, y VÁZQUEZ VARELA, C., y MARTÍNEZ NAVARRO, J. M.ª., «El papel de las Comunidades Autónomas y los Gobiernos locales en la aplicación de criterios de sostenibilidad en el planeamiento reciente: el desarrollo de Agendas 21 locales», en VALENZUELA RUBIO, M. (Coord.), y otros-Proyecto URBSPAIN, *El impacto del modelo autonómico en las ciudades españolas. Una aproximación interdisciplinar*, cit., págs. 359-412.

(5) Sobre las ciudades y el desarrollo urbano en general y sus problemas, *vid.* AGENCIA EUROPEA DE MEDIO AMBIENTE, «Urban sprawl in Europe-the ignored challenge», *Informe* n.º 10/2006, cuyo resumen «La expansión urbana descontrolada en Europa» se publica en EEA Briefing 04/2006 [http://.eea.europa.eu]; DIRECCIÓN GENERAL DE POLÍTICA REGIONAL-COMISIÓN EUROPEA, *Estado de las Ciudades Europeas*, Mayo de 2007 [http://ec.europa.eu/regional_policy]; GARCÍA RUBIO, F., «Nuevos retos sectoriales del Urbanismo», obra citada; JOUVE, B. *Cuestiones de Gobernanza Urbana*, trad. y ed. de J. M. RODRÍGUEZ ÁLVAREZ, Fundación Carlos Pi y Suñer, Barcelona, 2005; ORTEGA DELGADO, M., «La ciudad y los sistemas urbanos desde una visión territorial», *Urban*, n.º 8/2003; PLAZA CEREZO, S., «Las Ciudades, nuevos actores mundiales», documentación preparada para el *XXVIII Curso Superior de Estudios Territoriales y Urbanísticos*, del INAP-MAP, Madrid, 2003-2004; PRICEWATERHOUSECOOPERS, *Ciudades del futuro: competencia global, liderazgo local*, Madrid, 2006 [www.pwc.com]; SATTERTHWAITE, D., *La transición hacia un Mundo predominantemente urbano y sus fundamentos*, Instituto Internacional para el Medio Ambiente y el Desarrollo, Londres, diciembre de 2007; VARIOS AUTORES, «Ciudades socialmente sostenibles», Documento Final del Grupo de Trabajo n.º 19, *VII Congreso Nacional del Medio Ambiente*, noviembre de 2005 (documento original mecanografiado), y VARIOS AUTORES, «El retorno de la Ciudad: elogio del Urbanismo», *Revista de Occidente*, n.º 275/2004.

Sobre algunos problemas concretos del modo de vida urbano, *vid.* BLANQUER, D., *Contaminación acústica y calidad de vida*, Ed. Tirant lo Blanch, Valencia, 2005; INSTITUTO PARA LA DIVERSIFICACIÓN Y

visible tanto en tiempos pasados como en la actualidad, y así se han adoptado y aprobado diversos documentos y normas en la Unión Europea (6) y en España, destacando a nivel nacional la Ley de Ordenación de la Edificación de 1999 y el Código Técnico de la Edificación en 2006, que, junto con la Legislación de Suelo, tienen por finalidad, entre otras, que la relación entre el urbanismo, la edificación, el medio ambiente y el desarrollo sostenible sea recíproca y eficaz para alcanzar una mejor calidad de vida.

Asimismo, por otra parte, debe tenerse en cuenta que la actividad edificatoria o de la construcción, como es bien sabido, incide directa y estrechamente en el urbanismo y en la ordenación del territorio (así, la Exposición de Motivos de la Ley del Suelo de 1956 ya decía que «la vinculación de los edificios con la ciudad es tan íntima que al construir edificios no cabe olvidar que se está construyendo al mismo tiempo la ciudad»), afecta de forma destacable a los recursos naturales y genera importantes procesos de contaminación, que van desde la obtención y fabricación de los materiales de construcción hasta la gestión de los residuos derivados de su demolición, pasando por las fases de la construcción de la edificación y la utilización del propio edificio. Durante el proceso de edificación se generan residuos tóxicos, vertidos de productos químicos y residuos sólidos y especiales, por su volumen. La incidencia ambiental continúa con el uso del edificio por la utilización de las calefacciones, refrigeración, uso de agua caliente, iluminación y otros servicios, cuyo funcionamiento en la gran mayoría de los casos deriva de los combustibles fósiles.

2. LA INTEGRACIÓN DE CONSIDERACIONES EN MATERIA DE REHABILITACIÓN, RENOVACIÓN Y REGENERACIÓN URBANAS EN EL MARCO JURÍDICO DE LA EDIFICACIÓN: LA LEY DE ORDENACIÓN DE LA EDIFICACIÓN DE 1999

A pesar de la importancia económico-social y jurídico-administrativa del sector de la edificación y de la construcción, en España no hemos tenido una regulación

---

AHORRO DE LA ENERGÍA (IDAE), *Eficiencia energética y Urbanismo. Guía del planeamiento urbanístico energéticamente eficiente*, Ed. IDAE, Madrid, 2000; ORTIZ GARCÍA, M., «La ciudad solar: soporte jurídico», *Revista Aranzadi de Derecho Ambiental*, n.º 8/2005, y en VARIOS AUTORES, *Derecho de la Energía*, Ed. ENDESA-LA LEY (Wolters Kluwer), Las Rozas (Madrid), 2006, y SÁNCHEZ GUTIÉRREZ, J. I., «La planificación integrada de la movilidad y los usos urbanos en los planteamientos comunitarios para las ciudades europeas», *Noticias de la Unión Europea*, n.º 249/2005.

(6)   En relación con las iniciativas de la Unión Europea en la materia, ver FERNÁNDEZ DE GATTA SÁNCHEZ, D., «Urbanismo y Edificación Sostenible: su plasmación en el Ordenamiento Jurídico», *Práctica Urbanística*, n.º 56, enero, 2007, y «Aspectos jurídicos de la relación entre actividad edificatoria y el medio ambiente: el Código Técnico de la Edificación», *Práctica Urbanística*, Número Especial 5.º Aniversario, monográfico sobre «El Código Técnico de la Edificación. Estudios y experiencias», abril de 2007. Además, *vid.* PUMAIN, D., «La cuestión de las ciudades en la ordenación del territorio europeo», *Urban*, n.º 8/2003; SÁNCHEZ-MESA MARTÍNEZ, L. J., «La normativa europea sobre la eficiencia energética en los edificios: la Directiva 2002/91/CE, de 16 de diciembre», en TORRES LÓPEZ, M.ª A., ARANA GARCÍA, E., y MORAL SORIANO, L. (Coords.), y otros, *El sector eléctrico en España. Competencia y servicio público*, Ed. Comares, Granada, 2007, y VOZMEDIANO, J., *El futuro de las ciudades: hacia unas urbes ecológicas y sostenibles*, Ed. Instituto de Ecología y Mercado-FAES, Madrid, 2002.

general de la misma hasta tiempos recientes. No obstante, sí que ha habido varios intentos fallidos de elaboración de los mismos. Así, como señalan Sánchez-Cía y Porto Rey (7), los primeros intentos se realizaron en los años 70 del siglo XX, en el viejo Ministerio de la Vivienda que se había creado en 1957. Posteriormente, el Ministerio de Obras Públicas y Urbanismo (creado en el primer Gobierno del Presidente Suárez, y que también era el competente en materia ambiental) publicó el denominado *Libro Blanco sobre la Edificación*, que ya pregonaba la necesidad de elaborar una Ley específica que regulara el proceso de la edificación; redactándose a partir de entonces un estudio de viabilidad de tal texto legal, en 1980, y varios borradores del mismo, que se plasmarán en un Proyecto de Ley de Ordenación de la Edificación, aprobado por el Consejo de Ministros de 28 de diciembre de 1995 *(BOCG-CD*, Serie A, n.º 146, de 9 de enero de 1996), que ya incluía aspectos ambientales y sobre regeneración urbana; si bien el texto caducó al finalizar la Legislatura. Seguidamente, el nuevo Ministerio de Fomento (creado en el primer Gobierno del Presidente Aznar, en 1996) retomará los trabajos sobre la base del texto anterior, que, después de redactarse otros borradores y de diversos acuerdos con los Colegios Profesionales implicados y representantes del sector de seguros, será elaborado el Proyecto de Ley, aprobado por el Consejo de Ministros de 5 de marzo de 1999 y remitido a las Cortes Generales *(BOCG-CD*, Serie A, n.º 163, de 15 de marzo de 1999), para, después de su tramitación, convertirse en la nueva Ley 38/1999, de 5 de noviembre, de Ordenación de la Edificación *(BOE* del 6) (8), modificada en 2001, 2002 y 2009.

Sobre la base de destacar la importancia económica del sector de la edificación con evidentes repercusiones en la sociedad y en los valores que entraña el patrimonio arquitectónico, su Exposición de Motivos resalta que la falta de regulación jurídica adecuada, la necesidad de dar continuidad a la Ley sobre Régimen del Suelo y Valoraciones de 1998, ordenando la construcción de los edificios, la necesidad de establecer el marco general en el que pueda fomentarse la calidad de los edificios y regular las garantías de los usuarios de los mismos justificaron la elaboración y

---

(7)   Porto Rey, E., *Aspectos técnicos de la Ley 38/1999 de Ordenación de la Edificación*, 5.ª ed., Ed. Montecorvo, Madrid, 2007; Sánchez-Cía, A. L., *Ley de Edificación. Comentarios jurídicos*, Ed. Edijus, Zaragoza, 2000.

(8)   Carrasco Perera, Á., Cordero Lobato, E., y González Carrasco, M.ª Del C., *Comentarios a la Legislación de Ordenación de la Edificación*, 5.ª ed., Ed. Thomson Reuters-Aranzadi, Cizur Menor (Navarra), 2011; Carrasco Perera, A., Cordero Lobato, E., y González Carrasco, M.ª del C., *Derecho de la Construcción y la Vivienda*, 7.ª ed., Ed Thonson Reuters-Aranzadi, Cizur Menor (Navarra), 2012; Dilmé Ros, J., *Ley de Ordenación de la Edificación*, Col. Códigos con Jurisprudencia, Ed. Thomson Reuters-Aranzadi, Cizur Menor (Navarra), 2011; González Pérez, J., *Comentarios a la Ley de Ordenación de la Edificación*, Ed. Civitas, Madrid, 2000; González Poveda, P., «La Ley de Ordenación de la Edificación y los derechos de los consumidores», en Varios Autores, «Derecho y Vivienda», *Cuadernos de Derecho Judicial*, X-2005, Ed. CGPJ-Centro de Documentación Judicial, Madrid, 2006; Morant Vidal, J., y Cremades García, P., *Código de Derecho Inmobiliario y de la Vivienda*, Ed. Difusión Jurídica, Madrid, 2009; Porto Rey, E., *Aspectos técnicos de la Ley 38/1999 de Ordenación de la Edificación*, citada; Sánchez-Cía, A. L., *Ley de Edificación. Comentarios jurídicos*, citada, y Valls Lloret, J. D., «Comentarios a la Ley de Edificación», *Revista Iuris*, n.º 37/ 2000.

aprobación de la Ley de Ordenación de la Edificación. Pero, además, la Ley asumió los valores señalados en su contenido, ya que, como resalta su Exposición de Motivos,

> «...la sociedad demanda cada vez más la calidad de los edificios y ello incide tanto en la seguridad estructural y la protección contra incendios como en otros aspectos vinculados al bienestar de las personas, como la protección contra el ruido, el aislamiento térmico o la accesibilidad para personas con movilidad reducida. En todo caso, el proceso de la edificación, por su directa incidencia en la configuración de los espacios implica siempre un compromiso de funcionalidad, economía, armonía y equilibrio medioambiental de evidente relevancia desde el punto de vista del interés general; así se contempla en la Directiva 85/384/CEE de la Unión Europea, cuando declara que 'la creación arquitectónica, la calidad de las construcciones, su inserción armoniosa en el entorno, el respeto de los paisajes naturales y urbanos, así como del patrimonio colectivo y privado, revisten un interés público'...»

Por ello, continúa la Exposición de Motivos, entre los objetivos de la Ley se incluye el de «establecer el marco general en el que pueda fomentarse la calidad de los edificios», por lo cual se determinan los requisitos básicos que deben satisfacer los edificios, que abarcan tanto los aspectos de funcionalidad y de seguridad de los mismos como aquellos referentes a su habitabilidad.

La Ley tiene por objeto «regular en sus aspectos esenciales el proceso de la edificación, estableciendo las obligaciones y responsabilidades de los agentes que intervienen en dicho proceso, así como las garantías necesarias para el adecuado desarrollo del mismo, con el fin de asegurar la calidad mediante el cumplimiento de los requisitos básicos de los edificios y la adecuada protección de los intereses de los usuarios»; con lo que la calidad de los edificios y sus requisitos técnicos se integran en la esencia del proceso edificatorio, y de su régimen jurídico (art. 1). Desde el punto de vista competencial, la Ley se basa en las competencias del Estado previstas en la Constitución Española en relación con diversas materias, como legislación civil y mercantil, medio ambiente o expropiación forzosa (Disposición Final 1.ª-LOE) (9).

El texto legal tiene como ámbito de aplicación (arts. 1 y 2) (10) el proceso de la edificación, entendiendo por tal la acción y el resultado de construir un edificio

---

(9)   CORDERO LOBATO, E., «La distribución de competencias en la regulación de la edificación», en CARRASCO PERERA, Á., CORDERO LOBATO, E., y GONZÁLEZ CARRASCO, M.ª Del C., *Comentarios a la Legislación de Ordenación de la Edificación*, cit. págs. 163-173.

(10) GONZÁLEZ CARRASCO, M.ª del C., «Objeto del régimen de ordenación de la edificación» «ámbito material de aplicación», en CARRASCO PERERA, Á., CORDERO LOBATO, E., y GONZÁLEZ CARRASCO, M.ª Del C., *Comentarios a la Legislación de Ordenación de la Edificación*, cit. págs. 47-64 y 65-90.

de carácter permanente, público o privado, cuyo uso principal (regulado de forma muy amplia y con una cláusula abierta) esté integrado en los grupos de carácter administrativo, sanitario, residencial en todas sus formas, religioso, docente, cultural, aeronáutico, agropecuario, de la energía, minería, transporte, forestal, etc., y «todas las demás edificaciones cuyos usos no estén expresamente relacionados en los grupos anteriores»; no obstante, las Administraciones y otros Entes Públicos cuando actúen como agentes del proceso de edificación y las obligaciones y responsabilidades relativas a la prevención de riesgos laborales se rigen por su legislación específica.

A los efectos de la Ley, y requiriéndose por tanto el correspondiente proyecto establecido en la misma, tienen la consideración de «edificación» las obras de edificación de nueva construcción (excepto las de escasa entidad constructiva y sencillez técnica que no tengan, de forma eventual o permanente, carácter residencial ni público y se desarrollen en una sola planta); las obras de ampliación, modificación, reforma o rehabilitación que alteren la configuración arquitectónica de los edificios (entendiendo por tales las que tengan carácter de intervención total o las parciales que produzcan una variación esencial de la composición general exterior, la volumetría, o el conjunto del sistema estructural, o tengan por objeto cambiar los usos característicos del edificio) y las obras que tengan el carácter de intervención total en edificaciones catalogadas o que dispongan de algún tipo de protección de carácter ambiental o histórico-artístico, regulada a través de norma legal o documento urbanístico y aquellas otras de carácter parcial que afectan a los elementos o partes objeto de protección. Asimismo, en el concepto de «edificación» se incluyen sus instalaciones fijas y el equipamiento propio, así como los elementos de urbanización que permanezcan adscritos al edificio (arts. 1 y 2).

A continuación, y con la finalidad de conseguir una calidad adecuada en las edificaciones, la LOE (art. 3) (11) integra los aspectos ambientales y de sostenibilidad y habitabilidad en la edificación y la construcción al regular sus requisitos básicos (algunos de los cuales ya se exigían en la normativa anterior, aunque regulados de forma muy dispersa). Efectivamente, con la finalidad de garantizar la seguridad de las personas, el bienestar de la sociedad y la protección del medio ambiente, se establece, imperativamente, que los edificios «deberán proyectarse, construirse, mantenerse y conservarse» de tal forma que se satisfagan los requisitos básicos establecidos, que hacen referencia a:

— la funcionalidad, incluyendo espacios y dotaciones de instalaciones que permitan la adecuada utilización del edificio, la accesibilidad y circulación para personas con movilidad y comunicación reducidas, el acceso a

---

(11) González Carrasco, M.ª del C., «Requisitos básicos de la edificación», en Carrasco Perera, Á., Cordero Lobato, E., y González Carrasco, M.ª. Del C., *Comentarios a la Legislación de Ordenación de la Edificación*, cit. págs. 207-256.

servicios de telecomunicación, audiovisuales y de información, así como facilitar el acceso de los servicios postales,

— la seguridad, que incluye aspectos relativos a la seguridad estructural del propio edificio, en caso de incendio y de utilización del mismo sin riesgo de accidentes,

— la habitabilidad, que incluye aquellos requisitos referidos a la higiene, salud y protección del medio ambiente (de tal forma que se alcancen condiciones aceptables de salubridad y estanqueidad en el ambiente interior del edificio y que éste no deteriore el medio ambiente en su entorno inmediato, garantizando una adecuada gestión de toda clase de residuos), a la protección contra el ruido (de forma que el ruido percibido no ponga en peligro la salud de las personas y les permita realizar satisfactoriamente sus actividades), sobre ahorro de energía y aislamiento térmico (de tal forma que se consiga un uso racional de la energía necesaria para la adecuada utilización del edificio) y, finalmente,

— otros aspectos funcionales de los elementos constructivos o de las instalaciones que permitan un uso satisfactorio del edificio.

No obstante, la Ley no establece directamente el contenido normativo que garantice la calidad requerida de la edificación. Estos requisitos básicos deben plasmarse, por remisión expresa, en el Código Técnico de la Edificación, al ser éste «el marco normativo que establece las exigencias básicas de calidad de los edificios y de sus instalaciones, de tal forma que permite el cumplimiento de los anteriores requisitos básicos»; texto que puede completarse con otras normativas distadas por las Administraciones competentes (art. 3-2.º). De acuerdo con la Disposición Final 2.ª-LOE, como es sabido, el Real Decreto de 17 de marzo de 2006 *(BOE* del 28) aprobó el Código Técnico de la Edificación.

Esta normativa, y los requisitos técnicos correspondientes (incluyendo, claro, los relativos al medio ambiente, al ruido, a la energía y a los restantes en materia de habitabilidad, así como a su funcionalidad y seguridad), son de obligado cumplimiento para el constructor, pues éste debe ejecutar la obra con sujeción al proyecto (que define y determina las exigencias técnicas de las obras correspondientes, ex arts. 2 y 4), a la legislación aplicable y a las instrucciones del director de obra y del director de la ejecución de la obra, «a fin de alcanzar la calidad exigida en el proyecto» (art. 11-2.º, a, LOE). Además, debe tenerse en cuenta que el art. 17-LOE regula las responsabilidades de las personas físicas o jurídicas que intervienen en el proceso edificatorio por los daños causados en el edificio debidos a vicios o defectos de los elementos constructivos o de las instalaciones que ocasionen el incumplimiento de los requisitos de habitabilidad mencionados, durante tres años. Asimismo, el art. 19-LOE exige el aseguramiento de tales daños materiales, durante ése plazo, que ocasionen el incumplimiento de los referidos requisitos de habitabilidad. Es más, si no se acreditan estas garantías y seguros, no es posible la autorización ni la inscripción en el Registro de la Propiedad de escrituras nuevas de declaración de obra nueva (art. 20-LOE e Instrucción de la Dirección General de los Registros y del Notariado, de 11 de septiembre de 2000, sobre la forma de acreditar las mismas, *BOE* del 21).

La Ley de Ordenación de la Edificación fue desarrollada por el Código Técnico de la Edificación, aprobado en 2006, y otras normas que naturalmente, como veremos, inciden en las materias mencionadas (12).

3. LAS MODIFICACIONES DE LA LEY DE REHABILITACIÓN, REGENERACIÓN Y RENOVACIÓN URBANAS DE 2013 EN LA LEY DE ORDENACIÓN DE LA EDIFICACIÓN

De acuerdo con la finalidad general de la nueva Ley de Rehabilitación, Regeneración y Renovación Urbanas, las modificaciones de la Ley de Ordenación de la Edificación que introduce la Disposición Final 3.ª se orientan hacia tales objetivos (13).

En primer término, según la propia EM-LRRRU, «[l]a disposición final tercera modifica la Ley 38/1999, de 5 de noviembre, de Ordenación de la Edificación, para vincular la aplicación del Código Técnico de la Edificación, de manera específica, a las intervenciones que se realicen en los edificios existentes a que se refieren las letras b) y c) del artículo 2.2 de dicha Ley. Todo ello con independencia de que el Código Técnico de la Edificación será de aplicación, además, a todas las intervenciones en los edificios existentes, a cuyos efectos, su cumplimiento podrá justificarse en el proyecto o en una memoria suscrita por técnico competente, junto a la solicitud de la licencia o de autorización administrativa que sea preceptiva para la realización de las obras, superando así la falta de control actual sobre dicho cumplimiento, en la mayor parte de las obras de rehabilitación.»

En efecto, se modifica el art. 2-LOE, relativo a su ámbito de aplicación (14), en concreto, en relación con la definición de «edificación» a efectos legales y de exigencia del correspondiente proyecto. El texto original incluía tres tipos de obras en dicha definición, relativas a obras de nueva construcción (letra a), obras de ampliación, modificación, reforma o rehabilitación (letra b) y obras que tengan el carácter de intervención total en edificaciones catalogadas o protegidas (letra c). La nueva Ley modifica precisamente la letra b de ese art. 2-LOE, haciendo referencia ahora a

> «b) Todas las intervenciones sobre los edificios existentes, siempre y cuando alteren su configuración arquitectónica, entendiendo por tales las que

---

(12) Ver nuestro comentario a la Disp. Final 11.ª-LRRRU, en esta misma obra.

(13) Asimismo, debe tenerse en cuenta la regulación del Informe de Evaluación de los Edificios, de los arts. 4 a 6-LRRRU. Ver los comentarios a dichos preceptos en esta misma obra.

(14) González Carrasco, M.ª. del C., «Ámbito material de aplicación», cit., págs. 65-90.

tengan carácter de intervención total o las parciales que produzcan una variación esencial de la composición general exterior, la volumetría, o el conjunto del sistema estructural, o tengan por objeto cambiar los usos característicos del edificio.»

De esta forma se amplía ostensiblemente el apartado al referirse a cualesquiera intervención sobre los edificios existentes, siempre que alteren su configuración arquitectónica (que continúa definiéndose reiterando lo dispuesto en la LOE original); eliminando por tanto las referencias a los conceptos de ampliación, modificación, reforma y rehabilitación del texto original.

En segundo lugar, la DF 3.ª-LRRU modifica el art. 3-LOE, relativo a los requisitos básicos de la edificación (15), de carácter cualitativo, concretamente el párrafo inicial de su apartado 1, para enfatizar la necesidad de vincular la satisfacción de los mismos, pero en la forma que reglamentariamente se precise (se añade ahora), en todas las actividades constructivas, al señalar que

«1. Con el fin de garantizar la seguridad de las personas, el bienestar de la sociedad y la protección del medio ambiente, se establecen los siguientes requisitos básicos de la edificación, que deberán satisfacerse, de la forma que reglamentariamente se establezca, en el proyecto, la construcción, el mantenimiento, la conservación y el uso de los edificios y sus instalaciones, así como en las intervenciones que se realicen en los edificios existentes»

Finalmente, la DF-3.ª-LRRRU modifica el párrafo primero del apartado 2 del art. 3-LOE, para precisar, aún más, la condición del Código Técnico de la Edificación (16) como marco normativo de las exigencias básicas de calidad de los edificios nuevos e instalaciones, y de las intervenciones en los edificios existentes, de acuerdo con lo previsto en el art. 2, de forma que se cumplan los requisitos básicos señalados.

Disposición final cuarta. Modificación de la Ley 1/2000, de 7 de enero, de Enjuiciamiento Civil.

Se modifican los artículos 552 y 695 de la Ley 1/2000, de 7 de enero, de Enjuiciamiento Civil.

Uno. El párrafo segundo del apartado 1 del artículo 552 queda redactado como sigue:

---

(15) González Carrasco, M.ª. del C., «Requisitos básicos de la edificación», cit., págs. 207-256.
(16) Cordero Lobato, E., «El Código Técnico de la Edificación», en Carrasco Perera, Á., Cordero Lobato, E., y González Carrasco, M.ª. Del C., «Comentarios a la Legislación de Ordenación de la Edificación», op. cit., págs. 95-162.

«Cuando el tribunal apreciare que alguna de las cláusulas incluidas en un título ejecutivo de los citados en el artículo 557.1 pueda ser calificada como abusiva, dará audiencia por quince días a las partes. Oídas éstas, acordará lo procedente en el plazo de cinco días hábiles conforme a lo previsto en el artículo 561.1.3.ª.»

Dos. El apartado 2 del artículo 695 queda redactado como sigue:

«2. Formulada la oposición a la que se refiere el apartado anterior, el Secretario judicial suspenderá la ejecución y convocará a las partes a una comparecencia ante el Tribunal que hubiera dictado la orden general de ejecución, debiendo mediar quince días desde la citación, comparecencia en la que el Tribunal oirá a las partes, admitirá los documentos que se presenten y acordará en forma de auto lo que estime procedente dentro del segundo día.»

COMENTARIO (1)

En este caso, de modificación de la Ley 1/2000, de 7 de enero, de Enjuiciamiento Civil, en sus artículos 552 y 695 de forma parcial, también se afirma en el Preámbulo de la LRRRU que se trata de **mejoras técnicas en su redacción.**

1. En cuanto al punto uno de la Disposición final cuarta y referida al artículo 552 LEC, el párrafo segundo del apartado 1 es del todo novedoso, no existiendo en la normativa anterior.

Lo que se pretende es reforzar las garantías del deudor en títulos ejecutables (ya sean escrituras públicas, pólizas de contratos mercantiles, títulos al portador o nominativos que estén legítimamente emitidos y representen obligaciones vencidas, certificados no caducados expedidos por las entidades encargadas de los registros contables respecto de los valores representados mediante anotaciones en cuenta a los que se refiere la Ley del Mercado de Valores, o resoluciones judiciales y documentos que por ley lleven aparejada ejecución, como la propia LEC señala en su artículo 517.2) evitando las posibles cláusulas abusivas

Por eso, el mencionado artículo 561.1.3.ª de la LEC dice textualmente:

«Cuando se apreciase el carácter abusivo de una o varias cláusulas, el auto que se dicte determinará las consecuencias de tal carácter, decretando bien la improcedencia de la ejecución, bien despachando la misma sin aplicación de aquéllas consideradas abusivas.»

---

(1)   Comentario a cargo de Luis Miguel Bris Coello. Doctor en Derecho. Abogado del Ilustre Colegio de Abogados de Madrid.

2. En cuanto al punto dos de la Disposición final cuarta y referida al artículo 695.2, se detecta un ligero retoque en su nueva redacción respecto de la anterior normativa.

El artículo 695 contempla la posibilidad de oponerse a una ejecución.

La ley concreta (artículo 695.1 LEC) que sólo es posible esa oposición por parte del ejecutado en los casos de:

— presentación de documentación fehaciente de extinción de la garantía o de la obligación garantizada.

— error en la determinación de la cantidad exigible.

— certificación registral que acredite hipoteca, prenda sin desplazamiento o embargo preferentes y que graven los bienes inmuebles ejecutables

Pues bien, en el artículo 695.2 LEC se disponía que:

«Formulada la oposición a que se refiere el apartado anterior, se suspenderá la ejecución. **El tribunal, mediante providencia,** convocará a las partes a una comparecencia, debiendo mediar **cuatro días** desde la citación; oirá a las partes, admitirá los documentos que se presenten y acordará en forma de auto lo que estime procedente dentro del segundo día»

Con la nueva redacción se potencia la labor del SECRETARIO JUDICIAL, ya que será él quien suspenderá en estos casos la ejecución y, convocará a las partes ante el Tribunal de ejecución, dando un plazo de QUINCE DÍAS para su personación y dando lugar a las siguientes actuaciones procesales.

Se evita con ello el trámite de la providencia que debía emitir el propio Tribunal y se amplía considerablemente el plazo que se concede a las partes para su comparecencia, ya que la normativa anterior preveía un plazo de cuatro días a partir de la convocatoria tras la mencionada providencia.

Disposición final quinta. Modificación de la Ley 21/2003, de 7 de julio, de Seguridad Aérea.

Se modifican los artículos 37 y 50 de la Ley 21/2003, de 7 de julio, de Seguridad Aérea, en los siguientes términos:

Uno. El apartado 3 del artículo 37 queda redactado en los siguientes términos:

«3. Las compañías aéreas con licencia española deberán disponer de un plan de asistencia a las víctimas y a sus familiares en caso de accidente aéreo de aviación civil en el plazo de seis meses desde la entrada en vigor

del Reglamento (UE) n.º 996/2010 del Parlamento Europeo y del Consejo, de 20 de octubre de 2010, sobre investigación y prevención de accidentes e incidentes en la aviación civil y por el que se deroga la Directiva 94/56/CE, y ejecutarlo en caso de accidente. Reglamentariamente se establecerán las obligaciones mínimas de las compañías aéreas en la asistencia a las víctimas y a sus familiares, incluidas aquéllas que tengan contenido económico y, en atención a ellas, el contenido mínimo de este plan. En particular, este desarrollo atenderá a la política y orientaciones de los documentos de la Organización Internacional de Aviación Civil en esta materia.

Este plan de asistencia será auditado por la Agencia Estatal de Seguridad Aérea, previo informe preceptivo del Ministerio del Interior.»

Dos. La regla 7.ª del apartado 3 del artículo 50 queda redactada en los siguientes términos:

«7.ª El incumplimiento de la obligación de disponer de un plan de asistencia a las víctimas y familiares de accidente aéreo con el contenido mínimo establecido reglamentariamente, así como que la compañía aérea no lo ejecute o lo ejecute deficientemente en caso de producirse dicho accidente.»

COMENTARIO (1)

Al modificarse los artículos 37 y 50 de la Ley 21/2003, de 7 de julio, de Seguridad Aérea, que tratan respectivamente sobre las obligaciones específicas de las compañías aéreas y empresas de trabajos aéreos el primero y sobre las infracciones del deber de colaboración con las autoridades y órganos de la Administración General del Estado con competencias en materia de aviación civil el segundo, el Preámbulo de la LRRRU sostiene que su disposición final quinta modifica la Ley 21/2003 (el subrayado es nuestro) «con el objeto de habilitar expresamente al Gobierno para que establezca reglamentariamente **el contenido mínimo del Plan de asistencia en los casos de accidente aéreo**, ya que dicho contenido, con base en las orientaciones de la Organización Internacional de Aviación Civil (OACI), implica la asunción, por parte de las compañías aéreas, de obligaciones de diversa naturaleza.»

1. En cuanto al punto uno de la Disposición final quinta y referida al artículo 37 de la Ley de Seguridad Aérea, el apartado 3 del artículo sufre una importante modificación, ya que se amplían los párrafos que figuran en negrita y subrayados respecto de la redacción anterior:

---

(1)   Comentario a cargo de Luis Miguel Bris Coello. Doctor en Derecho. Abogado del Ilustre Colegio de Abogados de Madrid.

«Las compañías aéreas con licencia española deberán disponer de un plan de asistencia a las víctimas y a sus familiares en caso de accidente aéreo de aviación civil en el plazo de seis meses desde la entrada en vigor del Reglamento (UE) n.º 996/2010 del Parlamento Europeo y del Consejo, de 20 de octubre de 2010, **sobre investigación y prevención de accidentes e incidentes en la aviación civil y por el que se deroga la Directiva 94/56/CE,** y ejecutarlo en caso de accidente. **Reglamentariamente se establecerán las obligaciones mínimas de las compañías aéreas en la asistencia a las víctimas y a sus familiares, incluidas aquéllas que tengan contenido económico y, en atención a ellas, el contenido mínimo de este plan. En particular, este desarrollo atenderá a la política y orientaciones de los documentos de la Organización Internacional de Aviación Civil en esta materia.**

Este plan de asistencia será auditado por la Agencia Estatal de Seguridad Aérea, previo informe preceptivo del Ministerio del Interior.»

Se pone en evidencia el interés por mejorar las prestaciones a las que se obliga a las compañías aéreas respecto de las víctimas de accidentes y sus familias en casos de siniestro.

Se anuncian normas reglamentarias a elaborar y aprobar en breve para completar lo previsto en este artículo que versa sobre las obligaciones específicas de las compañías aéreas y empresas de trabajos aéreos. En ellas se fijarán las «obligaciones mínimas de las compañías aéreas en las asistencia a las víctimas y sus familiares» incluido un contenido económico.

2. Respecto al punto dos de la Disposición final quinta y referida al artículo 50 de la Ley de Seguridad Aérea, el apartado 3 del artículo contiene una pequeña pero importante variación, ya que se amplían los párrafos que figuran en negrita y subrayados respecto de la redacción anterior:

«7.ª El incumplimiento de la obligación de disponer de un plan de asistencia a las víctimas y familiares de accidente aéreo **con el contenido mínimo establecido reglamentariamente,** así como que **la compañía aérea** no lo ejecute o **lo ejecute deficientemente** en caso de producirse dicho accidente.»

Se insiste en el contenido mínimo, a establecer reglamentariamente, del plan de asistencia a víctimas y sus familiares por parte de las compañías aéreas en caso de accidente. Y se plantea esa responsabilidad de las compañías no sólo en el caso de que éstas no actúen sino también en caso de cumplir esa obligación de forma deficiente.

La Ley 1/2011, de 4 de marzo ha establecido el Programa Estatal de Seguridad Operacional para la Aviación Civil, modificando la Ley 21/2003, de 7 de julio, de Seguridad Aérea. En el Preámbulo de esta Ley 1/2011 se especifica que «se refuerza la protección de los usuarios del transporte aéreo al posibilitar un mayor control del cumplimiento por las compañías aéreas de las obligaciones impuestas por la normativa comunitaria en materia de derechos de los usuarios del transporte aéreo.»

Disposición final sexta. Modificación de la Ley 33/2003, de 3 de noviembre, del Patrimonio de las Administraciones Públicas.

Se modifican el artículo 137 y la disposición adicional décima de la Ley 33/2003, de 3 de noviembre, del Patrimonio de las Administraciones Públicas, en los siguientes términos:

Uno. El apartado 6 del artículo 137 queda redactado como sigue:

«6. La participación en procedimientos de adjudicación de inmuebles requerirá la constitución de una garantía de un 5 por 100 del valor de tasación de los bienes. En casos especiales, atendidas las características del inmueble y la forma o circunstancias de la enajenación, el órgano competente para la tramitación del expediente podrá elevar el importe de la garantía hasta un 10 por 100 del valor de tasación.

La garantía podrá constituirse en cualquier modalidad prevista en la legislación de contratos del sector público, depositándola en la Caja General de Depósitos o en sus sucursales de las Delegaciones de Economía y Hacienda. En caso de que así se prevea en los pliegos, la garantía también podrá constituirse mediante cheque conformado o cheque bancario, en la forma y lugar que se señalen por el órgano competente para tramitar el expediente.

Cuando así se prevea en el pliego, la acreditación de la constitución de la garantía podrá hacerse mediante medios electrónicos, informáticos o telemáticos.

La garantía constituida en efectivo o en cheque conformado o bancario por el adjudicatario se aplicará al pago del precio de venta.»

Dos. La disposición adicional décima queda redactada como sigue:

«Disposición adicional décima. Régimen jurídico de la Sociedad Estatal de Gestión Inmobiliaria de Patrimonio, Sociedad Anónima.

1. La Sociedad Estatal de Gestión Inmobiliaria de Patrimonio, Sociedad Anónima (SEGIPSA), cuyo capital social deberá ser íntegramente de titularidad pública, tendrá la consideración de medio propio instrumental y servicio técnico de la Administración General del Estado y de los poderes adjudicadores dependientes de ella, para la realización de cualesquiera trabajos o servicios que le sean encomendados relativos a la gestión, ad-

ministración, explotación, mantenimiento y conservación, vigilancia, investigación, inventario, regularización, mejora y optimización, valoración, tasación, adquisición y enajenación y realización de otros negocios jurídicos de naturaleza patrimonial sobre cualesquiera bienes y derechos integrantes o susceptibles de integración en el Patrimonio del Estado o en otros patrimonios públicos, así como para la construcción y reforma de inmuebles patrimoniales o de uso administrativo.

2. En virtud de dicho carácter, SEGIPSA estará obligada a realizar los trabajos, servicios, estudios, proyectos, asistencias técnicas, obras y cuantas actuaciones le encomienden directamente la Administración General del Estado y los poderes adjudicadores dependientes de ella en la forma establecida en la presente disposición. La actuación de SEGIPSA no podrá suponer el ejercicio de potestades administrativas.

3. La encomienda o encargo, que en su otorgamiento y ejecución se regirá exclusivamente por lo establecido en esta disposición, establecerá la forma, términos y condiciones de realización de los trabajos, que se efectuarán por SEGIPSA con libertad de pactos y sujeción al Derecho privado. Se podrá prever en dicha encomienda que SEGIPSA actúe en nombre y por cuenta de quien le efectúe el encargo que, en todo momento, podrá supervisar la correcta realización del objeto de la encomienda. Cuando tenga por objeto la enajenación de bienes, la encomienda determinará la forma de adjudicación del contrato, y podrá permitir la adjudicación directa en los casos previstos en esta Ley. En caso de que su otorgamiento corresponda a un órgano o entidad que no sea el Ministro de Hacienda y Administraciones Públicas, requerirá el previo informe favorable del Director General del Patrimonio del Estado.

4. El importe a pagar por los trabajos, servicios, estudios, proyectos y demás actuaciones realizadas por medio de SEGIPSA se determinará aplicando a las unidades ejecutadas las tarifas que hayan sido aprobadas por resolución del Subsecretario de Hacienda y Administraciones Públicas, a propuesta de la Dirección General del Patrimonio del Estado. Dichas tarifas se calcularán de manera que representen los costes reales de realización. La compensación que proceda en los casos en los que no exista tarifa se establecerá, asimismo, por resolución del Subsecretario de Hacienda y Administraciones Públicas.

5. Respecto de las materias señaladas en el apartado 1 de esta disposición adicional, SEGIPSA no podrá participar en los procedimientos para la adjudicación de contratos convocados por la Administración General del Estado y poderes adjudicadores dependientes de ella de las que sea medio propio. No obstante, cuando no concurra ningún licitador, podrá encargarse a SEGIPSA la actividad objeto de licitación pública.

6. La ejecución mediante encomienda de las actividades a que se refiere el apartado 1 de esta disposición, se realizará por SEGIPSA bien mediante la utilización de sus medios personales y técnicos, o bien adjudicando cuantos contratos de obras, suministros y servicios sean necesarios para proporcionar eficazmente las prestaciones que le han sido encomendadas, recurriendo, en este caso, a la contratación externa, sin más limitaciones que las que deriven de la sujeción de estos contratos a lo previsto en esta disposición adicional y en los artículos 189 a 191 del Real Decreto Legislativo 3/2011, de 14 de noviembre, por el que se aprueba el texto refundido de la Ley de Contratos del Sector Público.

Serán susceptibles de recurso especial en materia de contratación, previo a la interposición del contencioso-administrativo, los actos relacionados en el apartado 2 del artículo 40 del Real Decreto Legislativo 3/2011, de 14 de noviembre, por el que se aprueba el texto refundido de la Ley de Contratos del Sector Público, cuando se refieran a alguno de los tipos de contratos relacionados en el apartado 1 del mismo artículo.

7. Lo establecido en los apartados anteriores será también de aplicación al Ministerio de Empleo y Seguridad Social respecto del Patrimonio Sindical Acumulado y a las Entidades Gestoras y Servicios Comunes de la Seguridad Social.

8. El Ministro de Hacienda y Administraciones Públicas podrá acordar la delimitación de ámbitos de gestión integral referidos a bienes y derechos del Patrimonio del Estado para su ejecución a través de SEGIPSA, que podrá comprender la realización de cualesquiera actuaciones previstas en esta Ley. Estas actuaciones le serán encomendadas conforme al procedimiento previsto en los apartados anteriores.

9. Igualmente SEGIPSA tendrá la consideración de medio propio instrumental y servicio técnico para la realización de los trabajos de formación y mantenimiento del Catastro Inmobiliario que corresponden a la Dirección General del Catastro en virtud del Real Decreto Legislativo 1/2004, de 5 de marzo, por el que se aprueba el texto refundido de la Ley del Catastro Inmobiliario, cuya encomienda y realización se efectuarán de acuerdo con lo establecido en esta disposición.

10. Para la realización de los trabajos que se le encomienden de acuerdo con la presente disposición, SEGIPSA podrá recabar de la Dirección General del Catastro, en los términos previstos en el artículo 64 de esta Ley, la información de que disponga en relación con los bienes o derechos objeto de las actuaciones que se le hayan encomendado, sin que sea necesario el consentimiento de los afectados.

11. Las resoluciones por las que se aprueben las tarifas, a las que se refiere el apartado 4 anterior, serán objeto de publicación en el "Boletín Oficial del Estado", cuando las tarifas aprobadas resulten aplicables a encomiendas que se puedan ser atribuidas por distintos órganos, organismos o entidades del sector público estatal, o cuando por su relevancia así lo estime necesario la autoridad que aprueba las tarifas.»

COMENTARIO (1)

Por la modificación del artículo 137 y la disposición adicional décima de la Ley 33/2003, de 3 de noviembre, del Patrimonio de las Administraciones Públicas, que tratan respectivamente sobre la forma de enajenación de inmuebles el primero y sobre el régimen jurídico de la «Sociedad Estatal de Gestión Inmobiliaria de Patrimonio, Sociedad Anónima» la segunda, el Preámbulo de la LRRRU sostiene que su disposición final sexta «modifica la Ley 33/2003, de 3 de noviembre, del Patrimonio de las Administraciones Públicas, de un lado, con la finalidad de habilitar a SEGIPSA para que actúe como medio propio de todos los poderes adjudicadores vinculados a la Administración General del Estado y como instrumento especializado en la gestión patrimonial de la Administración General del Estado y las entidades que, teniendo la condición de poder adjudicador pertenezcan al Sector Público Estatal. De otro, para facilitar el acceso de los interesados a los procedimientos de enajenación, flexibilizando las condiciones existentes».

1. En cuanto al punto uno de la Disposición final sexta y referida al artículo 137.6 de la LPAP, este apartado se ve modificado de manera amplia.

Ese artículo forma parte del Título V sobre Gestión Patrimonial, Capítulo V que trata de la Enajenación y Gravamen y dentro de la Sección Segunda dedicada a la Enajenación de Inmuebles. El artículo 137 versa sobre Formas de enajenación y su apartado sexto establecía el siguiente tenor: «La participación en procedimientos de adjudicación requerirá el ingreso de un 25 por ciento del precio de venta en concepto de fianza».

Así de escueta resulta esta normativa frente a la redacción mucho más extensa y pormenorizada que ofrece la redacción actual, después de la modificación planteada.

Es imprescindible una garantía del 5 por 100 (en casos excepcionales un 10 por 100) del valor de tasación del bien cuando se pretenda adquirir un inmueble.

---

(1)   Comentario a cargo de Luis Miguel BRIS COELLO. Doctor en Derecho. Abogado del Ilustre Colegio de Abogados de Madrid.

Se expresa con todo detalle la forma de constituir la garantía, siempre conforme a la legislación de contratos del sector público, y también sobre la posibilidad de establecerla en cheque conformado o bancario. Por otro lado, si el pliego lo contempla, la acreditación de la constitución de la garantía se puede realizar electrónica, informática o telemáticamente. Se advierte, así mismo, que «la garantía constituida en efectivo o en cheque conformado o bancario por el adjudicatario se aplicará al pago del precio de venta.»

2. Respecto al punto dos de la Disposición final sexta y referida a la disposición adicional décima de la LPAP, al ser de contenido muy extenso y constar de importantes y variados cambios, se hará una exposición detallada de cada uno de sus apartados comparando la norma antigua y la de reciente aprobación.

Así pues, en el apartado 1, la normativa actual establece que el capital social de SEGIPSA debe ser **íntegramente** de titularidad pública. También especifica la nueva ordenación que SEGIPSA será considerada medio propio instrumental y servicio técnico de la Administración General del Estado **y de los poderes adjudicadores dependientes de ella, para la realización de cualesquiera trabajos o servicios que le sean encomendados** (la antigua normativa únicamente la contemplaba al servicio de la Administración General del Estado y sus organismos autónomos y entidades de derecho público). Y todo ello, en relación con la gestión, administración, etc. y, añade la normativa actualizada, **realización de otros negocios jurídicos de naturaleza patrimonial sobre cualesquiera** bienes…

En el apartado 2 sólo se advierte una ligera variación al citar a la Administración General del Estado **y los poderes adjudicadores dependientes de ella,** expresión esta última que no contemplaba la normativa reformada.

El apartado 3 no contiene variación apreciable si no es la lógica adaptación a la denominación exacta del actual Ministerio de Hacienda **y Administraciones Públicas** u otros organismos de él dependientes, que son citados en este y otros puntos de esta disposición adicional décima de la LPAP. Es cierto, no obstante, que en este punto la nueva normativa establece: «…En caso de que su otorgamiento corresponda a un órgano **o entidad** que no sea el Ministro de Hacienda y Administraciones Públicas…,» mientras que en la normativa anterior se abstiene de mencionar a «entidad».

El apartado 4 suprime un párrafo entero, el último de la norma anterior y que es el siguiente: «**El pago, que tendrá la consideración de inversión, se efectuará previa certificación de conformidad expedida por el órgano que hubiera encomendado los trabajos.**»

En el apartado 5 se sustituye el párrafo «contratos convocados por la Administración, **organismos o entidades** de las que sea medio propio» (de la norma anterior) por el de «contratos convocados por la Administración **General del Estado y poderes adjudicadores dependientes de ella** de las que sea medio propio» (de la actual).

El apartado 6 presenta una reforma de calado debido fundamentalmente a la entrada en vigor del Real Decreto Legislativo 3/2011, de 14 de noviembre, por el que se aprueba el texto refundido de la Ley de Contratos del Sector Público. A esta normativa tendrá que someterse la actuación de SEGIPSA al tratar de llevar a cabo todo lo necesario para cumplimentar lo que le ha sido encomendado, cuando para ello precisa de la adjudicación de contratos de obras, suministros y servicios, «recurriendo, en este caso, a la contratación externa, sin más limitaciones que las que deriven de la sujeción de estos contratos a lo previsto en esta disposición adicional y en los artículos 189 a 191 del Real Decreto Legislativo 3/2011, de 14 de noviembre, por el que se aprueba el texto refundido de la Ley de Contratos del Sector Público.»

Así mismo, los recursos especiales en materia de contratación, previos a la vía contencioso-administrativa, están contemplados en el artículo 40.2 del TRLCSP, en lo relacionado con los contratos que se especifican en el apartado anterior (artículo 40.1 del mismo TRLCSP).

El apartado 7 recoge el nuevo la nueva denominación del Ministerio de Trabajo y Asuntos Sociales por Ministerio de **Empleo y Seguridad Social.**

El apartado 8 no contiene variación a tener en cuenta.

El apartado 9 hace referencia al Real Decreto Legislativo 1/2004, de 5 de marzo, por el que se aprueba el texto refundido de la Ley del Catastro Inmobiliario, en sustitución de la antigua Ley 48/2002, de 23 de diciembre, del Catastro Inmobiliario.

Los apartados 10 y 11 no contienen variación alguna.

Disposición final séptima. Modificación de la Ley 38/2003, de 17 de noviembre, General de Subvenciones.

Se añade una nueva disposición adicional vigésima tercera a la Ley 38/2003, de 17 de noviembre, General de Subvenciones, con la siguiente redacción:

«Disposición adicional vigésima tercera. Colaboración de la Intervención General de la Administración del Estado con la Agencia Estatal de Administración Tributaria para la lucha contra el fraude fiscal.

Con la finalidad de colaborar con la Agencia Estatal de Administración Tributaria en la lucha contra el fraude fiscal se autoriza la cesión de datos de naturaleza tributaria o subvencional por parte de la Intervención General de la Administración del Estado. Los datos cedidos tienen carácter reservado y sólo podrán ser utilizados para la efectiva aplicación de los tributos o recursos cuya gestión tenga encomendada

y para la imposición de las sanciones que procedan. La información deberá ser suministrada preferentemente mediante la utilización de medios informáticos o telemáticos y estará protegida por los mismos requerimientos de acceso y cesión que los exigidos en cada uno de los sistemas de origen.»

COMENTARIO (1)

Se modifica la Ley 38/2003, de 17 de noviembre, General de Subvenciones, añadiendo una nueva disposición adicional vigésima tercera.

Para este caso, el Preámbulo de la LRRRU comenta:

«Las disposiciones finales séptima, octava y novena modifican, respectivamente, la Ley 38/2003, de 17 de noviembre, General de Subvenciones; la Ley 47/2003, de 26 de noviembre, General Presupuestaria y la Ley 58/2003, de 17 de diciembre, General Tributaria. En todas ellas, se trata de establecer un marco de colaboración entre la Intervención General de la Administración del Estado y la Agencia Tributaria, en orden a un eficaz intercambio de información entre ambas, medida que complementa las ya adoptadas para la lucha contra la morosidad, por medio del Real Decreto-ley 4/2013, de 22 de febrero, de medidas de apoyo al emprendedor y de estímulo y del crecimiento y de la creación de empleo, que ahora se tramita como Proyecto de Ley».

La propia Ley 38/2003, de 17 de noviembre, General de Subvenciones (Vigente hasta el 28 de junio de 2013), en su EXPOSICIÓN DE MOTIVOS, reflejaba lo siguiente:

«I.De acuerdo con lo señalado, constituye legislación básica la definición del ámbito de aplicación de la ley, las disposiciones comunes que definen los elementos subjetivos y objetivos de la relación jurídica subvencional, el régimen de **coordinación de la actuación de las diferentes Administraciones públicas,** determinadas normas de gestión y justificación de las subvenciones, la invalidez de la resolución de concesión, las causas y obligados al reintegro de las subvenciones, el régimen material de infracciones y las reglas básicas reguladoras de las sanciones administrativas en el orden subvencional».

---

(1)   Comentario a cargo de Luis Miguel Bris Coello. Doctor en Derecho. Abogado del Ilustre Colegio de Abogados de Madrid.

Disposición final octava. Modificación de la Ley 47/2003, de 26 de noviembre, General Presupuestaria.

Se modifica el artículo 47 y se añade una disposición adicional vigésima a la Ley 47/2003, de 26 de noviembre, General Presupuestaria, con la siguiente redacción:

Uno. Se añade un apartado 6 al artículo 47 con la siguiente redacción:

«6. En el caso de la tramitación anticipada de los expedientes de contratación a que se refiere el artículo 110.2 del texto refundido de la Ley de Contratos del Sector Público, aprobado por el Real Decreto Legislativo 3/2011, de 14 de noviembre, y en la tramitación anticipada de aquellos expedientes de gasto cuya normativa reguladora permita llegar a la formalización del compromiso de gasto, se deberán cumplir los límites y anualidades o importes autorizados a que se refieren los apartados 2 a 5 de este artículo.»

Dos. Se añade una disposición adicional vigésima con la siguiente redacción:

«Disposición adicional vigésima. Base de datos sobre operaciones comerciales.

La Intervención General de la Administración del Estado formará y gestionará una base de datos con la información sobre operaciones comerciales efectuadas por las entidades del Sector Público facilitada por la Agencia Estatal de Administración Tributaria, a la que tendrán acceso los órganos de control interno de las Comunidades Autónomas y Corporaciones Locales de conformidad con su ámbito de competencias.»

COMENTARIO (1)

En esta Disposición final octava se modifica el artículo 47 **y se añade** una disposición adicional vigésima a la Ley 47/2003, de 26 de noviembre, General Presupuestaria.

1. Respecto a la modificación del artículo 47 LGP dedicado a **Compromisos de gasto de carácter plurianual**, consiste en la adición de un apartado 6 que viene a completar lo anterior, en el sentido de que para la tramitación anticipada de los expedientes de contratación conforme al artículo 110.2 TRLCSP y de los expedientes

---

(1)   Comentario a cargo de Luis Miguel Bris Coello. Doctor en Derecho. Abogado del Ilustre Colegio de Abogados de Madrid.

© El Consultor de los Ayuntamientos

de gasto en que estén legalmente permitidos los compromisos de gasto, se debe estar a lo que se establece este artículo 47 LGP en sus apartados 2 a 5 en lo referente a los límites y anualidades o importes autorizados.

Es decir, en estos casos, el número de ejercicios a que pueden aplicarse los gastos no puede exceder de **cuatro**. Así mismo, el gasto imputable a cada ejercicio posterior no excederá de los porcentajes entre el 70 y el 50 respecto del crédito inicial según del año de que se trate. Por otro lado, se establecen disposiciones sobre retenciones en el caso de contratos de obra plurianuales. Se establece también que estos compromisos de gastos de carácter plurianual han de recogerse en los presupuestos plurianuales y serán contabilizados de forma separada. También se prevé que «no podrán adquirirse compromisos de gasto con cargo a ejercicios futuros cuando se trate de la concesión de subvenciones a las que resulte de aplicación lo dispuesto en el artículo 22.2.a) de la Ley 38/2003, de 17 de noviembre, General de Subvenciones.»

Este último precepto contempla expresamente que:

«**2.** Podrán concederse de forma directa las siguientes subvenciones: **a)** Las previstas nominativamente en los Presupuestos Generales del Estado, de las Comunidades Autónomas o de las Entidades Locales, en los términos recogidos en los convenios y en la normativa reguladora de estas subvenciones. A efectos de lo establecido en el párrafo anterior, se entiende por subvención prevista nominativamente en los Presupuestos Generales del Estado aquella en que al menos su dotación presupuestaria y beneficiario aparezcan determinados en los estados de gasto del Presupuesto. El objeto de estas subvenciones deberá quedar determinado expresamente en el correspondiente convenio de colaboración o resolución de concesión que, en todo caso, deberá ser congruente con la clasificación funcional y económica del correspondiente crédito presupuestario.»

2. En cuanto a la nueva disposición adicional vigésima de la LGP, sólo cabe comentar que su contenido tiene presente la necesaria colaboración entre organismos públicos en aras a la consecución del **objetivo de lucha contra la morosidad**. De la colaboración entre la Agencia Estatal de Administración Tributaria y la Intervención General de la Administración del Estado se beneficiarán tanto las Comunidades Autónomas como las Corporaciones Locales.

Disposición final novena. Modificación de la Ley 58/2003, de 17 de diciembre, General Tributaria.

Se añade una nueva letra l) al apartado 1 del artículo 95 de la Ley 58/2003, de 17 de diciembre, General Tributaria, con la siguiente redacción:

«**l) La colaboración con la Intervención General de la Administración del Estado en el ejercicio de sus funciones de control de la gestión econó-**

mico-financiera, el seguimiento del déficit público, el control de subvenciones y ayudas públicas y la lucha contra la morosidad en las operaciones comerciales de las entidades del Sector Público.»

COMENTARIO (1)

En la Disposición final novena se añade una nueva letra l) al apartado 1 del artículo 95 de la Ley 58/2003, de 17 de diciembre, General Tributaria.

Este artículo trata sobre el **carácter reservado de los datos con trascendencia tributaria** y después de establecer que la Agencia Tributaria solamente emplea los datos que ella recaba para su gestión y para aplicar la sanción que procediere, considera que cedería esos datos a otros organismos públicos, aunque de forma excepcional, en casos justificados. Esta colaboración sería:

— con órganos judiciales y el Ministerio Fiscal,

— con otras administraciones tributarias,

— con la Inspección de Trabajo y de la Seguridad Social,

— con las Administraciones públicas para la lucha contra el delito fiscal y contra el fraude en la obtención o percepción de ayudas o subvenciones a cargo de fondos públicos o de la Unión Europea,

— con las comisiones parlamentarias de investigación en el marco legalmente establecido,

— para la protección de los derechos e intereses de los menores e incapacitados por los órganos jurisdiccionales o el Ministerio Fiscal,

— con el Tribunal de Cuentas,

— con el Servicio Ejecutivo de la Comisión de Prevención del Blanqueo de Capitales e Infracciones Monetarias, con la Comisión de Vigilancia de Actividades de Financiación del Terrorismo y con la Secretaría de ambas comisiones,

— con órganos o entidades de derecho público encargados de la recaudación de recursos públicos no tributarios para la correcta identificación de los obligados al pago y con la Dirección General de Tráfico para la práctica de las notificaciones a los mismos, dirigidas al cobro de tales recursos.

---

(1) Comentario a cargo de Luis Miguel Bris Coello. Doctor en Derecho. Abogado del Ilustre Colegio de Abogados de Madrid.

La normativa añadida versa sobre la colaboración de la Administración Tributaria con la Intervención General del Estado, en tareas de control de la gestión económico-financiera y de las subvenciones y ayudas públicas, el seguimiento del déficit público y la lucha contra la morosidad en las operaciones comerciales de las entidades del Sector Público.

Ya el Real Decreto-ley 4/2013, de 22 de febrero, de medidas de apoyo al emprendedor y de estímulo del crecimiento y de la creación de empleo, en la lucha contra la morosidad, dedica su artículo 33 al establecimiento de medidas contra la morosidad en las operaciones comerciales.

Disposición final décima. Modificación del texto refundido de la Ley Reguladora de las Haciendas Locales, aprobado por el Real Decreto Legislativo 2/2004, de 5 de marzo.

Se modifica el artículo 167 del texto refundido de la Ley Reguladora de las Haciendas Locales, aprobado por el Real Decreto Legislativo 2/2004, de 5 de marzo, que queda redactado en los siguientes términos:

«Artículo 167. Estructura de los estados de ingresos y gastos.

1. El Ministerio de Hacienda y Administraciones Públicas establecerá con carácter general la estructura de los presupuestos de las entidades locales teniendo en cuenta la naturaleza económica de los ingresos y de los gastos, las finalidades u objetivos que con estos últimos se propongan conseguir y de acuerdo con los criterios que se establecen en los siguientes apartados de este artículo.

2. Las entidades locales podrán clasificar los gastos e ingresos atendiendo a su propia estructura de acuerdo con sus reglamentos o decretos de organización.

3. Los estados de gastos de los presupuestos generales de las entidades locales aplicarán las clasificaciones por programas y económica de acuerdo con los siguientes criterios:

a) La clasificación por programas que constará de los siguientes niveles: el primero relativo al área de gasto, el segundo a la política de gasto, el tercero a los grupos de programas, que se subdividirán en programas. Esta clasificación podrá ampliarse en más niveles, relativos a subprogramas respectivamente.

En todo caso, y con las peculiaridades que puedan concurrir en el ámbito de las entidades locales, los niveles de área de gasto y de política de gasto se ajustarán a los establecidos para la Administración del Estado.

b) La clasificación económica presentará con separación los gastos corrientes y los gastos de capital, de acuerdo con los siguientes criterios:

En los créditos para gastos corrientes se incluirán los de funcionamiento de los servicios, los de intereses y las transferencias corrientes.

En los créditos para gastos de capital, los de inversiones reales, las transferencias de capital y las variaciones de activos y pasivos financieros.

c) la clasificación económica constará de tres niveles, el primero relativo al capítulo, el segundo al artículo y el tercero al concepto. Esta clasificación podrá ampliarse en uno o dos niveles, relativos al subconcepto y la partida respectivamente.

En todo caso, los niveles de capítulo y artículo habrán de ser los mismos que los establecidos para la Administración del Estado.

4. La aplicación presupuestaria cuya expresión cifrada constituye el crédito presupuestario vendrá definida, al menos, por la conjunción de las clasificaciones por programas y económica, a nivel de grupo de programa o programa y concepto o subconcepto respectivamente.

En el caso de que la entidad local opte por utilizar la clasificación orgánica, ésta integrará asimismo la aplicación presupuestaria.

El control contable de los gastos se realizará sobre la aplicación presupuestaria antes definida y el fiscal sobre el nivel de vinculación determinado conforme dispone el artículo 172 de esta Ley.

5. El Ministerio de Hacienda y Administraciones Públicas establecerá la estructura de la información de los presupuestos, de su ejecución y liquidación, a la que deberán ajustarse todas las entidades locales a efectos del cumplimiento de sus obligaciones de remisión de dicha información.»

COMENTARIO (1)

La Disposición final décima modifica **el artículo 167** del texto refundido de la Ley Reguladora de las Haciendas Locales, aprobado por el Real Decreto Legislativo 2/2004.

El Preámbulo de la Ley 8/2013 comenta textualmente:

---

(1)   Comentario a cargo de Luis Miguel Bris Coello. Doctor en Derecho. Abogado del Ilustre Colegio de Abogados de Madrid.

«La disposición final décima modifica el texto refundido de la Ley Reguladora de las Haciendas Locales, aprobado por el Real Decreto Legislativo 2/2004, de 5 de marzo, con el fin de profundizar en el cumplimiento del **principio de transparencia** contenido en la Ley Orgánica 2/2012, de 27 de abril, de Estabilidad Presupuestaria y Sostenibilidad Financiera.»

Y entresacando alguno de los postulados de esta última norma citada, vemos que en su Preámbulo se expresa de la siguiente manera:

«A diferencia de la normativa anterior, la Ley regula en un texto único la estabilidad presupuestaria y sostenibilidad financiera de todas las Administraciones Públicas, tanto del Estado como de las Comunidades Autónomas, Corporaciones Locales y Seguridad Social. Esto mejora la coherencia en la regulación jurídica, supone una mayor claridad de la Ley y transmite una idea de igualdad en las exigencias presupuestarias, de responsabilidad y lealtad institucional entre todas las Administraciones Públicas.»

Y más adelante afirma:

«El capítulo V (Transparencia) desarrolla el principio de la transparencia, reforzando sus elementos, entre los que destacan que cada Administración Pública deberá establecer la equivalencia entre el Presupuesto y la contabilidad nacional, ya que esta es la información que se remite a Europa para verificar el cumplimiento de nuestros compromisos en materia de estabilidad presupuestaria. Asimismo, con carácter previo a su aprobación, cada Administración Pública deberá dar información sobre las líneas fundamentales de su Presupuesto, con objeto de dar cumplimiento a los requerimientos de la normativa europea, especialmente a las previsiones contenidas en la Directiva 2011/85/UE del Consejo, de 8 de noviembre de 2011, sobre los requisitos aplicables a los marcos presupuestarios de los Estados miembros. Finalmente, se amplía la información a suministrar con objeto de mejorar la coordinación en la actuación económico-financiera de todas las Administraciones Públicas.»

En relación con la modificación del artículo 167 citado, dedicado a analizar la **estructura de los estados de ingresos y gastos**, hay que decir que la nueva normativa deja de hablar de **partida presupuestaria** y **clasificación funcional y económica** para pasar a referirse a **aplicación presupuestaria** y **clasificación por programas y económica**.

La principal variación de este artículo se encuentra en el apartado 3.a. Se sustituye el anterior texto que rezaba:

«La clasificación funcional, en la que estará integrada, en su caso, la de por programas, constará de tres niveles: el primero relativo al grupo de función, el segundo a la función y el tercero a la subfunción. Esta clasificación podrá ampliarse en uno o dos niveles, relativos al programa y subprograma respectivamente. En todo caso, los niveles de grupo de función y función habrán de ser los mismos que los establecidos para la Administración del Estado».

El actual texto apuesta por la sustitución del concepto de «grupo de función» por el de «programación y política de gasto».

El apartado 5 que recogía el siguiente texto: «Las entidades locales de menos de 5.000 habitantes podrán presentar y ejecutar sus presupuestos a nivel de grupo de función y artículo», queda enteramente sustituido por la actual redacción que dice:

«El Ministerio de Hacienda y Administraciones Públicas establecerá la estructura de la información de los presupuestos, de su ejecución y liquidación, a la que deberán ajustarse todas las entidades locales a efectos del cumplimiento de sus obligaciones de remisión de dicha información».

Disposición final undécima. Modificación del Real Decreto 314/2006, de 17 de marzo, por el que se aprueba el Código Técnico de la Edificación

Primero. Se modifican los artículos 1 y 2 y el anejo III de la parte I del Real Decreto 314/2006, de 17 de marzo, por el que se aprueba el Código Técnico de la Edificación, que quedan redactados como sigue:

Uno. El apartado 4 del artículo 1 queda redactado de la siguiente manera:

«4. Las exigencias básicas deben cumplirse, de la forma que reglamentariamente se establezca, en el proyecto, la construcción, el mantenimiento, la conservación y el uso de los edificios y sus instalaciones, así como en las intervenciones en los edificios existentes.»

Dos. Los apartados 3 y 4 del artículo 2 quedan redactados de la siguiente manera:

«3. Igualmente, el Código Técnico de la Edificación se aplicará también a intervenciones en los edificios existentes y su cumplimiento se justificará en el proyecto o en una memoria suscrita por técnico competente, junto a la solicitud de licencia o de autorización administrativa para las obras. En caso de que la exigencia de licencia o autorización previa sea sustituida por la de declaración responsable o comunicación previa, de conformidad con lo establecido en la normativa vigente, se deberá manifestar explícitamente que se está en posesión del correspondiente proyecto o memoria justificativa, según proceda.

Cuando la aplicación del Código Técnico de la Edificación no sea urbanística, técnica o económicamente viable o, en su caso, sea incompatible con la naturaleza de la intervención o con el grado de protección

del edificio, se podrán aplicar, bajo el criterio y responsabilidad del proyectista o, en su caso, del técnico que suscriba la memoria, aquellas soluciones que permitan el mayor grado posible de adecuación efectiva.

La posible inviabilidad o incompatibilidad de aplicación o las limitaciones derivadas de razones técnicas, económicas o urbanísticas se justificarán en el proyecto o en la memoria, según corresponda, y bajo la responsabilidad y el criterio respectivo del proyectista o del técnico competente que suscriba la memoria. En la documentación final de la obra deberá quedar constancia del nivel de prestación alcanzado y de los condicionantes de uso y mantenimiento del edificio, si existen, que puedan ser necesarios como consecuencia del grado final de adecuación efectiva alcanzado y que deban ser tenidos en cuenta por los propietarios y usuarios.

En las intervenciones en los edificios existentes no se podrán reducir las condiciones preexistentes relacionadas con las exigencias básicas, cuando dichas condiciones sean menos exigentes que las establecidas en los documentos básicos del Código Técnico de la Edificación, salvo que en éstos se establezca un criterio distinto. Las que sean más exigentes, únicamente podrán reducirse hasta los niveles de exigencia que establecen los documentos básicos.

4. En las intervenciones en edificios existentes el proyectista deberá indicar en la documentación del proyecto si la intervención incluye o no actuaciones en la estructura preexistente; entendiéndose, en caso negativo, que las obras no implican el riesgo de daño citado en el artículo 17.1,a) de la Ley 38/1999, de 5 de noviembre, de Ordenación de la Edificación.»

Tres. El apartado 6 del artículo 2 queda redactado de la siguiente manera:

«6. En todo cambio de uso característico de un edificio existente se deberán cumplir las exigencias básicas del CTE. Cuando un cambio de uso afecte únicamente a parte de un edificio o de un establecimiento, se cumplirán dichas exigencias en los términos en que se establece en los Documentos Básicos del CTE.»

Cuatro. Se modifica la definición de «mantenimiento» y se añade la de «intervenciones en los edificios existentes» en el anejo III de la parte I, con la siguiente redacción:

«Mantenimiento:

Conjunto de trabajos y obras a efectuar periódicamente para prevenir el deterioro de un edificio o reparaciones puntuales que se realicen en el mismo, con el objeto mantenerlo en buen estado para que, con una fiabilidad adecuada, cumpla con los requisitos básicos de la edificación establecidos.»

«Intervenciones en los edificios existentes:

Se consideran intervenciones en los edificios existentes, las siguientes:

a) Ampliación: Aquellas en las que se incrementa la superficie o el volumen construidos.

b) Reforma: Cualquier trabajo u obra en un edificio existente distinto del que se lleve a cabo para el exclusivo mantenimiento del edificio.

c) Cambio de uso.»

Segundo. Los preceptos modificados en el apartado primero anterior podrán ser objeto de reforma vía reglamentaria, de conformidad con la normativa aplicable.

CONCORDANCIAS

— Estado: Ley 38/1999, de 5 de noviembre, de Ordenación de la Edificación (BOE del 6).

— Estado: Real Decreto 314/2006, de 17 de marzo, por el que se aprueba el Código Técnico de la Edificación (BOE del 28).

— C. A. de Andalucía: Ley 1/2010, de 8 de marzo, de del Derecho a la Vivienda (BOJA del 19), modificada por Decreto-Ley 6/2013, de 9 de abril, de Medidas para asegurar el Cumplimiento de la Función Social de la Vivienda (BOJA del 11); recurrido por el Estado ante el Tribunal Constitucional.

— C. A. de Canarias: Ley 2/2003, de 30 de enero, de Vivienda (BOCAN de 10 de febrero), modificada posteriormente.

— C. A. de Castilla y León: Ley 9/2010, de 30 de agosto, del Derecho a la Vivienda (BOCYL de 7 de septiembre).

— C. A. de Cataluña: Ley 18/2007, de 28 de diciembre, del Derecho a la Vivienda (DOGC de 9 de enero de 2008), modificada posteriormente.

— Comunidad Valenciana: Ley 3/2004, de 30 de junio, de Ordenación y Fomento de la Calidad de la Edificación (DOGV de 2 de julio), y Ley 8/2004, de 20 de octubre, de Vivienda (DOGV del 21).

— C. A. de Extremadura: Ley 3/2001, de 26 de abril, de la Calidad, Promoción y Acceso a la Vivienda (DOE de 29 de mayo).

— C. A. de Galicia: Ley 8/2012, de 29 de junio, de Vivienda (DOG del 24 de julio).

— C. A. de La Rioja: Ley 2/2007, de 1 de marzo, de Vivienda (BOR del 8).

— C. A. de Madrid: Ley 2/1999, de 17 de marzo, de Medidas para la Calidad de la Edificación (BOCM del 29).

— C. A. de Murcia: Ley 8/2005, de 14 de diciembre, para la Calidad de la Edificación *(BORM* de 4 de febrero de 2006).

— C. A. de Navarra: Ley 10/2010, de 10 de Mayo, del Derecho a la Vivienda *(BON* del 17 de mayo).

— C. A. de La Rioja: Ley 2/2007, de 1 de marzo, de Vivienda *(BOR* del 8).

JURISPRUDENCIA:

— SAP La Coruña n.º 270/2009, de 29 de junio: ámbito de aplicación LOE.

— SAP Castellón n.º 464/2005, de 30 de septiembre: ámbito de aplicación LOE.

— SAP Santa Cruz de Tenerife n.º 212/2006, de 14 de junio: concepto de edificación.

— SAP Burgos n.º 635/2002, de 25 de noviembre: obras de reforma o menores.

— SAP Madrid n.º 200/2009, de 16 de abril: defectos en elementos exteriores de vivienda-requisitos de habitabilidad.

— SAP León n.º 39/2008, de 11 de febrero: concepto de habitabilidad.

COMENTARIO (1)

Sumario

1. El Código Técnico de la Edificación de 2006: regulación de los requisitos ambientales y de sostenibilidad de las edificaciones y construcciones.
2. El Consejo para la Sostenibilidad, Innovación y Calidad de la Edificación, y otras normas.
3. La modificación del Código Técnico de la Edificación por la Ley de Rehabilitación, Regeneración y Renovación Urbanas.

1. EL CÓDIGO TÉCNICO DE LA EDIFICACIÓN DE 2006: REGULACIÓN DE LOS REQUISITOS AMBIENTALES Y DE SOSTENIBILIDAD DE LAS EDIFICACIONES Y CONSTRUCCIONES

La nueva Ley de Rehabilitación, Regeneración y Renovación Urbanas modifica asimismo el Código Técnico de la Edificación.

De acuerdo con la remisión señalada de la Ley de Ordenación de la Edificación, como es sabido, el Código Técnico de la Edificación se aprobó mediante Real

---

(1)   Comentario a cargo de Dionisio Fernández de Gatta Sánchez, Profesor Titular de Derecho Administrativo de la Facultad de Derecho de la Universidad de Salamanca y Diplomado en Planeamiento Urbanístico.

Agradezco a Fernando Castro Abella y a Julio Castelao Rodríguez la invitación para participar en este interesante proyecto, y especialmente su amistad.

Decreto 314/2006, de 17 de marzo *(BOE* del 28) (2); modificado apreciablemente por Real Decreto 1371/2007, de 19 de octubre *(BOE* del 23) y por Real Decreto 410/2010, de 31 de marzo *(BOE* del 22 de abril).

La Exposición de Motivos del mismo realiza una descripción, algo general, de la situación durante la segunda mitad del siglo XX, caracterizándola como «procesos de urbanización y edificación acelerados [que] han configurado la realidad actual de una gran parte del patrimonio edificado de nuestro país», que, aunque «dan satisfacción razonable a las necesidades básicas de la mayoría de la población española», no siempre han alcanzado «unos parámetros de calidad adaptados a las nuevas demandas de los ciudadanos»; si bien la sociedad española, como en los países de nuestro entorno, «demanda cada vez más calidad en los edificios y en los espacios urbanos». Demanda que, continúa el texto, responde a una concepción más exigente de lo que implica la calidad de vida para todos los ciudadanos en lo referente al uso del medio construido, así como a una nueva exigencia de sostenibilidad de los procesos edificatorios y urbanizadores, en su triple dimensión económica, social y ambiental; ya que «el proceso de la edificación, por su directa incidencia en la configuración de los espacios habitados, implica un compromiso de funcionalidad, economía, armonía y equilibrio medioambiental, de evidente relevancia desde el punto de vista del interés general»; destacando, también, que

---

(2)   El texto del Código puede verse en la excelente edición de Boletín Oficial del Estado, *Código Técnico de la Edificación,* Madrid, 2007 y años siguientes. Ver también, Código Técnico de la Edificación-Ministerio de Vivienda: http://www.codigotecnico.org, y Dilmé Ros, J., *Ley de Ordenación de la Edificación,* Col. Códigos con Jurisprudencia, Ed. Thomson Reuters-Aranzadi, Cizur Menor (Navarra), 2011.
En general, *vid.* Pons González, M., y Del Arco Torres, M. A., *El Código Técnico de la Edificación,* Ed. Comares, Granada, 2007; *Práctica Urbanística*-Revista Mensual de Urbanismo, Número Especial 5.º Aniversario, monográfico sobre «Código Técnico de la Edificación. Estudios y Experiencias» (con un anexo de bibliografía y documentación), abril de 2007; Carrasco Perera, A., y González Carrasco, M.ª del C., «Una introducción jurídica al Código Técnico de la Edificación», *Revista En Derecho* (Revista para el Análisis del Derecho), n.º 358/2006; Cordero Lobato, E., «L Código Técnico de la Edificación», en Carrasco Perera, Á., Cordero Lobato, E., y González Carrasco, M.ª. Del C., *Comentarios a la Legislación de Ordenación de la Edificación,* 5.ª ed., Ed. Thomson Reuters-Aranzadi, Cizur Menor (Navarra), 2011, págs. 95-162; Cordero Lobato, E., *El Código Técnico de la edificación como norma jurídica,* Ed. Thomson Reuters-Aranzadi, Cizur Menor (Navarra), 2008; Gallego Nogueras, M.ª del M., «Cuestiones en torno al Código Técnico de la Edificación», *Práctica Urbanística,* Número Especial 5.º Aniversario, citado; Serra María-Tomé, J., «El Código Técnico de la Edificación en la LOE», *Revista de Derecho Urbanístico y Medio Ambiente,* n.º 177/2000.
Sobre los aspectos ambientales y de sostenibilidad del Código, *vid.* Fernández de Gatta Sánchez, D., «Urbanismo y Edificación Sostenible: su plasmación en el Ordenamiento Jurídico», *Práctica Urbanística,* n.º 56, enero, 2007, y «Aspectos jurídicos de la relación entre actividad edificatoria y el medio ambiente: el Código Técnico de la Edificación», *Práctica Urbanística,* Número Especial 5.º Aniversario, monográfico sobre «El Código Técnico de la Edificación. Estudios y experiencias», abril de 2007; Linares Alemparte, M.ª. P., «Habitabilidad. Salubridad», *Práctica Urbanística,* Número Especial 5.º Aniversario, citado; Tenorio Ríos, J. A., y Linares Alemparte, M.ª. P., «Los Documentos de Habitabilidad en el Código Técnico de la Edificación», *Práctica Urbanística,* Número Especial 5.º Aniversario, citado, y García Varela, R. (Coord.), y otros, *Derecho de la Edificación,* Ed. LA LEY (Grupo Wolters Kluwer), Las Rozas (Madrid), 2008.

© El Consultor de los Ayuntamientos

«el sector de la edificación es además uno de los principales sectores económicos con importantes repercusiones en el conjunto de la sociedad y en los valores culturales y medioambientales que entraña el patrimonio arquitectónico». Por lo que se aprueba el Código con los objetivos de mejorar la calidad de la edificación, y promover la innovación y la sostenibilidad; entendiendo, continúa la Exposición de Motivos, que «se trata de un instrumento normativo que fija las exigencias básicas de calidad de los edificios y sus instalaciones»; dando satisfacción así «a ciertos requisitos básicos de la edificación relacionados con la seguridad y el bienestar de las personas, que se refieren, tanto a la seguridad estructural y de protección contra incendios, como a la salubridad, la protección contra el ruido, el ahorro energético o la accesibilidad para personas con movilidad reducida».

En efecto, el Código Técnico de la Edificación se define como el instrumento o marco normativo (de naturaleza reglamentaria, por tanto) que regula y fija las exigencias básicas de calidad que deben cumplir los edificios, incluidas sus instalaciones, para satisfacer los requisitos básicos de seguridad y habitabilidad, en desarrollo de la Ley; y, así, el mismo Código establece dichas exigencias básicas para cada uno de los requisitos básicos de seguridad estructural, de seguridad en caso de incendio, de seguridad de utilización, de higiene, salud y protección del medio ambiente, de protección contra el ruido y en relación con el ahorro de energía y aislamiento térmico, según lo establecido en la Ley. Exigencias básicas que deben cumplirse en el proyecto, la construcción, el mantenimiento y la conservación de los edificios y sus instalaciones (art. 1-CTE). Por tanto, no es una norma más en materia de edificación, sino que es esencial pues sin él no sería posible comprender completamente este sistema jurídico.

El Código se aplica, en los términos establecidos en la Ley y con las limitaciones previstas en el mismo, a las edificaciones públicas y privadas cuyos proyectos precisen disponer de la correspondiente licencia o autorización legalmente exigible; según las definiciones previstas en la Ley y en el propio Código (art. 2-CTE) (3). Por otra parte, el Código tiene carácter básico y se dictó al amparo de las competencias del Estado, previstas en la Constitución Española, en materia de sanidad, medio ambiente y régimen minero y energético (4); habilitándose al actual Ministerio de Fomento para su desarrollo (Disposiciones Finales 1.ª y 3.ª del Real Decreto).

---

(3)   El CTE, sin embargo, no se aplicó a las obras de nueva construcción y a las obras en los edificios existentes que tuvieran solicitada la licencia de edificación a la entrada en vigor del Real Decreto de aprobación, que se produjo el 29 de marzo de 2006 (Disposiciones Transitoria 1.ª y Final 4.ª del Real Decreto). Además, para prever posibles contingencias, se estableció un régimen transitorio de aplicación de las Normas Básicas de la Edificación así como de los Documentos Básicos anteriores (Disposiciones Transitorias 2.ª y 3.ª del Real Decreto).

(4)   Cordero Lobato, E., «La distribución de competencias en la regulación de la edificación», en Carrasco Perera, Á., Cordero Lobato, E., y González Carrasco, M.ª Del C., *Comentarios a la Legislación de Ordenación de la Edificación*, cit. págs. 163-173.

Desde el punto de vista normativo, y según señala el mismo, para facilitar su comprensión, desarrollo, utilización y actualización, el Código Técnico de la Edificación (art. 3) tiene dos partes bien diferenciadas: la primera incluye las disposiciones y condiciones generales de aplicación del Código y las exigencias básicas que deben cumplir los edificios, y la segunda está formada por los Documentos Básicos, para el cumplimiento de las exigencias básicas del mismo; los cuales se basan en el conocimiento de las distintas técnicas constructivas y se actualizarán en función de los avances técnicos y de las demandas sociales.

Los Documentos Básicos, de naturaleza reglamentaria, contienen, por un lado, la caracterización de las exigencias básicas y su cuantificación, estableciendo niveles y valores límite de las prestaciones de los edificios o sus partes, y, por otro lado, los procedimientos cuya utilización acredita el cumplimiento de las exigencias básicas anteriores (concretados en forma de métodos de verificación o soluciones de la práctica; y también pueden contener remisión o referencia a instrucciones, reglamentos u otras normas técnicas, a los efectos de especificación y control de materiales, métodos de ensayo y datos o procedimientos de cálculo, que deberán ser tenidos en cuenta en la redacción del proyecto del edificio y su construcción) (art. 3-2.º).

Como complemento de los Documentos Básicos, el art. 4-CTE prevé los denominados Documentos Reconocidos del Código Técnico de la Edificación, que son documentos técnicos sin valor reglamentario reconocidos por el actual Ministerio de Fomento, que mantendrá un registro público de los mismos. El contenido de estos Documentos Reconocidos es potestativo, y puede incluir especificaciones, guías técnicas o códigos de buenas prácticas sobre diseño, cálculo, ejecución, mantenimiento y conservación de los productos, elementos y sistemas constructivos; métodos de evaluación y soluciones constructivas, programas informáticos, datos estadísticos sobre siniestralidad y otras cuestiones; comentarios de aplicación del CTE o cualquier otro documento que facilite su aplicación. El mismo precepto crea, a estos efectos, el Registro General del CTE, en la actual Dirección General de Arquitectura, Vivienda y Suelo del Ministerio de Fomento; en el que podrán inscribirse marcas, sellos, certificaciones de conformidad y otros distintivos de calidad voluntarios de las características de productos y equipos; los sistemas de certificación de conformidad de las prestaciones finales de los edificios, los agentes, las relativas al medio ambiente y otras que faciliten el cumplimiento del Código.

Seguidamente, los arts. 5 a 8-CTE (Capítulo 2) regulan las condiciones técnicas y administrativas, relativas a las condiciones generales de aplicación del mismo, del proyecto, en la ejecución de las obras y del edificio.

A continuación, los arts. 9 a 15-CTE (Capítulo 3) regulan las exigencias básicas como prestaciones de carácter cualitativo que los edificios deben cumplir para alcanzar la calidad que la sociedad demanda, de acuerdo con lo previsto en la Ley y en el propio Código. Estas exigencias se relacionan en estos preceptos y se especifican y cuantifican en los Documentos Básicos que se incluyen en la larga y compleja Parte II del Código, y que se publican, como Anexos del mismo (5).

Así, el Código va regulando las Exigencias básicas de Seguridad Estructural-SE (art. 10 y Documentos Básicos respectivos incluidos en los Libros 2 a 6 del Código), de Seguridad en caso de Incendio-SI (art. 11 y Libro 7), de Seguridad de Utilización-SU (art. 12 y Libro 8), de Salubridad-HS (art. 13 y Libro 9), de Protección contra el Ruido-HR (art. 14) y de Ahorro de Energía-HE (art. 15); algunos de los cuales se han modificado posteriormente.

En relación con las cuestiones ambientales y de sostenibilidad, se mencionan, en primer lugar, en las Exigencias básicas de Salubridad-HS relativas a «Higiene, salud y protección del medio ambiente» (art. 13), cuyo objetivo básico es reducir a límites aceptables el riesgo de que los usuarios en el edificio y en condiciones normales de utilización, padezcan molestias o enfermedades, así como el riesgo de que los edificios se deterioren y de que deterioren el medio ambiente en su entorno inmediato, como consecuencia de las características de su proyecto, construcción, uso y mantenimiento. Para ello, los edificios, como ya sabemos, se proyectarán, construirán, mantendrán y utilizarán de forma que se cumplan las Exigencias básicas previstas en el Documento Básico «DB-HS Salubridad» (en la segunda parte del Código, como Anexos), que hacen referencia a:

1) «HS 1-Protección frente a la humedad»: cuya finalidad es limitar los riesgos previsibles de presencia inadecuada de agua o humedad en el interior de los edificios y en sus cerramientos, como consecuencia de aguas de precipitaciones atmosféricas, de escorrentías, del terreno o de condensaciones, disponiendo los medios para impedir su penetración o, en su caso, permitir su evacuación sin producción de daños;

2) «HS 2-Recogida y evacuación de residuos»: exige que los edificios dispongan de espacios y medios para extraer los residuos generados, de acuerdo con el sistema público de recogida, facilitando su separación en origen, la recogida selectiva y su gestión. Según el Documento Básico, estas exigencias se aplican a los edificios de viviendas de nueva construcción, tengan o no locales destinados a otros usos, en lo referente a la recogida de los residuos ordinarios generados en ellos; para los edificios y locales con otros usos la conformidad con estas exigencias debe realizarse mediante un estudio específico.

El Documento Básico exige que cada edificio disponga como mínimo de un almacén de contenedores de edificio para las fracciones de los residuos que tengan recogida puerta a puerta, y, para las fracciones que tengan recogida centralizada

---

(5)   González Carrasco, M.ª del C., «Requisitos básicos de la edificación», en Carrasco Perera, Á., Cordero Lobato, E., y González Carrasco, M.ª. Del C., *Comentarios a la Legislación de Ordenación de la Edificación*, cit. págs. 207-256.

con contenedores de calle de superficie, debe disponerse de un espacio de reserva en el que pueda construirse un almacén de contenedores cuando alguna de estas fracciones pase a tener recogida puerta a puerta. En el caso de viviendas aisladas o agrupadas horizontalmente, el almacén de contenedores de edificio y el espacio de reserva de tal forma que sirva a varias viviendas; regulándose, asimismo, la superficie de los almacenes, la distancia de los mismos y las condiciones del recorrido hasta ellos, los bajantes (que son los conductos para el traslado, por gravedad o neumático, de los residuos hasta los contenedores de edificio o las estaciones de carga), los espacios de almacenamiento inmediato de residuos en las viviendas. Asimismo, se exigen actividades de mantenimiento y conservación.

3) «HS 3-Calidad del aire interior»: supone el deber de incluir en los edificios de medios de ventilación adecuada, eliminando los contaminantes que se produzcan de forma habitual durante el uso normal de los edificios, garantizando la aportación de un caudal suficiente de aire exterior y la extracción y expulsión del aire viciado por los contaminantes; estableciéndose, además, para limitar el riesgo de contaminación del aire interior de los edificios y del entorno exterior en fachadas y patios, que la evacuación de productos de combustión de instalaciones térmicas debe producirse por la cubierta del edificio, con independencia del tipo de combustible y del aparato que se utilice, según la reglamentación específica.

Estas exigencias se aplican, según el Documento Básico, en los edificios de viviendas, al interior de las mismas, los almacenes de residuos, los trasteros, los aparcamientos y garajes; y, en los edificios de cualquier otro uso, a los aparcamientos y los garajes (formando parte de estos las zonas de circulación de los vehículos); para los locales de otros tipos la conformidad debe verificarse mediante un tratamiento específico. Para ello, el Documento Básico regula detalladamente el diseño de los sistemas de ventilación, las condiciones particulares de los mismos, sus dimensiones, los productos de su construcción, esta misma y su mantenimiento.

4) «HS 4-Suministro de agua»: exigiendo que los edificios dispongan de medios adecuados para suministrar agua apta para su consumo de forma sostenible, con caudales suficientes, sin alteración de sus propiedades para el consumo, impidiendo los posibles retornos que puedan contaminar la red, incorporando medios que permitan el ahorro y el control del caudal de agua, así como que los equipos de producción de agua caliente deben tener sistemas contra el desarrollo de gérmenes patógenos.

Estas exigencias se aplican a todos los edificios incluidos en el ámbito de aplicación general del Código Técnico. Se exige, como es lógico, que el agua de la instalación debe cumplir lo establecido en la legislación vigente sobre el agua para consumo humano. Además, el Documento Básico regula de forma muy detallada la protección contra retornos, las condiciones mínimas de suministro, el diseño de la instalación, con sus elementos (red de agua fría e instalaciones de agua caliente sanitaria, que deben estar siempre separadas, y con señalización propia y diferenciada), sus dimensiones, su construcción, montaje y construcción, puesta en servicio y conservación de las mismas; siendo destacable, en materia de ahorro y control, que se exigen sistemas de contabilización, tanto de agua fría como caliente, para cada unidad de consumo individualizable y que todos los edificios en cuyo uso se prevea la concurrencia pública cuenten con dispositivos de ahorro en los grifos (tales como grifos con aireadores, grifería termostática, grifos con sensores infrarrojos, grifos con pulsador temporizador, fluxores y llaves de regulación antes de los puntos de consumo) y que los equipos que utilicen agua para consumo humano en la condensación de agentes frigoríficos, deben equiparse con sistemas de recuperación de agua.

5) «HS 5-Evacuación de aguas»: exigiendo que los edificios a los que se les aplica el propio Código dispongan de medios adecuados para extraer las aguas residuales generadas en los mismos de forma independiente o conjunta con las precipitaciones atmosféricas y con las escorrentías.

El Documento Básico, en esta sección, incluye diversas exigencias, como disponer de cierres hidráulicos en la instalación que impidan el paso del aire contenido en ella a los locales ocupados sin afectar al flujo de residuos; disponer de tuberías con el trazado más sencillo posible, de forma que faciliten la evacuación de los residuos y ser autolimpiables, y evitando la retención de aguas en el interior, así como con diámetros apropiados para transportar los caudales previsibles con seguridad; estas redes deben diseñarse de tal forma que sean accesibles para su mantenimiento y reparación; se dispondrán de sistemas de ventilación adecuados que permitan el funcionamiento de los cierres hidráulicos y la evacuación de gases malolientes, y no se permite el uso de la instalación para la evacuación de otro tipo de residuos que no sean aguas residuales o pluviales.

Para cumplir las anteriores exigencias, el texto regula de forma detallada el diseño de la red de evacuación (condiciones generales, configuraciones de los sistemas, elementos de las instalaciones), dimensiones (tanto respecto a las aguas residuales como a las pluviales, los colectores, las redes de ventilación, los accesorios y el sistema de bombeo y elevación), la construcción de las redes y de sus elementos, con sus pruebas, los productos de construcción y, finalmente, el mantenimiento y conservación de las mismas y de sus componentes.

En relación a las Exigencias básicas de Protección frente al Ruido (HR) (art. 14-CTE), se prevén como objetivos de las mismas limitar, dentro de los edificios y en condiciones normales de utilización, el riesgo de molestias o enfermedades que el ruido pueda producir a los usuarios, como consecuencia del proyecto, su construcción, uso y mantenimiento, para lo cual los edificios se proyectarán, construirán, utilizarán y mantendrán de forma que los elementos constructivos que conforman sus recintos tengan unas características acústicas adecuadas para reducir la transmisión del ruido aéreo, del ruido de impactos y del ruido y vibraciones de las instalaciones propias del edificio y para limitar el ruido reverberante; especificándose en el Documento Básico «DB-HR Protección frente al Ruido» los parámetros objetivos y los sistemas de verificación cuyo cumplimiento asegura la satisfacción de las exigencias básicas y la superación de los niveles mínimos de calidad propios del requisito básico de protección frente al ruido. Documento Básico que se ha aprobado mediante Real Decreto 1371/2007, de 19 de octubre (BOE del 23), que además modifica el propio Código Técnico de la Edificación; debiendo tenerse en cuenta también, en su caso, las exigencias derivadas de la Ley 37/2003, de 17 de noviembre, del Ruido (BOE del 18) y del Real Decreto 1513/2005, de 16 de diciembre (BOE del 17), de desarrollo de la misma.

Finalmente, el Código Técnico de la Edificación (art. 15 y Libro 10) establece las Exigencias básicas de Ahorro de Energía (HE), con el objetivo de conseguir un uso racional de la energía necesaria para la utilización de los edificios, reduciendo a límites sostenibles su consumo y conseguir asimismo que una parte del mismo proceda de fuentes de energía renovable, como consecuencia de su proyecto, construcción, uso y mantenimiento; para lo cual los edificios se proyectarán, se construirán, se utilizarán y se mantendrán de forma que se cumplan la correspondientes exigencias técnicas.

El Documento Básico «DB-HE Ahorro de Energía» especifica parámetros objetivos y procedimientos cuyo cumplimiento asegura la satisfacción de las exigencias básicas y la superación de los niveles de calidad propios del requisito básico de ahorro de energía, y se integra por varias Exigencias básicas, que se regulan en ese mismo precepto y en los Anexos de la segunda parte del Código:

1) «HE 1-Limitación de Demanda Energética»: supone que los edificios dispondrán de una envolvente de tales características que limite adecuadamente la demanda energética necesaria para alcanzar el bienestar térmico en función del clima de la localidad, del uso del edificio y del régimen de verano y de invierno, así como por sus características de aislamiento e inercia, permeabilidad al aire y exposición a la radiación solar, reduciendo el riesgo de aparición de humedades de condensación superficiales e intersticiales que puedan perjudicar sus características y tratando adecuadamente los puentes térmicos para limitar las pérdidas o ganancias de calor y evitar problemas higrotérmicos en los mismos.

Esta sección se aplica, según el Documento Básico, a los edificios de nueva construcción y a las modificaciones, reformas o rehabilitaciones de edificios existentes con una superficie útil superior a 1000 m² donde se renueve más del 25% del total de sus cerramientos. Por otra parte, se excluyen las edificaciones que por su utilización deban permanecer abiertas, ciertos edificios y monumentos protegidos oficialmente, los edificios utilizados como lugares de culto y para actividades religiosas, las construcciones provisionales con un plazo previsto de uso igual o inferior a dos años, las instalaciones industriales, talleres y edificios agrícolas no residenciales y los edificios aislados con una superficie útil total inferior a 50 m². El procedimiento de verificación puede llevarse a cabo mediante una opción simplificada (basada en el control indirecto de la demanda energética de los edificios mediante la limitación de los parámetros característicos de los cerramientos y particiones interiores que componen su envolvente técnica, a través de la comparación de valores) o una opción general (basada en la evaluación de esta demanda mediante la comparación de la misma y la relativa a un edificio de referencia), precisándose para ello, con mucho detalle, la caracterización y cuantificación de las exigencias, el cálculo y dimensionado de la demanda, los productos de construcción y la propia construcción y ejecución de la obra.

2) «HE 2-Rendimiento de las Instalaciones Térmicas»: supone que los edificios dispondrán de instalaciones térmicas apropiadas destinadas a proporcionar el bienestar térmico de sus ocupantes; desarrollándose esta exigencia en el Reglamento de Instalaciones Térmicas en los Edificios (aprobado por Real Decreto 1027/2007, de 20 de Julio, BOE del 20 de agosto), y su aplicación quedará definida en el proyecto del edificio.

3) «HE 3-Eficiencia Energética de las Instalaciones de Iluminación»: supone que los edificios dispondrán de instalaciones de iluminación adecuadas a las necesidades de sus usuarios y a la vez eficaces energéticamente disponiendo de un control que permita ajustar el encendido a la ocupación real de la zona, así como un sistema de regulación que optimice el aprovechamiento de la luz natural, en las zonas que reúnan unas determinadas condiciones.

Esta sección se aplica a los edificios de nueva construcción, a la rehabilitación de edificios existentes con una superficie útil superior a 1000 m^2 donde se renueve más del 25% de la superficie iluminada y a las reformas de locales comerciales y de edificios de uso administrativo en los que se renueve la instalación de iluminación. Por otra parte, se excluyen los edificios y monumentos oficialmente protegidos, las construcciones provisionales con un plazo previsto de uso igual o inferior a dos años, las instalaciones industriales, talleres y edificios agrícolas no residenciales, los edificios aislados con una superficie útil total inferior a 50 m^2 y los interiores de viviendas; debiendo justificarse en estos casos las soluciones adoptadas para el ahorro de energía en la instalación de iluminación; asimismo, se excluyen de este ámbito los alumbrados de emergencia.

Para aplicar esta sección debe seguirse una secuencia de verificaciones que hacen referencia al cálculo del valor de eficiencia energética de la instalación en cada zona, comprobar la existencia de un sistema de control y, en su caso, de regulación que optimice el aprovechamiento de la luz natural, y verificar la existencia de un plan de mantenimiento. Con la finalidad de llevarlas acabo, el texto regula detalladamente la caracterización y cuantificación de las exigencias de eficiencia energética, su cálculo, los productos de construcción y su mantenimiento y construcción.

4) «HE 4-Contribución Solar mínima de Agua caliente sanitaria»: supone que en los edificios con previsión de demanda de agua caliente sanitaria o de climatización de piscina cubierta una parte de las necesidades energéticas térmicas derivadas de

esa demanda se cubrirá mediante la incorporación en los mismos de sistemas de captación, almacenamiento y utilización de energía solar de baja temperatura adecuada a la radiación solar global de su emplazamiento y a la demanda de agua caliente del edificio o de la piscina; precisando que los valores derivados de esta exigencia básica tendrán la consideración de mínimos, sin perjuicio de los que puedan establecer las Administraciones competentes y que contribuyan a la sostenibilidad, según las características propias de su localización y ámbito territorial.

Esta sección es aplicable a los edificios de nueva construcción y rehabilitación de edificios existentes de cualquier uso en los que exista una demanda de agua caliente sanitaria y/o climatización de piscina cubierta. No obstante, la contribución solar mínima determinada en aplicación de esta exigencia básica podrá disminuirse justificadamente en los siguientes casos: cuando se cubra ese aporte energético con energías renovables, procesos de cogeneración o fuentes de energía residuales procedentes de la instalación de recuperadores de calor ajenos a la propia generación de calor del edificio; cuando el cumplimiento de este nivel de producción suponga sobrepasar los criterios de cálculo de la legislación básica aplicable; si el emplazamiento del edificio no cuente con suficiente acceso al sol por barreras externas al mismo; en ciertos casos de rehabilitación de edificios; en edificios de nueva planta, cuando existan limitaciones no subsanables derivadas de la normativa urbanística aplicable, que imposibiliten la superficie de captación necesaria, y si así lo dictamina el órgano competente en materia de protección histórico-artística; debiendo justificarse (en los casos segundo a quinto) en el proyecto la inclusión alternativa de medidas o elementos que produzcan un ahorro energético térmico o reducción de emisiones de dióxido de carbono, equivalentes a las que se obtendrían con la instalación solar, realizando mejoras en el aislamiento térmico y rendimiento energético de los equipos.

El procedimiento de verificación de esta sección se lleva a cabo mediante la obtención de la contribución solar mínima, el cumplimiento de las condiciones de diseño y dimensionado, y por el cumplimiento de las condiciones de mantenimiento; regulando, para ello, la caracterización y cuantificación de las exigencias, el cálculo y dimensionado (según el cálculo de la demanda por zonas climáticas, la fijación de las condiciones generales de la instalación, los criterios generales de cálculo, y el cálculo de las pérdidas por orientación o inclinación, o por sombras) y el mantenimiento (previendo un plan de vigilancia y otro plan de mantenimiento).

5) «HE 5-Contribución Fotovoltaica mínima de Energía Eléctrica»: supone la incorporación de sistemas de captación y transformación de energía solar en energía eléctrica por procedimientos fotovoltaicos en los edificios para uso propio o suministro a la red; considerando los valores como mínimos, respecto a otros valores que pueda establecer la Administración competente y que contribuyan a la sostenibilidad atendiendo a las características propias de su localización y ámbito territorial.

Esta sección es aplicable únicamente a hipermercados (5000 m² construidos), centros de ocio y multitiendas (3000 m²), naves de almacenamiento (10.000 m² construidos), edificios administrativos (4000 m²), hoteles y hostales (100 plazas), hospitales y clínicas (100 camas) y pabellones feriales (10.000 m²), si superan estos límites.

No obstante, la potencia eléctrica mínima determinada podrá disminuirse en estos casos: si se cubre la producción de energía eléctrica mediante el aprovechamiento de fuentes de energía renovables; cuando el emplazamiento no cuente con suficiente acceso al solo por barreras externas y no se puedan aplicar soluciones alternativas; en rehabilitación de edificios si existen limitaciones no subsanables derivadas de la configuración previa del edificio o de normativa urbanística; en edificios de nueva planta cuando existan limitaciones no subsanables derivadas de la normativa urbanística, y cuando así lo determine el órgano competente en materia de protección histórico-artística; debiendo justificarse (en los casos segundo a cuarto) la inclusión de medidas o elementos alternativos que produzcan un ahorro eléctrico equivalente a la producción que se obtendría con la instalación solar mediante mejoras en instalaciones tales como la iluminación, la regulación de motores y en equipos más eficientes.

El procedimiento de verificación de estas exigencias implica la secuencia del cálculo de la potencia a instalar en función de la zona climática, la comprobación de que las pérdidas debidas a la orientación e inclinación de las placas solares y a las sombras no superen determinados límites, el cumplimiento de las condiciones de cálculo y dimensionado y el cumplimiento de las condiciones de mantenimiento; para lo cual se fijan con detalle la caracterización y cuantificación de las exigencias señaladas, el cálculo (fijando las zonas climáticas, la condiciones generales de la instalación, las pérdidas por orientación o inclinación de las placas, o por sombras) y el mantenimiento (con un plan de vigilancia y otro de mantenimiento preventivo).

2. EL CONSEJO PARA LA SOSTENIBILIDAD, INNOVACIÓN Y CALIDAD DE LA EDIFICACIÓN, Y OTRAS NORMAS

Como complemento orgánico del Código Técnico de la Edificación, mediante Real Decreto 315/2006, de 17 de marzo *(BOE del 28)*, se crea el Consejo para la Sostenibilidad, Innovación y Calidad de la Edificación, como órgano colegiado integrado en el Ministerio de Vivienda, con funciones generales de contribuir a alcanzar los objetivos de calidad previstos en la Ley de Ordenación de la Edificación y promover medidas que permitan el desarrollo sostenible en la edificación, mediante el impulso y coordinación de criterios y actuaciones de las Administraciones Públicas sobre la promoción y mejora de la sostenibilidad, innovación y calidad de la edificación, en cooperación con el sector. Para lo cual se prevén funciones más concretas, relativas a la elaboración de propuestas para definir estrategias, políticas y medidas; informar los proyectos normativos del Gobierno de la Nación; proponer la adaptación de las disposiciones reglamentarias sobre edificación a las normas de la Unión Europea; impulsar los estudios e informes en la materia; promover la creación de bases de datos en la materia; propiciar la coordinación entre las Administraciones Públicas y de los agentes de la edificación en esta misma materia; realizar el seguimiento de la aplicación de la LOE e impulsar el desarrollo y permanente actualización del Código Técnico de la Edificación. Bajo la presidencia del Ministro de Vivienda, el Consejo se compone de vocales en representación de la Administración General del Estado, de las Comunidades Autónomas y de Ceuta y Melilla, de las Entidades Locales, de los agentes de la edificación y de otras Entidades o Corporaciones, así como varios asesores; los cuales se organizan en Pleno del Consejo, Comisión Permanente y otras Comisiones.

Además de las normas e iniciativas anteriores, relativas a la sostenibilidad de la edificación y de la construcción, esta integración es asimismo visible en los diferentes Planes de fomento de la Vivienda (6), tanto a nivel nacional como a nivel regional. En este mismo sentido debemos mencionar algunas Leyes autonómicas en materia de vivienda, que han integrado asimismo la cuestión ambiental en sus regulaciones (p. ej., entre otras, la Ley 2/1999, de 17 de marzo de Medidas para la Calidad de la Edificación de la Comunidad de Madrid, *BOCM* del 29, la Ley 3/2004, de 30 de junio, de Ordenación y Fomento de la Calidad de la Edificación de la Comunidad Valenciana, *DOGV* del 2 de Julio, o la Ley 8/2005, de 14 de diciembre, para la Calidad en la Edificación en la Región de Murcia, *BORM* de 4 de febrero de 2006).

En materia energética, la original Directiva 2002/91/CE, sobre eficacia energética de los edificios, fue transpuesta al derecho interno español mediante el Real Decreto 47/2007, de 19 de enero, por el que se aprueba el Procedimiento Básico para la Certificación de Eficiencia Energética de Edificios de nueva construcción *(BOE* del 31) (7), y para realizar la transposición de la nueva Directiva 2010/31/UE en esta materia, se ha aprobado el Real Decreto 235/2013, de 5 de Abril, por el que se aprueba el Procedimiento Básico para la Certificación de la Eficiencia Energética de los Edificios *(BOE* del 13) (8), regulando dicho procedimiento (siendo exigible el certificado energético a partir del 1 de junio de 2013), las condiciones técnicas y administrativas de la calificación y certificación energética de los edificios, la etiqueta de eficiencia energética, la Comisión asesora en la materia y el régimen sancionador

---

(6)   En materia de vivienda, véanse BELTRÁN DE FELIPE, M., *La intervención administrativa en la vivienda*, Ed. Lex Nova, Valladolid, 2000; FERNÁNDEZ DE GATTA SÁNCHEZ, D., «Borrador del Plan Regional de Vivienda y Suelo de Castilla y León», redactado para la Consejería de Fomento-Junta de Castilla y León, 2001 (doc. original, no publicado), y VARIOS AUTORES, «La Vivienda: Precios, Mercados y Financiación», *Papeles de Economía Española*, monográfico, n.º 109/2006.

(7)   INSTITUTO PARA LA DIVERSIFICACIÓN Y AHORRO DE LA ENERGÍA (IDAE), *Guía Práctica de la Energía. Consumo eficiente y responsable*, Madrid, 2007; RUIZ ROMERO, F. A., «La certificación de eficiencia energética de edificios de nueva construcción y el Código Técnico de la Edificación: su conexión con las licencias de obras y la protección de la legalidad urbanística», *Práctica Urbanística*, Número Especial 5.º Aniversario, citada.

(8)   CONTEL BALLESTEROS, J., y BARRASA SHAW, J., «Real Decreto 235/2013 por el que se aprueba el procedimiento básico para la certificación de la eficiencia energética de los edificios», *El Consultor de los Ayuntamientos*, n.º 9/2013, 15 de mayo, págs. 899-906, y CORVINOS BASECA, P. y ALEGRE ESPERT, R., «Servicios energéticos. Su prestación y el contrato administrativo de colaboración entre el sector público y el sector privado», *El Consultor de los Ayuntamientos*, n.º 10/2013, 30 de mayo, págs. 1016-1024.

Además, también se adoptó el importante Real Decreto 1027/2007, de 20 de julio, por el que se aprueba el Reglamento de Instalaciones Térmicas en los Edificios *(BOE* de 29 de agosto), que, con una clara dimensión ambiental, regula tales instalaciones (así, establece las exigencias técnicas y condiciones administrativas; las condiciones para la ejecución de las instalaciones y de su puesta en servicio; las condiciones de su uso y mantenimiento; la inspección de las mismas; las empresas instaladoras y mantenedoras, incluido el carné profesional; el régimen sancionador; la Comisión Asesora en la materia, y las correspondientes Instrucciones Técnicas). Este Reglamento, y con la misma justificación señalada de adaptación a las nuevas normas europeas, ha sido objeto de una profunda modificación por Real Decreto 238/2013, de 5 de abril *(BOE* del 13).

Por otra parte, la Directiva 89/106/CEE, del Consejo, de 21 de diciembre de 1988, sobre los Productos de Construcción *(DOCE* L 40, 11.2.1989), modificada posteriormente, ha sido aplicada en España mediante el Real Decreto 1630/1992, de 29 de diciembre, por el que se dictan Disposiciones para la Libre Circulación de Productos de Construcción *(BOE* de 9 de febrero de 1993), modificado por Real Decreto 1328/1995, de 28 de julio *(BOE* de 19 de agosto); algunos de los cuales (precisamente los relativos al medio ambiente, al ruido o a la energía) se han integrado asimismo en la Ley de Ordenación de la Edificación y, especialmente, en el Código Técnico de la Edificación, como hemos visto. Asimismo, también debe tenerse en cuenta la normativa sobre los residuos de construcción y demolición (9).

Finalmente, y en el ámbito del Plan Integral de Vivienda y Suelo, adoptado por el Consejo de Ministros de 5 de abril de 2013, se ha aprobado el Real Decreto 233/2013, de 5 de abril, por el que se regula el Plan Estatal de Fomento del Alquiler de Viviendas, la Rehabilitación Edificatoria, y la Regeneración y Renovación Urbanas, 2013-2016, que constituye a la vez el marco de gran parte de acciones mencionadas y un complemento indispensable tanto de la nueva Ley de Rehabilitación, Regeneración y Renovación Urbanas como de las últimas normas mencionadas.

3. LA MODIFICACIÓN DEL CÓDIGO TÉCNICO DE LA EDIFICACIÓN POR LA LEY DE REHABILITACIÓN, REGENERACIÓN Y RENOVACIÓN URBANAS

La nueva Ley de Rehabilitación, Regeneración y Renovación Urbanas también ha modificado el Código Técnico de la Edificación, en primer término para adaptar el mismo a las modificaciones de la Ley de Ordenación de la Edificación llevadas a cabo (10).

---

(9) Arenas Cabello, F. J., «Los residuos de construcción y demolición en el paisaje urbano español», *Revista Aranzadi de Derecho Ambiental*, n.º 8/2005.

(10) Ver nuestro comentario a la DF 3.ª-LRRRU en esta misma obra.

Así, se modifica el art. 1-4.º-CTE, para precisar, como en la LOE modificada, que «las exigencias básicas deben cumplirse, de la forma que reglamentariamente se establezca, en el proyecto, la construcción, el mantenimiento, la conservación y el uso de los edificios y sus instalaciones, así como en las intervenciones en los edificios existentes».

A continuación, se modifica también el apartado 3 del art. 2-CTE, por la misma razón, para señalar que el Código «se aplicará también a intervenciones en los edificios existentes y su cumplimiento se justificará en el proyecto o en una memoria suscrita por técnico competente, junto a la solicitud de licencia o de autorización administrativa para las obras»; previéndose que, en caso de que la exigencia de licencia o autorización previa sea sustituida por la de declaración responsable o comunicación previa, según la normativa vigente, se deberá manifestar explícitamente que se está en posesión del correspondiente proyecto o memoria justificativa, según proceda. Pero cuando la aplicación del Código Técnico no sea urbanística, técnica o económicamente viable o bien sea incompatible con la naturaleza de la intervención o con el grado de protección del edificio, se prevé ahora que «se podrán aplicar, bajo el criterio y responsabilidad del proyectista o, en su caso, del técnico que suscriba la memoria, aquellas soluciones que permitan el mayor grado posible de adecuación efectiva»; debiendo justificarse debidamente, en el proyecto o en la memoria según corresponda, y bajo la responsabilidad y el criterio del proyectista o del técnico competente que suscriba la memoria, la posible inviabilidad o incompatibilidad de aplicación o las limitaciones derivadas de razones técnicas, económicas o urbanísticas, y, además, en la documentación final de la obra deberá quedar constancia del nivel de prestación alcanzado y de los condicionantes de uso y mantenimiento del edificio, si existen, que puedan ser necesarios como consecuencia del grado final de adecuación efectiva alcanzado y que deban ser tenidos en cuenta por los propietarios y usuarios. Finalmente, se prevé, como cautela, que en las intervenciones en los edificios existentes no se podrán reducir las condiciones preexistentes relacionadas con las exigencias básicas, cuando dichas condiciones sean menos exigentes que las establecidas en los Documentos Básicos del Código Técnico de la Edificación, salvo que en éstos se establezca un criterio distinto, y las que sean más exigentes, únicamente podrán reducirse hasta los niveles de exigencia que establecen los mismos.

Asimismo, se modifica el apartado 4 del art. 2, para establecer que en las intervenciones en edificios existentes el proyectista deberá indicar en la documentación del proyecto si la intervención incluye o no actuaciones en la estructura preexistente; entendiéndose, en caso negativo, que las obras no implican riesgo de daño a los efectos de la responsabilidad civil, durante diez años por defectos constructivos (previsto en el art. 17-1.º, a-LOE).

Seguidamente, se modifica el art. 2-6.º-CTE, para establecer que en todo cambio de uso característico de un edificio existente se deberán cumplir las exigencias básicas del CTE, y, cuando un cambio de uso afecte únicamente a parte de un edificio o de un establecimiento, se cumplirán dichas exigencias en los términos en que se establece en los Documentos Básicos del CTE.

Por otra parte, se modifica, en el Anejo III de la Parte I del CTE, concretamente la definición de «mantenimiento» (conjunto de trabajos y obras a efectuar periódicamente para prevenir el deterioro de un edificio o reparaciones puntuales que se realicen en el mismo, con el objeto mantenerlo en buen estado para que, con una fiabilidad adecuada, cumpla con los requisitos básicos de la edificación establecidos) y se añade la de «intervenciones en los edificios existentes» (considerando como tales: a) Ampliación: aquellas en las que se incrementa la superficie o el volumen construidos; b) Reforma: cualquier trabajo u obra en un edificio existente distinto del que se lleve a cabo para el exclusivo mantenimiento del edificio, y c) Cambio de uso).

Finalmente, se prevé que todos estos preceptos modificados podrán ser objeto de reforma vía reglamentaria, según la normativa aplicable (DF 11.ª-2.º-LRRRU).

Disposición final duodécima. Modificación del texto refundido de la Ley de Suelo, aprobado por el Real Decreto Legislativo 2/2008, de 20 de junio

Se modifican los artículos 2, 5, 6, 8 a 10, 12, 14 a 17, 20, 36, 37, 39, 51 y 53, la disposición adicional tercera y la disposición final primera del texto refundido de la Ley de Suelo, aprobado por el Real Decreto Legislativo 2/2008, de 20 de junio (LA LEY 8457/2008), que quedan redactados como siguen:

Uno. El artículo 2 queda redactado de la siguiente manera:

«Principio de desarrollo territorial y urbano sostenible.

1. Las políticas públicas relativas a la regulación, ordenación, ocupación, transformación y uso del suelo tienen como fin común la utilización de este recurso conforme al interés general y según el principio de desarrollo sostenible, sin perjuicio de los fines específicos que les atribuyan las Leyes.

2. En virtud del principio de desarrollo sostenible, las políticas a que se refiere el apartado anterior deben propiciar el uso racional de los recursos naturales armonizando los requerimientos de la economía, el empleo, la cohesión social, la igualdad de trato y de oportunidades, la salud y la seguridad de las personas y la protección del medio ambiente, contribuyendo en particular a:

a) La eficacia de las medidas de conservación y mejora de la naturaleza, la flora y la fauna y de la protección del patrimonio cultural y del paisaje.

b) La protección, adecuada a su carácter, del medio rural y la preservación de los valores del suelo innecesario o inidóneo para atender las necesidades de transformación urbanística.

c) La prevención adecuada de riesgos y peligros para la seguridad y la salud públicas y la eliminación efectiva de las perturbaciones de ambas.

d) La prevención y minimización, en la mayor medida posible, de la contaminación del aire, el agua, el suelo y el subsuelo.

3. Además de lo dispuesto en el apartado anterior, los poderes públicos propiciarán la consecución de un medio urbano que esté suficientemente dotado, en el que se ocupe el suelo de manera eficiente, y en el que se combinen los usos de forma funcional, garantizando, en particular:

a) La movilidad en coste y tiempo razonable, sobre la base de un adecuado equilibrio entre todos los sistemas de transporte, que, no obstante, otorgue preferencia al transporte público y colectivo y potencie los desplazamientos peatonales y en bicicleta.

b) La accesibilidad universal, de acuerdo con los requerimientos legales mínimos, de los edificios de uso privado y público, de los espacios de uso público y de los transportes públicos.

c) El uso eficiente de los recursos y de la energía, preferentemente de generación propia, así como la introducción de energías renovables.

d) La prevención y, en todo caso, la minimización en la mayor medida posible, por aplicación de todos los sistemas y procedimientos legalmente previstos, de los impactos negativos de los residuos urbanos y de la contaminación acústica.

La persecución de estos fines se adaptará a las peculiaridades que resulten del modelo territorial adoptado en cada caso por los poderes públicos competentes en materia de ordenación territorial y urbanística.

4. Los poderes públicos promoverán las condiciones para que los derechos y deberes de los ciudadanos establecidos en los artículos siguientes sean reales y efectivos, adoptando las medidas de ordenación territorial y urbanística que procedan para asegurar un resultado equilibrado, favoreciendo o conteniendo, según proceda, los procesos de ocupación y transformación del suelo.

El suelo vinculado a un uso residencial por la ordenación territorial y urbanística está al servicio de la efectividad del derecho a disfrutar de una vivienda digna y adecuada, en los términos que disponga la legislación en la materia.»

TRAMITACIÓN PARLAMENTARIA

Proyecto de Ley publicado en el Boletín del Congreso de los Diputados

Uno. El artículo 2 queda redactado de la siguiente manera:

«Principio de desarrollo territorial y urbano sostenible.

1. Las políticas públicas relativas a la regulación, ordenación, ocupación, transformación y uso del suelo tienen como fin común la utilización de este recurso conforme al interés general y según el principio de desarrollo sostenible, sin perjuicio de los fines específicos que les atribuyan las Leyes.

2. En virtud del principio de desarrollo sostenible, las políticas a que se refiere el apartado anterior deben propiciar el uso racional de los recursos naturales armonizando los requerimientos de la economía, el empleo, la cohesión social, la igualdad de trato y de oportunidades, la salud y la seguridad de las personas y la protección del medio ambiente, contribuyendo en particular a:

a) La eficacia de las medidas de conservación y mejora de la naturaleza, la flora y la fauna y de la protección del patrimonio cultural y del paisaje.

b) La protección, adecuada a su carácter, del medio rural y la preservación de los valores del suelo innecesario o inidóneo para atender las necesidades de transformación urbanística.

c) La prevención adecuada de riesgos y peligros para la seguridad y la salud públicas y la eliminación efectiva de las perturbaciones de ambas.

d) La prevención y minimización, en la mayor medida posible, de la contaminación del aire, el agua, el suelo y el subsuelo.

3. Además de lo dispuesto en el apartado anterior, los poderes públicos propiciarán la consecución de un medio urbano que esté suficientemente dotado, en el que se ocupe el suelo de manera eficiente, y en el que se combinen los usos de forma funcional, garantizando, en particular:

a) La movilidad en coste y tiempo razonable, sobre la base de un adecuado equilibrio entre todos los sistemas de transporte, que, no obstante, otorgue preferencia al transporte público y colectivo y potencie los desplazamientos peatonales y en bicicleta.

b) La accesibilidad universal, de acuerdo con los requerimientos legales mínimos, de los edificios de uso privado y público, de los espacios de uso público y de los transportes públicos.

c) El uso eficiente de los recursos y de la energía, preferentemente de generación propia, así como la introducción de energías renovables.

d) La prevención y, en todo caso, la minimización en la mayor medida posible, por aplicación de todos los sistemas y procedimientos legalmente previstos, de los impactos negativos de los residuos urbanos y de la contaminación acústica.

4. Los poderes públicos promoverán las condiciones para que los derechos y deberes de los ciudadanos establecidos en los artículos siguientes sean reales y efectivos, adoptando las medidas de ordenación territorial y urbanística que procedan para asegurar un resultado equilibrado, favoreciendo o conteniendo, según proceda, los procesos de ocupación y transformación del suelo.

El suelo vinculado a un uso residencial por la ordenación territorial y urbanística está al servicio de la efectividad del derecho a disfrutar de una vivienda digna y adecuada, en los términos que disponga la legislación en la materia.»

Dictamen de la Comisión del Congreso

El artículo 2 queda redactado de la siguiente manera:

«Principio de desarrollo territorial y urbano sostenible.

1. Las políticas públicas relativas a la regulación, ordenación, ocupación, transformación y uso del suelo tienen como fin común la utilización de este recurso conforme al interés general y según el principio de desarrollo sostenible, sin perjuicio de los fines específicos que les atribuyan las Leyes.

2. En virtud del principio de desarrollo sostenible, las políticas a que se refiere el apartado anterior deben propiciar el uso racional de los recursos naturales armonizando los requerimientos de la economía, el empleo, la cohesión social, la igualdad de trato y de oportunidades, la salud y la seguridad de las personas y la protección del medio ambiente, contribuyendo en particular a:

a) La eficacia de las medidas de conservación y mejora de la naturaleza, la flora y la fauna y de la protección del patrimonio cultural y del paisaje.

b) La protección, adecuada a su carácter, del medio rural y la preservación de los valores del suelo innecesario o inidóneo para atender las necesidades de transformación urbanística.

c) La prevención adecuada de riesgos y peligros para la seguridad y la salud públicas y la eliminación efectiva de las perturbaciones de ambas.

d) La prevención y minimización, en la mayor medida posible, de la contaminación del aire, el agua, el suelo y el subsuelo.

3. Además de lo dispuesto en el apartado anterior, los poderes públicos propiciarán la consecución de un medio urbano que esté suficientemente dotado, en el que se ocupe el suelo de manera eficiente, y en el que se combinen los usos de forma funcional, garantizando, en particular:

a) La movilidad en coste y tiempo razonable, sobre la base de un adecuado equilibrio entre todos los sistemas de transporte, que, no obstante, otorgue preferencia al transporte público y colectivo y potencie los desplazamientos peatonales y en bicicleta.

b) La accesibilidad universal, de acuerdo con los requerimientos legales mínimos, de los edificios de uso privado y público, de los espacios de uso público y de los transportes públicos.

c) El uso eficiente de los recursos y de la energía, preferentemente de generación propia, así como la introducción de energías renovables.

d) La prevención y, en todo caso, la minimización en la mayor medida posible, por aplicación de todos los sistemas y procedimientos legalmente previstos, de los impactos negativos de los residuos urbanos y de la contaminación acústica.

La persecución de estos fines se adaptará a las peculiaridades que resulten del modelo territorial adoptado en cada caso por los poderes públicos competentes en materia de ordenación territorial y urbanística.

4. Los poderes públicos promoverán las condiciones para que los derechos y deberes de los ciudadanos establecidos en los artículos siguientes sean reales y efectivos, adoptando las medidas de ordenación territorial y urbanística que procedan para asegurar un resultado equilibrado, favoreciendo o conteniendo, según proceda, los procesos de ocupación y transformación del suelo.

El suelo vinculado a un uso residencial por la ordenación territorial y urbanística está al servicio de la efectividad del derecho a disfrutar de una vivienda digna y adecuada, en los términos que disponga la legislación en la materia.»

Redacción hasta ahora vigente en el correlativo precepto de la LS-2008

Artículo 2. Principio de desarrollo territorial y urbano sostenible.

1. Las políticas públicas relativas a la regulación, ordenación, ocupación, transformación y uso del suelo tienen como fin común la utilización de este recurso conforme al interés general y según el principio de desarrollo sostenible, sin perjuicio de los fines específicos que les atribuyan las Leyes.

2. En virtud del principio de desarrollo sostenible, las políticas a que se refiere el apartado anterior deben propiciar el uso racional de los recursos naturales armonizando los requerimientos de la economía, el empleo, la cohesión social, la igualdad de trato y de oportunidades *entre mujeres y hombres (inciso que se suprime)*, la salud y la seguridad de las personas y la protección del medio ambiente, contribuyendo *a la prevención y reducción de la contaminación, y procurando* en *[inciso que se suprime por destacarse este objetivo con sustantividad propia en la nueva letra d) del número 2]* particular:

a) La eficacia de las medidas de conservación y mejora de la naturaleza, la flora y la fauna y de la protección del patrimonio cultural y del paisaje.

b) La protección, adecuada a su carácter, del medio rural y la preservación de los valores del suelo innecesario o inidóneo para atender las necesidades de transformación urbanística (1).

c) Un medio urbano en el que la ocupación del suelo sea eficiente, que esté suficientemente dotado por las infraestructuras y los servicios que le son propios y en el que los usos se combinen de forma funcional y se implanten efectivamente, cuando cumplan una función social [letra que sale de este número para reforzarse este objetivo dotándolo de sustantividad propia en el nuevo número 3 y vinculándolo a cuatro líneas de actuación específicas que se enuncian por primera vez así sistematizadas, letras a) a d) del nuevo número 3]

La persecución de estos fines se adaptará a las peculiaridades que resulten del modelo territorial adoptado en cada caso por los poderes públicos competentes en materia de ordenación territorial y urbanística *(mismo párrafo aparece hoy como el último del nuevo número 3).*

3. Los poderes públicos promoverán las condiciones para que los derechos y deberes de los ciudadanos establecidos en los Artículos siguientes sean reales y efectivos, adoptando las medidas de ordenación territorial y urbanística que procedan para asegurar un resultado equilibrado, favoreciendo

---

(1)   Subrayado nuestro, para conectar con lo que luego se desarrolla en el comentario.

o conteniendo, según proceda, los procesos de ocupación y transformación del suelo (2).

El suelo vinculado a un uso residencial por la ordenación territorial y urbanística está al servicio de la efectividad del derecho a disfrutar de una vivienda digna y adecuada, en los términos que disponga la legislación en la materia

COMENTARIO (3)

Sumario

0. Preliminar. Un precepto que ejemplifica el perfil de la reforma en lo formal y en lo sustantivo.
1. La interiorización del principio de desarrollo sostenible en la reformulación conceptual del régimen básico del suelo (número 1).
2. Criterios de clasificación. Directrices generales [letras a) y b) del número 2].
3. Contraste con la doctrina constitucional: las competencias públicas para la clasificación de terrenos como suelo urbanizable.
4. La adaptabilidad a las peculiaridades del modelo propio [último párrafo del nuevo número 3, antes último párrafo del número 2].
5. Otras directrices para la sostenibilidad urbana [número 3, primer párrafo]. Principios rectores de la política de suelo [letras A) A D)].

0. PRELIMINAR. UN PRECEPTO QUE EJEMPLIFICA EL PERFIL DE LA REFORMA EN LO FORMAL Y EN LO SUSTANTIVO

Seguramente, este precepto ejemplifica como pocos dos rasgos esenciales del perfil de la reforma del régimen urbanístico decidida con la LRRRU. En lo formal, que, más allá de la sustitución en bloque del texto precedente, en realidad los extremos afectados de la redacción anterior son mínimos. En lo sustantivo, que, siendo este precepto una de las «claves de bóveda» de la filosofía que inspiró el sistema legal de 2007-2008, conectado a otros que luego se van a citar (que, igualmente,

---

(2)   Idem.
(3)   Comentario a cargo de Ignacio Sanz Jusdado. Master en Urbanismo y Ordenación del Territorio. Abogado especialista en Derecho Administrativo. Profesor del Instituto Nacional de Administración Pública; y Jesús Sánchez Santos. Master en Urbanismo y Ordenación del Territorio. Abogado especialista en Derecho Administrativo. Profesor del Instituto Nacional de Administración Pública.

permanecen incólumes), el tenor literal vinculado a la afirmación de los principios que condensan esa filosofía se mantiene sin cambio alguno (4).

Y es que, aunque la reforma urbanística se extiende a lo largo de 17 páginas, de las 54 de la entera LRRRU, y aunque afecta a 15 artículos del preexistente Texto Refundido, y, por tanto, en una primera aproximación, parecería que es sustanciosa, y de alcance, sin embargo, se puede advertir, como hizo tempranamente SÁNCHEZ GOYANES (5), que:

> «Una lectura detenida, y, en especial, un análisis reposado de los artículos «de nueva redacción» con sus precedentes llega a sumir en la perplejidad al lector porque, de entrada, en no pocos casos, le resulta imposible encontrar dónde está la diferencia con el artículo precedente, al ser tan «puntualísima» la modificación (puramente formal, estilística o gramatical) inferida por la reforma; en otros, lo que se comprueba es que hay una redistribución de contenidos, de modo que lo que antes estaba disperso en varios artículos ahora se ha sistematizado mejor (o, al menos, ésa es la pretensión), concentrándolo en el precepto correspondiente, pero esos contenidos ya estaban, literalmente tal cual o, al menos, sustancialmente casi idénticos.»

Por lo tanto, en realidad, son pocos (muchos menos que ésos que se vislumbrarían del repaso inicial de las 17 páginas citadas del anteproyecto) los aspectos o pasajes del Texto Refundido vigente en que se produce una verdadera «innovación.»

Pero, además —y ya en cuanto al aspecto sustantivo o de fondo de la reforma—, lo más interesante es que aquello que es innovado no lo es por el designio de inocular una dosis de la filosofía política propia del partido que ahora tiene las responsabilidades del Gobierno de la Nación (a diferencia de lo sucedido desde 1990, en todas las leyes «urbanísticas» estatales hasta la de 2007).

Porque, igualmente, por decirlo con palabras del mismo autor (6):

> «Lo que ahora se innova, simplemente, pretende perfeccionar el texto legal anterior y modularlo para dar cabida en él al tratamiento diferenciado de soluciones que se han detectado como necesarias para concretos problemas

---

(4)　La labor de los autores es tributaria de los previos textos elaborados en su día por Enrique Sánchez Goyanes para glosar la versión precedente en la obra colectiva Sánchez Goyanes, E. (Director): *Ley de Suelo. Comentario Sistemático del Texto Refundido de 2008,* El Consultor de los Ayuntamientos & LA LEY, toda vez que nos ha otorgado su autorización expresa a los efectos que procediere, al mismo tiempo que ha intercambiado opiniones con los autores respecto del grado de alteración real que, a su juicio, experimenta el precepto comentado en relación con la versión hasta ahora vigente y su virtualidad práctica teniendo en cuenta la fidelidad o no del tenor resultante de la tramitación parlamentaria hacia el reflejado en el texto del proyecto remitido por el Gobierno, de todo lo cual se deja constancia con nuestro reconocimiento.

(5)　Sánchez Goyanes, Enrique: «El modulado régimen del suelo urbano en la nueva reforma de la legislación estatal sobre urbanismo», *Revista de Estudios Locales,* número 159, 2013, epígrafe 1.

(6)　*Ibídem.*

específicos del momento en que vivimos, cuando el urbanismo de ensanche o expansionista está muerto y enterrado al menos para algún lustro (salvo alguna operación milagrosa, si realmente consigue materializarse como se anunció: a saber, la nueva *Las Vegas*, en la Comunidad de Madrid, y la de nombre menos conocido, si lo ha llegado a tener, alumbrada rápidamente —habrá quien diga que por despecho—, tras verse Cataluña preterida por el pródigo Mr. Adelson, de eventual desarrollo en la provincia de Barcelona...).

En el tiempo en que vivimos el único urbanismo (entendido especialmente como actividad empresarial) que, en general, y por múltiples razones, tiene un campo de desenvolvimiento potencial a corto y medio plazo, es el concerniente a la recuperación de espacios urbanos de más o menos amplitud «intramuros» —en el corazón, incluso, en ocasiones— de nuestras ciudades; la ciudad de Madrid, por cierto, es un paradigma de ello, pues su propio futuro Plan General, conocido ya a través del *preavance*, se centra en esa vertiente, que, pese a lo que pudiera sospecharse, es de una enorme magnitud potencial en diversos planos.

Y a esto atiende de manera muy clara uno de los ejes de la reforma más perfectamente definidos, en mi opinión el verdadero motor de la misma, respecto del cual los restantes cambios son «innovaciones» de escasa o nula entidad en lo sustantivo en relación con el régimen preexistente (a título de ejemplo, y con los necesarios matices, la incorporación ahora aquí de un listado de actos sujetos a título administrativo legitimador expreso respecto de los cuales el silencio se predica con efecto negativo: sustancialmente, ya vigente por mor de las disposiciones dictadas en la etapa anterior al socaire de la Directiva de Servicios y la necesaria adaptación de nuestra normativa a la misma).

Pero ni hay siquiera punto de inflexión, ni, menos aún, sustitución de un modelo por otro, lo cual confirma lo que ya dije hace seis años, que la de 2007 es la «quinta y *última*» ley en la materia, en la medida en que no era presumible ningún nuevo experimento tendente a su transmutación filosófica desde el Estado porque el margen de maniobra para ello era casi inexistente.»

Casi todas estas afirmaciones podrán contrastarse en las páginas que siguen, y, particularmente, las del último párrafo podrán verse corroboradas en seguida, con sólo analizar la redacción actual de este artículo 2.

1. LA INTERIORIZACIÓN DEL PRINCIPIO DE DESARROLLO SOSTENIBLE EN LA REFORMULACIÓN CONCEPTUAL DEL RÉGIMEN BÁSICO DEL SUELO (NÚMERO 1)

1. El número 1 del Artículo 2 preconiza la impregnación de las políticas públicas relativas al suelo por el *principio de desarrollo sostenible*, el cual, en sí mismo, embebe la primera finalidad que se predica de aquéllas, la «*utilización conforme al*

interés general», ya que el mentado principio implica, precisamente, la utilización racional del recurso «suelo», de modo que sólo se promueva la transformación urbanística del mismo cuando racionalmente se verifique su necesidad, dato éste que habrá de basarse, inexcusablemente, en el interés general, y no en el particular, como, de hecho, nos ha enseñado la doctrina jurisprudencial acuñada a lo largo ya de más de una década, alguno de cuyos hitos ha llevado pareja la anulación de ordenaciones urbanísticas en las que se apreciaba basarse en lo contrario, la satisfacción de intereses particulares, incurriéndose en —y siendo sancionadas aquéllas por— el vicio administrativo conocido como «desviación de poder.»

Por lo mismo, no sólo en el Derecho estatal sino en el autonómico, muchas veces se manejan alternativamente de manera indiferenciada el principio de utilización racional de los recursos naturales —que se reitera como tal («uso» en vez de «utilización»; idéntico resultado) en el primer inciso del número 2 del mismo Artículo—, por un lado, y el de desarrollo sostenible, por otro (un número éste, el 1, inalterado tras la LRRRU).

2. Así las cosas, la reelaboración de los sistemas urbanísticos y/o de las políticas públicas en esta materia vertebradas en torno a la coherente interiorización de esta directriz —no sólo inmanente a la Constitución Española, sino a documentos internacionales que de algún modo vinculaban a España desde hace tiempo: la Carta Europea del Suelo de 1972; por supuesto, la Estrategia Territorial Europea— es un proceso iniciado bastante atrás —y, en todo caso, antes— de la puesta en marcha del proceso de redacción de la LS 2008, a la vista del Derecho autonómico comparado.

Y es que, como ya se escribió, con ocasión de la aparición de la LS 2008 (7):

> «Con toda su deliberada y enfática autoafirmación como *modelo alternativo* —argumentada en su Exposición de Motivos—, no se puede considerar a estos efectos significativa —al menos, positivamente significativa— la valenciana LRAU (1994), hoy extinta, y calificada como «desacreditada» (8) en los documentos oficiales del Parlamento Europeo —el cual la ha cues-

---

(7) Sánchez Goyanes, Enrique: «Comentario al Artículo 2», en S. G., E. (Director): *Ley de Suelo. Comentario Sistemático del Texto Refundido de 2008*, El Consultor de los Ayuntamientos & LA LEY, 2009, epígrafe 1.

(8) La LRAU se aprueba en 1994, con una mayoría política que cambia en 1995, y con un Gobierno de signo distinto posterior que asume la responsabilidad de aplicarla, aunque no sea «su» ley, seguramente en aras de evitar una grave crisis de seguridad jurídica en el sector, y, al menos, mientras se pondera los efectos reales de su puesta en práctica. En descargo de aquél, hay que recordar que, en los primeros años de vigencia de la LRAU: a) prestigiosos partidarios de la misma, vinieron destacando como sus principales efectos beneficiosos, casi espectaculares, el de creación masiva y en cortos espacios de tiempo de nuevos suelos urbanizables y el de contención de los precios de la vivienda en relación con los ritmos de crecimiento seguidos en otras Comunidades Autónomas; b) por razones diversas, fueron escasas las voces «autorizadas» que en ese primer período alertaran sobre efectos menos beneficiosos del nuevo sistema urbanístico, o sobre dudas en torno a su compatibilidad con exigencias del Derecho interno o comunitario.

© El Consultor de los Ayuntamientos

tionado frontalmente al menos en tres perspectivas en sus Resoluciones de 13 de diciembre de 2005 y 21 de junio de 2007 (secundado, el 9 de julio de 2008, por la Comisión Europea, al decidir ésta interponer recurso ante el Tribunal correspondiente contra España, para obtener una declaración tanto sobre la ya extinta LRAU cuando sobre la sustitutiva LUV, considerando que a través de los PAI realmente se está adjudicando un contrato público de obras, desconociendo prescripciones esenciales del Derecho comunitario sobre contratación pública…)—. Precisamente, uno de los flancos vulnerables en el sistema legal por aquélla diseñado, a juicio del Parlamento Europeo, ha sido el de su *difícil* compatibilización con la protección ambiental y la de recursos naturales concretos, incluidos los hídricos.

El propio Tribunal Supremo, en España —como antes, el Tribunal Superior respectivo—, también tuvo que salir al paso en más de una ocasión para frenar las perniciosas consecuencias que la puesta en práctica del sistema valenciano —que entregaba el monopolio de la actuación transformadora del suelo, virtualmente, a un agente urbanizador no propietario— estaba generando en el campo específico de la preservación ambiental y de recursos naturales de toda clase —paisajísticos, hídricos, ecológicos, etc. (9)—.

Lógicamente, tampoco la castellano-manchega LOTAU (1998) —un clon de la LRAU conceptual e incluso literal en muchos pasajes de su articulado—, que no ha captado aún la atención de las Instituciones europeas, al haber muchos menos ciudadanos de otros Estados de la Unión afectados por su puesta en práctica en esta región, pero que sí lo ha hecho ya de los medios de comunicación y opinión pública españoles a través de un ejem-

---

(9) Efectivamente, hay que constatar que los Tribunales españoles han ido poniendo coto a las derivas a que conducía la aplicación de la LRAU; y,dejando de lado las específicas en relación con la vulneración de la normativa de contratos públicos en España y en la Unión Europea, hay algún caso muy relevante de freno a tiempo, en defensa de los valores ambientales.

La efectividad de la conciliación de la LRAU y la entrada en acción de su agente urbanizador con la preservación ambiental se revela paradigmáticamente en supuestos en los cuales por esa vía se está a punto de urbanizar espacios merecedores de protección en razón de valores intrínsecos objetivos y sólo la denuncia y luego la sentencia judicial ponen freno a la actuación. Sin duda, fue emblemático el caso enjuiciado por la Sentencia del Tribunal Supremo de 5 de mayo de 2004 (LA LEY, 1542).

La sentencia recurrida en casación anula el Programa de Actuación Integrada (PAI) del Sector I Residencial de Massamagrell (Valencia) al entender acreditado que la zona objeto del litigio, que linda al Este con el mar Mediterráneo, al Oeste con la Autovía A-7, al Norte con la playa de Puebla de Farnals y al Sur con la Pedanía de «Rafalell i Vistabella» es un humedal y, más en concreto, un marjal, pues integra un manto de agua edáfica, más o menos permanente, que da soporte a comunidades vegetales propias de los humedales; zona que, por ello, no puede ser clasificada como suelo urbano o susceptible de urbanización, sino, tan sólo, como suelo no urbanizable, pues es ésta la consecuencia jurídica que se deriva de las normas, entre otras, establecidas en las Leyes de las Cortes Valencianas núms. 7/1989, de 7 de julio, de Ordenación del Territorio; 4/1992, de 5 de junio, sobre Suelo No Urbanizable; y 11/1994, de 27 de diciembre, sobre Espacios Naturales Protegidos.

plo paradigmático de sus potencialidades: la supersónica e hipertrofiada metamorfosis de Seseña (Toledo), sobre la cual huelgan aquí mayores comentarios. Todo lo —negativo— que se ha predicado —y publicitado— de la LRAU —y los enjuiciamientos judiciales (ahora ya incluso sancionados y confirmados por el Tribunal Supremo) e institucionales cosechados por aquélla serían extensibles a la LOTAU (desde luego, en su versión de 1998; no hay que olvidar una reforma posterior, de 2003 —aunque no relevante a los efectos que aquí interesan—).

En mi opinión, el primer sistema autonómico que real, honrada y eficazmente interioriza las exigencias de esos principios y con ellos vertebra el nuevo régimen urbanístico es el castellano-leonés a través de la LUCYL (1999) (10).

---

(10) Castilla y León se erigió precursora en avanzadilla de un Derecho autonómico capaz de anticiparse a las propias exigencias transfronterizas e interiorizar el nuevo orden condensado en el principio de la utilización racional de los recursos naturales, partiendo de la configuración del suelo como recurso natural en sí mismo, un dato que tardaría mucho tiempo aún en ser constatado por el resto del Derecho —estatal y autonómico— aplicable en la materia.

Si nos centramos tan sólo en la tensión entre suelo urbanizable y suelo no urbanizable, los criterios clasificatorios correspondientes y el juego de la recíproca exclusión o «condena» a la residualidad en función del manejo de aquéllos, la LUCYL (1999) ya construyó un sistema en el cual, virtualmente, el nuevo suelo urbanizable sería el que racionalmente se dedujera como necesario en atención a las demandas reales de la sociedad, y, además, debería preverse como regla en contigüidad con los núcleos urbanos ya existentes. Paralelamente, el suelo rústico sería, en la realidad del resultado del sistema, todo aquél no urbano ni merecedor de ser clasificado urbanizable por lo antes dicho, sin necesidad de concurrir en él objetivamente valores merecedores de especial protección. Y esta opción se ejercitaba en el contexto de una Ley básica estatal que había pretendido introducir una liberalización en el sector con una maquinaria en la cual la primera pieza esencial en su filosofía era la configuración del suelo no urbanizable como clase reglada y la consiguiente entronización del suelo urbanizable como la nueva clase residual del sistema —prescindamos ahora de la desnaturalización experimentada por mor de las servidumbres de los consensos parlamentarios, harto conocida a estas alturas…—.

En efecto, el art. 15 LUCYL, en primer lugar, configura un supuesto general de subsunción en esta categoría de suelo: «Tendrán la condición de suelo rústico los terrenos que deban ser preservados de su urbanización» (art. 15 LUCYL, primer párrafo). Y, a continuación, enumera una serie de supuestos en los cuales va implícito ese deber:

— Terrenos sometidos a un régimen específico de protección por imperativo de la legislación de ordenación territorial o sectorial [letra a)].

— Terrenos con relevantes valores —naturales, productivos, históricos, culturales, paisajísticos u otros— que los hagan merecedores de limitaciones en su aprovechamiento o de una específica protección [letra b)].

— Terrenos que deban protegerse para no dificultar acciones de recuperación de valores como los anteriores actualmente degradados [letra b), *in fine*].

— Terrenos que deban preservarse a fin de evitar riesgos de catástrofes naturales o perturbaciones del medio ambiente, de la seguridad o de la salud públicas [letra c)].

Pero, en segundo lugar, configura un supuesto no debido o reglado sino discrecional: «Los terrenos inadecuados para su urbanización, conforme a los criterios señalados en esta Ley y los que se determinen reglamentariamente » [art. 15.d) LUCYL].

Y es que, de hecho, el legislador de Fuensaldaña asumió perfectamente la remisión a él dirigida por el legislador estatal —desde el art. 9.2, *in fine*, en su redacción final— y la aprovechó para «incorporar a la Ley la reflexión sobre el modelo territorial deseable para Castilla y León», como

Posteriormente, con oscilaciones en la intensidad del entusiasmo con el que se abrazan las nuevas tendencias, poco a poco, los sucesivos Derechos autonómicos van prestando atención más o menos explícitamente a las mismas e incluso incorporando algunas de sus consecuencias, en lo sustantivo y en lo procedimental, pero casi nunca de modo globalmente coherente.

Esta evolución alcanza un nuevo hito con la valenciana LUV (2005) (11), dictada *in extremis* para intentar anticiparse a las consecuencias del severo

---

afirma en el segundo párrafo del apartado IV de su Exposición de Motivos, párrafo que debe leerse entero, y varias veces, para captar el significado de la definición positiva y voluntariosa que el suelo rústico merece en este Derecho Urbanístico autonómico, y ese sentido anticipatorio que incorporó en relación con las nuevas tendencias del Derecho europeo.

Paralelamente, el art. 16.1 LUCYL distingue una serie de categorías dentro del suelo rústico, empezando por el común (o discrecional, residual, etc.), al que lógicamente no le corresponde ninguna específica protección [letra a)], y siguiendo por las diversas opciones merecedoras de ella, que en gran medida se identifican con los valores antes enumerados (de protección agropecuaria, forestal, de infraestructuras, del entorno urbano, del patrimonio cultural, de las aguas, de espacios naturales).

A mayor abundamiento, el art. 16.2 LUCYL consagra el principio de *opción por la máxima protección* para el caso de aquellos terrenos a los que, por las circunstancias concurrentes, les sería eventualmente de aplicación más de una de aquellas categorías.

Posteriormente, Castilla y León ha afianzado su opción con la aprobación del RUCYL (2004).

Así, ya su art. 27, en su primer inciso, refuerza una caracterización positiva y no meramente residual del suelo urbanizable.

Pero es el art. 28, el que da un paso más claro en la dirección apuntada en la Ley, en su primer apartado, cuando establece implícitamente el criterio preferente de categorización de suelo urbanizable delimitado a favor de terrenos contiguos a los núcleos, lo cual enlaza directamente tanto con el art. 34.2 LUCYL como con el párrafo 2.º del apartado IV de la Exposición de Motivos de la Ley (en que —tras recordar la existencia de más de 6.500 núcleos urbanos en su territorio— se afirma que «parece lo más racional propugnar que las nuevas construcciones se realicen como norma general en los núcleos existentes, tanto para rentabilizar las inversiones públicas como para mantener la estructura territorial y demográfica, ya muy debilitada en extensas áreas de la región»).

(11) El primer apartado de la reelaborada enumeración de determinaciones propias de la ordenación estructural en el Derecho valenciano (Artículo 36.1 LUV) es el de las denominadas *Directrices definitorias de la estrategia de evolución urbana y ocupación del territorio.*

El hecho de que encabecen, precisamente, ese listado renovado no es una casualidad, sino que permite visualizar el énfasis que el nuevo sistema legal, reelaboración del anterior, pone en la asunción de la sostenibilidad como eje vertebrador de toda la actividad urbanística, decisión congruente no sólo ya con la progresivamente perfilada Estrategia Territorial Europea sino, de modo específico, con uno de los tres reproches fundamentales que el Parlamento Europeo dirigió a la LRAU y su puesta en práctica: a saber, su manifiesta incompatibilidad con un desarrollo racional y sostenible, entendiendo por tales conceptos los que se van acuñando en las Instituciones europeas competentes y en los primeros documentos en que se van haciendo públicos.

Desde esta perspectiva, van a confluir las exigencias derivadas del ejercicio por las Instituciones europeas de sus competencias en materia de «medio ambiente», que —no se olvide— no nacen con la nonata Constitución Europea sino bastante tiempo antes, y que, inexorablemente, van a interferir en el ejercicio de las competencias correlativas dentro de cada Estado-Miembro —o, con otras palabras, van a impregnar el resultado práctico en que éstas se proyecten— con otras exigencias, por lo demás, presentes en nuestro Derecho Administrativo General y, consecuentemente, en el Urbanístico, desde más pronto todavía, cuales son las de fundar las decisiones adoptadas en uso de potestades discrecionales sobre una racionalidad perceptible por cualquiera, las de motivarlas, las de explicitar las razones conducentes a las mismas, las de hacer patente que el primer enjuiciamiento por el Parlamento Europeo del modelo cristalizado en la denostada LRAU, a la que deroga explícita y enfáticamente.

Y, a partir de ahí —y, mucho más, después de la nueva LS 2008, que, en esto, solamente da carta de naturaleza general a una tendencia ya decantada e incluso ocasionalmente asumida de modo pleno en el Derecho autonómico—, la senda es seguida por la vasca LSU (2006) (12) o —en el plano

---

resultado de la decisión adoptada será congruente, lógico, en función de los datos objetivos de que se parte, verificables por cualquiera.

Por ello, la voz «sostenibilidad» o el adjetivo «sostenible» aparecen, sí, reiteradamente citados en la LUV, especialmente en el pasaje citado, pero entrelazado con expresiones como «secuencia lógica», «condiciones objetivas», «orden básico de prioridades», etc. (véanse los arts. 44 a 47 LUV), en definitiva, expresiones reconducibles con la racionalidad de la actuación administrativa en que se plasma la aprobación de un planeamiento, racionalidad impuesta desde hace ya más de un cuarto de siglo por nuestro principio constitucional de interdicción de la arbitrariedad de los poderes públicos (art. 9.3. CE). No puede extrañar, pues, que en el mismo primer artículo de la Ley valenciana se proclame nada menos que el «aprovechamiento *racional*» de la utilización del suelo y de la actividad urbanística en sentido amplio como fin primordial de la ordenación que viene a establecer (véase el art. 1.1), ni que también en ese frontispicio de la nueva arquitectura legal se reitere la invocación de los arts. 45 a 47 CE, donde se enuncian los principios rectores de la política económica y social que tienen —o han de tener— incidencia más directa en la ordenación de la actividad urbanística.

(12) En el Derecho Urbanístico vasco (LSU, 2006), el suelo urbanizable (SUble) será el conjunto de terrenos adscritos por el Plan a esta clase de suelo para poder ser objeto de transformación mediante su urbanización en el marco de todas las determinaciones de diverso nivel jerárquico aplicables:

«**Artículo 14. Clasificación de suelo urbanizable.**

1.— Procederá la clasificación como suelo urbanizable de los terrenos que:

a) No estando integrados en trama urbana ni siendo aún integrables en ella, se consideren idóneos para servir de soporte, previa su transformación urbanística, a usos urbanísticos.

b) En todo caso, los que no sean adscritos por el planeamiento general a las clases de suelo no urbanizable y urbano. (...)»

A la luz de la categórica prescripción de la letra b) del número 1 de este precepto, parecería comprender esta clase de suelo, pues, todos los terrenos aptos legalmente para ser transformados, con un enfoque residual. Sin embargo, en el número 2 se introduce una conceptualmente esencial precisión:

«2.— Las superficies clasificadas como suelo urbanizable deberán:

a) Guardar, conforme al principio de sostenibilidad proclamado en el artículo 3, adecuada y directa proporción con las previsiones de crecimiento poblacional en el municipio, considerando su capacidad de acogida.

b) Permitir el cumplimiento de los programas públicos de fomento y de protección pública de la vivienda en el marco y de acuerdo con lo previsto en los instrumentos de ordenación del territorio.»

Es obvio que este suelo urbanizable no se configura conceptualmente así como residual —más allá de los enunciados retóricos— en el País Vasco, como tampoco antes en otras Comunidades, empezando por Castilla y León y Extremadura y acabando, por ahora, con la Comunidad Valenciana, en su LUV (2005).

Y es que en el frontispicio de la nueva arquitectura legal, el sistema urbanístico vasco cincela diversos principios inspiradores de todo él, de los que destaca, encabezándolos, el principio absolutamente vertebrador del nuevo sistema, sobre todo en el bloque relativo al planeamiento:

«**Artículo 3. Principio de desarrollo sostenible**

1. La función pública urbanística asegura el uso racional y sostenible de los recursos naturales y define un modelo territorial que:

de las políticas públicas como tales— por la Resolución del Parlamento de Andalucía de 26 de octubre de 2006 sobre directrices para el Plan de Ordenación del Territorio de Andalucía (POTA), hecha propia por el Gobierno andaluz en su Decreto de 28 de noviembre de 2006 incorporando aquéllas (13) al POTA....»

3. En cuanto al Derecho estatal, como es sabido, el mentado principio estaba ya incorporado a través de la redacción alcanzada por el Artículo 9.2.ª LS 1998 tras la nueva formulación del mismo por la Ley de Medidas Urgentes de Liberalización del Sector Inmobiliario (2003). Baste aquí ahora sólo con recordar que la interiorización del principio que nos ocupa —debida a las aportaciones de los Grupos Parlamentarios de Izquierda Unida, Vasco y Catalán, apoyado por el de Coalición Canaria (obviamente, todo esto en el debate parlamentario conducente a la Ley de 2003, pues en el conducente a la LRRRU ninguna intervención ha habido respecto de este punto, que no ha sido objeto, además, de modificación alguna en relación con el texto del proyecto enviado por el Gobierno)— se produjo asumiendo la dualidad de las manifestaciones retóricas del mismo, a que más arriba se hacía referencia, como se sintetiza en estos pasajes de la intervención del Portavoz del Grupo Parlamentario Popular —a la sazón, el del Gobierno—, a la hora de explicar la gestación del consenso producido y la cristalización del mismo:

> «Las modificaciones se refieren fundamentalmente a los siguientes temas. A la definición de suelo no urbanizable, Artículo 9.2, y, *sensu contrario*, de suelo urbanizable, incluyendo, además de los suelos protegidos, aquellos que el planeamiento general considere inadecuados, pero de acuerdo con criterios objetivos para huir de la pura discrecionalidad administrativa municipal, tal y como estaba en el texto de la Ley de 1998, establecido por legislación urbanística, autonómica o territorial. En este punto, hay una enmienda transaccional con Convergència i Unió —me remito a lo dicho por su portavoz— que recoge la modificación que el Artículo 9.2 va a experimentar si, como es presumible y predecible, esta Comisión, con competencia legislativa plena, aprueba el nuevo texto. (...).»

---

a) Propicia los procesos de producción y consumo favorecedores del carácter sostenible y duradero del desarrollo económico y social.

b) Induce la integración de las exigencias propias del medio ambiente adecuado al desarrollo de la persona en las políticas públicas y las actividades privadas para salvaguardar la transmisión intergeneracional de un patrimonio colectivo, natural y urbano, saludable y equilibrado.

2. El desarrollo sostenible procura a todas las personas el disfrute de la naturaleza y el paisaje así como del patrimonio cultural, arqueológico, histórico, artístico y arquitectónico. (...).»

(13) Entre aquellas directrices emanadas de la Resolución del Parlamento andaluz (www.andalucia.junta.es/BOJA, 28 de noviembre de 2006), destaca a nuestros efectos la de no admitir crecimientos urbanísticos que supongan durante ocho años incrementos superiores al 40% en el suelo urbanizable y al 30% en la población, coordenadas en cuyo marco los Planes Subregionales habrán de precisar los incrementos específicos para sus respectivos ámbitos.

«En definitiva, señorías, creemos que con las modificaciones que se reflejan en el informe de la ponencia, con las transaccionales que hemos convenido y pactado **con Izquierda Unida**, una relativa a la exposición de motivos; otra, la transaccional número 2, relativa también a la exposición de motivos, evitando una reiteración estilística que no hacía ningún bien, **con la reforma del Artículo 9.º sobre suelo no urbanizable y la presencia, con otra expresión distinta, del principio de desarrollo sostenible —la expresión es utilización racional de los recursos naturales—**, se da satisfacción a la preocupación medioambiental que sí está presente en la Ley de 1998 pero que ahora queda ratificada más y mejor.

A la señora Uría *(Grupo Vasco)* **le hemos aceptado en este Artículo 9.º la sustitución de las palabras legislación urbanística por normativa urbanística.** (...).»

2. CRITERIOS DE CLASIFICACIÓN. DIRECTRICES GENERALES [LETRAS A) Y B) DEL NÚMERO 2]

1. La utilización racional del redescubierto recurso natural «suelo», o trasunto del desarrollo urbano y territorial sostenible, cara y cruz de la misma moneda, impone la ponderación por los poderes públicos competentes para el establecimiento del respectivo modelo urbanístico —esencialmente— de una serie de valores o intereses también eventualmente en juego ante toda nueva reconsideración de la ordenación preexistente —*«los requerimientos de la economía…»*, etc—. Esa ponderación debe conducir a una armonización entre ellos (párrafo 1.º del número 2), pero, lógicamente, dando prevalencia a los superiores o de alcance más general de entre los mismos —obviamente, «la protección del medio ambiente»— de modo que el primer objetivo genérico a procurar con esa armonización era (en la versión precedente de este precepto) la «prevención y reducción de la contaminación» [ahora, nueva letra d) del número 2, con una simple especificación de ese mismo propósito], en todas sus formas —porque con ésta se da satisfacción a aquélla—. En ese marco genérico, se señala objetivos específicos o concretos [letras a) y b) del número 2 y el nuevo número 3, procedente de la letra c) del anterior enunciado de ese número 2], cuya cumplimentación coadyuva separadamente y en conjunto a aquel objetivo global, condensable, por lo demás, en realidad, más en el de la mejora de la calidad de vida, que engloba, en puridad, a la mera protección ambiental, como es sabido (desde la primera clásica Sentencia del Tribunal Constitucional respecto a esta materia —1995—, que enfatizó este axioma)

En cierto modo, los objetivos de la directriz de la letra a) —eficacia de las medidas de conservación y mejora de los patrimonios naturales y culturales— están embebidos en una recta inteligencia y aplicación de la de la letra b), que, en todo caso, es la directriz medular no sólo de este Artículo sino de todo el bloque normativo relativo al establecimiento del estatuto objetivo del suelo, cuyo complemento indispensable es el mandato dirigido a los poderes públicos que se enuncia en la letra a) del número 1 del Artículo 10 (intacto igualmente tras el cambio de Gobierno y su primera reforma «global» del régimen jurídico del suelo).

Consiguientemente, procede detenerse en el examen específico de tal directriz medular.

2. Desde un punto de vista formal, la LS 2008 prescinde deliberada, explícita y consecuentemente —a partir de su confesada reelaboración conceptual— de establecer criterios de clasificación del suelo, al menos tal y como venía siendo tradicional en la legislación estatal del Suelo desde sus orígenes y hasta su última versión.

Así, en la Exposición de Motivos (II, 5.º párrafo), se adelanta que:

> «(…) se prescinde por primera vez de regular técnicas específicamente urbanísticas, tales como los tipos de planes o las clases de suelo, y se evita el uso de los tecnicismos propios de ellas *para no prefigurar, siquiera sea indirectamente, un concreto modelo urbanístico (14)* y para facilitar a los ciudadanos la comprensión de este marco común.»

Y, a continuación, en el siguiente párrafo, se insiste en esa caracterización como «técnica urbanística» —y, por ende, primariamente de competencia autonómica—, como factor que ha favorecido la opción del legislador estatal, al que se ha sumado, en realidad, el decisivo para ello: la innecesariedad de la técnica de la clasificación para el establecimiento de los valores del suelo, competencia, ésta sí, netamente estatal, y que ha sido la ejercida con la mayor vocación revisionista en toda la reformulación legal operada con la LS (II., 6.º):

> «Con independencia de las ventajas que pueda tener la técnica de la clasificación y categorización del suelo por el planeamiento, lo cierto es que *es una técnica urbanística*, por lo que no le corresponde a este legislador juzgar su oportunidad. Además, *no es necesaria para fijar los criterios legales de valoración del suelo*. Más aún, desde esta concreta perspectiva, que compete plenamente al legislador estatal, la clasificación ha contribuido históricamente a la inflación de los valores del suelo, incorporando expectativas de revalorización mucho antes de que se realizaran las operaciones necesarias para materializar las determinaciones urbanísticas de los poderes públicos y, por ende, ha fomentado también las prácticas especulativas, contra las que debemos luchar por imperativo constitucional.»

---

(14) Tanto las cursivas como las negritas que ocasionalmente aparecen en los textos citados las emplea el autor para subrayar lo que se destaca en la glosa correspondiente, no estando en el original respectivo, salvo que se indique lo contrario.

Será, no obstante, más adelante, en el último párrafo del apartado V, cuando la Exposición de Motivos concrete más el perfil diferencial de la referencia al suelo en la LS, aunque no sea para hablar de las «clases» del mismo, sino de su «situación» o «estado» (V, 4.º):

> «En lo que se refiere al régimen urbanístico del suelo, la Ley opta por diferenciar situación y actividad, estado y proceso. En cuanto a lo primero, define los dos estados básicos en que puede encontrarse el suelo según sea su situación actual —rural o urbana—, estados que agotan el objeto de la ordenación del uso asimismo actual del suelo y son por ello los determinantes para el contenido del derecho de propiedad, otorgando así carácter estatutario al régimen de éste. En cuanto a lo segundo, sienta el régimen de las actuaciones urbanísticas de transformación del suelo, que son las que generan las plusvalías en las que debe participar la comunidad por exigencia de la Constitución. La Ley establece, conforme a la doctrina constitucional, la horquilla en la que puede moverse la fijación de dicha participación. Lo hace posibilitando una mayor y más flexible adecuación a la realidad y, en particular, al rendimiento neto de la actuación de que se trate o del ámbito de referencia en que se inserte, aspecto éste que hasta ahora no era tenido en cuenta.»

3. No obstante tal planteamiento conceptual, lo cierto es que, definiendo situaciones o estados del suelo, la LS no deja de suministrar —con carácter prescriptivo, además— pautas de las cuales se infiere para el planificador claras directrices a la hora de proceder a clasificar el suelo de una manera o de otra, aunque la legislación autonómica de aplicación formalmente pudiere conducir a resultados distintos.

Y la primera pauta, precisamente, ya aparece en el punto 2 del Artículo 2 cuando, al socaire de la redefinición de las políticas urbanísticas por mor de la incidencia de principios como el del *desarrollo sostenible* o el *uso racional de los recursos naturales* —de los que, por fin, una Ley estatal va a reconocer explícitamente que el suelo es uno de ellos, tal y como se había venido preconizando desde hace bastante tiempo—, se proclama:

> «Artículo 2. (…).
>
> 1. Las políticas públicas relativas a la regulación, ordenación, ocupación, transformación y uso del suelo tienen como fin común la utilización *de este recurso* conforme al interés general y según el principio de desarrollo sostenible, sin perjuicio de los fines específicos que les atribuyan las Leyes.
>
> 2. *En virtud del principio de desarrollo sostenible, las políticas a que se refiere el apartado anterior deben propiciar el uso racional de los recursos naturales* armonizando los requerimientos de la economía, el empleo, la cohesión social, la igualdad de trato y de oportunidades entre mujeres y hombres, la salud y la seguridad de las personas y la protección del medio

ambiente, contribuyendo a la prevención y reducción de la contaminación, *y procurando en particular:*

a) La eficacia de las medidas de conservación y mejora de la naturaleza, la flora y la fauna y de la protección del patrimonio cultural y del paisaje.

b) La protección, adecuada (15) a su carácter, del medio rural y la preservación de los valores del suelo innecesario o inidóneo para atender las necesidades de transformación urbanística.

(…).»

Para lo que aquí importa, ninguno de esos extremos del precedente tenor del Artículo 2 ha sido afectado por la reforma de 2013.

E implícitamente, aquí, se apunta ya a una configuración del suelo urbanizable como cuasirreglada puesto que la legitimación de su clasificación como tal va a dimanar de la —comprobable objetivamente— necesidad del mismo, de su transformación, para ser más exactos, en orden a servir de soporte a inmuebles destinados a usos realmente demandados —o de racionalmente previsible demanda— en el término municipal: acotemos que la directriz reclama la «preservación» del suelo rústico en que no concurra tal circunstancia objetiva (16)…

Pero mucho más claramente, y ya de manera explícita, será el Artículo 10 el que abunde en esta misma directriz:

«Artículo 10. Criterios básicos de utilización del suelo.

1. Para hacer efectivos los principios y los derechos y deberes enunciados en el Título 1, las Administraciones públicas, y en particular las competentes en materia de ordenación territorial y urbanística, deberán:

a) Atribuir en la ordenación territorial y urbanística un destino que comporte o posibilite el paso de la situación de suelo rural a la de suelo urbanizado, mediante la urbanización, al suelo preciso para satisfacer las necesidades que lo justifiquen (…) y preservar de la urbanización al resto del suelo rural.

---

(15) *«El progreso, adecuado a…»*, decía el texto legal hasta el Informe de la Ponencia del Congreso. La nueva formulación, fruto de la aceptación de una enmienda, contribuye a reforzar el carácter preservado que, en relación con el proceso urbanizador y edificatorio, se atribuye al suelo rural como nota general definitoria del mismo, según la justificación ofrecida por la susodicha enmienda aceptada.

(16) Y que ello ha de conectarse con la insistencia contenida en la propia E. de M., según la cual «todo el suelo rural tiene un valor ambiental digno de ser ponderado» (II, 8.º).

b) Destinar suelo adecuado y suficiente para usos productivos y para uso residencial, con reserva en todo caso de una parte proporcionada a vivienda sujeta a un régimen de protección pública.

(…).»

«(…) Al suelo preciso para satisfacer las necesidades que lo justifiquen», sólo a ése es al que se puede asignar ahora la clasificación como «urbanizable» a partir de tan clara directriz legal; «y preservar de la urbanización al resto del suelo rural», otorgándole, por lo tanto, la clasificación como «no urbanizable» o «rústico» según la legislación autonómica aplicable: es clara la incidencia de esta directriz en los criterios clasificatorios de suelo.

4. A mayor abundamiento, recordemos las consideraciones de la persona que, sin duda, más identificable resulta con la interpretación auténtica de este aspecto capital en la reformulación dogmática que interioriza la LS 2008, la propia Ministra del ramo, en la presentación del proyecto ante el Congreso:

«(…) En segundo lugar, en el plano ambiental el proyecto de ley propone un gran avance en la apreciación del suelo como un recurso natural, escaso y no renovable. Los criterios básicos de utilización del suelo dan buena cuenta de ello. El proyecto ya no intenta hacer del suelo urbanizable la clase residual, como la ley vigente. No compartimos la ponderación de valores que late detrás de este principio, aparentemente liberalizador, que en realidad no ha producido beneficios contra la escalada de precios pero sí lamentables efectos sobre el medio ambiente. Señorías, todo el suelo rural, no solo el suelo especialmente protegido, tiene un valor ecológico y paisajístico.

Esa idea del todo urbanizable también ha dañado los intereses generales urbanísticos al desplazar la decisión del poder público a los propietarios y promotores sobre dónde se urbaniza, favoreciendo los desarrollos dispersos, originando problemas de movilidad, de suministro de agua y otros servicios públicos, como estamos viendo estos años.

Señorías, no se puede afirmar primero que se quiere combatir la especulación y después propiciarla generalizando expectativas urbanísticas por todo el territorio. Urbanizar no es producir solares, urbanizar es hacer ciudad, por tanto también infraestructuras, dotaciones y equipamientos públicos. Reivindicar el urbanismo como una función pública irrenunciable y no susceptible de mercadeo no es un acto de intervencionismo, sino un ejercicio de responsabilidad hoy más que nunca». (17)

---

(17) Intervención de la Ministra de Vivienda, Trujillo Rincón, ante el Pleno del Congreso, Diario de Sesiones, VIII Legislatura, N.º 216, 23 de noviembre de 2006, pág. 10983.

En definitiva, la reformulación dogmática no es inocua, no carece de efectos, y, por mucho que se diga lo contrario —para no herir susceptibilidades autonómicas—, decididamente, se erige en cimiento para establecer un modelo urbanístico, por un lado deliberadamente contrapuesto al precedente —sintetizado en la opción de configurar el suelo urbanizable como residual, explícitamente reprochada por la Ministra—, fruto de otra mayoría parlamentaria, y, por otro lado, basado en la concepción del suelo como recurso natural en sí mismo y siempre y en cualquier caso soporte de valores, lo que enlaza, en la nueva arquitectura legal, de modo coherente, con la apuesta por la configuración del suelo «rural» como nueva clase residual —porque, racionalmente, el suelo urbanizable será sólo el preciso para la satisfacción de demandas reales e incluso su ubicación deberá tener en cuenta también nuevas pautas, en la misma dirección racionalizadora —evitar la dispersión en la conformación de nuevos núcleos de población, para, a la vez, imprimir más eficiencia en el diseño e implantación de las redes de toda clase de servicios, optimizar el uso de recursos escasos, como los hídricos, o apoyar una reconducción de los patrones de movilidad también hacia la senda de la sostenibilidad, y, en definitiva, de una mejor calidad de vida…

3. CONTRASTE CON LA DOCTRINA CONSTITUCIONAL: LAS COMPETENCIAS PÚBLICAS PARA LA CLASIFICACIÓN DE TERRENOS COMO SUELO URBANIZABLE

1. Es inevitable contrastar estos planteamientos con la posición del juzgador constitucional en relación con la competencia que asiste al Estado para fijar criterios en materia de clasificación de suelo, y, en particular, del urbanizable, pues de lo dicho se infiere que, en el Artículo 2.2.b), se ha anticipado como criterios implícitos conducentes a éste la «innecesariedad» y la «inidoneidad» del suelo «para atender a las necesidades de transformación urbanística», los mismos que luego se harán explícitos en el Artículo 10.1.a).

Pues bien, nuevamente hay que regresar al enjuiciamiento por aquél de la LS 1998, en la STC 164/2001, de 11 de julio, y ello porque, en los tres recursos acumulados que dan lugar a ésta, se cuestionaba la constitucionalidad del Artículo 10 LS 1998, que establecía:

> «El suelo que, a los efectos de esta Ley, no tenga la condición de urbano o de no urbanizable, tendrá la consideración de suelo urbanizable, y podrá ser objeto de transformación en los términos establecidos en la legislación urbanística y el planeamiento aplicable».

A este precepto se reprochaba el contener «una opción urbanística primaria (la opción del suelo urbanizable como categoría residual de suelo) desplazando así las competencias urbanísticas autonómicas». De sus dos incisos, el más relevante para el juicio de constitucionalidad resulta ser, lógicamente, el primero, en cuya virtud el suelo es urbanizable cuando «no tenga la condición de urbano o de no urbanizable».

En relación con la reconsideración del suelo urbanizable mediante el juego combinado de los Artículos 2.2.b) y 10.1.a) LS 2008, es obvio que en los recursos de inconstitucionalidad interpuestos contra los mismos por diversas Comunidades Autónomas se le reprocha dialécticamente al respecto el contener otra opción primaria, pero inversa, al «objetivizar» esta clase de suelo, convirtiéndola virtualmente en reglada —pieza inherente en el engranaje legal de la reconfiguración misma del suelo como recurso natural y soporte (y condicionante) a su vez de otros recursos naturales, y en la consecuente proyección sobre su régimen legal de las exigencias del principio de utilización racional de aquél—.

2. Como pone de relieve el juzgador constitucional, «allí donde la Comunidad Autónoma disfrute de un amplio poder decisorio para la clasificación del suelo como urbano o no urbanizable la clasificación legal residual (urbanizable) ni vacía ni impide el ejercicio de las competencias urbanísticas autonómicas», por lo que la clave para la constitucionalidad del precepto radica en la coexistencia de la opción por la *residualidad* del SUble con ese «amplio poder decisorio» en relación con las restantes clases de suelo.

Dejando de lado ahora el margen disponible en cuanto al SU —que merece un apartado específico—, pero anticipando que, para el Tribunal Constitucional, existe al respecto un «amplio margen decisorio autonómico» que «permite el Artículo 8 LS 1998», la respuesta a la conformidad del Artículo 10 LS 1998 la brindaba también por adelantado la tesis sostenida en relación con el Artículo 9 LS 1998 en los términos que en seguida serán de recordar, por lo que:

«De ello se sigue el amplio margen de opción que a cada Comunidad Autónoma corresponde a la hora de clasificar el suelo como urbanizable».

3. Dicho sea incidentalmente, como se ve, el Tribunal se debate continuamente entre la realidad de que la competencia urbanística es, por naturaleza, municipal, lo que le lleva a aludir ocasionalmente al margen, decisión o competencias municipales en distintas facetas, y su posición doctrinal refractaria tradicionalmente a reconocer como propio ningún contenido competencial sustantivo a favor de los Municipios o, en general, de las Corporaciones locales.

En el pasaje aquí reseñado, triunfa claramente la segunda: sólo así se explica el olvido de que es al Municipio al que corresponde o deberá corresponder ese amplio margen de opción para clasificar el suelo como urbanizable, olvido que tiene un significado más acentuado porque choca frontalmente con la jurisprudencia del Tribunal Supremo respecto al carácter típicamente discrecional y de interés estrictamente local —como regla general— que corresponde a la decisión de clasificar suelo como urbanizable (hasta el punto de abundar los pronunciamientos en que se han anulado determinados apartados de aprobaciones definitivas autonómicas de Planes urbanísticos municipales en cuya virtud se modificaban previas decisiones municipales en relación con la clasificación de suelo urbanizable o no urbanizable común). Es, por ello, un nuevo ejemplo de las sutiles vías reduccionistas del contenido sustantivo de la autonomía local en contraposición con la postura contraria del Tribunal Supremo.

4. La mentada posición refractaria se ve corroborada cuando, al enjuiciar el segundo inciso del Artículo 10 LS 1998, a cuyo tenor la transformación del suelo urbanizable tendrá lugar «en los términos establecidos en la legislación urbanística y planeamiento aplicable», se afirma:

> «Será entonces cada Comunidad Autónoma —y en los términos que cada una disponga, el órgano encargado de la ordenación o planificación urbanística— quien (sic) determine en qué forma y a qué ritmo el suelo urbanizable debe engrosar la ciudad. En suma, el Artículo 10 LS 1998 no impone a las Comunidades Autónomas ni cómo ni cuándo el suelo urbanizable debe pasar a ser ciudad. Por ello, no puede considerarse que el Artículo 10 LS 1998 vulnere las competencias urbanísticas autonómicas» (18).

---

(18) Aunque es verdad que, al aludir a ese «órgano encargado de la ordenación o planificación urbanística», podría estarse pensando en un órgano local, no deja de ser cierto que no se nombra siquiera a las Entidades locales en este crucial apartado mientras que, por el contrario, se deja la puerta abierta (teórico-constitucionalmente, al menos) a un sistema en el que el «engrosamiento» de la ciudad por el suelo urbanizable parecería ser tarea sólo de la Comunidad Autónoma, lo que incluso como mera hipótesis dialéctica es inquietante, sobre todo cuando se conecta con otros pronunciamientos, más o menos explícitos, producidos por el mismo juzgador constitucional casi en los mismos días. Efectivamente, en la STC 159/2001, de 5 de julio, donde, entre otras cosas, se suscitaba la duda de constitucionalidad relativa a la supuesta vulneración de la autonomía local por el art. 50 del Decreto Legislativo 1/1990, del Texto Refundido de Disposiciones vigentes en Cataluña en materia de Urbanismo (TRUC), por la atracción que había ejercido hacia la competencia autonómica de la potestad de aprobación de la mayor parte de los Planes urbanísticos de desarrollo (Parciales y Especiales), considerando el órgano judicial que había planteado la cuestión que ello contribuía a vaciar el contenido de la autonomía local en materia urbanística, el Tribunal Constitucional, después de explayarse en el recordatorio de su teoría sobre la garantía institucional de la autonomía local, importada (defectuosamente, por incompleta la importación) de Alemania, sienta un nuevo pronunciamiento negativo para tal autonomía:

«Es cierto que el art. 25.2 d) LBRL establece que el Municipio ejercerá competencias en las materias de ordenación, gestión y disciplina urbanística. Y también lo es que, como tenemos declarado en nuestra interpretación del art. 2.2. de la misma Ley (STC 214/1989, FJ 3), **"las leyes básicas deberán decir qué competencias corresponden en una materia compartida a las Entidades locales por ser ello necesario para garantizarles su autonomía (arts. 137 y 140 CE)".** Pero no lo es menos, como afirmábamos seguidamente en aquella Sentencia, que ello no asegura por sí mismo que la ley básica estatal y sectorial —como en el presente caso— que tal cosa disponga, sea, sin más, constitucional, porque si excede de lo necesario para garantizar la autonomía local habrá invadido competencias autonómicas y será, por ello, inconstitucional (*ibídem*). Y, más en concreto, por lo que ahora interesa, hemos reiterado que es plenamente conforme con la Constitución el criterio básico adoptado por el art. 2 de aquella Ley de remitir tal determinación al legislador sectorialmente competente por razón de la materia (STC 214/1989, FJ 4). Como ya se ha visto, la competencia en materia de urbanismo pertenece sustancialmente a las Comunidades Autónomas (art. 148.1.3 CE), sin que en este supuesto pueda el Estado invocar título competencial alguno que le permita determinar qué instrumentos de planeamiento han de formular los Ayuntamientos» (FJ 12).

Y, más adelante, encuentra en el Artículo que recoge el «derecho» de las Entidades locales a intervenir en la elaboración de los Planes que las afecten el asidero para justificar definitivamente la constitucionalidad del precepto controvertido porque, en todo caso, siempre podrán los Ayuntamientos intervenir en dicho proceso (aun negándoseles la última palabra):

«Téngase en cuenta, además, que según el art. 58.2 LBRL las Administraciones competentes en materia de aprobación de planes deberán necesariamente otorgar a las restantes (en este caso a los entes locales) algún tipo de participación "que permita armonizar los intereses públicos

5. No obstante, es posible extraer de otros pasajes de la misma Sentencia constitucional elementos que permiten interpretar sistemáticamente que se está refiriendo de modo implícito también aquí al margen de maniobra que queda igualmente abierto para las Entidades locales en esta materia.

---

afectados", y que el art. 59.1 prevé mecanismos de coordinación, fundamentalmente procedimentales, para la consecución de ciertos objetivos. Estos dos preceptos obligan por lo tanto a la Comunidad Autónoma a no desconocer los intereses locales, y a establecer mecanismos de participación o coordinación de Municipios y Provincias. **Naturalmente, ni de la Constitución ni de aquellos preceptos de la legislación estatal (LBRL) que integren el bloque de la constitucionalidad se deduce cuál deba ser la intensidad o la medida concreta de las competencias que respecto de los Planes de Conjunto deba atribuirse en la legislación autonómica sectorial a los entes locales (redacción inicial o fase preparatoria, audiencia previa, informe vinculante o no, participación en organismos mixtos, etc.), pues ya conocemos que la *Lex Legum* no establece ni precisa cuál deba ser el haz mínimo de competencias que, para atender a la gestión de los respectivos intereses, debe el legislador atribuir a los entes locales** (STC 32/1981, de 28 de julio, FJ 3, idea retomada en la STC 109/1998, de 21 de mayo, FJ 2)» (FJ 12).

Proyectada la tesis anterior sobre el precepto enjuiciado, el resultado era fácil de adivinar: «Debemos constatar que estas normas autonómicas cuya constitucionalidad estamos ahora examinando no eliminan radical o absolutamente toda competencia o participación local, sino que, por el contrario, respetan la participación de los Municipios en las fases de aprobación tanto inicial como provisional del planeamiento derivado (arts. 41 y 46 del Decreto Legislativo 1/1990) al establecer únicamente que no tendrán competencias en una determinada fase, la de aprobación definitiva de un tipo especial de Planes. Y **tal cosa es, *a priori*, compatible con el mínimo exigido a la legislación sectorial por el principio de autonomía local, porque, como ya hemos precisado, a lo que obliga ésta es a que existan competencias municipales relevantes y reconocibles en la ordenación y en el planeamiento urbanístico, y la norma cuestionada sigue atribuyendo a los Ayuntamientos competencias esenciales en relación con el planeamiento, concretamente en sus dos primeras fases de aprobación inicial y provisional.**

Ni la norma autonómica directamente cuestionada (art. 50 del Decreto Legislativo 1/1889) ni tampoco los preceptos que refundió (singularmente la Ley 3/1984, por remisión al Decreto de 11 de octubre de 1978) atentan contra la autonomía local en la medida en que, respetando otras facultades municipales de intervención, no eliminan toda participación de los Ayuntamientos en el proceso de elaboración y aprobación del planeamiento derivado. Por ello, la cuestión, en lo que se refiere a la posible vulneración por el art. 50 del Decreto Legislativo 1/1990 de la autonomía local (art. 137 CE), ha de ser desestimada» (FJ 12).

Así pues, el camino abierto por este pronunciamiento puede conducir a horizontes tan inquietantes como aquél en el que, en la aprobación de los Planes Parciales, el Ayuntamiento sólo fuera oído en un humilde trámite de audiencia, porque con ello se daría satisfacción a las exigencias de la autonomía local en este terreno, tal como ésta ha sido reducida en el pasaje citado de la Sentencia constitucional.

Naturalmente, este juicio no puede compartirse y merece la más enfática crítica. ¿Cómo puede considerarse motivo de inconstitucionalidad que una Ley otorgue excesivas competencias a los Municipios, presuntamente partiendo de que los poderes locales están en pie de igualdad con el estatal y los autonómicos y, por lo tanto, tienen capacidad para incidir en los equilibrios competenciales contenidos en cada Ley sectorial? Desgraciadamente, los poderes locales no están en pie de igualdad con estos otros territoriales allá donde debían estarlo, en la Constitución (a través de un listado de competencias propias, que ésta se negó a reconocerles explícitamente en lo que debería haber sido un nuevo apartado del Artículo 137 o del 140), y de ahí arranca esta situación tan injusta para su posición institucional que produce pronunciamientos tan polémicos como los comentados; polémicos entre otros motivos porque el Tribunal Supremo se ha esforzado con verdadero denuedo en reconstruir un reducto sustantivo para el contenido de la autonomía local en materia urbanística, a través de su interpretación del interés local en ella, de la limitación del control autonómico en el acto de aprobación definitiva de los Planes, etc., en una

De hecho, un poco más adelante, en el mismo FJ 15, hablando de las condiciones de desarrollo del suelo urbanizable —para salir al paso del argumento de los recurrentes de que se sacrifican con este diseño las competencias ambientales de las Comunidades Autónomas—, el juzgador no puede evitar referirse a la tarea «complementaria» de las Entidades locales al respecto:

> «Hemos dicho, en primer lugar, que la clasificación residual del suelo como urbanizable sólo actúa en defecto de la expresa clasificación como suelo no urbanizable, opción ésta última que sustancialmente corresponde a cada Comunidad Autónoma. Y hemos dicho también que la clasificación residual del suelo como urbanizable, en la forma en que lo hace el Artículo 10 LS 1998, no impone ni el cómo ni el cuándo de la transformación del suelo: **la conformidad del suelo urbanizable con el medio ambiente resultará de las decisiones (autonómicas** y, **complementariamente, locales) sobre volumen edificatorio, usos e intensidades (19).** A partir de estas pre-

---

tarea que resulta plenamente ignorada por el Tribunal Constitucional en cada ocasión que puede demostrarlo. ¿Qué interés supralocal habrá en un Plan Parcial para justificar incondicionalmente la competencia autonómica para su aprobación definitiva? ¿Qué cuestiones de legalidad podrá suscitar cuando se trata de un mero desarrollo de un planeamiento general, ya éste aprobado en su día por el órgano autonómico correspondiente? Y, además, ¿esa legalidad no se va a fiscalizar dentro de la propia Corporación municipal en el seno del procedimiento aprobatorio, o es que tal fiscalización no va a ser el objeto específico de varios trámites de ese procedimiento y a cargo de funcionarios locales de especial cualificación para ello?

No se sabe qué es mayor en la actitud del Tribunal Constitucional hacia las Entidades locales y su actividad, si su desconfianza o su desconocimiento o, acaso, su falta de compromiso político-institucional hacia ellas, quién sabe si derivada de la ausencia de participación de los poderes locales en la designación de su composición. Mientras tales desconfianza, desconocimiento y descompromiso no se remedien y surja una verdadera voluntad de situar a las Corporaciones locales en la posición que les corresponde en nuestro sistema político-administrativo, que nadie ponga esperanzas excesivas en el fruto de los Pactos Locales o de las Leyes reguladoras del acceso de los Entes locales al Tribunal Constitucional: así se auguró hace tiempo —al glosar coetáneamente la Sentencia de referencia en Sánchez Goyanes, Enrique: «*El heraclitiano devenir del Derecho Urbanístico español…*», El Consultor de los Ayuntamientos, 2001— y a la vista está que no muy desacertadamente: <apurando el cáliz de esta doctrina hasta la hez, el Tribunal daría por buena un lustro después la asunción por el Estado de la competencia aprobatoria del planeamiento nada menos que en las Ciudades Autónomas de Ceuta y Melilla [STC 240/2006, de 20 de julio (véase la reseña más amplia de la misma *infra*, Comentario a la Disposición Adicional Tercera)]>.

Esa actitud nunca podrá encontrar contrapeso en la retórica estrategia del juzgador constitucional de oponerse al mantenimiento de las técnicas de tutela material y de oportunidad que muchas veces también insisten en articular las Leyes autonómicas, de lo que incluso un nuevo ejemplo aparece en la STC 159/2001 con la anulación del art. 15 TRUC (FF JJ 6 y 7): más importante que el hecho de que se tutele a las Corporaciones locales en su actividad es que esta actividad tenga un campo en que desenvolverse y la doctrina del Tribunal Constitucional en los veinte años de su existencia ha logrado irlo reduciendo de manera eficaz en beneficio, casi siempre, de las competencias autonómicas.

(19) En puridad, más que *complementario*, aquí el papel del planificador municipal es *protagonista* en la tradición de nuestro Derecho Urbanístico: es absolutamente falso que «volumen edificatorio, usos e intensidades» constituyan parámetros con relación a los cuales las Comunidades Autónomas —en el acto de aprobación definitiva de los Planes— tengan potestad decisoria; todos ellos están insertos en el ámbito del interés estrictamente local, de acuerdo con la jurisprudencia del Tribunal Supremo, y, salvo por cuestiones de legalidad o de afectación a intereses supraloca-

misas, en forma alguna se puede identificar en el Artículo 10 LS 1998 una preterición de los valores ambientales a favor del desarrollo económico.»

Sea como fuere, lo más relevante en este momento es que, por esta vía, declara la constitucionalidad del precepto porque, como alguien apuntó justo recién aparecida la LS 1998 (20), «esa residualidad clasificatoria» sólo tendrá virtualidad en la medida en que el competente para la clasificación como SNU del resto de los terrenos no haga uso explícito de esa competencia propia, con el margen ampliado por la interpretación constitucional que convierte —en ese mismo pronunciamiento— en *lista abierta* los supuestos del Artículo 9.

4. LA ADAPTABILIDAD A LAS PECULIARIDADES DEL MODELO PROPIO [ÚLTIMO PÁRRAFO DEL NUEVO NÚMERO 3, ANTES ÚLTIMO PÁRRAFO DEL NÚMERO 2]

1. También hay que recordar que en los territorios de los Archipiélagos de las Islas Baleares y de las Islas Canarias, resultaba de aplicación específica —hasta la entrada en vigor de la LS 2008— la Disposición Adicional Cuarta LS 1998 que, virtualmente, había sido interpretada como significante de que, en materia de clasificación de suelo urbanizable y no urbanizable, los criterios establecidos por el respectivo legislador autonómico prevalecen respecto de cualesquiera otros, incluidos los del legislador estatal, incluso después del Real Decreto-Ley de Medidas Urgentes de Liberalización del Sector Inmobiliario (2000) (21), RDLMULSI.

Y es que ahora, en gran medida, su contenido —y, desde luego, su espíritu— subyacen bajo el enunciado del último párrafo del «nuevo» número 3 (pero antes idéntico en su tenor último párrafo del número 2) del Artículo 2 LS 2008 —aunque la efectividad de éste va dirigida preferentemente en relación con la previsión del propio número 3 ahora antes que con las precedentes del anterior número 2 (o, con otras palabras, más en el plano de la calificación que en el de la clasificación)—. Sin embargo, tanto por el origen y ubicación inicial de esta previsión legal en su día en la LS 2008 cuanto por el debate parlamentario de la LRRRU que lo ha reubicado donde está ahora, no puede llegarse a la conclusión de que haya sido decisión del legislador restringir la eficacia de la misma a la esfera de la calificación y ordenación, en sentido amplio, del suelo urbano, sino, por el contrario, que se extiende

---

les —difíciles de suscitar en relación con aquéllos—, hasta ahora no se había reconocido a las Comunidades Autónomas competencia alguna para modificar o sustituir la previa decisión local al respecto. Desde esta perspectiva, el pronunciamiento reseñado, aunque parezca dictado más desde la ignorancia de aquella tradición —y todavía hoy realidad actual— que desde el antimunicipalismo militante, no contribuye a reducir la inquietud que produce.

(20) Cfr. *El Consultor* 7/1998, ob. cit., pág. 1046.

(21) Para mantener esta tesis, se partía (véase *El Consultor* n.º 14/2000, ob. cit., pág. 2405) de una interpretación basada en la génesis parlamentaria de esa Disposición Adicional, donde quedó claro el sentido y finalidad de su redacción, en la línea señalada en el texto.

también a las del suelo urbanizable y no urbanizable, si bien en los términos del número 2 de este Artículo 2, complementados con los del número 4 del mismo e igualmente todo ello en conexión con lo previsto en la letra a) del Artículo 10.1, intacto tras la reforma operada en el conjunto de la LS 2008.

2. Pues bien, respecto a aquella Disposición de la LS 1998 —equiparable en su teleología a este precepto de la LS 2008 ahora reubicado—, cuya constitucionalidad también había sido cuestionada en alguno de los recursos zanjados por la STC 164/2001, de 11 de julio, nada de su virtual proyección resulta alterada, pese a la inicial afirmación del juzgador constitucional (FJ 51):

> «Comencemos por rechazar que, como afirman los Diputados recurrentes, la Disposición adicional cuarta LS 1998 contenga un apoderamiento o habilitación al legislador autonómico insular. La disposición impugnada se limita a flexibilizar las «condiciones básicas» de ejercicio del derecho de propiedad en lo que hace a la clasificación del suelo insular. Pero, en todo caso, aquellas «condiciones básicas» actúan como límite a las competencias urbanísticas propias de las Comunidades Autónomas, no atribuyen a estas poder normativo alguno».

Más bien —como se va a ver inmediatamente— la norma citada otorga a los respectivos legisladores autonómicos el poder de establecer sus propios criterios de clasificación de suelo no urbanizable y urbanizable, y así lo va a confirmar el juzgador constitucional. Lo que sucede es que, dado como ha interpretado el propio poder al respecto de los legisladores autonómicos para salvar la constitucionalidad de los arts. 9 y 10, aquí el Tribunal se ve obligado a hacer ver que las diferencias reales entre éstos y los insulares son más pequeñas de lo que una pura —y rechazada— interpretación literal de los arts. 9 y 10 LS 1998 podían hacer pensar:

> «Debemos comenzar por aclarar que si bien la norma transcrita formalmente contiene una regulación especial para el suelo insular, flexibilizando los criterios generales de clasificación, lo cierto es que los límites que esta disposición fija al órgano urbanístico clasificador no son materialmente distintos de los que, con carácter general, establecen los arts. 9 y 10 LS 1998. Al enjuiciar aquellos preceptos **ya precisamos que la apertura de los criterios de clasificación (especialmente, en el Artículo 9.2 LS 1998) suponía un amplio campo de libre configuración para el órgano administrativo competente para la clasificación. Ese margen de libre configuración, que apreciamos en los arts. 9 y 10 LS 1998, no difiere del establecido para el suelo insular en la Disposición adicional cuarta LS 1998**» (FJ 51).

Como se ve, nuevamente insiste el juzgador constitucional en la «apertura» o la «amplitud de margen» para la libre configuración por el planificador urbanístico que brindan los arts. 9 —especialmente, en su apartado 2— y 10 LS 1998, tras la interpretación fijada por él mismo a éstos, sobre la cual ha construido su tesis de la constitucionalidad, por lo que existe un copioso suministro de argumentos para resolver anticipadamente lo que en su día fallará en torno a la redacción del Artículo 9 LS 1998 en la versión del RDLMULSI, cuestión sobre la que habrá que volver, insistencia que le sirve para restar trascendencia a las diferencias formales entre los poderes reales en la materia ostentadas por los legisladores peninsulares y los insulares.

Pero, aunque hubiera un tratamiento realmente diverso en beneficio de los legisladores autonómicos, éste en sí mismo tampoco habría de ser inconstitucional —frente a lo pretendido por los recurrentes—:

> «Con todo, ni siquiera la distinción formal entre el suelo peninsular y el suelo insular puede ser tachada de inconstitucional. En primer lugar, ninguna contravención del derecho a la igualdad (Artículo 14 CE) se puede localizar en un precepto que carece de toda referencia subjetiva; esta afirmación ya la motivamos en el FJ 18 y la reiteramos aquí: la Disposición adicional cuarta LS 1998 establece un sistema de clasificación del suelo relevante para las facultades urbanísticas del dominio, pero expresa indiferencia jurídica sobre quiénes (qué personas o qué grupos) sean los titulares de aquellas facultades urbanísticas. En segundo lugar, tampoco la referencia específica al suelo insular excede de la competencia estatal ex Artículo 149.1.1 CE. Y es que la competencia sobre «condiciones básicas» del Artículo 149.1.1 CE no exige al Estado la fijación de estándares jurídicos uniformes incluso allí donde la propia Constitución ha reconocido la existencia de circunstancias diferenciales. Es así que el mandato de atención a las circunstancias del hecho insular, contenido en el Artículo 138.1 CE, justifica una modulación objetiva de las «condiciones básicas» del derecho de propiedad, cuando éste se ejerce sobre suelo insular.»

7. Ahora bien, dicho todo lo anterior, conviene enfatizar en que este giro tiene su base constitucional, explícitamente asumida, no en otro título que en el Artículo 149.1.23.ª CE, que es, precisamente, por otro lado, el que ahora sirve de mayor base de apoyo al legislador estatal en su reformulación de los criterios clasificatorios del SUble y en paralelo los del SNU.

5. OTRAS DIRECTRICES PARA LA SOSTENIBILIDAD URBANA [NÚMERO 3, PRIMER PÁRRAFO]. PRINCIPIOS RECTORES DE LA POLÍTICA DE SUELO [LETRAS A) A D)]

1. Como consecuencia a la vez de la reconsideración que ya nos consta en cuanto al objeto esencial de la regulación para su utilización —el suelo, ahora netamente recurso natural en sí mismo—, y en cuanto al haz de derechos subjetivos implicados en relación al mismo, que extravasan las puras facultades del derecho de propiedad de su titular dominical, el legislador estatal (el de 2008, pues el de 2013 es absolutamente continuista también en esto) asume como propia la propuesta de un nuevo modelo urbanístico, propugnado desde las Instituciones

europeas, y a cuyo servicio van a militar las directrices concretas que en el cuerpo legal claramente inciden y condicionan para lo venidero las técnicas clasificatorias del suelo, sobreponiéndose al tenor concreto con que las leyes autonómicas hayan formulado los criterios para disciplinar el uso de las mismas por los planificadores:

«En tercer y último lugar, la del urbanismo español contemporáneo es una historia desarrollista, volcada sobre todo en la creación de nueva ciudad. *Sin duda, el crecimiento urbano sigue siendo necesario, pero hoy parece asimismo claro que el urbanismo debe responder a los requerimientos de un desarrollo sostenible, minimizando el impacto de aquel crecimiento y apostando por la regeneración de la ciudad existente.* La Unión Europea insiste claramente en ello, por ejemplo en la Estrategia Territorial Europea o en la más reciente Comunicación de la Comisión sobre una Estrategia Temática para el Medio Ambiente Urbano, para lo que propone *un modelo de ciudad compacta y advierte de los graves inconvenientes de la urbanización dispersa o desordenada: impacto ambiental, segregación social e ineficiencia económica por los elevados costes energéticos, de construcción y mantenimiento de infraestructuras y de prestación de los servicios públicos. El suelo, además de un recurso económico, es también un recurso natural, escaso y no renovable. Desde esta perspectiva, todo el suelo rural tiene un valor ambiental digno de ser ponderado* y la liberalización del suelo no puede fundarse en una clasificación indiscriminada, sino, supuesta una clasificación responsable del suelo urbanizable necesario para atender las necesidades económicas y sociales, en la apertura a la libre competencia de la iniciativa privada para su urbanización y en el arbitrio de medidas efectivas contra las prácticas especulativas, obstructivas y retenedoras de suelo, de manera que el suelo con destino urbano se ponga en uso ágil y efectivamente. *Y el suelo urbano —la ciudad ya hecha— tiene asimismo un valor ambiental, como creación cultural colectiva que es objeto de una permanente recreación, por lo que sus características deben ser expresión de su naturaleza y su ordenación debe favorecer su rehabilitación y fomentar su uso».*(E. de M., II, 8.º).

2. El legislador estatal (de 2008, ratificado ahora, por así decir, por el de 2013) asume claramente, pues, la opción europea por el modelo de «ciudad compacta» a la vez que reprocha el modelo de «urbanización dispersa» y enumera, en paralelo a los documentos europeos que cita, los efectos nocivos de éste último que, claramente, se propone evitar con su propuesta, a saber, «*impacto ambiental, segregación social e ineficiencia económica por los elevados costes energéticos, de construcción y mantenimiento de infraestructuras y de prestación de los servicios públicos*», todos los cuales tienen su glosa y propuesta de tratamiento específicos en la Estrategia Española de Medio Ambiente Urbano, trasunto o traslación a nuestras latitudes, de la europea y, sin duda, clave para la cabal interpretación de este texto legal-a la que deberá prestarse atención por ello—.

De ahí, el que el primer párrafo del número 3 —antes, la letra c) del número 2— de este precepto aparezcan principios que buscan reaccionar frente a los síntomas negativos descritos, hacer de contrapeso; así, frente a aquella «ineficiencia...» que se explica en qué planos se proyecta, ahora se preconiza que «la ocupación del suelo sea eficiente», en el sentido de combatir aquella ineficiencia en los planos correlativos; de ahí, también, el que junto a la búsqueda de la eficiencia (en una dimensión económica y más amplia) se proclame la de la suficiente dotación de infraestructuras y servicios, porque ésta ha de perseguirse pero en sentido eficiente, fruto de una racionalización de todo el proceso urbanizador, desde la fase de establecimiento de la ordenación; y, frente a aquella censurada «segregación social», ahora aquí se postula «que los usos se combinen de forma funcional».

La eficiencia en la ocupación del suelo, en su más amplia acepción, la racionalidad en el empleo de todos los recursos en definitiva, la funcionalidad de las infraestructuras y servicios a implantar al servicio del modelo urbanístico auspiciado, o la combinación de usos, son directrices que se ven complementadas más adelante, y, en cierto modo, reiteradas unas y reforzadas y complementadas otras, cuando, nuevamente bajo la forma de deber impuesto a las Administraciones competentes, se establece en el Artículo 10.1:

> «c) Atender, en la ordenación que hagan de los usos del suelo, a los principios de accesibilidad universal, de igualdad de trato y de oportunidades entre mujeres y hombres, de movilidad, de eficiencia energética, de garantía de suministro de agua, de prevención de riesgos naturales y de accidentes graves, de prevención y protección contra la contaminación y limitación de sus consecuencias para la salud o el medio ambiente.»

3. Del número 4 —antes, 3— se deriva una clara directriz en materia de clasificación del suelo —*favorecer o contener, según proceda, los procesos de transformación del suelo*, que tendrá su concreción en otras específicas, conducentes de hecho a revisar los criterios clasificatorios del SNU y del SUble.

Esa directriz se marca a los poderes públicos en el contexto de un principio rector para sus políticas de ordenación del suelo que se les impone tan enfáticamente que hasta se formula en lo retórico siguiendo la pauta solemne del principio rector de principios rectores condensado en el Artículo 9.2 CE: «*Los poderes públicos promoverán las condiciones....*»

Es de justicia reconocer que, como en muchísimos otros aspectos, para esta directriz, ahora positivizada, ha sido cimiento la jurisprudencia del orden contencioso-administrativo, especialmente, la de la Sección 5.ª de lo Contencioso del Tribunal Supremo, la cual —inspirada por el pertinente principio rector (art. 45 CE) y la fuerza informante del mismo para el ejercicio de su potestad (art. 53 CE)— no ha dudado en respaldar las interpretaciones más favorables a decisiones de Ayuntamientos en el sentido de desclasificar suelos anteriormente urbanizables —cuando en las revisiones del planeamiento han entendido que ese era el modelo más adecuado para su comunidad local—, forjando nuevos argumentos al compás de la propia evolución del Derecho positivo y sus herramientas y el contexto social en que han de interpretarse. A título de ejemplo, cabe citar la STS de 13 de diciembre de 2007 [r. c. 688/2004], que respalda la reconversión de amplias superficies en nuevos suelos no urbanizables en las Normas Subsidiarias de Níjar (Almería) de 1996:

> «**SEXTO.**— Es atendible, sin embargo, el segundo motivo en cuanto, al término de su articulación, se alega que una correcta exégesis del significado de los Planes de Ordenación de los Recursos Naturales y de las Declaraciones de Impacto Ambiental llevan a la conclusión de que en éstas y en los planes urbanísticos, aprobados en atención a ellas, se puede establecer la mayor protección de un suelo, y así clasificar como no urbanizable protegido aquél en que, con arreglo a la correspondiente Declaración de Impacto Ambiental, existan valores naturales que sea necesario proteger, aun cuando en el Plan General de Ordenación de los Recursos Naturales, como en este caso sucedía, apareciese dicho suelo clasificado como apto para urbanizar.

> Este segundo motivo debe prosperar, como ya lo decidimos en nuestra Sentencia de fecha 12 de diciembre de 2007 (recurso de casación 652/2004 [RJ 2008\ 1493]), y ahora reproducimos literalmente el contenido del fundamento jurídico sexto de aquélla: «Aunque unos y otras tienen genéricamente una misma finalidad, pues tanto los Planes de Ordenación de los Recursos Naturales como las Declaraciones de Impacto Ambiental son herramientas jurídicas al servicio de la mejor protección del medio ambiente; sin embargo, los primeros tienen un objeto más singular, más específico, y constituyen en sí mismos uno de los instrumentos de planificación de los recursos naturales, y en especial de los espacios naturales y de las especies a proteger; mientras que las segundas, y en particular la que aquí nos importa, esto es, la Declaración de Impacto Ambiental formulada para o en contemplación a la proyectada aprobación de Planes Generales de Ordenación Urbana, Normas Complementarias y Subsidiarias de Planeamiento, así como sus revisiones y modificaciones, requerida por la Ley andaluza 7/1994, de 18 de mayo (LAN 1994\ 208), de Protección Ambiental, tiene potencialmente un objeto más amplio y no tan específico, cual es, bien que desde la perspectiva medioambiental, la entera ordenación de los asentamientos de población, la entera ordenación urbanística en proyecto, a la que sirve como instrumento para garantizar su acierto desde la indicada perspectiva. **Ello quiere decir, no sólo que los primeros no excluyen la necesidad de las segundas, sino también, y esto es lo que interesa en el motivo que analizamos, que éstas pueden, sin que por ello entren en contradicción con aquéllos ni vulneren por tanto lo dispuesto en aquel artículo 5 de la Ley 4/1989, entender necesario u oportuno que determinados suelos queden preservados temporal o definitivamente de un desarrollo urbanístico o de un modelo de desarrollo que sin embargo no excluyó el Plan de Ordenación de los Recursos Naturales. En definitiva,**

éste permite, por no entrar en contradicción con él sino todo lo contrario, que el instrumento de ordenación urbana prevea una preservación medio-ambiental más extensa que la que aquél consideró necesaria para proteger el concreto recurso natural objeto del mismo.»

En suma, la vinculación que un Plan de Ordenación de los Recursos Naturales implica para el planeamiento urbanístico sólo tiene razón de ser respecto de las medidas protectoras en aquél establecidas, de manera que éste puede completarlas o ampliarlas cuando se justifique debidamente con la correspondiente Evaluación o Declaración de Impacto Ambiental sin por ello vulnerarse lo dispuesto en el primero.

Y, complementariamente, el reverso de esta misma tendencia jurisprudencial: la postura rigurosa frente a las decisiones urbanísticas que alteran, rebajan o suprimen, incluso, el grado de protección de un terreno hasta entonces rústico. Su máximo exponente lo encontramos en las sentencias por las cuales, primero, declaró nulo el Plan General de Madrid de 1997 en cuanto que, precisamente, «desprotegió» una serie de suelos de esas características, a los que luego convirtió en urbanizables (varios de los conocidos «PAUs» vertebradores del último ensanche de la capital); y, segundo, en las sentencias por las cuales después se negó a dar por buena la fórmula escogida por el Ayuntamiento para «subsanar» o «convalidar» los defectos de falta de justificación que en su día apreció y que le llevaron a la declaración de nulidad referida: el principio del desarrollo sostenible o de la protección ambiental en sentido amplio, sin más, y los meritados principios constitucionales arriba recordados, son el cimiento conceptual para esta tendencia jurisprudencial tan rigurosa y severa, casi inflexible.

4. Finalmente, el segundo párrafo de este mismo número 4 —antes, igual, del 3— enlazaba con la prescripción del inciso final de la letra c) del anterior número 2, aquel que acababa exigiendo, como requerimiento adicional en el suelo urbano, *que los usos se implanten efectivamente cuando cumplan una función social*. Ese inciso final ahora ha desaparecido. Pero, conceptualmente, ello no tiene consecuencias. Se enfatice o no, aquí lo que se hace es constatar que la función social que cumple el suelo «vinculado a un uso residencial» es la contribución a la *efectividad del derecho a la vivienda digna y adecuada*. Y así se establece la premisa dogmático-jurídica y conceptual para que más adelante la propia LS 2008 proporcione también las consecuencias para quienes incumplieren con las cargas de tal función social de la propiedad, la utilidad supraindividual que de este tipo de bienes espera la sociedad: Artículos 36-37 (posibilidad de desplazamiento forzoso del propietario incumplidor), y 36.3 en relación con 24.1 (sanción adicional de pérdida de hasta un 50% del valor del bien expropiado por esta causa en el justiprecio pertinente).

COMENTARIOS (1) A LOS ARTÍCULOS 5, 6, 8, 9, 14 Y 16 DE LA LS 2008, EN SU VERSIÓN DADA POR LA LRRRU (2)

Disposición final duodécima. Modificación del Texto Refundido de la Ley de Suelo, aprobado por Real Decreto Legislativo 2/2008, de 20 de junio

Comentarios a los artículos 5, 6, 8, 9, 14 y 16 del Texto Refundido de la Ley de Suelo estatal 8/2007 y de la LS 92 (3), aprobado por Real Decreto Legislativo 2/2008 (en adelante, LS 2008), que han sido modificados por la DF12.ª de la Ley 8/2013, de 26 de junio, de rehabilitación, regeneración y renovación urbanas *(BOE* de 27.06.2013), en adelante LRRRU.

INTRODUCCIÓN

En los artículos 5, 6, 8, 9, 14 y 16 del Texto Refundido de la Ley de Suelo estatal 8/2007 y de la LS 92, aprobado por Real Decreto Legislativo 2/2008 (en adelante, LS 2008), actualmente modificados por la DF12.ª de la Ley de rehabilitación, regeneración y renovación urbanas (LRRRU) se contienen varias de las más importantes modificaciones que introdujo la Ley 8/2007, de 28 de mayo respecto del sistema «tradicional» español, que procede y tuvo su origen en la Ley 12/1956, de 12 de mayo, de Régimen del Suelo y Ordenación Urbana (LS56) y su última versión en la Ley 6/1998, de 13 de abril, sobre Régimen del Suelo y Valoraciones (LrS98) (a partir de la cual dicho sistema se encuentra reflejado en todas las leyes urbanísticas

---

(1) Comentarios a cargo de Julio C<small>ASTELAO</small> R<small>ODRÍGUEZ</small>. Abogado. Secretario de Administración Local de Categoría Superior. Profesor de Derecho Urbanístico en la Universidad San Pablo-CEU; y Ricardo S<small>ANTOS</small> D<small>IEZ</small>. Doctor Ingeniero de Caminos, Canales y Puertos. Licenciado en Derecho. Técnico Urbanista.

(2) Por razones de comodidad del lector y por razones evidentes de conexión con los artículos citados, se incluyen en este texto, también, nuestros comentarios a los arts. 4 y 7 LS 2008 que hemos realizado en la obra coordinada por Enrique S<small>ÁNCHEZ</small> G<small>OYANES</small> *Ley de Suelo. Comentario sistemático del Texto Refundido de 2008*, Edit. LA LEY, 2009.

(3) No se olvide que la labor refundidora conllevó «dos objetivos: de un lado, aclarar, regularizar y armonizar la terminología y el contenido dispositivo de ambos textos legales y, de otro, estructurar y ordenar en una única disposición general, una serie de preceptos dispersos y de diferente naturaleza...» (Apartado I, 2.º párrafo de la Exposición de Motivos del Real Decreto Legislativo 2/2008, de 20 de junio, por el que se aprueba la LS 2008).

autonómicas hoy vigentes, aprobadas entre 1998 y 2007); y que son consecuencia de la modificación producida por la Ley estatal 8/2007, de 28 de mayo, de Suelo (LrS07), hoy derogada por dicho Real Decreto Legislativo y refundida en el texto de la LS 2008 y éste, ahora, modificado por la citada LRRRU.

En efecto, hasta la ley estatal de 1998, LrS98 (y, como ya se ha indicado, consecuentemente, en todas las leyes autónomicas) las actuaciones urbanísticas sistemáticas que se iban a ejecutar por medio de la iniciativa privada tenían como elemento central a la propiedad del suelo: Administración competente y propietario de suelo han sido durante muchos años los elementos centrales del urbanismo español (sin perjuicio del naciente interés del «agente urbanizador»). Y si la acción era pública por expropiación también los dos interesados directos eran el propietario de suelo y la Administración actuante.

Consecuencia lógica ha sido que las distintas leyes urbanísticas españolas, primero estatales con las condiciones básicas y otras regulaciones derivadas de las competencias estatales, y después autonómicas, regulaban como piezas esenciales los derechos y deberes de los propietarios de suelo. Y así, el núcleo fundamental de la LrS98 estaba constituido por el régimen urbanístico de la propiedad del suelo (arts. 7-22 LrS98) y las correspondientes valoraciones (arts. 23-32 LrS98).

Pues bien, en la LrS07 el legislador estatal ejercitó de nuevo las competencias estatales incidentes en la materia, en virtud de sus títulos competenciales de las materias 1.ª, 4.ª, 8.ª, 13.ª, 18.ª y 23.ª del art. 149.1 CE y varió esencialmente la regulación del régimen urbanístico del suelo y de las correspondientes valoraciones.

En efecto, en la LrS07 y, consecuentemente en la LS 2008, además de regular los derechos y deberes básicos de los propietarios de suelo (que también se regulan, descargándolos de la obligación de transformar sus terrenos en solares; es decir, el deber de urbanizar ya no corresponde, por esencia, al propietario de suelo en cuanto tal), se regulan también los derechos y deberes de los ciudadanos y, sobre todo, de la promoción de las Actuaciones de Transformación Urbanística (ATU).

Y ello, en relación con la situación precedente, modificando los contenidos de los derechos y deberes de los propietarios de suelo, de tal forma que, como ya se ha esbozado, ya no formaba parte de los derechos y deberes del propietario del suelo la transformación urbanística, que se circunscribía —sin perjuicio de las excepciones que existían y pudieran ser matizadas por las leyes autonómicas— al promotor de dichas ATU.

Como señalaba expresamente la Exposición de Motivos de la LrS07, en el primer párrafo del apartado III y recogió el primer párrafo del apartado IV de la Exposición de Motivos de la LS 2008:

«Por razones tanto conceptuales como competenciales, la primera materia específica de que se ocupa la Ley es la del **estatuto de derechos y deberes de los sujetos afectados**, a los que dedica su Título I [Primero], y que inspiran directa o indirectamente todo el resto del articulado. Con este objeto, **se definen tres estatutos subjetivos básicos que cabe percibir como tres círculos concéntricos**».

Es decir, los estatutos subjetivos básicos que establecía la LrS07 y regula la LS 2008 —y de ellos el esencial, el estatuto de la promoción urbanística y ya no tanto el estatuto de la propiedad— son el fundamento del total texto legal.

El conjunto de los tres estatutos subjetivos básicos citados parece que debe percibirse como «tres círculos concéntricos», como se representa de manera esquemática en la FIG. 1.

Si estos tres círculos debieran ser concéntricos deberían estar cada uno de ellos en el interior del anterior y, además, tener el mismo centro (o a la inversa, tener el mismo centro, primero; y estar cada uno de ellos en el interior del anterior).

Necesariamente, además, el orden de los mismos, de mayor a menor amplitud, debiera ser, por el número de los posibles afectados:

— Primero: el **estatuto de la ciudadanía**, el más amplio, que parece abarcar a los otros dos; abarcaría a todos los ciudadanos.

— Segundo: el **estatuto de la iniciativa**, el intermedio, al menos el correspondiente a todos aquéllos que pudieran convertirse en iniciadores de las Actuaciones de Transformación Urbanística (ATU), desde el momento en que se conviertan en iniciadores de la actuación (agentes urbanizadores). Abarcaría inicialmente a todos los que pudieran convertirse en agentes promotores de la urbanización, optando por ser «agentes urbanizadores» y, después, sería sólo aquél que en cada caso se convirtiera en agente urbanizador.

— Tercero: el **estatuto de la propiedad**, el más interior, dado que los que ostentan la posible iniciativa pueden ser propietarios de suelo, o no propietarios de suelo.

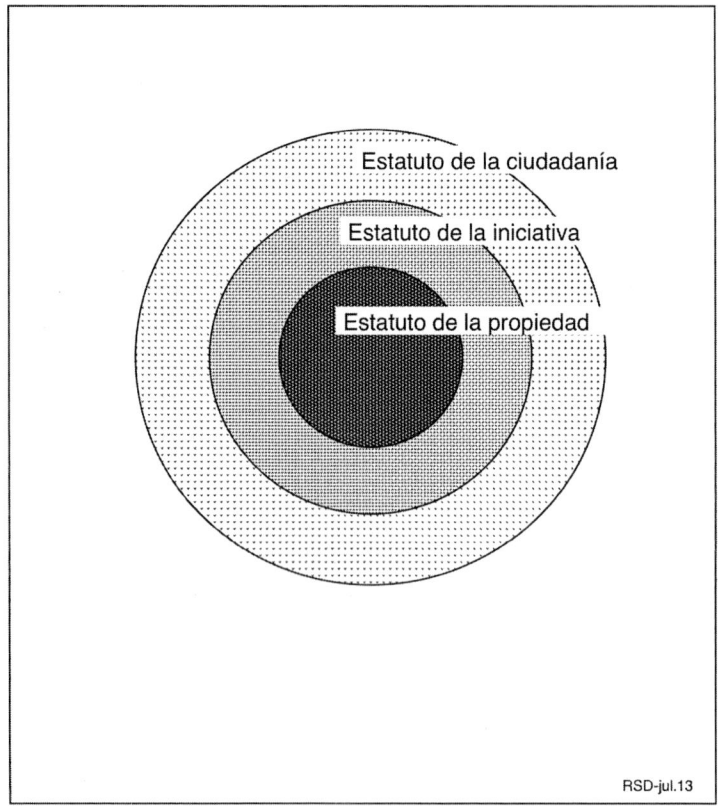

Fig. 1. Los tres estatutos básicos en la EM de la LS08

Pero si se observa con atención, la FIG. 1 no tiene que estar formada —necesariamente— por los tres estatutos «concéntricos» citados, ya que dichos círculos pudieran no ser círculos concéntricos, ya que su representación aproximada pudiera ser, realmente, la que se contiene en la FIG. 2.

Dicho de otra forma, aparentemente esos tres círculos son concéntricos (FIG. 1), pero en la realidad pudieran no ser tal cosa (FIG. 2), ya que:

— **Ciudadanos** son todos los que viven en la ciudad o todos los españoles, es decir, el círculo exterior comprende a todos; pero puede haber agentes urbanizadores que no sean «ciudadanos»: imagínese simplemente un posible agente urbanizador de un Estado miembro o no, de la Unión Europea.

— La **iniciativa** puede ser ejercida por propietarios de suelo o no propietarios de suelo.

— Los **propietarios** de suelo podrían representarse por un círculo menor que el de los ciudadanos y también menor que el conjunto de los posibles iniciadores de la ATU, ya que puede haber propietarios que sean ciudadanos o que no sean ciudadanos españoles; dado que, por ejemplo, puede haber propietarios extranjeros, incluso propietarios de suelo de un país exterior a la Unión Europea. Pero, por otro lado, pueden existir propietarios que no ejerzan la iniciativa y otros propietarios que sí ejerzan esa iniciativa.

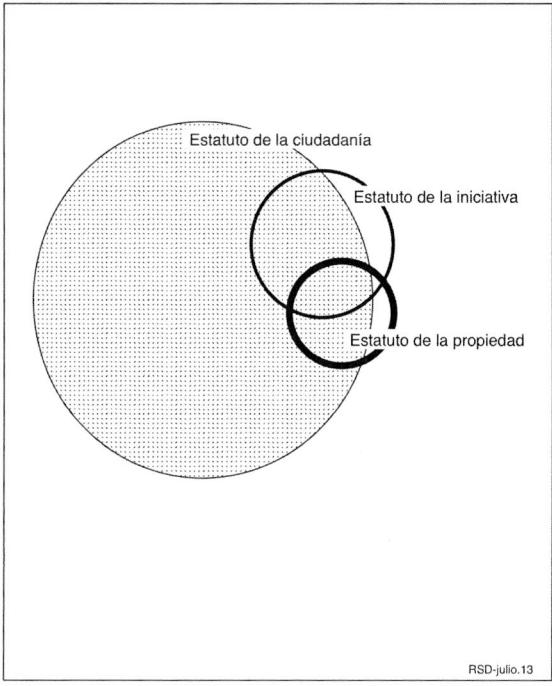

Fig. 2. Hipótesis de los tres estatutos básicos en la EM de la LS08, en la realidad

Continúa la citada Exposición de Motivos de la LrS07, en el apartado III, coincidente con el apartado IV de la Exposición de motivos de la LS 2008:

> «**ciudadanía** en general en relación con el suelo y la vivienda, que incluye derechos y deberes de orden socio-económico y medioambiental de toda persona con independencia de cuáles sean su actividad o su patrimonio, es decir, en el entendimiento de la ciudadanía como un estatuto de la persona que asegure **su disfrute** en libertad del medio en el que vive, **su participación en la organización** de dicho medio **y su acceso igualitario** a las dotaciones, servicios y espacios colectivos que demandan la calidad y cohesión del mismo.

Segundo, el régimen de **la iniciativa privada para la actividad urbanística**, que —en los términos en que la configure la legislación urbanística en el marco de esta Ley— **es una actividad económica de interés general** que afecta tanto al derecho de la propiedad como a la libertad de empresa. [Esto supuesto] En este sentido, si bien la edificación tiene lugar sobre una finca y accede a su propiedad —de acuerdo con nuestra concepción histórica de este instituto—, por lo que puede asimismo ser considerada **como una facultad del correspondiente derecho** [de propiedad], **la urbanización es un servicio público, cuya gestión puede reservarse la Administración o encomendar a privados**, y que suele afectar a una pluralidad de fincas, por lo que excede tanto lógica como físicamente de los límites propios de la propiedad. Luego, allí donde se confíe su ejecución a la iniciativa privada, **ha de poder ser abierta a la competencia de terceros**, lo que está llamado además a redundar en la agilidad y eficiencia de la actuación.

Tercero, **el estatuto de la propiedad del suelo**, definido —como es tradicional entre nosotros— como **una combinación de facultades y deberes**, entre los que **ya no se cuenta el de urbanizar** [esta es una de las novedades fundamentales] por las razones expuestas en el párrafo anterior, **aunque sí el de participar en la actuación urbanizadora de iniciativa privada en un régimen de distribución equitativa de beneficios y cargas**, con las debidas garantías de que su participación se basa en el consentimiento informado, sin que se le puedan imponer más cargas que las legales, **y sin perjuicio de que el legislador urbanístico opte por seguir reservando a la propiedad la iniciativa de la urbanización en determinados casos** de acuerdo con esta Ley, que persigue el progreso pero no la ruptura.»

Aclarando en cada uno de los supuestos que el estatuto incluye derechos y deberes (régimen urbanístico), de tal forma que resulta que:

— **el de la ciudadanía,** como estatuto de toda persona, asegura **el disfrute** del medio, **su participación en la organización** de dicho medio **y su acceso igualitario** a las dotaciones, y servicios;

— **el de la iniciativa privada para la actividad urbanística, resalta que la urbanización es un servicio público, cuya gestión puede reservarse la Administración o encomendar a privados**, y que suele afectar a una pluralidad de fincas [**o no**], por lo que excede tanto lógica como físicamente de los límites propios de la propiedad [**o no, por ese motivo**]. Si se confía a la actividad privada, **ha de poder ser abierta a la competencia de terceros**.

— **el estatuto de la propiedad del suelo —combinación de facultades y deberes**, entre los que **ya no se cuenta el derecho de urbanizar—, que sí contiene el derecho de participar en la actuación urbanizadora de iniciativa privada en un régimen de distribución equitativa de beneficios y cargas**, sin perjuicio de que **el legislador urbanístico opte por seguir reservando a la propiedad la iniciativa de la urbanización**.

Este es el marco básico en el que se desarrollaban la LrS07 y la LS 2008 originaria, concretando los derechos y deberes de cada sujeto en cada estatuto; obsérvese, no obstante, que los tradicionales derechos y deberes de los propietarios de suelo, sobre todo los deberes, se van a transformar en derechos y deberes de la promoción de la Actuación de Transformación Urbanística (ATU): lo cual significa un cambio esencial en dicha ley respecto de las precedentes. Los propietarios del suelo no deben, necesariamente, ser ya los principales protagonistas de la transformación urbanística del mismo; sin perjuicio de que el difícil encaje de la LrS07 con las leyes autonómicas vigentes obliga a la ley estatal a permitir que en la legislación urbanística se pueda seguir reservando a la propiedad del suelo la iniciativa de la urbanización (reserva que se materializa con la LRRRU cuando la iniciativa es privada).

El Título I de la LS 2008, se extiende a la regulación contenida en los arts. 4 a 9 LS 2008, ambos inclusive. La novedad de aquella Ley originaria, como ya se ha indicado, entre otras, era el expreso reconocimiento de que el suelo es objeto de actuaciones en las que no solo los propietarios y la Administración Pública deban ser los únicos protagonistas de dichas actuaciones. Se venía a regular expresamente la actuación de un tercer protagonista, el agente urbanizador, que con éste u otro nombre, ya venía siendo el titular de competencias de transformación urbanística del suelo desde la primera Ley valenciana 6/1994, de 15 de noviembre, Reguladora de la Actividad Urbanística.

Por ello, la entonces Ministra de la Vivienda Sra. Trujillo, en la presentación del Proyecto de la LrS07 al Congreso de los Diputados, afirmaba que:

> «En el plano social, el proyecto está orientado a la ciudadanía, enuncia por primera vez un catálogo mínimo de derechos y deberes de los ciudadanos en relación con el suelo y el urbanismo. Es decir, se completan los catálogos de derechos y deberes de las leyes anteriores que se limitaban a enunciar éstos, respecto solamente de los propietarios.»

La liberalización en el mercado del suelo se propugnó en la Ley 6/1994, de 15 de noviembre, reguladora de la actividad urbanística en la Comunidad Autónoma Valenciana (en adelante LRAU), llevando a sus últimas consecuencias la idea de los concursos contenidos en los PAU de la LS76 y LS92, estableciendo la competencia no ya entre diferentes suelos sino entre diferentes agentes urbanizadores.

A la Ley valenciana le siguió, tras la entrada en vigor de la LrS98, la Ley 2/1998, de 4 de junio, de Ordenación del Territorio y de la Actividad Urbanística de Castilla-La Mancha, que ha potenciado el sistema y, posteriormente, otras leyes autonómicas, como las de Asturias, Canarias, Cantabria, Castilla y León, Extremadura, Galicia, Madrid, Murcia, Navarra, Comunidad Valenciana y País Vasco.

El sistema parte de que:

> «… al propietario de terrenos, en cuanto tal, no le es exigible razonablemente que asuma el papel protagonista que le atribuyó la legislación histórica. La actividad urbanística es una función pública cuya responsabilidad debe reclamarse a los poderes públicos y no a los propietarios de terrenos. Esta función pública requiere una inversión económica importante y una actividad gestora de dicha inversión. Por tanto, sin perjuicio de su carácter público es también una típica función empresarial». (EM LRAU, apartado IV, pfo. 3).

La idea central del sistema es que, al ser la urbanización una función pública, la Administración puede asumir directamente el papel activo en la misma; pero también puede gestionar esta función indirectamente, adjudicando la ejecución del planeamiento a una empresa (seleccionada en pública concurrencia) en la que delegue esta responsabilidad, reservándose, no obstante, la dirección y la supervisión de la actividad, siendo el empresario-urbanizador el ejecutor material de sus directrices. De un dúo teórico se ha pasado a un trío real:

> «La legislación estatal contemplaba la urbanización como un problema que sólo afectaba —y enfrentaba directamente— a dos sujetos: la Administración y el propietario. Esta nueva Ley la contempla como un problema que reclama la simbiótica **colaboración** de **tres sujetos**: la **Administración** actuante, el **urbanizador** y el **propietario**». (EM LRAU apartado IV, pfo. 5).

La Administración actuante puede ser el Urbanizador (gestión directa), pero puede asignar ese papel a una empresa privada (gestión indirecta). En resumen, el Urbanizador.

Si los protagonistas ya no son solo la Administración y el propietario de suelo, la línea doctrinal relacionada con el uso que pueda hacerse de ese suelo, es algo que debe regularse teniendo en cuenta los demás protagonistas de esa actividad. Así, la Ley estatal de suelo de 2007, asume una posición que, según Luciano Parejo Alfonso en su comparecencia como experto ante el Congreso de los Diputados, durante la tramitación parlamentaria de dicha LrS07:

> «Lo que tiene que hacer el Estado no es colocarse en la perspectiva horizontal de la tutela jurídica de la acción espontánea de la sociedad, que es lo propio de la legislación civil, sino en la perspectiva vertical de las políticas públicas que inciden sobre el territorio. Por tanto, se coloca en la posición de una política pública, en el sentido de la doctrina del Tribunal Constitucional, no competencial, sino como resultado de la aplicación de una conjunto de competencias que pueden estar en niveles territoriales distintos. Desde esa perspectiva, cambia la óptica: ¿cuál es el destinatario de esta ley? Esto es un hecho radical importantísimo en nuestra historia urbanística, no es el propietario, que es la singularidad de nuestro urbanismo en nuestro contexto cultural europeo occidental y mundial, porque

la política pública administrativa en materia de urbanismo, igual que en la edificación, no tiene por qué referirse a cuestiones de propiedad jurídico-civil en sentido estricto, sino el promotor, es decir, lo que atiende la Administración, si lo que se hace objetivamente es correcto o no de acuerdo con la ordenación territorial urbanística; las cuestiones jurídico-civiles, que se ventilen en el orden correspondiente. Por eso esta ley tiene como destinatario el ciudadano, porque la cuestión es cómo se hacen los asentamientos poblacionales y el derecho a la ciudad, a un medio ambiente natural y urbano, se sea propietario o no se sea propietario.

Otra cosa es que luego aparezcan ciudadanos singularizados porque son propietarios o porque asumen la libertad de empresa como promotores para transformar el suelo y realizar ciudad, porque no es lo mismo realizar ciudad que edificar o tener una situación jurídica inmobiliaria consolidada, dialécticamente, desde esta perspectiva, contempla la acción de los poderes públicos para hacer efectivo ese estatus de la ciudadanía. Acción de los poderes públicos que es doble, porque el territorio es único y, por lo tanto, sobre él inciden las competencias múltiples, unas transversales de ordenación del territorio y urbanismo, que son de las comunidades autónomas y de los ayuntamientos, y otras que son sectoriales con relevancia territorial aquí y en Pernambuco, en todos lados. Una cosa es que exista una pluralidad de gobiernos sobre una misma población y territorio, y otra cosa es que desde la perspectiva transversal esa acción múltiple de gobierno tenga que traducirse objetivamente en un solo gobierno, un gobierno coherente del territorio. Esto se hace a los efectos de evitar esa degradación de la cultura desde un nuevo encuadramiento constitucional.»

El propio Parejo Alfonso y en la misma intervención afirmaba que:

«la clave de este proyecto de ley es la perspectiva de que lo que importa en todas las políticas que se puedan formular, desde el punto de vista de competencias aseguradas por la Constitución y los Estatutos de Autonomía, es asegurar un estatus del ciudadano. Esa es la finalidad de las políticas y, por tanto, ¿qué le corresponde al Estado? Establecer las condiciones básicas que garanticen la igualdad en el ejercicio de los derechos y el cumplimiento de los deberes constitucionales. El Tribunal Constitucional ha dicho que el medio ambiente es un elemento componente del contenido de derechos fundamentales, concretamente del domicilio, hasta el punto de que se puede acceder a la tutela judicial efectiva reforzada por la vía del recurso de amparo. Esta es la perspectiva en que se sitúa el proyecto de ley, que es novedosa, y lo que quiere es que en la medida en que el territorio, las condiciones en que los ciudadanos desempeñan la vida es una condición para que pueda ser efectivo —en los términos del artículo 9.3— su estatus de ciudadano; lo que pretende es asegurar sus condiciones básicas en los términos del código de derechos y deberes que ahí se establecen, que se corresponde con un deber de los poderes públicos de favorecer la realidad y efectividad de esas condiciones básicas. Aquí sale la ley al paso de una imputación de que es restrictiva; no es restrictiva, sencillamente son las reglas básicas de cómo se debe actuar, adoptando medidas que pueden favorecer o contener los procesos de ocupación y transformación de suelo.»

Hasta aquí, la justificación doctrinal de la reforma legal de 2007.

Entre las voces críticas con el texto de la LrS07 debe dejarse constancia de la de Tomás Ramón FERNÁNDEZ que, en su intervención ante el Congreso de los Diputados y en su condición de experto, afirmaba, en relación con el derecho de propiedad, que:

«Lo único que hace el proyecto de ley es entronizar la figura del agente urbanizador, suplantar al propietario por el agente urbanizador.»

También reconocía que:

«la Administración podrá gestionar ella misma o encomendar a terceros con un procedimiento de licitación, es un puro énfasis retórico porque luego el propio texto del proyecto dice: salvo que la legislación autonómica mantenga el sistema actual con el protagonismo de los propietarios.»

En lo que a esta parte de la LrS07 se refiere, concluía afirmando que la referencia al agente urbanizador era la referencia a un sistema de ejecución más.

El mismo Tomás Ramón FERNÁNDEZ, reiteraba este juicio sobre la LrS07, con posterioridad a su aprobación por las Cortes Generales (4).

La Exposición de Motivos de la misma Ley, a este respecto, decía en su apartado I, párrafo octavo, lo que se reproduce en el mismo párrafo del apartado II de la Exposición de Motivos de la LS 2008:

«… esta Ley abandona el sesgo con el que, hasta ahora, el legislador estatal venía abordando el estatuto de los derechos subjetivos afectados por el urbanismo. Este reduccionismo es otra de las peculiaridades históricas del urbanismo español que, por razones que no es preciso aquí desarrollar, reservó a la propiedad del suelo el derecho exclusivo de iniciativa privada en la actividad de urbanización. Una tradición que ha pesado sin duda, desde que el bloque de constitucionalidad reserva al Estado el importante título competencial para regular las condiciones básicas de la igualdad en el ejercicio de los derechos y el cumplimiento de los deberes constitucionales, pues ha pro-

---

(4)   Así, reiteraba su opinión ya citada, en su condición de ponente en el Seminario sobre la Ley 8/2007, de 28 de mayo, de Suelo, celebrado en la Facultad de Ciencias Jurídicas y Sociales de la Universidad Rey Juan Carlos I, dirigido por J.M. SALA ARQUER y Javier GUILLÉN CARAMÉS, con fecha 12.12.2007.

vocado la simplista identificación de tales derechos y deberes con los de la propiedad. Pero los derechos constitucionales afectados son también otros, como el de participación ciudadana en los asuntos públicos, el de libre empresa, el derecho a un medio ambiente adecuado y, sobre todo, el derecho a una vivienda digna y asimismo adecuada, al que la propia Constitución vincula directamente con la regulación de los usos del suelo en su artículo 47. Luego, más allá de regular las condiciones básicas de la igualdad de la propiedad de los terrenos, hay que tener presente que la ciudad es el medio en el que se desenvuelve la vida cívica, y por ende que deben reconocerse asimismo los derechos mínimos de libertad, de participación y de prestación de los ciudadanos en relación con el urbanismo y con su medio tanto rural como urbano. En suma, la Ley se propone garantizar en estas materias las condiciones básicas de igualdad en el ejercicio de los derechos y el cumplimiento de los deberes constitucionales de los ciudadanos....»

Por tanto, los derechos cuya igualdad debía garantizar esta Ley, son, no solo el derecho de propiedad, sino otros, como:

— La participación ciudadana en los asuntos públicos,

— El de libre empresa,

— El derecho a un medio ambiente adecuado y,

— El derecho a una vivienda digna y asimismo adecuada

Pues bien, la LS 2008 ha sido modificada por la DF12.ª de la Ley de rehabilitación, regeneración y renovación urbanas (LRRRU) de tal manera que en el presente trabajo se comentarán los artículos 5, 6, 8, 9, 14 y 16 del Texto Refundido de la Ley de Suelo estatal de 2008, en la redacción que queda tras la modificación realizada por la LRRRU.

Pero para el correcto entendimiento de las modificaciones producidas en los artículos citados, en ocasiones, será preciso —y asi se ha realizado en el presente trabajo— hacer referencia y comentario a algunos artículos de la LS 2008 que por su carácter de regulación general también se acompaña. Esto se produce, como ya ha quedado indicado, a modo de ejemplo, en el art. 4 LS 2008, relativo a los derechos del ciudadano, y en el art. 7 LS 2008, relativo al régimen urbanístico del derecho de propiedad del suelo, aunque ambos no hayan sido modificados por la LRRU.

Artículo 4 en la redacción de la LS 2008. Derechos del ciudadano

Según el artículo 4, regulador de los derechos del ciudadano:

«Todos los ciudadanos tienen derecho a:

a) Disfrutar de una vivienda digna, adecuada y accesible, concebida con arreglo al principio de diseño para todas las personas, que constituya su domicilio libre de ruido u otras inmisiones contaminantes de cualquier tipo que superen los límites máximos admitidos por la legislación aplicable y en un medio ambiente y un paisaje adecuados.

b) Acceder, en condiciones no discriminatorias y de accesibilidad universal, a la utilización de las dotaciones públicas y los equipamientos colectivos abiertos al uso público, de acuerdo con la legislación reguladora de la actividad de que se trate.

c) Acceder a la información de que dispongan las Administraciones Públicas sobre la ordenación del territorio, la ordenación urbanística y su evaluación ambiental, así como obtener copia o certificación de las disposiciones o actos administrativos adoptados, en los términos dispuestos por su legislación reguladora.

d) Ser informados por la Administración competente, de forma completa, por escrito y en plazo razonable, del régimen y las condiciones urbanísticas aplicables a una finca determinada, en los términos dispuestos por su legislación reguladora.

e) Participar efectivamente en los procedimientos de elaboración y aprobación de cualesquiera instrumentos de ordenación del territorio o de ordenación y ejecución urbanísticas y de su evaluación ambiental mediante la formulación de alegaciones, observaciones, propuestas, reclamaciones y quejas y a obtener de la Administración una respuesta motivada, conforme a la legislación reguladora del régimen jurídico de dicha Administración y del procedimiento de que se trate.

f) Ejercer la acción pública para hacer respetar las determinaciones de la ordenación territorial y urbanística, así como las decisiones resultantes de los procedimientos de evaluación ambiental de los instrumentos que las contienen y de los proyectos para su ejecución, en los términos dispuestos por su legislación reguladora.»

COMENTARIO

Sumario

1. Introducción.
2. El domicilio «libre de ruidos».
3. El medio ambiente y un paisaje adecuados.
4. Acceso a las dotaciones públicas.

5. Derecho a la información por las Administraciones públicas.
6. Derecho a la participación ciudadana.
7. La acción pública en el urbanismo.

1. INTRODUCCIÓN

Como mínimos comentarios de esta relación de derechos del ciudadano, se pueden hacer las siguientes consideraciones:

La LS 2008 sigue la línea descriptiva de los derechos del ciudadano que inició la Ley 30/1992, que según su Exposición de Motivos (Epígrafe IX):

> «El título IV, bajo el epígrafe «De la actividad de las Administraciones Públicas», contiene una trascendente formulación de los derechos de los ciudadanos en los procedimientos administrativos, además de los que les reconocen la Constitución y las Leyes.»

Cierto es que la Ley 30/1992, en su art. 35, a pesar de su dicción literal: «Los ciudadanos, en sus relaciones con las Administraciones públicas, tienen los siguientes derechos…» no incluye tanto una relación de derechos de los ciudadanos como de los de los interesados legítimos en los procedimientos administrativos.

En la FIG. 3 se acompaña un esquema de los derechos y deberes de los ciudadanos establecidos en la vigente LS 2008.

Derechos de los ciudadanos a	a) **Disfrutar de una vivienda digna y adecuada**, su domicilio, libre de ruido u otras inmisiones que superen los límites máximos admitidos por la legislación.
	b) **Acceder a la utilización de las dotaciones públicas** abiertas al uso público según su legislación.
	c) **Acceder a la información de las Administraciones sobre ordenación urbanística** y su evaluación ambiental, y obtener copia de las disposiciones o actos administrativos adoptados.
	d) **Ser informados** por la Administración, de forma completa, por escrito y en plazo razonable, **de las condiciones urbanísticas aplicables a una finca determinada**.
	e) **Participar** en la elaboración y aprobación de instrumentos de ordenación y ejecución urbanísticas y su evaluación ambiental **con la formulación de alegaciones** y a obtener una respuesta motivada.
	f) Ejercer la **acción pública** en el urbanismo.
Deberes de los ciudadanos	a) **Respetar el medio ambiente** y el paisaje, **absteniéndose de realizar actuaciones que contaminen** el aire, el agua, el suelo y el subsuelo.
	b) Cumplir los requisitos y condiciones a que la legislación sujete las actividddes molestas, insalubres, nocivas y peligrosas, así como emplear las mejores técnicas para **eliminar o reducir los efectos negativos señalados**.
	c) **Respetar y hacer un uso racional y adecuado de los bienes de dominio público y de las infraestructuras y servicios urbanos**.
	d) Respetar y contribuir a preservar el paisaje urbano y el patrimonio arquitectónico y cultural absteniéndose de realizar actos o actividades no permitidas.

RSD-julio.13

Fig. 3. Derechos y deberes de los ciudadanos en la LS08 y en la LRRRU

Así, la LS 2008, en la relación que hace de los derechos de los ciudadanos, puede merecer el juicio que ya mereció la Ley 30/1992, en relación con las características de la relación de derechos contenida en su art. 35, en cuanto esta nueva Ley hace obligado distinguir entre los derechos que se reconocen a los ciudadanos y que significan una novedad en nuestro ordenamiento jurídico y los que no hacen otra cosa que reproducir derechos ya reconocidos legalmente con anterioridad a su entrada en vigor.

Respecto del derecho a «a) disfrutar de una vivienda digna, adecuada y accesible, concebida con arreglo al principio de diseño para todas las personas, que constituya su domicilio libre de ruido u otras inmisiones contaminantes de cualquier tipo que superen los límites máximos admitidos por la legislación aplicable y en un medio ambiente y un paisaje adecuados», no parece que contenga referencia alguna que permita afirmar que estemos en presencia de ningún derecho novedoso que no tengan ya, como uno de los constitucionalmente reconocidos, los ciudadanos.

Como afirmaba MENÉNDEZ REXACH en el ya citado Seminario celebrado en la Universidad Rey Juan Carlos I, con fecha 12.12.2007, este precepto legal de la LrS07 no pasa de ser una manifestación decepcionante de «fuegos artificiales» que debería ser concretada en su alcance en el Texto Refundido, ya que el texto legal de 2007 no pasa de ser la proclamación de un derecho a que se establezca su contenido en la legislación ordinaria. Además, no es éste un auténtico derecho subjetivo a la vivienda, aunque vincule a los poderes públicos. La idéntica redacción de este precepto en la LS 2008, no parece haber mejorado la situación denunciada por MENÉNDEZ REXACH.

2. EL DOMICILIO «LIBRE DE RUIDOS.»

La expresa referencia que se hace al ruido, obliga a recordar la doctrina contenida en la STC 119/2001, de 24 de mayo (BOE 8.06.2001). También se ha aprobado la Ley 37/2003, de 17 de noviembre, del Ruido, que traspone la Directiva 2002/49/CE del Parlamento Europeo y del Consejo, de 25 de junio de 2002, sobre evaluación y gestión del ruido ambiental.

La Ley española contiene medidas preventivas en su Capítulo III, concretamente en su artículo 17, según el cual:

> «La planificación y el ejercicio de competencias estatales, generales o sectoriales, que incidan en la ordenación del territorio, la planificación general territorial, así como el planeamiento urbanístico, deberán tener en cuenta las previsiones contenidas en esta Ley, en las normas dictadas en su desarrollo y en las actuaciones administrativas realizadas en ejecución de aquéllas.»

Se afirma en el art. 2.2,a) que:

«quedan excluidos del ámbito de aplicación de la Ley los siguientes emiso-res acústicos: Las actividades domésticas o los comportamientos de los ve-cinos, cuando la contaminación acústica producida por aquellos se man-tenga dentro de los límites tolerables de conformidad con las ordenanzas municipales y los usos locales.»

Es decir, entran dentro del ámbito de la Ley, los comportamientos que no se mantengan dentro de los límites tolerables, de conformidad con las ordenanzas municipales y los usos locales.

Para que no quede duda alguna al respecto, en el art. 6 de esta Ley se dispone que

«Corresponde a los Ayuntamientos aprobar ordenanzas en relación con las materias objeto de esta ley. Asimismo, los ayuntamientos deberán adaptar las ordenanzas existentes y el planeamiento urbanístico a las disposiciones de esta ley y de sus normas de desarrollo.»

Lo anteriormente expuesto se debe analizar a la luz de lo ya dicho por el Tribu-nal Constitucional en su Sentencia 119/2001, de 24 de mayo, según la cual:

«5. En relación con el derecho fundamental a la integridad física y mo-ral, este Tribunal ha tenido ocasión de señalar que su ámbito consti-tucionalmente garantizado protege «la inviolabilidad de la persona, no sólo contra ataques dirigidos a lesionar su cuerpo o espíritu, sino también contra toda clase de intervención en esos bienes que carezca del consentimiento de su titular» (SSTC 120/1990, de 27 de junio, FJ 8; 215/1994, de 14 de julio, FJ 4; 35/1996, de 11 de marzo, FJ 3, y 207/1996, de 15 de diciembre, FJ 2).»

En esta Sentencia, el TC ha identificado como «domicilio inviolable» el espacio en el cual el individuo vive sin estar sujeto necesariamente a los usos y convencio-nes sociales y donde ejerce su libertad más íntima [por todas, STC 171/1999, de 27 de septiembre, FJ 9 b)].

Partiendo de la doctrina aquí expuesta, debemos señalar que estos derechos han adquirido también una dimensión positiva en relación con el libre desarrollo de la personalidad, orientada a la plena efectividad de estos derechos fundamentales. En efecto, habida cuenta de que nuestro texto constitucional no consagra derechos meramente teóricos o ilusorios, sino reales y efectivos (STC 12/1994, de 17 de ene-ro, FJ 6), se hace imprescindible asegurar su protección.

La Sentencia del Tribunal Superior de Justicia de Madrid, Sala de lo Contencio-so-Administrativo, Sección 2.ª n.º 605/2004, de 22 de abril, relativa a los ruidos que se producen en una vivienda y causan molestias en otras viviendas del mismo edificio, desestima la pretensión de indemnización que los vecinos recurrentes so-licitan se abone por la Administración municipal, dado que no se ha acreditado la existencia de una lesión por los demandantes y, también, por darse el supuesto de autos en el entorno de las relaciones vecinales.

No se entiende muy bien, desde esta perspectiva del razonamiento de la Sentencia, por qué no se produce un pronunciamiento de mayor respeto por los derechos conculcados de los vecinos que soportaban los ruidos molestos, sancionando el comportamiento municipal que, con su pasividad, no supo garantizar —hacer efectivos— los derechos de los recurrentes.

Las sentencias de los Juzgados de lo Contencioso-administrativo de Sevilla y de Murcia, ambas de fecha 29.11.2001, reconocieron con claros pronunciamientos al respecto, los derechos de los perjudicados por los ruidos molestos e ilegales.

Debe resaltarse la sentencia del Juzgado n.º 2 de Bilbao de lo Contencioso-administrativo, de fecha 3 abril 2006. En estos autos, la parte actora interesa la estimación de la demanda por no ajustarse a derecho la resolución recurrida, sustentándola en la obligación de la Administración Local de velar y garantizar la contaminación acústica, en base a lo dispuesto en el Reglamento de Actividades Moletas, Insalubres, Nocivas y peligrosas (RAMINP) y en la Ley sobre el Ruido 37/03, de 17 de noviembre.

Entrando en el fondo de la cuestión debatida, esta sentencia, en su Fundamento de Derecho QUINTO afirma:

«... Dispone el art. 4 del RD 1513/2005 que su entrada en vigor las administraciones competentes, de acuerdo con lo establecido en el artículo 4 de la Ley 37/2003, de 17 de noviembre, en cumplimiento del plazo establecido en el artículo 4.2 de la Directiva 2002/49/CE, del Parlamento y del Consejo, habrán puesto a disposición del público la información que permita identificar a las autoridades responsables de: a) la elaboración y aprobación de los mapas estratégicos de ruido y planes de acción para aglomeraciones urbanas, grandes ejes viarios, grandes ejes ferroviarios y grandes aeropuertos; b) la recopilación de los mapas estratégicos de ruido y planes de acción.

Las administraciones competentes velarán por que los mapas estratégicos de ruido que hayan realizado y aprobado, y los planes de acción que hayan elaborado, se pongan a disposición y se divulguen entre la población de acuerdo con la legislación vigente sobre derecho de acceso a la información en materia de medio ambiente y de conformidad con los anexos IV y V del RD 1513/2005. Para ello se utilizarán las tecnologías de la información disponibles que resulten más adecuadas. Esta información deberá ser clara, inteligible y fácilmente accesible y deberá incluir un resumen en el que se recogerán los principales contenidos.»

En el Fundamento de Derecho SEXTO se concretan las posibilidades que las Administraciones públicas tienen —con clara superación de lo dicho por el TSJ de Madrid en la ya citada sentencia de 22.04.2004— que:

> «... La ordenación territorial constituye un instrumento especialmente práctico por cuanto incorpora en un mismo documento las previsiones ambientales, urbanísticas o económicas a desarrollar sobre un ámbito territorial determinado. Tanto el TC como TS se han pronunciado sobre la relación entre los instrumentos de planificación urbanística y el control del ruido, manteniendo que el urbanismo constituye unos instrumentos básicos de la protección del medio ambiente y de la calidad de vida, vinculándose el medio ambiente con la protección de los derechos fundamentales a la vida, a la salud, a la intimidad y a la inviolabilidad del domicilio. En este sentido las nuevas leyes autonómicas sobre ordenación territorial y urbanística, a la que ha venido a denominar segunda generación, inciden en esta línea desde la idea de una clara protección ambiental. La propia ley 37/2003 en su art. 6 dispone que «corresponde a los Ayuntamientos aprobar ordenanzas en relación con las materias objeto de esta ley. Asimismo, los ayuntamientos deberán adaptar las ordenanzas existentes y el planeamiento urbanístico a las disposiciones de esta ley y de sus normas de desarrollo». Asimismo el art. 17 de la ley 37/2003 dispone que «la planificación y el ejercicio de competencias estatales, generales o sectoriales, que incidan en la ordenación del territorio, la planificación general territorial, así como el planeamiento urbanístico, deberán tener en cuenta las previsiones establecidas en esta ley, en las normas dictadas en su desarrollo y en las actuaciones administrativas realizadas en ejecución de aquéllas», disponiendo la disposición transitoria segunda que «el planeamiento territorial general vigente a la entrada en vigor de esta ley deberá adaptarse a sus previsiones en el plazo de cinco años desde la entrada en vigor de su Reglamento general de desarrollo.»»

La sentencia, en lo que hace referencia al obligado protagonismo municipal en la defensa de un medioambiente adecuado al que tiene derecho una determinada comunidad vecinal, con independencia de que el Municipio tenga o no competencia material en una determinada materia, afirma con loable contundencia:

> «... en virtud del principio de subsidiariedad proclamado por la Carta Europea de Autonomía Local, los Ayuntamientos tendrán que velar por que los vecinos disfruten de un medio ambiente adecuado y por que las molestias que produce el aeropuerto se reduzcan al máximo. Para ello, han de realizar sus propios estudios acústicos periódicos, deberán vigilar que el aislamiento de las viviendas se realice convenientemente y deberán controlar estrechamente que las aeronaves cumplan con los procedimientos de disciplina aeronáutica en materia de ruidos, para lo que deberá solicitar de

la dirección del aeropuerto el envío periódico de la información ambiental relevante para el medio ambiente acústico del municipio.

En este sentido cabe estimar, en parte, la pretensión de la asociación ecologista de que el Ayuntamiento proceda a realizar la medición de ruidos aunque concretado a los lugares más significativos del municipio (zonas residenciales y dotaciones públicas), bien a través de sus medios técnicos o, en el supuesto de carecer de ellos, a través de la Diputación, o bien suministre las mediciones de que dispone en relación a los ruidos solicitados. Evidentemente la pretensión de la medición de ruidos, tanto de día como de noche, en las calles, plazas y casas del término municipal está formulada de forma muy genérica por lo que no procede estimarla en los términos solicitados.»

En conclusión, la sentencia parece haber tenido en cuenta el ya largamente vigente art. 1.1.º del Reglamento de Servicios de las Entidades Locales en el cual se considera legitimada la actividad municipal en el ejercicio de la actividad de policía:

«cuando existiere perturbación o peligro de perturbación grave de la tranquilidad, seguridad, salubridad ... ciudadanas con el fin de restablecerlas o conservarlas.»

Respecto de la doctrina sentada por la citada STC 119/2001, de 24 de mayo, puede considerarse acertada la opinión que ha formulado en su Voto particular concurrente el Magistrado D. Manuel Jiménez de Parga y Cabrera, en materia de protección de los derechos constitucionales —y más concretamente en materia de ruidos—, respecto de la obligación de actuación de los poderes públicos, según el cual los afectados por ruidos no esporádicos que perturben la tranquilidad:

«...Considero que cuando los niveles de saturación acústica que debe soportar una persona, de forma constante (no en excepcionales días festivos, por ejemplo), rebasen el umbral a partir del cual se ponga en peligro la salud, quedará facultado el ciudadano, sin necesidad de que el daño tenga vinculación con el ámbito específicamente domiciliario, para recabar la protección dispensada por el art. 15 CE, tanto frente a los poderes públicos como respecto de otros ciudadanos, alcanzando a los primeros la obligación positiva de contribuir a la eficacia de los derechos garantizados y de los valores que abrigan (SSTC 53/1985, de 11 de abril, FJ 4; 129/1989, de 17 de julio, FJ 3; 11/1991, de 17 de enero, FJ 2, y 181/2000, de 29 de junio, FJ 8).»

Por otra parte, debe resaltarse la atinada referencia del Magistrado D. Fernando Garrido Falla que, en lo que aquí importa, contiene dos afirmaciones de alto interés en su Voto particular concurrente en relación con la misma Sentencia Constitucional más arriba citada en cuanto que:

a) En relación con las responsabilidades de los propietarios de los establecimientos denunciados a medio del presente escrito, en este Voto particular se afirma clara y rotundamente la responsabilidad de quienes con su actuación, sujeta a autorización o licencia administrativa, perturben derechos fundamentales:

> «…hasta que punto la Administración Pública requerida está obligada a dispensar la protección que de ella se solicita. Esta previa obligación es a juicio del Magistrado que suscribe, el presupuesto que ha de tenerse en cuenta para admitir o negar la existencia de nexo causal entre la inactividad administrativa y la lesión del derecho fundamental alegado. O, dicho de otro modo, y ahora desde la perspectiva de la actuación positiva de la Administración: hay que preguntarse si a un Ayuntamiento corresponde, en uso de sus potestades, impedir que actuaciones de particulares, sujetas a autorización o licencia administrativa, perturben los derechos fundamentales aquí invocados y si —y ésta es mi opinión— el ejercicio de tales potestades se convierte en obligatorio cuando la agresión a los derechos fundamentales alcanza un determinado nivel de gravedad. La Sentencia del Tribunal Europeo de Derechos Humanos, de 9 de diciembre de 1994 (caso López Ostra c/ España) fundamenta su estimación precisamente en este tipo de razonamiento.»

b) En relación con la agresión a la salud de los perjudicados como consecuencia de la reiteradamente citada pasividad municipal:

> «La relación entre el ruido, como agente patógeno, y la salud está expresamente recogida en nuestra legislación vigente (Ley 38/1999, de Ordenación de la Edificación, art. 3.º, c), 2). Por lo demás comparto cuanto en la Sentencia se dice sobre la intensidad y permanencia de los ruidos en cuestión, así como las consecuencias aplicativas al concreto caso que nos ocupa.»

Pues bien, en la línea de defensa de derechos fundamentales como los citados, el Tribunal Supremo también se ha pronunciado más recientemente a través de su Sentencia de de fecha 12 de marzo de 2007, de la Sala de lo Contencioso-administrativo (Sección Séptima), sobre el tema del ruido en las denominadas «zonas acústicamente saturadas» y siendo Ponente de la misma, el Magistrado D. Eduardo Calvo Rojas.

Pues bien, en esta STS de 12.03.2007, se dice en su Fundamento de Derecho QUINTO que:

> «… Junto a esta falta de constancia de la efectividad de las medidas adoptadas por el Ayuntamiento, hay un dato que resulta obligado destacar. Los vecinos no solo han venido quejándose de manera reiterada por existencia de ruidos excesivos en la zona, sino que han concretado sus denuncias aportando datos de mediciones que sobrepasan los niveles de ruido que, según lo previsto en el mencionado art. 30 de la Ordenanza Municipal, harían procedente la incoación de un expediente para la declaración de zona acústicamente saturada. Y frente a ello, el Ayuntamiento, sin negar

que efectivamente se sobrepasen esos límites previstos en la Ordenanza, se ha abstenido de incoar el procedimiento previsto en ella; y lo ha hecho, además, sin ofrecer una justificación mínimamente consistente, solo a base de responder con el silencio a la reclamación de los ahora recurrentes.»

Concluye el mismo Fundamento de Derecho QUINTO de esta STS con la siguiente argumentación:

«En definitiva, la adecuada protección de los derechos fundamentales que invocan los recurrentes no exige que el Ayuntamiento adopte precisamente las medidas o iniciativas que éstos soliciten para combatir los ruidos excesivos; pero si los interesados reclaman que se inicie un procedimiento específicamente previsto en la normativa municipal —el expediente para la declaración de zona acústicamente saturada — y esa petición viene respaldada por datos y mediciones que, al menos en principio, indican la procedencia de tal iniciativa, la respuesta negativa del Ayuntamiento, mediante el silencio, sin ofrecer explicación alguna que justifique la denegación, debe considerarse vulneradora de aquellos derechos fundamentales.»

Permítasenos decir que esta STS castiga el silencio administrativo advertido en los autos. Y nos parece muy bien, pues esta viciosa práctica administrativa de incumplir con el mandato legal —terminante y claro— de resolver expresamente las solicitudes de los administrados, merece la más contundente respuesta de los Tribunales para garantizar la seguridad jurídica, de manera que sea real y efectiva.

Es, en efecto, el principio de seguridad jurídica que garantiza la Constitución en su art. 9.3 el que resulta tantas veces vulnerado con la utilización de un silencio administrativo que solo es muestra de la ineficiencia administrativa y, en una gran parte de los casos, se traduce en una ilegal resolución expresa extemporánea, que hasta se llega a pretender justificada en la existencia de defectos formales de la solicitud del administrado. Defectos formales, por supuesto, que la misma Administración no requirió que se subsanasen durante el plazo legal para resolver expresamente.

De este modo, se elude la aplicación del instituto garantista del silencio administrativo, tal y como se regula en la vigente LRJAP y PAC y se defraudan los derechos de los administrados.

Puede verse un más detenido comentario a la doctrina del silencio administrativo positivo en materia de licencias urbanísticas, en el epígrafe 3.4 del comentario que hacemos, en esta misma obra, al art. 8 LS 2008.

3. EL MEDIO AMBIENTE Y UN PAISAJE ADECUADOS

La referencia a «en un medio ambiente y un paisaje adecuados» obliga a recordar que la decidida apuesta del constituyente por la calidad de la vida ha permitido afirmar a Montoro Chiner (5) que el art. 45 CE tiene el carácter de precepto constitucional de eficacia inmediata que no necesita para alcanzar su plenitud, su desarrollo legislativo. En efecto, el bien jurídicamente protegido por el art. 45 CE tiene naturaleza colectiva y su protección puede alcanzarse a través de la acción pública. Así, la STC 62/1983, afirmó:

> «... si el bien jurídico protegido por la norma puede ser atribuido a la colectividad, la acción popular es un derecho fundamental cubierto por el art. 24 de la Constitución.»

Conforme al art. 148.1.9.ª CE, las Comunidades Autónomas pueden asumir competencias en materia de «gestión de la protección del medio ambiente», sin perjuicio de que el art. 149.1.23.º CE atribuye al Estado «en exclusiva» la

> «legislación básica sobre protección del medio ambiente, sin perjuicio de las facultades de las Comunidades Autónomas de establecer normas adicionales de protección.»

Su afectación, al igual que la de la planificación económica, es «horizontal»: las decisiones relativas al medio ambiente afectan a los diferentes sectores «verticales» de actividad y, por supuesto, a las materias horizontales que están bajo ella (e, incluso, sobre ella).

En efecto, una gran parte de las obras e instalaciones correspondientes a actividades que demanda la sociedad son susceptibles de producir impactos negativos sobre el medio ambiente, afectando a los recursos naturales y a la calidad de vida de los ciudadanos. Como consecuencia de la demanda social de preservar el medio ambiente, cada vez más los poderes públicos están realizando actuaciones para su protección.

Así se actúa, básicamente, sin perjuicio de la normativa autonómica, a través de dos líneas:

— La evaluación de impacto ambiental de las actividades (cuya regulación básica estatal está contenida en el RD Legislativo 1302/1986, de 28 de junio, modificado por el R.D —Ley 9/2.000, de 6 de octubre). En la actualidad, debe dejarse constancia de la aprobación por las Cortes Generales de la Ley 9/2006, de 28 de abril, sobre evaluación de determinados planes y programas en el medio ambiente, publicada en el *BOE* de 29 de abril de 2006.

— A través de la regulación de las actividades calificadas como molestas, insalubres, nocivas y peligrosas, de tal manera que la regulación básica estatal de las mismas ha sido en parte desarrollada y completada por las Comu-

---

(5) Ver M.ª Jesús Montoro Chiner «El Estado Ambiental de Derecho. Bases constitucionales», en la obra colectiva en Homenaje a Ramón Martín Mateo. Tomo III. Págs. 3.437 3.465.

nidades Autónomas a partir del Decreto 2414/1961, de 30 de noviembre, por el que se aprueba el Reglamento de Actividades Molestas, Insalubres, Nocivas y Peligrosas, RAMINP.

A modo de ejemplo de la gran incidencia del Medio Ambiente sobre el Urbanismo, en la Comunidad Autónoma de Madrid, los informes de análisis ambiental preceptivos de la Consejería competente en materia del Medio Ambiente, relativos al planeamiento urbanístico tendrán carácter vinculante, según se expresa en el art. 20.7 de la Ley 2/2002, de 19 de junio, de evaluación ambiental de la Comunidad de Madrid. Por otra parte, la Administración Autonómica fijará las medidas de protección medioambiental y de conservación de la naturaleza, defensa del paisaje y de los elementos naturales que deben incorporarse a los Planes Generales Municipales de Ordenación Urbana y Normas Complementarias y Subsidiarias .

Incluso, en el Anexo 2.º se prevé el sometimiento a Evaluación de Impacto Ambiental (6) en supuestos como el de «Construcción de nuevas pistas forestales cuya longitud supere 1 km y su trazado se vea afectado en más del 15 por 100, por alguna de las siguientes circunstancias:

a) Que la pendiente de la traza supere el 10 por 100 de desnivel.

b) Que la pendiente de la ladera por la que discurra la pista sea superior al 25 por 100.»

Queda con ello resaltada, la importante vinculación de la materia «horizontal» Medio Ambiente con la materia «horizontal» Urbanismo, así como con muy diversas materias «verticales», como pueden ser carreteras, tráfico, aguas, industria, etc.

En este marco, parece obligada la referencia a la STC 102/1995, de 26 de junio, sobre la constitucionalidad de la Ley 4/1989, de 27 de marzo, de Conservación de los Espacios Naturales y de la Flora y Fauna Silvestres, en la que se puede encontrar, el concepto que de Medio Ambiente tiene el Tribunal Constitucional (7).

Así, se declara,

a) desde una perspectiva material:

«... el medio ambiente es el entorno vital del hombre en un régimen de armonía, que aúna lo útil con lo grato. En una descomposición factorial analítica comprende una serie de elementos o agentes geológicos, climáticos, químicos, biológicos y sociales que rodean a los seres vivos y actúan sobre

---

(6)   Ambas citas han sido tomadas de la Ley 2/2002, de 19 de junio, de Evaluación Ambiental de la Comunidad de Madrid (BOE de 24 Julio de 2002).

(7)   Sobre el concepto de Medio Ambiente pueden verse los trabajos de Utrera Caro, Sebastián: «Medio Ambiente», en la Enciclopedia Jurídica Básica, Vol. IV. Edit. Civitas, 1995. Págs. 4.240 a 4.248 y «Medio Ambiente» en Diccionario Jurídico. 2.ª Edición. Edit. Espasa Calpe.

ellos para bien o para mal, condicionando su existencia, su identidad, su desarrollo y, más de una vez, su extinción, desaparición o consunción» (FJ 4).

En esta misma Sentencia, el Tribunal Constitucional describe el Medio Ambiente a través del análisis de sus elementos y del conjunto resultante de la concurrencia de ellos en los siguientes términos:

«... el medio ambiente como objeto de conocimiento desde una perspectiva jurídica, estaría compuesto por los recursos naturales, concepto menos preciso hoy que otrora por obra de la investigación científica cuyo avance ha hecho posible, por ejemplo, el aprovechamiento de los residuos o basuras, antes desechables, con el soporte físico donde nacen, se desarrollan y mueren... Sin embargo, ya desde su aparición en nuestro ordenamiento jurídico el año 1.916, sin saberlo, se incorporan otros elementos que no son naturaleza sino Historia, los monumentos, así como el paisaje, que no es sólo una realidad objetiva sino un modo de mirar, distinto en cada época y cada cultura» (FJ. 6).

b) El medio ambiente como objeto del conocimiento desde una perspectiva funcional, es contemplado por el Ordenamiento Jurídico español, relacionándolo con la idea de su protección. Dicho en otros términos, el medio ambiente se identifica con su protección, entendiendo, según esta reiterada STC, por protección:

«... una acción de amparo, ayuda defensiva y fomento, guarda y custodia, tanto preventiva (8) como represiva... acción tuitiva en suma que, por su propia condición, se condensa en otro concepto jurídico indeterminado cuya concreción corresponde tanto a las normas como a las actuaciones para su cumplimiento. Ahora bien, no sería bueno olvidar que la protección siempre se plantea contra "algo", los peligros más arriba sugeridos y contra "alguien" cuya actividad resulta potencial o actualmente dañina para los bienes o intereses tutelados. Pues bien, en el caso del medio ambiente se da la paradoja de que ha de ser defendido por el hombre de las propias acciones del hombre, autor de todos los desafueros y desaguisados que lo degradan, en beneficio también de los demás hombres y de las generaciones sucesivas. La protección resulta así, una actividad beligerante que pretende conjurar el peligro y, en su caso, restaurar el daño sufrido e, incluso, perfeccionar las características del entorno para garantizar su disfrute por todos. De ahí su configuración ambivalente como deber y como derecho que implica la exigencia de la participación ciudadana en el nivel de cada uno, con papeles de protagonista a cargo de la mujer, de la juventud y de

---

(8) Sobre la proyección del principio de prevención, puede verse la Directiva 96/61 CE del Consejo, de 24 de septiembre, relativa a la prevención y control integrado de la contaminación, conocida como Directiva IPPC. Actualmente en España, la Ley 16/2002, de 1 de julio, de prevención y control integrado de la Contaminación *(BOE* de 2.07.2002).

los pueblos indígenas, según enuncia la Declaración de Río (10, 20. 21, y 22). Esto nos lleva de la mano a la dignidad de la persona como valor constitucional trascendente (artículo 10.1 CE), porque cada cual tiene el derecho inalienable a habitar en su entorno de acuerdo con sus características culturales» (FJ 7).

Por su trascendencia a todo el Estado, parece oportuno hacer referencia a las últimas Leyes aprobadas por las Cortes Generales en el cuarto trimestre del año 2007. Por obvias razones, ofrecemos seguidamente una muy breve referencia de ellas.

Así, la Ley 26/2007, de 23 de octubre, de responsabilidad medioambiental, que traspone la Directiva 2004/35/CE del Parlamento Europeo y del Consejo, de 21 de abril de 2004, sobre responsabilidad medioambiental en relación con la prevención y reparación de daños medioambientales, incorpora a nuestro ordenamiento jurídico un régimen administrativo de responsabilidad ambiental de carácter objetivo e ilimitado basado en los principios de prevención y de que «quien contamina paga.»

La Ley 34/2007, de 15 de noviembre, de calidad del aire y protección de la atmósfera, que se enmarca en el importante acervo jurídico y el conjunto de políticas y medidas que la Comunidad Europea ha venido desarrollando desde los años setenta en materia de calidad del aire y los tratados regionales y multilaterales adoptados para alcanzar otros objetivos de la protección atmosférica, tales como reducir la contaminación transfronteriza, proteger la capa de ozono o combatir el cambio climático.

Por su importancia para el mundo local, se debe resaltar que esta Ley deroga expresamente

> «1. El **Reglamento de actividades molestas, insalubres, nocivas y peligrosas, aprobado por Decreto 2414/1961, de 30 de noviembre**. No obstante, el citado Reglamento mantendrá su vigencia en aquellas comunidades y ciudades autónomas que no tengan normativa aprobada en la materia, en tanto no se dicte dicha normativa.
>
> **2.** Asimismo, quedan derogadas cuantas disposiciones de igual o inferior rango se opongan a lo establecido en esta ley y en particular, la Ley 38/1972, de 22 de diciembre, de Protección del Ambiente Atmosférico y los anexos II y III del Decreto 833/1975, de 6 de febrero, por el que se desarrolla la Ley 38/1972, de 22 de diciembre, de Protección del Ambiente Atmosférico.»

La Ley 42/2007, de 13 de diciembre, del Patrimonio Natural y de la Biodiversidad, cuya relevancia es evidente, si se tiene en cuenta que establece el régimen jurídico básico de la conservación, uso sostenible, mejora y restauración del patrimonio natural y de la biodiversidad española, como parte del deber de conservar y del objetivo de garantizar los derechos de las personas a un medio ambiente adecuado para su bienestar, salud y desarrollo. Igualmente se recogen las normas y recomendaciones internacionales que organismos y regímenes ambientales internacionales, como el Consejo de Europa o el Convenio sobre la Diversidad Biológica, han ido estableciendo a lo largo de los últimos años, especialmente en lo que se refiere al Programa de Trabajo mundial para las áreas protegidas, que es la primera iniciativa específica a nivel internacional dirigida al conjunto de espacios naturales protegidos de todo el mundo. En la misma línea, el Plan de Acción de la Cumbre Mundial de Desarrollo Sostenible de Johannesburgo, 2002, avalado por la Asamblea General de las Naciones Unidas y plasmado posteriormente en el Plan Estratégico del Convenio sobre la Diversidad Biológica, Decisión VI/26, punto 11, de la Conferencia de las Partes Contratantes, fijaron como misión lograr para el año 2010 una reducción significativa del ritmo actual de pérdida de la diversidad biológica, a nivel mundial, regional y nacional, como contribución a la mitigación de la pobreza y en beneficio de todas las formas de vida en la tierra y posteriormente, la Decisión VII/30 aprobó el marco operativo para alcanzar ese objetivo. A nivel europeo, la Comunicación de la Comisión de las Comunidades Europeas, COM (2006) 216, aprobada en mayo de 2006, abordó los correspondientes instrumentos para detener la pérdida de biodiversidad para 2010 y, más adelante, respaldar los servicios de los ecosistemas para el bienestar humano, objetivos que se pretende incorporar a la Ley que, en síntesis, define unos procesos de planificación, protección, conservación y restauración, dirigidos a conseguir un desarrollo crecientemente sostenible de nuestra sociedad que sea compatible con el mantenimiento y acrecentamiento del patrimonio natural y de la biodiversidad española. La Ley viene a derogar y sustituir a la Ley 4/1989, de 27 de marzo, de Conservación de los Espacios Naturales y de la Flora y Fauna Silvestres que, a su vez, en parte, procedía de la Ley de 2 de mayo de 1975, de Espacios Naturales Protegidos, y a las sucesivas modificaciones de aquélla.

La Ley 45/2007, de 13 de diciembre, para el desarrollo sostenible del medio rural, cuya relevancia se revela en las primeras palabras de su Exposición de Motivos, según la cual:

> «La importancia actual del medio rural en España, que integra al 20 por ciento de la población, que se elevaría hasta el 35 por ciento si se incluyen las zonas peri urbanas y afecta al 90 por ciento del territorio y el hecho de que en este inmenso territorio rural se encuentran la totalidad de nuestros recursos naturales y una parte significativa de nuestro patrimonio cultural, así como las nuevas tendencias observadas en la localización de la actividad económica y residencial, confieren a este medio una relevancia mayor de la concedida en nuestra historia reciente».

El objeto básico de la Ley es regular y establecer medidas para favorecer el logro de un desarrollo sostenible del medio rural, mediante la acción de la Administración General del Estado y la concertada con las demás Administraciones Públicas. Sus objetivos generales son simultáneamente económicos, sociales y medioambientales.

La Ley Orgánica 16/2007, de 13 de diciembre, complementaria de la anteriormente citada Ley para el desarrollo sostenible del medio rural, procede del desglose de la Disposición Adicional Segunda del Proyecto de Ley para el desarrollo sostenible del medio rural, cuyo contenido, conforme a los artículos 81 y 104 de la Constitución, tenía carácter orgánico y modifica la Ley Orgánica 2/1986, de 13 de marzo, de Fuerzas y Cuerpos de Seguridad.

Por Real Decreto Legislativo 1/2008, de 11 de enero *(BOE* de 26.01.2008) se aprueba el Texto Refundido de la Ley de Evaluación de Impacto Ambiental de proyectos, en el que se regularizan, aclaran y armonizan las disposiciones legales vigentes en materia de evaluación de impacto ambiental, en cumplimiento de lo prevenido en la Disposición Final Séptima de la Ley 34/2007, de 15 de noviembre citada.

En él, se hace una relación de la más relevante legislación en la materia y así se dice que la legislación sobre evaluación de impacto ambiental ha experimentado sucesivas modificaciones desde la publicación del Real Decreto Legislativo 1302/1986, de 28 de junio, de evaluación de impacto ambiental, que adecuaba el ordenamiento jurídico interno a la legislación comunitaria vigente entonces en materia de evaluación de impacto ambiental. Tras una modificación menor en el anexo I operada por la Ley 54/1997, de 27 de noviembre, del sector eléctrico, la primera modificación significativa del Real Decreto Legislativo 1302/1986 se lleva a cabo con la Ley 6/2001, de 8 de mayo, previamente con el Real Decreto-Ley 9/2000, de 6 de octubre, que traspuso la Directiva 97/11/CE del Consejo, de 3 de marzo de 1997, y subsanó determinadas deficiencias en la transposición de la Directiva 85/337/CEE del Consejo, de 27 de junio de 1985, que habían sido denunciadas por la Comisión Europea. En el año 2003, la Ley 62/2003, de 30 de diciembre, de medidas fiscales, administrativas y del orden social modifica el Real Decreto Legislativo 1302/1986 en cuatro de sus preceptos.

Finalmente, en el año 2006 se realizaron dos modificaciones trascendentales del citado Real Decreto Legislativo. La Ley 9/2006, de 28 de abril, sobre evaluación de los efectos de determinados planes y programas en el medio ambiente introdujo importantes cambios para dar cumplimiento a las exigencias comunitarias previstas en las directivas antes citadas, así como para clarificar y racionalizar el procedimiento de evaluación de impacto ambiental. La Ley 27/2006, de 18 de julio, por la que se regulan los derechos de acceso a la información, de participación pública y de acceso a la justicia en materia de medio ambiente, permitió la adecuación de la normativa básica de evaluación de impacto ambiental a la Directiva 2003/35/CE del Parlamento Europeo y del Consejo, de 26 de mayo de 2003, por la que se establecen medidas para la participación del público en la elaboración de determinados planes y programas relacionados con el medio ambiente y por la que se modifican, en lo que se refiere a la participación pública y el acceso a la justicia, las Directivas 85/337/CEE y 96/61/CE del Consejo. Esta modificación supuso el reconocimiento real y efectivo, a lo largo del procedimiento de evaluación de impacto ambiental, del derecho de participación pública, conforme a lo previsto en el Convenio de la Comisión Económica para Europa de Naciones Unidas sobre acceso a la información, la participación del público en la toma de decisiones y el acceso a la justicia en materia de medio ambiente, hecho en Aarhus el 25 de junio de 1998...

Esta refundición se limita a la evaluación de impacto ambiental de proyectos y no incluye la evaluación ambiental de planes y programas regulada en la Ley 9/2006, de 28 de abril, sobre evaluación de los efectos de determinados planes y programas en el medio ambiente.

Creemos que es de utilidad reproducir, a efectos de la seguridad jurídica, su Disposición Derogatoria, según la cual:

«Quedan derogadas todas las disposiciones de igual o inferior rango que se opongan al presente real decreto legislativo y al texto refundido que aprueba y, en particular, las siguientes:

a) El Real Decreto Legislativo 1302/1986, de 28 de junio, de evaluación de impacto ambiental.

b) La Disposición adicional segunda de la Ley 4/1989, de 27 de marzo, de conservación de los espacios naturales y de la flora y fauna silvestres.

c) La disposición adicional duodécima de la Ley 54/1997, de 27 de noviembre, del sector eléctrico.

d) El Real Decreto-ley 9/2000, de 6 de octubre, por el que se modifica el Real Decreto Legislativo 1302/1986, de 28 de junio, de evaluación de impacto ambiental.

e) La Ley 6/2001, de 8 de mayo, por la que se modifica el Real Decreto Legislativo 1302/1986, de 28 de junio, de evaluación de impacto ambiental.

f) El artículo 127 de la Ley 62/2003, de 30 de diciembre, de medidas fiscales, administrativas y del orden social.

g) La disposición final primera de la Ley 9/2006, de 28 de abril, sobre evaluación de los efectos de determinados planes y programas en el medio ambiente.

h) La disposición final primera de la Ley 27/2006, de 18 de julio, por la que se regulan los derechos de acceso a la información, de participación pública y de acceso a la justicia en materia de medio ambiente».

La propia filosofía de la LrS07, de la LS 2008 y la concreta referencia que desde la Exposición de Motivos se hace al desarrollo sostenible obliga a hacer referencia a él. En efecto, en el Epígrafe I de la Exposición de Motivos de la LrS07 (hoy epígrafe II de la EM LS 2008) se dice:

> «... hoy parece asimismo claro que el urbanismo debe responder a los requerimientos de un desarrollo sostenible, minimizando el impacto de aquel crecimiento y apostando por la regeneración de la ciudad existente. La Unión Europea insiste claramente en ello, por ejemplo en la Estrategia Territorial Europea o en la más reciente Comunicación de la Comisión sobre una Estrategia Temática para el Medio Ambiente Urbano, para lo que propone un modelo de ciudad compacta y advierte de los graves inconvenientes de la urbanización dispersa o desordenada: impacto ambiental, segregación social e ineficiencia económica por los elevados costes energéticos, de construcción y mantenimiento de infraestructuras y de prestación de los servicios públicos...»

También se contienen referencia expresa a la sostenibilidad en los arts. 2, 15 y Disposición Transitoria Cuarta. Pues bien, la expresión desarrollo sostenible se refiere a un proceso de cambio que debe mantener las mejores relaciones posibles entre el hombre y el sistema natural, según Elías Casado (9). En este sentido, es en el que se puede comprender la definición que de desarrollo sostenible se lee en el Informe Brundtland «Nuestro Futuro Común», encargado por la Asamblea General de las Naciones Unidas, 1987, en cuanto afirma que es «aquél desarrollo que cubre las necesidades de las generaciones presentes sin comprometer la capacidad de las futuras generaciones para satisfacer las propias.»

Este «megaprincipio» según Montoro Chiner (10), ha determinado la aparición de numerosas declaraciones y disposiciones ambientales en los últimos decenios. Se puede afirmar, con Tomás Ramón Fernández (11), que su correcto manejo puede y debe contribuir decisivamente a asegurar un futuro mejor.

En efecto, se puede hacer, sin ánimo exhaustivo, la relación siguiente:

— 1970, Informe del Secretariado de la CEPE a la Reunión de Consejeros Gubernamentales en materia del medio ambiente de la Comisión Económica para Europa.

— 1972, Conferencia de las Naciones Unidas, sobre el desarrollo de la Humanidad, sobre el Medio humano, celebrada en Estocolmo.

---

(9) Ver *La gestión integral del Medio Ambiente en la Administración Local*, por Elías Casado Granados. CEMCI, 1.997, pág. 33.

(10) Ver *op. cit.* de Homenaje a Ramón Martín Mateo. Pág. 3.444.

(11) Ver su trabajo «Grandeza y miseria del Derecho Ambiental» en la obra colectiva en Homenaje a Ramón Martín Mateo. Págs. 3.423 a 3.436.

Se inicia el Programa de las Naciones Unidas para el Medio Ambiente. Se plantea la presión que las economías contemporáneas ejercen sobre el Medio Ambiente y los recursos naturales, especialmente en los países industrializados.

— 1973-1977, Primer Programa plurianual comunitario de acción en materia de medio ambiente

— 1975, Conferencia intergubernamental sobre la protección del Mediterráneo (Barcelona). Convenio para la protección del Mar Mediterráneo contra la contaminación (Convenio de Barcelona). Plan de Acción para el Mediterráneo.

— 1978-1982, Segundo Programa plurianual comunitario de acción en materia de medio ambiente.

— 1980, Estrategia Mundial para la Conservación de la Naturaleza y de los Recursos Naturales. Con la colaboración del Programa de las Naciones Unidas para el Medio Ambiente y el World Wildlife Fund.

— 1982, Carta Mundial de la Naturaleza (Asamblea General de las Naciones Unidas).

— 1983-1986, Tercer Programa plurianual comunitario de acción en materia de medio ambiente. Este Programa ya incide más en la prevención que, como los dos anteriores, en el control de la contaminación

— 1.985, Carta de Belgrado.

— 1987-1992, Cuarto Programa plurianual comunitario de acción en materia de medio ambiente, que insiste en las políticas preventivas.

— 1987, Informe G. Brundtland «Nuestro Futuro Común», encargado por la Asamblea General de las Naciones Unidas. Contiene la primera formulación en documento oficial del concepto de »desarrollo sostenible.»

— 1992, Conferencia sobre Medio Ambiente y Desarrollo Económico, reunida en Río de Janeiro, auspiciada por la UNESCO. Llamada «Cumbre de la Tierra». Agenda 21, Documento de la ONU, para promover el principio del desarrollo sostenible. Convenio sobre el cambio climático. Convenio sobre la Diversidad Biológica. Declaración de Principios relativos a los Bosques.

— 1992, Tratado de Maastricht de la Unión Europea, que incorpora como misión de la Comunidad un desarrollo equilibrado y un crecimiento sostenible respetuosos con el medio ambiente

— 1993, Programa de Acción Ambiental de la Unión Europea «Hacia un desarrollo sostenible». Se plantea la política medioambiental, desde la perspectiva preventiva. Se trata de compatibilizar el desarrollo económico con la protección del Medio Ambiente.

— 1993-2000, Quinto Cuarto Programa plurianual comunitario de acción en materia de medio ambiente «Hacia un desarrollo sostenible.»

— 1994, Carta de Aalborg (Carta de las Ciudades Europeas por la Sostenibilidad). Sus planteamientos son una profundización de la Declaración de Río de Janeiro y del 5.º Programa de la Unión Europea. En junio de 2000, más de 230 Municipios españoles han asumido el compromiso de adhesión a la carta de Aalborg. Es el compromiso con la sostenibilidad desde el ámbito local.

— 1995, II Conferencia de Ministros Responsables de Medio Ambiente de las Regiones de la Unión Europea en materia de Medio Ambiente (Valencia). Carta de las Nacionalidades y Regiones Europeas para el Medio Ambiente (Carta de Valencia).

— 1995, Informe Dobris sobre el estado del Medio Ambiente en Europa.

— 1996, Segunda Conferencia de las Ciudades y Pueblos hacia la sostenibilidad. Carta de Lisboa, documento de continuidad de la Carta de Aalborg, basado en experiencias locales.

— 1996, Conferencia de las Naciones Unidas sobre asentamientos humanos Habitat II (Estambul).

— 1997, Asamblea General de las Naciones Unidas: sesión especial sobre el Medio Ambiente y el desarrollo (Nueva York). Programa para la mejor aplicación de la Agenda 21.

— 1998, Convenio sobre Diversidad Biológica: reunión de la Conferencia de las Partes (Bratislava).

— 1998, Cumbre del cambio Climático en Buenos Aires.

— 1999, Conferencia Euro-Mediterránea de Ciudades Sostenibles (Sevilla). Se hace la evaluación del grado de aplicación de la Carta de Aalborg y del Plan de Acción de Lisboa.

— 2000, Tercera Conferencia de las Ciudades y Pueblos hacia la sostenibilidad. Declaración de Hannover, de los líderes Municipales en el Umbral del siglo XXI.

— 2000, Cumbre de Oporto de los Ministros de Medio Ambiente de la UE sobre ambiente urbano. En esta reunión se reconoció que las grandes ciudades generan problemas económicos graves, derivados del uso ineficaz de la energía y la inadecuada organización de sus actividades y servicios que, además, ponen en peligro el entorno y la salud de sus habitantes.

— 2000, Carta de los Derechos Fundamentales de la Unión Europea, en la que se recoge la preocupación por el buen estado de los recursos naturales y en la que se menciona expresamente como principio el del desarrollo sostenible en los siguientes términos «Las políticas de la Unión integrarán y garantizarán con arreglo al principio de desarrollo sostenible un alto nivel de protección del ambiente y la mejora de su calidad».

— 2001, Comunicación de la Comisión de la UE, sobre desarrollo sostenible en Europa para un mundo mejor: estrategia de la UE para un desarrollo sostenible [COM (2001) 264 final]. Bruselas, 15.05.2001. Se trata de una propuesta de la Comisión al Consejo Europeo celebrado en mayo en Gotemburgo, para que tome medidas urgentes destinadas a conseguir una mejor calidad de vida para las generaciones actuales y futuras. Para ello, es necesario un crecimiento económico sostenido que apoye el progreso social y respete el medio ambiente.

— 2001-2010, Sexto Programa de Acción Comunitaria en materia de Ambiente: «Medio Ambiente 2010: el futuro en nuestras manos», entre cuyos objetivos se encuentra, entre otros, el de fomentar la coordinación comunitaria y las actuaciones de los estados miembros en respuesta a accidentes y catástrofes naturales, preparar estrategias temáticas sobre protección del suelo, etc.

A partir de los principios enunciados en la citada Conferencia de las Naciones Unidas, reunida en Río de Janeiro, sobre Medio Ambiente, en 1.992, el art. 130 R del Tratado de la CEE, tras Maastricht, incorpora la filosofía del desarrollo sostenible. Y tras el Tratado de Ámsterdam, se da una nueva redacción al art. 6 (antiguo art. 3.C) del TCEE y se incorpora expresamente el fomento del desarrollo sostenible, como exigencia de las políticas y acciones de la Comunidad.

El Informe sobre el estado del Medio Ambiente en Europa (12) afirma la degradación, lenta pero inexorable, del Medio Ambiente de la Comunidad europea. Por ello, se hace necesario cambiar el enfoque de la política ambiental en el sentido de lo que se ha llamado el modelo de desarrollo sostenible. Así, se ha aprobado el Quinto Programa de Acción Comunitaria en materia de Medio Ambiente «Hacia un Desarrollo Sostenible» (1993-2000) que se publicó como Resolución del Consejo y de los Representantes de los Gobiernos de los Estados Miembros, reunidos en el seno del Consejo con fecha 1.02.93, en relación con un Programa Comunitario de

---

(12)   Ver *El estado del Medio Ambiente en la Comunidad Europea*, COM (92) 23 final, Vol. III. Bruselas, 20 de mayo de 1.992.

política y actuación en materia de medio ambiente y desarrollo sostenible (13). Este nuevo enfoque (según el Programa LIFE) (14) parte de las observaciones siguientes:

— Las medidas aplicadas han reducido las tendencias negativas observadas en el estado del Medio Ambiente, pero no han conseguido invertirlas.

— El modelo actual de numerosos ámbitos de actividad —la industria, la agricultura, los transportes, el turismo o la energía— no es sostenible. No podrá proseguir su desarrollo de modo indefinido, ni puede legarse a las generaciones futuras.

— No es suficiente la normativa. Es preciso apelar al sentido de responsabilidad de los agentes de desarrollo y de la población.

Pero debe hacerse una afirmación principal: el desarrollo sostenible ¿de quién?. Parece que el texto constitucional español ha elegido: del ser humano (15). Lo cual no quiere decir que, precisamente para lograr el objetivo final de la calidad de vida de los seres humanos, éstos no deban realizar acciones concretas conducentes a salvaguardar a la naturaleza de las propias acciones humanas, eventualmente destructoras de ella. Estas acciones humanas se tornarían, al fin, en actividades destructoras de la propia calidad de la vida humana.

Y parece adecuado dejar constancia aquí, de que el Planeta Tierra alberga a muchos y diferentes seres vivos además de los seres humanos, que deben ser protegidos de las acciones humanas, si éstas no procuran la armonía en el concierto universal de la vida.

Por último, debe afirmarse que es el ser humano el que, por su condición de racional, tiene la responsabilidad de propiciar políticas de conservación de los recursos naturales, —tales como el suelo— tanto para conservarlos, como para poder legarlos a los futuros habitantes del Planeta, todos los que lo habiten, sean seres humanos o no. Al final, será la naturaleza misma la protegida, por un camino o por otro, con unas razones impulsoras u otras y, gracias a ello, también podrá mejorar la calidad de la vida humana.

Pero el protagonismo en el logro de la calidad de vida no es sólo de las instancias públicas. Sin desconocer su necesidad, debe hacerse la afirmación de que la sociedad puede y debe labrar su propio futuro ella misma. En los países occidentales, en los que era —y sigue siendo— dominante la economía de mercado, quiebra significativamente el anterior y aparentemente imparable crecimiento del prota-

---

(13) Ver *DOCE* C 138, de 17 de mayo de 1.993

(14) Ver Reglamento (CEE) n.º 1.973//1992 del Consejo, de 21.05.92, por el que se crea un instrumento financiero para el Medio Ambiente (LIFE). *DOCE*, n.º 206 L de 22.07.92.

(15) Sobre el carácter antropocéntrico del concepto de Medio Ambiente, puede verse la citada STC 102/1995, de 26 de junio (FJ. 4).

gonismo del Estado en la prestación de servicios en nombre del acercamiento al llamado «Estado del Bienestar», en cuanto se afirma una corriente emergente que, en nombre de la eficacia y eficiencia en la prestación de los servicios, opone al protagonismo público el principio de subsidiariedad, que no significa la supresión de un cierto protagonismo administrativo en las actividades económicas y sociales que se traducen en su actividad prestacional a los contribuyentes.

La subsidiariedad «no es más que una palabra larga para reunir dos ideas simples: que la autoridad debe ejercerse en el nivel más adecuado para la más eficiente aplicación de las medidas de que se trate; y que el Gobierno de cualquier clase debe completar, no sustituir la acción de los individuos y de las familias» (16).

El Tratado de Maastricht ha colocado a la subsidiariedad entre los principios rectores de la Unión Europea. A partir de Ámsterdam, el art. 5 (antiguo 3.B del Tratado Constitutivo de la Comunidad Europea, es terminante en materia de aplicación del principio de subsidiariedad. Según RODRÍGUEZ ARANA (17), la subsidiariedad constituye —junto con la solidaridad— uno de los grandes criterios de la Ética social. En último término, en su esencia, es consecuencia de una concepción de la persona humana y de la sociedad en la que el hombre, cada hombre, ocupa un lugar central en el sistema. Es decir, ha llegado el momento de hablar, no del Estado de Bienestar, sino de la Sociedad de Bienestar.

En esta línea de promoción del desarrollo sostenible, se inscribe la Decisión n.º 1411/2001/CE, del Parlamento Europeo y del Consejo de 27 de junio de 2001, relativa a un marco comunitario de cooperación para el desarrollo sostenible en el medio urbano *(DOCE* n.º L 191, de 13.07.2001).

En esta Decisión se establece un marco comunitario de cooperación para proporcionar apoyo financiero y técnico a las redes de autoridades locales, con el fin de fomentar la concepción, el intercambio y la aplicación de buenas prácticas en los sectores del desarrollo urbano sostenible y del Programa 21 local y —todo ello— en el marco del principio de subsidiariedad, habida cuenta de que los Estados miembros no pueden cumplir de manera suficiente los objetivos del Programa comunitario «Hacia un desarrollo sostenible.»

En el art. 2, se prevé que la Comisión podrá prestar apoyo no sólo a redes de autoridades locales, sino también a «otros beneficiarios que deseen desarrollar tales actividades». Estas ayudas abarcarán el período comprendido entre el 1 de enero de 2001 y el 31 de diciembre de 2004, con una dotación de 14 millones de Euros.

---

(16) Artículo del Financial Times, citado en el encabezamiento del Capítulo I de la obra *Estudios de Derecho Local*, de Rodríguez Arana, Jaime. Edit. Montecorvo SA. 1997. Pág.19.

(17) Ver *Op. cit.* en la nota anterior, pág. 20.

En el derecho español debe dejarse constancia de la Ley 9/2006, de 28 de abril, sobre evaluación de determinados planes y programas en el medio ambiente, publicada en el *BOE* de 29 de abril de 2006. Sobrepasado el plazo de transposición de la Directiva 2001/42/CEE, y a la vista de que sus disposiciones son lo suficientemente precisas, y que no están sujetas a condición alguna que no haya sido resuelta por nuestro ordenamiento interno, la misma debió entenderse de aplicación directa, tanto en el conjunto del Estado (modificando, posiblemente, la aplicabilidad de algunas normas autonómicas relativas a la evaluación de impacto de planes y programas).

Debe recordarse la posibilidad de acudir, en última instancia, al procedimiento de evaluación de impacto, previsto en el Real Decreto Legislativo 1302/1986, de 28 de junio, como han hecho ya, mediante previsión expresa, algunas Comunidades Autónomas.

Tal posibilidad, cabe deducirla de la propia Directiva 2001/42/CEE, cuyo art. 4.2 establece la opción de que los Estados miembros incorporen las exigencias previstas en la misma, bien a través de procedimientos específicos, creados expresamente a tal fin, o bien mediante su incorporación a los procedimientos ya existentes.

Según se señala en su Exposición de Motivos, esta Ley, de carácter básico, introduce en la legislación española la evaluación ambiental de planes y programas, también conocida como evaluación ambiental estratégica, como un instrumento de prevención que permita integrar los aspectos ambientales en la toma de decisiones de planes y programas públicos, basándose en la larga experiencia en la evaluación de impacto ambiental de proyectos, tanto en el ámbito de la Administración General del Estado como en el ámbito autonómico.

En este sentido, la norma realiza una especial llamada a las Comunidades Autónomas, titulares de competencias como la ordenación del territorio y urbanismo, que implican una actividad planificadora y que, por ello, tendrán un papel relevante en el adecuado cumplimiento de la citada Directiva y de su norma de transposición.

La Ley persigue tres objetivos claros, coincidentes con los fijados en la Directiva 2001/42:

a) promover un desarrollo sostenible,

b) conseguir un elevado nivel de protección del medio ambiente, y

c) contribuir a la integración de los aspectos ambientales en la preparación y adopción de planes y programas.

Para alcanzar estos objetivos, la Ley exige la realización de una evaluación medioambiental de determinados planes y programas que puedan tener efectos significativos en el medio ambiente.

4. ACCESO A LAS DOTACIONES PÚBLICAS

Respecto del derecho de «b) acceder, en condiciones no discriminatorias y de accesibilidad universal, a la utilización de las dotaciones públicas y los equipamientos colectivos abiertos al uso público, de acuerdo con la legislación reguladora de la actividad de que se trate», parece que la posible novedad es el énfasis que el legislador pone en que la accesibilidad a la utilización de las dotaciones públicas se realice en condiciones de accesibilidad universal, ya que, por otra parte, este derecho se podrá ejercer «de acuerdo con la legislación reguladora de la actividad de que se trate».

Se puede recordar que, en materia de accesibilidad, se ha legislado desde la regulación de materias como los arrendamientos urbanos; en la Ley de 24.11.1994, art. 24 se autoriza al arrendatario minusválido a realizar en la vivienda las obras necesarias para adecuarla a su situación o la de su cónyuge o persona con quien conviva, de manera permanente. Esta posibilidad se extiende, también, a los usufructuarios.

El RD 556/1989, de 19 de mayo, estableció medidas mínimas sobre accesibilidad en los edificios. Ya, anteriormente, la Orden de 3.03.1980 reguló las características de accesos, aparatos elevadores y acondicionamiento interior en las viviendas de protección oficial destinadas a minusválidos.

Las Comunidades Autónomas han legislado, también, en esta materia. Por todas, pueden verse las Leyes siguientes: Ley Foral Navarra 4/1988, de 11 de julio, sobre supresión de barreras físicas sensoriales, en Madrid, la Ley de 22.07.1998 y en Galicia, la Ley de 20.08.1997.

Asimismo, la Ley de propiedad horizontal de 21.07.1960, modificada en materia de acuerdos de las juntas de propietarios por las Leyes de 21.07.1990 y la Ley 8/1999, contiene previsiones facilitadoras al respecto. España ha asumido la Declaración de Derechos de las personas discapacitadas, aprobada por Resolución 3.447 de Naciones Unidas de 9.12.1975.

Por Real Decreto 505/2007, de 20 de abril, se aprueban las condiciones básicas de accesibilidad y no discriminación de las personas con discapacidad para el acceso y utilización de los espacios públicos urbanizados y edificaciones.

Este Real Decreto desarrolla las previsiones de la Ley 51/03, de 2 de diciembre. Dicha ley establece en su disposición final novena que, el Gobierno aprobará, en el plazo de dos años desde la entrada en vigor de esta Ley, según lo previsto en su artículo 10, unas condiciones básicas de accesibilidad y no discriminación para el acceso y utilización de los espacios públicos urbanizados y las edificaciones.

Al respecto, las condiciones de accesibilidad previstas para los edificios y edificaciones en este Real Decreto resultan también aplicables a los edificios adscritos a las diferentes Administraciones públicas.

Con este Real Decreto se regulan dichas condiciones y se garantiza a todas las personas un uso independiente y seguro de aquéllos, a fin de hacer efectiva la igualdad de oportunidades y la no discriminación de las personas que presentan una discapacidad. Asimismo, se da respuesta a la necesidad de armonizar y unificar términos y parámetros y de establecer medidas de acción positiva que favorezcan, para las citadas personas, el uso normalizado del entorno construido y de los espacios urbanos.

En su Disposición final tercera, sobre Incorporación de las condiciones básicas de accesibilidad y no discriminación para el acceso y utilización de los edificios al Código Técnico de la Edificación, se prevé que:

> «Al menos con un año de antelación a la fecha de obligatoriedad que se establece en la disposición final quinta para los edificios nuevos, las condiciones básicas de accesibilidad y no discriminación para el acceso y utilización de los edificios que se aprueban en virtud del presente real decreto se incorporarán, con el carácter de exigencias básicas de accesibilidad universal y no discriminación, a la Parte I del Código Técnico de la Edificación (CTE) aprobado por el Real Decreto 314/2006, de 17 de marzo. Simultáneamente, se incorporará a la Parte II del CTE un documento básico relativo al cumplimento de dichas exigencias básicas.»

Merece ser resaltada la previsión de la Disposición final quinta, sobre Aplicación obligatoria de las condiciones básicas de accesibilidad y no discriminación para el acceso y utilización de los espacios públicos urbanizados y edificaciones, según la cual:

> «Las condiciones básicas de accesibilidad y no discriminación para el acceso y utilización de los espacios públicos urbanizados y edificaciones que se aprueben en virtud del presente real decreto serán obligatorias a partirdel día 1 de enero de 2010 para los espacios públicos urbanizados nuevos y para los edificios nuevos, así como para las obras de ampliación, modificación, reforma o rehabilitación que se realicen en los edificios existentes, y a partir del día 1 de enero de 2019 para todos aquellos espacios públicos urbanizados y edificios existentes que sean susceptibles de ajustes razonables.
>
> Estos plazos serán también aplicables a los edificios públicos, salvo las oficinas públicas de atención al ciudadano que se regirán por su normativa específica, de acuerdo con lo previsto en la disposición final quinta de la Ley 51/2003, de 2 de diciembre, de igualdad de oportunidades, no discriminación y accesibilidad universal de las personas con discapacidad.»

Respecto del derecho de «c) acceder a la información de que dispongan las Administraciones Públicas sobre la ordenación del territorio, la ordenación urbanística y su evaluación ambiental, así como obtener copia o certificación de las disposiciones o actos administrativos adoptados, en los términos dispuestos por su legislación reguladora», parece evidente que no innova nada en nuestro ordenamiento jurídico. Puede recordarse la norma reglamentaria estatal que es el RD 208/1996, de 9 de febrero, que regula los servicios de información administrativa y atención al ciudadano.

Sobre este tema, el art. 35, g) LRJAP y PAC, ya reconoce este derecho expresamente y, además, el de obtener «orientación acerca de los requisitos jurídicos o técnicos que las disposiciones vigentes impongan a los proyectos, actuaciones o solicitudes que se propongan realizar.»

Respecto del derecho a «d) ser informados por la Administración competente, de forma completa, por escrito y en plazo razonable, del régimen y las condiciones urbanísticas aplicables a una finca determinada, en los términos dispuestos por su legislación reguladora», se puede decir que es un derecho que, en materia urbanística está expresamente regulado por la legislación ya vigente en las Comunidades Autónomas. La referencia a «un plazo razonable» no deja de ser una obviedad, ya que ese derecho, como los anteriormente mencionados podrá ejercerse «en los términos dispuestos por su legislación reguladora.»

5. DERECHO A LA INFORMACIÓN POR LAS ADMINISTRACIONES PÚBLICAS

Al respecto, según el art. 133 LS92 declarado constitucional por la STC 61/1997 y vigente por la LrS98, aunque derogado expresamente por la LrS07:

> «Los Planes, Normas Complementarias y Subsidiarias, Programas de Actuación Urbanística, Estudios de Detalle y Proyectos con sus normas, ordenanzas y catálogos serán públicos y cualquier persona podrá en todo momento consultarlos e informarse de los mismos en el Ayuntamiento del término a que se refieran.»

En todo caso, ahora, con igual innecesariedad y sin perjuicio de que la regulación complementaria de esta materia es competencia del legislador autonómico, supletoriamente, el art. 55.2 LS76 (art. 43.1 LS92) (18) explicita la forma en que cualquier administrado puede conocer el régimen urbanístico de una finca, unidad de ejecución o sector, al precisar que el órgano municipal deberá facilitar su infor-

---

(18) No declarado inconstitucional por la STC 61/1997, pero derogado por la LrS98. No obstante, debe tenerse en cuenta que el derecho al que este precepto se refería es ejercitable, con carácter general por los administrados, al amparo de los arts. 35 y 37 LRJAP y PAC y 69.1 y 70.3 LBL, que se han desarrollado en los arts. 207, 230, 231 y 234 ROF.

mación «por escrito» y el Ayuntamiento deberá informarle «en el plazo de un mes a contar de la solicitud.»

Estas informaciones, según ha reconocido la Jurisprudencia, no son vinculantes y —al ser preparatorias de una actividad ulterior— no son impugnables por regla general, pero, según la STS de 25.11.88:

> «Producen importantes efectos jurídico-administrativos para el administrado que adecue su conducta a los términos recogidos en aquellas: a) Quedará exento de responsabilidad si ajusta su actuación al contenido de la información facilitada; b) Podrá reclamar indemnización de la Administración si — confiando en la contestación— ha desarrollado una actuación que en último lugar venga a resultar frustrada sufriendo con ello un perjuicio que claramente derivará de un funcionamiento anormal de la Administración: el ejemplo clásico es el de el administrado que redacta su proyecto de obras atendiendo al sentido de la información facilitada por la Administración y después ve denegada su licencia» (19).

6. DERECHO DE PARTICIPACIÓN CIUDADANA

Respecto del derecho de «e) participar efectivamente en los procedimientos de elaboración y aprobación de cualesquiera instrumentos de ordenación del territorio o de ordenación y ejecución urbanísticas y de su evaluación ambiental mediante la formulación de alegaciones, observaciones, propuestas, reclamaciones y quejas y a obtener de la Administración una respuesta motivada, conforme a la legislación reguladora del régimen jurídico de dicha Administración y del procedimiento de que se trate», no parece que se pueda decir sino lo mismo que lo ya anteriormente expuesto, respecto de los derechos ya citados en este precepto legal. Se trata de un derecho reconocido en la legislación urbanística estatal preconstitucional y la autonómica vigente, con absoluta unanimidad.

Como es sabido, la participación ciudadana es un complemento o perfeccionamiento de la democracia representativa, no su alternativa. Permite perfeccionar el sistema de control de los representados sobre sus representantes, propiciando su permanencia y superando el carácter intermitente del control electoral. Se trata, por tanto, de un instrumento para el control del poder, no de un contrapoder.

Votar cada cuatro años no resuelve satisfactoriamente la problemática del control permanente sobre los electos ya que la vida cotidiana plantea continuamente cuestiones nuevas con aceleración creciente, de tal manera que los representantes corren el riesgo del alejamiento de sus representados, dadas las cambiantes circunstancias de la realidad social a partir del día electoral. Los mecanismos parti-

---

(19) En igual sentido la STS de 12.06.91.

cipativos permiten, además, una relación de colaboración permanente representantes-representados y el corolario lógico del trasvase de las nuevas inquietudes, iniciativas y propuestas sociales, lo que puede facilitar nuevas soluciones.

La máxima expresión de la participación es —precisamente— «*participare*», ser parte de, corresponsabilizarse en los procesos de toma de decisiones de las instancias públicas en las que se pretende participar. Esta corresponsabilidad se justifica por haber participado efectivamente en alguna fase anterior a la decisión final que se adopte.

Se puede dar así el paso de superar el enfrentamiento entre el «ellos» (el poder) y el «nosotros» (los ciudadanos) para conseguir que las instituciones sean el reflejo de «todos», legítimamente interesados en el buen funcionamiento de las instituciones.

Se completa así la idea participativa que no es sólo la presión a la Administración, sino una oportunidad para colaborar con y en ella.

Esta colaboración debe conocer claramente sus límites. No se trata de sustituir a los representantes elegidos por otros representantes que no han sido legitimados por las urnas, sino, como ha quedado expuesto ya, colaborar con ellos en la tarea que a todos importa de servir el interés general.

Por otra parte, tampoco se puede defender que la participación ciudadana se convierta en una mera apariencia formal que actúa con mecanismos inoperantes o utiliza la coartada de la información para revestir a ésta de los caracteres propios de la participación. Ciertamente, como afirma BURDEAU, participar es estar informado. Pero, realmente estar informado es, a nuestro juicio, sólo un presupuesto necesario —e insuficiente— para la participación responsable. La información está constituida por una corriente de datos de la Administración al administrado, mientras que la participación es una corriente de iniciativas de los administrados informados a la Administración.

De la relación entre información y participación se deriva que el ciudadano informado sabe sobre las instituciones y el ciudadano que participa en las instituciones, colabora con y en ellas e —incluso— las controla. Se ha pasado desde el exterior de las instituciones a la integración voluntaria de la sociedad civil en ellas.

Nada menos que en 15 artículos de la Constitución Española aparecen referencias expresas a la participación ciudadana en sus varias posibilidades de manifestación.

7. LA ACCIÓN PÚBLICA EN EL URBANISMO

Respecto del derecho de «f) ejercer la acción pública para hacer respetar las determinaciones de la ordenación territorial y urbanística, así como las decisiones resultantes de los procedimientos de evaluación ambiental de los instrumentos que las contienen y de los proyectos para su ejecución, en los términos dispuestos por su legislación reguladora», el comentario que nos merece es el ya citado anteriormente. Este derecho tiene una larga estela de reconocimiento legal en nuestro ordenamiento jurídico, sin perjuicio de que su ejercicio haya sido considerado, en ocasiones, hasta fraudulento.

De las dos formas de participación ciudadana diferenciada en el urbanismo (participación en la acción urbanística como la ya citada del art. 4,e) LS 2008, y en el control de la legalidad urbanística), la acción pública es, según Cosculluela Montaner (20), la más pura forma de participación en el control.

Ciertamente, participar en el control de la legalidad urbanística, sin interés en el asunto, afrontando los gastos de un proceso y las previsiones derivadas de una actividad con las connotaciones económicas que caracterizan a la urbanística, pueden explicar los modestos resultados que esta institución ha tenido desde su aparición en la LS56; y ello sin contar los abusos de acciones que encubrían «razones éticamente dudosas» o claramente «inconfesables», según Tomás Ramón Fernández (21)

El art. 304 LS92, vigente, conforme a la ya derogada DD LrS 98, aunque afectado por la derogación *in totum* de la LS92 efectuada por la LS 2008, este precepto legal es, ahora, el art. 48 LS 2008, que sigue manteniendo el siguiente texto:

«1. Será pública la acción para exigir ante los Órganos administrativos y los Tribunales Contencioso-Administrativos la observancia de la legislación urbanística y de los Planes, Programas, Proyectos, Normas y Ordenanzas.

2. Si dicha acción está motivada por la ejecución de obras que se consideren ilegales, podrá ejercitarse durante la ejecución de las mismas y hasta el transcurso de los plazos establecidos para la adopción de las medidas de protección de la legalidad urbanística» (art. 304 LS92).

De este precepto se deduce una legitimación peculiar, sin limitación de vecindad, ni de nacionalidad, pero el actor está sometido a las restantes normas procesales de lo contencioso-administrativo.

Debe dejarse constancia de que la acción pública sólo puede conseguir la declaración de nulidad del acto ilegal, pero esta legitimación no es suficiente para lograr el reconocimiento de una situación jurídica individualizada. Esta pretensión exige, la legitimación ordinaria del proceso contencioso-administrativo.

---

(20) Ver su trabajo «Acción pública en materia urbanística». *RAP 73/1973*, pág. 11.
(21) Ver su *Manual de Derecho Urbanístico*, 19.ª edición, 2006. El Consultor de los Ayuntamientos. Pág. 260

Artículo 5 LS 2008, en la redacción establecida por la LRRRU.

Según el artículo 5, regulador de los deberes del ciudadano:

«Todos los ciudadanos tienen el deber de:

a) Respetar y contribuir a preservar el medio ambiente y el paisaje natural absteniéndose de realizar actuaciones que contaminen el aire, el agua, el suelo y el subsuelo o no permitidas por la legislación en la materia.

b) Cumplir los requisitos y condiciones a que la legislación sujete las actividades molestas, insalubres, nocivas y peligrosas, así como emplear en ellas en cada momento las mejores técnicas disponibles conforme a la normativa aplicable, encaminadas a eliminar o reducir los efectos negativos señalados.

c) Respetar y hacer un uso racional y adecuado, acorde en todo caso con sus características, función y capacidad de servicio, de los bienes de dominio público y de las infraestructuras y los servicios urbanos.

d) Respetar y contribuir a preservar el paisaje urbano y el patrimonio arquitectónico y cultural absteniéndose en todo caso de realizar cualquier acto o desarrollar cualquier actividad no permitidos.»

CONCORDANCIAS

CE: arts. 45,46, 132.
LS 2008: Arts: 2, 7, 9, 13, 14

JURISPRUDENCIA

STS de 21.07.2009 (LA LEY 125474/2009), STS de 10.02.2010 (LA LEY 6976/2010), STS de 30.09.2011 (LA LEY 195818/2011), STS de 20.03.2013 (LA LEY 54860/2013).

COMENTARIO

Es evidente que este precepto no significa la más mínima innovación respecto de la materia de deberes de los ciudadanos, —ya están contenidos en la restante legislación vigente—, que no parece necesario hacer otra reflexión que ésta. La nueva redacción dada por la LRRRU a este precepto, tampoco significa otra cosa que ligeras matizaciones del texto literal del mismo artículo de la LS 2008. Ese enfoque generalista supone también, según afirma SÁNCHEZ GOYANES (22) una especie de

---

(22) Ver su trabajo «La propiedad inmobiliaria en la nueva ley estatal de suelo», *Revista de Derecho inmobiliario*, 2007.

condensación por el ordenamiento estatal de principios, prácticamente comunes ya a los mejores ejemplos del más avanzado y reciente Derecho autonómico, de modo que, combinado este elenco de deberes con el precedente de los derechos comunes a todos, cristaliza un estatuto básico igualitario para todo el Estado a partir de lo asentado por aquéllos mismos, un motivo más para que ninguna dificultad experimente aquél para adaptarse ahora a éste.

En el curso de la tramitación parlamentaria, no fue objeto este precepto de ninguna enmienda, aprobándose, por tanto, tal y como llegó al Congreso de los Diputados.

En el terreno de los deberes de los ciudadanos, el texto de la Ley no prevé mecanismos concretos de garantía de la igualdad en el tratamiento de dichos ciudadanos en el cumplimiento de tales deberes y que podría ser la justificación de un precepto legal de estas características. Se limita a reiterar deberes ya impuestos por la Constitución o por otras leyes estatales y, también, autonómicas ya vigentes.

Artículo 6 LS 2008, en la redacción establecida por la LRRRU.

Según el artículo 6, regulador de la iniciativa pública y privada en las actuaciones de transformación urbanística y en las edificatorias:

«1. Los particulares, sean o no propietarios, deberán contribuir, en los términos establecidos en las leyes, a la acción urbanística de los entes públicos, a los que corresponderá, en todo caso, la dirección del proceso, tanto en los supuestos de iniciativa pública como privada.

2. En los supuestos de ejecución de las actuaciones de transformación urbanística y edificatorias mediante procedimientos de iniciativa pública podrán participar, tanto los propietarios de los terrenos, como los particulares que no ostenten dicha propiedad, en las condiciones dispuestas por la legislación aplicable. Dicha legislación garantizará que el ejercicio de la libre empresa se sujete a los principios de transparencia, publicidad y concurrencia.

3. Los convenios o negocios jurídicos que el promotor de la actuación celebre con la Administración correspondiente, no podrán establecer obligaciones o prestaciones adicionales ni más gravosas que las que procedan legalmente, en perjuicio de los propietarios afectados. La cláusula que contravenga estas reglas será nula de pleno Derecho.

4. La iniciativa privada podrá ejercerse, en las condiciones dispuestas por la Ley aplicable, por los propietarios.

5. Tanto los propietarios, en los casos de reconocimiento de la iniciativa privada para la transformación urbanística o la actuación edificatoria del

ámbito de que se trate, como los particulares, sean o no propietarios, en los casos de iniciativa pública en los que se haya adjudicado formalmente la participación privada, podrán redactar y presentar a tramitación los instrumentos de ordenación y gestión precisos, según la legislación aplicable. A tal efecto, previa autorización de la Administración urbanística competente, tendrán derecho a que se les faciliten, por parte de los Organismos Públicos, cuantos elementos informativos precisen para llevar a cabo su redacción, y a efectuar en fincas particulares las ocupaciones necesarias para la redacción del instrumento con arreglo a la Ley de Expropiación Forzosa.»

CONCORDANCIAS

CE: 23, 33
LS 2008: Arts. 3, 4, 5, 7, 8, 9, 13, 14, 16, 18, 19.

JURISPRUDENCIA

STS de 27.05.2002 (LA LEY 10324/2003), STS de 05.03.2007 (LA LEY 8280/2007), STS de 23.09.2011 (LÑA LEY 192669/2011).

STS de 30.01.2011 (LA LEY 119931/2011), STS de 23.11.2011 (LA LEY 236603/2011), STS de 04.04.2012 (LA LEY 61686/2012).

STSJ de Castilla y León (Burgos) 22.04.2010 (LA LEY 111025/2010), STSJ de Andalucía (Sevilla) de 24.11.2011 (LA LEY 257890), STS de 5.07.2012 (LA LEY 105884/2012). STS 17.03.2009 (LA LEY 58385/2009)

TRAMITACIÓN PARLAMENTARIA

Este artículo no fue alterado en su tramitación parlamentaria. La Enmienda n.º 76, presentada por el Grupo Parlamentario Vaco, no fue aceptada.

COMENTARIO

Sumario

1. Introducción.
2. Los particulares y la iniciativa en la actividad de ejecución del planeamiento. Obligaciones de los particulares.
3. Participación en la actuaciones de iniciativa pública.
4. Nulidad de convenios con obligaciones más gravosas en perjuicio de los propietarios.
5. Características de la iniciativa privada y ruptura de la excepción a favor de los propietarios.
6. Los derechos de los particulares

1. INTRODUCCIÓN

Parece que debe recordarse que la gestión urbanística ha sido llevada a cabo en la cultura tradicional urbanística española a través de una permanente interacción de iniciativas públicas y privadas que, desde la actualidad, permiten ya hacer un balance de los niveles de eficacia y eficiencia de las distintas fórmulas que han sido ensayadas.

La más generalizada fórmula de protagonismo privado en la ejecución sistemática del planeamiento ha sido durante muchos años el sistema de compensación, en el que los propietarios del suelo que era objeto de transformación se podía considerar que eran los casi únicos titulares de la actividad transformadora de dicho suelo, que se ocupaban de las dos grandes operaciones que se producen a través de este sistema, a saber, la redistribución dominical que posibilita la justa distribución de beneficios y cargas que se derivan de las determinaciones contenidas en el planeamiento, adjudicando físicamente las parcelas resultantes del proceso a los interesados; y la ejecución material de las obras urbanizadoras, que permite que las fincas aportadas al proceso transformador se conviertan en las parcelas resultantes del mismo y, en fin, algunas de ellas alcancen las características de solares.

Los restantes sistemas, la cooperación y, todavía en menor medida, la expropiación han tenido una menor presencia cuantitativa en el proceso de ejecución sistemática del planeamiento.

Estos sistemas, como *númerus clausus* previstos en la legislación estatal «tradicional» reguladora de la materia, han sido contestados por la legislación autonómica, que ha introducido otros sistemas de más reciente implantación como el de ejecución forzosa o el de concierto, que todavía llevan poco tiempo de experimentación que no permite hacer un juicio riguroso sobre su efectividad práctica como fórmulas singulares y, sobre todo, para prever su permanencia en los ordenamientos autonómicos en los que han nacido. Otros sistemas como el catalán de urbanización prioritaria, no se han extendido más allá de Cataluña. Otro tanto se puede decir del sistema canario de urbanización diferida, que desapareció después de haber sido instalado en 1987.

Sin embargo, ya se puede afirmar que, sin lugar a dudas, el sistema indirecto concurrencial —con este mismo nombre, u otro de significado similar, del agente urbanizador— se ha generalizado y ha arraigado normativamente entre los sistemas de ejecución sistemática del planeamiento en la mayoría de las Comunidades Autónomas.

La idea central del sistema es que, siendo la urbanización una función pública, la Administración actuante, además de asumir directamente el papel activo en la misma, puede, sin embargo, gestionar esta competencia indirectamente. Así, en esta segunda opción, adjudica la ejecución sistemática del planeamiento a una empresa —seleccionada con sujeción a los principios de publicidad y concurrencia— a la que atribuye el ejercicio de su responsabilidad, reservándose siempre la dirección y supervisión del proceso. El empresario urbanizador es el ejecutor material de las directrices administrativas.

La elección del sistema de ejecución del planeamiento que corresponde decidir, como competencia indeclinable, a las Administraciones urbanísticas actuantes, es de la máxima importancia en orden a conseguir la materialización de las previsiones del planeamiento para que dejen de ser una manifestación voluntarista de una determinada idea del desarrollo urbanístico de una comunidad vecinal y vean su efectiva materialización.

En este sentido, como en tantos otros de la actividad humana, las acciones complejas exigen un mínimo de especialización en los protagonistas de las mismas.

Por ello, la elección del sistema de ejecución del planeamiento debe hacerse en función de los parámetros de eficacia y eficiencia predicables de toda decisión razonablemente meditada. Y así, la gestión urbanística deberá ser caracterizada porque los agentes de la misma —sean públicos o privados— puedan garantizar mayores cotas de eficacia y eficiencia para los intereses generales de la comunidad.

Una adecuada combinación de factores de transparencia en la actividad administrativa y de la participación de los interesados en la ejecución sistemática del planeamiento, sean los mismos propietarios o no, podrá ser la fórmula que permita tomar la decisión más adecuada en cada caso.

Como la experiencia histórica española de los últimos cincuenta años ha acreditado, la Administración debe tomar sus decisiones en esta materia teniendo en cuenta, entre otros factores, sus propias necesidades, los medios económico-financieros con los que cuente y la colaboración de la iniciativa privada que sea esperable en unas determinadas circunstancias de lugar y tiempo.

El ordenamiento jurídico español inmediatamente anterior al vigente, ya reconocía la iniciativa privada expresamente y en los términos del art. 4 de la Ley 6/1998, en el que se contienen claras referencias a que «Los propietarios deberán contribuir, en los términos establecidos en las leyes, a la acción urbanística de los entes públicos.». que deberán, no sólo respetar la iniciativa privada, sino que «... la Administración actuante promoverá, en el marco de la legislación urbanística, la participación de la iniciativa privada aunque ésta no ostente la propiedad del suelo» lo que obliga a los entes públicos a ser consecuentes con los mandatos legales anteriormente expuestos, que se reafirman en la LS 2008.

En efecto, el citado artículo 4.2 LRS 98 contenía la previsión de la participación privada en los siguientes términos: «La gestión pública a través de su acción urbanizadora y de las políticas de suelo suscitará, en la medida más amplia posible, la participación privada». Es decir, casi el mismo tenor literal que el del actual artículo

3.3 LS 2008. Pues bien, como afirma el Tribunal Constitucional en su STC 164/01, de 11 de julio:

> «...La dirección y control de la ejecución —cuyo alcance y contenido no son definidos por el precepto— es siempre, pues, una actividad pública, dado que la transformación de suelo a través de la urbanización se configura como una obra pública, sin perjuicio de que, como establece el art. 4.2, dicha gestión pueda ser asumida directamente por la propia Administración o encomendada a la iniciativa privada o a entidades mixtas.»

El artículo 4.3 LRS 98 establecía que «en los supuestos de actuación pública, la Administración actuante promoverá, en el marco de la legislación urbanística, la participación de la iniciativa privada aunque ésta no ostente la propiedad del suelo». La respuesta al recurso formulado a este precepto fue terminante:

> «La conformidad de esta norma con el Artículo 149.1.1 CE no puede ser cuestionada. En primer lugar porque, como quedó dicho, el Artículo 4.3 LRS 98 regula la participación de la iniciativa urbanística privada que deriva del derecho de propiedad (Artículo 33.1 CE) y —en su caso— de la libertad de empresa (Artículo 38 CE). En segundo lugar, porque el párrafo impugnado se limita a prever la posible participación de propietarios y empresarios, pero no regula ninguna concreta forma de participación, y ello nos permite concluir que estamos ante una condición básica para la igualación de los propietarios y empresarios urbanísticos de España. Por último, mediante estas condiciones básicas no se invade la competencia urbanística de las Comunidades Autónomas: El mandato de promoción de la participación privada se establece para los casos de «actuación pública». Según precisamos más arriba, la regulación de los sistemas de ejecución o actuación urbanística es competencia de las Comunidades Autónomas. Será entonces en la legislación urbanística de cada Comunidad Autónoma donde se precise el régimen de los posibles sistemas de actuación pública y, en la misma medida, el grado de participación o iniciativa de los distintos sujetos económicos (no necesariamente propietarios).»

2. LOS PARTICULARES Y LA INICIATIVA EN LA ACTIVIDAD DE EJECUCIÓN DEL PLANEAMIENTO. OBLIGACIONES DE LOS PARTICULARES

El apartado primero del art. 6 LS 2008, en la redacción de la LRRRU, permite comprobar que hay en este texto tres notas características que son:

— Los particulares, deberán colaborar, en todo caso y en los términos establecidos en las leyes, a la acción urbanística de los entes públicos. Dado que el urbanismo es una función pública, la acción urbanística corresponderá a los entes públicos y, en ese contexto, las personas privadas, tanto personas físicas como jurídicas, tanto propietarios de suelo como personas no propietarias de suelo, deberán contribuir, de acuerdo con lo establecido en las leyes a dicha acción urbanística de los entes públicos.

No se olvide en este punto, que dicha acción urbanística de los entes públicos debe llevar —si existen las mismas— una participación en las plusvalías, por parte de la Administración actuante, de acuerdo con el art. 47 de la Constitución de 1978.

— La dirección del proceso de la acción urbanística corresponde, en todo caso, a la Administración competente en cada caso. Por ello la Administración aprueba definitivamente el instrumento de planeamiento urbanístico general y, de ser necesario, el instrumento de planeamiento pormenorizado, así como el correspondiente instrumento de gestión para la ejecución del planeamiento y, entre otros aspectos, la Administración otorga la licencia de edificación o autorización necesaria.

— La iniciativa puede ser privada o pública.

Ha sido constante el debate entre ambos tipos de iniciativa. En la LrS07 y su Texto Refundido de 2008, la regla general era que la iniciativa debiera ser pública; pero la situación real llevaba a la aceptación de una excepción y así, el art. 6, a) de la originaria LS 2008 establecía la iniciativa pública:

«…sin perjuicio de las peculiaridades o excepciones que ésta prevea a favor de la iniciativa de los propietarios del suelo.»

Pero la realidad es que la ejecución del planeamiento es competencia de las leyes autonómicas y éstas —con contadas excepciones, como Castilla-La Mancha— han mantenido o priorizado a la iniciativa privada en dicha ejecución y bastantes dando preferencia a los propietarios de suelo.

Incluso leyes —como la Ley [COMUNIDAD DE MADRID] 3/2007, 26 julio, de Medidas Urgentes de Modernización del Gobierno y la Administración de la Comunidad de Madrid («B.O.C.M». 30 julio), que derogó la Ejecución por adjudicatario en concurso del sistema de compensación—, se han posicionado claramente a favor de la preferencia de los propietarios de suelo a la hora de la iniciativa de la urbanización.

En resumen, la iniciativa podrá ser tanto pública como privada, según establezca la correspondiente ley urbanística autonómica.

3. PARTICIPACIÓN EN LA ACTUACIONES DE INICIATIVA PÚBLICA

De todo lo indicado más arriba, es evidente que la iniciativa de las ATU y edificatorias puede ser pública o privada. Respecto de la primera forma de iniciativa, el art. 6.2 LS 2008, en la redacción dada por la LRRRU, establece que los particulares, tanto los que sean propietarios de suelo como los que no lo sean, podrán participar en dichas actuaciones, según establezca la ley urbanística aplicable.

Es requisito para tal legislación que se garantice que el ejercicio de libre empresa que todo ello representa, y que se sujete a los principios de:

— Transparencia.

— Publicidad y

— Concurrencia.

Dicho de otra forma, si la iniciativa de la actuación fuera pública, la Admimistración actuante puede adoptar dos alternativas diferentes de gestión:

— Gestión directa, por la propia Administración, con órgano diferenciado o no.

— Gestión indirecta, a través de un concesionario o un agente urbanizador, reservándose, en todo caso, la Administración, la dirección y el control de la operación.

4. NULIDAD DE CONVENIOS CON OBLIGACIONES MÁS GRAVOSAS EN PERJUICIO DE LOS PROPIETARIOS

Dos ideas fundamentales:

— Los promotores de las ATU o edificatorias pueden celebrar todo tipo de convenios o negocios jurídicos con la Administración urbanística; pero estos tipos de acuerdos no podrán ser en perjuicio de los propietarios de suelo: por lo que no podrán contener obligaciones o prestaciones adicionales ni más gravosas que las que procedan legalmente de acuerdo a lo indicado más adelante como deberes de los propietarios.

— Sin embargo, la nulidad de la cláusula que contenga dichas condiciones gravosas no conlleva la nulidad del convenio o negocio jurídico.

Es decir, la cláusula que contravenga estas reglas será nula de pleno Derecho.

5. CARACTERÍSTICAS DE LA INICIATIVA PRIVADA Y RUPTURA DE LA EXCEPCIÓN A FAVOR DE LOS PROPIETARIOS

Conforme a lo dispuesto por el art. 6.4 LS 2008 en la redacción dada por la LRRRU:

«La iniciativa privada podrá ejercerse, en las condiciones dispuestas por la Ley aplicable, por los propietarios.»

Es decir, la Administración puede elegir entre proponer para todas o algunas de las actuaciones de Transformación Urbanística o edificatorias una iniciativa privada o una iniciativa pública. Respecto de esta segunda puede elegir seguir una gestión directa o una gestión indirecta. Pero si, de acuerdo con la ley urbanística aplicable, elige una iniciativa privada, esta podrá ejercerse por los propietarios de suelo, en las condiciones establecidas por la ley aplicable.

La citada ley debería establecer (como suelen establecer) cautelas para el supuesto de que la iniciativa privada no se desarrolle o se interrumpa —por incumplimiento—, de tal forma que —subsidiariamente— se aplique alguna forma de iniciativa pública.

Pero recuérdese que en la originaria LS 2008 se establecía una excepción a favor de los propietarios de suelo —que se ha eliminado con la LRRRU— en materia de iniciativa en la actividad de ejecucuión del planeameinto.

En efecto, el inciso de la letra a) del originario art. 6 LS 2008 establecía:

> «El derecho de iniciativa de los particulares, sean o no propietarios de los terrenos, en ejercicio de la libre empresa, para la actividad de ejecución de la urbanización cuando ésta no deba o no vaya a realizarse por la propia Administración competente. La habilitación a particulares, para el desarrollo de esta actividad deberá atribuirse mediante procedimiento con publicidad y concurrencia y con criterios de adjudicación que salvaguarden una adecuada participación de la comunidad en las plusvalías derivadas de las actuaciones urbanísticas, en las condiciones dispuestas por la legislación aplicable, **sin perjuicio de las peculiaridades o excepciones que ésta prevea a favor de la iniciativa de los propietarios del suelo.**»

Obsérvese que esta previsión, por un lado, recordaba el principio constitucional ex artículo 47 CE —ya incorporado en la propia LS 2008 en el artículo 3.2, b)— y, por otro, un anticipo del deber o carga de cesión —ahora, «entrega»— del suelo sustentante de un porcentaje de aprovechamiento [artículo 16.1, b) LS 2008]. El legislador estatal sigue manteniendo que la citada «entrega» sea «libre de cargas de urbanización correspondiente al porcentaje de la edificación media ponderada de la actuación...» Sigue sin mencionarse la expresión «aprovechamiento», prosiguiendo con la citada de «edificación media ponderada.»

Con la LRRRU se ha diferenciado claramente la iniciativa pública y la privada, pudiendo en el caso de la iniciativa privada actuar los propietarios de suelo y en el caso de la pública, tanto propietarios como no propietarios.

En relación con el derecho de iniciativa en ejercicio del principio de libre empresa y en régimen concurrencial, reconocido en la originaria LS 2008, por otra parte, ya reconocido por la práctica totalidad de las legislaciones urbanísticas autonómicas, merece una recepción favorable, y no se plantea como única vía para acceder al proceso de urbanización. La empresa necesita poder acceder también desde su condición de propietaria de suelo, con arreglo, naturalmente, al planeamiento y con el cumplimiento de los deberes establecidos por las leyes.

La conclusión es medianamente clara. La ejecución del planeamiento urbanístico se ha abierto tanto al sistema de concurrencia, como a la posibilidad de promover el desarrollo urbanístico de forma reglada y basada en la propiedad del suelo. El art. 6 resultante de la LRRRU permitirá que la legislación autonómica urbanística pueda seguir, legalmente, aprobando iniciativas de promotores no propietarios de suelo y, también, las que puedan formular éstos.

Pues bien, en relación con ambos, la STC 164/2001, de 11 de julio, que enjuició la constitucionalidad de la LRS 98, precisó en su FJ 11 que:

> «En primer lugar hay que tener en cuenta, reiterando lo ya razonado más arriba (FJ 9), que la «participación pública» que impone el Artículo 6.1 LRS 98 ha de contraponerse a la «participación privada» regulada en el Artículo 4 LRS 98. Se trata ahora de la participación ciudadana, no del derecho de los propietarios y empresarios a la participación e iniciativa urbanísticas. En segundo lugar, el derecho a la información, que también establece el Artículo 6.1 LRS 98, ha de entenderse (por contraposición al regulado en el Artículo 6.2 LRS 98) como un derecho general de acceso a la información urbanística. Y por último, el Artículo 6.2 LRS 98 contiene un derecho a obtener informaciones concretas (en relación con fincas o ámbitos de ejecución concretos.)»

Pues bien, tanto el mandato de participación pública como los derechos informativos están expresamente amparados en la competencia estatal sobre bases del régimen jurídico de las Administraciones públicas y procedimiento administrativo común (artículo 149.1.18.ª CE), sin simultánea invasión de las competencias urbanísticas autonómicas. Como afirma SÁNCHEZ GOYANES (23), para el Tribunal Constitucional no existió duda de constitucionalidad para identificar el título competencial que presta cobertura al Estado para hacer propias regulaciones como éstas:

> «Pues bien, tanto el mandato de participación pública como los derechos informativos (de acceso y prestacional) son reconducibles a la competencia estatal sobre bases del régimen jurídico de las Administraciones públicas y procedimiento administrativo común (Artículo 149.1.18 CE), sin simultánea invasión de las competencias urbanísticas autonómicas. Tres argumentos llevan a esta conclusión. En primer lugar, el carácter eminentemente sectorial del Artículo 6 LRS 98 no sirve, por sí, para cuestionar la competencia estatal. En segundo lugar, los dos párrafos del Artículo 6 LRS 98 regulan las relaciones entre los ciudadanos y las Administraciones públicas, ámbito de regulación donde la competencia básica del Estado es incuestionable (STC 50/1999, de 6 de abril, FJ 3). Y por último, el carácter eminentemente

---

(23) Véase el trabajo de SÁNCHEZ GOYANES, Enrique, «La propiedad inmobiliaria en la nueva Ley estatal de Suelo», *Revista Crítica de Derecho Inmobiliario*, 2007, Pág. 7.

abstracto del Artículo 6 LRS 98 ni impone técnica urbanística alguna a las Comunidades Autónomas ni predetermina un único modelo de participación e información ciudadanas» (FJ 11).

6. LOS DERECHOS DE LOS PARTICULARES

Como establece el art. 6.5 LS 2008, en la redación dada por la LRRRU, los propietarios de suelo en los casos de iniciativa privada de las ATU o Actuaciones Edificatorias (AE) y los particulares, sean o no propietarios de suelo en los casos de iniciativa pública con participación privada,

> «…podrán redactar y presentar a tramitación los instrumentos de ordenación y gestión precisos, según la legislación aplicable.»

La tramitación de los instrumentos de planeamiento o de gestión urbanística, así como su aprobación son siempre competencia de la Administración pública.

Pero para la elaboración de dichos instrumentos, los particulares citados tienen derecho a que los Organismos Públicos les faciliten cuantos elementos informativos precisen, previa la correspondiente identificación y autorización por la Administración actuante; y también tendrán derecho a efectuar en fincas particulares las ocupaciones necesarias para la redacción del instrumento con arreglo a la Ley de Expropiación Forzosa.

Evidentemente, quienes estén habilitados para elaborar instrumentos de ordenación o de gestión urbanística, como se ha indicado, cuando hubieren obtenido la previa autorización de la Administración competente, tendrán derecho a que se les faciliten por parte de los Organismos Públicos cuantos elementos informativos precisen para llevar a cabo su redacción, y a efectuar en fincas particulares las ocupaciones necesarias para la redacción del instrumento con arreglo a la Ley de Expropiación Forzosa. No incorpora ninguna novedad normativa.

Artículo 7 LS 2008, que no ha sido modificado por la LRRRU.

Según el artículo 7, regulador del régimen urbanístico del derecho de propiedad del suelo:

1. El régimen urbanístico de la propiedad del suelo es estatutario y resulta de su vinculación a concretos destinos, en los términos dispuestos por la legislación sobre ordenación territorial y urbanística.

2. La previsión de edificabilidad por la ordenación territorial y urbanística, por sí misma, no la integra en el contenido del derecho de propiedad del suelo. La patrimonialización de la edificabilidad se produce únicamente con su realización efectiva y está condicionada en todo caso

al cumplimiento de los deberes y el levantamiento de las cargas propias del régimen que corresponda, en los términos dispuestos por la legislación sobre ordenación territorial y urbanística.

COMENTARIO

Sumario

1. Antecedentes. El régimen urbanístico de la propiedad del suelo en la Ley del Suelo de 1992 y en la Ley sobre Régimen del Suelo y Valoraciones de 1998.
2. Carácter estatutario del contenido del derecho de propiedad del suelo.
3. La patrimonialización de la edificabilidad se produce por el cumplimiento de los deberes y el levantamiento de las cargas.

1. ANTECEDENTES. EL RÉGIMEN URBANÍSTICO DE LA PROPIEDAD DEL SUELO EN LA LEY DEL SUELO DE 1992 Y EN LA LEY SOBRE RÉGIMEN DEL SUELO Y VALORACIONES DE 1998

Este artículo 7 LS 2008, no modificado por la LRRRU (anteriormente y en idénticos términos, art. 7 LrS07) puede tener como antecedente buena parte de los aspectos generales del correspondiente Capítulo 2, del Titulo I, «derechos y deberes de los propietarios», del libro *Régimen del Suelo y Valoraciones,* Comentarios a la Ley 6/1998, de 13 de abril (24).

La comprensión de este largo antecedente es muy importante para entender mejor la regulación establecida inicialmente por la LrS07, posteriormente por la LS 2008 y actualmente, en lo que afecte, por la LRRRU; y los cambios que se han producido respecto de la legislación precedente. Pero es más, las leyes actualmente vigentes de las Comunidades Autónomas han tenido como punto de partida (han complementado) la regulación estatal de 1998 (y también la de la LS92). Por ello, es aconsejable recordar las características de dicho régimen.

Se decía en dicho Capítulo 2:

> «Objetivamente, el régimen urbanístico del suelo, como conjunto de derechos y deberes de los propietarios de suelo, que definen el contenido de la propiedad inmobiliaria, es estatutario, es decir, varía con la ley vigente en cada momento y el correspondiente instrumento de planeamiento urbanístico. En la actualidad el régimen urbanístico básico (de condiciones

---

(24) Parte elaborada por los mismos autores que esta parte de los presentes comentarios.

básicas) está establecido por la LrS98 [hoy sería la LS 2008], de tal manera que la regulación complementaria (que no de desarrollo) de ésta puede ser establecida [y ha sido establecida y debe ser adaptada a aquélla] por las leyes urbanísticas de las Comunidades Autónomas.»

En la actualidad (julio de 2013), todas las Comunidades Autónomas —con la excepción de las Islas Baleares— tienen aprobada una ley propia (o han tenido ya varias sucesivamente) tendencialmente integral en materia de Urbanismo. Estas leyes, elaboradas básicamente a partir de lo dispuesto por la LrS98 (pues todas ellas han sido aprobadas entre 1998 y 2007), tienen como elemento clave el contenido del derecho de propiedad, atribuyendo al propietario de suelo derechos y deberes de contenido urbanístico y reservando «a la propiedad del suelo el derecho exclusivo de iniciativa privada en la actividad de urbanización», como señalaba expresamente la Exposición de Motivos de la LrS07, apartado I, párrafo séptimo), sin perjuicio de que dicha iniciativa no era en exclusiva, entre otras razones dada la existencia generalizada en la actualidad del «agente urbanizador», no necesariamente propietario de suelo, que toma la iniciativa de una Actuación de Transformación Urbanística (ATU).

Si bien es cierto que estas leyes autonómicas pueden seguir perviviendo, no es menos cierto que la seguridad jurídica y la tranquilidad conceptual van a sufrir, por virtud de la inestabilidad que han provocado la LrS07 y la LS 2008; y ha de provocar, sin duda, la LRRRU en las leyes autonómicas y, en su consecuencia, en los instrumentos de planeamiento y de su ejecución (25). Serán numerosas las dudas que se susciten en la aplicación de la misma. Bastantes Comunidades Autónomas se han lanzado a aprobar leyes de adaptación, «Instrucciones Técnicas» de aplicación, etc.

No se olvide, en todo caso, que la clasificación del suelo es, hoy por hoy, un elemento clave para la existencia del planeamiento general y su ejecución, ya que las determinaciones de aquél, existentes en todas las Comunidades Autónomas, son variables en función de que se trate de Suelo Urbano (SU), Suelo Urbanizable (SUble) y Suelo No Urbanizable (SNU), y, al menos de momento, eso no va a variar al menos a dichos efectos urbanísticos, al tratarse de materia claramente urbanística, de competencia legislativa exclusiva de las Comunidades Autónomas; hasta que, en su caso, sean modificadas en tal sentido las leyes de éstas.

Continuaba diciendo la publicación citada:

---

(25) Aunque existen opiniones favorables a una cierta permanencia del actual Derecho Urbanístico sin fuertes alteraciones (Sánchez Goyanes, Enrique, «La propiedad inmobiliaria en la nueva Ley estatal de Suelo», *Revista Crítica de Derecho Inmobiliario*, 2007: «Nuevamente hay que recordar que, por el juego de remisiones y salvedades establecido a favor de la legislación autonómica, este mero cambio en lo retórico-formal puede perfectamente llegar a carecer de efectos prácticos en la realidad del respectivo Derecho Urbanístico»).

«... un aspecto es esencial de la modificación establecida por esta ley [se hacía referencia a la LrS98] respecto de la regulación de la LS92 (y que tiende a acercarse más a lo establecido en la LS76). Se refiere a que los derechos de los propietarios del suelo —o facultades que integran el contenido del derecho de propiedad— en la LrS98 son inherentes a este derecho, de manera que el propietario del suelo, por el mero hecho de serlo, es titular de los derechos que la LrS98 establece en cada caso; a diferencia de lo que ocurría bajo la vigencia de la LS92, en que el propietario del suelo no era, ab initio, titular de las correspondientes facultades urbanísticas, que las debía alcanzar por el cumplimiento de los deberes urbanísticos a través de la denominada "gradual adquisición de facultades urbanísticas". ...

En la LrS98 los derechos urbanísticos de la propiedad del suelo son inherentes a ésta, de manera que el cumplimiento de los deberes urbanísticos (o mejor cargas) son sólo el requisito necesario para el ejercicio de los correspondientes derechos por parte del propietario del suelo».

Este aspecto es una de las modificaciones sustanciales de la LrS07 y de la LS 2008: en efecto, relegada la clasificación del suelo a las leyes urbanísticas en la medida en que lo consideren oportuno (sin perjuicio de la complicada equivalencia entre clases y categorías de suelo con las diferentes situaciones de suelo de la LS 2008, a la que se hace referencia más adelante) y desaparecida en la legislación estatal a efectos de los tres estatutos citados y, sobre todo, de las valoraciones del suelo, **los propietarios de suelo no son titulares ya de los derechos y deberes derivados de las Actuaciones de Transformación Urbanística (ATU)** —y, primariamente, del «derecho a urbanizar»—, que corresponden, por ministerio de la ley, al titular de la iniciativa de la promoción de la transformación urbanística del suelo, de tal forma que si el propietario de suelo es expropiado de su terreno (como tal propietario), en el justiprecio no se integrará ninguna de las plusvalías derivadas de la transformación urbanística.

Dicho de otra forma, en la LS 2008 los derechos y deberes de los propietarios de suelo en cuanto a tales son diferentes a los derechos y deberes del titular de la promoción de la Actuación de Transformación Urbanística, de tal manera que los derechos y deberes de aquéllos podrían llegar a ser parecidos-coincidentes a los derechos y deberes de éstos si asumen el papel de la iniciativa de la promoción, participando en la misma en régimen de equidistribución de beneficios y cargas; y, por otra parte, los deberes del titular de la promoción urbanística conforme a la LS 2008 son parecidos a los deberes del propietario del suelo conforme a la LrS98, como se podrá apreciar en comentarios posteriores.

En este punto es importante diferenciar entre derechos y deberes básicos, establecidos por la ley estatal —LrS98, LrS07, LS 2008 o LRRRU— y derechos y deberes urbanísticos establecidos por la correspondiente ley urbanística, de tal forma que estos no pueden contradecir aquéllos. En resumen, actualmente los derechos y deberes básicos están contenidos en la LS 2008 y en la LRRRU y los derechos y deberes urbanísticos en la correspondiente ley urbanística.

Más adelante continuaba la publicación citada:

«La regulación legal de los derechos urbanísticos en la LrS98 significa un importante cambio respecto de los establecidos por la LS92, mientras que la de los deberes (o cargas) no ha experimentado gran variación».

Ahora puede afirmarse que, salvo en el caso de la excepción citada en la LS08 originaria y matizada en la LRRRU de que los propietarios de suelo mantengan como propios en la ley autonómica los derechos y deberes de los titulares de la promoción de la Actuación de Transformación Urbanística, a aquéllos se les ha privado de dichos derechos —particularmente, del «derecho a urbanizar»— y deberes derivados de la transformación urbanística, pasando a ser, en cada caso, del titular de la promoción de la ATU. Es decir, **en la LS 2008 y en la LRRRU se separa meridianamente a los propietarios de suelo y a los promotores de la urbanización** que no tienen por qué coincidir en la misma persona (aunque puedan coincidir).

Por ello en los presentes comentarios se deberán estudiar los derechos y deberes del ciudadano (no explicitados en la LrS98), los de la iniciativa de la promoción de las ATU (tampoco explicitados como tales en la LrS98 o confundidos básicamente con los de los propietarios de suelo) y los del propietario de suelo (derechos propios de la propiedad); y, especialmente, los deberes de la promoción urbanística (que, como se acaba de indicar, son semejantes a los básicos del propietario de suelo según la LrS98).

El art. 12 LrS98 establecía la normativa a aplicar a efectos del ejercicio de los derechos y deberes básicos de los propietarios de suelo en aquel momento:

Artículo 12. Ejercicio de derechos y deberes

Los derechos y deberes de los propietarios de suelo que se regulan en esta Ley se ejercerán de acuerdo con la normativa que sobre planeamiento, gestión y ejecución del planeamiento establezca la legislación urbanística en cada caso aplicable.

Precepto que va a verse profundamente afectado por la LrS07 y, consecuentemente, por la LS 2008 ya que los derechos y deberes derivados de las Actuaciones de Transformación Urbanística (ATU) no corresponden, en principio, a los propietarios de suelo sino al correspondiente agente urbanizador, al diferenciar «situación y actividad, estado y proceso.»

Como antecedentes y para mejor comprender los cambios que ha introducido la LrS07 y, consecuentemente, la LS 2008 y, posteriormene la LRRRU, parece conveniente recordar también los antecedentes de la LrS98 en lo que se refería a los derechos y deberes de los propietarios del suelo, tal como se señalaba en la 2.ª edición del libro citado (págs 119-152):

«1. El ejercicio de derechos y deberes en los antecedentes de la LrS98

Dada la semejanza relativa entre los principios esenciales de la LrS98 y la LS76 (sobre todo que los derechos urbanísticos están ínsitos en el contenido del derecho de propiedad) y las diferencias esenciales de éstos respecto de los de la LS92 (y, por ser su causa, la Ley 8/1990) [y, sobre todo, respecto de los de la LrS07 y, consecuentemente, la LS 2008, dado que la propiedad del suelo ya no tiene, en cuanto a tal, derechos para ser titular de la transformación urbanística y, en consecuencia, no conlleva los deberes correspondientes a ésta], en estas notas introductorias se hará referencia exclusivamente al ejercicio de los derechos y deberes (régimen urbanístico de la propiedad del suelo) en la LS92, en la cual:

• el cumplimiento de los deberes legalmente establecidos no era un requisito previo para el ejercicio de las correspondientes facultades urbanísticas, sino que,

• las facultades urbanísticas —derecho a urbanizar, derecho al aprovechamiento urbanístico, derecho a edificar y derecho a la edificación— se alcanzaban por parte del propietario del suelo a través, precisamente, del cumplimiento en plazo de los correspondientes deberes urbanísticos.»

Con la LrS07 y, consecuentemente con la LS 2008, y por la LRRRU las facultades urbanísticas del agente de la iniciativa de la promoción de la Transformación Urbanística (promotor) se adquieren con el cumplimiento por él de los deberes urbanísticos y, por otra parte, tanto esos derechos como esos deberes **no corresponden ya al propietario de suelo en cuanto tal sino al actor de la Actuación de la Transformación Urbanística (ATU)**, es decir, al que sea agente urbanizador en cada caso.

«En la LS92 se unificó, formalmente, el régimen urbanístico del suelo urbano y del urbanizable programado, estando regulados por los mismos preceptos, estableciéndose en lo principal análogas facultades urbanísticas y análogos deberes, que de manera absolutamente resumida pueden expresarse de la siguiente manera:

• En cuanto a los deberes urbanísticos de los propietarios de suelo urbano y urbanizable programado:

— El primer deber del propietario era su obligación de incorporarse al proceso urbanizador y edificatorio, por la mera aprobación del instrumento de planeamiento preciso que afectase a su suelo, en las condiciones establecidas en el planeamiento [con la LrS07 y, consecuentemente, con la LS 2008 este ya no es un deber del propietario].

— Los otros deberes del propietario, conforme se recordarán con más detalle en los comentarios al art. 14 LrS98, eran los deberes de equidistribuir, ceder, urbanizar, obtener licencia, edificar, destinar al uso establecido, conservar y rehabilitar su construcción, etc., siendo los deberes centrales del proceso de transformación urbanística los de equidistribuir, ceder, urbanizar, obtener licencia y edificar [con la LrS07 y, consecuentemente, con la LS 2008 estos ya no son deberes del propietario].

• En cuanto a las facultades urbanísticas eran el derecho a urbanizar, al aprovechamiento urbanístico, a edificar y a la edificación [con la LrS07 y, consecuentemente, con la LS 2008 aquéllos ya no son derechos del propietario].»

La LS92 configuró un régimen de facultades-deberes interrelacionados, función social de la propiedad, que podían llegar a adquirirse y debían cumplirse, respectivamente, en diversas fases que posibilitaban la ejecución del planeamiento. Es lo que se denominaba la adquisición gradual de facultades urbanísticas por el cumplimiento en plazo de los correspondientes deberes.

2. El ejercicio de derechos y cumplimiento de deberes en la LrS98

...

2.1. El régimen urbanístico de la propiedad del suelo establecido por la LrS98

A partir de la clasificación del suelo, la LrS98 ha establecido el conjunto de derechos y deberes de los propietarios de cada clase de suelo, régimen básico de la propiedad del suelo, que puede ser complementado por la correspondiente legislación urbanística, ya sea de la Comunidad Autónoma o la supletoria del Estado.

En efecto, la LrS98, respecto del régimen del suelo, establece una regulación común para conseguir la igualdad de todos los españoles en el ejercicio de las facultades y cumplimiento de deberes constitucionales (art. 149.1.1.ª CE), regulación que, conforme a la STC 61/1997, puede ser complementada por la legislación aplicable en las Comunidades Autónomas en materia de Urbanismo. Dicho régimen de la propiedad se explicita de forma distinta diferenciando entre derechos y deberes de los propietarios de cada una de las clases de suelo, por una parte, y deberes de todos los propietarios de toda clase de terrenos, por otra (26).

La remisión del art. 12 LrS98 a la legislación urbanística es total a efectos de la regulación del planeamiento, gestión y ejecución del mismo que regula y condiciona el modo de ejercicio de los derechos urbanísticos.

---

(26) Puede verse Sánchez Goyanes, Enrique, «Las condiciones básicas de la propiedad inmobiliaria en la nueva legislación estatal», *Revista CUNAL,* n.º 20, marzo-abril, *1998,* págs. 18 y 22.

El (vigente) art. 2.1 LrS98 mantiene el principio en que se basaban sus predecesoras, haciendo referencia explícita sólo a la clasificación del suelo [se resalta el importante aspecto de eliminación de la clasificación del suelo por la LrS07 y, consecuentemente, por la LS 2008 a efectos de derechos y deberes y de valoraciones, no así a los efectos urbanísticos (no podría)]:

«Las facultades urbanísticas del derecho de propiedad se ejercerán siempre dentro de los límites y con el cumplimiento de los deberes establecidos en las leyes o, en virtud de ellas, por el planeamiento con arreglo a la clasificación urbanística de los predios». (art. 2.1 LrS98).

De tal manera que la calificación del suelo —el uso, el destino, la ordenación de los usos— se contempla también en el art. 2.2 LrS98 (semejante al art. 87 LS76 y al 6 LS92):

«La ordenación del uso de los terrenos y construcciones establecida en el planeamiento no conferirá derecho a los propietarios a exigir indemnización, salvo en los casos expresamente establecidos en las leyes». (art. 2.2 LrS98).

«2.4. Los derechos y deberes en la vigente LrS98. Visión general

...

En la LrS98 se establecen los derechos de los propietarios de suelo y los deberes de los mismos (o más bien cargas reales), según cual sea la clase de suelo en la que se encuentren clasificados los correspondientes terrenos [se recuerda que la clasificación de suelo, a sus efectos, ha sido eliminada de la LrS07 y, consecuentemente por la LS 2008 y, como consecuencia, en la regulación de ésta los derechos y deberes de los propietarios no coinciden con los derechos y deberes de la promotor de la transformación urbanística].

El planteamiento de la LrS98 lleva a relacionar, ex lege, el cumplimiento de los deberes y el ejercicio de los correspondientes derechos (no ya su adquisición, como se establecía en la LS92). Por tanto, en la LrS98, salvo en suelo no urbanizable, la función social de la propiedad en el ámbito urbanístico parte de un principio fundamental:

El cumplimiento de los deberes es requisito para el ejercicio de los derechos.

Teniendo en cuenta que los derechos y deberes de los propietarios se ejercerán de acuerdo con la normativa sobre planeamiento, gestión y ejecución del planeamiento establecida por la legislación urbanística aplicable (art. 12 LrS98).

El cambio real producido de la LS92 a la LrS98, no obstante, no es tan radical como podría pensarse, dado que aunque se modifican los derechos (como se indica a continuación), los deberes siguen casi inalterados.

…

Y es que parece fuera de dudas que el proceso urbanístico está compuesto por una serie de pasos (constituyan o no derechos o deberes concretos explicitados como tales en el texto legal estatal) que, necesariamente, conforme al «modelo tradicional», han de cumplirse las siguientes fases [el proceso de transformación urbanística sigue siendo el mismo con la LS 2008, pero ya no significan derechos y deberes de la propiedad del suelo]:

• Ha de aprobarse el planeamiento más específico que habilite la urbanización.

• En algún momento se ha de atribuir al propietario del suelo una determinada cuantía de aprovechamiento [ahora ya no necesariamente el propietario será el sujeto atribuido].

• Han de cumplirse los deberes de equidistribución, cesión y urbanización (o en términos de la LrS98, ceder el suelo para viales y dotaciones públicas locales o sistemas generales; ceder el suelo sustentante del 10% del aprovechamiento de referencia; distribuir beneficios y cargas; urbanizar [ahora ya no necesariamente serán deberes a cumplir por el propietario del suelo; lo serán del agente promotor].

• Ha de solicitarse licencia de edificación, acompañando el correspondiente proyecto, aunque la LrS98 no lo explicite directamente [ahora también el propietario del suelo].

• Ha de edificarse en las condiciones establecidas [ahora también el propietario del suelo].

• Se incorporará al patrimonio del interesado el edificio terminado [ahora también el propietario del suelo].»

[Como se ha indicado, en el sistema derivado de la LS 2008 —y hoy de la LRRRU— ese mismo proceso se cumplirá en las mismas fases; la diferencia esencial es que antes eran fases a cargo, en principio, del propietario de suelo y ahora no. Serán a cargo de la promoción urbanística].

«En la FIG. 12-1 se observan los dos derechos urbanísticos especificados en la LrS98 para el SUNC —a la izquierda— así como el proceso de cumplimiento de los deberes establecidos en esa clase de suelo en el art. 14.2 LrS98.

…

A. Los derechos de los propietarios de suelo

En el presente punto se señalarán escuetamente los derechos urbanísticos correspondientes a los propietarios de cada clase de suelo, dejando para el siguiente la enunciación de los deberes urbanísticos que en cada una de las clases de suelo se deben cumplir. [Ya se ha indicado que en la LS 2008 parecidas facultades urbanísticas corresponden al que sea en cada caso el actor de la promoción de la ATU o al propietario de suelo o a una mezcla de ambos].

En la FIG. 12-2 se acompaña un resumen de los derechos urbanísticos en cada clase de suelo, conforme a lo establecido en la LrS98, con indicación de los artículos que regulan cada aspecto, que puede servir de marco para toda la exposición que se realiza a continuación.

B. Los deberes de los propietarios de suelo

Tras haber señalado cuáles son los derechos básicos que tienen los propietarios de suelo conforme a la LrS98, parece necesario mencionar el conjunto de deberes exigibles a la propiedad del suelo (o, más precisamente, cargas de éste) para que sea legalmente posible el ejercicio de aquéllos. [Ya se ha indicado que en la LrS07 y, consecuentemente, en la LS 2008 los análogos deberes urbanísticos corresponden al que sea en cada caso el actor de la promoción de la ATU].

En la FIG. 12-3 tratan de esquematizarse los deberes básicos de los propietarios del suelo, conforme a lo establecido por la LrS98.»

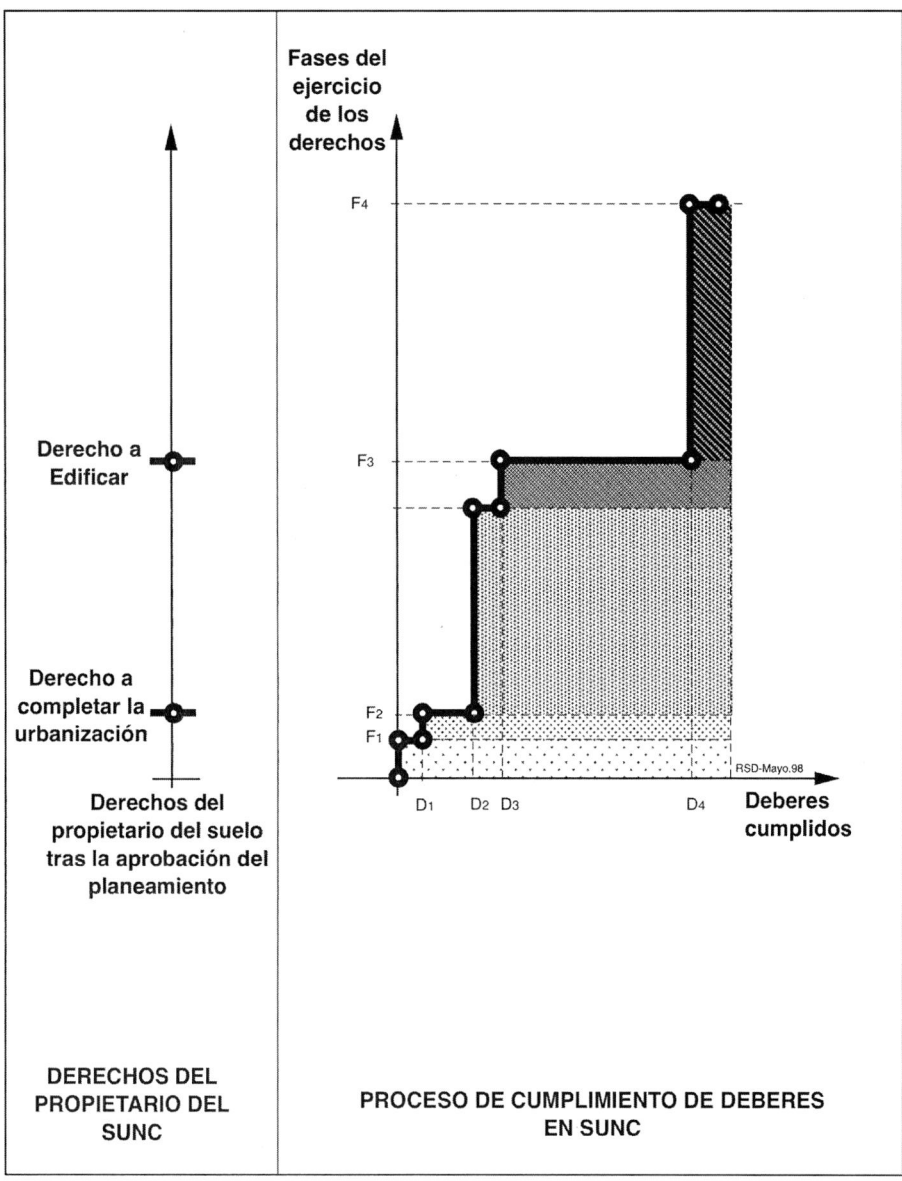

Fig. 12-1. Derechos y deberes de los propietarios de Suelo Urbano No Consolidado (SUNC) y proceso de cumplimiento de deberes, según LrS98

CLASE DE SUELO	DERECHOS DE LOS PROPIETARIOS DE SUELO
SUELO URBANO (SU) (art. 13 LrS98)	• **Derecho a completar la urbanización** de los terrenos para que adquieran la condición de solares. (art. 13, inciso 1º LrS98) • **Derecho a edificar los solares** en las condiciones que en cada caso establezca la legislación urbanística y el planeamiento. (art. 13, inciso 2º LrS98)
SUELO URBANI-ZABLE (SUble) (art. 15 LrS98)	• **Derecho a usar, disfrutar y disponer** de los terrenos de su propiedad **conforme a la naturaleza rústica** de los mismos. (art. 15, inciso 1º LrS98) • **Derecho a promover su transformación instand**o de la Administración la **aprobación del** correspondiente **planeamiento de desarrollo**, de conformidad con la legislación urbanística. (art. 15, inciso 2º LrS98)
SUELO NO URBANI-ZABLE (SNU) (art. 20 LrS98)	• **Derecho a usar, disfrutar y disponer** de su propiedad **de conformidad con la naturaleza** de los terrenos. (art. 20.1, párr. 1º, inciso 1º LrS98) • **Excepcionalmente**, por el procedimiento de la legislación urbanística, **podrán autorizarse actuaciones específicas de interés público**, justificando que no concurren las circunstancias del apartado 1 del artículo 9 de la LS98. (art. 20.1, párr. 2º LrS98) RSD-Marzo.98

Fig. 12-2. Deberes de los propietarios de suelo, en cada clase de suelo, conforme a la Ley sobre Régimen del Suelo y Valoraciones (LrS98)

CLASE DE SUELO		DEBERES DE LOS PROPIETARIOS DE SUELO
SUELO URBANO (SU) (art. 14 LrS98)	SUELO URBANO CONSOLIDADO (SUC)	1) **Completar la urbanización para que** los terrenos **alcancen** - si aún no la tuvieran- **la condición de solar.** 2) **Edificarlos en plazo** si se encontraran en ámbitos para los que **así se haya establecido por el planeamiento.**
	SUELO URBANO NO CONSOLIDADO (SUNC)	1) **Ceder el suelo para los viales, espacios libres, zonas verdes y dotaciones públicas de carácter local al servicio del ámbito de desarrollo.** 2) **Ceder el suelo para la ejecución de los sistemas generales** que el planeamiento general, en su caso, **incluya en el ámbito** correspondiente. 3) **Ceder el suelo correspondiente al diez por ciento del aprovechamiento del correspondiente ámbito**; porcentaje que puede ser reducido por la legislación urbanística. Esta legislación podrá reducir la participación de la Administración actuante en las cargas de urbanización de dicho suelo.
SUELO URBANI-ZABLE (SUble) (art. 18 LrS98)	SUELO URBANIZABLE SECTORIZADO (SUbleS)	4) **Proceder a la distribución equitativa de los beneficios y cargas** derivados del planeamiento, con anterioridad al inicio de la ejecución material del mismo. 5) **Costear** y, en su caso, ejecutar **la urbanización.** 6) **Edificar los solares en el plazo** que, en su caso, establezca el planeamiento.
		Sólo en SUbleET: **Costear** y, en su caso, **ejecutar las infraestructuras de conexión con los sistemas generales exteriores y**, en su caso, **las obras de ampliación o refuerzo de éstos.**
	S. URBANIZABLE NO SECTORIZADO (SUbleNS)	Sólo en SUble CAD (art. 17.1): Sólo obras provisionales. (En el resto (SUble SAD, pueden autorizarse los usos del art. 20 LrS98). 1) Destinar su propiedad a fines agrícolas, forestales, ganaderos, cinegéticos u **otros vinculados a la utilización racional de los recursos naturales**, y dentro de los límites que, en su caso, establezcan las Leyes o el planeamiento.
SUELO NO URBANIZABLE (SNU) (art. 20 LrS98)		2) Están prohibidas las parcelaciones urbanísticas. En ningún caso, puedan efectuarse divisiones, segregaciones o fraccionamientos de cualquier tipo en contra de lo dispuesto en la legislación agraria, forestal o de similar naturaleza. RSD-Marzo.98

Fig. 12-3. Deberes de los propietarios de suelo, en cada clase de suelo, conforme a la Ley sobre Régimen del Suelo y Valoraciones (LrS98)

2. CARÁCTER ESTATUTARIO DEL CONTENIDO DEL DERECHO DE PROPIEDAD DEL SUELO (27)

El primer inciso de este apartado 1 del art. 7 LS 2008, relativo al régimen urbanístico del derecho de propiedad del suelo, se mantiene igual que la equivalente regulación de la LrS98, en el sentido de que el *régimen urbanístico de la propiedad del suelo,* que define el contenido del derecho de propiedad del suelo, **es estatutario,** es decir, varía con la ley vigente en cada momento, con el correspondiente reglamento y con el correspondiente instrumento de planeamiento urbanístico.

Dicho de otra forma, el contenido de la propiedad es cambiante, es un conjunto de derechos y deberes del propietario de suelo en un determinado momento, pero puede variar si se modifican la ley, el reglamento o el instrumento de planeamiento aplicables. Más en concreto, el instrumento de planeamiento urbanístico establece el estatuto objetivo aplicable a los correspondientes terrenos (es decir, «lo que va a resultar tras la ejecución del plan»; y, al mismo tiempo, incide directamente sobre el contenido del derecho de propiedad del suelo, a través de fijar «concretos destinos».

Se debe significar, no obstante, que la LS 2008 es competente para establecer el estatuto básico de la propiedad, que puede ser complementado en el ámbito urbanístico por la ley autonómica y es, finalmente, concretado por el plan.

Dejando al margen antecedentes históricos anteriores, a partir de la Constitución Española (art. 33 CE) se reconoce el derecho a la propiedad privada y la herencia, de tal modo que «la función social de dichos derechos delimitará su contenido de acuerdo con las leyes». Es decir, cada ley «delimitará» —definirá, conformará— el contenido del derecho. En lo que a la propiedad del suelo se refiere, la delimitación de su contenido derivará de la concepción de la misma que establezca la ley aplicable: la función social de la propiedad, el régimen urbanístico de la propiedad del suelo o el conjunto de derechos y deberes de la propiedad del suelo. Se compone por un estatuto básico, establecido por la ley estatal aplicable, complementado por un estatuto urbanístico complementario, determinado por la correspondiente ley urbanística (autonómica, salvo inexistencia de la misma).

Las decisiones sobre un terreno ya no son exclusivas del propietario del mismo sino que, por la función social que cumple el suelo, dichas decisiones corresponden en buena medida al poder público. El urbanismo es una función pública.

El régimen urbanístico de la propiedad del suelo **es,** como se ha indicado, **estatutario:** depende del estatuto que le sea aplicable a cada punto del terreno. A modo de ejemplo, si varía la ley reguladora de la institución varía el estatuto y varía el contenido delimitado (conformado) por aquélla.

---

(27) Es de resaltar que este art. 7 LS08 no ha sido recurrido ante el Tribunal Constitucional. Por otra parte, este art. 7 LS08 no ha sido modificado en su redacción por la LRRRU.

«Tradicionalmente», en las anteriores leyes de suelo o urbanísticas, el contenido del derecho de propiedad del suelo dependía de la «clasificación» y la «calificación» urbanística de los predios. Con la LS 2008 y **a sus efectos**, desaparecida la doble funcionalidad de la clasificación del suelo que antes tenía con carácter necesario (de establecer las posibilidades de desarrollo urbanístico y de atribución de derechos y deberes al propietario de suelo), **el contenido del derecho de propiedad depende de la calificación urbanística de los predios y de la situación básica** (véase art. 12 LS 2008) **en la que se encuentren los terrenos.**

Hay que tener en cuenta que la LRRRU ha modificado el apartado 3 y ha añadido un nuevo apartado 4 en este artículo 12 LS 2008.

Pero es más, la LS 2008 establece que dicho régimen, derechos y deberes del propietario del suelo, resulta de la vinculación de cada terreno a concretos destinos (calificación urbanística), en los términos que establece la legislación sobre ordenación territorial y urbanística.

Como se verá más adelante, una calificación urbanística concreta del suelo sobre un terreno concreto no significa que el propietario de dicho suelo va a patrimonializar, sin más, el contenido económico de dicha calificación urbanística.

Y en la regulación de las facutades básicas del propietario del suelo, en los art. 8.1 LS 2008 y, actualmente, 8.1 LRRRU, se establece que dichas facultades, las de uso, disfrute y explotación del suelo, dependerán de su estado, clasificación, características objetivas y destino.

El contenido económico que del diseño y determinaciones del plan revierte en la propiedad del suelo, con la LS 2008 y la redacción de la LRRRU, en su caso, depende de lo establecido en cada caso por la legislación (autonómica) y el planeamiento urbanístico, en el marco de la correspondiente legislación estatal (hoy la LS 2008).

3. LA PATRIMONIALIZACIÓN DE LA EDIFICABIILIDAD SE PRODUCE POR EL CUMPLIMIENTO DE LOS DEBERES Y EL LEVANTAMIENTO DE LAS CARGAS (ART. 7.2 LS 2008 NO MODIFICADO POR LA LRRRU)

Como se acaba de indicar, la calificación urbanística y sus consecuencias económicas no se integran, sin más, en el contenido del derecho de propiedad del suelo. La fijación/atribución de edificabilidad-aprovechamiento por la ordenación territorial y urbanística, es decir, por el planeamiento, sobre un terreno determinado no corresponde al propietario de suelo —como correspondía parcialmente, con el cumplimiento de sus deberes, en principio, con la anterior legislación— y la consecuencia económica que de ello puede derivar no revierte, sin más, en el propietario del suelo afectado.

Es decir, la atribución de aprovechamiento al propietario de suelo no tiene necesariamente que producirse, dado que la patrimonialización de la edificabilidad (aprovechamiento) se produce únicamente con su realización efectiva (por quien sea realizada) y está condicionada en todo caso al cumplimiento de los deberes y el levantamiento de las cargas propias del régimen que corresponda, en los términos dispuestos por la legislación sobre ordenación territorial y urbanística.

Es decir, dos diferencias esenciales entre nuestro anterior sistema jurídico-urbanístico respecto de los sistemas urbanísticos de los países de nuestro entorno:

— la clasificación del suelo y

— la atribución de aprovechamiento a los propietarios de suelo,

pierden su esencial virtualidad: con la LS 2008 ni la clasificación del suelo produce un especial régimen de derechos y deberes básicos a favor del propietario del suelo ni éste es el destinatario esencial del aprovechamiento urbanístico, que se anuda a las Actuaciones de Transformación Urbanística y a quien produzca dicha transformación.

La clasificación del suelo con dicha finalidad de atribución de un determinado régimen urbanístico básico se sustituye en la LS 2008 por las «situaciones del suelo», a partir de las cuales el ciudadano, el propietario y el promotor tendrán los derechos y deberes básicos concretamente establecidos en dicha ley, entre los cuales no corresponde al propietario de suelo el derecho a urbanizar, **sin perjuicio de las peculiaridades o excepciones que ésta prevea a favor de la iniciativa de los propietarios del suelo** [art. 6,a) LS 2008, modificado por el art. 6 según la redacción de la LRRRU].

Pero, por otro lado, la LS 2008 evita adoptar el término aprovechamiento, usando el de edificabilidad (parecido a lo que hace la Ley del País Vasco de 30 de junio de 2006), con lo cual, como se verá, debe hacer referencia a la edificabilidad media ponderada y a otros términos análogos que conceptualmente ya estaban acuñados (pero sin usar los términos concretos que están asumidos ya por las Comunidades Autónomas, por su diversidad, y representan, como no podía ser de otra forma, variables en el ámbito del valor) (28).

Comentando en sus propios términos la LS 2008, la previsión de edificabilidad por el instrumento de planeamiento urbanístico (o, en su caso, territorial) no se integra necesariamente en el contenido del derecho de la propiedad del suelo.

Si, como tradicionalmente se distinguía, la edificabilidad se mueve en el ámbito físico, sin contenido económico directo, no podría integrar un contenido económi-

---

(28) Posiblemente para no utilizar el término aprovechamiento medio o tipo también ha podido influir la diversidad autonómica, dado que no existe una generalizada unidad de terminología.

co concreto; sin embargo, al asignarle un uso, una tipología, etc. (una ordenanza) se está ya en el mundo de lo económico, en el ámbito de los aprovechamientos y, por ello, sí se puede integrar, en su caso, en el patrimonio de un sujeto (en este caso, sea propietario de suelo o no), es decir, sumarse al patrimonio preexistente.

Y ello, se reitera, aunque dicho sujeto no sea el propietario del suelo.

Para patrimonializar dicha edificabilidad (aprovechamiento), por quien corresponda —no necesariamente el propietario de suelo— es preciso el cumplimiento de los deberes urbanísticos (y el levantamiento de las cargas precisas), según dispongan la legislación urbanística y el planeamiento.

Como simple ejemplo, supóngase un Plan urbanístico que en un determinado terreno fija, atribuye o determina una calificación concreta (con una determinada edificabilidad o, mejor dicho, aprovechamiento, con un uso, intensidad de uso, tipología edificatoria y demás elementos del valor), si para la ejecución del Plan es preciso expropiar ese terreno, el justiprecio no debe incluir los elementos valorables de esa calificación urbanística (no debe incluir las plusvalías generadas por el plan que se ejecuta), y, básicamente, sólo serán tenidas en cuenta las inversiones que el propietario de suelo haya realizado, en los términos de los arts. 23.2 y otros LS 2008, incrementadas, en su caso, como establece la LS 2008.

En resumen, para patrimonializar esa edificabilidad (o, mejor dicho, el correspondiente aprovechamiento) por parte del propietario es preciso que éste participe en la operación de Actuación de Transformación Urbanística (ATU) y cumpla los correspondientes deberes urbanísticos de la promoción y levante las correspondientes cargas urbanísticas (véanse los comentarios al art. 16 LS 2008).

Y, por lo tanto, tal y como indica el art. 3.1 LS 2008, que no ha sido modificado por la LRRRU:

> «Esta determinación no confiere derecho a exigir indemnización, salvo en los casos expresamente establecidos en las leyes.»

la ordenación territorial y urbanística podrá modificarse; de tal manera que las modificaciones de ésta no llevarán como consecuencia la exigencia de indemnización, salvo en los supuestos establecidos expresamente en las leyes (supuestos indemnizatorios, art. 35 LS 2008).

Alguna normativa autonómica ha adaptado o ajustado ya su regulación o interpretación a lo dispuesto por el art. 7.2 LS 2008 que se comenta. En particular, el apartado 1.3 de la Orden FOM/1083/2007, de 12 de junio, por la que se aprueba la Instrucción Técnica Urbanística 1/2007, para la aplicación en la Comunidad Autónoma de Castilla y León de la Ley 8/2007, de 28 de mayo, de Suelo. Este apartado, sobre patrimonialización de la edificabilidad, establece que:

> «1.3. Patrimonialización de la edificabilidad.

Conforme al apartado 2 del artículo 7 LS, los artículos 17 y 19 LUCyL y 40, 42, 44 y 46 RUCyL se interpretarán en el sentido de que los propietarios sólo patrimonializan la edificabilidad que se permita sobre sus terrenos cuando la misma haya sido efectivamente realizada, y se hayan cumplido por completo todos los deberes urbanísticos establecidos en los artículos 18 y 20 LUCyL y 41, 43 y 45 RUCyL».

Artículo 8 LS 2008, en la redacción establecida por la LRRRU.

Según el artículo 8, regulador del contenido del derecho de propiedad del suelo: facultades:

1. El derecho de propiedad del suelo comprende las facultades de uso, disfrute y explotación del mismo conforme al estado, clasificación, características objetivas y destino que tenga en cada momento, de acuerdo con la legislación y ordenación aplicable por razón de las características y situación del bien.

Comprende asimismo la facultad de disposición, siempre que su ejercicio no infrinja el régimen de formación de fincas y parcelas y de relación entre ellas establecido en el artículo 17.

2. En el suelo en situación rural a que se refiere el artículo 12.2,a), las facultades del derecho de propiedad incluyen las de usar, disfrutar y disponer de los terrenos de conformidad con su naturaleza, debiendo dedicarse, dentro de los límites que dispongan las leyes y la ordenación territorial y urbanística, al uso agrícola, ganadero, forestal, cinegético o cualquier otro vinculado a la utilización racional de los recursos naturales.

La utilización de los terrenos con valores ambientales, culturales, históricos, arqueológicos, científicos y paisajísticos que sean objeto de protección por la legislación aplicable, quedará siempre sometida a la preservación de dichos valores, y comprenderá únicamente los actos de alteración del estado natural de los terrenos que aquella legislación expresamente autorice.

Con carácter excepcional y por el procedimiento y con las condiciones previstas en la legislación de ordenación territorial y urbanística, podrán legitimarse actos y usos específicos que sean de interés público o social, que contribuyan a la ordenación y el desarrollo rurales, o que hayan de emplazarse en el medio rural.

3. En el suelo en situación rural para el que los instrumentos de ordenación territorial y urbanística prevean o permitan su paso a la situación de suelo urbanizado las facultades del derecho de propiedad incluyen las siguientes:

a) El derecho de consulta a las Administraciones competentes, sobre los criterios y previsiones de la ordenación urbanística, de los planes y proyectos sectoriales, y de las obras que habrán de realizar para asegurar la conexión de la urbanización con las redes generales de servicios y, en su caso, las de ampliación y reforzamiento de las existentes fuera de la actuación.

La legislación sobre ordenación territorial y urbanística fijará el plazo máximo de contestación de la consulta, que no podrá exceder de tres meses, salvo que una norma con rango de ley establezca uno mayor, así como los efectos que se sigan de ella. En todo caso, la alteración de los criterios y las previsiones facilitados en la contestación, dentro del plazo en el que ésta surta efectos, podrá dar derecho a la indemnización de los gastos en que se haya incurrido por la elaboración de proyectos necesarios que resulten inútiles, en los términos del régimen general de la responsabilidad patrimonial de las Administraciones Públicas.

b) El derecho de elaborar y presentar el instrumento de ordenación que corresponda, cuando la Administración no se haya reservado la iniciativa pública de la ordenación y ejecución.

c) El derecho a participar en la ejecución de las actuaciones de urbanización a que se refiere la letra a) del apartado 1 del artículo 14, en un régimen de equitativa distribución de beneficios y cargas entre todos los propietarios afectados en proporción a su aportación.

Para ejercer esta facultad, o para ratificarse en ella, si la hubiera ejercido antes, el propietario dispondrá del plazo que fije la legislación sobre ordenación territorial y urbanística, que no podrá ser inferior a un mes ni contarse desde un momento anterior a aquél en que pueda conocer el alcance de las cargas de la actuación y los criterios de su distribución entre los afectados.

d) La realización de usos y obras de carácter provisional que se autoricen por no estar expresamente prohibidos por la legislación territorial y urbanística, o la sectorial y sean compatibles con la ordenación urbanística. Estos usos y obras deberán cesar y, en todo caso, ser demolidas las obras, sin derecho a indemnización alguna, cuando así lo acuerde la Administración urbanística.

La eficacia de las autorizaciones correspondientes, bajo las indicadas condiciones expresamente aceptadas por sus destinatarios, quedará supeditada a su constancia en el Registro de la Propiedad de conformidad con la legislación hipotecaria.

El arrendamiento y el derecho de superficie de los terrenos a que se refiere este apartado, o de las construcciones provisionales que se levanten en ellos, estarán excluidos del régimen especial de arrendamientos rústicos y urbanos, y, en todo caso, finalizarán automáticamente con la orden de la Administración urbanística acordando la demolición o desalojo para ejecutar los proyectos de urbanización. En estos supuestos no existirá derecho de realojamiento, ni de retorno.

e) El derecho de usar, disfrutar y disponer de los terrenos de conformidad con lo previsto en el apartado 2, siempre que el ejercicio de estas facultades sea compatible con la previsión ya contenida en el instrumento de ordenación territorial y urbanística en relación con su paso a la situación de suelo urbanizado.

4. No obstante lo dispuesto en los apartados anteriores, sólo podrá alterarse la delimitación de los espacios naturales protegidos o de los espacios incluidos en la Red Natura 2000, reduciendo su superficie total o excluyendo terrenos de los mismos, cuando así lo justifiquen los cambios provocados en ellos por su evolución natural, científicamente demostrada. La alteración deberá someterse a información pública, que en el caso de la Red Natura 2000 se hará de forma previa a la remisión de la propuesta de descatalogación a la Comisión Europea y la aceptación por ésta de tal descatalogación.

5. En el suelo en situación de urbanizado las facultades del derecho de propiedad incluyen, además de las establecidas en las letras a), b), y d) del apartado tres, en su caso, las siguientes:

a) Completar la urbanización de los terrenos para que cumplan los requisitos y condiciones establecidos para su edificación. Este derecho podrá ejercitarse individualmente o, cuando los terrenos estén sujetos a una actuación de carácter conjunto, con los propietarios del ámbito, en la forma que disponga la legislación aplicable.

b) Edificar sobre unidad apta para ello y realizar las actuaciones necesarias para mantener la edificación, en todo momento, en un buen estado de conservación.

c) Participar en la ejecución de actuaciones de transformación urbanística en un régimen de justa distribución de beneficios y cargas, cuando proceda, o de distribución, entre todos los afectados, de los costes derivados de la ejecución y de los beneficios imputables a la misma, incluyendo entre ellos las ayudas públicas y todos los que permitan generar algún tipo de ingreso vinculado a la operación.

6. Las facultades referidas en los apartados anteriores alcanzan al vuelo y al subsuelo hasta donde determinen los instrumentos de ordenación urbanística, de conformidad con las leyes aplicables y con las limitaciones y servidumbres que requiera la protección del dominio público.»

CONCORDANCIAS

CE: 23, 33, 45, 46, 47.
LS 2008: arts. 4, 5, 6, 7, 9, 14, 16

JURISPRUDENCIA

STS de 8.11.2012 (LA LEY 167614), STS de 15.11.2012 (LA LEY 181218/2012), STS de 28.11.2012 (LA LEY 215448/2012),

STS de 3.05.1990 (LA LEY 1870-JF/0000), STS de 27.06.2003 (LA LEY 13324/2003), STS de 28.10.2003 (LA LEY11017/2004), STS de 15.06.2009 (LA LEY 119234/2009),

STS de 6.02.2006(LA LEY15082), STS de 27.02.2001 (LA LEY 4955),

STS de 19.07.2000 (LA LEY 11014/2000), STS de 28.11.2001 (LA LEY 2473/2002), STS de 27.05.2008 (LA LEY 74150/2008),

STS de 26.01.2012 (LA LEY 3787/2012), STS de 8.03.2013 (LA LEY 16376/2013)

STS de 5.11.2010 (LA LEY 195163/2010), STS de 28.12.2012 (LA LEY215 450/2012), STS de 2.07.2009 (LA LEY 125153/2009)

STS de 13.03.1999 (LA LEY 3794/1999), STS de 6.11.2008 (LA LEY176000/2008), STS de 6.10.2010 (LA LEY 188089/2010), STS de 11.072012 (LA LEY 142314/2012)

art. 8.3, c) LS 2008 y art. 9.4 LS 2008, STS 29.01.2010 (LA LEY 92/2006), STS de 7.09.2007 (LA LEY 132507/2007), STS de 22.11.2012 (LA LEY: 181234/2012), STS de 6.11.2011 (LA LEY 44824/2011), STS de 11.10.2011 (LA LEY 199920/2011), STS de 1.03.2003 (LA LEY 43106/2003) STS de 4.07.2007 (LA LEY 79684/2007)

STS de 3.07.2007 (LA LEY 61055/2007), STS de 8.04.2013 (LA LEY 26872/2013), STS de 16.12.2010 (LA LEY 217782/2010), STS de 22.05.2013 (LA LEY 49105/2013

STS de 16.06.1998 (LA LEY: 6699/1998, STS-30/1172002

TRAMITACIÓN PARLAMENTARIA

El Texto legal ha variado muy levemente a su paso por el Congreso, especialmente en sus apartados 1 y 5.

El texto que llegó al Congreso tenía esta redacción, según consta en el *BOCG*, Congreso de los Diputados n.º 45-1, de 12.04.2013:

«El artículo 8 queda redactado de la siguiente manera:

Contenido del derecho de propiedad del suelo: facultades.

1. El derecho de propiedad del suelo comprende las facultades de uso, disfrute y explotación del mismo conforme al estado, clasificación, características objetivas y destino que tenga en cada momento, de acuerdo con la legislación y ordenación aplicable por razón de las características y situación del bien.

Comprende asimismo la facultad de disposición, siempre que su ejercicio no infrinja el régimen de formación de fincas y parcelas y de relación entre ellas establecido en el artículo 17.

2. En el suelo en situación rural a que se refiere el artículo 12.2,a), las facultades del derecho de propiedad incluyen las de usar, disfrutar y disponer de los terrenos de conformidad con su naturaleza, debiendo dedicarse, dentro de los límites que dispongan las leyes y la ordenación territorial y urbanística, al uso agrícola, ganadero, forestal, cinegético o cualquier otro vinculado a la utilización racional de los recursos naturales.

La utilización de los terrenos con valores ambientales, culturales, históricos, arqueológicos, científicos y paisajísticos que sean objeto de protección por la legislación aplicable, quedará siempre sometida a la preservación de dichos valores, y comprenderá únicamente los actos de alteración del estado natural de los terrenos que aquella legislación expresamente autorice.

Con carácter excepcional y por el procedimiento y con las condiciones previstas en la legislación de ordenación territorial y urbanística, podrán legitimarse actos y usos específicos que sean de interés público o social, que contribuyan a la ordenación y el desarrollo rurales, o que hayan de emplazarse en el medio rural.

3. En el suelo en situación rural para el que los instrumentos de ordenación territorial y urbanística prevean o permitan su paso a la situación de suelo urbanizado las facultades del derecho de propiedad incluyen las siguientes:

a) El derecho de consulta a las Administraciones competentes, sobre los criterios y previsiones de la ordenación urbanística, de los planes y proyectos sectoriales, y de las obras que habrán de realizar para asegurar la conexión de la urbanización con las redes generales de servicios y, en su caso, las de ampliación y reforzamiento de las existentes fuera de la actuación.

La legislación sobre ordenación territorial y urbanística fijará el plazo máximo de contestación de la consulta, que no podrá exceder de tres meses, salvo que una norma con rango de ley establezca uno mayor, así como los efectos que se sigan de ella. En todo caso, la alteración de los criterios y las previsiones facilitados en la contestación, dentro del plazo en el que ésta surta efectos, podrá dar derecho a la indemnización de los gastos en que se haya incurrido por la elaboración de proyectos necesarios que resulten inútiles, en los términos del régimen general de la responsabilidad patrimonial de las Administraciones Públicas.

b) El derecho de elaborar y presentar el instrumento de ordenación que corresponda, cuando la Administración no se haya reservado la iniciativa pública de la ordenación y ejecución.

c) El derecho a participar en la ejecución de las actuaciones de urbanización a que se refiere la letra a) del apartado 1 del artículo 14, en un régimen de equitativa distribución de beneficios y cargas entre todos los propietarios afectados en proporción a su aportación.

Para ejercer esta facultad, o para ratificarse en ella, si la hubiera ejercido antes, el propietario dispondrá del plazo que fije la legislación sobre ordenación territorial y urbanística, que no podrá ser inferior a un mes ni contarse desde un momento anterior a aquél en que pueda conocer el alcance de las cargas de la actuación y los criterios de su distribución entre los afectados.

d) La realización de usos y obras de carácter provisional que se autoricen por no estar expresamente prohibidos por la legislación territorial y urbanística, o la sectorial y sean compatibles con la ordenación urbanística. Estos usos y obras deberán cesar y, en todo caso, ser demolidas las obras, sin derecho a indemnización alguna, cuando así lo acuerde la Administración urbanística.

La eficacia de las autorizaciones correspondientes, bajo las indicadas condiciones expresamente aceptadas por sus destinatarios, quedará supeditada a su constancia en el Registro de la Propiedad de conformidad con la legislación hipotecaria.

El arrendamiento y el derecho de superficie de los terrenos a que se refiere este apartado, o de las construcciones provisionales que se levanten en ellos, estarán excluidos del régimen especial de arrendamientos rústicos y urbanos, y, en todo caso, finalizarán automáticamente con la orden de la Administración urbanística acordando la demolición o desalojo para ejecutar los proyectos de urbanización. En estos supuestos no existirá derecho de realojamiento, ni de retorno.

e) El derecho de usar, disfrutar y disponer de los terrenos de conformidad con lo previsto en el apartado 2, siempre que el ejercicio de estas facultades sea compatible con la previsión ya contenida en el instrumento de ordenación territorial y urbanística en relación con su paso a la situación de suelo urbanizado.

4. No obstante lo dispuesto en los apartados anteriores, sólo podrá alterarse la delimitación de los espacios naturales protegidos o de los espacios incluidos en la Red Natura 2000, reduciendo su superficie total o excluyendo terrenos de los mismos, cuando así lo justifiquen los cambios provocados en ellos por su evolución natural, científicamente demostrada. La alteración deberá someterse a información pública, que en el caso de la Red Natura 2000 se hará de forma previa a la remisión de la propuesta de descatalogación a la Comisión Europea y la aceptación por ésta de tal descatalogación.

5. En el suelo en situación de urbanizado las facultades del derecho de propiedad incluyen, además de las establecidas en las letras a), b), c) y d) del apartado anterior, en su caso, las siguientes:

a) Completar la urbanización de los terrenos para que cumplan los requisitos y condiciones establecidos para su edificación. Este derecho podrá ejercitarse individualmente o, cuando los terrenos estén sujetos a una actuación de carácter conjunto, con los propietarios del ámbito, en la forma que disponga la legislación aplicable.

b) Edificar sobre unidad apta para ello y realizar las actuaciones necesarias para mantener la edificación, en todo momento, en un buen estado de conservación.

c) Participar en la ejecución de actuaciones de transformación urbanística en un régimen de justa distribución de beneficios y cargas, cuando proceda, o de distribución, entre todos los afectados, de los costes derivados de la ejecución y de los beneficios imputables a la misma, incluyendo entre ellos las ayudas públicas y todos los que permitan generar algún tipo de ingreso vinculado a la operación.

6. Las facultades referidas en los apartados anteriores alcanzan al vuelo y al subsuelo hasta donde determinen los instrumentos de ordenación urbanística, de conformidad con las leyes aplicables y con las limitaciones y servidumbres que requiera la protección del dominio público.»

A este texto se presentaron varias enmiendas, tales como la n.º 55 del Grupo Parlamentario Mixto, que pretendía la supresión del apartado 3 de este artículo. No fue aceptada. La enmienda n.º 77, presentada por el Grupo Parlamentario Vasco que, entre otras variaciones al texto, propuso la incorporación en el apartado 1, de la referencia a la legislación y **ordenación urbanística** aplicable, que fue aceptada. Tampoco se aceptaron las restantes enmiendas de este Grupo Parlamentario al resto del este artículo. Se aceptó, también, la enmienda del Grupo Parlamentario Socialista n.º 124, relativa a la incorporación del inciso «en los plazos establecidos para ello en la normativa aplicable» a la letra b) del apartado 5 de este artículo. No fue aceptada la enmienda n.º 166 del Grupo Parlamentario Catalán, que pretendía suprimir el segundo párrafo de la letra c) del apartado 3 de este artículo.

En el Senado no se admitió ninguna enmienda al texto remitido por el Congreso de los Diputados, por lo que el texto final es el que ya consta más arriba.

COMENTARIO

Sumario

1. Antecedentes. Los derechos del propietario del suelo en la Ley del Suelo de 1992 y en la Ley sobre Régimen del Suelo y Valoraciones de 1998.
2. Las facultades del propietario de suelo en la LS 2008 modificada por la LRRRU.
3. Facultades básicas de los propietarios de suelo.
    3.1. Facultad de uso, disfrute, explotación conforme a su estado, clasificación, destino, etc. en cada momento y de disposición.
        3.1.1. Facultad de uso, disfrute y explotación conforme a su estado, clasificación, destino, etc. en cada momento.
        3.1.2. Facultad de disposición.
    3.2. Facultades del propietario en Suelo Rural «puro» (SR).
    3.3. Facultades del propietario en Suelo Rural Apto para el Desarrollo Urbanístico (SRADU).
        3.3.1. El derecho de consulta a las Administraciones Públicas competentes.
        3.3.2. El derecho a elaborar y presentar el instrumento de ordenación que corresponda.
        3.3.3. Derecho a participar en la ejecución de Actuaciones de Transformación Urbanística en régimen de equitativa distribución de beneficios y cargas, con plazo mínimo de un mes para ejercerla.
        3.3.4. Derecho a realizar usos y obras de carácter provisional que se autoricen por no estar expresamente prohibidos.
        3.3.5. Derecho a usar, disfrutar y disponer de los terrenos de conformidad con lo previsto en el apartado 2, siempre que el ejercicio de estas facultades sea compatible con el plan.
    3.4. Facultades del propietario en Suelo Urbanizado (SUaDO).
        3.4.1. Facultad de completar la urbanización de los terrenos para que cumplan los requisitos y condiciones establecidos para su edificación.

3.4.2. Facultad de edificar sobre unidad apta para ello y realizar las actuaciones necesarias para mantener la edificación.

3.4.3. Facultad de participar en la ejecución de actuaciones de transformación urbanística en un régimen de justa distribución de beneficios y cargas.

3.5. Especial referencia al vuelo y al subsuelo.

1. ANTECEDENTES. LOS DERECHOS DEL PROPIETARIO DEL SUELO EN LA LEY DEL SUELO DE 1992 Y EN LA LEY SOBRE RÉGIMEN DEL SUELO Y VALORACIONES DE 1998

Conforme a la función social de la propiedad establecida en su día por la LS92 (arts. 20.2 y 23.1 LS92), a través de la **«gradual adquisición de las facultades urbanísticas»**, regulación que fue admitida en sede constitucional por la STC 61/1997, pero posteriormente fue derogada por la LrS98 como legislación estatal; tanto en suelo urbano sistemático (y también en suelo urbano asistemático pero con técnicas diferentes) como en suelo urbanizable programado los derechos de contenido urbanístico que correspondían al propietario de suelo eran:

- derecho a urbanizar.

- derecho al aprovechamiento urbanístico.

- derecho a edificar.

- derecho a la edificación.

Obsérvese que el derecho a urbanizar [que ya no es una facultad del propietario de suelo a partir de la LrS07, con la LS 2008 y su modificación por la LRRRU] puede asemejarse al derecho a completar la urbanización (establecido en el art. 13 LrS98). Sin embargo, en la LS92 era preciso alcanzar dicho derecho (por la aprobación del planeamiento preciso) mientras que en la LrS98 el derecho estaba ínsito en la propiedad del suelo urbano y sólo se precisaba el planeamiento «preciso» para la efectiva realización de la urbanización.

El derecho al aprovechamiento urbanístico [que ya no es una facultad del propietario de suelo a partir de la LrS07, con la LS 2008 y su modificación por la LRRRU], como tal derecho que se adquiría por el cumplimiento de deberes y se reducía por el incumplimiento, habiendo desaparecido en su explicitación en la LrS98, al ser inherente a la propiedad el aprovechamiento que corresponde a los propietarios del suelo urbano, sin perjuicio de que para su ejercicio, en vía urbanística, de ejecución del planeamiento, fuera preciso cumplir, en SUNC, los deberes de equidistribución, cesión y urbanización.

El derecho a edificar (que sí es una facultad del propietario de suelo reconocida por la LrS07, con la LS 2008 [art. 8.1, b) LS 2008 y su modificación por la LRRRU]) se mantenía en la LrS98, si bien con diferentes principios: no era preciso adquirirlo, porque preexistía en la propiedad del suelo urbano, debiendo haberse equidistribuido, cedido y urbanizado, en su caso, y obtenido la licencia de edificación, en todo caso, para el correspondiente ejercicio del derecho.

Por último, el derecho a la edificación no se explicitaba en la LrS98, sin perjuicio de seguir existiendo, dado que su regulación civil es suficiente, aunque no lo hubiere asumido la ley autonómica urbanística como legislación propia.

A partir de dicho antecedente de los derechos de los propietarios en la LS92, la LrS98 estableció los correspondientes derechos de los propietarios de suelo, dependiendo de la clasificación del suelo, tal como se indicaba en la anterior FIG. 12-2.

En efecto, de acuerdo con lo dispuesto por el art. 13 y ss. LrS98, con la matización del Tribunal Constitucional:

«Artículo 13. Derechos de los propietarios de suelo urbano

Los propietarios de suelo urbano tienen el derecho a completar la urbanización de los terrenos para que adquieran la condición de solares y a edificar éstos en las condiciones que en cada caso establezca la legislación urbanística y el planeamiento.»

«Artículo 15. Derechos de los propietarios de suelo urbanizable

Los propietarios de suelo clasificado como urbanizable tendrán derecho a usar, disfrutar y disponer de los terrenos de su propiedad conforme a la naturaleza rústica de los mismos. Además, tendrán derecho a promover su transformación instando de la Administración la aprobación del correspondiente planeamiento de desarrollo, de conformidad con lo que establezca la legislación urbanística.

Artículo 16. Reglas básicas para el ejercicio del derecho

1. El derecho a promover la transformación del suelo urbanizable, mediante la presentación ante el Ayuntamiento del correspondiente planeamiento de desarrollo para su tramitación y aprobación, se podrá ejercer desde el momento en que el planeamiento general delimite sus ámbitos o se hayan establecido las condiciones para su desarrollo.

2. En otro caso, las Comunidades Autónomas, a través de la legislación urbanística, regularán la tramitación, determinaciones y contenido de la documentación necesaria para proceder a esa transformación. Asimismo, esta legislación regulará los efectos derivados del derecho de consulta a las Administraciones competentes sobre los criterios y previsiones de la ordenación urbanística, de los planes y proyectos sectoriales, y de las obras que

habrán de realizar a su costa para asegurar la conexión con los sistemas generales exteriores a la actuación de conformidad con lo dispuesto en el punto 3 del artículo 18 de esta Ley. Dicha legislación fijará, igualmente, los plazos de contestación a la referida consulta».

La regulación de los derechos del propietario de suelo, a partir de la LrS07, con la LS 2008 y su modificación por la LRRRU, ha sufrido, como ya se ha indicado, una importante transformación conceptual, al no ser ya éste el titular de la actuación de transformación urbanística. Y ello sin perjuicio de lo que dispongan las leyes autonómicas respecto de la preferencia para ser titular de la iniciativa de la transformación urbanística y de los derechos y deberes complementarios urbanísticos de los propietarios que dispongan éstas, aprobadas la mayor parte de las actualmente vigentes durante la vigencia de la LrS98 y su regulación de las condiciones básicas. La aplicación de los mismos en la actualidad, en cada caso, podrá ser diferente según la incidencia de la LrS08, modificada por la LRRRU, y del sistema de actuación que se elija.

2. LAS FACULTADES DEL PROPIETARIO DE SUELO EN LA LS 2008 MODIFICADA POR LA LRRRU (29)

Ya se ha indicado que la regulación de las facultades del propietario de suelo en la LS 2008 y con la LRRRU ha variado respecto de las facultades que tenía en las anteriores regulaciones del suelo o urbanísticas vigentes en España. Y ello, como se ha indicado ya, dado que a partir de la LrS07, con la LS 2008 y la LRRRU la titularidad de la promoción de la actividad de transformación urbanística no corresponde necesariamente al propietario de suelo, sino que puede ser pública (pudiendo participar los propietarios) o privada, con los propietarios, todo ello, de acuerdo con lo que dispongan las correspondientes leyes urbanísticas [art. 6.2 y 6.4 LS 2008, en la versión de la LRRRU].

El artículo que trata de las facultades del propietario de suelo es el art. 8 LS 2008 modificado profundamente por la LRRRU (rotulado «contenido del derecho de propiedad del suelo: facultades»), de manera análoga a lo que se regula en el art. 9 LS 2008, también modificado ampliamente por la LRRRU, a efectos de los deberes (rotulado «contenido del derecho de propiedad del suelo: deberes»).

Ambos artículos enumeran una serie de facultades y deberes que no completan la regulación, dado que existen otras facultades o deberes regulados en otros artículos de las mismas leyes.

---

(29) Es de resaltar que el apartado primero del art. 8 LS 2008 ha sido recurrido ante el Tribunal Constitucional y, todavía, no ha recaído sentencia.

La estructura de dicho art. 8 LS 2008 en la redacción de la LRRRU es más sistemática que la del análogo artículo 8 del Texto Refundido de 2008, pudiendo resumirse el conjunto de la regulación de los derechos básicos de los propietarios de la siguiente manera (en correspondencia con los diferentes apartados de dicho art. 8 LS 2008 en la redacción dada por la LRRRU):

1) **Contenido general** de las facultades del derecho de propiedad: uso, disfrute, explotación y disposición.

2) **Facultades en suelo rural típico**, de usar, disfrutar y disponer de los terrenos de conformidad con su naturaleza, debiendo dedicarse a usos vinculados a la utilización racional de los recursos naturales.

3) **Facultades en suelo rural para el que los planes prevean** o permitan su paso a la situación de suelo urbanizado.

4) **Restricción en los espacios protegidos.**

5) **Facultades en el suelo en situación de urbanizado**, además de las establecidas en las letras a), b), c) y d) del apartado anterior.

6) **Las facultades en relación con el vuelo y el subsuelo**.

3. FACULTADES BÁSICAS DE LOS PROPIETARIOS DE SUELO

En este punto, parece razonable aproximar —sin perjuicio de sus diferencias— la posible equivalencia aproximativa (a la que se ha hecho mención más arriba) entre las diferentes clases de suelo de la LrS98 y, por lo tanto, de las establecidas actualmente, a partir de ella, en las distintas leyes de las Comunidades Autónomas y en los planes, y las nuevas situaciones de suelo establecidas por la LS 2008 (art. 12 LS 2008, en la redacción dada por la LS 2008 en los aparados 1 y 2 y en la LRRRU en los apartados 3 y 4).

Y se resalta el carácter de meramente aproximativo de la comparación que se realiza a continuación, dado que, por ejemplo, la definición de Suelo Urbano Consolidado y No Consolidado, no es unívoca en las diferentes Comunidades Autónomas, ni podría ser establecida por la legislación «horizontal-no urbanística» del Estado.

En la FIG. 4 se acompaña una mera aproximación a dicha comparación. Obsérvese que dicha relación biunívoca no puede ser de aplicación generalizada en todas las Comunidades Autónomas, dado que las definiciones de las clases de suelo y, sobre todo sus categorías, suelo urbano consolidado y suelo urbano no consolidado, pueden ser —y lo son— diferentes de unas a otras, pues es una materia urbanística a disposición de cada una de las leyes autonómicas, si bien todas han debido proceder en el marco de la LrS98.

LrS98		LRRRU
Suelo Urbano (SU)	Suelo Urbano Consolidado (SUC)	Situación de Suelo Urbanizado (SUado)
	Suelo Urbano No Consolidado (SUNC)	Situación de Suelo Rural con Desarrollo Urbanístico (SRcDU)
Suelo Urbanizable SUble	Suelo Urbanizable Sectorizado (SUbleS)	
	Suelo Urbanizable No Sectorizado (SUbleNS)	Situación de Suelo Rural (SR)
Suelo No Urbanizable SNU	Suelo No Urbanizable de Especial Protección SNUEP	
	Suelo No Urbanizable por Preservación SNUPr	
	Suelo No Urbanizable por Inadecuación SNUPI	RSD-julio.13

Fig. 4. Equivalencia aproximativa de clases y situaciones de suelos en la LrS98 y en la LRRRU

A partir de las clases y categorías de suelo definidas en la LrS98 (y complementadas por las leyes de las Comunidades Autónomas) se establecían los derechos y deberes de los propietarios de suelo.

Con la LS 2008 y su modificación por la LRRRU, como ya se ha indicado, la urbanización ya no es deber (ni un derecho) único de los propietarios de suelo, de tal forma que los deberes básicos de la promoción de la Actuación de Transformación Urbanística de la LS 2008 modificada por la LRRRU (sea ésta de iniciativa pública o privada) son, en principio, análogos a los deberes que tenían los propietarios de Suelo Urbano No Consolidado (SUNC) y Suelo Urbanizable Sectorizado (SubleS) con la LrS98, como se podrá comprobar más adelante.

Este aspecto de las facultades del derecho de propiedad es, por tanto, uno de los que ha sufrido más variación entre las leyes precedentes y la LrS07 y, consecuentemente, la LS 2008 y la LRRRU. Con la legislación urbanística «tradicional» desde 1956, una parte del aprovechamiento generado o reconocido por el Plan podía ser patrimonializado (incluso directamente) por el propietario de suelo. Pero en términos generales el 90 % del aprovechamiento medio, 85% del aprovechamiento tipo o 90% del aprovechamiento de referencia nutriría el patrimonio del propietario de suelo, previo el cumplimiento de los correspondientes deberes.

Con la LS 2008 esa posibilidad también existe, pero requiere que la actuación no se vaya a realizar directamente por la Administración, por expropiación (de forma que el justiprecio partiría de un «valor inicial», con posibles ampliaciones), de tal manera que si el propietario de suelo participa en la Actuación de Transformación Urbanística (por ser de iniciativa privada o pública de carácter indirecto) tendrá derecho a la aplicación del principio de justa distribución de beneficios y cargas y, consecuentemente, a percibir, en la correspondiente técnica de gestión urbanística, el 80% o más del «aprovechamiento medio del área de reparto», o sea de la «edificabilidad media ponderada del ámbito» o la parte que le corresponda.

Otra novedad es la diferente denominación de los derechos de los propietarios de suelo en la LrS98 y las facultades de los mismos en la LrS07 y, consecuentemente, en la LS 2008 y su modifiación de 2013.

Las facultades indicadas y reconocidas (atribuidas) a los propietarios de suelo (de cualquier tipo de suelo) por el art. 8 LS 2008 —redactado conforme al apartado Cuatro de la Disposición Disposición Final duocécima de la LRRRU— se encuentran esquematizadas en la FIG. 5.

---

1. El derecho de propiedad del suelo comprende las facultades de uso, disfrute y explotación del mismo conforme al estado, clasificación, características objetivas y destino que tenga **en cada momento, de acuerdo con la legislación aplicable** por razón de las características y situación del bien.

Comprende asimismo la **facultad de disposición,** siempre que su ejercicio no infrinja el régimen de formación de fincas y parcelas y de relación entre ellas establecido en el artículo 17 LRRRU.

2. En suelo rural las facultades incluyen las de usar, disfrutar y disponer conforme a su naturaleza y dedicarlos a los usos que dispongan las leyes.

Con carácter excepcional **podrán legitimarse usos de interés público o social.**

3. En suelo rural para el que el plan permita el paso a urbanizado, incluye el derecho:

- **De consulta** a las Administaciones sobre previsiones y planes, que tendran que contestar en menos de 3 meses.

- **A elaborar** y presentar **el instrumento de ordenación** que corresponda.

- **A PARTICIPAR EN LA EJECUCIÓN DE LAS ACTUACIONES DE URBANIZACIÓN, EN UN RÉGIMEN DE EQUITATIVA DISTRIBUCIÓN DE BENEFICIOS Y CARGAS ENTRE TODOS LOS PROPIETARIOS AFECTADOS, EN PROPORCIÓN A SU APORTACIÓN.**
El propietario dispondrá de plazo que **no podrá ser inferior a un mes** ni contarse desde antes que pueda conocer el alcance de las cargas y su distribución.

- **Realizar usos y obras de carácter provisional** no prohibidos y a demoler.

- **Usar, disfrutar y disponer** si su ejercicio es compatible con el plan.

4. En Red Natura 2000 o espacios naturles protegidos sólo se pueden alterar si se justifican por los cambios por su evolución natural.

5. En suelo urbanizado, además de a), b), c) y d) del punto 3:

- **Completar la urbanización** para solar, individual o conjuntamente.

- **Edificar sobre unidad apta para ello** y **conservarla.**

- **Participar en la ejecución de Actuaciones de Transformación Urbanística (ATU) EN UN RÉGIMEN DE JUSTA DISTRIBUCIÓN DE BENEFICIOS Y CARGAS** o de distribución entre los afectados.

6. Las facultades de los apartados anteriores **alcanzarán al vuelo y al subsuelo hasta donde determinen los instrumentos de ordenación urbanística,** de conformidad con las leyes aplicables y con las limitaciones y servidumbres que requiera la protección del dominio público.

RSD-julio.13

Fig. 5. Contenido del derecho de propiedad del suelo: facultades, según la LRRRU (art. 8 LS 2008 en la versión de la LRRRU)

De acuerdo con la sistematización de facultades establecida en el art. 8 de la LS 2008 en la redacción dada por la LRRRU, se comentarán, a continuación, las facultades básicas de los propietarios de suelo y, posteriormente, los deberes básicos de los propietarios mismos.

3.1. Facultad de uso, disfrute, explotación conforme a su estado, clasificación, destino, etc. en cada momento y de disposición (art. 8.1 LS 2008, modificado por la LRRRU)

Es preciso reiterar que las facultades básicas de los propietarios de suelo conforme a la LS 2008 ya no tienen nada que ver con los derechos básicos de los mismos en la LrS98 (salvo la de edificación si la unidad es apta para ello en los términos dispuestos por la LS 2008, cuando la ordenación territorial y urbanística atribuya a aquella edificabilidad para uso o usos determinados y se cumplan los demás requisitos y condiciones establecidos para edificar, que dependiendo de la clasificación del suelo podían ir desde el derecho a la utilización del mismo de manera conforme a su naturaleza agraria, forestal, etc. hasta la edificación).

Conforme a la LS 2008 las facultades del derecho de propiedad parten de dos conjuntos de facultades generales básicas, existentes con independencia de la situación del suelo o de la clase y categoría de éste:

— **La facultad de uso, disfrute y explotación** del terreno de conformidad con el «estado, clasificación, características objetivas y destino que tenga en cada momento», de acuerdo con la legislación aplicable.

— **La facultad de disposición**, siempre que su ejercicio no infrinja el régimen de formación de fincas y parcelas y de relación entre ellas establecido en el artículo 17 LS 2008.

3.1.1. *Facultad de uso, disfrute y explotación conforme a su estado, clasificación, destino, etc. en cada momento (art. 8.1 LS 2008, modificado por la LRRRU)*

Es decir, uso, disfrute y explotación del bien de acuerdo con sus circunstancias.

Obsérvese que estas facultades de los propietarios de suelo dependerán en su concreción del «estado, clasificación, características objetivas y destino que tenga éste en cada momento», es decir, entre otras cosas, de la situación básica en que se encuentre cada suelo, Suelo Rural (SR), Suelo Rural Apto para el Desarrollo Urbanístico (SRADU) o Suelo Urbanizado (SUado) conforme dispone el art. 12 LS 2008, por lo que la LS 2008 debe especificar en cada caso —como lo hace— cuáles son las facultades mínimas que corresponden a la propiedad en cada supuesto (en los apartados 2. 3 y 5 del artículo 8, en la versión de la LRRRU).

Pero también las facultades del propietario pueden depender de la clasificación del suelo, en la medida que ésta sea de aplicación (y de otras características objetivas y destino); y lo es en las leyes autonómicas actuales que, en general, regulan los derechos y deberes complementarios urbanísticos de los propietarios. Estos últimos derechos y deberes urbanísticos deben considerarse en su aplicación en el marco de lo establecido al respecto en la LS 2008, como contenido básico.

Como se ha indicado, las citadas facultades de uso, disfrute, explotación, incluyen otras facultades derivadas como se indica a más adelante.

3.1.2. Facultad de disposición (art. 8.1 LS 2008, modificado por la LRRRU)

Como establece el art. 348 del Código Civil:

> «La propiedad es el derecho de gozar y disponer de una cosa, sin más limitaciones que las establecidas en las leyes.

> El propietario tiene acción contra el tenedor y el poseedor de la cosa para reivindicarla.»

Por un lado, gozar de una cosa, es decir, usar, disfrutar de ella y explotarla, como ya se ha indicado y, por otro lado, disponer, de ella.

La facultad de disponer de una cosa supone la posibilidad de enajenar la cosa (venderla), transmitirla a otros, y gravarla (esto es, desprenderse de alguna de las facultades del dominio o propiedad, transfiriendo su ejercicio a un tercero: por ejemplo, hipotecarla).

Es decir, el propietario de suelo puede disponer de su terreno en el sentido indicado pero urbanísticamente con más condiciones, siempre que esta disposición no sea contraria a las condiciones de formación y relación entre fincas y parcelas que se establece en la propia LS 2008 (véase lo dsipuesto por el art. 17 LS 2008, modificado por la LRRRU)

A continuación (apartados 3.2, 3.3 y 3.4) se analizarán las facultades del propietario según el terreno esté en la situación básica de Suelo Rural «puro» (SR), Suelo Rural Apto para el Desarrollo Urbanístico (SRADU) o Suelo Urbanizado (SUado).

3.2. Facultades del propietario en Suelo Rural «puro» (SR)

El propietario de suelo en situación básica de rural tiene como fundamentales las facultades citadas de usar, disfrutar y disponer de los terrenos de conformidad con su naturaleza, pero no pueden destinarse a todos los usos que se le ocurran al propietario, sino que deben destinarse a determinados usos, precisamente, a los vinculados a la utilización racional de los recursos naturales: entre otros, al uso agrícola, ganadero, forestl, o cinegético.

Y ello de acuerdo con la legislación general y la específica de tales usos y de la la ordenación territorial y urbanística que en sus planes se establecen determinadas condiciones a los distintos usos.

Pero, además, pueden existir determinados terrenos rurales con valores que son objeto de protección por la legislación aplicable, como valores ambientales, culturales, históricos, arqueológicos, científicos y paisajísticos de tal manera que el uso, el disfrute y la explotación de tales terrenos quedará siempre sometida a la preservación de dichos valores, y comprenderá únicamente los actos de alteración del estado natural de los terrenos que aquella legislación expresamente autorice. De todas las legislaciones aplicables, será la más estricta la que se deba aplicar.

No obstante todo lo indicado, podrán legitimarse actos y usos específicos que sean de interés público o social, que contribuyan a la ordenación y el desarrollo rurales, o que hayan de emplazarse en el medio rural, con carácter excepcional y por el procedimiento y con las condiciones previstas en la legislación de ordenación territorial y urbanística. Pero deben ponderarse las circunstancias existentes ya que se resalta que «podrán», no que deberán, por lo que lo normal es que a la siempre necesaria licencia municipal se adicione la exigencia de una autorización de la Comunidad Autónoma (calificación urbanística u otras denominaciones, aparte de otras posibles exigencias de las normas sectoriales.

A modo de recuerdo de carácter general, el anulado art. 16 LS92, en el ámbito urbanístico, exigía. El propietario de suelo no urbanizable no podía construir cualquier tipo de edificación, debiendo mantener esta clase de suelo preservado del desarrollo urbano; sin perjuicio de poder ser autorizadas —siguiendo una determinada tramitación— ciertos tipos de construcciones (con las matizaciones contenidas en el art. 16.3 LS92, que era de carácter supletorio, no nacido de la LrS90 sino de la refundición de la legislación previa a ésta):

- Autorizables por el Ayuntamiento:

  — las destinadas a explotaciones agrícolas,

  — las construcciones e instalaciones vinculadas a las obras públicas.

- Autorizables por la Comunidad Autónoma, sin perjuicio de la necesaria licencia municipal:

  — edificaciones e instalaciones de utilidad pública o interés social, que hayan de emplazarse en el medio rural,

  — edificios aislados destinados a vivienda familiar, siempre que su construcción no haga posible la formación de un núcleo de población, que debe ser definido por el propio planeamiento.

Evidentemente, el Estado no puede descender a este tipo de detalles pero, de alguna manera, con su regulación del art. 8 LS 2008 prevé aspectos de la legislación «tradicional.»

3.3. Facultades del propietario en Suelo Rural Apto para el Desarrollo Urbanístico (SRADU)

En esta situación básica de suelo, a la que la LS 2008 denomina «suelo rural para el que los instrumentos de ordenación territorial y urbanística prevean o permitan su paso a la situación de suelo urbanizado», es decir, suelo rural «transformable urbanísticamente», o «Suelo Rural Apto para el Desarrollo Urbanístico (SRADU)», las facultades del propoietario son:

3.3.1. El derecho de consulta a las Administraciones Públicas competentes

Este derecho de consulta a las Adminsitraciones Públicas de los propietarios de suelo en situación rural apto para el desarrollo urbanístico se refiere a aspectos que les pueden afectar en sus obligaiones y costes de producción, relativos a los criterios y previsiones de la ordenación urbanística, de los planes y proyectos sectoriales, y de las obras que habrán de realizar para asegurar la conexión de la urbanización con las redes generales de servicios y, en su caso, las de ampliación y reforzamiento de las existentes fuera de la actuación.

La legislación sobre ordenación territorial y urbanística fijará el plazo máximo de contestación de la consulta, que no podrá exceder de tres meses, salvo que una norma con rango de ley establezca uno mayor, así como los efectos que se sigan de ella. En todo caso, la alteración de los criterios y las previsiones facilitados en la contestación, dentro del plazo en el que ésta surta efectos, podrá dar derecho a la indemnización de los gastos en que se haya incurrido por la elaboración de proyectos necesarios que resulten inútiles, en los términos del régimen general de la responsabilidad patrimonial de las Administraciones Públicas.

Este precepto ya estaba como derecho de la iniciativa en la LS 2008 (art. 6,a), respecto del cual la LRRRU ha introducido pequeñas modificaciones.

Obsérvese que el reconocimiento de este derecho de consulta está concebido en términos de pura remisión a la legislación autonómica —«la legislación sobre ordenación territorial y urbanística regulará…», según lo dispuesto en el artículo 8.1 LS 2008 en su redacción dada por la LRRRU—, y de que el último inciso o salvedad de remisión a dicha legislación autonómica, realmente, enfatiza el margen de maniobra que aquélla tiene —en ejercicio natural de sus competencias constitucionales—, hasta el punto de que puede desnaturalizar por completo el modelo de gestión por el que inequívocamente el legislador estatal parece apostar (30). Este precepto es sustancialmente similar al precedente artículo 16.2 LrS 98.

Recuérdese que el Tribunal Constitucional, en su STC 164/01, de 11 de julio, afirmó en su FJ 28, al respecto, que:

> «Según dijimos en la STC 61/1997, FJ 25 c), el Estado puede dictar —ex Artículo 149.1.18 CE— normas sobre información pública (a los ciudadanos) en el concreto sector del urbanismo. Nada hay que objetar, entonces, a que el Estado disponga —ex Artículo 149.1.18 CE— que esa información administrativa se canalice a través de la consulta urbanística de cada interesado. En este sentido, la consulta urbanística sería simple expresión sectorial del derecho general de consulta (del Artículo 35, g) de la Ley 30/1992, de 26 de noviembre, de Régimen Jurídico de las Administraciones Públicas y del Procedimiento Administrativo Común). Además, no cabe considerar que la regulación del Artículo 16.2 LRS 98 condicione ilegítimamente el ejercicio de las competencias urbanísticas autonómicas»

Asimismo, en el mismo FJ 28 de la citada STC, afirma el Tribunal Constitucional:

> «De la mera previsión de información urbanística no resulta un modelo urbanístico concreto. En primer lugar, del Artículo 16.2 LRS 98 deriva un derecho a la información urbanística sobre el modelo urbanístico previamente adoptado por cada Administración pública. La facultad de consulta parte de la existencia de un previo modelo urbanístico, no impone ninguno. En este sentido, la mención expresa a los «planes y proyectos sectoriales» y a las obras para asegurar la «conexión con los sistemas generales exteriores» tiene un carácter claramente condicionado y ejemplificativo de la realidad, pues depende del modelo urbanístico que establezca cada Comunidad Autónoma. En segundo lugar el Artículo 16.2 LRS 98 sólo establece los contenidos informativos mínimos de la consulta urbanística, pero no condiciona el régimen jurídico de aquella información. A cada Comunidad Autónoma corresponderá determinar, entre otras cosas, el grado de vinculación de la Administración urbanística a su propia información, el tiempo en que ha de ser realizada y las consecuencias de una hipotética omisión. De acuerdo con lo anterior, en forma alguna puede considerarse que la facultad de consulta del Artículo 16.2 LRS 98 limite o restrinja de forma ilegítima el ejercicio de las competencias urbanísticas autonómicas» (FJ 28).

Mención aparte merece la previsión del inciso final de esta letra a) del art. 8.3 LS 2008 en su redacción dada por la LRRRU, que no tenía precedente en el correlativo precepto de la LrS 98 pero sí lo tuvo en la originaria LS 2008 [art. 6, b, in fine]:

---

(30)   Veáse trabajo de Sánchez Goyanes, «La propiedad...». *Rev D.º inmobiliario*, Pág. 18

«En todo caso, la alteración de los criterios y las previsiones facilitados en la contestación, dentro del plazo en el que ésta surta efectos, podrá dar derecho a la indemnización de los gastos en que se haya incurrido por la elaboración de proyectos necesarios que resulten inútiles, en los términos del régimen general de la responsabilidad patrimonial de las Administraciones Públicas.»

Para SÁNCHEZ GOYANES (31) este enunciado parece querer configurar un nuevo supuesto específico de responsabilidad de la Administración urbanística, diferenciado —o singularizado (en cuanto que una especie de supuesto dentro de un género preexistente)— del ya conocido supuesto indemnizatorio derivado de la errónea evacuación de consultas solicitadas por los particulares.

3.3.2. El derecho a elaborar y presentar el instrumento de ordenación que corresponda

Este derecho se refiere a los supuestos en los que la propia Administración no se haya reservado la iniciativa pública de la ordenación y ejecución y no era un derecho contemplado en la redacción original de la LS 2008.

Es un derecho de los propietarios de suelo rural en transformación, no un deber. Y va bastante unido al derecho siguiente, cual es el de participar en la Actuación de Transformación Urbanística, de la cual la elaboración de los instrumentos de planificación y gestión son la parte inicial.

3.3.3. Derecho a participar en la ejecución de Actuaciones de Transformación Urbanística en régimen de equitativa distribución de beneficios y cargas, con plazo mínimo de un mes para ejercerla [art. art. 8.3, c) LS 2008 en la redacción dada por la LRRRU)].

Este derecho, que es fundamental, ya existía con la redacción originaria de la LS 2008. La LRRRU ha mantenido la redacción de la misma con algunas pequeñas variaciones.

Contrariamente al derecho que se atribuía a los propietarios de suelo urbano en las anteriores leyes del suelo estatales, cual era el «derecho a urbanizar» (LS92) y el «derecho a completar la urbanización» (LrS98) en la versión original de la LS 2008 este derecho a transformar el suelo mediante la urbanización ya no estaba en la esfera patrimonial directa del propietario de suelo.

---

(31) Véase el trabajo cit. «La propiedad en la nueva ley estatal de suelo» *Rev D.º inmobiliario 2007.* Pág. 20.

No obstante, también a la vista de las leyes autonómicas, la LRRRU ha aproximado algunos supuestos a los propietarios de suelo: si la iniciativa es privada, la tienen los propietarios de suelo; si la inicitavia es pública, con gestión privada, los propietarios tienen derecho a participar con el promotor (art. 6.2 LS 2008 en la redacción dada por la LRRRU).

En concreto, la LRRRU reconoce a estos propietarios de SRADU una facultad muy importante cual es la facultad de participar en la ejecución de las Actuaciones de Transformación Urbanística (ATU) a que se hará referencia más adelante (32), en un régimen de equitativa distribución de beneficios y cargas entre todos los propietarios afectados en proporción a su aportación (principio de equitativa distribución de beneficios y cargas que se estudiará en los comentarios al art. 16 LS 2008, en su versión de la LRRRU). Tan importante que, por virtud de lo dispuesto en el art. 9.3 LS 2008, en su versión de la LRRRU, y la posible prevalencia otorgada a los propietarios de suelo del art. 6, a), *in fine* LS 2008 («en los términos de la legislación sobre ordenación territorial y urbanística», «sin perjuicio de las peculiaridades o excepciones que ésta prevea a favor de la iniciativa de los propietarios del suelo») como se indica a continuación, se puede convertir en algunas Comunidades Autónomas en la facultad principal de la propiedad del suelo, cuando el suelo esté en la situación de suelo rural apto para el desarrollo urbanístico.

En efecto, el art. 6 LS 2008, en la redacción dada por la LRRRU, apartados 1, 2 y 4 se establece, en relación con la Iniciativa pública y privada en las actuaciones de transformación urbanística y en las edificatorias, que:

> «**1.** Los particulares, sean o no propietarios, deberán contribuir, en los términos establecidos en las leyes, a la acción urbanística de los entes públicos, a los que corresponderá, en todo caso, la dirección del proceso, tanto en los supuestos de iniciativa pública, como privada.
>
> 2. En los supuestos de ejecución de las actuaciones de transformación urbanística y edificatorias, mediante procedimientos de iniciativa pública podrán participar, tanto los propietarios de los terrenos, como los particulares que no ostenten dicha propiedad, en las condiciones dispuestas por la legislación aplicable. Dicha legislación garantizará que el ejercicio de la libre empresa se sujeta a los principios de transparencia, publicidad y concurrencia…
>
> 4. La iniciativa privada podrá ejercerse, en las condiciones dispuestas por la Ley aplicable, por los propietarios.»

Es importante resaltar que es aquí, una vez más, en el art. 8.3, c) de la LS 2008 en la redacción dada por la LRRRU, que dentro de esta ley se hace referencia al principio de la justa distribución de beneficios y cargas, uno de los principios básicos del

---

(32)   En los comentarios al art. 14 LS 2008,en su versión de la LRRRU.

urbanismo español (junto al principio de recuperación de plusvalías), y se explicita que esta participación ha de ser en proporción a la aportación de cada uno.

Tan es así que dicho principio se consolida en la LS 2008, dado que —sin ser ésta una ley urbanística— la distribución equitativa, equidistribución o justa distribución de beneficios y cargas era citada más de 20 veces a lo largo de la originaria LS 2008; y se incrementa con la LRRRU ya que se considera también dicho principio en suelo urbanizado, acabando con la discusión o debate sobre la posible equidistribución o no en SUC, a favor de la posición afirmativa.

De donde se infiere que al promoverse este principio, seguirán siendo aplicables las correspondientes técnicas equidistributivas de beneficios y cargas, tradicionales en el urbanismo español: áreas de reparto y aprovechamiento tipo, a nivel «macro», a nivel de planeamiento general; y reparcelación, a nivel «micro» de ejecución del planeamiento; u otras análogas. Todo ello en la forma que establezca la ley autonómica aplicable o de como ya está establecido, aspecto urbanístico que no se ha modificado básicamente con la entrada en vigor de la LS 2008.

Es interesante resaltar que la participación ha de ser en proporción de la aportación de cada uno, lo que permite a la legislación urbanística decidir si es en proporción a la superficie aportada o al valor de lo aportado, como ocurre en la reparcelación, según se trate del anterior y vigente suelo urbanizable (suelo en situación de rural con posibilidades de desarrollo urbanístico, o apto para el desarrollo urbanístico, a efectos de la LS 2008) o del anterior y vigente suelo urbano no consolidado (también posible suelo en la situación de rural apto para el desarrollo urbanístico a efectos de la LS 2008) y aún del Suelo urbano consolidado (aclarado en suelo urbanizado).

Y no sorprenda que el principio se establezca como un derecho de los propietarios de suelo (y, como se verá, como un deber) y no como un deber de la promoción (art. 16 LS 2008), dado que si ésta actuara sola en la ejecución de la Actuación de Transformación Urbanística (ATU) no tiene nadie con quien equidistribuir; pero en cuanto actúe con él un propietario de suelo, éste le puede exigir que se aplique el citado principio (33).

Es importante en este punto llamar la atención sobre lo dispuesto por el art. 27 LS 2008 (redacción que se mantiene en la LRRRU) a efectos de la valoración del terreno aportado a la reparcelación por propietario que actúa con promotor no propietario de suelo. El suelo aportado por los propietarios a la técnica de equidistribución de beneficios y cargas (básicamente a la reparcelación), para ponderar dicha aportación entre los distintos propietarios

---

(33) Afirmación claramente rebatible pues si un propietario actuara solo podría no tener que repartir con nadie.

«o con las aportaciones del promotor o de la Administración, a los efectos del reparto de los beneficios y cargas y la adjudicación de parcelas resultantes, el suelo se tasará por el valor que le correspondería si estuviera terminada la actuación».

Para ejercer esta facultad, o para ratificarse en ella, si la hubiera ejercido antes, el propietario dispondrá del plazo que fije la legislación sobre ordenación territorial y urbanística, que no podrá ser inferior a un mes ni contarse desde un momento anterior a aquél en que pueda conocer el alcance de las cargas de la actuación y los criterios de su distribución entre los afectados, para que pueda saber, con conocimiento de causa, si le interesa participar en la operación o no.

Es decir, desde la legislación estatal se imponen condiciones mínimas de procedimiento, en función de la competencia del procedimiento administrativo común.

Alguna normativa autonómica tiene adaptada o ajustada su regulación o interpretación a lo dispuesto por el art. 8.3,c) LS 2008 en la redacción de la LRRRU, que se comenta. En particular, toma opción entre la iniciativa privada o pública durante el primer mes, en el apartado 3.2 de la Orden FOM/1083/2007, de 12 de junio, por la que se aprueba la Instrucción Técnica Urbanística 1/2007, para la aplicación en la Comunidad Autónoma de Castilla y León de la Ley 8/2007, de 28 de mayo, de Suelo. Este apartado, sobre «prioridad de los propietarios para la gestión urbanística», establece que:

«**3.2.** Prioridad de los propietarios para la gestión urbanística.

Conforme al apartado 1.c) del artículo 8 LS, los artículos 72 LUCyL y 265, 270 y 278 RUCyL se interpretarán en el sentido de que durante el primer mes desde la entrada en vigor del instrumento de planeamiento que establezca la ordenación detallada de un sector de suelo urbano no consolidado o suelo urbanizable, sólo están habilitados para presentar el Proyecto de Actuación que desarrolle dicha unidad, quienes tengan la condición de propietarios de los terrenos afectados».

3.3.4. *Derecho a realizar usos y obras de carácter provisional que se autoricen por no estar expresamente prohibidos [art. 8.3, d) LS 2008 en la redacción dada por la LRRRU)].*

Este precepto se situaba ya en la redacción originaria de la LS 2008 en el art. 13.3, a) LS 2008, en relación con el suelo rural, artículo que se repite —salvo pequeñas variaciones, si bien dentro de un artículo destinado a los derechos del propietario en SRADU— tras la aprobación de la LRRRU, dado que el art. 13 LS 2008 no entra dentro de los modificados por ésta.

La LS 2008 y la redacción del art. 8.3,d) en la versión de la LRRRU continúa la tradición española de posibilitar la realización de usos y obras de carácter provisional, si su instalación no ha de perjudicar la ejecución del planeamiento; todo ello, con constancia registral de la obligación de su demolición, sin indemnización, cuando la Administración lo considere necesario.

Es interesante resaltar que la regulación que permite que estos usos y obras provisionales que en diversas Comunidades Autónomas se pueden autorizar, de acuerdo con su legislación urbanística propia, en cualquier clase de suelo, seguirá vigente, aun cuando la facultad que se comenta se refiere sólo al suelo en situación de suelo rural incluido en ámbitos de una ATU.

En efecto, el art. 8.3, d) LS 2008, al no haber sido modificado sustancialmente su contenido por la LRRRU, establece que:

«3. En el suelo en situación rural para el que los instrumentos de ordenación territorial y urbanística prevean o permitan su paso a la situación de suelo urbanizado las facultades del derecho de propiedad incluyen las siguientes:

...

d) La realización de usos y obras de carácter provisional que se autoricen por no estar expresamente prohibidos por la legislación territorial y urbanística, o la sectorial y sean compatibles con la ordenación urbanística. Estos usos y obras deberán cesar y, en todo caso, ser demolidas las obras, sin derecho a indemnización alguna, cuando así lo acuerde la Administración urbanística.

La eficacia de las autorizaciones correspondientes, bajo las indicadas condiciones expresamente aceptadas por sus destinatarios, quedará supeditada a su constancia en el Registro de la Propiedad de conformidad con la legislación hipotecaria.

El arrendamiento y el derecho de superficie de los terrenos a que se refiere este apartado, o de las construcciones provisionales que se levanten en ellos, estarán excluidos del régimen especial de arrendamientos rústicos y urbanos, y, en todo caso, finalizarán automáticamente con la orden de la Administración urbanística acordando la demolición o desalojo para ejecutar los proyectos de urbanización. En estos supuestos no existirá derecho de realojamiento, ni de retorno.»

Obviamente, es muy importante la constancia registral, pues se hacen públicas a terceros las condiciones de precariedad de la obra o el uso.

Véase también el epígrafe 2.2.5 de los comentarios al art. 13 LS 2008, que no ha sido modificado por la LRRRU y que hemos comentado ya anteriormente (34).

---

(34) Ver nuestro comentario al art. 13 LS 2008 en la obra *Ley de Suelo. Comentario sistemático del Texto Refundido de 2008*, coordinada por Enrique Sánchez Goyanes, Edit. LA LEY, 2009, cuyo epígrafe 2.2.5 dedicamos, precisamente, a las licencias de usos y obras provisionales. Págs. 549 a 564, ambas inclusive y que, para comodidad del lector, reproducimos seguidamente.

Por otro lado, es preciso resaltar que dicha letra d) del art. 8.3 LS 2008, en la redacción dada por la LRRRU, ha mantenido un parrafo 2.º que procede del art. 136.2 LS92 que permanecía vigente en dicha Ley tras los diversas anulaciones y derogaciones. Dice así dicho párrafo 2.º del art. 8.3,d) LS 2008 en la redacción de la LRRRU:

> «El arrendamiento y el derecho de superficie de los terrenos a que se refiere este apartado, o de las construcciones provisionales que se levanten en ellos, estarán excluidos del régimen especial de arrendamientos rústicos y urbanos, y, en todo caso, finalizarán automáticamente con la orden de la Administración urbanística acordando la demolición o desalojo para ejecutar los proyectos de urbanización. En estos supuestos no existirá derecho de realojamiento, ni de retorno.»

Detallando un poco más las cargas específicas de este tipo de suelo es, como ya se ha indicado antes, la referencia que se hace en el art. 8.3, d) LRRRU a los usos y obras provisionales, en la medida que, prácticamente, reproduce las previsiones legales del derogado art. 17 LrS 98 y permiten formular las reflexiones que siguen, al respecto.

La orientación legislativa en la materia, expresamente prevenida en el art. 136 LS92, se contiene en el derogado art. 17 LrS 98. En la misma dirección, la Jurisprudencia —constante y uniformemente— ya venía inclinándose por no impedir el ejercicio de los derechos de los propietarios de suelo, durante la vigencia del art. 58 LS76, cuyo texto se reprodujo en el art. 136 LS92, si tal ejercicio no dificultase la ejecución del planeamiento. Repárese que la Jurisprudencia citada a continuación, por razones obvias, se refiere a supuestos de los expresamente incluidos en la citada legislación estatal. Así, la STS 14.06.94 (LA LEY JURIS: 6912/1994).

En Castilla-La Mancha, el art. 172 LOTAU prevé este tipo de autorización —y es el hasta ahora único caso de legislación autonómica que lo hace en los concretos, amplios y expresos términos en que lo hace— apartándose de la referencia expuesta y prevista en la LrS 98, no sólo en suelo urbanizable, sino también, en suelo rústico, sin excepcionar ninguna categoría de esta última clase de suelo.

En efecto, este precepto legal castellano-manchego afirma:

> «1. Cuando no dificultaren la ejecución de los Planes, podrán autorizarse en suelo urbanizable o rústico, previo informe favorable de la Comisión Provincial de Urbanismo, usos u obras justificadas de carácter desmontable, que habrán de desmontarse o, en su caso, demolerse sin derecho a indemnización cuando lo acordare el Ayuntamiento.
>
> 2. La autorización se tramitará de conformidad con lo previsto en las licencias de obra.»

La regulación castellano-manchega, en los términos citados es, posiblemente, la menos restrictiva y, por tanto, la más generosa de entre la existente legislación urbanística española.

En efecto, es casi unánime la regulación de las llamadas licencias provisionales como referibles al suelo urbanizable, siguiendo la tradición legislativa urbanística estatal, que es desarrollada en términos mucho más generosos por el legislador autonómico castellano-manchego. La regulación autonómica vigente al respecto es:

Aragón: Se regulan en el art. 30.2 de la Ley 5/1999, de 25 de marzo, urbanística y solo en suelo urbanizable delimitado.

Asturias: En el Decreto Legislativo asturiano 1/2004, de 22 de abril, de Ordenación del Territorio y Urbanismo, por el que se aprueba el Texto Refundido de las disposiciones legales vigentes en materia de ordenación del territorio y urbanismo, se deroga, entre otras, la Ley del Principado de Asturias 3/2002, de 19 de abril, de régimen del suelo y ordenación urbanística (BOPAP de 4/5/2002) y se regula esta materia en el art. 106, en los siguientes términos:

> «No obstante la obligatoriedad de observancia de los instrumentos de ordenación urbanística, si no hubieren de dificultar su ejecución, y con carácter excepcional, podrán autorizarse sobre los terrenos, usos y obras justificadas de carácter provisional, que habrán de cesar o demolerse cuando lo acordare el Ayuntamiento, sin derecho a indemnización. La autorización aceptada por el propietario deberá inscribirse, bajo las indicadas condiciones, en el Registro de la Propiedad. Lo dispuesto en este artículo se aplicará aunque esté suspendido el otorgamiento de licencias.»

Canarias: Se regulan en el art. 61 del Decreto Legislativo 1/2000, de 8 de mayo, por el que se aprueba el Texto Refundido de las Leyes de Ordenación del Territorio de Canarias y de Espacios Naturales de Canarias y la referencia al suelo rústico es, exclusivamente, la que se hace, al respecto, para el suelo rústico de protección del entorno de núcleos de población.

Cantabria: Se regulan en Suelo Urbano (art. 102) y en Suelo Urbanizable (art. 107).

Castilla y León: Se regulan en el art.18.3.b) de la Ley 5/1999, de 8 de abril, de Urbanismo y solo en suelo urbanizable sectorizado, en tanto no se apruebe el Plan Parcial.

Cataluña: En el art. 53 de la Ley 2/02, de 14 de marzo, de urbanismo, se regulan las licencias de uso del suelo, edificaciones y usos provisionales. Se mantiene la misma regulación en el mismo art. 53 del Texto Refundido de la Ley de Urbanismo, aprobado por Decreto Legislativo catalán 1/2005, de 26 de julio.

Extremadura: En la Ley 15/01, de 14 de diciembre, del Suelo y Ordenación Territorial, se regula la autorización de usos y obras provisionales en el art. 187.

Galicia: Se regulan en los arts. 21.3 de la Ley 9/02, de 30 de diciembre, que las prevé para el suelo urbanizable delimitado, así como en el art. 102, también, en el suelo urbano no consolidado y en terrenos afectados por sistemas generales.

La Rioja: Se regulan en el art. 24 de la Ley 10/1998, de 2 de julio, de Ordenación del Territorio y Urbanismo y solo en suelo urbanizable delimitado.

Madrid: No merece un juicio favorable la terminología de la LSM que puede inducir a confusión al definir como provisionales a las licencias que en el resto de la legislación urbanística española no atribuyen tal carácter de provisionalidad a estos actos administrativos. En efecto, las licencias urbanísticas se pueden considerar ya pacíficamente *(ex* STC 61/1997) que permiten materializar un derecho preexistente y no pueden considerarse siempre provisionales, pues podría inducirse a creer que tal derecho siempre es, también, provisional. Y esto es claramente inexacto. Toda la legislación autonómica más arriba descrita y la que seguirá a este párrafo dedicado a la LSM coincide en señalar que lo provisional no es la licencia de obras o actividad, sino las obras mismas o la actividad. Las obras y los usos son los provisionales, no las licencias.

Esta contradicción luce claramente en cuanto en el art. 153.1.º LSM se considera que es provisional la licencia que ampara a las obras que no precisen de proyecto técnico de obras de edificación, mientras en el párrafo introductorio de este mismo precepto legal distingue claramente entre «... las obras... de carácter provisional o permanente.». . Igualmente el art. 151.1.d), prevé la sujeción a licencia de «las obras y los usos que hayan de realizarse con carácter provisional.»

Asimismo, en el art. 20.1 relativo al Régimen del suelo urbano no consolidado se prevé la referencia expresa a que:

> «1. En el suelo urbano no consolidado solo podrán realizarse, mientras no cuente con ordenación pormenorizada establecida directamente por el planeamiento general o, en desarrollo de éste, por el correspondiente planeamiento de desarrollo:
>
> ...
>
> b) Los usos, construcciones, edificaciones e instalaciones de carácter provisional que no estén expresamente prohibidas por la legislación sectorial ni por el planeamiento, los cuales habrán de cesar en todo caso y ser demolidas, sin indemnización alguna, cuando lo acordare la Administración urbanística. Las licencias o autorizaciones que se concedan con estas condiciones, deberán ser aceptadas expresamente por el propietario. La eficacia de las licencias quedará condicionada en todo caso a la prestación de garantía por importe mínimo de los costes de demolición y desmantelamiento, así como de inscripción en el Registro de la Propiedad del carácter precario de los usos, las obras y las instalaciones.»

También en el párrafo 3 de este mismo precepto legal se hace referencia expresa a que:

«Antes de la finalización de las obras de urbanización no es posible, con carácter general, la realización de otros actos edificatorios o de implantación de usos que los provisionales previstos en la letra b) del número 1 anterior. Sin embargo, podrá autorizarse la edificación vinculada a la simultánea terminación de las obras de urbanización inmediata a la parcela de que se trate, en las mismas condiciones que en el suelo urbano consolidado.»

Ya ha quedado hecha mención de la necesidad de obtener licencia que se prevé en el art. 151.1.d) LSM para la realización de las obras y los usos que hayan de realizarse con carácter provisional.

Murcia: En el Decreto Leg. 1/2005 de 10 junio (TR de la Ley del Suelo) se regulan las licencias de usos u obras provisionales en el art. 93, así como en el art. 57.2, 71.3 y 73.

Navarra: Se regulan en el art. 107 de la Ley Foral 35/02, de 20 de diciembre, de Ordenación del Territorio y Urbanismo.

Valencia: Se regulan en el art. 191.5 LUV, en los siguientes términos:

«Se pueden otorgar licencias para usos u obras provisionales no previstos en el Plan siempre que no dificulten su ejecución ni la desincentiven. El otorgamiento requerirá previo informe favorable de la consellería competente en urbanismo en Municipios de población inferior a 25.000 habitantes.

La provisionalidad de la obra o uso debe deducirse de las propias características de la construcción o de circunstancias objetivas, como la viabilidad económica de su implantación provisional o el escaso impacto social de su futura erradicación. La autorización se otorgará sujeta al compromiso de demoler o erradicar la actuación cuando venza el plazo o se cumpla la condición que se establezca al autorizarla, con renuncia a toda indemnización, que deberá hacerse constar en el Registro de la Propiedad antes de iniciar la obra o utilizar la instalación.»

En el RUV, se regulan sus especialidades en el art. 482 y el procedimiento para otorgar la licencia de usos y obras provisionales en el art. 493.

País Vasco. En la Ley 2/2006, de 30 de junio, de Suelo y Urbanismo (en adelante, LSPV) se regula esta materia en el arts. 22 y respecto del suelo urbanizable y urbano no consolidado, del modo siguiente:

«2) Realizar, cuando sean procedentes según el régimen del suelo y el planeamiento aplicable, las obras e instalaciones provisionales contempladas en el artículo 36 y en los términos dispuestos en él.»

En las mismas clases de suelo, el art. 25 LSPV prevé:

«1. En suelo clasificado como urbanizable y urbano no consolidado, además de los deberes generales se establecen los siguientes:

a) Mientras no cuente con programa de actuación urbanizadora aprobado y en vigor, mantener en debidas condiciones las construcciones e instalaciones ejecutadas al amparo de obras provisionales debidamente autorizadas, y proceder a su demolición y al cese de los usos y las actividades desarrollados a requerimiento del ayuntamiento, sin derecho a indemnización por concepto alguno.»

En materia de usos, la LSPV se refiere expresamente a los provisionales en el art. 32.1 según el cual, en suelo urbanizable y urbano no consolidado hasta la aprobación de programa de actuación urbanizadora, mientras los terrenos clasificados como suelo urbanizable y suelo urbano no consolidado no cuenten con programa de actuación urbanizadora aprobado y en vigor sólo podrán autorizarse en ellos:

«a) Los usos y las actividades previstos para el suelo no urbanizable, con la excepción de la posibilidad de reconstrucción de caseríos preexistentes y la edificación residencial de nueva planta vinculada a explotación hortícola o ganadera.

b) Los usos provisionales a que se refiere la sección cuarta de este capítulo.»

Asimismo, puede encontrarse una minuciosa regulación de esta materia de autorización de usos provisionales en los arts. LSPV según los cuales:

«Artículo 36. Determinación y régimen de autorización de los usos provisionales

1. Son usos provisionales los comprendidos en áreas, sectores o unidades de ejecución en los que aún no se ha aprobado la ordenación pormenorizada. Estos usos excepcionalmente son autorizables cuando no se hallen expresamente prohibidos por la legislación o el planeamiento territorial o urbanístico ni dificulten la ejecución del referido planeamiento, y pueden ser los siguientes:

a) El uso agrícola, ganadero o forestal, así como el comercial relacionado con el anterior.

b) El mero almacenamiento o depósito, sin instalación alguna, de materias no inflamables, tóxicas o peligrosas.

c) La prestación de servicios particulares a ciudadanos.

d) Los usos de ocio, deportivo, recreativo y cultural.

e) Los usos de oficina y comercial.

2. Los usos de oficina y comercial únicamente son posibles en las construcciones, edificaciones e instalaciones preexistentes en áreas o sectores pendientes de ordenación pormenorizada cuando no alteren su régimen ni prolonguen su periodo de vida.

3. En ningún caso pueden ser considerados como provisionales los usos residencial e industrial.

4. Los usos a que se refiere el número 1 de este artículo únicamente pueden desarrollarse mientras no se haya incoado procedimiento de reparcelación o de expropiación, y en suelo urbanizable, en suelo urbano no consolidado, o en suelo, cualquiera que sea su clasificación, destinado a servir de soporte a elementos de las redes de infraestructuras y dotaciones públicas.

5. La autorización mediante licencia de usos provisionales únicamente puede comprender las obras y los trabajos que, siendo estrictamente indispensables para el establecimiento y desarrollo del uso correspondiente, den lugar a instalaciones fácilmente demolibles o desmontables. En todo caso, las obras, los trabajos y las instalaciones deberán reunir las condiciones legalmente exigibles, en especial las referidas a seguridad e higiene.

La autorización legitima los actos a que refiera a título de precario, y bajo la condición legal del cese del uso o usos provisionales y la demolición de las obras y el desmontaje de las instalaciones desde el requerimiento municipal en tal sentido y sin derecho a indemnización alguna.

Artículo 37. Autorización de usos provisionales

1. El otorgamiento de licencia municipal para cualquier uso provisional previsto en esta sección requiere:

a) La aportación, junto con la solicitud y el proyecto técnico que proceda, de compromiso escrito en que los propietarios del suelo y, en su caso, de las construcciones, edificaciones o instalaciones, así como los titulares de cualquier derecho real o de uso de todo o parte de éstas, asuman:

1) El cese en los usos para los que se solicite licencia y demolición de las obras y desmontaje de las instalaciones cuya autorización se pretenda, a su costa y cuando lo requiera el ayuntamiento y sin derecho a percibir indemnización alguna.

2) El traslado de los compromisos anteriores a los adquirientes, por cualquier título, de cualquier derecho sobre las obras, los trabajos y las instalaciones y actividades autorizadas.

b) La prestación de garantía suficiente, como mínimo en las condiciones y la cuantía requerida para la ejecución de obras en la legislación de contratación administrativa, para asegurar la ejecución, en su momento, de las obras y los trabajos de demolición y desmontaje correspondientes.

c) La celebración de trámite de información pública por plazo mínimo de veinte días.

2. La licencia de usos provisionales se entenderá otorgada en precario, y perderá su eficacia, sin necesidad de trámite alguno ni audiencia previa, cuando el ayuntamiento requiera el cese de los usos autorizados, la demolición de las obras y el desmontaje de las instalaciones.

Igualmente, perderá su eficacia, previa audiencia de los interesados, cuando se produzca la declaración del incumplimiento de cualquiera de los compromisos a que se refiere la letra a) del número anterior.

3. Los terceros adquirentes de cualquier derecho de los titulares de la licencia municipal no tendrán derecho a indemnización alguna por razón del requerimiento municipal o la declaración del incumplimiento de las condiciones de la licencia y sus efectos, ni podrán interrumpir ni dificultar la ejecución del planeamiento urbanístico, sin perjuicio del ejercicio de las acciones que pudiera proceder contra los transmitentes de la licencia.

4. La licencia de usos provisionales se entenderá otorgada bajo la condición suspensiva de su eficacia hasta que se inscriban los compromisos, a que refiere la letra a) del apartado 1 en el Registro de la Propiedad, en aquellos supuestos en que el ayuntamiento así lo requiera.»

A. Inclusión de actividades clasificadas

La misma filosofía se extiende a las actividades provisionales incluso las clasificadas. En efecto, según la STS de 26.07.94 (LA LEY JURIS: 8000/1994):

«Se aceptan los dos primeros fundamentos de la sentencia de instancia, y

PRIMERO.— Se cuestiona en las presentes actuaciones si el artículo 58.2 del Texto Refundido de la Ley del Suelo, en cuanto autoriza usos u obras de carácter provisional siempre que no dificulten la ejecución de los Planes, y sin perjuicio, claro está, de su demolición cuando lo acuerde el Ayuntamiento y sin derecho a indemnización, es aplicable en el ámbito de las actividades molestas, insalubres, nocivas y peligrosas a que se refiere el Reglamento 30 noviembre 1961, tesis sostenida por la entidad apelante o si, por el contrario, el citado artículo no resulta de aplicación cuando se trate de las referidas actividades clasificadas, criterio mantenido por la sentencia objeto ahora de impugnación.

SEGUNDO.— La cuestión acabada de apuntar en el fundamento precedente ha sido ya resuelta por esta Sala en Sentencia de 16 octubre 1989.

En efecto, en dicha resolución, después de recoger la regla general de que la obligatoriedad de los planes implica que el uso de los predios no puede apartarse del destino previsto en aquellos, reconoce la posibilidad, de acuerdo con lo dispuesto en el citado artículo 58.2, de autorizar usos u obras justificadas de carácter provisional, aunque no se ajusten al destino trazado por el planeamiento, siempre que no se dificulte su ejecución y desde luego sin derecho a indemnización en el momento de la demolición —o del cese de los usos—.

TERCERO.— La citada Sentencia de esta Sala de 16 octubre 1989 analiza después el referido precepto a la luz de los diversos criterios interpretativos del artículo 3.º 1 del Título Preliminar del Código Civil, para llegar a la conclusión de que el mismo aparece inspirado por las exigencias del principio de proporcionalidad que domina todo el Derecho Administrativo como consecuencia de la importancia del fin en este ámbito jurídico [artículos 106.1 de la Constitución, 83.3 de la Ley jurisdiccional, 40.2 de la Ley de Procedimiento Administrativo de 1958, 6 del Reglamento de Servicios de las Corporaciones Locales, etc.]. En esta misma línea y con apoyo en la Sentencia de 29 diciembre 1987, dicha resolución entiende que las licencias reguladas en el artículo 58.2 del Texto Refundido son un último esfuerzo de nuestro ordenamiento para evitar restricciones no justificadas al ejercicio de los derechos y se fundan en la necesidad de no impedir obras o usos que resulten inocuos para el interés público. Así las cosas, no resulta difícil obtener la deducción de la referida resolución, pues si la finalidad del citado artículo es la de evitar limitaciones a la actividad de los administrados cuando las obras o usos de carácter provisional no contradicen las exigencias del interés público, obligado resulta concluir, de acuerdo con aquella resolución, que esa finalidad se cumple más satisfactoriamente entendiendo que las licencias del artículo 58.2 operan también cuando aquellas obras o usos se integren por actividades clasificadas, siempre naturalmente que no se ataque el interés público actual y no se vaya a dificultar la futura ejecución del planeamiento.»

B. El carácter reglado de estas licencias y el principio de proporcionalidad

Como auténtico leading case en la materia, puede considerarse la STS de 21.07.94 (LA LEY JURIS: 27154-JF/0000) en la que se pueden encontrar, mutatis mutandis, esclarecedoras ideas orientativas del actuar administrativo, acogidas expresamente entre los principios de dicha actividad por la Ley 4/1999, de 13 de enero, de modificación de la Ley 30/1992, de 26 de noviembre, de Régimen Jurídico de las Administraciones Públicas y del Procedimiento Administrativo Común, especialmente en su art. 3.º en el que se incluyen los principios y criterios a que debe someterse la referida actividad administrativa.

En la citada Sentencia se pueden encontrar ideas sobre:

A) El espiritualismo, garante de la tutela judicial efectiva, frente al formalismo.

En efecto, en el Fundamento de Derecho 2.º se puede leer:

«SEGUNDO.— .... Ahora bien el principio de efectividad de la tutela judicial reclama una interpretación espiritualista de las reglas procesales, de suerte que, en lo que ahora importa, cuando pueda deducirse con claridad cuál es el motivo implícitamente invocado la omisión de su expresa indicación no puede tener la grave trascendencia —inadmisibilidad o desestimación— que le atribuye la parte recurrida.

Así las cosas y dado que se considera infringido el artículo 58.2 del Texto Refundido de la Ley del Suelo de 9 de abril de 1976 es evidente que la casación aquí interpuesta discurre por el cauce previsto en el artículo 95.1.4.º de la Ley Jurisdiccional.

Procedente será por consecuencia entrar en el fondo del asunto referido al sentido del ya citado artículo 58.2 del Texto Refundido de la Ley del Suelo.»

B) El carácter reglado de las llamadas licencias provisionales y el principio de proporcionalidad.

La claridad del Tribunal, al respecto, se puede apreciar meridianamente en el Fundamento de Derecho 3.º de esta Sentencia según el cual:

«TERCERO.— La obligatoriedad de los planes implica que el uso de los predios no podrá apartarse del destino previsto en aquellos, debiendo por tanto otorgarse o denegarse las licencias, de forma reglada, según que la actuación que se pretenda llevar a cabo resulte o no ajustada a la ordenación urbanística —artículos 57.1, 58.1 y 178.2 del Texto Refundido de la Ley del Suelo de 9 abril 1976, que es el aquí aplicable—.

A pesar de lo expuesto, que constituye una rigurosa regla general, existen casos en los que resulta viable la autorización de obras o usos que no se acomoden a lo previsto en el plan: esta posibilidad excepcional es la de las ordinariamente denominadas licencias provisionales previstas en el artículo 58.2 del ya citado Texto Refundido.

Con ellas se viene a dar expresión al sentido esencial del Derecho Administrativo que aspira siempre a armonizar las exigencias del interés público con las demandas del interés privado: cuando está prevista una transformación de la realidad que impedirá cierto uso y sin embargo aquella transformación no se va a llevar a cabo inmediatamente, el uso mencionado puede autorizarse, con la salvedad, en atención al interés público, de que cuando haya de eliminarse se procederá a hacerlo sin indemnización. Esta es la solución de equilibrio que el Derecho Administrativo significa dentro del ordenamiento jurídico.

Así, la jurisprudencia [Sentencias de 20 diciembre 1988, 16 octubre 1989, 18 abril 1990, 29 marzo 1994, etc.] viene ligando estas licencias al principio de la proporcionalidad que debe existir entre los medios utilizados — contenido del acto administrativo— y la finalidad perseguida [recuérdese la importancia del fin en el campo del Derecho Administrativo: artículos 106.1 de la Constitución, 84.2 de la Ley 7/1985, de 2 abril, Reguladora de las Bases del Régimen Local, 83.3 de la Ley Reguladora de nuestra Jurisdicción, 40.2 de la Ley de Procedimiento Administrativo, vigente a la sazón, 6.º del Reglamento de Servicios de las Corporaciones Locales, etc.].

En esta línea la jurisprudencia destaca que las licencias provisionales constituyen, en sí mismas, una manifestación del principio de proporcionalidad en un sentido eminentemente temporal: si a la vista del ritmo de ejecución del planeamiento, una obra o uso provisional no va a dificultar dicha ejecución, no sería proporcionado impedirlos, siempre sin derecho a indemnización cuando ya no sea posible su continuación. Son pues estas licencias un último esfuerzo de nuestro ordenamiento para evitar restricciones no justificadas al ejercicio de los derechos y se fundan en la necesidad de no impedir obras o usos que resultan inocuos para el interés público.

En último término, ha de destacarse que tales licencias son el fruto de la actuación de una potestad reglada (Sentencia de 29 diciembre 1987): una vez más, el verbo "podrán" que aparece en el texto del artículo 58.2 apunta no a una discrecionalidad administrativa sino a una habilitación o atribución de potestad .».

La justificación, pues, del otorgamiento de estas licencias deviene de la expresa exclusión de la vocación de permanencia de este tipo de usos u obras pretendidos. Justificación que se reconoce expresa y reiteradamente por la Jurisprudencia. Además de la ya citada pueden verse, en el mismo sentido, las STS de 7 de febrero, 3 de julio, y 29 de diciembre de 1.987, citadas en la STS de 29.03.1994 (LA LEY JURIS: 6105/1994).

Permítasenos insistir sobre el carácter reglado de este tipo de licencias, basándonos para ello, en la constante y reiterada doctrina jurisprudencial.

Así, la STS de 26.06.95 (LA LEY JURIS: 8572/1995), en cuyos Fundamentos de Derecho 3.º y 4.º, se puede leer:

«TERCERO.— Conviene ante todo precisar que si bien la obligatoriedad de los planes comporta, en lo que ahora interesa, que el uso de los predios no puede apartarse del destino en aquellos previsto ello no quiere, sin embargo, decir que no existan supuestos en los que, al menos con carácter temporal, no sea posible autorizar usos u obras, pese a su disconformidad con el planeamiento, siempre, claro está, que concurran los supuestos a que se refiere el artículo 58.2 del texto refundido de la Ley del Suelo de 1976.

Con dichas licencias provisionales se viene a dar expresión, como este Tribunal ha declarado reiteradamente, al sentido esencial del Derecho Administrativo que aspira siempre a armonizar las exigencias del interés público con las demandas del interés privado: cuando está prevista una transformación de la realidad que impedirá cierto uso y sin embargo aquella transformación no se va a llevar a cabo inmediatamente, el uso mencionado puede autorizarse, con la salvedad, en atención al interés público, de que cuando haya de eliminarse se procederá a hacerlo sin indemnización. Son, pues, estas licencias, un último esfuerzo de nuestro ordenamiento para evitar restricciones no justificadas al ejercicio de los derechos y se fundan en la necesidad de no impedir obras o usos que resultan inocuos para el interés público —Sentencia de 3 diciembre 1991—.

CUARTO.— Las consideraciones anteriores despejan las dudas que pudieran existir en orden a la naturaleza reglada de la actuación de que se trata, apuntando el término «podrán» que aparece en el texto del citado artículo 58.2, como señala la citada Sentencia de 3 diciembre 1991, no a una discrecionalidad administrativa sino a una habilitación o atribución de potestad.»

C. Aplicabilidad a edificios en fuera de ordenación

Parece oportuno recordar que todo lo anteriormente expuesto es, también, aplicable a los supuestos en que los edificios a los que un caso concreto se refiera, pudieran llegar a quedar en situación de fuera de ordenación.

En este sentido, se puede ver el terminante pronunciamiento del Tribunal Supremo que, en su STS de 7.02.95 (LA LEY JURIS: 6695/1995) y en su Fundamento de Derecho CUARTO, afirma:

«En el caso concreto que nos ocupa no hay constancia alguna de que el uso para el que se solicita la licencia —establecimiento de cafetería— esté prohibido por el Plan general en aquella zona; de manera que aun en el supuesto de que el edificio donde se pretende el funcionamiento de tal cafetería esté fuera de ordenación y en el futuro haya de ser retranqueado para cumplir con la alineación establecida, ello no obsta a que se autorice tal uso hasta tanto se llegue a ese momento del retranqueo —por tanto provisionalmente— y sin derecho a indemnización alguna al titular de tal actividad. Todo ello, repetimos, en aplicación de la doctrina jurisprudencial que ha quedado expuesta.»

Así, aun en el caso de que la normativa urbanística vigente en la actualidad, afectase a unas instalaciones existentes, en alguno de sus aspectos, por haber devenido disconformes con alguna o varias de las determinaciones urbanísticas de general aplicación en un determinado momento, tales como las relativas a alturas, retranqueos, etc., como consecuencia del cambio de la normativa de aplicación en el momento en que fueron otorgadas unas licencias de obras definitivas (que es como se consideran normalmente las licencias en la generalidad de la legislación urbanística) y vigentes, debe ponerse de manifiesto que todo lo anteriormente expuesto sobre las llamadas licencias provisionales, es aplicable, también, a las construcciones que hayan devenido en fuera de ordenación, tal y como ha quedado ya indicado.

Según reiterada jurisprudencia, el art. 60 de la LS76, así como el art. 137 LS92 cuyo contenido material reprodujo sustancialmente el precepto legal anteriormente citado, han venido disponiendo que los edificios e instalaciones erigidos con anterioridad a la aprobación definitiva de un instrumento de planeamiento que resultaren disconformes con el mismo, serán calificados como fuera de ordenación y en ellos no podrán realizarse obras de consolidación, aumento de volumen, modernización o incremento de su valor de expropiación, pero sí las pequeñas reparaciones que exigiere la higiene, ornato y conservación del inmueble. En ambos preceptos de la legislación estatal citados se prevé, igualmente, que en casos excepcionales podrán autorizarse obras parciales y circunstanciales de consolidación, cuando no estuviere prevista la expropiación o demolición de la finca en el plazo de quince años, a contar de la fecha en que se pretendiese realizarlas.

La doctrina jurisprudencial permite afirmar la aplicabilidad de cierto grado de flexibilidad a este tipo de situación urbanística. Así, la STS de 7.06.88 afirma:

> «La regulación establecida en el Derecho positivo como régimen jurídico específico para los supuestos de «fuera de ordenación», se entiende no sólo a las construcciones en sí mismas, sino también a los usos; tratándose de construcciones o usos fuera de ordenación, el Plan, por regla general, no pretende terminar inmediatamente con ellos y puede dejarlos subsistentes con prohibición de consolidaciones o modernizaciones (art. 60.2 LS76): la modificación de la ordenación urbanística no provoca una demolición de la construcción o un cese inmediato del uso que contraviene aquella, es decir, no se acelera su fin, pero, como no se permite la consolidación o modernización, tampoco se dilata artificialmente ese fin; se trata en definitiva, de respetar el plazo de vida natural sin adelantar ni retrasar su muerte.».

La jurisprudencia admite en los edificios fuera de ordenación, como se sostiene en la STS de 4.06.94 la aplicación de criterios de respeto por los derechos de los propietarios de estos edificios:

> «... la realización de pequeñas obras que tiendan a la adaptación del inmueble a las necesidades del propietario, respetándose con ello el derecho de propiedad,... o, excepcionalmente, obras de consolidación parciales...»

En la misma línea anteriormente expuesta, se había pronunciado el Tribunal Supremo que, en su Sentencia de 11.02.89, afirmaba que el destino a usos análogos es autorizable. Así:

«Probado que... se solicitó licencia de apertura... para residencia de ancianos... y autorizado su uso como restaurante..., resulta patente que el uso del inmueble como residencia privada de ancianos se acomoda... a un uso análogo...

La imperatividad de los planes de urbanismo..., debe interpretarse en sentido acorde con la finalidad del ordenamiento, sin restringir el uso de las construcciones preexistentes acordes con la normativa anterior que no impida o dificulte la ejecución del planeamiento; ya que de entender inadecuado el uso permitido por la anterior ordenación se inferiría una lesión al derecho de propiedad no justificado por las exigencias dimanantes de la modificación introducida por el nuevo planeamiento.»

En lo que importa aquí, es muy esclarecedora la STS de 3.05.90, en la que se afirma:

«En cuanto a la primera de estas cuestiones (posibilidad de otorgar la licencia de instalación y apertura estando parte del edificio fuera de ordenación), hemos de reiterar la doctrina jurisprudencial que proclama que no es obstáculo para otorgar una licencia de apertura el hecho de que el edificio o el local en el que la actividad haya de establecerse esté fuera de ordenación y sujeto por tanto a las limitaciones que impone el artículo 60 de la Ley del Suelo [LS76]; pues una cosa es que el edificio esté fuera de ordenación y sujeto como tal a las limitaciones del aludido artículo y otra muy diferente que el inmueble no pueda utilizarse —Sentencias de 22 de junio de 1972, 17 de diciembre de 1974, 13 de junio de 1980, 24 de enero de 1986, 2 de junio de 1987, 12 de diciembre de 1988 y 7 de marzo de 1989, entre otras—; siendo por consiguiente permisible autorizar usos en un edificio fuera de ordenación, si esos usos son admisibles...»

En el mismo reiterado sentido de facilitar el uso del edificio a su propietario sin más limitaciones que las expresamente prevenidas en la legislación urbanística vigente, puede verse la STS de 13.12.90, según la cual:

«... las prohibiciones del artículo 60 [LS76] que nos ocupa están regladas en orden a no perpetuar los edificios que hayan resultado disconformes con un nuevo planeamiento, cualquiera que sea la causa de ello, sin perjuicio de que en tanto llega su desaparición puedan seguir siendo usados y mantenidos en estado de servir a su destino...»

La doctrina científica es constante y pacífica en el mismo sentido que el expresado por la doctrina jurisprudencial. Es en este aspecto en el que se mantiene que la Administración está obligada a otorgar la licencia de apertura siempre que no conlleve ejecutar obras de las prohibidas en el art. 60 LS76. La jurisprudencia ha ratificado esta posición doctrinal en varias Sentencias (por todas, pueden verse las de

17.12.74 y 22.06.72). También la STS de 13.06.80 (LA LEY JURIS: 1221-NS/0000) en la que se afirma que

> «sería contrario a toda lógica que, mientras subsista —el inmueble fuera de ordenación— no desenvuelva su aptitud como bien económico-social que es y, absurdamente, haya de estar condenado de modo irremisible a no prestar utilidad alguna.»

D. El cambio normativo en la materia: el art. 19 LrS 98

Como doctrina de carácter general pacíficamente aceptada sobre la materia puede afirmarse que, según el art. 134.1 del Texto Refundido de la Ley sobre Régimen del Suelo y Ordenación Urbana aprobado por el Real Decreto Legislativo 1/1992, de 26 de junio, declarado vigente por la Disposición Derogatoria Única 1 de la Ley 6/1998, de 13 de abril, sobre régimen del suelo y valoraciones,

> «Los particulares, al igual que la Administración, quedarán obligados al cumplimiento de las disposiciones sobre ordenación urbana contenidas en la legislación urbanística aplicable y en los Planes, Programas de Actuación Urbanística, estudios de detalle, proyectos, normas y ordenanzas aprobadas con arreglo a la misma.»

La previsión legal contenida en el art. 21 LS92 determinaba que:

> «Los propietarios de toda clase de terrenos y construcciones deberán destinarlos efectivamente al uso en cada caso establecido por el planeamiento urbanístico y mantenerlos en condiciones de seguridad, salubridad y ornato público.»

La LrS 98 ha operado un cambio en la orientación normativa, decisivo. En efecto, el derogado art.19 LrS 98 preveía que:

> «Los propietarios de toda clase de terrenos y construcciones deberán destinarlos a usos que no resulten incompatibles con el planeamiento urbanístico y mantenerlos en condiciones de seguridad, salubridad y ornato público...»

Como se puede comprobar, el cambio normativo que se ha operado es tanto como pasar de la regla de que sólo se puede hacer lo expresamente establecido por el planeamiento, a la regla de que lo que no esté prohibido está permitido.

Permítasenos resaltar que estas licencias se otorgan en precario, es decir, con la posibilidad de revocación sin indemnización (STS 26.06.95, LA LEY JURIS: 8572/1995).

Por último, parece oportuno recordar que, según la ya citada STS de 14.06.94 (LA LEY JURIS: 6912/1994) lo imprescindible, además de todo lo anteriormente expuesto ya, es que las obras y usos provisionales no dificulten la ejecución de los planes. Así en el Fundamento de Derecho Segundo de esta Sentencia se puede leer:

> «Las licencias que excepcionalmente pueden otorgarse al amparo del artículo 58.2 antes citado, además de a los de justificación y provisionalidad de los usos y obras objeto de las mismas, están sujetas al imprescindible requisito de que no hayan de dificultar la ejecución de los Planes, razón en las que se encuentra su justificación, a fin de evitar los perjuicios económicos que supondría para el propietario de un terreno el mantenerlo sin rendir utilidad durante el tiempo, en ocasiones dilatado, que media entre la aprobación de un Plan y su ejecución, sin causar detrimento alguno en la obra urbanizadora proyectada, y razón por la que su concesión se haga por imperativo legal sometida a la condición de que hayan de demolerse sin derecho a indemnización las construcciones sin quedar sin efecto los usos cuando lo acordare el Ayuntamiento. Mas sin que ello quiera decir que la demolición o impedimento de los usos puedan acordarse arbitrariamente, revocando de esa forma la licencia, sino que una u otro deben tener una causa legitimadora, causa que no puede ser otra que la cesación del presupuesto fundamental de la concesión de la autorización, es decir, la terminación de la no dificultad de ejecutar el planeamiento, pues, evidentemente, carecería de todo sentido el que sin un cambio de las circunstancias urbanísticas existentes en el momento del otorgamiento y sin ser inminente la ejecución del Plan, en definitiva, se revocase una licencia, ya que ello supondría a todas luces una desviación de poder tal como la concibe el artículo 83.3 de la antes citada Ley Jurisdiccional.»

No existe actualmente, pues, la posibilidad de obtener licencia para una actividad urbanística «contra plan», pero sí para realizar una actividad que, sin ajustarse al plan, no dificulte su ejecución o, con determinadas limitaciones, no resulte incompatible con el planeamiento. En efecto, en este sentido, el art. 13.3,a) LS 2008 se refiere expresamente a que:

> «3. Desde que los terrenos queden incluidos en el ámbito de una actuación de urbanización, únicamente podrán realizarse en ellos:
>
> Con carácter excepcional, usos y obras de carácter provisional que se autoricen por no estar expresamente prohibidos por la legislación territorial y urbanística o la sectorial. Estos usos y obras deberán cesar y, en todo caso, ser demolidas las obras, sin derecho a indemnización alguna, cuando así lo acuerde la Administración urbanística. La eficacia de las autorizaciones correspondientes, bajo las indicadas condiciones expresamente aceptadas por sus destinatarios, quedará supeditada a su constancia en el Registro de la Propiedad de conformidad con la legislación hipotecaria.
>
> El arrendamiento y el derecho de superficie de los terrenos a que se refiere el párrafo anterior, o de las construcciones provisionales que se levanten

en ellos, estarán excluidos del régimen especial de arrendamientos rústicos y urbanos, y, en todo caso, finalizarán automáticamente con la orden de la Administración urbanística acordando la demolición o desalojo para ejecutar los proyectos de urbanización. En estos supuestos no resultará aplicable lo establecido en la Disposición Adicional Undécima, segundo párrafo.»

Ya ha quedado indicado que el actual art. 8.3,d) LS 2008, en su versión de la LRRRU, es de muy similar contenido al del art. 13.3,a) LS 2008 anterior.

No obstante, debe dejarse constancia de que la Ley valenciana 10/2004, de 9 de diciembre, del Suelo no Urbanizable, es tributaria de la orientación de la LS92, en cuanto en su art. 8.1,e) prevé que los propietarios de suelo no urbanizable tienen los siguientes deberes:

«Destinar el suelo a los usos previstos por la ordenación territorial o urbanística y autorizados por el planeamiento aplicable, levantando las cargas impuestas para el lícito ejercicio de las actividades que pudieran autorizarse.»

La LUV, en su art. 204.1 también desconoce el cambio normativo operado por el art. 19 LRS 98 y mantiene la «vinculación al destino» del derogado art. 21 LS 92.

Según el art. 13 LS 2008, por tanto:

— podrán realizarse usos y obras con carácter excepcional (en la versión del art. 8.3,d) LS 2008 en la versión de la LRRRU no se menciona expresamente esta circunstancia de la excepcionalidad), que tengan carácter provisional, que no estén expresamente prohibidos

— podrá demolerse lo construido cuando lo acuerde la Administración,

— esta demolición no conllevará indemnización,

— el propietario deberá inscribir en el Registro de la Propiedad (mediante nota marginal a la última inscripción registral) la autorización municipal, con la aceptación de la posibilidad de demolición indicada (art. 76 RD 1093/1997, de 4 de julio, por el que se aprueban las normas complementarias al Reglamento para la ejecución de la Ley Hipotecaria, sobre inscripción en el Registro de la Propiedad de actos de naturaleza urbanística).

En la Ordenanza municipal de licencias urbanísticas de Madrid, aprobada por el Ayuntamiento Pleno con fecha 22.12.2004 (BOCM de 7.01.2005), se prevé, incluso, que se garanticen por el titular de la licencia los gastos de la eventual demolición.

Parece oportuno recordar el art. 8.4 LS 2008 en la redacción de la LRRRU, cuyo texto es el siguiente:

«No obstante lo dispuesto en los apartados anteriores, sólo podrá alterarse la delimitación de los espacios naturales protegidos o de los espacios incluidos en la Red Natura 2000, reduciendo su superficie total o excluyendo terrenos de los mismos, cuando así lo justifiquen los cambios provocados en ellos por su evolución natural, científicamente demostrada. La alteración deberá someterse a información pública, que en el caso de la Red Natura 2000 se hará de forma previa a la remisión de la propuesta de descatalogación a la Comisión Europea y la aceptación por ésta de tal descatalogación.»

Esta inclusión significa un legalmente posible supuesto de modificación de los instrumentos de planeamiento que deberá ser, en los casos a los que expresamente se refiere este precepto legal, objeto de un pronunciamiento, previo y vinculante, de la Comisión Europea.

El último inciso del segundo párrafo del art. 9.1 LS 2008 en la redacción dada por la LRRRU, reitera la preocupación de protección ambiental que tiene el legislador.

En efecto, según este inciso:

«El cumplimiento de este deber no eximirá de las normas adicionales de protección que establezca la legislación aplicable.»

3.3.5. Derecho a usar, disfrutar y disponer de los terrenos de conformidad con lo previsto en el apartado 2, siempre que el ejercicio de estas facultades sea compatible con el plan [art. 8.3,e) LS 2008 en la redacción dada por la LRRRU)].

El derecho general del propietario en suelo rural «puro» a usar, disfrutar y disponer de los terrenos, ya analizado en el epígrafe 3.1.1, se completa en el caso del propietario de SRADU con la condición de que el ejercicio de esas facultades sea compatible con al plan, es decir, con el instrumento de ordenación territorial y urbanística aplicable; pero ello en lo que se refiere a su paso de la situación de suelo rural a la situación de suelo urbanizado.

Por último, señala el art. 8.4 LS 2008 en la redacción dada por la LRRRU, con apliación tanto a los derechos del propietario de Suelo Rural «puro» como de SRADU que:

«… sólo podrá alterarse la delimitación de los espacios naturales protegidos o de los espacios incluidos en la Red Natura 2000, reduciendo su superficie total o excluyendo terrenos de los mismos, cuando así lo justifiquen los cambios provocados en ellos por su evolución natural, científicamente demostrada. La alteración deberá someterse a información pública, que en el caso de la Red Natura 2000 se hará de forma previa a la remisión de la propuesta de descatalogación a la Comisión Europea y la aceptación por ésta de tal descatalogación.»

Es decir, sometiendo a los espacios protegidos a determinadas cautelas de información, tramitación y aprobación.

3.4. Facultades del propietario en Suelo Urbanizado (SUaDO) [art. 8.5 LS 2008 en la redacción dada por la LRRRU)]

El propietario de suelo urbanizado tiene todas las facultades indicadas en los apartados a), b) y d) del apartado 3 del art. 8 LS 2008, en la redacción dada por la LRRRU, es decir, las indicadas en los epígrafes 3.3.1 a 3.3.4 anteriores, y, además, en su caso, las facultades que se indican a continuación.

3.4.1. Facultad de completar la urbanización de los terrenos para que cumplan los requisitos y condiciones establecidos para su edificación [art. 8.5, a) LS 2008 en la redacción dada por la LRRRU)].

Recuérdese que el primer derecho básico que tenía el propietario de suelo urbano, cualquiera que fuere su categoría, en la LrS98 —y, posteriomente, seguido por las Comunidades Autónomas como derecho complementario urbanístico— era (art. 13 LrS98):

«Los propietarios de suelo urbano tienen el derecho a completar la urbanización de los terrenos para que adquieran la condición de solares y a edificar éstos en las condiciones que en cada caso establezca la legislación urbanística y el planeamiento.»

Esta facultad —especialmente en SUNC— era una especie de «derecho a urbanizar», para completar la urbanización hasta adquirir la condición de solar.

Y en el art. 8.5 LS2008 que se comenta, todavía se observa más claro este derecho del propietario de SUaDO, dado que la correspondiente actuación puede ser sistemática o asistemática, integral o aislada; y en todas ellas el propietario tiene ese derecho a urbanizar, a completar la urbanización de los terrenos para que cumplan los requisitos y condiciones establecidos para su edificación (es decir, especialmente, para adquirir la condición de solar.

Por tanto, así como en suelo urbanizable el propietario del mismo puede tomar la iniciativa o, si no, participar en la ejecución de las ATU, en suelo urbanizado el derecho a completar la urbanización le corresponde a él, ya se trate de una actuación sistemática o asistemática.

En efecto, señala el segundo inciso de dicho art. 8.5, a) LS2008, en la redacción dada por la LRRRU:

«Este derecho podrá ejercitarse individualmente o, cuando los terrenos estén sujetos a una actuación de carácter conjunto, con los propietarios del ámbito, en la forma que disponga la legislación aplicable.»

Expresión que aclara definitivamente la polémica sobre SUC y SUNC en relación con la posibilidad de equidistribución, dado que dicha actuación en Suelo urbanizado puede tener como ámbito una unidad de ejecución (para la ejecución sistemática, con posibilidad de equidistribución) o una parcela asistemática (con las técnicas adecuadas).

3.4.2. Facultad de Edificar sobre unidad apta para ello y realizar las actuaciones necesarias para mantener la edificación [art. 8.5, b) LS 2008 en la redacción dada por la LRRRU)].

Ya la LS 2008 en su versión original establecía, como derecho del propietario, la facultad de realizar la instalación, construcción o edificación permitida en una unidad apta para ello, en cualquier situación de suelo, que tenga las condiciones físicas y jurídicas exigidas [arts. 6, d) y art. 8.1, b) LS 2008 en su versión original].

En cualquier situación de suelo, pues, el propietario tiene la facultad de edificar sobre unidad apta para ello en los términos dispuestos en el art. 8.5, b) LS 2008 en la versión de la LRRRU, cuando el instrumento de planeamiento atribuya a aquella unidad edificabilidad para uso o usos determinados (o sea, un aprovechamiento) y se cumplan los demás requisitos exigidos por la legislación y el planeamiento de aplicación.

Es decir, la facultad de edificar sobre unidad apta para ello, entendida como tal la que reúna las condiciones físicas y jurídicas requeridas legalmente y aquéllas [las instalaciones, construcciones o edificaciones permitidas] se lleven a cabo en el tiempo y las condiciones previstas por la ordenación territorial y urbanística y de conformidad con la legislación aplicable.

Pero en el caso del SUaDO esa facultad es más evidente, al ser, precisamente, el suelo urbanizado el preparado para recibir la correspondiente edificación, si el terreno es apto para ello.

Para el ejercicio de dicho derecho el propietario tendrá que cumplir los correspondientes deberes, en particular el de solicitar y obtener la licencia o autorización (o autorizaciones) necesarias, como se analizará entre los deberes básicos del propietario en SUaDO.

Pero, además, el propietario tiene el derecho a mantener la edificación en un buen estado de conservación, derecho que también es un deber de la propiedad (se estudiará entre los correspondientes deberes del propietario en SUaDO.

3.4.3. Facultad de Participar en la ejecución de actuaciones de transformación urbanística en un régimen de justa distribución de beneficios y cargas [art. 8.5,c) LS 2008 en la redacción dada por la LRRRU)].

Es muy interesante resaltar esta facultad de los propietarios de suelo, precisamente, en SUaDO, constituido, en principio, por suelo urbanísticamente hablando categorizado como SUC, en todo caso y, en su caso, como SUNC.

El precepto del art. 8.5,c) LS 2008, en la redacción dada por la LRRRU, establece que el propietario de SUaDO tiene la facultad de:

> «Participar en la ejecución de actuaciones de transformación urbanística en un régimen de justa distribución de beneficios y cargas, cuando proceda, o de distribución, entre todos los afectados, de los costes derivados de la ejecución y de los beneficios imputables a la misma, incluyendo entre ellos las ayudas públicas y todos los que permitan generar algún tipo de ingreso vinculado a la operación.

Dicho de otra forma, el propietario puede encontrarse en dos circunstancias:

1. Participar en la ejecución de actuaciones de transformación urbanística en un régimen de **justa distribución de beneficios y cargas**, cuando proceda, o

2. Al menos, participar en la ejecución de actuaciones de transformación urbanística en un régimen de distribución, entre todos los afectados, de los costes derivados de la ejecución y de los beneficios imputables a la misma, incluyendo entre ellos las ayudas públicas y todos los que permitan generar algún tipo de ingreso vinculado a la operación

Es decir, el propietario tiene derecho a participar en las técnicas consideradas en la legislación urbanística autonómica para tratar de conseguir una justa distribución de beneficios y cargas, si procede de acuerdo a la legislación urbanística aplicable, o al menos, participar en un régimen de distribución, entre todos los afectados, de los costes derivados de la ejecución y de los beneficios imputables a la misma, tendentes a repartir beneficios y cargas.

Este principio se ha generalizado en otros artículos de la LRRRU, destacando el art. 10 LRRRU, al señalar las «reglas básicas para la ejecución de las actuaciones», referidas a las actuaciones de rehabilitación, regeneración y renovación urbanas (objeto fundamental de la ley), entre las que se puede destacar que:

> «… la equidistribución tomará como base las cuotas de participación que correspondan a cada uno de los propietarios en la Comunidad de Propietarios o en la Agrupación de Comunidades de Propietarios…» (art. 10.2, a) LRRRU).

3.5. Especial referencia al vuelo y al subsuelo [art. 8.6 LS 2008 en la redacción dada por la LRRRU)].

La regulación del art. 8.6 LS 2008, en la redacción dada por la LRRRU, es sensiblemente igual, aunque más amplia ahora, que la que ya estableció el art. 8.2 LS2008 en su versión original, con un especial cuidado en regular el vuelo y el subsuelo.

En efecto, como señala el apartado 6 del art. 8 de la LS 2008 en su redacción de la LRRRU, y ya señalaba el art 8.2 de la originaria LS 2008, está exigiendo a los planes —desde la competencia del Estado para regular la propiedad— una regulación completa de la ordenación que realizan (como es racional): de la misma forma que establecen la ordenación del suelo y del **vuelo** (edificabilidad, alturas, uso, tipología, etc.) también tienen que regular el **subsuelo**.

Es decir, las facultades indicadas, la de uso y disfrute del terreno de conformidad con su estado actual y la de disposición, incluso su división, siempre que no sea contraria a la LS 2008 y a la legislación aplicable, alcanzan al vuelo y al subsuelo **hasta donde determinen los instrumentos de planeamiento urbanístico**. El instrumento de planeamiento vincula el suelo a determinados y concretos destinos y no solamente a la lámina superficial, sino también al vuelo y al subsuelo.

Y si el instrumento de planeamiento no contiene determinaciones respecto del subsuelo, las facultades indicadas sólo se contemplan respecto del suelo y el vuelo.

Es decir, el plan deberá establecer en su ordenación cuáles sean las posibles limitaciones en relación con las dos facultades del derecho de propiedad citadas (art. 8.6 LS 2008 en la redacción dada por la LRRRU).

Y todo ello, con las limitaciones y servidumbres de protección del dominio público.

Es decir, se parte del principio de que en el subsuelo y en el espacio «todo es dominio público» y es el instrumento de planeamiento urbanístico, de conformidad con las leyes, el que define hasta dónde alcanzan las citadas facultades.

En este art. 8.6 del texto legal, se limita el ejercicio de facultades sobre el subsuelo «hasta donde determinen los instrumentos de ordenación urbanística», lo que significa un claro retroceso respecto de la doctrina jurisprudencial creada a partir del contenido del art. 58.1.1.ª LS 76 y la opinión mayoritaria de la doctrina científica.

Dicho de otra forma, el silencio del plan no habilita para la construcción, sino todo lo contrario. Si el plan —instrumento de ordenación urbanística— considera que se debe construir determinado número de plantas de sótano, lo debe explicitar. En caso contrario, las facultades no alcanzarán a un mínimo número de plantas, al considerar todo lo demás dominio público, fuera del alcance del propietario.

No obstante, debe dejarse constancia de que la limitación legal se predica, exclusivamente, de los instrumentos de ordenación urbanística, cualquier instrumento de ordenación urbanística. Podría, pues, pensarse en la posibilidad de que el instrumento de planeamiento general no considerara el subsuelo y un instrumento de ordenación pormenorizada, como instrumento de desarrollo del Plan General, regulase de forma adecuada el subsuelo.

Es decir, a través de la aprobación de instrumentos de planeamiento pormenorizador, en desarrollo de esos instrumentos de planeamiento general, aquellas puedan tener posibilidades innovativas respecto del Plan General, como es el caso de determinados Planes Parciales en algunas Comunidades Autónomas o, como algunos Planes Especiales, que, también, puedan contener determinaciones no incluídas en los instrumentos de planeamiento general, que pueden prever expresamente el uso del subsuelo, superando el silencio del instrumento de ordenación urbanística general, de los que estos instrumentos de planeamiento parcial o especial traen causa.

Artículo 9 LS 2008, en la redacción establecida por la LRRRU.

Según el artículo 9, regulador del contenido del derecho de propiedad del suelo: deberes y cargas:

«1. El derecho de propiedad de los terrenos, las instalaciones, construcciones y edificaciones, comprende con carácter general, cualquiera que sea la situación en que se encuentren, los deberes de dedicarlos a usos que sean compatibles con la ordenación territorial y urbanística y conservarlos en las condiciones legales para servir de soporte a dicho uso, y en todo caso, en las de seguridad, salubridad, accesibilidad universal y ornato legalmente exigibles, así como realizar obras adicionales por motivos turísticos o culturales, o para la mejora de la calidad y sostenibilidad del medio urbano, hasta donde alcance el deber legal de conservación. Este deber, que constituirá el límite de las obras que deban ejecutarse a costa de los propietarios cuando la Administración las ordene por motivos turísticos o culturales, o para la mejora de la calidad o sostenibilidad del medio urbano, se establece en la mitad del valor actual de construcción de un inmueble de nueva planta, equivalente al original en relación con las características constructivas y la superficie útil, realizado con las condiciones necesarias para que su ocupación sea autorizable o, en su caso, quede en condiciones de ser legalmente destinado al uso que le sea propio. Cuando se supere dicho límite, correrán a cargo de los fondos de aquella Administración, las obras que lo rebasen para obtener mejoras de interés general.

En el suelo que sea rural a los efectos de esta Ley, o esté vacante de edificación, el deber de conservarlo supone costear y ejecutar las obras necesarias para mantener los terrenos y su masa vegetal en condiciones de evitar riesgos de erosión, incendio, inundación, así como daños o perjuicios a terceros o al interés general, incluidos los medioambientales; garantizar la seguridad o salud públicas; prevenir la contaminación del suelo, el agua o el aire y las inmisiones contaminantes indebidas en otros bienes y, en su caso, recuperarlos de ellas en los términos dispuestos por su legislación específica; y asegurar el establecimiento y funcionamiento de los servicios derivados de los usos y las actividades que se desarrollen en el suelo. El cumplimiento de este deber no eximirá de las normas adicionales de protección que establezca la legislación aplicable.

En particular, cuando se trate de edificaciones, el deber legal de conservación comprenderá, además, la realización de los trabajos y las obras necesarias para satisfacer, con carácter general, los requisitos básicos de la edificación establecidos en el artículo 3.1 de la Ley 38/1999, de 5 de noviembre, de Ordenación de la Edificación, y para adaptarlas y actualizar sus instalaciones a las normas legales que les sean explícitamente exigibles en cada momento. Las obras adicionales para la mejora de la calidad y sostenibilidad a que hace referencia el párrafo primero de este apartado podrán consistir en la adecuación parcial o completa a todas, o a algunas de las exigencias básicas establecidas en el Código Técnico de la Edificación, debiendo fijar la Administración, de manera motivada, el nivel de calidad que deba ser alcanzado para cada una de ellas.

2. La Administración competente podrá imponer en cualquier momento la realización de obras para el cumplimiento del deber legal de conservación, de conformidad con lo dispuesto en la legislación estatal y autonómica aplicables. El acto firme de aprobación de la orden administrativa de ejecución que corresponda, determinará la afección real directa e inmediata, por determinación legal, del inmueble, al cumplimiento de la obligación del deber de conservación. Dicha afección real se hará constar, mediante nota marginal, en el Registro de la Propiedad, con referencia expresa a su carácter de garantía real y con el mismo régimen de preferencia y prioridad establecido para la afección real, al pago de cargas de urbanización en las actuaciones de transformación urbanística.

Conforme a lo dispuesto en la normativa aplicable, en los casos de inejecución injustificada de las obras ordenadas, dentro del plazo conferido al efecto, se procederá a su realización subsidiaria por la Administración Pública competente o a la aplicación de cualesquiera otras fórmulas de reacción administrativa a elección de ésta. En tales supuestos, el límite máximo del deber de conservación podrá elevarse, si así lo dispone la legislación autonómica, hasta el 75% del coste de reposición de la construcción o el edificio correspondiente. Cuando el propietario incumpla lo acordado por la Administración, una vez dictada resolución declaratoria del incumplimiento y acordada la aplicación del régimen correspondiente, la

Administración actuante remitirá al Registro de la Propiedad certificación del acto o actos correspondientes para su constancia por nota al margen de la última inscripción de dominio.

3. Cuando el suelo en situación rural no esté sometido al régimen de una actuación de urbanización, el propietario tendrá, además de lo previsto en el apartado primero, el deber de satisfacer las prestaciones patrimoniales que establezca, en su caso, la legislación sobre ordenación territorial y urbanística, para legitimar los usos privados del suelo no vinculados a su explotación primaria, así como el de costear y, en su caso, ejecutar las infraestructuras de conexión de las instalaciones y construcciones autorizables, con las redes generales de servicios y entregarlas a la Administración competente para su incorporación al dominio público, cuando deban formar parte del mismo.

En este suelo quedan prohibidas las parcelaciones urbanísticas, sin que, puedan efectuarse divisiones, segregaciones o fraccionamientos de cualquier tipo en contra de lo dispuesto en la legislación agraria, forestal o de similar naturaleza.

4. Cuando el suelo en situación rural esté sometido al régimen de una actuación de transformación urbanística, el propietario deberá asumir, como carga real, la participación en los deberes legales de la promoción de la actuación, en un régimen de equitativa distribución de beneficios y cargas, así como permitir ocupar los bienes necesarios para la realización de las obras, en su caso, al responsable de ejecutar la actuación, en los términos de la legislación sobre ordenación territorial y urbanística.

5. En el suelo en situación de urbanizado, el deber de uso supone el de completar la urbanización de los terrenos con los requisitos y condiciones establecidos para su edificación. Cuando la Administración imponga la realización de actuaciones de rehabilitación edificatoria y de regeneración y renovación urbanas, el propietario tendrá el deber de participar en su ejecución en el régimen de distribución de beneficios y cargas que corresponda, en los términos establecidos en el artículo 8.5. c).

6. En todo suelo en situación de urbanizado en que así se prevea por la ordenación urbanística y en las condiciones por ella establecidas, el propietario tendrá el deber de edificar en los plazos establecidos en la normativa aplicable.

7. Todo acto de edificación requerirá del acto de conformidad, aprobación o autorización administrativa que sea preceptivo, según la legislación de ordenación territorial y urbanística, debiendo ser motivada su denegación. En ningún caso podrán entenderse adquiridas por silencio administrativo facultades o derechos que contravengan la ordenación territorial o urbanística.

8. Con independencia de lo establecido en el apartado anterior, serán expresos, con silencio administrativo negativo, los actos que autoricen:

a) Movimientos de tierras, explanaciones, parcelaciones, segregaciones u otros actos de división de fincas en cualquier clase de suelo, cuando no formen parte de un proyecto de reparcelación.

b) Las obras de edificación, construcción e implantación de instalaciones de nueva planta.

c) La ubicación de casas prefabricadas e instalaciones similares, ya sean provisionales o permanentes.

d) La tala de masas arbóreas o de vegetación arbustiva en terrenos incorporados a procesos de transformación urbanística y, en todo caso, cuando dicha tala se derive de la legislación de protección del domino público.

9. Cuando la legislación de ordenación territorial y urbanística aplicable sujete la primera ocupación o utilización de las edificaciones a un régimen de comunicación previa o de declaración responsable, y de dichos procedimientos no resulte que la edificación cumple los requisitos necesarios para el destino al uso previsto, la Administración a la que se realice la comunicación deberá adoptar las medidas necesarias para el cese de la ocupación o utilización comunicada. Si no adopta dichas medidas en el plazo de seis meses, será responsable de los perjuicios que puedan ocasionarse a terceros de buena fe por la omisión de tales medidas. La Administración podrá repercutir en el sujeto obligado a la presentación de la comunicación previa o declaración responsable el importe de tales perjuicios.

Tanto la práctica de la comunicación previa a la Administración competente, como las medidas de restablecimiento de la legalidad urbanística que aquella pudiera adoptar en relación con el acto comunicado, deberán hacerse constar en el Registro de la Propiedad, en los términos establecidos por la legislación hipotecaria y por esta Ley.»

CONCORDANCIAS

CE: Arts. 23, 33, 45, 46, 47
LS 2008: Arts. 4, 5, 6, 7, 8, 14, 16

JURISPRUDENCIA

STS de 23.02.2011 (LA LEY 9210/2011), STS de 13.04.2011 (LA LEY 44816/2011), STS de 11.10.2011 (LA LÑEY 199900/2011), STS de 31.05.2012 (LA LEY 83167/2012)

STS de 21.09.2000 (LA LEY 10779/2000), STS de 10.06.2008 (LA LEY: 74157/2008)

STS de 23.06.2005 (LA LEY 141941/2005, STS de 6.05.2009 (LA LEY67293/2009, STS de 28.12.2011 (LA LEY 283355/2011)

STS de 29.02.2012 (LA LEY 248012/2012)

STS de 6.11.2009 (LA LEY 217903/2009), STS de 23.10.2010 (LA LEY 55621/2010)

STJCE 19.01.1982 (Becker), STC 28/1991 (LA LEY 1476-JF/0000), de 14 de febrero STC 28/1991 (LA LEY 1476-JF/0000), de 14 de febrero, SSTC 130/1995, de 11 de septiembre, F. 4, 120/1998, de 15 de junio, F. 4, y 58/2004, de 19 de abril SSTC 130/1995, de 11 de septiembre, F. 4, 120/1998, de 15 de junio, F. 4, y 58/2004, de 19 de abril, STSJ de La Rioja, 327/2009, 258/2009 y 15.04.2010, STSJ de Castilla-La Mancha de 5 de noviembre de 2010, sentencia del Juzgado de lo Contencioso Guadalajara de fecha 12.01.2011.

STS de 18.07.1997 (LA LEY 9129/1997), STS 3.04.00 (LA LEY 73824/2000), STS de 08.05.2002 (LA LEY 87707/2002), STS de 08.11.2003 (LA LEY 11022/2004),

TRAMITACIÓN PARLAMENTARIA

Este artículo ha sufrido alguna variación en su contenido durante su tramitación parlamentaria en el Congreso, especialmente en el Apartado 1 en su dos párrafos y en el Apartado 5.

Las enmiendas presentadas han sido las n.º 30 y 31 del Grupo Paralmentario de IU, ICV-EUiA, CHA: La Izquierda Plural, que no fue aceptada. La del mismo Grupo Parlamentario n.º 32 al Apartado 2 de este artículo que, tampoco, fue aceptada. La enmienda n.º 125 del Grupo Parlamentario Socialista relativa al deber de conservación, que se establece en la mitad del coste de las obras correspondientes al valor de reposición, se ha incorporado parcialmente al texto definitivo

El texto que llegó al Congreso fue, según consta en el DOCG n.º 45-1 del día 12.04.2013, el siguiente:

«Contenido del derecho de propiedad del suelo: deberes y cargas.

1. El derecho de propiedad de los terrenos, las instalaciones, construcciones y edificaciones, comprende con carácter general, cualquiera que sea la situación en que se encuentren, los deberes de dedicarlos a usos que sean compatibles con la ordenación territorial y urbanística y conservarlos en las condiciones legales para servir de soporte a dicho uso, y en todo caso, en las de seguridad, salubridad, accesibilidad universal y ornato legalmente exigibles, así como realizar obras adicionales por motivos turísticos o culturales, o para la mejora de la calidad y sostenibilidad del medio urbano, hasta donde alcance el deber legal de conservación. Este deber constituirá el límite de las obras que deban ejecutarse a costa de los propietarios cuando la Administración las ordene por motivos turísticos o culturales, o

para la mejora de la calidad y sostenibilidad del medio urbano, corriendo a cargo de los fondos de ésta las obras que lo rebasen para obtener mejoras de interés general.

En el suelo que sea rural a los efectos de esta Ley, o esté vacante de edificación, el deber de conservarlo supone costear y ejecutar las obras necesarias para mantener los terrenos y su masa vegetal en condiciones de evitar riesgos de erosión, incendio, inundación, para la seguridad o salud públicas, daño o perjuicio a terceros o al interés general; incluido el ambiental; prevenir la contaminación del suelo, el agua o el aire y las inmisiones contaminantes indebidas en otros bienes y, en su caso, recuperarlos de ellas en los términos dispuestos por su legislación específica y mantener el establecimiento y funcionamiento de los servicios derivados de los usos y las actividades que se desarrollen en el suelo. El cumplimiento de este deber no eximirá de las normas adicionales de protección que establezca la legislación aplicable.

En particular, cuando se trate de edificaciones, el deber legal de conservación comprenderá, además, la realización de los trabajos y las obras necesarias para satisfacer, con carácter general, los requisitos básicos de la edificación establecidos en el artículo 3.1 de la Ley 38/1999, de 5 de noviembre, de Ordenación de la Edificación y para adaptarlas y actualizar sus instalaciones a las normas legales que les sean explícitamente exigibles en cada momento. Las obras adicionales para la mejora de la calidad y sostenibilidad a que hace referencia el párrafo anterior podrán consistir en la adecuación parcial o completa a todas, o a algunas de las exigencias básicas establecidas en el Código Técnico de la Edificación, debiendo fijar la Administración, de manera motivada, el nivel de calidad que deba ser alcanzado para cada una de ellas.

2. La Administración competente podrá imponer en cualquier momento la realización de obras para el cumplimiento del deber legal de conservación, de conformidad con lo dispuesto en la legislación estatal y autonómica aplicables. El acto firme de aprobación de la orden administrativa de ejecución que corresponda determinará la afección real directa e inmediata, por determinación legal, del inmueble al cumplimiento de la obligación del deber de conservación. Dicha afección real se hará constar, mediante nota marginal, en el Registro de la Propiedad, con referencia expresa a su carácter de garantía real y con el mismo régimen de preferencia y prioridad establecido para la afección real, al pago de cargas de urbanización en las actuaciones de transformación urbanística.

Conforme a lo dispuesto en la normativa aplicable, en los casos de inejecución injustificada de las obras ordenadas, dentro del plazo conferido al efecto, se procederá a su realización subsidiaria por la Administración

Pública competente o a la aplicación de cualesquiera otras fórmulas de reacción administrativa a elección de ésta. En tales supuestos, el límite máximo del deber de conservación podrá elevarse, si así lo dispone la legislación autonómica, hasta el 75 % del coste de reposición de la construcción o el edificio correspondiente. Cuando el propietario incumpla lo acordado por la Administración, una vez dictada resolución declaratoria del incumplimiento y acordada la aplicación del régimen correspondiente, la Administración actuante remitirá al Registro de la Propiedad certificación del acto o actos correspondientes para su constancia por nota al margen de la última inscripción de dominio.

3. Cuando el suelo en situación rural no esté sometido al régimen de una actuación de urbanización, el propietario tendrá, además de lo previsto en el apartado primero, el deber de satisfacer las prestaciones patrimoniales que establezca, en su caso, la legislación sobre ordenación territorial y urbanística, para legitimar los usos privados del suelo no vinculados a su explotación primaria, así como el de costear y, en su caso, ejecutar las infraestructuras de conexión de las instalaciones y construcciones autorizables, con las redes generales de servicios y entregarlas a la Administración competente para su incorporación al dominio público, cuando deban formar parte del mismo.

En este suelo quedan prohibidas las parcelaciones urbanísticas, sin que, en ningún caso, puedan efectuarse divisiones, segregaciones o fraccionamientos de cualquier tipo en contra de lo dispuesto en la legislación agraria, forestal o de similar naturaleza.

4. Cuando el suelo en situación rural esté sometido al régimen de una actuación de transformación urbanística, el propietario deberá asumir como carga real la participación en los deberes legales de la promoción de la actuación, en un régimen de equitativa distribución de beneficios y cargas, así como permitir ocupar los bienes necesarios para la realización de las obras, en su caso, al responsable de ejecutar la actuación, en los términos de la legislación sobre ordenación territorial y urbanística.

5. En el suelo en situación de urbanizado, el deber de uso supone el de completar la urbanización de los terrenos con los requisitos y condiciones establecidos para su edificación. Cuando la Administración imponga la realización de actuaciones de rehabilitación edificatoria y de regeneración y renovación urbanas, el propietario tendrá el deber de participar en su ejecución en el régimen de distribución de beneficios y cargas que corresponda, en los términos establecidos en el artículo 8.4,c).

6. En todo suelo en situación de urbanizado en que así se prevea por la ordenación urbanística y en las condiciones por ella establecidas, el

propietario tendrá el deber de edificar en los plazos establecidos en la normativa aplicable.

7. Todo acto de edificación requerirá del acto de conformidad, aprobación o autorización administrativa que sea preceptivo, según la legislación de ordenación territorial y urbanística, debiendo ser motivada su denegación. En ningún caso podrán entenderse adquiridas por silencio administrativo facultades o derechos que contravengan la ordenación territorial o urbanística.

8. Con independencia de lo establecido en el apartado anterior, serán expresos, con silencio administrativo negativo, los actos que autoricen:

a) Movimientos de tierras, explanaciones, parcelaciones, segregaciones u otros actos de división de fincas en cualquier clase de suelo, cuando no formen parte de un proyecto de reparcelación.

b) Las obras de edificación, construcción e implantación de instalaciones de nueva planta.

c) La ubicación de casas prefabricadas e instalaciones similares, ya sean provisionales o permanentes.

d) La tala de masas arbóreas o de vegetación arbustiva en terrenos incorporados a procesos de transformación urbanística y, en todo caso, cuando dicha exigencia se derive de la legislación de protección del domino público.

9. Cuando la legislación de ordenación territorial y urbanística aplicable sujete la primera ocupación o utilización de las edificaciones a un régimen de comunicación previa o de declaración responsable, y de dichos procedimientos no resulte que la edificación cumple los requisitos necesarios para el destino al uso previsto, la Administración a la que se realice la comunicación deberá adoptar las medidas necesarias para el cese de la ocupación o utilización comunicada, en el plazo de seis meses, siendo responsable de los perjuicios que puedan ocasionarse a terceros de buena fe por la omisión de tales medidas. La Administración podrá repercutir en el sujeto obligado a la presentación de la declaración responsable el importe de tales perjuicios.

Tanto la práctica de la comunicación previa a la Administración competente, como las medidas de restablecimiento de la legalidad urbanística que aquella pudiera adoptar en relación con el acto comunicado, deberán hacerse constar en el Registro de la Propiedad, en los términos establecidos por la legislación hipotecaria y por esta Ley.»

El texto definitivo de este artículo, tras su paso por el Congreso, es el que consta ya más arriba. Como ya se ha indicado, las enmiendas propuestas en el Senado no fueron, ninguna, aceptadas.

COMENTARIO

Sumario

1. Antecedentes. Los deberes del propietario del suelo en la Ley del Suelo de 1992 y en la Ley sobre Régimen del Suelo y Valoraciones de 1998.
2. Los deberes del propietario de suelo en la LS 2008 modificada por la LRRRU.
   - 2.1. Deber de dedicar los terrenos, las instalaciones, construcciones y edificaciones a usos que sean compatibles con la ordenación territorial y urbanística; y de conservarlos adecuadamente.
     - 2.1.1. Deber de dedicar los terrenos, las instalaciones, construcciones y edificaciones a usos que sean compatibles con la ordenación territorial y urbanística.
     - 2.1.2. Deber de conservar los terrenos, las instalaciones, construcciones y edificaciones en las condiciones legales para servir de soporte a dicho uso y, en todo caso, en las de seguridad, sanidad, accesibilidad y ornato legalmente exigibles.
     - 2.1.3. Deber de conservación en el Suelo Rural o vacante de edificación.
     - 2.1.4. Deber de conservación en el caso de edificaciones.
   - 2.2. Deber de cumplimentar lo exigido en una orden de ejecución y su incumplimiento.
   - 2.3. Deberes específicos en Suelo Rural «puro».
     - 2.3.1. Deberes adicionales en Suelo Rural «puro».
     - 2.3.2. La prohibición expresa de las parcelaciones urbanísticas.
   - 2.4. Deberes específicos en Suelo Rural Apto para la Transformación Urbanística, SRATU.
     - 2.4.1. Deber de asumir como carga real la participación en los deberes legales de la promoción de la actuación, en un régimen de equitativa distribución de beneficios y cargas.
     - 2.4.2. Deber de permitir ocupar los bienes necesarios para la realización de las obras.
   - 2.5. Otros deberes en SUado.
   - 2.6 Deber de edificar en plazo en SUado.
   - 2.7. Deber de obtener autorización o licencia; su motivación; Silencio positivo.
   - 2.8. Especial referencia al silencio administrativo negativo.
   - 2.9. Especial referencia al régimen de comunicación previa o de declaración responsable y a la licencia de primera ocupación.
     - 2.9.1. La comunicación previa o la Declaración responsable.

2.9.2.   Las licencias de primera ocupación o la Comunicación previa o Declaración responsable como requisito procedimental para la primera ocupación o utilización de las edificaciones.

La regulación del art. 9 de la originaria LS 2008 ha sufrido una importante modificación, no sólo en cuanto a la mejora de su sistematización sino, y sobre todo, en cuanto a la aclaración de los deberes en cada caso exigibles y, en particular, el tratamiento de la necesidad de obtención de la licencia urbanística no dentro del tratamiento de los derechos (art. 8.1, b) LS 2008 originaria) sino como parte de un deber.

En efecto, la redacción del apartado 1 del art. 9 de la originaria LS 2008 se mantiene parcialmente, si bien con un cambio radical (la exigencia de destinar el suelo a usos no incompatibles se convierte en la exigencia de destinarlo a usos compatibles); por el contrario, el resto de apartados del artículo, con excepción de parte del apartado 4, relativo a la equidistribución, y el apartado 7, relativo a la licencia, ya citado, son prácticamente en su totalidad de nueva redacción.

1. ANTECEDENTES. LOS DEBERES DEL PROPIETARIO DEL SUELO EN LA LEY DEL SUELO DE 1992 Y EN LA LEY SOBRE RÉGIMEN DEL SUELO Y VALORACIONES DE 1998

En la legislación de 1992 (LS92) los deberes de los propietarios de suelo urbano y urbanizable eran, como ya se ha indicado, los propios del proceso urbanizador y edificatorio: incorporarse al proceso urbanizador y edificatorio, equidistribuir, ceder y urbanizar, y edificar en plazo, previa solicitud de licencia.

En la legislación de 1998 (LrS98) los deberes de los propietarios de suelo, en suelo urbano no consolidado y suelo urbanizable, también eran los propios del proceso urbanizador y edificatorio.

Ambos listados de deberes de los propietarios de determinados suelos son, ahora, parecidos a los que corresponden a la promoción de la transformación urbanística en la LS 2008 originaria y a su modificación por LRRRU.

Por ello, y por razones obvias de su conocimiento, se acompañan a continuación.

Los deberes de los propietarios del Suelo Urbano Consolidado y No Consolidado por la urbanización en la LrS98 eran los señalados en el art. 14 LrS98:

Artículo 14. Deberes de los propietarios de suelo urbano

1. Los propietarios de terrenos en suelo urbano consolidado por la urbanización deberán completar a su costa la urbanización necesaria para que los mismos alcancen —si aún no la tuvieran— la condición de solar, y edificarlos en plazo si se encontraran en ámbitos para los que así se haya establecido por el planeamiento y de conformidad con el mismo.

2. Los propietarios de terrenos de suelo urbano que carezcan de urbanización consolidada deberán asumir los siguientes deberes:

a) Ceder obligatoria y gratuitamente a la Administración todo el suelo necesario para los viales, espacios libres, zonas verdes y dotaciones públicas de carácter local al servicio del ámbito de desarrollo en el que sus terrenos resulten incluidos.

b) Ceder obligatoria y gratuitamente el suelo necesario para la ejecución de los sistemas generales que el planeamiento general, en su caso, incluya en el ámbito correspondiente, a efectos de su gestión.

c) Ceder obligatoria y gratuitamente a la Administración actuante el suelo correspondiente al 10 por 100 del aprovechamiento del correspondiente ámbito; este porcentaje, que tiene carácter de máximo, podrá ser reducido por la legislación urbanística. Asimismo, esta legislación podrá reducir la participación de la Administración actuante en las cargas de urbanización que correspondan a dicho suelo.

d) Proceder a la distribución equitativa de los beneficios y cargas derivados del planeamiento, con anterioridad al inicio de la ejecución material del mismo.

e) Costear y, en su caso, ejecutar la urbanización.

f) Edificar los solares en el plazo que, en su caso, establezca el planeamiento.

Los deberes de los propietarios del Suelo Urbanizable en la LrS98 eran los señalados en el art. 18 LrS98:

Artículo 18. Deberes de los propietarios de suelo urbanizable

La transformación del suelo clasificado como urbanizable comportará para los propietarios del mismo los siguientes deberes:

1. Ceder obligatoria y gratuitamente a la Administración el suelo necesario para los viales, espacios libres, zonas verdes y dotaciones públicas de carácter local al servicio del ámbito de desarrollo en el que sus terrenos resulten incluidos.

2. Ceder obligatoria y gratuitamente el suelo necesario para la ejecución de los sistemas generales que el planeamiento general, en su caso, incluya o adscriba al ámbito correspondiente.

3. Costear y, en su caso, ejecutar las infraestructuras de conexión con los sistemas generales exteriores a la actuación y, en su caso, las obras necesarias para la ampliación o refuerzo de dichos sistemas requeridos por la dimensión y densidad de la misma y las intensidades de uso que ésta

genere, de conformidad con los requisitos y condiciones que establezca el planeamiento general.

4. Ceder obligatoria y gratuitamente a la Administración actuante el suelo correspondiente al 10 por 100 del aprovechamiento del sector o ámbito correspondiente; este porcentaje, que tiene carácter de máximo, podrá ser reducido por la legislación urbanística. Asimismo, esta legislación podrá reducir la participación de la Administración actuante en las cargas de urbanización que correspondan a dicho suelo.

5. Proceder a la distribución equitativa de los beneficios y cargas derivados del planeamiento, con anterioridad al inicio de la ejecución material del mismo.

6. Costear o ejecutar la urbanización del sector o ámbito correspondiente.

7. Edificar los solares en el plazo que, en su caso, establezca el planeamiento.

2. LOS DEBERES DEL PROPIETARIO DE SUELO EN LA LS 2008 (35) MODIFICADA POR LA LRRRU

En correlación con la esencial reducción de facultades del propietario de suelo respecto de los derechos de la legislación precedente se produce en la LS 2008 (obviamente, tras la LrS07) una reducción de los correspondientes deberes o cargas.

Como se acaba de indicar, los deberes citados del propietario de suelo de los arts. 14 y 18 LrS98 estaban prácticamente todos ellos inmersos en la Transformación Urbanística, de tal manera que, en la actualidad, la LS 2008 los cataloga como deberes de la promoción, teniendo los propietarios de suelo sólo deberes derivados del estado y situación de sus terrenos, que en algunos casos no tienen contenido urbanístico y edificatorio, mientras que en otras situaciones, por ejemplo, en suelo urbanizado (SUado) la edificación es, incluso, una carga exigible al propietario de un solar.

En todo caso, se resalta que el mero hecho de ser propietario del suelo, construcciones, edificaciones, etc. obliga al cumplimiento de numerosos deberes.

En el art. 9 LS 2008 tras la modificación producida por la LRRRU se establecen los deberes del propietario de suelo según la citada ley, explicitados como tales (FIG. 6).

En la FIG. 6 se acompañan los deberes y cargas de la propiedad del suelo de acuerdo con lo explicitado por el art. 9 LS 2008 en la redacción resultante tras la LRRRU.

---

(35) Es de resaltar que el apartado tercero del art. 9 ha sido recurrido ante el Tribunal Constitucional y, todavía, no ha recaído sentencia.

1. El derecho de propiedad de los terrenos, las instalaciones, construcciones y edificaciones comprende, en cualquier situación, los **deberes de dedicarlos a USOS QUE SEAN COMPATIBIES con la ordenación**; **conservarlos** en las condiciones para servirle de soporte; seguridad, salubridad, accesibilidad y ornato legalmente exigibles, **hasta donde alcance el deber legal de conservación.**

2. En **suelo rural o esté vacante de edificación el deber de conservarlo supone ejecutar las obras para mantener los terrenos y su masa vegetal en condiciones de evitar riesgos de erosión, incendio, etc.**; **prevenir la contaminación, etc.**; **y asegurar el establecimiento y funcionamiento de los servicios** derivados de los usos y las actividades que se desarrollen en el suelo. La **Administración** puede imponer la **realización de obras** para cumplir el deber.

3. En **suelo rural no sometido a ATU,** además de los deberes de 1, **debe satisfacer las prestaciones patrimoniales que se establezcan,** en su caso, **para legitimar usos privados del suelo no vinculados a su explotación** primaria. Quedan prohibidas las parcelaciones urbanísticas.

4. En **suelo rural sometido a ATU, debe** asumir como carga real la **participación en los deberes legales de la promoción de la actuación, EN RÉGIMEN DE EQUITATIVA DISTRIBUCIÓN DE BENEFICIOS Y CARGAS,** así como permitir ocupar los bienes necesarios para la realización de las obras al responsable de ejecutar la actuación.

5. En **suelo urbanizado el deber de uso supone completar la urbanización hasta solar.** Si la Admón. impone **rehabilitación edificatoria o regeneración o renovación urbana,** tendrá el deber de **participar en su ejecución EN UN RÉGIMEN DE JUSTA DISTRIBUCIÓN DE BENEFICIOS Y CARGAS.**

6. En todo **suelo urbanizado** en que se prevea por el Plan, tendrá el **deber de edificar en los plazos establecidos.**

7. Todo acto de edificación **requerirá del acto de conformidad, aprobación o autorización administrativa que sea preceptivo.** Su denegación será motivada. **En ningún caso podrán entenderse adquiridas por silencio administrativo facultades o derechos que contravengan la ordenación territorial o urbanística.**

8. Serán **expresos, con silencio negativo,** los actos que autoricen **movimientos de tierras,** parcelaciones, segregaciones, etc. cuando no formen parte de un proyecto de reparcelación; **obras de edificación,** etc. de nueva planta; casas prefabricadas; tala de masas arbóreas, etc.

9. Si la legislación sujeta la **primera ocupación o utilización de las edificaciones a comunicación previa o declaración responsable,** y no se cumple, la Admón. deberá adoptar en seis meses medidas para el cese de la ocupación o utilización, siendo responsable de los perjuicios.

Tanto la comunicación previa como las medidas de restablecimiento deberán hacerse **constar en el Registro de la Propiedad.**

RSD-julio.13

Fig. 6. Contenido del derecho de propiedad del suelo: deberes y cargas, según la LRRRU (art. 9 LS 2008 en la redacción de la LRRRU)

2.1. Deber de dedicar los terrenos, las instalaciones, construcciones y edificaciones a usos que sean compatibles con la ordenación territorial y urbanística; y de conservarlos adecuadamente (art. 9.1, primer párrafo LS 2008 tras la LRRRU)

2.1.1. *Deber de dedicar los terrenos, las instalaciones, construcciones y edificaciones a usos que sean compatibles con la ordenación territorial y urbanística (art. 9.1, primer inciso del primer párrafo LS 2008 tras la LRRRU).*

El cambio del precepto en la modificación de la LRRRU es radical: en lugar de que el deber fuera de dedicar los terrenos y demás bienes a usos que no sean incompatibles con la con la ordenación territorial y urbanística existente (como se señalaba en la versión originaria de la LS 2008), se ha dado un giro copernicano con la LRRRU —y se ha vuelto a la situación «tradicional» en España— y, ahora, el deber es de destinarlos a usos que sea compatibles con la misma.

Otra modificación de menor calado es la indicación de que los deberes de destinar a los usos compatibles con la ordenación y la conservación son deberes de carácter general, cualquiera que sea la clase de terreno, instalación, construcción o edificación.

En las últimas leyes urbanísticas o no urbanísticas estatales se ha variado el criterio de aplicación en este aspecto. Así, en la 21.1 LS92 se establecía:

> «Los propietarios de toda clase de terrenos y construcciones **deberán destinarlos efectivamente al uso en cada caso establecido por el planeamiento** urbanístico y mantenerlos en condiciones de seguridad, salubridad y ornato público. Quedarán sujetos igualmente al cumplimiento de las normas sobre protección del medio ambiente y de los patrimonios arquitectónicos y arqueológicos, y sobre rehabilitación urbana.»

Es decir, el instrumento de planeamiento establecía los usos para cada metro cuadrado de suelo y el propietario de suelo debía destinarlo, en cada caso, al uso establecido por el planeamiento (o a uno de los posibles).

Pero la LrS98 dio un giro copernicano a esta obligación tendente a la flexibilización del plan (art. 19.1 LrS98):

> «Artículo 19. Deberes legales de uso, conservación y rehabilitación
>
> 1. Los propietarios de toda clase de terrenos y construcciones **deberán destinarlos a usos que no resulten incompatibles con el planeamiento** urbanístico y mantenerlos en condiciones de seguridad, salubridad y ornato público. Quedarán sujetos igualmente al cumplimiento de las normas so-

bre protección del medio ambiente y de los patrimonios arquitectónicos y arqueológicos y sobre rehabilitación urbana.»

Por último, la LS 2008 en su versión originaria conservó la flexibilización deseada por la LrS98, permitiendo un amplio abanico de usos posibles, en relación a los prohibidos por el plan (art. 9 LS 2008):

> «...dedicarlo a usos que no sean incompatibles con la ordenación territorial y urbanística....»

Es decir, según la LS 2008 en su versión original, cualquier uso sería posible siempre que no fuera incompatible con los establecidos por el instrumento de planeamiento.

Es preciso resaltar que la labor refundidora de la LrS07 a la LS 2008 cambió en el art. 9.1 LS 2008 la expresión «suelo» de la LrS07 por «los terrenos, las instalaciones, construcciones y edificaciones» (que se ha conservado posteriormente) y ha añadido al párrafo primero un último inciso que es suma de los arts. 245.1 y 246.2 LS92.

Pero este importante aspecto ha cambiado con la modificación de la LRRRU, ya que ahora se aporta como principio general el contrario: obligación de dedicar el suelo y demás elementos —en cualquier situación en que se encuentren— al uso establecido por el instrumento de planeamiento o a un uso compatible con el mismo.

2.1.2. Deber de conservar los terrenos, las instalaciones, construcciones y edificaciones en las condiciones legales para servir de soporte a dicho uso y, en todo caso, en las de seguridad, sanidad, accesibilidad y ornato legalmente exigibles (art. 9.1, segundo inciso del primer párrafo LS 2008 tras la LRRRU)

Como cuestión preliminar, se deja constancia de que el Preámbulo de la LRRRU resalta el deber de conservación diferenciando tres niveles, en los siguientes términos:

> «...En primer lugar, se completa la regulación del deber legal de conservación, para sistematizar los tres niveles que ya, de conformidad con la legislación vigente, lo configuran: un primer nivel básico o estricto, en el que el deber de conservación conlleva, con carácter general, el destino a usos compatibles con la ordenación territorial y urbanística y la necesidad de garantizar la seguridad, salubridad, accesibilidad y ornato legalmente exigibles. Además, con carácter particular, el deber legal de conservación también contiene la necesidad de satisfacer los requisitos básicos de la edificación, establecidos en el artículo 3.1 de la Ley 38/1999, de 5 de noviembre, de Ordenación de la Edificación, con lo que se dota de mayor coherencia a la tradicional referencia de este deber a la seguridad y a la salubridad, sin que el cumplimiento de estos requisitos signifique,

con carácter general, la aplicación retroactiva del Código Técnico de la Edificación, aprobado por el Real Decreto 314/2006, de 17 de marzo, a la edificación construida con anterioridad a la entrada en vigor del mismo.

Un segundo nivel, en el que el deber de conservación incluye los trabajos y obras necesarios para adaptar y actualizar progresivamente las edificaciones, en particular las instalaciones, a las normas legales que les vayan siendo explícitamente exigibles en cada momento. No se trata de aplicar con carácter retroactivo la normativa, sino de incluir en este deber las obligaciones que para la edificación existente explícitamente vaya introduciendo la normativa del sector con el objetivo de mantener sus condiciones de uso, de acuerdo con la evolución de las necesidades sociales.

Y un tercer nivel, en el que se define con mayor precisión y se perfila más específicamente, el carácter de las obras adicionales incluidas dentro del propio deber de conservación, por motivos de interés general, desarrollando lo que la Ley de Suelo definió como «mejora». Se distinguen así dos supuestos: los tradicionales motivos turísticos o culturales, que ya forman parte de la legislación urbanística autonómica, y la mejora para la calidad y sostenibilidad del medio urbano, que introdujo la Ley 2/2011, de 4 de marzo, de Economía Sostenible, y que puede consistir en la adecuación parcial, o completa, a todas o a alguna de las exigencias básicas establecidas en el ya citado Código Técnico de la Edificación. En ambos casos, la imposición del deber requerirá que la Administración, de manera motivada, determine el nivel de calidad que deba ser alcanzado por el edificio, para cada una de las exigencias básicas a que se refiera la imposición del mismo y su límite se mantiene en los mismos términos que ya contiene la legislación en vigor.»

En las anteriores regulaciones ya se ha indicado que, tanto en la LS92 como en la LrS98, se exigía, respecto de los terrenos y construcciones:

«…mantenerlos en condiciones de seguridad, salubridad y ornato público….»

Evidentemente, el propietario de suelo es responsable de los daños que su imprudencia o falta de conservación pueda causar a otros. Por ello, no es infrecuente la producción de órdenes de ejecución para que el propietario de cualquier elemento lo mantenga en condiciones de seguridad y otras o se produzca la ejecución subsidiaria por parte del Ayuntamiento.

Este deber genérico de conservación del suelo se complementa con otros deber específicos del propietario de suelo rural o de otras situaciones de suelo señalado en los párrafos siguientes; añadido, en su caso, al deber de realizar los trabajos de mejora y rehabilitación hasta donde alcance el deber legal de conservación del inciso siguiente.

Todo ello, añadido al deber de conservación de las construcciones y edificios, con los problemas derivados del valor a tener en cuenta para que el edificio pueda entrar en ruina económica.

Lógicamente, al propietario de cualquier clase o situación de suelo, u otro elemento, se le exigirá la aplicación de todas las normas sobre protección del medio ambiente y de los patrimonios arquitectónicos y arqueológicos y sobre rehabilitación urbana.

Debe quedar claro que a los derechos van inescindiblemente unidos a los deberes, de tal forma que el derecho de propiedad conlleva, necesariamente, el deber de conservación y mejora hasta el nivel que en cada caso establezca el correspondiente deber legal.

La reforma de la LRRRU ha concretado los trabajos de **mejora a realizar**, obras adicionales por motivos turísticos o culturales o para la **mejora** de la calidad y sostenibilidad del medio urbano, hasta donde alcace el deber legal de conservación.

Este deber es el límite de la obligación del propietario, de tal forma que si la Administración ordena obras por valor superior a dicho deber legal, deberá correr con los costes suplementarios.

2.1.3. Deber de conservación en el Suelo Rural o vacante de edificación (art. 9.1, segundo párrafo LS 2008 tras la LRRRU)

En este supuesto, el deber de conservación lleva la obligación de costear y ejecutar las obras necesarias para mantener los terrenos y su masa vegetal para:

— evitar riesgos de erosión, incendio, inundación, para la seguridad o salud públicas, daño o perjuicio a terceros o al interés general; incluido el ambiental;

— prevenir la contaminación del suelo, el agua o el aire y las inmisiones contaminantes indebidas en otros bienes y, en su caso,

— recuperarlos de ellas en los términos dispuestos por su legislación específica y

— mantener el establecimiento y funcionamiento de los servicios derivados de los usos y las actividades que se desarrollen en el suelo.

2.1.4. Deber de conservación en el caso de edificaciones (art. 9.1, tercer párrafo LS 2008 tras la LRRRU)

En el caso de edificaciones, en cualquier situación de suelo, el deber legal de conservación comprenderá, además, realizar todo lo necesario para cumplir los requisitos legales, especialmente, los contenidos en el art. 3.1 de la Ley 38/1999, de ordenación de la edificación, que se refiere, esquemáticamente, a las siguientes:

a) **Relativos a la funcionalidad:**

  a.1) **Utilización**, de tal forma que la disposición y las dimensiones de los espacios y la dotación de las instalaciones faciliten la adecuada realización de las funciones previstas en el edificio.

  a.2) **Accesibilidad**, de tal forma que se permita a las personas con movilidad y comunicación reducidas el acceso y la circulación por el edificio en los términos previstos en su normativa específica.

  a.3) **Acceso a los servicios de telecomunicación, audiovisuales y de información** de acuerdo con lo establecido en su normativa específica.

  a.4) **Facilitación para el acceso de los servicios postales,** mediante la dotación de las instalaciones apropiadas para la entrega de los envíos postales, según lo dispuesto en su normativa específica.

b) **Relativos a la seguridad:**

  b.1) **Seguridad estructural,** de tal forma que no se produzcan en el edificio, o partes del mismo, daños que tengan su origen o afecten a la cimentación, los soportes, las vigas, los forjados, los muros de carga u otros elementos estructurales, y que comprometan directamente la resistencia mecánica y la estabilidad del edificio.

  b.2) **Seguridad en caso de incendio**, de tal forma que los ocupantes puedan desalojar el edificio en condiciones seguras, se pueda limitar la extensión del incendio dentro del propio edificio y de los colindantes y se permita la actuación de los equipos de extinción y rescate.

  b.3) **Seguridad de utilización**, de tal forma que el uso normal del edificio no suponga riesgo de accidente para las personas.

c) **Relativos a la habitabilidad:**

  c.1) **Higiene, salud y protección del medio ambiente**, de tal forma que se alcancen condiciones aceptables de salubridad y estanqueidad en el ambiente interior del edificio y que éste no deteriore el medio ambiente en su entorno inmediato, garantizando una adecuada gestión de toda clase de residuos.

  c.2) **Protección contra el ruido,** de tal forma que el ruido percibido no ponga en peligro la salud de las personas y les permita realizar satisfactoriamente sus actividades.

c.3) **Ahorro de energía y aislamiento térmico**, de tal forma que se consiga un uso racional de la energía necesaria para la adecuada utilización del edificio.

c.4) Otros aspectos funcionales de los elementos constructivos o de las instalaciones que permitan un uso satisfactorio del edificio.

Y ello, como establece el citado art. 3.1 LOE, según su texto modificado por la LRRRU, «Con el fin de garantizar la seguridad de las personas, el bienestar de la sociedad y la protección del medio ambiente, se establecen los siguientes requisitos básicos de la edificación, que deberán satisfacerse, de la forma que reglamentariamente se establezca, en el proyecto, la construcción, el mantenimiento, la conservación y el uso de los edificios y sus instalaciones, así como en las intervenciones que se realicen en los edificios existentes.»

Estas exigencias, que deberán satisfacerse, de la forma que reglamentariamente se establezca, se refieren tanto a los nuevos edificios como a los existentes,de forma que es preciso adaptar éstos y sus instalaciones a las normas legales que les sean explícitamente exigibles en cada momento.

El grado de adecuación de los edificios podrá ser total o parcial, a todas o algunas de las exigencias contenidas en el Código Técnico de la Edificación, en función de la motivada resolución de la Administración, con el importante grado de subjetividad que puede provocar diferentes exigencias en diferentes puntos de España.

2.2. Deber de cumplimentar lo exigido en una orden de ejecución y su incumplimiento (art. 9.2 LS 2008 tras la LRRRU)

Ante el hipotético incumplimiento del deber de conservación por parte del propietario del edificio, se puede derivar la correlativa potestad administrativa de su exigencia. Precisamente, el art. 181.2 LS76 habilitaba a los Ayuntamientos (y, en su caso, a los demás Órganos competentes) para *ordenar,* de oficio o a instancia de cualquier interesado, *la ejecución de las obras necesarias para conservar* las condiciones que se citan en el art. 9.1 LS 2008, con indicación del plazo de realización (SSTS de 14.01.75 y 24.10.78).

Además, esta exigencia podrá hacerse efectiva «en cualquier momento.»

Este tipo de medida de intervención administrativa ya aparece explicitada en el art. 84.1 LRBRL, según el cual las Corporaciones Locales podrán intervenir la actividad de los ciudadanos a través de:

«... c) Órdenes individuales constitutivas de mandato para la ejecución de un acto o la prohibición del mismo.»

Esta habilitación para dictar el acto administrativo en que la orden de ejecución consiste se reconoce por la jurisprudencia de modo indubitado, a lo largo de la vida de las construcciones. En este sentido puede verse la STS de 30.12.89, según la cual:

«La Administración está facultada para intervenir no solo en la fase de construcción de los edificios, sino también a lo largo de toda la vida de éstos.»

En cuanto se ordena la ejecución de unas obras parece lógico que su realización *no precise licencia urbanística*, pues debe bastar para realizarlas la existencia de una orden de ejecución, a tal efecto dictada por el Ayuntamiento o, en su caso, el Organismo competente.

La finalidad de las órdenes de ejecución pueden ser muy diversas: además de procurar la conservación del edificio, pueden ordenar la reconstrucción de lo indebidamente demolido, la demolición de las construcciones en estado ruinoso, etc.

Como en el caso de cualquier orden de ejecución, el propietario una vez confirmada la veracidad y oportunidad del contenido de la orden de ejecución haría bien en ejecutar lo ordenado, pues en caso contrario actuaría el Ayuntamiento por ejecución subsidiaria, lo que incrementaría los costes a pagar por el propietario incumplidor.

El acto firme de aprobación de la orden de ejecución determinará la afección real —con anotación marginal en el Registro de la Propiedad— del inmueble al cumplimiento de la obligación de la realización de las obras a que se refirere a orden de ejecución.

Como ya se ha indicado, en caso de incumplimiento de la orden de ejecución, por inejecución injustificada, dentro del plazo, de las obras ordenadas la Administración las ejecutará subsidiariamente (o mediante otras formulas existentes en la legislación aplicable), a través del procedimiento legalmente establecido y con constancia en el Registro de la Propiedad.

Es de resaltar lo dispuesto para estos supuestos en el art. 9.2, párrafo 2.º LS 2008 en la redacción dada por la LRRRU, sobre la posibilidad de elevación del límite máximo del deber de conservación, si así lo dispone la legislación autonómica, hasta el 75% del coste de reposición de la construcción o el edificio correspondiente.

2.3. Deberes específicos en Suelo Rural «puro» (art. 9.3 LS 2008 tras la LRRRU)

2.3.1. *Deberes adicionales en Suelo Rural «puro» (art. 9.3, primer párrafo LS 2008 tras la LRRRU)*

Además de lo señalado en el apartado 2.1 anterior, el propietario de SR «puro» tendrá los siguientes deberes:

1) **El deber de satisfacer las prestaciones patrimoniales** que establezca, en su caso, la legislación sobre ordenación territorial y urbanística, para legitimar los usos privados del suelo no vinculados a su explotación primaria.

Se está haciendo referencia al llamado «canon de aprovechamiento urbanístico» en suelo no urbanizable establecido en diversas Comunidades Autónomas, para tender a equilibrar actuaciones constructivas en Suelo No Urbanizable con otras en Suelo Urbanizable, pero con cuantía desigual.

2) **El deber de costear y, en su caso, ejecutar las infraestructuras de conexión** de las instalaciones y construcciones autorizables, con las redes generales de servicios y entregarlas a la Administración competente para su incorporación al dominio público, cuando deban formar parte del mismo.

Alguna normativa autonómica ha adaptado o ajustado su regulación o interpretación a lo dispuesto por el originario art. 9.2 LS 2008 antecedente del que se comenta. En particular, en Cataluña, el Decreto-ley 1/2007, de 16 de octubre, de medidas urgentes en materia urbanística, ha dejado redactado el art. 47.7 del Decreto Legislativo 1/2005 de 26 de julio, por el que se aprueba el Texto refundido de la ley del Suelo de Cataluña, relativo a deberes de los propietarios de suelo no urbanizable, de la siguiente manera:

> «7. La autorización de obras y usos en suelo no urbanizable tiene que garantizar en todos los casos la preservación de este suelo con respecto al proceso de desarrollo urbano y la máxima integración ambiental de las construcciones y las actividades autorizadas, y comporta para la persona propietaria los deberes siguientes:
>
> a) Costear y ejecutar las obras y los trabajos necesarios para conservar el suelo y su masa demasiado vegetal en el estado legalmente exigible o para restaurar este estado, en los términos previstos en la normativa que sea de aplicación.
>
> b) Costear y, en su caso, ejecutar las infraestructuras de conexión de la instalación, la construcción o la edificación con las redes generales de servicios, y ceder a la administración competente estas infraestructuras y el suelo correspondiente para su incorporación al dominio público, cuando tengan que formar parte de él.
>
> c) Costear y, en su caso, ejecutar las obras o instalaciones necesarias para dar cumplimiento al resto de condiciones que exija el plan especial o el acuerdo de aprobación del proyecto, con respecto a la obtención de suministros, consecución de niveles de saneamiento adecuados u otros servicios.
>
> d) Costear y, en su caso, ejecutar las medidas correctoras que determine el plan especial o el acuerdo de aprobación del proyecto con el fin de

evitar la fragmentación de espacios agrarios y la afectación grave a las explotaciones agrarias, minorar los efectos de las edificaciones y sus usos, accesos y servicios sobre la calidad del paisaje, o por otras finalidades justificadas».

2.3.2. La prohibición expresa de las parcelaciones urbanísticas (art. 9.3, Segundo párrafo LS 2008 tras la LRRRU)

Otra carga específica es la previsión del art. 9.3, segundo párrafo LS 2008 en la redacción resultante de la LRRRU, en relación con la prohibición expresa de las parcelaciones urbanísticas en suelo rural —rústico o no urbanizable en bastantes Comunidades Autónomas—, respecto de lo cual es preciso recordar que reitera lo que disponía el derogado art. 20.2 LrS98:

> «... en ningún caso, puedan efectuarse divisiones, segregaciones o fraccionamientos de cualquier tipo en contra de lo dispuesto en la legislación agraria, forestal o de similar naturaleza.»

En este sentido, la Ley estatal 19/1995, de 4 de julio, de Modernización de explotaciones agrarias, remite a la legislación autonómica la determinación de la extensión de la superficie de las «unidades mínimas de cultivo». Y las Comunidades Autónomas ya han legislado al respecto. Por razones obvias, ante lo desproporcionado que sería pretender hacer alusión a la regulación del suelo rústico en la totalidad de las legislaciones autonómicas urbanísticas seguiremos aquí, de manera especial, la normativa reguladora del suelo rústico de una Comunidad Autónoma concreta, como muestra de materia ya regulada por la legislación urbanística. En este caso, la de la Comunidad valenciana, por el carácter de legislación precursora de la LS 2008 que tuvo la LRAU de 1994 y por ser la de esta Comunidad Autónoma una de las más innovadoras manifestaciones de legislación de este tipo, como ha sido la Ley 16/2005, de 30 de diciembre, Urbanística valenciana (en adelante, LUV). Así, recordamos también, que por Decreto 217/1999, de 9 de noviembre, del Gobierno Valenciano, se determina la extensión de las Unidades Mínimas de Cultivo.

En el artículo único de este Decreto se prevé que:

> «1. De conformidad con lo que establece el artículo 23 de la Ley estatal 19/1995, de 4 de julio, de acuerdo con lo dispuesto en la Ley Autonómica Valenciana 2/1997, de 13 de julio, modificativa de la Disposición Adicional Tercera número 2 de la ley 4/1992, se fijan en el ámbito territorial de la Comunidad Autónoma las superficies de 2,5 hectáreas en secano y 0,5 hectáreas en regadío, como las expresadas unidades de cultivo.

> 2. A estos efectos, se considerará como de regadío, previa comprobación por el órgano competente de la Consellería de Agricultura, Pesca y Alimen-

tación, o departamento que lo sustituya, toda aquella parcela cultivada en la que se justifique su derecho a riego.

3. Las fincas rústicas podrán dividirse o segregarse aún dando lugar a superficies no cultivables inferiores a las señaladas en el anterior ordinal primero:

a) En todos los supuestos contemplados en el artículo 25 de la Ley Estatal 19/1995, de 4 de julio.

b) En los supuestos en los que la finalidad de la división o segregación de las fincas rústicas sea la construcción o instalación de pozos, transformadores, depósitos y balsas de riego, cabezales comunitarios de filtraje y abonado, ampliaciones de caminos en beneficio de una colectividad o construcciones agrícolas y ganaderas. Para ello deberá justificarse tal finalidad en expediente incoado al efecto, que incorpora el preceptivo trámite de audiencia a los interesados que sean conocidos y que contenga informe favorable de la administración competente, que finalizará con Resolución motivada al respecto de la finalidad que pretenda la división o segregación solicitada.»

En la LUV, se prevé la indivisibilidad de terrenos en las distintas clases de suelo en el art. 202, según el cual:

«Son indivisibles:

a) Las parcelas determinadas como mínimas en el correspondiente planeamiento, a fin de constituir fincas independientes.

b) Las parcelas cuyas dimensiones mínimas sean iguales o menores a las determinadas como mínimas en el planeamiento, salvo si los lotes resultantes se adquieren simultáneamente por los propietarios de terrenos colindantes, con el fin de programarlos.

c) Las parcelas cuyas dimensiones sean menores que el doble de la superficie determinada como mínima en el planeamiento, salvo que el exceso sobre dicho mínimo pueda segregarse con el fin indicado en el apartado anterior.

d) Las parcelas edificables con arreglo a una determinada relación entre superficie de suelo y superficie construible, cuando se edificara la correspondiente a toda la superficie de suelo o, en el supuesto de que se edificare la correspondiente a sólo una parte de ella, la restante, si fuera inferior a la parcela mínima, con las salvedades indicadas en el apartado anterior.

e) Las parcelas en suelo no urbanizable, y en suelo urbanizable sin programación, salvo que cumplan con los requisitos establecidos en su legislación reguladora.»

Debe recordarse que, en suelo no urbanizable, las parcelaciones de terrenos no están sujetas, en principio, a control municipal previo, si se cumplen con los requisitos de superficie mínima exigida por la legislación agraria aplicable y la legislación autonómica no impone esta limitación expresamente (36).

La LUV, en el art. 24 prevé que:

«Los propietarios de suelo no urbanizable tendrán los derechos y deberes que se regulan en su legislación específica, estatal y autonómica.»

Pues bien, la legislación autonómica valenciana reguladora del suelo no urbanizable es, actualmente, la Ley 10/2004, de 9 de diciembre, que ha derogado a la Ley anterior 4/1992, de 5 de junio, excepto la Disposición Adicional Tercera.

La Ley valenciana 10/2004 citada, exige licencia municipal para la realización de cualquier acto de parcelación en suelo no urbanizable en la Disposición Adicional Segunda, en los siguientes términos:

«1. En el suelo no urbanizable o urbanizable sin programa aprobado no podrán realizarse actos de división o segregación de fincas o terrenos, cualquiera que sea su finalidad, sin la obtención previa de licencia municipal de parcelación, salvo que el ayuntamiento declare su innecesariedad, o que en virtud de su legislación sectorial específica quede exenta.

2. Se considera parcelación rústica toda división o segregación de terrenos en dos o más lotes, siempre que no tenga una finalidad vinculada a la actividad urbanística.

En ningún caso, podrán autorizarse actos de división o segregación de fincas o terrenos rústicos en contra de lo dispuesto en la normativa agraria o forestal o de similar naturaleza que le sea de aplicación.»

Se prohíben expresamente en suelo no urbanizable las parcelaciones urbanísticas en el párrafo 4 de este mismo precepto legal valenciano, en los expresos términos siguientes:

---

(36) Ver trabajo de Estévez Goytre, Ricardo, «El papel de los Municipios en el nuevo régimen jurídico de las segregaciones en suelo no urbanizable», *El Consultor, 20/1996*, 30 de octubre, pág. 2926-2933.

«En el suelo no urbanizable, no podrán autorizarse actos materiales de división o segregación de fincas cuando exista una presunción legal de que tales actos tienen finalidad urbanística.»

2.4. Deberes específicos en Suelo Rural Apto para la Transformación Urbanística, SRATU (art. 9.4 LS 2008 tras la LRRRU)

2.4.1. *Deber de asumir como carga real la participación en los deberes legales de la promoción de la actuación, en un régimen de equitativa distribución de beneficios y cargas*

En este deber se centra una de las principales novedades de la LRRRU respecto de la redacción originaria de la LS 2008. El propietario, en cuanto a tal, no tenía en la LS 2008 originaria, prácticamente, ningún deber urbanístico, salvo en el supuesto de que optara por participar con el promotor en la Actuación de Transformación Urbanística (ATU). En el caso de que participara en la ejecución de la ATU, lo debería hacer con base en el principio de justa distribución de beneficios y cargas, aplicando las técnicas establecidas en la correspondiente ley urbanística.

Pero si no participaba con el promotor, prácticamente, no tenía deberes urbanísticos de la Actuación.

Sin embargo, con la redacción resultante de la LRRRU, el propietario de SRATU (o SRADU), en cuanto tal, tiene el deber de asumir como carga real la participación en los deberes legales de la promoción de la actuación (art. 16, que se comentará más adelante), en un régimen de equitativa distribución de beneficios y cargas (principio de equitativa distribución de beneficios y cargas que se estudiará en los comentarios al art. 16 LS 2008).

En efecto, los deberes legales que se indican en el art. 16 LS 2008 son cargas reales que pesan sobre las parcelas resultantes, ya sean adjudicadas éstas en la reparcelación a los propietarios originarios del suelo de la unidad de ejecución o a otros propietarios, o al agente urbanizador. Y, además, con inscripción en el Registro de la Propiedad, de acuerdo con lo dispuesto por el Real Decreto 1093/1997, de inscripción en el Registro de la Propiedad de actos de naturaleza urbanística.

Por tanto, si el propietario participa en la ejecución de las ATU, deberá asumir como carga real las cargas de urbanización correspondientes, como otro adjudicatario más.

2.4.2. *Deber de permitir ocupar los bienes necesarios para la realización de las obras*

La citada ocupación debe permitirse, precisamente, al responsable de ejecutar la actuación: si el propietario de suelo participa en la ejecución de las ATU, deberá permitir ocupar sus terrenos al urbanizador para la obtención del resultado conjunto del cual también el propietario originario se beneficiará.

En este caso sí es destacable su carácter de propietario originario pues, en virtud de ello, los terrenos que originalmente son suyos dejarán de serlo con la aprobación del proyecto de equidistribución (proyecto de reparcelación) y aún antes de ella, si hubiere acuerdo.

2.5. Otros deberes en SUado

En SUado el deber genérico de uso supone el de completar la urbanización de los terrenos con los requisitos y condiciones establecidos para su edificación, es decir, es decir, para que merezca la condición de solar.

Y, en su caso, el propietario tendrá el deber de edificar, como se verá en el apartado 2.6.

Como novedad de la LRRRU, si la Administración impone la realización de actuaciones de rehabilitación edificatoria y de regeneración y renovación urbanas, el propietario tendrá el deber de participar en su ejecución en el régimen de distribución de beneficios y cargas que corresponda, en los términos establecidos en el artículo 9.5.

Lo que generaliza el principio de equidistribución de beneficios y cargas también al SUado, acabando con el debate existente sobre si es posible la equidistribución de beneficios y cargas también en SUC.

No obstante, la LRRRU excepciona el citado principio en algunos casos en los que no existan plusvalías en la actuación o sean insuficientes.

2.6 Deber de Edificar en plazo en SUado

Conforme establece el artículo 9.6 LS 2008 que se comenta:

> «En todo suelo en situación de urbanizado en que así se prevea por la ordenación urbanística y en las condiciones por ella establecidas, el propietario tendrá el deber de edificar en los plazos establecidos en la normativa aplicable».

En Suelo Urbanizado (SUado), la calificación urbanística puede diferenciar dos especies de suelo:

— Suelo Urbanizado para el que la ordenación urbanística a través del instrumento de planeamiento establece un uso sin edificabilidad: por ejemplo, viario, zona verde sin edificabilidad, etc. En este suelo no será preciso, ni posible realizar ninguna edificación.

— Suelo Urbanizado para el que el instrumento de planeamiento establece un uso con edificabilidad: y si no se discrimina deberá entenderse tanto lucrativa como no lucrativa. Por ejemplo, residencial privada, comercial privada, dotacional sanitaria pública, etc. En este suelo, ya sea privado o público, será preciso realizar la edificación en el plazo establecido por el planeamiento o, supletoriamente, por la ley.

Para el ejercicio del derecho a edificar y cumplimiento del deber de edificar será preciso seguir, obviamente, el procedimiento de autorización establecido en la legislación urbanística aplicable; en términos del art. 9.7 LS 2008 en la redacción dada por la LRRRU:

> «Todo acto de edificación requerirá del acto de conformidad, aprobación o autorización administrativa que sea preceptivo, según la legislación de ordenación territorial y urbanística, debiendo ser motivada su denegación. En ningún caso podrán entenderse adquiridas por silencio administrativo facultades o derechos que contravengan la ordenación territorial o urbanística.»

2.7. Deber de obtener Autorización o licencia; su motivación; Silencio positivo [reflexiones sobre la legislación anterior al art. 9.8 LS 2008 en la redacción dada por la LRRRU], dada la dudosa inconstitucionalidad de este precepto legal, que será expresamente razonada en el epígrafe siguiente

Siempre que el terreno conforme una unidad apta para la edificación, de acuerdo con la LS 2008, y, por ello, cuando el planeamiento le atribuya una determinada edificabilidad y uso (un determinado aprovechamiento urbanístico), el propietario del suelo tiene derecho a edificar sobre él, en los términos que establezca el correspondiente instrumento de planeamiento urbanístico o territorial. Esta última prescripción es muy importante, dado que el instrumento de planeamiento territorial o urbanístico puede obligar al propietario a cumplir determinadas condiciones adicionales.

Adicionalmente, es preciso estudiar dos aspectos regulados en el apartado 7 del art. 9 LS 2008 que se comenta:

a) La necesidad de autorización o licencia.

Establece el párrafo segundo del art. 9.7 LS 2008 en la redacción dada por la LRRRU:

> «Todo acto de edificación requerirá del acto de conformidad, aprobación o autorización administrativa que sea preceptivo, según la legislación de ordenación territorial y urbanística, debiendo ser motivada su denegación. En ningún caso podrán entenderse adquiridas por silencio administrativo facultades o derechos que contravengan la ordenación territorial o urbanística.»

Este precepto incluido en el art. 9.7 LS 2008 de la LRRRU, y su antecedente de la LS 2008 originaria, ha sido incorporado en el mismo como consecuencia de la labor de refundición (con aclaración, regularización y armonización, así como estructuración y armonización de los preceptos de la ley refundida). Su origen han sido los arts. 242.1 y 243.2 LS92, unidos, a través de adaptar «la preceptiva licencia municipal» por «acto de conformidad, aprobación o autorización administrativa que sea preceptivo.»

La variedad de actos legitimadores de actuaciones edificatorias se ha subsumido bajo la expresión de actos de conformidad, aprobación o autorización administrativa que en cada caso sean habilitantes de la citada actuación.

b) El sentido del silencio administrativo

La norma del párrafo tercero del art. 8.1, b) de la originaria LS 2008, actualmente art. 9.7 LS 2008 en la versión de la LRRRU, «en ningún caso podrán entenderse adquiridas por silencio administrativo facultades o derechos que contravengan la ordenación territorial o urbanística», proviene, con parecida dicción, del art. 242.6 LS92: «en ningún caso se entenderán adquiridas por silencio administrativo licencias en contra de la legislación o del planeamiento urbanístico. (B)

No obstante los pequeños cambios o ajustes de redacción que se pueden detectar sin más que comparar ambos preceptos, en el fondo plantean un problema bastante mayor: es la interpretación que se le puede dar al precepto.

Si se entiende estrictamente lo que el sentido gramatical representa, el silencio administrativo positivo, mientras éste era el sentido del silencio administrativo antes de lo prevenido en el art. 23 del Real Decreto Ley 8/2011, de 1 de julio, en la concesión de licencias sólo actuaría en el supuesto de que la construcción que se desease realizar fuese —en todos sus aspectos— ajustada a la legalidad urbanística. Pero, en la práctica, esto es difícil de establecer, ya que cualquier actuación puede tener alguna irregularidad, lo que invalidaría la hipotética licencia o autorización obtenida por silencio administrativo.

Pero la mayoría de las leyes urbanísticas autonómicas han transcrito como legislación propia el contenido de dicho art. 242.6 LS92.

Por el contrario, una corriente jurisprudencial que nos parece más razonable —desde el punto de vista de la seguridad jurídica— considera que la licencia se ha obtenido tácitamente por silencio, con el mero transcurso del plazo y demás condiciones, de tal forma que si lo que se pretende realizar es ilegal y se debe, posteriormente, demoler, puede existir responsabilidad administrativa por el otorgamiento de una licencia ilegal.

La intepretación contraria —«clásica»— llevaría a anular, en la práctica, la institución del silencio administrativo positivo, ante la pasividad de la Administración. Volveremos más adelante sobre esta cuestión.

En efecto, la constante problemática planteada por la deficiente regulación legal del silencio administrativo hace aconsejable, aunque sea muy resumidamente, dejar constancia de lo que pudiera ser un ejemplo de *iter* procedimental en los casos en los que en un expediente de otorgamiento de licencia urbanística se pudiera alegar el nacimiento del silencio como forma de terminación del procedimiento, sin que, realmente, se hubiera producido tal silencio. En efecto, teniendo en cuenta la nueva regulación del silencio administrativo y la de las notificaciones en la Ley 30/1992, tras su modificación por la Ley 4/1999, de 13 de enero y antes del muy relevante cambio introducido por la modificación del art. 43.2 de dicha Ley como consecuencia de la trasposición de la Directiva europea de Servicios, este *iter* podría ser:

— Se solicita la licencia.

— Transcurre el plazo de otorgamiento y el solicitante desconoce que se ha producido resolución expresa desestimatoria.

— El solicitante de la licencia comienza las obras, en la creencia de que le ampara el silencio positivo. Las obras son ilegales y son paralizadas.

— El solicitante recurre la paralización de las obras y alega el otorgamiento de la licencia por silencio positivo.

— La Administración actuante le comunica haber resuelto expresamente y desestimado el otorgamiento de la licencia; que ha intentado infructuosamente notificar dicha resolución y, por tanto se enerva —ex art. 58.4 de la Ley 4/1999, de 13 de enero, de modificación de la Ley 30/92— el nacimiento del acto presunto.

Otra cosa sería si la Administración hubiera resuelto expresamente en sentido desestimatorio, pero tardíamente. En este caso sí habría nacido un acto presunto. Debe recordarse que el art. 42.4, a) ordena que:

> «En los casos de estimación por silencio administrativo, la resolución expresa posterior a la producción del acto **sólo podrá dictarse de ser confirmatoria del mismo.**»

Y en el caso de que dicho acto presunto fuese ilegal, dicha ilegalidad debería subsanarse mediante la revisión de oficio y —en su caso— se debería abonar la eventual indemnización al perjudicado por tal actuación administrativa.

El contenido material del art. 242.6 LS92 (vigente actualmente por disposición expresa del art. 9.7 LS 2008 en la redacción dada por la LRRRU), no obstante, declaraba que en ningún caso se entenderán concedidas por silencio administrativo licencias en contra de la legislación o del planeamiento urbanístico, por lo que reiteradamente la jurisprudencia ha declarado que no puede obtenerse por silencio lo que legalmente no sea otorgable por resolución expresa (STS de 6.07.88). Y siendo esto así, no faltan decisiones judiciales que, ante la licencia obtenida por silencio que vulnera el ordenamiento urbanístico, amparan que pueda producirse una resolución del Ayuntamiento negando validez a la licencia presunta (37).

Así el TS dice que:

> «Si bien con carácter general pudiera predicarse que por equivaler el silencio positivo a la autorización omitida y ser, en consecuencia, un verdadero acto administrativo, le está vedado a la Administración, al igual que si de un acto expreso se tratase, producir uno de esta clase en contradicción con él sin acudir a ninguno de los procedimientos de revisión de oficio, esta interdicción sólo puede entenderse operante cuando el silencio positivo efectivamente se haya producido, es decir, tanto por la concurrencia de sus requisitos formales, como por la de los de carácter sustantivo ... siendo por tanto perfectamente lícito que ... producido finalmente el silencio, pueda el Ayuntamiento manifestarse sobre la materialidad o sustantividad de éste y dictar un acto contradictorio con el mismo en el mismo procedimiento, si lo instado en su día y aparentemente logrado por la inactividad administrativa no se acomodase a la legalidad urbanística, al no existir, entonces un derecho subjetivo protegible por no haber podido originarse éste». (STS de 21.03.88) (38).

El Tribunal Supremo se ha pronunciado reiteradamente en este sentido. Así, pueden reseñarse las STS de 7.10.98 (LA LEY JURIS: 9846/1998), de 21.10.98 (LA LEY JURIS: 11107/1998), de 9.11.98 (LA LEY JURIS: 11116/1998), de 6.04.99 (LA LEY JURIS: 5548/1999), de 6.07.99 (LA LEY JURIS: 10660/1999), de 29.06.99 (LA LEY JURIS: 11200/1999), de 24.11.99 (LA LEY JURIS: 851/2000), de 15.12.99 (LA LEY JURIS: 2245/2000), de 30.12.99 (LA LEY JURIS: 3441/2000), etc.

Esta línea jurisprudencial, pues, se ha decantado por negar operatividad al silencio administrativo positivo si, a su través, se pretendiera ejercer el derecho a edificar en los casos en que tal derecho —si mediase resolución expresa— no hubiera podido ejercerse, al tratarse de una pretensión contraria al ordenamiento jurídico.

La LRJAP Y PAC, prevé en el art. 62.1,f), —que no se ha modificado por la Ley 4/1999, de 13 de enero— que los actos de las Administraciones Públicas son nulos de pleno derecho, entre otros, en los supuestos siguientes:

> «Los **actos** expresos o **presuntos** contrarios al ordenamiento jurídico por los que se adquieren facultades o derechos cuando se carezca de los requisitos esenciales para su adquisición.»

---

(37) Puede verse Díaz Gómez, Mariano: *El silencio administrativo positivo en la Ley 30/1992*, de 26 de noviembre y su incidencia en los actos de gestión y control urbanísticos. Edit. Dykinson. 1994.

(38) Esta misma doctrina puede encontrarse en la STS de 20.12.88 y —posteriormente— en las STS de 27.02.89 (LA LEY JURIS: 117546-NS/0000), de 30.01.90 (LA LEY JURIS: 28237-JF/0000) y de 7.02.90 (LA LEY JURIS: 27948-JF/0000).

De la redacción de este precepto legal, puesto en relación con la expresa consideración del art. 43.3 LRJAP y PAC, en su redacción derivada de la Ley 4/1999, de 13 de enero, se deriva que

«La estimación por silencio administrativo tiene a todos los efectos **la consideración de acto finalizador del procedimiento.**»

Por tanto, se puede afirmar que ha sido el propio legislador estatal el que ha tomado claramente una posición en virtud de la cual sí se pueden producir actos presuntos ilegales, por ser «contrarios al ordenamiento jurídico» y —dada la consideración expresa de acto finalizador del procedimiento ya citada— los actos administrativos finalizadores de un procedimiento, sean expresos o presuntos, pueden producir los efectos legales indicados.

Permítasenos recordar que el Estado en materia de procedimiento ejerce una competencia plena ex art. 149.1.ª.18.ª CE.

Si el acto presunto es una licencia que otorga la posibilidad a su peticionario de realizar un acto edificatorio ilegal, por su inadecuación al planeamiento, la ilegalidad la ha cometido la Administración al no denegar en plazo la solicitud. Y, por ello, es a la Administración a la que corresponde enervar los efectos que pueda producir su actuación ilegal.

Permítasenos insistir en que el art. 43.4,a) LRJAP y PAC prevé:

«En los casos de estimación por silencio administrativo, la resolución expresa posterior a la producción del acto sólo podrá dictarse de ser confirmatoria del mismo.»

Por ello, consideramos que la doctrina jurisprudencial sentada en la STS de 21.03.88, así como en las restantes STS citadas más arriba en el sentido de que pueda el Ayuntamiento manifestarse sobre la materialidad o sustantividad del silencio y dictar un acto tardío contradictorio con el mismo, es de más que dudosa constitucionalidad, dados los términos de la LRJAP y PAC en su actual redacción.

Creemos que lo procedente es la revisión de oficio del acto viciado de nulidad que la Administración misma ha producido o impugnar, previa declaración de lesividad, aquellos actos que sean anulables.

La conclusión, a nuestro juicio, no puede ser otra que considerar que el contenido del art. 242.6 LS 92 (y el mismo destino propugnamos deben seguir los preceptos legales o reglamentarios autonómicos que se pronuncian en similares términos) ha devenido en ilegal, por contradecir frontalmente las previsiones de la LRJAP y PAC, en su versión actual.

En efecto, la Disposición Derogatoria 1 de la LRJAP y PAC, establece expresamente:

«Quedan derogadas todas las normas de igual o inferior rango en lo que contradigan o se opongan a lo dispuesto en la presente Ley».

Y no son aducibles argumentaciones como las que, en tiempos pasados, se produjeron sobre la prevalencia entre normas generales y sectoriales. En el caso presente, estamos ante una Ley, la LRJAP y PAC, que en materia de Procedimiento Administrativo ejerce competencias estatales plenas y que obligan a cualquier Ley anterior —estatal o autonómica— a adecuarse a ella, en materia de garantías de los administrados.

Recuérdense los claros términos de la Exposición de Motivos de la LRJAP y PAC, según la cual, en su apartado 2:

«... **La Ley** recoge esta concepción constitucional de distribución de competencias y regula el procedimiento administrativo común, de aplicación general a todas las Administraciones Públicas y **fija las garantías mínimas de los ciudadanos respecto de la actividad administrativa. Esta regulación no agota las competencias estatales o autonómicas de establecer procedimientos específicos *ratione materiae* que** deberán respetar, en todo caso, estas garantías ..... La regulación de los procedimientos propios de las Comunidades Autónomas habrán de respetar siempre las reglas del procedimiento que, por ser competencia exclusiva del Estado, integra el concepto de Procedimiento Administrativo Común».

Si el acto presunto es el de otorgamiento de una licencia que permite la posibilidad a su peticionario de realizar un acto edificatorio ilegal, por su inadecuación al planeamiento, la ilegalidad la ha cometido la Administración, no el peticionario, al producir el acto presunto estimatorio del citado otorgamiento.

Y, por ello, es a la Administración a la que corresponde enervar los efectos que pueda producir su actuación ilegal. Debe revisar de oficio el acto viciado de nulidad que ella misma ha producido o impugnar, previa declaración de lesividad, aquellos actos que sean anulables.

Téngase en cuenta que art. 42.4 LRJAP y PAC prevé:

«... En todo caso, las Administraciones públicas informarán a los interesados del plazo máximo normativamente establecido para la resolución y notificación de los procedimientos, así como de los efectos que pueda producir el silencio administrativo, incluyendo dicha mención en la notificación o publicación del acuerdo de iniciación de oficio, o en comunicación que se les dirigirá al efecto dentro de los diez días siguientes a la recepción de la solicitud en el registro del órgano competente para su tramitación. En este último caso, la comunicación indicará además la fecha en que la solicitud ha sido recibida por el órgano competente.»

Al administrado no se le puede comunicar de forma expresa el contenido del citado precepto legal, según el cual el silencio de la Administración significará la estimación de su petición y, producida la resolución presunta, aducir, posteriormente y de contrario, que el art. 242.6 LS 92 (actualmente, el art. 9.7 LS 2008, en su versión de la LRRRU) impide ejercer el derecho solicitado por ser contrario dicho ejercicio al ordenamiento jurídico.

La seguridad jurídica, principio constitucional de obligado respeto por todos los Poderes Públicos, impide tan contradictorio y lesivo comportamiento administrativo que, en nuestra opinión, los administrados no tienen el deber jurídico de soportar.

En el sentido contrario al ya indicado de los pronunciamientos citados del Tribunal Supremo, se pronunció el mismo Tribunal en sus STS de 26.09.86 (LA LEY JURIS 1219426/1986), de 21.03.88 (LA LEY JURIS: 1406-4/1988), de 17.07.90 (LA LEY JURIS: 3053/1991), de 18.04.95 (LA LEY JURIS: 8545/1995), de 20.01.98 (LA LEY JURIS: 3434/1998), etc.

Se ha pronunciado el Tribunal Supremo, apartándose de la doctrina jurisprudencial anteriormente citada como mayoritaria y tributaria de lo dispuesto sucesivamente en los arts. 178.3 LS 76 y 242.6 LS 92, en su Sentencia de 22.02.2000 (La Ley, 7.027) según la cual, dados los términos de la cuestión litigiosa, en el Fundamento de Derecho Tercero,

> «... **independientemente de que las obras proyectadas a ejecutar fueran o no conformes a dicha normativa**, es lo cierto que la Comisión Provincial de Urbanismo de Orense... decretó que no procedía tomar acuerdo expreso, porque **la licencia ya había sido otorgada, toda vez que «ha operado el silencio positivo»,** lo que equivale a tener expresamente reconocida la concurrencia u operatividad del silencio positivo como modo de adquirir el otorgamiento de una licencia de obra.... **porque así lo exige el principio constitucional de seguridad jurídica**, derivada de las decisiones administrativas, proclamado en el art. 9.3 del texto constitucional».

Por ello, en el Fundamento de Derecho Cuarto, concluye en que, otorgada la licencia por silencio positivo, la Administración debió haber acudido a la revisión del acto ilegal, pero no a «denegar directamente una licencia de obra ya otorgada.»

Las Sentencias que emanan de los Tribunales Superiores de Justicia, comenzaron a posicionarse en el sentido de hacer primar el contenido de la LRJAP Y PAC sobre el art. 242.6 LS 92 (o sobre el art. 178.3 LS 76, del mismo signo que el anteriormente citado).

Así, las Sentencias del Tribunal Superior de Justicia de la Comunidad Valenciana de fechas 2 de febrero de 2001 y 14 de septiembre de 2001. Sala de lo Contencioso-Administrativo (Sección 1.ª). Ponentes: Mariano Ayuso Ruiz-Toledo y Luis Manglano Sada, respectivamente (39).

En ambas sentencias se rechaza la aplicabilidad y efectos de lo dispuesto en la Disposición Adicional 4.ª de la Ley 6/1994, de 15 de noviembre, Reguladora de la Actividad Urbanística de Valencia, así como en el art. 178.3 del TRLS de 1976, 242.6 del TRLS de 1992 y 3.2 y 5 del Reglamento de Disciplina Urbanística, primando la regulación contenida en los arts. 42.2 y 43.2 a) de la Ley 30/1992, de 26 de noviembre.

La sentencia de 14 de septiembre de 2001 se basa y recoge los fundamentos jurídicos tercero y cuarto de la primera sentencia por orden de antigüedad (la de 2 de febrero del mismo año), que por su interés se reproducen literalmente:

> «TERCERO. Centrado así el núcleo de la cuestión litigiosa, ha de observarse que —efectivamente— el artículo 178.3 del Texto Refundido de la Ley del Suelo de 1976 disponía que ...En ningún caso se entenderán adquiridas por silencio administrativo facultades en contra de las prescripciones de esta Ley, de los Planes, Proyectos,..., norma que ha sido posteriormente reiterada en el Texto Refundido de la Ley del Suelo de 1992 y la Ley Valenciana Reguladora de la Actividad Urbanística. **No obstante, ello plantea el que si el silencio administrativo tiene carácter positivo, tal silencio quedaría virtualmente anulado por la prescripción legal transcrita, si se interpreta la misma en el sentido de que el silencio administrativo positivo no opera en el caso de que el proyecto sometido a licencia sea contrario a la Ley o al planeamiento. Para mantener la eficacia del silencio, habría de desplazarse la previsión normativa transcrita al entendimiento de que el silencio positivo opera, pero el artículo 178.3 constituye una causa de nulidad específica que permitiría la revisión de oficio de la licencia.**
>
> En definitiva, la cuestión planteada es la de si el silencio administrativo existe o no en nuestro ordenamiento jurídico. **Si se admite que el silencio administrativo opera —en el caso de las licencias urbanísticas en sentido positivo—, no puede al propio tiempo sustentarse que el referido silencio no va a tener lugar en el supuesto de que la solicitud sea disconforme a Derecho; tal interpretación conduce a la real inexistencia del silencio administrativo, puesto que si habrá silencio administrativo o no dependiendo de si lo pedido es o no conforme a Derecho, no puede el ciudadano hacer valer el silencio en ningún caso, pues siempre se mantendrá la incertidumbre de si la Administración juzga —pero calla— conforme o no a Derecho la solicitud.**

---

(39) Ambas recogidas en la Sección «El urbanismo en el Estrado» de la Revista *Práctica Urbanística*, Edit. LA LEY, n.º 15 de abril de 2003.

De esta manera nos encontraríamos con que el solicitante de licencia urbanística al transcurrir los plazos del silencio se encuentra en una situación insólita y totalmente contraria al principio de seguridad jurídica —y, por ende, al artículo 9.3 de la Constitución Española— cual es el de no tener la legal certidumbre de si ha obtenido la licencia por silencio positivo —por el mero transcurso del tiempo— o si la misma le ha sido silenciosamente denegada —por ser contraria al planeamiento—; comoquiera que el valor presuntivo del silencio es positivo ex lege —en este caso—, el ciudadano no puede entender denegada la licencia por silencio negativo y no puede acudir a los Tribunales contra la denegación, sin que pueda tampoco tener la certeza de si su licencia ha sido concedida por silencio positivo, pues posteriormente puede la Administración sostener que la licencia no ha sido adquirida al ser contraria al planeamiento. Obviamente, **al ciudadano no le resta sino provocar un acto de la Administración con el que se manifieste positivamente el entendimiento de ésta de si la solicitud de licencia es o no conforme a Derecho, como sería el iniciar las obras y, así, provocar el que la Administración las consienta —con lo que podría entender que la licencia ha sido adquirida por silencio positivo— o le paralice las obras, lo cual indicaría expresamente la disconformidad de la Administración y abriría al ciudadano la tutela jurisdiccional.**

CUARTO. **La situación es de especial inseguridad jurídica, si observamos cómo la acción administrativa para la restauración de la legalidad urbanística tiene una duración de cuatro años a partir de la conclusión de las obras, por lo que la incertidumbre puede prolongarse todo este tiempo. Podría argüirse que, en cualquier caso, la posibilidad de que la Administración inicie un proceso de revisión de oficio también hace intervenir un factor de inseguridad; sin embargo, la situación es totalmente distinta.** No puede parangonarse la situación del que ha obtenido una licencia por silencio administrativo y ve la misma objeto de un procedimiento de revisión de oficio —en el que hay una importante garantía de procedimiento con dictamen preceptivo del Consejo de Estado o equivalente autonómico—, con la del que se encuentra en la incertidumbre de no saber si el silencio es positivo o negativo y debe de arriesgar el inicio de las obras para comprobar si ha sido positivo o negativo.

Siendo, por consiguiente, incompatible con el principio constitucional de seguridad jurídica la interpretación señalada en primer término —y postulada aquí por la Administración— de que la contrariedad a Derecho (en el sentido de contrario a la legislación urbanística y al planeamiento) implica la inoperatividad del silencio administrativo positivo, se debe de estar a la interpretación acorde con dicho principio —y, además, conforme con la naturaleza jurídica de las instituciones— de que la disconformidad a Derecho del proyecto objeto de la licencia tan solo implica la nulidad radical de la misma y la posibilidad de que ella sea objeto de un procedimiento de revisión de oficio.

Con esta interpretación, que se estima debe de prevalecer, entiende la Sala que debe de acogerse la pretensión actuada y anulando los actos administrativos impugnados, declarar la obtención por la mercantil demandante de las licencias solicitadas...»

En el mismo sentido, la Sentencia de 25.04.2001 del Tribunal Superior de Justicia de Valencia (Sala 3.ª).

No obstante, debe dejarse constancia de que no es unánime la Jurisprudencia del propio Tribunal Superior de Justicia Valenciano.

Así, la Sentencia del Juzgado de lo Contencioso-Administrativo n.º 4 de Alicante de fecha 18 de septiembre de 2001 dictada por el Magistrado-Juez D. Ernesto Pérez Soler, confirmada por sentencia de la sección tercera del Tribunal Superior de Justicia de Valencia de fecha 15 de mayo de 2002. Siendo ponente de esta última D. Miguel Ángel Olarte Madero, viene a reconocer la imposibilidad de obtener, en ningún caso, por silencio administrativo positivo la licencia de actividad con trascendencia urbanística, por contravenir la legislación, como queda expresamente recogido en el art. 242.6 del TRLS de 1992, disposición adicional cuarta de la ley autonómica 6/1994 reguladora de la actividad urbanística, y diversas sentencias del Tribunal Supremo citadas por el Magistrado-Juez.

Pero no son las citadas, las únicas Sentencias que reconocen la primacía de la LRJAP y PAC sobre la LS 92.

Así, la Sentencia del Juzgado Contencioso-Administrativo de Barcelona n.º 9, de 27.02.2002, en cuyo Fundamento de Derecho Segundo se afirma:

«... A la vista de los datos fácticos que se acaban de exponer, puede adelantarse que es claro que en el caso de autos ha operado la concesión de la licencia por silencio positivo administrativo, por lo que **la actuación ulterior de la Administración (al denegar la licencia) con un acto expreso, ha contradicho la situación jurídica que quedó consolidada al amparo del acto presunto originario.**

Todo lo dicho lleva a concluir que operó el silencio positivo, estándole **vedado a la Administración dictar un acto contrario al presunto originario, sin acudir a ninguno de los procedimientos de revisión de oficio existentes que le permitiría la restauración de una situación que entiende contraria a la generada por el juego del silencio** (SSTS de 7.10.87 o 2.03.87).»

Permítasenos reiterar que los elementos conceptuales contenidos en el art. 43.4.a) LRJAP y PAC en su redacción actual, habían encontrado acogida en la Jurisprudencia del Tribunal Supremo ya citada anteriormente, así como en las de 26 de marzo de 1981 (LA LEY JURIS: 9166-NS/0000), 13 de octubre de 1981 (LA LEY JURIS: 14725-NS/0000) o 3 de febrero de 1982 (LA LEY JURIS: 19240-NS/0000).

Esta última sentencia lo decía precisamente con mucha claridad: «declarar la validez del acto expreso tardío equivaldría a desconocer los preceptos legales antes citados y a dejar en manos de la Administración el dilatar «sine die» el cumplimiento de lo dispuesto en el ordenamiento jurídico.»

Es decir, se acogería la arbitrariedad como modo de funcionamiento impune de la Administración. Lo que es inadmisible.

En este sentido, también la doctrina científica se ha pronunciado. Así, José Antonio García-Trevijano Garnica («Acotamiento al régimen del silencio administrativo en nuestro ordenamiento jurídico. La última reforma de la Ley 30/92», en *Revista de Derecho Urbanístico*, n.º 169, 1999, pág. 14) advierte que

> «si algo se obtiene por silencio y queremos dar una mínima virtualidad a dicha institución, es imprescindible dotar al acto presunto de las garantías del acto expreso, lo que **obliga a impedir que la Administración pueda libremente obviarlo, que es precisamente lo que sucedería si la propia Administración pudiera dictar un acto expreso tardío de contrario imperio**».

Opinión ésta que ya sostenían otros autores también antes de la promulgación de la Ley 4/1999 (por ejemplo, De la Nuez Sánchez-Casado [Estudios y Comentarios sobre la LRJAPPAC, Ministerios de Justicia y Presidencia, *BOE*, 1993, Tomo I, pág. 244] o Sainz Moreno [«Obligación de resolver y actos presuntos» en *La nueva LR-JAPPAC*, Tecnos, 1993, pág. 149]).

Puesto dicho principio concretamente en relación con el contenido en el art. 242.6 LS92, hoy 9.7 LS 2008 en su versión de la LRRRU, la doctrina científica insiste en que, siendo válido el postulado final contenido en dicho precepto (es decir, que en materia urbanística no se puede obtener por silencio administrativo lo que la Ley no permite), resulta innegable que la Administración no tiene ya libertad para dictar un acto denegatorio tardío, debiendo acudir necesariamente a la revisión de oficio o al proceso de lesividad, según se trate de un acto presunto nulo o anulable.

Éste es, también, el parecer del magistrado (presidente de la Sección 2.ª de la Sala de lo Contecioso-Administrativo en el TSJ de Navarra) Juan Luis Beltrán Aguirre («Los efectos del silencio administrativo positivo en el ámbito de las licencias urbanísticas» en Repertorio de Jurisprudencia Aranzadi n.º 17-18, septiembre 2002, pág. 9 y ss).

La idea de base es muy clara: una resolución tardía que no confirmara el sentido estimatorio del silencio sería de hecho un supuesto de revocación de un acto administrativo, que es la consideración que, a todos los efectos, tiene la estimación por silencio. En consecuencia, se trataría de una revocación ilegal por no seguir los cauces previstos para ello en la normativa general sobre procedimiento administrativo (hoy arts. 102 y 103 LRJAP y PAC).

En todo caso, los expedientes de otorgamiento de licencias urbanísticas, por regla general y en aplicación del art. 9.7.º RSEL permite aplicar la técnica del silencio positivo. No obstante, la teoría del silencio positivo

> «debe ser objeto de una interpretación restrictiva para evitar que más allá de lo debido se consumen situaciones que puedan notoriamente contradecir el interés público (STS de 17.10.78).

La misma doctrina que la sentada en esta última STS, puede verse en la STS de 10.03.80. A nuestro juicio, una interpretación restrictiva del silencio administrativo positivo —que se puede considerar plausible— no autoriza a llegar a la frontal contradicción con el contenido del citado y, actualmente vigente, art. 43 LRJAP y PAC, que impide expresamente la adopción por la Administración de resoluciones tardías desestimatorias, en relación con actos presuntos, finalizadores del procedimiento, de signo estimatorio.

En este sentido de matizar la posición del legislador autonómico ante la tradicional regulación del silencio administrativo positivo es la del art. 192 de la vigente Ley 2/2001, de 25 de junio, de Ordenación Territorial y Régimen Urbanístico del suelo de Cantabria, según el cual:

> «Transcurridos los plazos a que hace referencia el artículo anterior sin haberse notificado resolución alguna, el interesado podrá entender estimada su petición en los términos establecidos en la legislación del procedimiento administrativo común. En ningún caso se entenderán adquiridas por silencio licencias en contra de la legislación o del planeamiento urbanístico **que adolezcan de vicios esenciales determinantes de su nulidad o que en sí mismas constituyan infracción urbanística manifiestamente grave.**»

Debe dejarse constancia de la respetuosa posición con la regulación estatal del procedimiento administrativo que luce en el art. 172.5.ª de la vigente Ley urbanística andaluza, en el que se puede observar la radical desaparición de este tipo de referencias, ni siquiera matizadas.

Por honestidad intelectual, debemos dejar constancia de que esta cuestión no es que no sea, todavía, pacífica en la doctrina jurisprudencial. Es que los Tribunales han vuelto a seguir la senda anterior a la Ley 4/1999 y están apareciendo Sentencias que siguen dando primacía al art. 242.6 LS 92. Así, la sentencia del Tribunal Supremo de 30.06.04 (LA LEY JURIS: 13532/2004) y las de los Tribunales Superiores de Justicia de Granada, de 30.12.02 (LA LEY JURIS: 1350776/2002), la del de La Rioja, de 1.10.03 ((LA LEY JURIS: 1743642/2003), la del de Aragón, de 11.06.04 (LA LEY JURIS: 1819433/2004) y la del de Canarias, de 16.07.04 (LA LEY JURIS: 1817446/2004), entre otras.

La técnica del silencio negativo se puede aplicar a los supuestos previstos en el art. 9.7.° RSEL, es decir, a las licencias que se refieran a actividades en la vía pública o en bienes de dominio público o patrimoniales.

Por último, permítasenos citar la enérgica doctrina jurisprudencial sentada por el TSJ de Madrid, que en sus sentencias de 20.05.2004, 6.07.2004 y 17.03.2005 ha consolidado una nueva línea jurisprudencial seguida por otros órganos judiciales de esta Comunidad Autónoma. Por todas, puede verse la de 29.07.2007, del Juzgado Provincial de lo Contencioso-administrativo n.° 10 de los de Madrid.

Consideramos de gran interés, por su rigurosa contundencia, la sólida argumentación contenida en el Fundamento de Derecho SEXTO de la citada sentencia del TSJ de Madrid, de 17.03.2005, de la que fue Ponente Don Juan F. López de Hontanar Sánchez, según la cual:

«SEXTO.—

…

Por otro lado, la Sala desconoce qué contiene el urbanismo que no tengan otras materias para que las normas procedimentales puedan operar al margen de la Ley 30/1992 de 26 de noviembre de Régimen Jurídico de las Administraciones Públicas y del Procedimiento Administrativo Común, pues de admitir lo contrario podría llegar a dejarse sin contenido el espíritu de dicha ley a través de la regulación especial del silencio en cada procedimiento administrativo sectorial.

Por el contrario, invocamos seis argumentos a favor de la consideración de que tras la ley 4/1999 de 13 de enero, que reformó de la Ley 30/1992 de 26 de noviembre de Régimen Jurídico de las Administraciones Públicas y del Procedimiento Administrativo Común la Administración no puede oponerse en el ámbito del silencio positivo a que el particular pueda hacer valer ante la Administración dicho silencio positivo, sin perjuicio de la acción revisoria de oficio de la Administración:

A/ La Exposición de Motivos de propia ley 4/1999, cuando indica que «el silencio administrativo positivo producirá un verdadero acto administrativo eficaz que la Administración Pública sólo podrá revisar de acuerdo con los procedimientos de revisión establecidos por la ley».

B/ Los principios de seguridad jurídica (artículo 9.3 de la Constitución) y confianza legítima (artículo 3.1 de la Ley 30/1992 de 26 de noviembre de Régimen Jurídico de las Administraciones Públicas y del Procedimiento Administrativo Común), en virtud de los cuales la Administración no puede invocar extemporáneamente el hecho de que el silencio sea contrario a la ley cuando lo ha podido hacer con anterioridad, ni con lesión de las legítimas expectativas de los particulares que han actuado confiados en que si la Administración no ha puesto obstáculos es porque lo pretendido es conforme con el ordenamiento jurídico.

C/ El criterio lógico interpretativo, que implica atender al espíritu y finalidad de la norma (artículo 3.1 del Código Civil), de modo que la Administración no puede gozar de la potestad de desconocer los efectos del silencio positivo cuando no resuelva y sin embargo cuando resuelve expresamente —deber ineludible— quede vinculado por los efectos del silencio.

D/ Los debates parlamentarios, reveladores de la voluntad del legislador, por cierto bastante consensuada, de poner límites a las potestades administrativas respecto del silencio positivo (sesiones de 17 de diciembre de 1998 y 8 de octubre de 1998, en la que se indica que la supresión de la certificación del acto presunto como obligatoria responde a la idea de que no se puede utilizar como mecanismo para revisar un acto favorable por silencio). Y en este sentido debe recordarse el dictamen del Consejo de Estado de 22 de enero de 1998 al Anteproyecto de Ley que sigue la línea expuesta.

E/ El espíritu de la reforma de la Ley 4/1999, interpretada ésta de forma sistemática, que ha convertido a la obligación de resolver de la Administración en una obligación sujeta a un plazo esencial, de modo que ya no puede invocarse la doctrina general del artículo 63.3 de la ley 30/1992 y su antecedente, la Ley de procedimiento Administrativo de 17 de Julio de 1958, en el sentido de que «La realización de actuaciones administrativas fuera del tiempo establecido para ellas sólo implicará la anulabilidad cuando así lo imponga la naturaleza del término o plazo», por lo que tal precepto no será de aplicación cuando dichas actuaciones se refieran a la resolución, so pena de constituir una antinomia con el artículo 42.1. A ello habría que añadir a desaparición del procedimiento de revisión de oficio de los actos anulables del viejo artículo 103, de modo que cuando la solicitud de una licencia urbanística suponga una infracción del ordenamiento jurídico (artículo 63 de la Ley 30/1.992 de 26 de noviembre de Régimen Jurídico de las Administraciones Públicas y del Procedimiento Administrativo Común) la Administración habrá de acudir a la declaración de lesividad, lo que es indicativo que la mera infracción del ordenamiento jurídico no constitutiva de nulidad de pleno derecho no puede ser desconocida por la Administración.

F/ El criterio de la doctrina científica mayoritaria que ha tratado esta cuestión.

En virtud de lo expuesto esta Sala revisa su doctrina estableciendo la que a continuación se expone: Transcurrido el plazo para resolver una solicitud de licencia, cuando el efecto del silencio sea positivo, la Administración competente, en caso de que no haya resuelto expresamente no podrá invocar que la concesión de la licencia por silencio es contraria al ordenamiento jurídico sino acudiendo a los procedimientos de revisión establecidos en el artículo 102 y siguientes de la Ley 30/1992 de 26 de noviembre de Régimen Jurídico de las Administraciones Públicas y del Procedimiento Administrativo Común.

De lo expuesto se deduce que para que tenga validez esta doctrina es preciso que la solicitud de una licencia urbanística:

A. Cuente con la documentación legal o reglamentariamente exigida, no bastando, por ejemplo un acto comunicado para obtener una licencia de obra mayor. Y ello en tanto en cuanto nos encontraríamos, de lo contrario, con un acto inexistente por falta de los requisitos esenciales.

B. Que dicha solicitud haya sido formulada, cuando se exija proyecto, por el técnico competente, sin perjuicio de lo que luego indiquemos...»

No obstante, el propio Juan Francisco López de Hontanar Sánchez, en un trabajo suyo publicado en la Revista Práctica Urbanística (Editorial LA LEY) correspondiente al mes de septiembre de 2008, advierte que esta doctrina ya no es mantenida por la Sección 2.ª de la Sala de lo Contencioso-administrativo del Tribunal Superior de Justicia de Madrid, por no ser mantenida de forma unánime por los Magistrados que actualmente integran la misma.

En este trabajo, se incluyen, no obstante, afirmaciones del mayor interés, en relación con el silencio administrativo. Así, se reflexiona sobre si no sería mejor establecer en materia de licencias el silencio negativo «ya que, al menos, el ciudadano podría acudir inmediatamente a los Tribunales.». Ofrece, también, la posibilidad de mejorar la actual situación administrativa en esta materia, ya que ha permitido casos de corrupción intolerables, a través de «un control externo...»

Concluye este trabajo reconociendo que «No puede olvidarse que la resolución fuera de plazo es una patología en el funcionamiento de la Administración Pública. Si se controla la patología de la resolución fuera de plazo, la discusión sobre la institución del silencio sería inútil.».

Como una última y brillante muestra de la posición jurisprudencial que se mantuvo hasta su desautorización por la STS de 28.01.2009, dados los efectos del carácter de esta sentencia del Tribunal Supremo dictada en interés de Ley —que, a su vez, ha sido desautorizada por el propio legislador español mediante la Ley 17/2009, de 23 de noviembre, de trasposición de la Directiva europea 2006/123/CE del Parlamento Europeo y del Consejo, de 12 de diciembre de 2006— puede leerse la argumentación de la sentencia del TSJ de Andalucía núm. 673/2007 de 29 marzo RJCA 2007\479, siendo Ponente el Magistrado D. Joaquín García Bernaldo de Quirós. En el Fundamento de Derecho Segundo se afirma que:

«La Ley 30/1992, de 26 de noviembre, de Régimen Jurídico de las Administraciones Públicas y Procedimiento Administrativo Común, reformada por la Ley 4/1999, parte de una premisa muy clara en el art. 43.2 cuando se ha iniciado un procedimiento por solicitud del interesado». Los interesados podrán entender estimadas por silencio administrativo sus solicitudes en todos los casos, salvo que una norma con rango de Ley o norma de Derecho Comunitario Europeo establezca lo contrario.». y esa estimación de las peticiones de los interesados se produce según el art. 43.5 «...desde el vencimiento del plazo máximo en el que debe dictarse y notificarse la resolución expresa sin que esta se haya producido». En nuestro caso, no cabe dudas de que el plazo era de tres meses (plazo ajustado al art. 42.2 de la Ley 30/1992) y que los efectos del silencio administrativo eran positivo (art. 43.2) pues la solicitud se hace el 4.3.2002 y no se le notifica la resolución denegatoria hasta el 11.12.2002; como muestra cabe decir que presentada la solicitud en marzo 2002 el Ayuntamiento de Benaguacil no mueve un papel hasta el 208.2002 con el informe del Ingeniero Técnico Municipal y posterior de 4.10.2003 incomprensiblemente deja el último informe el que debió ser primero, el urbanístico, que se hace el 28.10.2002.

...

Ahora bien, podemos preguntarnos qué efectos tiene una resolución administrativa tardía que vaya contra el silencio administrativo positivo; en teoría, no puede darse pues el art. 43.3 ya hemos visto que producido el silencio administrativo positivo el «procedimiento administrativo ha finalizado». La Ley 4/1999 modificadora de la Ley 30/1992, lo que pretende es que se analice el silencio administrativo en abstracto, si por la existencia de una resolución posterior a la que debe entenderse adquirida una autorización por silencio administrativo positivo dejase de ser operativa sencillamente estaríamos haciendo una interpretación que derogaría y haría superflua la propia reforma efectuada por Ley 4/1999... Por todo ello, el silencio administrativo positivo producirá un verdadero acto administrativo eficaz, que la Administración pública sólo podrá revisar de acuerdo con los procedimientos de revisión establecidos en la Ley» y, en consonancia con la exposición de motivos el art. 43.4.a) sólo permite a la Administración resolver confirmando el silencio administrativo positivo, caso contrario, cuando la Administración se percate que han pasado los plazos y que el ciudadano ha obtenido autorización o cualquier otro derecho por silencio administrativo positivo debe acudir a los procedimientos de revisión previstos en la Ley, nunca se le permite dictar resolución expresa contraria al silencio administrativo positivo (el procedimiento ha finalizado— art. 43.3).

Por ello, al enjuiciar el fondo del proceso el prisma que debe adoptarse es ignorar la resolución expresa, si el actor tiene razón en su pretensión el Tribunal condenará a la Administración a entregarle el certificado, caso contrario puede y debe analizar la resolución expresa de la Administración dependiendo de los motivos de impugnación y planteamiento que haga el recurrente.

...

Por tanto, si un particular cuenta con una licencia obtenida por «silencio administrativo positivo» que la Administración no puede desconocer ni resolver en contra dentro del concreto procedimiento al haber finalizado, caso de entender que es perjudicial para el interés público, no le queda otra opción que acudir a los procedimientos de revisión de oficio y adoptar como medida cautelar la suspensión de la licencia obtenida por silencio administrativo positivo, este es el sentido de la Disposición Adicional Cuarta de la Ley de las Cortes Valencianas 6/1994, de 15 de noviembre, reguladora de la Actividad Urbanística, dar un mandato a la Administración para que, caso de haberse obtenido licencia por silencio administrativo positivo, impida la obtención de facultades que la Ley o los instrumentos de planeamiento no le conceden, en modo alguno, el precepto supone una derogación de los procedimientos de la Ley 30/1992 modificada por Ley 4/1999. Situación que en nada difiere a la posición que debe adoptar la Administración cuando otorga una licencia de forma errónea... De lo que se desprende que la estimación por silencio de una solicitud tiene igual naturaleza que el acto administrativo expreso estimatorio de la misma. Y, en lógica consecuencia, para dejar sin efecto un acto administrativo producido por silencio se necesita acudir al procedimiento de revisión de los actos administrativo expresos. Bien sea a instancias de la Administración o a instancias de un particular...»

Para acabar de complicar la nada pacífica y, por tanto, insegura situación jurídica que se ha descrito, la Sección Quinta de la Sala Tercera del Tribunal Supremo ha dictado, con estimación de un recurso de casación en interés de Ley, la ya citada sentencia de fecha 28.01.2009, de la que ha sido Ponente el Magistrado D. Jesús Ernesto Peces Morate, en cuyo fallo cita la vigencia del art. 242.6 LS 92 y del art. 8.1,b) LS 08, «con los efectos que establece el artículo 100.7 de la Ley de la Jurisdicción Contencioso-Administrativa, de manera que, respetando la situación jurídica particular derivada de la sentencia recurrida, a partir de la publicación de la parte dispositiva de esta nuestra en el Boletín Oficial del Estado, vinculará a todos los jueces y tribunales por ser la Sala Tercera del Tribunal Supremo, conforme a lo establecido en el artículo 123.1 de la Constitución, el órgano jurisdiccional superior en el orden contencioso-administrativo en toda España.»

A los efectos de fijar la doctrina legal que esta sentencia inspira, el Tribunal señala que su posición se justifica —FD PRIMERO— en la consideración que la posición jurisprudencial de contrario signo es «errónea y gravemente dañosa para los intereses generales por cuanto genera, al tener que ser aplicada por los Juzgados de lo Contencioso-Administrativo del territorio, una situación de anarquía e ilegalidad en un ámbito tan sensible y de tanta trascendencia social como es el urbanismo.»

Podría decirse que no parece éste el mejor argumento de los utilizados por el TS, ya que, en la práctica, lo que se logra con esta sentencia es amparar a la Administración que no cumple con su obligación legal de resolver expresamente en plazo y —a pretexto de un interés general genérico y difícil de admitir sin discusión— se pretenda negar la evidencia de que se ha producido un acto presunto.

Si fuese cierto que dicho acto presunto fuese ilegal, no es menos cierto —como se ha mantenido en la doctrina jurisprudencial y en la doctrina científica citada más arriba— que siempre quedaría a la Administración la posibilidad de expulsar del ordenamiento jurídico ese acto ilegal para evitar que se realicen obras amparadas en un acto que, efectivamente, pueda ser ilegal; pero utilizando los procedimientos legales previstos para la revisión de los actos administrativos y no que, a pretexto de una argumentación como la de esta sentencia, se termine por desconocer que el silencio administrativo es un instituto garantista de los derechos de los administrados a un procedimiento predeterminado por la Ley, que tiene un comienzo y un plazo de resolución expresa, también regulado por la Ley que obliga, también, a las Administraciones públicas.

El interés general es el que garantiza a los administrados su derecho a una respuesta expresa de la Administración y en plazo. Nadie, con un mínimo rigor jurídico, puede, legalmente, pretender la legitimación de la realización de obras amparadas en todas las licencias otorgadas por silencio administrativo, sino —solamente— las amparadas en un acto presunto que pueda, por su legalidad, ser confirmado posteriormente por acto expreso, aunque sea extemporáneo, lo que permite expresamente la Ley. Y, si dicha licencia fuese, en efecto, ilegal, debería ser anulada y, así, no se podrían amparar tales obras en dicha licencia ilegal otorgada por acto presunto. Esta interpretación nos parece más conforme a los intereses generales, que la sostenida por la STS que comentamos.

El recurrente recurso a lo previsto en el art. 43.2 LRJAP y PAC no es argumento utilizable para estos casos, pues este precepto sólo contenía, antes de su modificación por las leyes estatales 17/2009, de 23 de noviembre y 25/2009, de 22 de diciembre, una excepción legal a la regla general del silencio positivo, pero no puede entenderse que alcance a amparar conductas administrativas que signifiquen destruir sin garantías procedimentales las que amparan a los administrados frente a la actuación ilegal de las Administraciones incumplidoras de sus obligaciones legales. Curiosamente, ésta es la posición que el Tribunal Supremo no comparte con la fijada en la sentencia de instancia el Tribunal Superior de Justicia de Andalucía, sede en Málaga, que es recogida en la STS que se comenta en los términos siguientes:

> «También justifica su decisión la Sala de Málaga con lo establecido por la Ley de Ordenación Urbanística de Andalucía 7/2002, aun cuando se sirve de ella como criterio exegético, ya que por razones temporales no era de

aplicación, y termina con una singular interpretación de lo establecido en los artículos 43.2 de la Ley 30/1992 y 242.6 del Texto Refundido de la Ley del Suelo de 1992, por entender que el significado de este último precepto no es otro que un mandato dirigido a la Administración y al solicitante de la licencia, que "intenta evitar que por el juego del silencio positivo se otorguen facultades contrarias al ordenamiento jurídico urbanístico", lo cual, según la propia Sala del Tribunal Superior de Justicia, "es, ni más ni menos, que un título habilitador para impugnar o revisar la licencia obtenida por silencio."

No comparte esta Sala del Tribunal Supremo ese parecer por las razones que seguidamente vamos a exponer, aunque no nos pasa desapercibido el conflicto que puede plantearse cuando la Administración no resuelve en tiempo y después deniega una licencia si la obra, transcurrido el plazo para resolver, se ha iniciado o terminado a pesar de ser contraria a la legalidad urbanística, lo que generará, en supuestos de demolición, responsabilidades que, en cada caso, habrá que dirimir quién las deba soportar.»

Parece que es necesario recordar el rigor jurídico de varias de las sentencias más arriba citadas de sentido contrario y, en especial, las ya citadas del Tribunal Superior de Justicia de Madrid, de fecha 17.03.2005, que, por cierto, expresa y terminantemente, llega a afirmar la superación del contenido del art. 242.6 LS 92, desde la vigencia de la Ley 4/1999, de 13 de enero y la también citada del Tribunal Superior de Andalucía, sede de Málaga, de 29.03.2007, en similares términos.

Dejamos constancia de un trabajo suscrito por el Magistrado D. Jesús María Chamorro González, que se publica en el n.º 81 de la *Revista Práctica Urbanística*, correspondiente al mes de abril de 2009 (págs. 20 a 29), en el que sostiene que:

«Tras la reforma operada por la Ley 4/1999 no puede dictarse resolución administrativa extemporánea en sentido contrario al silencio consolidado, ya que éste tiene los efectos de un verdadero acto administrativo cuando es positivo, art. 43, si bien es cierto que tanto la doctrina como la jurisprudencia ya se habían referido a este problema de la resolución extemporánea contraria al sentido del silencio ya consumado, entendiendo que estábamos ante una revisión de oficio encubierta y fuera de los cauces procedimentales al efecto previstos, postura que aquí defendemos, SS de la Sal de lo Contencioso-administrativo de Sevilla de 8 septiembre 2000, y 22 febrero 2000 y 24 noviembre 2003, del Tribunal Supremo, por lo que la licencia presunta desplegara sus efectos hasta que no se produzca su erradicación de la vida jurídica, ya que el acto nació a esa vida real, erradicación que exigirá la utilización de la técnica de la revisión de oficio a la que se remite el art.46 del RD Leg. 2/2008...»

Y esta posición doctrinal la sostiene este Magistrado, a pesar de citar en el mismo trabajo, la conocida posición jurisprudencial contraria a su parecer.

En conclusión, parece que está claro que la patología y su secuela de inseguridad jurídica de los administrados, no ha sido superada, todavía. Habrá que esperar a una mejor regulación legal del silencio administrativo como institución, no se olvide, garantista de los derechos de los administrados.

Y, hasta entonces, seguiremos manteniendo que el Ordenamiento jurídico no está constituido sólo por las normas legales, sino también por los principios, que son la atmósfera que nos permite respirar e interpretar las normas de conformidad con los principios. Por ello, seguiremos considerando que la seguridad jurídica, la confianza legítima, la proporcionalidad y otros principios de similar porte tienen un rango que no se puede desconocer, si queremos seguir considerando que el nuestro es un Estado de Derecho.

En el epígrafe siguiente, razonaremos la posible inconstitucionalidad del art. 9.8 LS 2008, en la versión de la LRRRU.

2.8. Especial referencia al silencio administrativo negativo [art. 9.8 LS 2008 en la redacción dado por la LRRRU]

Establece el art. 9.8 LS 2008 en la redacción dada por la LRRRU:

«Con independencia de lo establecido en el apartado anterior, serán expresos, con silencio administrativo negativo, los actos que autoricen:

a) Movimientos de tierras, explanaciones, parcelaciones, segregaciones u otros actos de división de fincas en cualquier clase de suelo, cuando no formen parte de un proyecto de reparcelación.

b) Las obras de edificación, construcción e implantación de instalaciones de nueva planta.

c) La ubicación de casas prefabricadas e instalaciones similares, ya sean provisionales o permanentes.

d) La tala de masas arbóreas o de vegetación arbustiva en terrenos incorporados a procesos de transformación urbanística y, en todo caso, cuando dicha exigencia se derive de la legislación de protección del domino público.»

Es decir, el legislador de la LRRRU se ha limitado a reproducir casi literalmente el contenido del art. 23 del Real Decreto Ley 8/2011, de 1 de julio que, despreciando el mandato expreso contenido en el art. 43.2 LRJAP y PAC, tras la modificación operada en su texto como consecuencia de la incorporación al Derecho español del mandato contenido en la Directiva europea de Servicios, ha cambiado el sentido de la regla general del silencio administrativo positivo, por el silencio administrativo negativo que luce en la actual redacción del art. 9.8 de la LS 2008, en su versión de la LRRRU, con cuya redacción se incumple frontalmente el Derecho Comunitario en materia de silencio administrativo (40) sin motivación absolutamente ninguna que acredite esta opción, que sería legítima y constitucional si se basara en un supuesto de **razones imperiosas al servicio del interés general.** Ni una muestra de la más mínima motivación.

Es decir, el legislador de la LRRRU se ha limitado a reproducir casi literalmente el contenido del art. 23 del Real Decreto Ley 8/2011, de 1 de julio que, despreciando el mandato expreso contenido en el art. 43.2 LRJAP y PAC, tras la modificación operada en su texto como consecuencia de la incorporación al Derecho español del mandato contenido en la Directiva europea de Servicios, ha cambiado el sentido de la regla general del silencio administrativo positivo, por el silencio administrativo negativo que luce en la actual redacción del art. 9.8 de la LS 2008, en su versión de la LRRRU, con cuya redacción se incumple frontalmente el Derecho Comunitario en materia de silencio administrativo (41) sin motivación absolutamente ninguna que acredite esta opción, que sería legítima y constitucional si se basara en un supuesto de **razones imperiosas al servicio del interés general**. Ni una muestra de la más mínima motivación.

Es decir, en —exactamente— cinco casos concretos (según el art. 23 del Real Decreto Ley 8/2011) y cuatro casos concretos en la versión del art. 9.8 LS 2008 -entre los cuales no están las licencias de uso o cambio de uso-, la regla será la del silencio administrativo negativo, si se estimase esta norma aplicable, a pesar del claro mandato de signo contrario derivado de la trasposición de la Directiva de Servicios ya mencionada, de la Ley 2/011, de 4 de marzo, de Economía Sostenible y del contenido concreto y vigente del art. 43 LRJAP y PAC que establecen la regla general del silencio administrativo positivo y con la excepción de la aplicabilidad del silencio negativo siempre que se acredite la existencia de razones imperiosas de interés general, que ni se mencionan siquiera, por lo cual es muy difícil de admitir legalmente su vigencia, desde el respeto al Derecho Comunitario y a la trasposición legal hecha ya por el legislador español.

Es decir, en —exactamente— cuatro casos concretos, la regla será la del silencio administrativo negativo. Por tanto, en los demás casos no incluidos en este precepto, debe entenderse que sigue vigente la regla general del silencio administrativo positivo. Repárese en que hay Leyes autonómicas —la 9/2001, de 17 de julio, del Suelo de la Comunidad de Madrid, por ejemplo— que contiene en su art. 151 hasta 21 supuestos diferentes de licencias municipales a las cuales dicha Ley aplica la regla del silencio administrativo positivo, en caso de que no se haya producido resolución expresa. Y no es ésta la única Ley urbanística autonómica que ha seguido

---

(40) Se reproducen seguidamente, nuestras reflexiones sobre el silencio administrativo en la obra *Las licencias urbanísticas* por Julio Castelao Rodríguez, Edit, LA LEY 2011, págs. 311 a 350, ambas inclusive.

(41) Se reproducen seguidamente, nuestras reflexiones sobre el silencio administrativo en la obra *Las licencias urbanísticas* por Julio Castelao Rodríguez, Edit, LA LEY 2011, págs. 311 a 350, ambas inclusive.

la huella del art. 1 del viejo Reglamento estatal de Disciplina Urbanística, con sus 18 supuestos diferentes de actos sujetos a licencia municipal.

No se indica en el art. 9.8 LS 2008 en la versión de la LRRRU cuál es la motivación de esta expresa excepción a la regla general del silencio administrativo positivo. Hay que hacer muchos esfuerzos para admitir que, en los cuatro supuestos citados, se puede afirmar que —en todos ellos— **se puede comprobar la existencia de razones imperiosas de interés general que justifiquen el cambio normativo**.

Es decir, no es verdad que la mera pasividad o inexistencia de actuaciones tempestivas de los Ayuntamientos permita entender a cualquier privado que le han sido concedidas licencias urbanísticas del más variado tipo, pues es evidente que esa criticable pasividad administrativa puede superarse utilizando medios legalmente existentes en la actualidad que permiten evitar una consecuencia lesiva para el interés general, que se derive de tal pasividad administrativa. Y el legislador, creemos, deberá propiciar que las Administraciones públicas, con su actividad, contribuyan al cumplimiento de su deber de servir a la Ley y al Derecho, resolviendo expresamente la solicitudes de los administrados. Ni que decir tiene que los Tribunales deberán amparar con sus sentencias el cumplimiento de la Ley, no permitiendo, en ningún caso, su incumplimiento.

Permítasenos reiterar lo ya indicado acerca de que la Administración no puede verse beneficiada por el incumplimiento de su obligación de resolver expresamente en plazo las solicitudes de los ciudadanos, como acertadamente sostuvo la ya citada STC 220/2003, de 15 de diciembre.

Téngase en cuenta que, al respecto, ya se ha comenzado a modificar la regulación legal del silencio positivo, en la propia LRJAP y PAC. En efecto, la trasposición de la Directiva europea 2006/123/CE del Parlamento Europeo y del Consejo, de 12 de diciembre de 2006 por la Ley estatal 17/2009, de 23 de noviembre, sobre el libre acceso a las actividades de servicios y su ejercicio, ha significado un nuevo hito en el ordenamiento jurídico español.

Es de relevante interés el Artículo 6, relativo a Procedimientos de autorización, según el cual:

«Los procedimientos y trámites para la obtención de las autorizaciones a que se refiere esta Ley deberán tener carácter reglado, ser claros e inequívocos, objetivos e imparciales, transparentes, proporcionados al objetivo de interés general y darse a conocer con antelación. En todo caso, deberán respetar las disposiciones recogidas en la Ley 30/1992, de 26 de noviembre, de Régimen Jurídico de las Administraciones Públicas y Procedimiento Administrativo Común, así como **garantizar la aplicación general del silencio administrativo positivo y que los supuestos de silencio administrativo negativo constituyan excepciones previstas en una norma con rango de ley** *justificadas por razones imperiosas de interés general.*»

Repárese en el terminante mandato legal sobre que la excepción a la regla general del silencio administrativo positivo, debe motivarse, no en cualquier genérico interés general, sino **un interés general en presencia, previsto en una norma con rango de ley** *justificado por razones imperiosas*.

Pero no es sólo esta referencia de la Ley 17/2009, la que marca y acota las excepciones a la regla general del silencio administrativo positivo. Ya, por la Ley 25/2009, de 22 de diciembre, de modificación de diversas leyes para su adaptación a la Ley sobre el libre acceso a las actividades de servicios y su ejercicio, que desarrolla la citada Ley 17/2009, en su art. 2, modifica el art. 43 LRJAP y PAC, que queda redactado en los siguientes términos:

«1. En los procedimientos iniciados a solicitud del interesado, sin perjuicio de la resolución que la Administración debe dictar en la forma prevista en el apartado 3 de este artículo, el vencimiento del plazo máximo sin haberse notificado resolución expresa legitima al interesado o interesados que hubieran deducido la solicitud para entenderla estimada por silencio administrativo, excepto en los supuestos en los que una norma con rango de ley **por razones imperiosas de interés general** o una norma de Derecho comunitario establezcan lo contrario.

Asimismo, el silencio tendrá efecto desestimatorio en los procedimientos relativos al ejercicio del derecho de petición, a que se refiere el artículo 29 de la Constitución, aquellos cuya estimación tuviera como consecuencia que se transfirieran al solicitante o a terceros facultades relativas al dominio público o al servicio público, así como los procedimientos de impugnación de actos y disposiciones. No obstante, cuando el recurso de alzada se haya interpuesto contra la desestimación por silencio administrativo de una solicitud por el transcurso del plazo, se entenderá estimado el mismo si, llegado el plazo de resolución, el órgano administrativo competente no dictase resolución expresa sobre el mismo.

2. La estimación por silencio administrativo tiene a todos los efectos la consideración de acto administrativo finalizador del procedimiento. La desestimación por silencio administrativo tiene los solos efectos de permitir a los interesados la interposición del recurso administrativo o contencioso-administrativo que resulte procedente.

3. La obligación de dictar resolución expresa a que se refiere el apartado primero del artículo 42 se sujetará al siguiente régimen:

a) En los casos de estimación por silencio administrativo, la resolución expresa posterior a la producción del acto sólo podrá dictarse de ser confirmatoria del mismo.

b) En los casos de desestimación por silencio administrativo, la resolución expresa posterior al vencimiento del plazo se adoptará por la Administración sin vinculación alguna al sentido del silencio.

4. Los actos administrativos producidos por silencio administrativo se podrán hacer valer tanto ante la Administración como ante cualquier persona física o jurídica, pública o privada. Los mismos producen efectos desde el vencimiento del plazo máximo en el que debe dictarse y notificarse la resolución expresa sin que la misma se haya producido, y su existencia puede ser acreditada por cualquier medio de prueba admitido en Derecho, incluido el certificado acreditativo del silencio producido que pudiera solicitarse del órgano competente para resolver. Solicitado el certificado, éste deberá emitirse en el plazo máximo de quince días.»

Obsérvese que el legislador estatal no parece que considerase que la regulación anterior satisfacía, precisamente el interés general —que ha producido interpretaciones de todo signo y contradictorias unas con otras— pues lo único que se modifica es la referencia legal a la excepción a la regla general del silencio administrativo positivo.

No es extraño, por ello, que sigan apareciendo opiniones doctrinales sobre la interpretación jurisprudencial que aquí se rechaza. Así, puede verse el trabajo de Fernando Fernández-Figueroa Guerrero (42) que se pregunta si con este tipo de argumentación, se podría «exportar» la misma a otros campos del Derecho y, por esa vía, se podría vaciar de contenido el régimen jurídico del silencio administrativo. Esta reflexión es del mismo tipo que la que se hacía en la ya citada sentencia del Tribunal Superior de Justicia de Madrid, de 17.03.2005, de la que fue Ponente Don Juan F. López de Hontanar Sánchez, en la que se hacía la siguiente reflexión, ya citada:

«Por otro lado, la Sala desconoce qué contiene el urbanismo que no tengan otras materias para que las normas procedimentales puedan operar al margen de la Ley 30/1992 de 26 de noviembre de Régimen Jurídico de las Administraciones Públicas y del Procedimiento Administrativo Común, pues de admitir lo contrario podría llegar a dejarse sin contenido el espíritu de dicha ley a través de la regulación especial del silencio en cada procedimiento administrativo sectorial».

Todavía se muestra más alarmado José Q. Maraña Sánchez (43) que se plantea abiertamente la dudosa constitucionalidad de la doctrina jurisprudencial, desde la STS de 28.01.2009, de obligado acatamiento por todos los tribunales, desde la perspectiva constitucional, pues no puede calificarse de razonable aquella interpretación de los preceptos legales en la que prima la inactividad de la Administración, colocán-

---

(42) Ver su trabajo «A vueltas con la obtención de licencias urbanísticas por silencio administrativo. La reciente STS de 28 de enero de 2009 en recurso de casación en interés de ley» publicado en la Revista *El* Consultor, n.º 9/2009, de 15 de mayo, páginas 1338 a 1341, ambas inclusive.

(43) Ver su trabajo «En clave constitucional: licencias urbanísticas *contra legem* y silencio administrativo. STS de 28 de enero de 2009». Publicado en la Revista *El Consultor n.º 9/2009, de 15 de mayo*, páginas 13342 a 1348, ambas inclusive.

dola en mejor situación que si hubiera cumplido su deber de resolver. A este efecto, cita la ilustrativa STC 220/2003, de 15 de diciembre, en cuyo FJ 5.º, se afirma que:

> «... hemos declarado en reiteradas ocasiones que la Administración no puede verse beneficiada por el incumplimiento de su obligación de resolver expresamente en plazo solicitudes de los ciudadanos, pues este deber entronca con la cláusula del Estado de Derecho (art. 1.1 CE), así como con los valores que proclaman los arts. 24.1, 103.1 y 106.1 CE... de manera que, en estos casos, no puede calificarse de razonable aquella interpretación de los preceptos legales en la «que prima la inactividad de la Administración, colocándola en mejor situación que si hubiera cumplido su deber de resolver». No puede calificarse de razonable la interpretación de los preceptos legales en la «que prima la inactividad de la Administración, colocándola en mejor situación que si hubiera cumplido su deber de resolver.»

Es decir, el interés general no se puede afirmar que sea defender a la sociedad de la inadmisible pretensión de un particular de construir ilegalmente al amparo de una licencia otorgada por acto presunto ilegal, pues esta realidad puede ser impedida por la Administración autora de dicho acto presunto, expulsando el mismo del ordenamiento jurídico, pero utilizando los procedimientos que, legalmente, tiene a su disposición dicha Administración para evitar la consecuencia no deseada del acto presunto, si fuera ilegal.

Y es de interés general imperioso que la Administración cumpla con su deber de resolver en plazo.

Ahora, tras la entrada en vigor de las Leyes estatales 17/2009 y 25/2009 citadas, se ha acreditado la urgencia de aprobar las modificaciones legales del art. 8.1,b) LS 08 y las de los de similar contenido de las legislaciones autonómicas que, también, heredaron el contenido material del art. 242.6 LS 92, para adaptar, obligadamente, su contenido, de una manera especial, a la modificación citada del art. 43 LRJAP y PAC.

Y lo anteriormente expuesto se dice, a pesar del contenido de la Disposición Adicional Cuarta de la Ley 25/2009 citada, relativa a la Aplicación de los requisitos previstos para el silencio administrativo desestimatorio regulado en normas preexistentes, según la cual:

> «A los efectos previstos en el primer párrafo del artículo 43.1 de la Ley 30/1992, de 26 de noviembre, de Régimen Jurídico de las Administraciones Públicas y del Procedimiento Administrativo Común, de acuerdo con la redacción dada por la presente Ley, se entenderá que concurren razones imperiosas de interés general en aquellos procedimientos que, habiendo sido regulados con anterioridad a la entrada en vigor de esta Ley por normas con rango de ley o de Derecho comunitario, prevean efectos desestimatorios a la falta de notificación de la resolución expresa del procedimiento en el plazo previsto.»

En efecto, si se entendiera que la modificación legal no se aplica al urbanismo, en bloque, se tendría que llegar a la conclusión de que esta materia sí se excepciona de los principios reguladores de las garantías de los administrados. Es evidente que se trata de mantener, en forma de más que dudosa constitucionalidad, la tradición excepcionalidad del urbanismo en esta materia.

Al respecto, parece muy ilustrativa la opinión de David ORDÓÑEZ SOLÍS (44) en el sentido de que

> **«Esta transitoriedad, hasta que se adopten las nuevas normas con rango de ley que consagren excepcionalmente el silencio negativo, no puede sostenerse, al menos, en el ámbito de aplicación de la Directiva de Servicios. Desde que la Directiva ha sido incorporada al Derecho español y, sin lugar a dudas, desde el 28 de diciembre de 2009, que el silencio será siempre positivo salvo que una norma con rango de ley prevea expresamente el carácter negativo del silencio y esta excepción a la regla general esté justificada de conformidad con los criterios del Derecho de la Unión Europea** (45). Es decir, el hecho de que el silencio negativo se prevea en una ley anterior a 2009 no puede considerarse *ipso iure* como justificación de tal silencio negativo sino que, en cada caso, habrán de someterse a un juicio de necesidad y de proporcionalidad las circunstancias que justificaron la legislación española anterior a diciembre de 2009.»

Mayor preocupación muestra José Antonio LÓPEZ RODRÍGUEZ (46) en el que llega a afirmar que la citada Disposición Adicional Cuarta citada

> «de forma burda convalida todas las leyes sectoriales y autonómicas que hasta ahora habían venido pervirtiendo el espíritu y la letra de la Ley del Procedimiento Administrativo Común y las convalida, estableciendo sin más que en todos los procedimientos en ellas regulados «se entenderá» que concurren esas razones imperiosas de interés general». La Disposición Adicional Cuarta de la Ley 25/2009 convalida todas las leyes sectoriales y autonómicas que hasta ahora habían venido **pervirtiendo el espíritu y la letra de la Ley del Procedimiento Administrativo Común.**»

Y concluye su reflexión con una advertencia: «Veremos cómo reacciona la Comisión ante las más que previsibles denuncias de esta *sui generis* trasposición de la Directiva de Servicios.»

---

(44) Ver su trabajo «Las licencias, el silencio positivo y la responsabilidad de las Administraciones locales después de la Directiva de Servicios», publicado en *El Consultor de los Ayuntamientos* n.º 9/2010, páginas 1411 a 1429, ambas inclusive.
(45) La negrita es nuestra.
(46) Véase el trabajo de José Antonio López Rodríguez «La Ley Ómnibus y el silencio administrativo», publicado en el *Diario LA LEY* de fecha 10.09.2010, páginas 13 y 14.

En fin, tras lo anteriormente expuesto, no nos queda sino estar de acuerdo con Antonio Francisco Cholbi Cachá (47) que reconoce que «temo que el problema de la contravención de la normativa urbanística, en los supuestos de la aplicación del silencio positivo a las licencias de urbanismo no se haya resuelto definitivamente, a pesar de la reciente doctrina legal fijada por el Tribunal Supremo, a comienzos del año 2009».

Creemos acertada esta reflexión, que viene desde una posición doctrinal largamente mantenida en el sentido de inclinarse por la posición tradicional, que es la que viene a representar la STS de 28.01.2009 ya citada y que ha sido definida

Por ello, consideramos que el legislador, ante la realidad jurisprudencial y el contenido de la ya citada Disposición Adicional Cuarta de la llamada Ley Ómnibus, no tiene otra alternativa que la de regular desde la seguridad jurídica, garantizada a todos por el texto constitucional vigente y de una vez por todas, el silencio administrativo positivo de modo que termine con decenios de inseguridad jurídica en el Derecho español. Esta postura doctrinal la sostiene, también, Fernando Canales Pinacho (48) que reclama (en la página 35 de este trabajo) la aclaración de la institución del silencio «desde los ámbitos legislativos pertinentes» y ofreciendo varias alternativas a dicha eventual regulación normativa.

Ya se ha producido la respuesta del legislador a tanta inseguridad jurídica generada por la propia normativa legal hasta ahora vigente, así como por la vacilante doctrina jurisprudencial ya citada.

En efecto, ya se ha aprobado la Ley 2/2011, de 4 de marzo, de Economía Sostenible (LES), que en su art. 40 ha ordenado que:

> «1. Con el fin de agilizar la actuación de las Administraciones Públicas, el Gobierno, en el plazo de tres meses desde la entrada en vigor de esta Ley, remitirá a las Cortes Generales un proyecto de ley de modificación del sentido del silencio administrativo en los procedimientos que no se consideren cubiertos por razones imperiosas de interés general, de acuerdo con lo establecido en el artículo 43 de la ley 30/1992, de 26 de noviembre, de Régimen Jurídico de las Administraciones Públicas y del Procedimiento Administrativo Común.
>
> 2. Las Comunidades Autónomas evaluarán igualmente la existencia de razones imperiosas de interés general que justifiquen el mantenimiento de

---

(47) Véase *op. cit.* Página 993.
(48) Véase el trabajo de Fernando Canales Pinacho «La eventual proyección de la Directiva de Servicios (Bolkestein) en el urbanismo. En especial la nueva regulación del silencio administrativo: ¿una nueva vuelta de tuerca en torno al debate del mismo en la concesión de las licencias urbanísticas», publicado en la Revista Práctica Urbanística n.º99, de diciembre de 2010, páginas 16 a 35, ambas inclusive.

los efectos desestimatorios del silencio administrativo en los procedimientos administrativos regulados por normas anteriores a la redacción del art. 43 de la ley 30/1992, de 26 de noviembre, de Régimen Jurídico de las Administraciones Públicas y del Procedimiento Administrativo Común, derivada de la ley 25/2009, de 22 de diciembre, de modificación de diversas leyes para su adaptación a la Ley sobre el libre acceso a las actividades de servicios y su ejercicio. Dicha evaluación se llevará a cabo en el plazo de un año desde la entrada en vigor de esta Ley y servirá de base para impulsar la adecuación normativa oportuna.»

Es decir, parece terminada la posibilidad de que se siga manteniendo una posición jurisprudencial como la que representa la STS de 28.01.2009. Es más, ya ha empezado a aparecer jurisprudencia que permite considerar inaplicable la Disposición Adicional Cuarta de la Ley 25/2009 ya citada, en cuanto se pueda acreditar que la Ley de trasposición de una Directiva no obliga, en la medida en que la misma se realice de manera insuficiente o deficiente (STJCE 19-01-82, Becker), ya que **no puede contradecir abiertamente el ordenamiento jurídico comunitario que representa la Directiva de Servicios, que es de aplicación obligatoria y en sus propios términos, en España**. Desde la vigencia de la Ley 4/2011, de Economía Sostenible, parece terminada la posibilidad de que se siga manteniendo una posición jurisprudencial como la que representa la STS de 28.01.2009, ya que los tribunales tienen que aplicar la legislación vigente, no otra. Y vigilar la no aplicación de normas que puedan ser, por su contenido, inconsttucionales, como es el caso, en nuestra opinión, tanto del art. 23 del Real Decreto Ley 8/2011, como de su casi literal reproducción en el art. 9.8 LS 2008, en su versión de la LRRRU.

Así, el Tribunal Superior de Justicia de la Rioja, Sala de lo Contencioso-Administrativo, en la sentencia de fecha 15 de abril de 2010, recurso 219/09, señala que:

«En cuanto a la pretensión de fondo, esta Sala ya se ha pronunciado sobre la cuestión en las sentencias 327/2009, y 258/2009, dónde se aceptaban los argumentos del juzgador de instancia, que en síntesis establece "La cuestión debe resolverse desde el prisma de la primacía del derecho comunitario, lo que significa a tenor de la jurisprudencia constitucional, declaración 1/2004, de 13 de diciembre, que: ..la proclamación de la primacía del Derecho de la Unión por el art. I-6 del Tratado no contradice la supremacía de la Constitución. Primacía y supremacía son categorías que se desenvuelven en órdenes diferenciados. Aquélla, en el de la aplicación de normas válidas; ésta, en el de los procedimientos de normación. La supremacía se sustenta en el carácter jerárquico superior de una norma y, por ello, es fuente de validez de las que le están infraordenadas, con la consecuencia, pues, de la invalidez de éstas si contravienen lo dispuesto imperativamente en aquélla. La primacía, en cambio, no se sustenta necesariamente en la jerarquía, sino en la distinción entre ámbitos de aplicación de diferentes normas, en principio válidas, de las cuales, sin embargo, una o unas de ellas tienen capacidad de desplazar a otras en virtud de su aplicación preferente o prevalente debida a diferentes razones. Toda supremacía implica, en principio, primacía (de ahí su utilización en ocasiones equivalente, así en nuestra Declaración 1/1992, F. 1), salvo que la misma norma suprema haya previsto, en algún ámbito, su propio desplazamiento o inaplicación. La supremacía de la Constitución es, pues, compatible con regímenes de aplicación que otorguen preferencia aplicativa a normas de otro Ordenamiento diferente del nacional siempre que la propia Constitución lo haya así dispuesto, que es lo que ocurre exactamente con la previsión contenida en su art. 93, mediante el cual es posible la cesión de competencias derivadas de la Constitución a favor de una institución internacional así habilitada constitucionalmente para la disposición normativa de materias hasta entonces reservadas a los poderes internos constituidos y para su aplicación a éstos. En suma, la Constitución ha aceptado, ella misma, en virtud de su art. 93, la primacía del Derecho de la Unión en el ámbito que a ese Derecho le es propio, según se reconoce ahora expresamente en el art. I-6 del Tratado....nuestra jurisprudencia ha venido reconociendo pacíficamente la primacía del Derecho comunitario europeo sobre el interno en el ámbito de las "competencias derivadas de la Constitución", cuyo ejercicio España ha atribuido a las instituciones comunitarias con fundamento, como hemos dicho, en el art. 93 CE. En concreto nos hemos referido expresamente a la primacía del Derecho comunitario como técnica o principio normativo destinado a asegurar su efectividad en nuestra STC 28/1991 (LA LEY 1476-JF/0000), de 14 de febrero, F. 6, con reproducción parcial de la Sentencia Simmenthal del Tribunal de Justicia, de 9 de marzo de 1978 y en la posterior STC 64/1991, de 22 de marzo, F. 4 a). En nuestras posteriores SSTC 130/1995, de 11 de septiembre, F. 4, 120/1998, de 15 de junio, F. 4, y 58/2004, de 19 de abril, F. 10, reiteramos el reconocimiento de esa primacía de las normas del Ordenamiento comunitario, originario y derivado, sobre el interno, y su efecto directo para los ciudadanos, asumiendo la caracterización que de tal primacía y eficacia había efectuado el Tribunal de Justicia, entre otras, en sus conocidas y ya antiguas Sentencias Vand Gend en Loos, de 5 de febrero de 1963, y Costa contra ENEL, de 15 de julio de 1964, ya citada". Para resolver la cuestión, esto es si la normativa comunitaria ampara la pretensión de la recurrente del percibo del complemento de antigüedad respecto del periodo que no le venía reconocido por el art. 25.2 del EBEP, hay que partir del reconocimiento de que la Directiva comunitaria, al no haber sido transpuesta en plazo a los efectos que nos ocupa, desplegó la eficacia directa vertical que ha sido reconocida jurisprudencialmente en aquellos casos en que habiendo expirado el plazo dado a los estados para su adaptación interna se ha producido una falta de transposición respecto de una Directiva cuyos mandatos aparezcan revestidos de las notas de precisión e incondicionalidad (Sentencias del TJCE en los casos Grad, Van Duyn —14-12-74— Vaneetveld —03-03-94— o Becker

—19-01-82). En tal sentido debe partirse de que las disposiciones de una Directiva que tengan efecto directo pueden ser invocadas frente al Estado en su condición de empleador como se sostuvo en las sentencias del TJCE de 26 de febrero de 1986, Marshall (152/1984, Rec. pág. 723, "Marshall I"), apartado 49, y de 20 de marzo de 2003, Kutz-Bauer (C 187/00, Rec. p. I 2741), apartados 31 y 71 .Todo ello significa en resumen la obligación del juez nacional de aplicar las disposiciones de una directiva cuyo contenido resulte suficientemente preciso e incondicional, una vez expirado el plazo para su transposición y ante la ausencia, insuficiencia o deficiencia en la adaptación (STJCE 19-01-82, Becker)».

En el mismo sentido, puede verse la sentencia de la Sala de lo Contencioso-Administrativo del Tribunal Superior de Justicia de Castilla la Mancha, de fecha 5 de noviembre de 2010 (recurso de apelación 7 de 2010).

Y con cita de la citada STSJ de La Rioja, se pronuncia el Juzgado de Provincial de lo Contencioso-administrativo de Guadalajara, en su sentencia de doce de enero de dos mil once.

2.9. Especial referencia al régimen de comunicación previa o de declaración responsable y a la licencia de primera ocupación

Establece el art. 9.9 LS 2008 en la redacción dada por la LRRRU:

«Cuando la legislación de ordenación territorial y urbanística aplicable sujete la primera ocupación o utilización de las edificaciones a un régimen de comunicación previa o de declaración responsable, y de dichos procedimientos no resulte que la edificación cumple los requisitos necesarios para el destino al uso previsto, la Administración a la que se realice la comunicación deberá adoptar las medidas necesarias para el cese de la ocupación o utilización comunicada, en el plazo de seis meses, siendo responsable de los perjuicios que puedan ocasionarse a terceros de buena fe por la omisión de tales medidas. La Administración podrá repercutir en el sujeto obligado a la presentación de la declaración responsable el importe de tales perjuicios.

Tanto la práctica de la comunicación previa a la Administración competente, como las medidas de restablecimiento de la legalidad urbanística que aquella pudiera adoptar en relación con el acto comunicado, deberán hacerse constar en el Registro de la Propiedad, en los términos establecidos por la legislación hipotecaria y por esta Ley.»

2.9.1. La comunicación previa o la declaración responsable

Como introducción a nuestro comentario sobre las previsiones del art. 9.8 LS 2008 en la versión de la LRRRU relativas a la comunicación previa o a la declaración responsable en relación con la primera ocupación o utilización de las edificaciones y por las ya indicadas razones de comodidad del lector, reproducimos seguidamente nuestras reflexiones sobre la nueva realidad procedimental que significa la comunicación previa y la declaración responsable en materia de obras, que hemos expuesto al respecto en la ya citada obra *Manual de Licencias urbanísticas,* páginas 74 a 85, ambas inclusive.

En el epígrafe siguiente haremos algunas reflexiones sobre el carácter de la hasta ahora tradicional forma de autorizar la primera ocupación o utilización de las edificaciones en forma de licencia de primera ocupación que consideramos útil exponer, pues sus efectos tienen las mismas características que la nueva forma procedimental a la que se refiere el art. 9.8 LS 2008 en su versión de la LRRRU.

En la actualidad, la trasposición de la Directiva europea 2006/123/CE del Parlamento Europeo y del Consejo, de 12 de diciembre de 2006 (49) por la Ley estatal 17/2009, de 23 de noviembre, sobre el libre acceso a las actividades de servicios y su ejercicio, ha significado un nuevo hito en el ordenamiento jurídico español. Según el Epígrafe I de su Exposición de Motivos:

> «El objeto de esta Ley es, pues, establecer las disposiciones y principios necesarios para garantizar el libre acceso a las **actividades de servicios y su ejercicio** realizadas en territorio español por prestadores establecidos en España o en cualquier otro Estado miembro de la Unión Europea, simplificando los procedimientos y fomentando al mismo tiempo un nivel elevado de calidad en los servicios, promoviendo un marco regulatorio transparente, predecible y favorable para la actividad económica, impulsando la modernización de las Administraciones Públicas para responder a las necesidades de empresas y consumidores y garantizando una mejor protección de los derechos de los consumidores y usuarios de servicios...»

En el Epígrafe II de la citada Exposición de Motivos, se afirma que:

> «El capítulo IV —«Simplificación administrativa«— incluye varios preceptos dirigidos a la simplificación de los procedimientos.
>
> En concreto, **las Administraciones Públicas deberán eliminar los procedimientos y trámites que no sean necesarios o sustituirlos por alternativas que resulten menos gravosas para los prestadores.** De igual manera, deberán aceptar los documentos emitidos por una autoridad competente de

---

(49) En esta Directiva se excluye en el Considerando 9.º de su Exposición de Motivos la Ordenación del Territorio, el Urbanismo y la Ordenación Rural. No obstante la directa relación de sus previsiones con la competencia municipal en materia de licencias de actividad y la de éstas con las licencias municipales de obras, han obligado a tener en cuenta en su transposición la adaptación de Leyes tan relevantes en estas materias como la LRBRL, el Reglamento de Servicios y la misma LRJAP y PAC.

otro Estado miembro de los que se desprenda que un requisito exigido en cuestión está cumplido, sin poder exigir la presentación de documentos originales, copias compulsadas o traducciones juradas, salvo en los casos previstos por la normativa comunitaria o justificados por motivos de orden público y seguridad. Además, todos los procedimientos y trámites podrán realizarse a distancia y por medios electrónicos, lo que reducirá la carga que los procedimientos suponen tanto para los prestadores de servicios como para las autoridades públicas.

Adicionalmente se pone en marcha un sistema de una ventanilla única a través del cual los prestadores podrán llevar a cabo en un único punto, por vía electrónica y a distancia, todos los procedimientos y trámites necesarios para el acceso a las actividades de servicios y su ejercicio.»

Es de relevante interés el Artículo 6, relativo a Procedimientos de autorización, según el cual:

«Los procedimientos y trámites para la obtención de las autorizaciones a que se refiere esta Ley deberán tener carácter reglado, ser claros e inequívocos, objetivos e imparciales, transparentes, proporcionados al objetivo de interés general y darse a conocer con antelación. En todo caso, deberán respetar las disposiciones recogidas en la Ley 30/1992, de 26 de noviembre, de Régimen Jurídico de las Administraciones Públicas y Procedimiento Administrativo Común, así como **garantizar la aplicación general del silencio administrativo positivo y que los supuestos de silencio administrativo negativo constituyan excepciones previstas en una norma con rango de ley justificadas por razones imperiosas de interés general.**»

La Disposición final quinta, de Adaptación de la normativa vigente, prevé que:

«1. En el plazo de un mes a partir de la entrada en vigor de esta Ley, el Gobierno someterá a las Cortes Generales un proyecto de ley en el que, en el marco de sus competencias, se proceda a la adaptación de las disposiciones vigentes con rango legal a lo dispuesto en esta Ley.

2. A fin de hacer posible el cumplimiento de la obligación contenida en el artículo 44 de la Directiva 2006/123/CE, del Parlamento Europeo y del Consejo, de 12 de diciembre de 2006, relativa a los servicios en el mercado interior, las Comunidades y Ciudades Autónomas y las Entidades Locales comunicarán a la Administración General del Estado, antes de 26 de diciembre de 2009, las disposiciones legales y reglamentarias de su competencia que hubieran modificado para adaptar su contenido a lo establecido en la Directiva y en la presente Ley.

3. La obligación prevista en el apartado anterior será asimismo de aplicación a los colegios profesionales y a cualquier autoridad pública, res-

pecto de las disposiciones de su competencia, que se vean afectadas por esta Ley.»

Pues bien, se ha dado cumplimiento a esta Disposición Final Quinta, mediante la aprobación por las Cortes **la Ley 25/2009, de 22 de diciembre,** de modificación de diversas Leyes para su adaptación a la Ley sobre el libre acceso a las actividades de servicios y su ejercicio. Esta Ley, en el Título I —«Medidas horizontales»— concreta diversas modificaciones que afectan de forma genérica a las actividades de servicios. Se **introduce expresamente la figura de comunicación y de declaración responsable y se generaliza el uso del silencio administrativo positivo.**

En este marco, y en su art. 1.º, la Ley 7/1985, de 2 de abril, Reguladora de las Bases del Régimen Local, queda modificada como sigue:

Uno. Se añade un nuevo apartado 4 en el artículo 70 bis, con la siguiente redacción:

«4. Cuando se trate de procedimientos y trámites relativos a una actividad de servicios y a su ejercicio incluida en el ámbito de aplicación de la Ley 17/2009, de 23 de noviembre, sobre el libre acceso a las actividades de servicios y su ejercicio, los prestadores podrán realizarlos, por medio de una ventanilla única, por vía electrónica y a distancia, salvo que se trate de la inspección del lugar o del equipo que se utiliza en la prestación del servicio.

Asimismo, las Entidades locales garantizarán, dentro del ámbito de sus competencias, que los prestadores de servicios puedan a través de la ventanilla única obtener la información y formularios necesarios para el acceso a una actividad y su ejercicio, y conocer las resoluciones y resto de comunicaciones de las autoridades competentes en relación con sus solicitudes. Las Entidades Locales impulsarán la coordinación para la normalización de los formularios necesarios para el acceso a una actividad y su ejercicio.»

Dos. El artículo 84 queda redactado del siguiente modo:

1. Las Entidades locales podrán intervenir la actividad de los ciudadanos a través de los siguientes medios:

a) Ordenanzas y bandos.

b) Sometimiento a previa licencia y otros actos de control preventivo. No obstante, cuando se trate del acceso y ejercicio de actividades de servicios incluidas en el ámbito de aplicación de la Ley 17/2009, de 23 de noviembre, sobre el libre acceso a las actividades de servicios y su ejercicio, se estará a lo dispuesto en la misma.

c) Sometimiento a comunicación previa o a declaración responsable, de conformidad con lo establecido en el artículo 71 bis de la Ley 30/1992, de 26 de noviembre, de Régimen Jurídico de las Administraciones Públicas y del Procedimiento Administrativo Común.

d) Sometimiento a control posterior al inicio de la actividad, a efectos de verificar el cumplimiento de la normativa reguladora de la misma.

e) Órdenes individuales constitutivas de mandato para la ejecución de un acto o la prohibición del mismo.

2. La actividad de intervención de las Entidades locales se ajustará, en todo caso, a los principios de igualdad de trato, necesidad y proporcionalidad con el objetivo que se persigue.»

3. Las licencias o autorizaciones otorgadas por otras Administraciones Públicas no eximen a sus titulares de obtener las correspondientes licencias de las Entidades locales, respetándose en todo caso lo dispuesto en las correspondientes leyes sectoriales.»

También la LRJAP y PAC ha sido modificada, al respecto, mediante el añadido de un nuevo art. 71 bis con la siguiente redacción:

«1. A los efectos de esta Ley, se entenderá por **declaración responsable** el documento suscrito por un interesado en el que manifiesta, bajo su responsabilidad, que cumple con los requisitos establecidos en la normativa vigente para acceder al reconocimiento de un derecho o facultad o para su ejercicio, que dispone de la documentación que así lo acredita y que se compromete a mantener su cumplimiento durante el periodo de tiempo inherente a dicho reconocimiento o ejercicio.

Los requisitos a los que se refiere el párrafo anterior deberán estar recogidos de manera expresa, clara y precisa en la correspondiente declaración responsable.

2. A los efectos de esta Ley, se entenderá por **comunicación previa** aquel documento mediante el que los interesados ponen en conocimiento de la Administración Pública competente sus datos identificativos y demás requisitos exigibles para el ejercicio de un derecho o el inicio de una actividad, de acuerdo con lo establecido en el artículo 70.1.

3. **Las declaraciones responsables y las comunicaciones previas** producirán los efectos que se determinen en cada caso por la legislación correspondiente y **permitirán, con carácter general, el reconocimiento o ejercicio de un derecho o bien el inicio de una actividad, desde el día de su presentación, sin perjuicio de las facultades de comprobación, control e inspección que tengan atribuidas las Administraciones Públicas.**

No obstante lo dispuesto en el párrafo anterior, la comunicación podrá presentarse dentro de un plazo posterior al inicio de la actividad cuando la legislación correspondiente lo prevea expresamente.

4. La inexactitud, falsedad u omisión, de carácter esencial, en cualquier dato, manifestación o documento que se acompañe o incorpore a una declaración responsable o a una comunicación previa, o la no presentación ante la Administración competente de la declaración responsable o comunicación previa, determinará la imposibilidad de continuar con el ejercicio del derecho o actividad afectada desde el momento en que se tenga constancia de tales hechos, sin perjuicio de las responsabilidades penales, civiles o administrativas a que hubiera lugar.

Asimismo, la resolución de la Administración Pública que declare tales circunstancias podrá determinar la obligación del interesado de restituir la situación jurídica al momento previo al reconocimiento o al ejercicio del derecho o al inicio de la actividad correspondiente, así como la imposibilidad de instar un nuevo procedimiento con el mismo objeto durante un periodo de tiempo determinado, todo ello conforme a los términos establecidos en las normas sectoriales de aplicación.

5. Las Administraciones Públicas tendrán permanentemente publicados y actualizados modelos de declaración responsable y de comunicación previa, los cuales se facilitarán de forma clara e inequívoca y que, en todo caso, se podrán presentar a distancia y por vía electrónica.»

Las Administraciones Públicas tendrán permanentemente publicados y actualizados modelos de declaración responsable y de comunicación previa

Pues bien, ya se han dado pasos normativos locales de adaptación a esta nueva regulación legal, incluso antes de haberse aprobado la trasposición de la citada Directiva de Servicios. Así, el Ayuntamiento de Madrid, tiene en cuenta esta referencia del Derecho comunitario europeo, como se reconoce expresamente en la Exposición de Motivos de la Ordenanza por la que se establece el Régimen de Gestión y Control de las licencias urbanísticas de Actividades, que se aprueba por el Pleno con fecha 29.06.2009. Por sentencia del TSJ de Madrid, de 17-2-2011, n.º 303/2011, rec. 701/2009. Pte: González de Lara Mingo, Sandra, se anulan numerosos artículos de dicha Ordenanza municipal.

Precisamente, la necesidad de terminar con la regla generalizada del carácter previo de las licencias, ha determinado que, en aplicación de lo prevenido en la Ley 17/2009, de 23 de noviembre citada, se haya aprobado por el Gobierno de la Nación, el Real Decreto 2009/2009, de 23 de diciembre, por el que se modifica el Reglamento de Servicios de las Corporaciones Locales de 17 de junio de 1955.

Así,

Uno. El artículo 5 queda redactado del siguiente modo:

«La intervención de las corporaciones locales en la actividad de sus administrados se ejercerá **por los medios y principios enunciados en la legislación básica en materia de régimen local.**»

Dos. Se suprime el artículo 8.

Tres. Se suprime el apartado 2 del artículo 15.

Cuatro. El apartado 1 del artículo 22 queda redactado del siguiente modo:

«La apertura de establecimientos industriales y mercantiles podrá sujetarse a los medios de intervención municipal, en los términos previstos en la legislación básica en materia de régimen local y en la Ley 17/2009, de 23 de noviembre, sobre el libre acceso a las actividades de servicios y su ejercicio.»

Obsérvese cómo esta modificación reglamentaria es tributaria de la terminación de la regla general del carácter previo de las licencias.

No obstante, debe dejarse constancia de que la Directiva 2006/123/CE del Parlamento Europeo y del Consejo de 12 de diciembre de 2006, relativa a los servicios en el mercado interior, del Parlamento Europeo y el Consejo de la Unión Europea, en su Considerando 9, prevé que:

«La presente Directiva solo se aplica a los requisitos que afecten al acceso a una actividad de servicios o a su ejercicio. Así, **no se aplica a requisitos tales como normas de tráfico rodado, normas relativas a la ordenación del territorio, urbanismo y ordenación rural, normas de construcción, ni a las sanciones administrativas impuestas por no cumplir dichas normas**, que no regulan específicamente o no afectan específicamente a la actividad del servicio pero que tienen que ser respetadas por los prestadores en el ejercicio de su actividad económica al igual que por los particulares en su capacidad privada.»

Lo cual no quiere decir, como afirma CANO MURCIA, Antonio (50), que no se pueda considerar plausible la utilización, en las licencias urbanísticas, del régimen de la comunicación previa o la declaración responsable, como sostiene Ignacio MOLINA FLORIDO (51). En todo caso, parece que es necesario que, previamente, la

---

(50) Ver su obra *El nuevo régimen jurídico de las licencias de apertura*, Edit. El Consultor, LA LEY, 2010, página 105
(51) Ver su obra «La Directiva de Servicios y las Entidades Locales». *Rev. El Consultor 19/2009*, 382.

legislación urbanística autonómica se pronuncie, al respecto, mediante la habilitación de estos procedimientos, en sus respectivas normas legales de aplicación.

La espectacular modificación de la legislación española producida por la trasposición de la citada Directiva de Servicios, ha producido ya la aparición de trabajos muy numerosos y que consideramos de gran utilidad para los operadores jurídicos del régimen local. Permítasenos resumir la cita de esta serie de trabajos en los aparecidos en las Revistas *Práctica Urbanística* y *El Consultor*. Asimismo, por todas, citaremos las obras de Antonio CANO MURCIA (52), Francisco Antonio CHOLBI CACHÁ (53).

El RDL 8/2011 insiste en esta misma línea y, expresamente, se refiere a la superación del carácter previo de las licencias de actividad, por lo que, en referencia a la Ley 2/2011, de 4 de marzo, de Economía Sostenible, afirma en el Epígrafe VII de la Exposición de Motivos de dicho RDL que:

> «Igualmente, la Ley de Economía Sostenible ha introducido un nuevo artículo 84 bis de la Ley 7/1985, de 2 de abril, reguladora de las Bases del Régimen Local que establece la regla general de que el ejercicio de actividades por los particulares no queda sujeto a la obtención de previa licencia municipal u otro medio de control preventivo. Con esta opción de política legislativa, la Ley de Economía Sostenible va un paso más allá de la Directiva 2006/123/CE del Parlamento Europeo y del Consejo, de 12 de diciembre de 2006, relativa a los servicios en el mercado interior, dado que no sólo se suprimen los regímenes de autorización para el ejercicio de actividades de servicios incluidos en su ámbito de aplicación, sino que se extiende a cualquier tipo de actividad.
>
> Sin perjuicio de lo anterior, el nuevo artículo 84 bis establece una serie de excepciones a la regla general señalada, pues podrá someterse a la obtención de previa licencia municipal el ejercicio de actividades que afecten a la protección del medio ambiente, a la protección del patrimonio histórico-artístico, a la seguridad, a la salud públicas, o de aquellas actividades que impliquen el uso privativo y ocupación de los bienes de dominio público, siempre que esté justificada y resulte proporcionada. Requisitos éstos últimos que hay que conectar con el nuevo artículo 39 bis de la Ley 30/1992, de 26 de noviembre, en el que se establecen los principios de intervención de las Administraciones Públicas para el desarrollo de una actividad.

---

(52) Véase su obra *El nuevo régimen jurídico de las licencias de apertura. Adaptado a la ley 17/2009, sobre el libre Acceso a las Actividades de Servicios y su ejercicio*, Edit. LA LEY y El Consultor, 2010.

(53) Véase su obra *El régimen de la comunicación previa y su procedimiento de otorgamiento. Especial referencia a las relaciones con las licencias de actividad y a la aplicación del silencio positivo*, Edit LA LEY El Consultor, 2010.

Sobre la base de ambos preceptos, el Gobierno ha procedido a evaluar, en su ámbito competencial, la concurrencia de los motivos que justifican la opción por el sentido desestimatorio del silencio, así como la existencia de referencia a licencias locales de actividad en la legislación estatal.

Tras el proceso de evaluación llevado a cabo por parte de los diferentes Departamentos Ministeriales, con el presente Real Decreto-ley se cumple el mandato al proceder a modificar los preceptos de múltiples leyes, propiciando que en más de un centenar de procedimientos las Administración se vea ahora sometida al régimen del silencio positivo y que desaparezcan las menciones a las licencias locales en los siguientes textos normativos: Real Decreto-Ley 4/2001, de 16 de febrero, de Régimen de intervención administrativa aplicable a la valorización energética de harinas de origen animal procedentes de la transformación de despojos y cadáveres de animales, el Texto Refundido de la Ley de Aguas, aprobado por el Real Decreto Legislativo 1/2001, de 20 de julio, la Ley 37/2003, de 17 de noviembre, del Ruido, la Ley 16/2002, de 1 de julio, de Prevención y control integrados de la contaminación, la Ley 26/2007, de 23 de octubre, de Responsabilidad medioambiental, la Ley 34/2007, de 15 de noviembre, de Calidad del aire y protección de la atmósfera y la Ley 42/2007, de 13 de diciembre, del Patrimonio natural y de la biodiversidad.

De este modo, la actividad de los ciudadanos podrá desarrollarse en los ámbitos afectados, sin que el eventual retraso en la actuación administrativa se configure como un obstáculo y, a la vez, garantizando que la tutela del interés público en los aspectos fijados por la Ley de Economía Sostenible, se mantiene inalterada.»

En la Disposición adicional séptima, relativa a las referencias en la legislación estatal a las licencias locales de actividad, se dispone que:

«A excepción de las autorizaciones que se impongan en cumplimiento de la legislación de patrimonio de las Administraciones Públicas y de armas y explosivos, las menciones contenidas en la legislación estatal a las licencias o autorizaciones municipales relativas a la actividad, funcionamiento o apertura se entenderán referidas a los distintos medios de intervención administrativa en la actividad de los ciudadanos, según los principios del artículo 39 bis de la Ley 30/1992, de 26 de noviembre, de Régimen Jurídico de las Administraciones Públicas y del Procedimiento Administrativo Común y contempladas en el artículo 84.1 de la Ley 7/1985, de 2 de abril, reguladora de las Bases del Régimen Local.»

Es decir, ya no queda duda alguna de que el carácter previo de estas licencias es sólo una de las varias posibilidades de intervención que pueden ejercer las Administraciones públicas en esta materia, ya que se reconoce expresamente la posibilidad de la intervención **administrativa** ex post. El RDL 8/2011, en cuanto modifica numerosas leyes **vigentes** es, como se puede comprobar, una norma del tipo de las ya denominadas «Ley Ómnibus», característica que es, también, la de la LRRRU.

2.9.2. *Las licencias de primera ocupación o la comunicación previa o declaración responsable como requisito procedimental para la primera ocupación o utilización de las edificaciones*

En el art. 9.9 LS 2008, en su versión de la LRRRU se incluye una expresa referencia a que la primera ocupación o utilización de las edificaciones se sujete a un régimen de comunicación previa o de declaración responsable, así como a:

— la actuación reaccional de la Administración en caso de que la edificación no cumpla los requisitos necesarios para el destino al uso previsto,

— la responsabilidad de la Administración si no adoptase las medidas necesarias para el cese de la ocupación o utilización comunicada, en el plazo de seis meses, por los perjuicios que puedan ocasionarse a terceros,

— la posibilidad de repercutir en el sujeto obligado a la presentación de la comunicación previa o declaración responsable, el importe de tales perjuicios,

— tanto la práctica de la comunicación previa a la Administración competente, como las medidas de restablecimiento de la legalidad urbanística que aquella pudiera adoptar en relación con el acto comunicado, deberán hacerse constar en el Registro de la Propiedad, en los términos establecidos por la legislación hipotecaria y por esta Ley.

Es evidente que los requisitos para la primera ocupación o utilización de una edificación requieren un pronunciamiento administrativo (art. 5 LOE). El procedimiento podrá seguir siendo el de la tramitación de una licencia de primera ocupación o el de comunicación previa o declaración responsable, según establezca la legislación de ordenación territorial y urbanística aplicable.

Ya hemos hecho referencia a la regulación legal vigente en materia de comunicación previa y de la declaración responsable en el epígrafe anterior. Por no ser descartable que en algunas Comunidades Autónomas se siga exigiendo para la primera ocupación o utilización de las edificaciones el procedimiento de obtención previa de licencia de primera ocupación, permítasenos exponer seguidamente, las reflexiones que siguen respecto de este tipo de licencias municipales.

A. Objeto de las licencias de primera ocupación

Las licencias de primera ocupación tienen como objeto el control administrativo del sometimiento de la edificación realizada al proyecto técnico que sirvió de soporte a la licencia municipal de obras otorgada. Tienen carácter reglado y, como se ha indicado, su finalidad consiste fundamentalmente en comprobar objetivamente si la construcción se ajusta a la licencia (concretamente al proyecto arquitectónico amparado por la licencia).

La STS 3.04.00 (LA LEY 73824/2000), de la que fue Ponente Enríquez Sancho, Ricardo, sostiene esta posición, reiterando la mantenida en otras muchas que cita en la misma sentencia. En su Fundamento de Derecho Segundo, en efecto, sostiene que:

> «... por eso declara la sentencia de esta Sala de 20 Ene. 1999 que, si según el artículo 21.1 d) del Reglamento de Servicios de las Corporaciones Locales (RSCL) la licencia de primera ocupación tiene por objeto comprobar si el edificio puede destinarse a determinado uso, la denegación de esa licencia lleva consigo la imposibilidad de ocupar y usar el edificio. Sin embargo, ese control que ha de verificarse en la concesión de la licencia de primera ocupación es el que el citado precepto expresa, el relativo a que el uso corresponda al asignado a la zona en que se encuentra el edificio y a que éste reúna las adecuadas condiciones técnicas de seguridad y salubridad exigibles, no al de las circunstancias urbanísticas de la edificación sobre la que se realiza el uso.
>
> Ciertamente, el artículo 21.2 RSCL comienza diciendo que en todo tipo de licencias a que ese precepto se refiere se examinará si el acto proyectado se ajusta a los planes de ordenación urbana, pero tratándose de licencia de primera ocupación esta Sala ha declarado que es en la licencia de obras, que debe preceder a ella, donde la Administración ha de realizar ese control de adecuación de la obra a la legalidad urbanística, de forma que una vez concedida la licencia de obras en **la de primera ocupación ha de limitarse a verificar si la obra se ajusta a la licencia concedida**, sin que pueda aprovechar la ocasión de pronunciarse sobre la licencia de primera ocupación para revisar la de obras (sentencias de 10 Mar. 1999 y 14 Dic. 1998). Si las circunstancias urbanísticas que debieron ser objeto de licencia de obras no pueden revisarse al examinar una petición de licencia de primera utilización, tampoco cabe denegar ésta cuando pese a haberse erigido una edificación sin licencia y en contra del planeamiento, ha caducado el plazo concedido a la Administración para el ejercicio de su potestad de restablecimiento de la legalidad urbanística y el uso pretendido se encuentra entre los autorizados en la zona».

También, en la STS de 08.05.2002 (La Ley 87707/2002), Ponente: Manuel Vicente Garzón Herrero, en el Fundamento de Derecho Segundo se dice:

> «... no es ocioso recordar que la cuestión que en el recurso se plantea es la de si la licencia de primera ocupación, cumple estrictamente las finali-

dades previstas en el artículo 21.2 d) del Reglamento de Servicios de las Corporaciones Locales, o, por el contrario, con ocasión de su otorgamiento es posible comprobar si la obra se ha ejecutado de acuerdo con la licencia de obras otorgada.

Sobre estos aspectos se ha pronunciado de modo reiterado esta Sala en sentencias de las que son ejemplo las dictadas el 3 Abr. 2000 y la de 2 Oct. 1999, y las que en ella se citan, lo que constituye un cuerpo doctrinal que reconoce la posibilidad de que con ocasión de la licencia de primera utilización pueda comprobarse si las obras efectuadas se ajustan a la licencia de obras concedida. Es evidente, que al no ajustarse el edificio a la licencia de obras otorgada, la licencia de primera utilización no debió ser concedida».

También, la STS de fecha 08.11.2003 (LA LEY 11022/2004), Ponente: Ricardo Enríquez Sancho, que dice en su Fundamento de Derecho Tercero:

«La licencia de primera ocupación de un edificio, exigida en los artículos 178.1 del Texto refundido de la Ley del Suelo de 9 de abril de 1976 y 1.10 del Reglamento de Disciplina Urbanística de 23 de julio de 1978, tiene una doble finalidad, verificar si el edificio reúne las condiciones idóneas de seguridad y salubridad y puede habilitarse para el uso a que se destina y constatar si la obra ejecutada se ajusta en realidad a la licencia de obras concedida. La jurisprudencia ha destacado la relación que existe entre la licencia de primera ocupación y la licencia de obras, de tal modo que ni puede la Administración aprovechar aquélla para la revisión de ésta, imponiendo limitaciones o condiciones no exigidas al concederse la licencia de obras, ni el administrado apartarse en la ejecución de la construcción de los términos en que la licencia de obras fue concedida, para defender, cuando la licencia de primera ocupación fuera denegada por esa desviación, que los usos a que la construcción iba a destinarse se ajustaban al planeamiento (Sentencias de 14 de diciembre de 1998, 10 de marzo de 1999 y 8 de mayo de 2002, entre otras muchas).»

B. Regulación normativa estatal

La intervención administrativa mediante licencia u otros medios de intervención, se extiende al uso y utilización de los edificios construidos, supuesto al que se refiere el Art. 21.2 del RSCL teniendo en este caso la licencia municipal por objeto verificar

«si el edificio construido puede destinarse a determinado uso, por estar situado en zona apropiada y reunir condiciones técnicas se seguridad, salubridad y en su caso, si el constructor ha cumplido el compromiso de realizar simultáneamente la urbanización.»

El art. 2 del Decreto sobre el procedimiento de expedición de la Cédula de Habitabilidad (54) (RD 469/1972), de aplicación supletoria en defecto de normativa autonómica (55), dispone que:

> «cuando se trate de primeras ocupaciones de edifícios destinados a viviendas o alojamientos de carácter residencial, no acogidos al régimen de vivienda de Protección oficial, los promotores presentarán en la correspondiente Delegación Provincial del Ministerio de la Vivienda, a la terminación de la obra, los siguientes documentos (56): a) Cuestionario Estadístico de edificación y viviendas...b) Certificado final de obra suscrito por Arquitecto Técnico o Aparejador y Arquitecto y visado por los respectivos colegios profesionales....c) Licencia Municipal de Primera utilización o, en su defecto, licencia municipal de obras. Asimismo el Art. 5 de dicho Decreto dispone que las empresas suministradoras de los servicios de agua, gas y electricidad no podrán formalizar ningún contrato definitivo de suministro sin que por el solicitante se presente documento que acredite el haber obtenido la cédula de habitabilidad o justifique su exención.»

Las licencias de Primera Ocupación y las Cédulas de Habitabilidad tienen diferentes contenidos y finalidades y así lo señala tanto la doctrina como la jurisprudencia. Las Cédulas de Habitabilidad se otorgan por la Comunidad Autónoma, teniendo por objeto la policía sanitaria concretándose en el control de las condiciones higiénico sanitarias, no siendo exigible a las primeras ocupaciones de viviendas acogidas al Régimen de Viviendas de Protección Oficial (57). La cédula de habitabilidad era preceptiva no solo para la primera ocupación de las viviendas sino incluso para las sucesivas y posteriores. La Licencia de Primera Ocupación se da una sola vez por la Administración Municipal, teniendo por objeto el control del sometimiento de la edificación realizada al proyecto arquitectónico que obtuvo la correspondiente licencia de obras. Es requisito previo para poder obtener la cédula de habitabilidad la obtención de la licencia de primera ocupación.

---

(54) Decreto 469/1972, de 24 de febrero, por el que se aprueba el procedimiento de expedición de Cédulas de habitabilidad (*BOE* de 6 de marzo). Regula el procedimiento de la expedición de Cédulas de habitabilidad establecida por Decreto de 23 de noviembre de 1940.

(55) **Suprimen el documento de Cédula de Habitabilidad,** fundamentalmente por tratarse de un control inherente a la licencia de obras y de Primera Ocupación Comunidades Autónomas como Andalucía (D283/1987), Castilla-La Mancha (D122/1988), Galicia (D 311/1992) y Castilla y León (D 147/2000). No obstante todos los proyectos de construcción, rehabilitación, ampliación o reforma de viviendas que se presenten en los Ayuntamientos para solicitar la licencia urbanística de obra, uso u ocupación, incluirán en la memoria la justificación autorizada por el facultativo redactor del mismo y bajo su responsabilidad el cumplimiento de las condiciones mínimas de habitabilidad establecidas en la normativa vigente). **Algunas otras Comunidades Autónomas han regulado el contenido de las Cédulas de Habitabilidad** como la Comunidad Valenciana (D161/1989), Navarra (DF 184/1988), Baleares (L 10/1990), Extremadura (D 157 y 158 de 9 octubre 2001).

(56) De interés RD 1829/1978 de 15 de julio por el que se establecen determinadas obligaciones en la solicitud de cédulas de habitabilidad en edificaciones de nueva planta (*BOE* de 3 de agosto 1978).

(57) Art. 3 D 469/1972.

En ocasiones la Jurisprudencia del TS (58) utiliza indistintamente la expresión licencia de habitabilidad y licencia de apertura.

La Ley 38/1999, de 5 de noviembre, de Ordenación de la Edificación (en adelante, LOE) en su art. 5 prevé que:

«La construcción de edificios, la realización de las obras que en ellos se ejecuten y su **ocupación** precisará las preceptivas licencias y demás autorizaciones administrativas procedentes, de conformidad con la normativa aplicable.»

El art. 3.1 LOE señala los requisitos básicos de la edificación relativos a la habitabilidad (higiene, salud y protección del medio ambiente, protección contra el ruido, Ahorro de energía y aislamiento térmico y otros aspectos funcionales de los elementos constructivos o de las instalaciones que permitan un uso satisfactorio del edificio) que están destinados más que al propio edificio, a proteger a las personas directamente, propiciando todas aquellas medidas de salubridad en relación a las circunstancias externas y lugar de ubicación (59). La habitabilidad aparece condicionada a que concurran circunstancias constructivas que permitan la residencia o el trabajo de las personas dentro de los edificios en condiciones de calidad de vida. El Art. 17.b) LOE fija el plazo de tres años para exigir responsabilidades por incumplimiento de los requisitos de habitabilidad exigidos.

La licencia de primera ocupación es preceptiva (60) conforme a la legislación estatal y autonómica que la exijan. Las Comunidades Autónomas son las competentes para determinar la tipificación de las infracciones urbanísticas, las sanciones correspondientes y la prescripción de las mismas. De no existir regulación autonómica es de aplicación con carácter supletorio lo dispuesto en el Art. 226 de la LS/1976 y en el art. 90 del RDU/1978 que tipifica y sanciona como infracción urbanística la realización de actividades sujetas a licencia sin la preceptiva obtención de la misma. En esta legislación estatal se regula como falta leve la falta de licencia de primera ocupación, sin perjuicio de la naturaleza grave de las faltas en que se pudiera haber incurrido por no ajustarse al proyecto. Es preciso diferenciar por tanto la infracción formal consistente en la falta de licencia de las infracciones de fondo, por lo que cada una de ellas tendrá su plazo de prescripción, en los términos de la legislación urbanística autonómica de aplicación.

C. Las licencias de primera ocupación en la jurisprudencia

El TS y la legislación autonómica vigente es coincidente en que el otorgamiento de la licencia de ocupación de un inmueble está condicionada no sólo al estricto ajuste de las obras al proyecto aprobado y a las condiciones de la licencia, sino

---

(58) STS 25.07.89.
(59) *Derecho de la Edificación*. 2.ª Edición BOSCH.
(60) Art. 21 RSCL. Art. 1.10 RDU.

también a las prescripciones de las ordenanzas, incluidas las de protección y prevención de incendios.

La jurisprudencia, como se ha dicho, se ha pronunciado —es pacífica esta doctrina jurisprudencial— en el sentido de que las licencias de primera ocupación tienen como finalidad la de comprobar el respeto de las obras realizadas en relación con la obras autorizadas. Así, la STS de fecha 18.07.1997 (LA LEY 9129/1997) de la que fue Ponente Rodríguez-Zapata Pérez, Jorge, sostiene en su Fundamento de Derecho Tercero que:

> «La licencia de primera ocupación de un edificio es una autorización administrativa necesaria que tiene por finalidad **contrastar si se ha respetado en la realidad la licencia de construcción**, comprobando si se han cumplido o no las condiciones establecidas en dicha licencia y controlando si el edificio reúne las condiciones idóneas de seguridad y salubridad y puede habilitarse para el uso al que se destina... No se suple la omisión de solicitar tal licencia por el simple transcurso del tiempo...»

El carácter de licencia derivada de las licencias de primera ocupación ha llevado al Tribunal Supremo a afirmar en su STS de 25.07.1989 que:

> «... no tiene entidad propia e independiente, puesto que no es más que una derivación o consecuencia de la previa licencia de obras o edificación, ya que si ésta tiende a garantizar que la obra proyectada, todavía sin realizar, va a resultar conforme con las limitaciones que el ordenamiento jurídico impone a las obras de nueva planta, **la licencia de primera ocupación busca el comprobar si en la ejecución y materialización de aquel proyecto se ha respetado lo que él mismo expresaba o adelantaba y en base al cual se otorgó el permiso de construcción.**»

Por este carácter derivado, la licencia de primera ocupación sólo podrá ser denegada «porque la obra realizada no se corresponde con el proyecto técnico que sirvió para la concesión de la primera licencia de edificación» (STS de 25.07.1989, ya citada) o porque el constructor no cumplió con el condicionamiento de la licencia, de realizar la obra urbanizadora necesaria para dotar a la parcela de la condición de solar (STS de 30.01.1989).

La misma línea jurisprudencial se sigue en la STS de 14.12.1998, según la cual:

> «La licencia de primera ocupación de un edificio tiene por finalidad constatar si la obra ejecutada se ajusta en realidad a la licencia de obras concedida, y verificar si el edificio reúne las condiciones de seguridad y salubridad y puede habilitarse al uso a que se destina. La jurisprudencia ha destacado la relación que existe entre la licencia de primera ocupación y la licencia de obras, de tal modo **que ni puede la Administración aprovechar aquella para la revisión de esta,** imponiendo condiciones o limitaciones

no exigidas al concederse la licencia de obras, ni el administrado apartarse en la ejecución de la construcción de los términos en que la licencia de obras fue concedida para defender, cuando la licencia de primera ocupación fuera denegada por esta desviación, que la construcción realizada se adecuaba al planeamiento.»

También, la STS de fecha 08.11.2003 (LA LEY 11022/2004), Ponente: Ricardo Enríquez Sancho, que dice en su Fundamento de Derecho Tercero:

«La licencia de primera ocupación de un edificio, exigida en los artículos 178.1 del Texto refundido de la Ley del Suelo de 9 de abril de 1976 y 1.10 del Reglamento de Disciplina Urbanística de 23 de julio de 1978, tiene una doble finalidad, verificar si el edificio reúne las condiciones idóneas de seguridad y salubridad y puede habilitarse para el uso a que se destina y constatar si la obra ejecutada se ajusta en realidad a la licencia de obras concedida. La jurisprudencia ha destacado la relación que existe entre la licencia de primera ocupación y la licencia de obras, de tal modo que ni puede la Administración aprovechar aquélla para la revisión de ésta, imponiendo limitaciones o condiciones no exigidas al concederse la licencia de obras, ni el administrado apartarse en la ejecución de la construcción de los términos en que la licencia de obras fue concedida, para defender, cuando la licencia de primera ocupación fuera denegada por esa desviación, que los usos a que la construcción iba a destinarse se ajustaban al planeamiento (Sentencias de 14 de diciembre de 1998, 10 de marzo de 1999 y 8 de mayo de 2002, entre otras muchas).»

La STS 17.04.1990 (LA LEY 32636-JF/0000) de la que fue Ponente González Navarro, Francisco, recoge reiterada doctrina jurisprudencial que establece que las cuestiones de edificación ilegal por falta de licencia o por contravenir la otorgada, tienen su específica regulación y en su Fundamento de Derecho Cuarto, afirma:

«... no se puede aprovechar el trámite de la licencia de instalación o de apertura para tratar de solucionar los problemas de ilegalidad o de falta de legalización de la de obras que tienen su propio camino y tratamiento; pues, como declaran, entre otras, además de las ya citadas, las sentencias de 29 de septiembre de 1985, 5 de octubre de 1981, 13 de julio de 1983, 30 de abril de 1984, 4 de noviembre de 1985 y 30 de enero de 1989, **las licencias de primera utilización de los edificios** —al igual que las de apertura e instalación— **han de otorgarse o denegarse con carácter tan reglado, que la autoridad correspondiente está obligada a resolverlas dentro de los límites previstos en la normativa urbanística aplicable, y no pueden plantearse temas que desborden su propio ámbito;** siendo el marco de las licencias de instalación las disposiciones relativas a si el uso pretendido es admisible en el lugar según el Plan u Ordenanzas, si el Proyecto cumple las condiciones técnicas de seguridad (artículo 22 del Reglamento de Servicios) y si en su caso no se dan las circunstancias previstas en el artículo 40.3 del Reglamento de Gestión Urbanística; no pudiendo utilizarse la licencia de instalación para exigir regularizar la de obras, ya que como dice la sentencia de 22 de enero de 1986, **se incurre en tal caso en desviación de poder, tanto por emplear la facultad de control de la primera utilización de un edificio para fiscalizar la adecuación de la obra a la licencia y a la normativa urbanística (fin distinto del prescrito por esta normativa) como por utilizar para este desviado fin un procedimiento diferente del legalmente previsto** en los artículos 184 y siguientes, citados de la Ley del Suelo; siendo también paradigmas de esta doctrina la sentencia de 29 de marzo de 1989 y de 27 de marzo de 1990.

El carácter reglado de la licencia de primera ocupación, no permite que se deniegue en base a que la licencia de obras previamente otorgada estaba viciada de nulidad.

Porque, en este caso, mediante la denegación de la licencia de primera ocupación se produciría el efecto de revocar la licencia de obras sin seguir, para ello, el procedimiento establecido legalmente para estos casos. »

En este sentido, ya la STS de 6.12.1986 (LA LEY 6206/1986), de la que fue Ponente Delgado Barrio, Francisco Javier, afirmaba que:

«**no es función de la licencia de primera utilización** la revisión de la actuación de la Administración concretada en el otorgamiento de la licencia de obras.

Está claro, pues, que si existe conformidad de la construcción con el contenido de la licencia de obras —sentencia de 4 de noviembre de 1985— no podrá denegarse la licencia de primera utilización: no otorgar ésta, invocando la ilegalidad de la licencia de obras, **equivale a una revisión de ésta hecha sin ajustarse a las rigurosas exigencias formales establecidas al respecto. Tal revisión informal sería un supuesto de nulidad de pleno derecho.**»

También la STS de 03.04.2000, Ponente: Ricardo Enríquez Sancho:

«Ciertamente, el artículo 21.2 RSCL comienza diciendo que en todo tipo de licencias a que ese precepto se refiere se examinará si el acto proyectado se ajusta a los planes de ordenación urbana, pero tratándose de licencia de primera ocupación esta Sala ha declarado que es en la licencia de obras, que debe preceder a ella, donde la Administración ha de realizar ese control de adecuación de la obra a la legalidad urbanística, de forma que una vez concedida la licencia de obras en la de primera ocupación ha de limitarse a verificar si la obra se ajusta a la licencia concedida, sin que pueda aprovechar la ocasión de pronunciarse sobre la licencia de primera ocupación para revisar la de obras (sentencias de 10 de marzo de 1999 y 14 de diciembre de 1998).»

El incumplimiento del deber de urbanizar, no solo implica la no concesión de la licencia de primera ocupación, sino también, la caducidad de la licencia de obras sin derecho a indemnización, impidiéndose el uso de lo edificado, conforme a lo dispuesto en el Art. 40.3 del RGU, según el cual:

> «el incumplimiento del deber de urbanización simultáneo a la edificación comportará la caducidad de la licencia, sin derecho a indemnización, impidiéndose el uso de lo edificado, sin perjuicio del derecho de los terceros adquirentes al resarcimiento de los daños y perjuicios que se les hubieren irrogado. Asimismo, comportará la pérdida de la fianza a que se refiere el apartado 1.b) del este Artículo.»

La Jurisprudencia se ha pronunciado respecto de los garajes destinados al uso de viviendas y vinculadas a ellas manifestando que no precisan de licencia de actividad al hallarse implícita en el control que supone la primera ocupación (61). El proyecto que va a ser objeto de concesión de licencia de obras ha de comprender todas las obras e instalaciones necesarias para la finalidad a que van a ser destinada (uso residencial). Los técnicos municipales informan respecto de los aspectos urbanísticos así como de los aspectos técnicos referentes a los distintos mecanicismos y servicios. Las plazas de garaje están vinculadas a las viviendas y al uso residencial, constituyendo en múltiples casos una exigencia urbanística, no constituyendo un establecimiento o actividad industrial o mercantil. Es diferente la cuestión de cuando el garaje se convierte en una actividad mercantil o industrial de carácter público en cuyo deberá tramitarse el correspondiente expediente para la concesión de licencia de funcionamiento y apertura.

No obstante en materia de actividades y su clasificación la legislación estatal tiene carácter supletorio, lo que ha provocado distintas clasificaciones de actividades sujetas a licencia.

Las ordenanzas municipales concretan en múltiples casos cuando los garajes y aparcamientos han ser calificados como actividades inocuas o calificadas. Así, la Ordenanza Especial de tramitación de licencias y control urbanístico del Ayuntamiento de Madrid dispone (Resolución 29/7/1997 BOCAM 25/11/1997):

> «Art. 75.1. Están sujetas a licencia de Primera Ocupación o utilización las edificaciones resultantes de obras de nueva edificación y reestructuración general de los edificios con uso residencial. Asimismo, están sujetos a licencia de primera ocupación los edificios sin uso, categoría o clase definido en la licencia de obras o de edificación resultantes de obra de nueva edificación y reestructuración general y en los que se desarrollen actividades inocuas, sin posterior de la posterior licencia de actividad si procede.

---

(61) STS de 3.04.2000 [EC 2088/2000], STS 2.10.1999.

2. Tienen por objeto acreditar que las obras e instalaciones han sido ejecutadas de conformidad con el proyecto y condiciones en que las licencias fueron concedidas y que se encuentran debidamente terminados y aptos, según las determinaciones urbanísticas de su destino específico...Anexo. Actividades Inocuas. Se podrán considerar como inocuas.3 — Garajes-aparcamientos que constituyan dotación del edificio de uso residencial, sean resultantes de obras de nueva edificación u obras en los edificios y la licencia se haya solicitado como licencia única. — Garajes-aparcamientos no incluidos en el apartado anterior con superficie edificada total o menor a 500 m², si no precisan de instalación de ventilación forzada, o a 125 m² en el resto de los casos.— En todo caso, los aparcamientos mecánicos tendrán la consideración de actividades calificadas.»

Señala el TS, en su sentencia de 6.10.1992 (LA LEY 5172-5/1993), de la que fue Ponente Enríquez Sancho, Ricardo, que:

«... la licencia de primera ocupación, como derivada de la licencia de obras, sigue el mismo régimen que ésta en cuanto a su obtención por silencio...»

Es decir, las licencias de primera ocupación están sometidas al mismo régimen de silencio administrativo que las licencias de obras de la que traen causa, por su íntima conexión con éstas, de las que vienen a ser complemento, tal y como pone de relieve el Art. 21.2,d) del RSEL.

La STS de 1 de septiembre de 1987 sobre la improcedencia de conceder una licencia de primera ocupación a una parte del edificio totalmente acabado y que se ajusta a la licencia de obras y existiendo parte de la obra sin licencia o sin ajustarse a la misma, afirma en su Fundamento de Derecho Segundo, que:

«... la cuestión a resolver se concreta en determinar si en los supuestos de primera ocupación puede o no concederse licencia parcial limitada a la parte de la edificación que cumple la normativa urbanística cuando otra parte de aquella se aparta de dicha normativa. La Sala entiende que esta cuestión debe resolverse en sentido negativo, esto es el de entender que **no cabe la posibilidad referida a la licencia parcial concretada a la parte del edificio que cumple con la normativa urbanística** ...Cuando se aprecien defectos en la inspección previa a la concesión de una licencia de primera ocupación, ésta no puede ser concedida hasta que se subsanen aquellos...»

La Sala entiende que esa cuestión debe resolverse en sentido negativo, esto es, en el de entender que no cabe la posibilidad referida de la licencia parcial concretada a la parte del edificio que cumple con la normativa urbanística. Las deficiencias subsanables han de notificarse al peticionario de la licencia, para que él inste esa subsanación conforme a la legalidad vigente.

En el supuesto de hecho contemplado en esta sentencia, la obra realizada, en lo relativo a la profundidad edificable, vulnera la licencia concedida, pues la inspección técnica comprueba que tanto la planta baja como la planta sótano sobrepasan esa profundidad edificable.

Cuestión muy distinta es la circunstancia de que el edificio principal sea perfectamente autónomo y los elementos auxiliares, perfectamente diferenciables e independientes —incluso, prescindibles— de la edificación principal, y que se pueden haber ejecutado sin respetar la licencia municipal de obras otorgada. En estos casos, puede otorgarse la licencia de primera ocupación y, sin embargo, reaccionar contra las obras ilegales de los elementos auxiliares.

Según Jesús Torres Martínez (62) con carácter general y sin perjuicio de las exigencias que se derivan de las peculiaridades de las normativa autonómica y de las ordenanzas urbanísticas municipales, los interesados en la solicitud de la licencia de primera ocupación, han de presentar la siguiente documentación:

1. Certificado Final de Obra, visado por el Colegio Profesional.

2. Liquidación Final de Obra, visado por el Colegio Profesional.

3. Impresos de alta de la vivienda en Hacienda.

    3.1. Modelo 750. Tasa por inscripción registral (Dirección General del Catastro)

    3.2. Modelo 902-S Declaración simplificada de alteración de Bienes Inmuebles de naturaleza urbana (Dirección General del Catastro).

4. Liquidaciones de los tributos que correspondan.

5. Libro del Edificio.

El Art. 7 de la LOE dispone que, una vez finalizada la obra, el proyecto, con la incorporación, en su caso, de las modificaciones debidamente aprobadas, será facilitado al promotor por el director de obra para la formalización de los correspondientes trámites administrativos. Dicho precepto hace referencia a actuaciones a realizar una vez finalizada la obras, es decir, expedido el certificado final de la misma y haberse producido la recepción definitiva por el promotor.

Toda la documentación que constituirá el Libro del Edificio, será entregado a los usuarios finales del edificio. Al promotor le corresponde la legalización jurídica

---

(62) Puede verse su trabajo sobre «La licencia de primera ocupación» publicado en *Revista Práctica Urbanística n.º 4, de abril de 2002.*

mediante el acceso al Registro de la Propiedad, dada su trascendencia respecto a los futuros adquirentes de los pisos y locales construidos.

Conforme al Art. 12 de la LOE es obligación del Director de Obra, entre otras la suscripción del Certificado Final de Obra

El Libro del Edificio se integra por los siguientes documentos:

— El proyecto del edificio objeto de licencia otorgada con las modificaciones practicadas durante la construcción debidamente aprobadas.

— Acta de recepción definitiva.

— Certificado Final de Obra.

— Relación identificativa suficiente de los agentes que han intervenido en el proceso de edificación (promotor, constructor y demás personas a que se refiere el Capítulo III de la LOE)

— Las instrucciones relativas al uso y mantenimiento del Edificio, así como de sus instalaciones, de conformidad a la normativa que procede ser aplicada.

D. La normativa autonómica en materia de licencias de primera ocupación

En la legislación autonómica puede encontrarse una amplia referencia expresa a la regulación de las licencias de primera ocupación. Así:

Andalucía: En la Ley 7/2002, de 17 de diciembre de Ordenación Urbanística de Andalucía (BOJA 31.12.2002) se regulan los actos sujetos a licencia, la competencia y el procedimiento de su otorgamiento, en los arts. 169 y siguientes. La LOUA contiene una larga enunciación de los actos sujetos a licencia, en el art. 169.1, según el cual están sujetos a previa licencia urbanística municipal, «sin perjuicio de las demás autorizaciones o informes que sean procedentes con arreglo a esta Ley o a la legislación sectorial aplicable, los actos de construcción o edificación e instalación y de uso del suelo, incluidos el subsuelo y el vuelo, y, en particular, los siguientes:... e) La ocupación y la primera utilización de los edificios, establecimientos e instalaciones en general, así como la modificación de su uso.»

Según el Artículo 175, relativo a Contratación de los servicios por las empresas suministradoras:

«1. Las empresas suministradoras de energía eléctrica, agua, gas y servicios de telecomunicaciones exigirán, para la contratación provisional de los respectivos servicios, la acreditación de la licencia de obras, fijando como plazo máximo de duración del contrato el establecido en la licencia para la terminación de los actos. Transcurrido este plazo no podrá continuar prestándose el servicio, salvo que se acredite la concesión por parte del municipio de la correspondiente prórroga.

2. Las empresas citadas en el apartado anterior exigirán para la contratación definitiva de los servicios respectivos la licencia de ocupación o primera utilización».

Según el Artículo 189, relativo a Suspensión de licencias y de órdenes de ejecución:

«4. **La suspensión administrativa de la eficacia de las licencias conllevará la suspensión de la tramitación de las de ocupación o primera utilización,** así como de la prestación de los servicios que, con carácter provisional, hayan sido contratados con las empresas suministradoras, a las que deberá darse traslado de dicho acuerdo». (Número 4 del artículo 189 introducido por el apartado doce del artículo 28 de la Ley de Andalucía 13/2005, 11 noviembre, de Medidas para la Vivienda Protegida y el Suelo *(BOJA* 21 noviembre). Vigencia: 11 diciembre 2005).

Según el art. Artículo 222, relativo a Ocupación, **primera utilización** y modificación de usos:

«Se sancionará con multa del veinte al veinticinco por ciento del valor del edificio, establecimiento o instalación, todo cambio en el uso objeto de la licencia o al que estén destinados y que contradiga la ordenación urbanística aplicable.»

Aragón: En la Ley 3/2009, de 17 de junio, urbanística, se distinguía entre diferentes tipos de licencias urbanísticas, entre ellas, la de ocupación de edificio, que se exigía «con carácter previo», según el art. 229. Este artículo ha sido modificado por la Ley 4/2013, de 23 de mayo, por la que se modifica la Ley 3/2009, de 17 de junio, de Urbanismo de Aragón, que ha quedado redactado del siguiente modo:

«Los actos de transformación, construcción, edificación y uso del suelo y el subsuelo requerirán para su lícito ejercicio de **licencia, declaración responsable o comunicación previa** de conformidad con lo establecido en los artículos siguientes, sin perjuicio de las demás intervenciones públicas exigibles por la legislación que les afecte y del respeto a los derechos civiles implicados.»

El Artículo 233, relativo a Licencia de ocupación, prevé actualmente que:

«1. **La licencia legitima** para la realización de su objeto desde la fecha en que sea formalmente adoptada por el Alcalde, sin perjuicio de su notificación y de los efectos que derivan de la misma conforme a la legislación del procedimiento administrativo común.

2. **La comunicación previa y la declaración responsable legitiman** para la realización de su objeto desde el día de su presentación en el registro general del municipio.»

Asturias: En el Decreto Legislativo asturiano 1/2004, de 22 de abril, de Ordenación del Territorio y Urbanismo, por el que se aprueba el Texto Refundido de las disposiciones legales vigentes en materia de ordenación del territorio y urbanismo, se deroga, entre otras, la Ley del Principado de Asturias 3/2002, de 19 de abril, de régimen del suelo y ordenación urbanística (BOPAP de 4/5/2002) y se regula esta materia en los arts. 228 y siguientes.

Baleares: Se regulan en la Ley 10/1990, de 23 de octubre, de Disciplina Urbanística en el art. 1.8: «La primera utilización u ocupación de los edificios y las instalaciones en general.»

Canarias: En el Texto Refundido de las Leyes de Ordenación del Territorio y de Espacios Naturales, aprobado por Decreto Legislativo 1/00, de 8 de mayo, se regulan las licencias en los arts. 166 y siguientes. Así, el Art. 166, dispone que están sujetas previa licencia urbanística la primera utilización y ocupación de las edificaciones e instalaciones en general así como la modificación del uso.

El Art. 172 dispone que las empresas suministradoras de energía eléctrica, agua, gas y telecomunicaciones exigirán para la contratación definitiva de los suministros respectivos la siguiente documentación; cuando se trate de viviendas de protección oficial la calificación definitiva, cuando se trate de viviendas libres la cédula de habitabilidad, en los demás supuestos la licencia municipal de primera ocupación.

Cantabria: En la Ley 2/2001, de 25 de junio, de Ordenación del Territorio y Régimen Urbanístico del suelo de Cantabria, se regula esta materia en los arts. 185 y 187. El Art. 185, dispone que:

> «1. La licencia de primera ocupación tiene como finalidad verificar el cumplimiento efectivo de las prescripciones contenidas en la licencia de obras y de los usos permitidos por el Plan. Se exigirá para la primera ocupación de los edificios de nueva construcción o que hayan sido objeto de ampliación o modificaciones sustanciales.
>
> 2. Para el otorgamiento de esta licencia se requerirá certificación del facultativo director de las obras que acredite el cumplimiento de las condiciones de la correspondiente licencia urbanística.»

El Art. 187 preceptúa que la licencia de primera ocupación presupone la licencia de obras y es independiente de la licencia de apertura o actividad.

Castilla-La Mancha: En la TRLOTAU, la licencia de usos y actividades se regula en el art. 169. En la Ley 1/2013, de 21 de marzo, de medidas para la dinamización y flexibilización de la actividad comercial y urbanística en Castilla-La Mancha, se modifica el art. 169 TRLOTAU, que queda redactado del modo siguiente:

> «**1.** Siempre que de acuerdo con la legislación vigente no proceda el sometimiento al régimen de comunicación previa, están sujetos a la obtención

de licencia de usos y actividades, sin perjuicio de las demás autorizaciones que sean procedentes con arreglo a la legislación sectorial aplicable, las siguientes obras o actos de uso del suelo:

a) La primera utilización y ocupación de los edificios e instalaciones en general, y la modificación del uso de las construcciones, edificaciones e instalaciones.

b) La tala de masas arbóreas, de vegetación arbustiva o de árboles aislados que, por sus características, puedan afectar al paisaje o estén protegidos por la legislación sectorial correspondiente.

c) Los demás actos que señalen los instrumentos de planeamiento de ordenación territorial y urbanística.»

Castilla y León: El Art. 97 de la Ley 5/1999, de 8 de abril, de Urbanismo de Castilla y León, dispone en su letra e) que están sujetos a licencia la Primera ocupación o utilización de construcciones e instalaciones.

Cataluña: En el art. 187.5 del Texto Refundido de la Ley de Urbanismo de Cataluña, aprobado por el Decreto Legislativo 1/2010, de 3 de agosto, se prevé.

«5. Queda sujeto al régimen de comunicación previa al ayuntamiento, de acuerdo con el procedimiento que establece la legislación de régimen local, la primera utilización y ocupación de los edificios y construcciones. La comunicación ha de acompañarse de la certificación del facultativo director que acredite la fecha de finalización de las obras y de que estas se han efectuado de acuerdo con el proyecto aprobado o con las modificaciones posteriores y las condiciones impuestas, y que la edificación está en condiciones de ser utilizada.»

Extremadura: En la Ley 15/01, de 14 de diciembre, del Suelo y Ordenación Territorial, las licencias de usos y actividades, se regulan en el art. 184.

Galicia: La LOUGA contiene una enunciación de actos sujetos a licencia, en el art. 194.2, entre los que figura la referencia a la primera utilización de los edificios y la modificación del uso de los mismos, que es desarrollado en el art. 10 RDUG, con una larga enunciación de supuestos de carácter simplemente enunciativo, que concluye con la clara expresión enunciativa —y, por tanto, no exhaustiva — del tenor siguiente:

«27. Y, en general, el resto de actos que señalen los planes, las normas o las ordenanzas.»

Madrid: En la Comunidad de Madrid, la normativa sobre licencias se contiene en la Ley 9/2001, de 17 de julio, del Suelo (LSM). Y no hay que olvidar que supletoriamente sigue en vigor el art. 9 del viejo RSEL (Reglamento de Servicios de las Corporaciones Locales, Decreto 17 de junio de 1955), ya que la letra f) de la Disposición Final Primera de la Ley 7/1985, 2 abril, reguladora de las Bases de Régimen Local (B.O.E. 3 abril), autoriza al Gobierno para en el plazo de un año, actualizar y acomodar a lo dispuesto en la misma, todas las normas reglamentarias que continúen vigentes y, en particular, el citado Decreto, ya que, todavía, no se ha adaptado a dicha Ley básica estatal.

Pues bien, la normativa aplicable en la Comunidad de Madrid, la LSM ya mencionada, se ocupa de regular las licencias de obras de edificación y las de primera utilización y ocupación de edificios en su artículo 151.1,b) y f) respectivamente, así como en los arts. 153 y 154.

En el artículo 152 LSM se contempla, entre otros extremos, que la intervención municipal derivada de lo dispuesto en el artículo precedente, se circunscribe estrictamente a la comprobación de la integridad y la suficiencia legal del proyecto técnico con arreglo al cual deben ser ejecutadas las obras.

En el artículo 153 LSM, relativo a la Intervención de actos **no precisados de proyecto técnico** de obras de edificación, se prevé —respecto de las licencias de primera ocupación que:

> «Cuando se trate de obras de nueva planta o de ampliación, reforma, modificación o rehabilitación de construcciones o edificios ya existentes, de carácter provisional o permanente, con o sin previa demolición de aquéllos, que, conforme a la legislación general de ordenación de la edificación, no precisen de proyecto de obras de edificación, la intervención municipal se producirá conforme a las siguientes reglas:
>
> 4.º Comunicada al Ayuntamiento la certificación final de las obras, lo que deberá hacerse antes de la recepción de las obras por el promotor, se practicará por los servicios municipales una inspección final, en el plazo máximo de un mes desde la comunicación, **con declaración de la conformidad o no de las obras ejecutadas y del uso a que vayan a ser destinadas a la ordenación urbanística aplicable.**»

Esta regla del art. 153 LSM es, también de aplicación a los supuestos del art. 154 de la misma Ley, relativo a la Intervención de actos **precisados de proyecto técnico** de obras de edificación, en cuanto prevé expresamente que:

> «6.º Serán aplicables a estas obras las reglas **4**, 5, 6 y 7 del artículo anterior, que se entenderán referidas en este caso **exclusivamente a la licencia de primera ocupación.**»

Es decir, **en el expediente de otorgamiento de las licencias de primera ocupación, se deberá incluir en el mismo, el informe técnico municipal** al que se refiere la regla 4.ª del citado art. 153 LSM en la que se prevé que en dicho informe técnico se deberá hacer constar expresamente «la declaración de la conformidad o no de las obras ejecutadas **y del uso a que vayan a ser destinadas a la ordenación urbanística aplicable.**»

En el art. 155 LSM, se contiene una regulación general de la *Intervención de usos* en los términos siguientes:

«Cuando se trate de actos de implantación de usos o de modificación de los ya establecidos para el desarrollo de actividades en terrenos, edificios, construcciones o instalaciones o partes de los mismos, sin ejecución de obras de clase alguna, la licencia urbanística se producirá conforme a las siguientes reglas:

1.º. La solicitud de licencia deberá acompañarse de los siguientes documentos:

a) Documentación técnica exigible.

b) Consulta previa al Ayuntamiento sobre la legitimidad del uso o usos.

c) Copia de las restantes autorizaciones y, en su caso, concesiones, administrativas cuando sean legalmente exigibles al solicitante o acreditación de haber sido solicitadas.

d) Declaración del impacto ambiental cuando el uso al que vayan a destinar las obras lo requiera.

2.º. La mera presentación de la solicitud, con todos los documentos exigibles, comportará automáticamente la autorización provisional para la implantación y el desarrollo del uso o usos de que se trate de acuerdo y en los términos de la normativa que en todo momento los regule.

3.º. El Ayuntamiento deberá resolver sobre la solicitud en el plazo de un mes desde su presentación. Este plazo se suspenderá, como máximo por tres meses mientras se produce la calificación ambiental del uso, en caso de estar sujeto legalmente a la misma. El transcurso del plazo máximo para resolver solo podrá interrumpirse una sola vez por requerimiento de subsanación de deficiencias o mejora de la solicitud. La ausencia de notificación dentro del plazo de resolución expresa, comportará la concesión de la licencia.

4.º. No obstante y pese a su autorización mediante licencia expresa o presunta, los usos mientras persistan estarán sujetos a inspección municipal, pudiendo los servicios técnicos correspondientes formular por escrito los reparos de legalidad, seguridad o salubridad, sobrevenida incluso, que procedan, que deberán ser cumplimentados. Estos reparos podrán dar lugar, si procede, a la incoación de procedimientos de protección de la legalidad urbanística y de sanción de su infracción, si transcurridos los plazos otorgados para cumplimentar los reparos no se hubieran llevado a debido efecto.»

Murcia: En la Ley 1/01, de 24 de abril, del Suelo, el Art. 214 que no ha sido alterado por el Texto Refundido aprobado por Decreto Legislativo 1/2005, de 10 de junio, distingue las diversas modalidades de licencia entre las que se encuentra la Licencia de primera ocupación. Ésta se exigirá para el uso de las edificaciones, una vez terminada su construcción, rehabilitación o reforma. Habrá de acreditarse para su otorgamiento que la obra realizada se ajusta a la licencia urbanística concedida, así como que reúne las condiciones técnicas de seguridad, salubridad y accesibilidad y que puede habilitarse para el uso al que se destina y, en su caso, que el constructor ha cumplido el compromiso simultáneo de la urbanización.

Navarra: En la Ley Foral 35/02, de 20 de diciembre, de Ordenación del Territorio y Urbanismo se regulan los actos sujetos a licencia, en el art. 189, que, expresamente, cita en su letra h) «La primera utilización u ocupación de los edificios e instalaciones en general y la modificación del uso de los mismos».

La Rioja: En la Ley 5/06, de 2 de mayo, de Ordenación del Territorio y Urbanismo, se contiene referencia expresa a esta cuestión, en el art. 192, h), en el que se menciona expresamente que entre los actos sujetos a licencia se encuentra «La primera utilización u ocupación de los edificios e instalaciones en general y la modificación del uso de los mismos.»

País Vasco: En la LSPV se prevé la relación entre las distintas licencias del modo siguiente y en su art. 207, que incluye entre los actos sujetos a licencia, en la letra r) «La primera utilización de obras o partes de ellas, así como su modificación y el cambio, total o parcial, de usos de la edificación.»

Valencia: En la LUV, se contiene una larga enunciación de los actos sujetos a licencia, en el art. 191.1, según el cual en su letra f) se incluye entre los actos sujetos a licencia «La primera ocupación de las edificaciones y las instalaciones, concluida su construcción, así como la ocupación en caso de segundas o posteriores trasmisiones de las mismas cuando sea exigible de acuerdo con la Ley 3/2004, de 30 de junio, de la Generalitat, de ordenación y fomento de la calidad de la edificación.»

Artículo 14 LS 2008, en la redacción establecida por la LRRRU.

Según el artículo 14, regulador de las actuaciones de transformación urbanística y actuaciones edificatorias:

1. A efectos de esta Ley, se entiende por actuaciones de transformación urbanística:

a) Las actuaciones de urbanización, que incluyen:

1) Las de nueva urbanización, que suponen el paso de un ámbito de suelo de la situación de suelo rural a la de urbanizado para crear, junto con las correspondientes infraestructuras y dotaciones públicas, una o más parcelas aptas para la edificación o uso independiente y conectadas funcionalmente con la red de los servicios exigidos por la ordenación territorial y urbanística.

2) Las que tengan por objeto reformar o renovar la urbanización de un ámbito de suelo urbanizado, en los mismos términos establecidos en el párrafo anterior.

b) Las actuaciones de dotación, considerando como tales las que tengan por objeto incrementar las dotaciones públicas de un ámbito de suelo urbanizado para reajustar su proporción con la mayor edificabilidad o densidad o con los nuevos usos asignados en la ordenación urbanística a una o más parcelas del ámbito y no requieran la reforma o renovación de la urbanización de éste.

2. Siempre que no concurran las condiciones establecidas en el apartado anterior, y a los solos efectos de lo dispuesto por esta ley, se entiende por actuaciones edificatorias, incluso cuando requieran obras complementarias de urbanización:

a) Las de nueva edificación y de sustitución de la edificación existente.

b) Las de rehabilitación edificatoria, entendiendo por tales la realización de las obras y trabajos de mantenimiento o intervención en los edificios existentes, sus instalaciones y espacios comunes, en los términos dispuestos por la Ley 38/1999, de 5 de noviembre, de Ordenación de la Edificación.

3. A las actuaciones sobre núcleos tradicionales legalmente asentados en el medio rural les será de aplicación lo dispuesto en los apartados anteriores, de conformidad con la naturaleza que les atribuya su propia legislación, en atención a sus peculiaridades específicas.

4. A los solos efectos de lo dispuesto en esta Ley, las actuaciones de urbanización se entienden iniciadas en el momento en que, una vez aprobados y eficaces todos los instrumentos de ordenación y ejecución que requiera la legislación sobre ordenación territorial y urbanística para legitimar las obras de urbanización, empiece la ejecución material de éstas. La iniciación se presumirá cuando exista acta administrativa o notarial que dé fe del comienzo de las obras. La caducidad de cualquiera de los instrumentos mencionados restituye, a los efectos de esta Ley, el suelo a la situación en que se hallaba al inicio de la actuación.

La terminación de las actuaciones de urbanización se producirá cuando concluyan las obras urbanizadoras de conformidad con los instrumentos

que las legitiman, habiéndose cumplido los deberes y levantado las cargas correspondientes. La terminación se presumirá a la recepción de las obras por la Administración o, en su defecto, al término del plazo en que debiera haberse producido la recepción desde su solicitud acompañada de certificación expedida por la dirección técnica de las obras.»

CONCORDANCIAS

CE: Arts. 23, 33, 45, 46, 47
LS 2008: Arts. 4, 5, 6, 7, 8, 9, 16

JURISPRUDENCIA

STS de 23.03.2010 (LA LEY 55621/2010), STS de 30.06.2011 (LA LEY 119931/2011), STS de 22.11.2012 (LA LEY 210157/2012),

STS de 23.07.2012 (LA LEY 110671/2012), STS de 26.10.2012 (LA LEY 155399/2012), STS de 27.12.2000 (LA LEY 3607/2001), STS de 23.06.2004 (LA LEY 1916/2004), STS de 23.02.2005 (LA LEY: 11603/2005), STS de 11.05.2007 (LA LEY 11603/2005)

TRAMITACIÓN PARLAMENTARIA

No se han presentado enmiendas a este artículo, en el Congreso.

COMENTARIO

Sumario

1. Antecedentes. Las Actuaciones de Transformación Urbanística en la Ley del Suelo de 1992 y en la Ley sobre Régimen del Suelo y Valoraciones de 1998 y las Actuaciones Edificatorias.
2. Tipos de Actuaciones de Transformación Urbanística (ATU) en la actual LS 2008.
3. Tipos de Actuaciones Edificatorias (AE) en la actual LS 2008.
4. Presunción de inicio y terminación de las Actuaciones de Transformación Urbanística (ATU).

1. ANTECEDENTES. LAS ACTUACIONES DE TRANSFORMACIÓN URBANÍSTICA EN LA LEY DEL SUELO DE 1992 Y EN LA LEY SOBRE RÉGIMEN DEL SUELO Y VALORACIONES DE 1998 Y LAS ACTUACIONES EDIFICATORIAS

La LS92, al ser una ley integral, trataba de todo tipo de actuaciones urbanísticas, tanto sistemáticas en Unidad de Ejecución (UE), también de incremento de aprovechamiento en UE; como actuaciones asistemáticas a través de técnicas específicas, también de incremento de aprovechamiento en la parcela asistemática; y también las actuaciones edificatorias.

La LrS98, al tratarse de una ley no urbanística, no podía descender a la forma concreta de ejecución de la urbanización o de la edificación. La ley estatal sólo regulaba los derechos y deberes y las valoraciones del suelo, que afectaban a los propietarios de suelo o eran necesarias para las técnicas de transformación urbanística; o afectaban a su edificación.

Igualmente, la LS 2008 originaria no descendía a detalles concretos de la ejecución y, por ello, parece más adecuado quedarse en el mundo de los principios y de los conceptos, de tal forma que establece aspectos generales de diferentes actuaciones de transformación urbanística y aspectos básicos de la ejecución edificatoria.

Sin entrar en los amplios detalles de los antecedentes legislativos de las formas de actuaciones de transformación urbanística en las citadas leyes o en las técnicas urbanísticas correspondientes, se fijará la atención en los tipos de actuaciones establecidas en la LS 2008 en la redacción dada por la LRRRU.

Es de resaltar que el presente artículo 14 LS 2008 en la redacción dada por la LRRRU ha sufrido bastantes modificaciones respecto del correspondiente precepto de la LS 2008 originaria y este no sufrió ninguna modificación respecto del art. 14 LrS07.

2. TIPOS DE ACTUACIONES DE TRANSFORMACIÓN URBANÍSTICA (ATU) EN LA ACTUAL LS 2008

A partir de lo establecido por el art. 12 LS 2008 (63), las situaciones del suelo, a los efectos de dicha Ley, serán: situación de suelo rural y situación de suelo urbanizado, existiendo una situación de suelo rural especial, por estar habilitado por el instrumento de planeamiento para soportar un desarrollo urbanístico, estando en cada una de dichas situaciones los suelos que cumplen los requisitos establecidos en dicho artículo.

Pues bien, coloquialmente hablando, a partir de lo establecido en dicho artículo puede existir:

— Un suelo en situación de suelo rural (SR).

— Un suelo en situación de suelo rural con aptitud para la transformación urbanística (que tiene posibilidades de transformarse en suelo urbanizado), SRATU.

---

(63)   Pueden verse los correspondientes comentarios a dicho artículo.

— Un suelo en situación de suelo urbanizado, SUado.

Ambas situaciones se representan en la FIG. 7, de tal forma que entre la situación de SR y la situación de SUado se resalta la intermedia: una situación de Suelo Rural Apto para una Actuación de Transformación Urbanística (SRATU). En la FIG. 8 se esquematizan las circunstancias que definen una u otra situación.

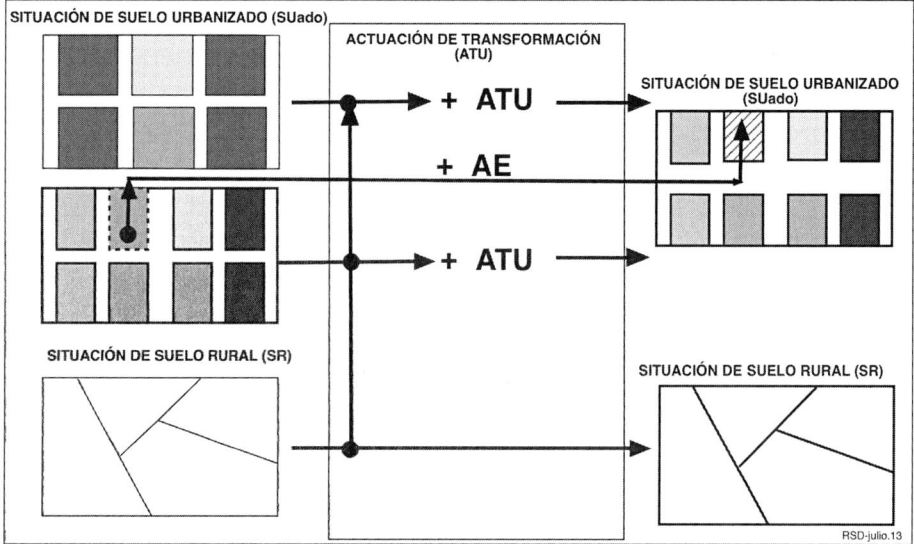

Fig. 7. Situaciones básicas del suelo, según la LS08 y la LRRRU [suelo rural (SR) y suelo urbanizado (SUado); actuaciones de transformación urbanística y actuaciones de edificación]

1. **A los efectos** de la LS08 y la LRRRU, **todo el suelo** se encuentra, , en una de las situaciones básicas: de **suelo rural o** de **suelo urbanizado**.

2. Está en la situación de **suelo rural**:

a) En todo caso, el **suelo preservado por la ordenación territorial y urbanística de su transformación** mediante la urbanización, que deberá incluir, **como mínimo**, los **terrenos excluidos** de dicha transformación **por la legislación** de protección o policía del dominio público, de la naturaleza o del patrimonio cultural, los que deban quedar sujetos a tal protección **conforme a la ordenación territorial y urbanística por los valores** en ellos concurrentes, incluso los ecológicos, agrícolas, ganaderos, forestales y paisajísticos, así como aquéllos **con riesgos naturales o tecnológicos**, incluidos los de inundación o de otros accidentes graves, y **cuantos otros prevea la legislación** de ordenación territorial o urbanística.

b) El **suelo para el que los instrumentos de ordenación territorial y urbanística prevean o permitan su paso a la situación de suelo urbanizado, hasta que termine** la correspondiente actuación de urbanización, y cualquier otro que no reúna los requisitos a que se refiere el apartado siguiente.

3. Se encuentra en la **situación de suelo urbanizado: el integrado legalmente en la malla urbana (redes viales, dotaciones, etc.)** propia de los núcleos de población, y cumpla:

a) Estar urbanizado en ejecución del plan.

b) Tener instaladas las infraestructuras y servicios necesarios.

c) Estar ocupado por la edificación el % de los espacios aptos que establezca la legislación.

También es Suelo Urbanizado el incluido en núcleos rurales legalmente asentados en el medio rural al que se le atribuya la condición de suelo urbano o asimilada.

RSD-julio13

Fig. 8. Situaciones Situaciones básicas del suelo según la LS08 y la LRRRU (art. 12 LS 2008 en la redacción resultante de la LRRRU

Pues bien, de acuerdo con lo indicado gráficamente en las FIGS. 7 y 9, conforme a la LS 2008, en la redacción dada por la LRRRU, hay dos tipos de **Actuaciones de Transformación Urbanística (ATU) y, como se verá, dos de Actuaciones Edificatorias (AE).**

Las Actuaciones de Transformación Urbanística (ATU) pueden ser:

1) Las **Actuaciones de Urbanización (AU)**, que, a su vez, pueden ser de dos tipos: **Actuaciones de Nueva Urbanización (ANU),** que suponen el paso de un ámbito de suelo rural a suelo urbanizado, y **Actuaciones de Reforma o Renovación Urbana (ARU)**.

2) Las **Actuaciones de Dotación (AD)** que suponen incrementar las dotaciones públicas de un ámbito de suelo urbanizado debido a la mayor edificabilidad, densidad o nuevos usos asignados por la ordenación.

Más en concreto, las **Actuaciones de Nueva Urbanización (ANU)** (FIG. 9) suponen, de acuerdo con la definición dada por el art. 14.1, a), 1 LS 2008, el paso de un ámbito de suelo de la situación de suelo rural a la de urbanizado para crear, junto con las correspondientes infraestructuras y dotaciones públicas, una o más parcelas aptas para la edificación o uso independiente y conectadas funcionalmente con la red de los servicios exigidos por la ordenación territorial y urbanística.

Es decir, en las **ANU** se requiere partir de un ámbito en situación de Suelo Rural (**SR**) y llegar a la situación de Suelo Urbanizado (**SUado**), dotando a aquél de las correspondientes infraestructuras y dotaciones públicas, dando lugar a la creación de una o más parcelas aptas para la edificación o uso independiente.

La parcela o parcelas resultantes han de estar conectadas funcionalmente con la red de servicios exigidos por la ordenación.

Coloquialmente se estaría hablando de nuevas operaciones de urbanización.

Las **Actuaciones de Renovación Urbana (ARU)** tienen por objeto reformar o renovar la urbanización ya existente en un ámbito de Suelo Urbanizado (**SUado**).

Coloquialmente se estaría hablando de operaciones de reforma interior o de renovación urbana.

Las **Actuaciones de Dotación (AD)** tienen por objeto incrementar las dotaciones públicas de un ámbito de suelo urbanizado para reajustar su proporción con la mayor edificabilidad o densidad o con los nuevos usos asignados en la ordenación urbanística a una o más parcelas del ámbito y no requieran la reforma o renovación integral de la urbanización de éste

Obsérvese que las tres condiciones alternativas que se establecen para que una ATU sea una Actuación de Dotación, incrementando —sin requerir la reforma o renovación de la urbanización del ámbito— las dotaciones públicas para reajustar su proporción con las nuevas determinaciones del planeamiento, deben hacer referencia a:

— la mayor edificabilidad (es decir, incremento de edificabilidad total).

— la mayor densidad (es decir, incremento de densidad de viviendas, en principio), o

— los nuevos usos (es decir, sustitución de los usos que anteriormente establecía el planeamiento por otros, en principio, más lucrativos)

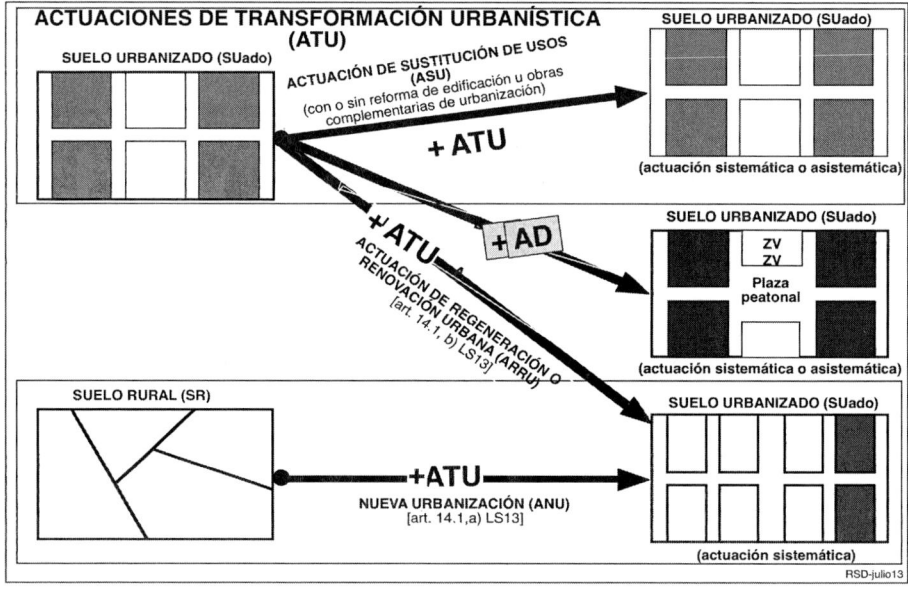

Fig. 9. Actuaciones de Transformación Urbanística (ATU) del art. 14.1 LS 2008, en redacción dada por la LRRRU)

Es decir, el incremento de aprovechamiento urbanístico conlleva en las Actuaciones de Dotación (**AD**) un incremento de las dotaciones públicas para compensar con este incremento el incremento de plusvalías derivadas de la operación urbanística.

Puede ser el caso de actuaciones aisladas o asistemáticas en SUado. Véanse los comentarios a la DT.2.ª de la LS 2008, no modificada por la LRRRU.

En resumen, las Actuaciones de Transformación Urbanística (ATU) pueden ser:

— **Actuaciones de Urbanización (AU):**

— Actuaciones de Nueva urbanización (**ANU**): SR—SUado.

— Actuaciones de Reforma o Renovación de un ámbito de SUado (**ARU**): SUado—SUado.

— **Actuaciones de Dotación (AD)**: Incremento de dotaciones públicas en un ámbito de SUado, para reajustar el porcentaje de dotaciones públicas con el incremento de Edificabilidad (E) o densidad (d) o nuevos usos (sistemática o asistemática).

Alguna normativa autonómica ha adaptado o ajustado su regulación o interpretación a lo dispuesto por el art. 14 LS 2008 que se comenta. En particular, en Cantabria, la Ley 7/2007, de 27 de diciembre, de Medidas Fiscales y de Contenido Financiero ha dejado redactado el art. 83.4 de la Ley 2/2001, de 25 de junio, de Ordenación Territorial y Régimen Urbanístico del Suelo de Cantabria, relativo a actuaciones de dotación, de la siguiente manera:

«Cuando la modificación del Plan suponga un incremento de la edificabilidad residencial o de la densidad se requerirá la proporcional y paralela previsión de mayores espacios libres y equipamientos a ubicar en un entorno razonablemente próximo. En suelo urbano consolidado, pueden ser sustituidas dichas cesiones por su equivalente económico previa valoración pericial por técnico municipal y conforme a lo dispuesto en la legislación del Estado».

En el País Vasco, el Decreto 105/2008, de 3 de junio, de medidas urgentes en desarrollo de la Ley 2/2006, de 30 de junio, de Suelo y Urbanismo ha afectado a la Ley 2/2006, de 30 de junio, de Suelo y Urbanismo. El art. 41 del Decreto 105/2008 está redactado en los siguientes términos:

«*Artículo 41*. Actuaciones de dotación.

1. A efectos de lo dispuesto en el artículo 137 de la Ley 2/2006, de Suelo y Urbanismo, se entenderá por actuación de dotación aquellas que tengan por objeto el levantamiento de la carga dotacional en supuestos de incremento de edificabilidad urbanística ponderada respecto a la previamente existente en los términos establecidos en los artículos 2 y 3 del presente Decreto.

2. Las actuaciones de dotación se aplicarán exclusivamente sobre solares o parcelas considerados individualmente y que, con carácter independiente de la liberación de la carga dotacional descrita anteriormente, sólo requieran para la adquisición de la condición de solar la realización previa o simultánea a la edificación de las obras complementarias de urbanización conforme a lo establecido en el artículo 195.1 de la Ley 2/2006, de Suelo y Urbanismo.

3. Las actuaciones de dotación podrán definirse mediante la composición, por una parte, de una parcela con edificabilidad urbanística sobre la que

se incrementa la edificabilidad urbanística ponderada y, por otra parte, una superficie de suelo que, aun con carácter discontinuo, tenga por exclusivo objeto el levantamiento de la carga dotacional prevista el en el artículo 25.2 de la Ley 2/2006».

En Cataluña, el Decreto-ley 1/2007, de 16 de octubre, de medidas urgentes en materia urbanística, ha dejado redactado los arts. 94.1, 94.5 y 94.6 del Decreto Legislativo 1/2005 de 26 de julio, por el que se aprueba el Texto refundido de la ley del Suelo de Cataluña, relativo a las actuaciones de dotación, de la siguiente manera:

«Artículo 94. Modificación de las figuras del planeamiento urbanístico.

1. La modificación de cualquiera de los elementos de una figura del planeamiento urbanístico se sujeta a las mismas disposiciones que rigen la formación, con las excepciones que se establezcan reglamentariamente y las particularidades siguientes:

a) En el caso de modificaciones de planes urbanísticos plurimunicipales cuya incidencia territorial quede limitada a un único término municipal, corresponde al ayuntamiento afectado por la modificación de acordar la aprobación inicial y la aprobación provisional.

b) En las modificaciones de los sistemas urbanísticos de espacios libres, zonas verdes o de equipamientos deportivos, en caso de falta de resolución definitiva dentro de plazo se entiende denegada la modificación, de acuerdo con el qué establece el artículo 95 de esta Ley.

c) En el caso de modificaciones de instrumentos de planeamiento general que comporten un **incremento del techo edificable, de la densidad del uso residencial o la transformación global de los usos** anteriormente previstos, tienen que especificar en la memoria la identidad de todas las personas propietarias o titulares de otros derechos reales sobre las fincas afectadas durante los cinco años anteriores al inicio del procedimiento de modificación, según conste en el registro o instrumento utilizado a efectos de identificación de las personas interesadas.

…

5. Cuando la modificación del planeamiento tiene por objeto una actuación aislada de dotación se tienen que **incrementar las reservas para zonas verdes, espacios libres y equipamientos** de acuerdo con las reglas siguientes:

a) Si la modificación comporta transformación de los usos preexistentes, se tienen que cumplir las reservas mínimas que establece el apartado 4.

b) Si la modificación comporta únicamente un incremento de techo edificable o de la densidad, se tienen que incrementar las reservas de acuerdo con el qué establecen los apartados 2 y 3 respectivamente.

c) En el caso que las reservas exigidas de acuerdo con las letras a y b no se puedan emplazar en el mismo ámbito, por razones de imposibilidad material, se pueden sustituir por el equivalente de su valor económico, que el ayuntamiento competente tiene que destinar a alimentar un fondo constituido para adquirir espacios libres o equipamientos de nueva creación en el municipio.

6. Las propuestas de modificación de una figura de planeamiento urbanístico tienen que razonar y justificar la necesidad de la iniciativa, y la oportunidad y la conveniencia con relación a los intereses públicos y privados concurrentes. El órgano competente para tramitar la modificación tiene que valorar adecuadamente la justificación de la propuesta y, en el caso de hacer una valoración negativa, tiene que denegarla.»

En Cataluña también se contiene la D.A Decimosexta, que afecta a las Actuaciones de Transformación Urbanística, ATU, con el siguiente tenor:

«Disposición Adicional Decimosexta. Actuaciones de transformación urbanística.

1. A efectos de la aplicación de la Ley estatal 8/2007, de 28 de mayo, de suelo, son actuaciones de transformación urbanística las actuaciones de nueva urbanización o bien de renovación o reforma de la urbanización y las de dotación, según el caso, destinadas a la ordenación y la transformación del suelo urbanizable y del suelo urbano no consolidado incluido en sectores de mejora urbana o en polígonos de actuación urbanística que tengan por objeto alguna de las finalidades a que hace referencia el artículo 68.2.ª de la Ley de urbanismo. Sin embargo, el suelo urbanizable no delimitado no se considera incluido en una actuación de transformación urbanística hasta que no se aprueba el correspondiente plan parcial urbanístico de delimitación.

2. Las actuaciones aisladas sobre suelos urbanos sujetas únicamente a cesión obligatoria y gratuita de vialidad para adquirir la condición de solares, y las actuaciones de alcance limitado para el ajuste, la ampliación o la mejora de la vialidad o de los espacios libres en suelo urbano no se consideran actuaciones de transformación urbanística a efectos de la aplicación de la Ley estatal de suelo, sin perjuicio de su sujeción a los deberes de cesión de suelo para sistemas que establece la legislación urbanística. Tampoco tienen la consideración de actuaciones de transformación urbanística, aquéllas que tienen por objeto la calificación de suelo con destino a vivienda dotacional pública la cual, por su condición

de sistema urbanístico de titularidad pública, no requiere incrementar las reservas para zonas verdes, espacios libres y equipamientos públicos ni está sujeta al deber de cesión de suelo con aprovechamiento.

3. A efectos de la aplicación de la Ley estatal 8/2007, de 28 de mayo, de suelo, son actuaciones de transformación urbanística de dotación aquellas actuaciones aisladas previstas en modificaciones del planeamiento, sobre terrenos que en origen tienen la condición de suelo urbano consolidado, y que tienen por objeto la ordenación y la ejecución de una actuación que, sin comportar una reordenación general de un ámbito, da lugar a la transformación de los usos preexistentes o al aumento del edificabilidad o de la densidad de determinadas parcelas y a la correlativa exigencia de mayores reservas para zonas verdes, para espacios libres y para equipamientos prevista en el artículo 94.5 de la Ley de urbanismo.

4. Cuando las actuaciones de dotación a que hace referencia el apartado 3 prevén techo residencial de nueva implantación están sujetos a las reservas de suelo para viviendas de protección pública que regula el artículo 57.3 y la disposición adicional decimonovena de la Ley de urbanismo. Las personas propietarias tienen que ceder el 10% del incremento del aprovechamiento urbanístico que comporte la actuación de dotación con respecto al aprovechamiento urbanístico preexistente y efectivamente materializado. El cumplimiento de los deberes de las personas propietarias se hace efectivo mediante el sistema y la modalidad de actuación que se establezca para la ejecución del polígono de actuación urbanística que a tal efecto se tiene que delimitar, el cual se puede referir a una única finca. En caso de que el planeamiento determine que, por el hecho de concurrir las circunstancias indicadas en el artículo 43.3 y en el artículo 94.5.c) de la Ley de urbanismo, respectivamente, el cumplimiento del deber de cesión del 10% del incremento del aprovechamiento urbanístico que comporte la actuación de dotación así como el cumplimiento del deber de cesión de las reservas de suelo para zonas verdes y equipamientos que establece el artículo 94.5 de la Ley de urbanismo se pueden sustituir por su equivalente dinerario, tiene que calcular el valor total de las cargas imputables a la actuación y las personas propietarias pueden cumplir el deber de pago sustitutorio de las cesiones, sin necesidad de aplicar ningún sistema ni modalidad de actuación, en el momento de otorgamiento de la licencia de obra nueva o de rehabilitación que habilite la mayor edificabilidad o densidad o el establecimiento del nuevo uso atribuido por la ordenación y como condición previa a la concesión de la licencia.

5. Las personas titulares de la iniciativa en las actuaciones de transformación urbanística están sujetas al régimen de derechos y deberes de la promoción y, en su caso, de la propiedad, que prevé la Ley es-

tatal de suelo, en los términos y alcance que, en función de la clase de suelo y tipo de actuación, establece la legislación urbanística. Las personas propietarias no titulares de la iniciativa también están sujetas al régimen de derechos y deberes de la propiedad que prevé la Ley estatal de suelo en los términos y alcance regulados en la legislación urbanística.»

3. TIPOS DE ACTUACIONES EDIFICATORIAS (AE) EN LA ACTUAL LS 2008

Por su parte (FIG.10), las **Actuaciones Edificatorias (AE)** pueden ser **Actuaciones de Nueva Edificación y de sustitución (ANES)** y las **Actuaciones de Rehabilitación Edificatoria (ARE).**

Ambos tipos de Actuaciones Edificatorias son definidos en la LS 2008 en la redacción de la LRRRU, y se presentan siempre que no concurran las condiciones establecidas para el caso de la Actuaciones de Transformación Urbanística, y a los solos efectos de lo dispuesto en la LS 2008.

Son **Actuaciones Edificatorias (AE)**, incluso cuando requieran obras complementarias de urbanización:

a) Las Actuaciones de Nueva Edificación y de Sustitución de la Edificación existente (**ANESE-ASEE**).

b) Las de **Actuaciones de Rehabilitación Edificatoria (ARE),** entendiendo por tales la realización de las obras y trabajos de mantenimiento o intervención en los edificios existentes, sus instalaciones y espacios comunes, en los términos dispuestos por la Ley 38/1999, de 5 de noviembre, de Ordenación de la Edificación.

En el caso de núcleos tradicionales se les aplicará lo dispuesto en el art. 14.3 LS 2008 en la redacción dada por la LRRRU. Puede verse también lo dispuesto por el art. 16.5 LS 2008, en la redacción dada por la LRRRU. En la FIG. 11 se esquematizan los conceptos básicos de las actuaciones edificatorias.

ACTUACIONES EDIFICATORIAS (AE)

Si no concurren las condiciones establecidas para
las ATU, incluso aunque requieran obras
complementarias de urbanización

Actuaciones de Nueva Edificación
(ANE) y de Actuaciones de Sustitución
de la Edificación existente (ASEE)

Actuaciones de Rehabilitación
Edificatoria (ARE)

Si no concurren las condiciones establecidas para
las ATU, incluso aunque requieran obras
complementarias de urbanización

RSD-julio13

Fig. 10. Actuaciones Edificatorias (AE) del art. 14.2 LS 2008, en la redacción
dada por la LRRRU

Se entiende por **actuaciones edificatorias**:

    a) Las de **nueva edificación o sustitución de la edificación existente y las de regeneración urbana**, que no se incluyan en las actuaciones previstas en el art. 14.1, incluso cuando requieran obras complementarias de urbanización.

    b) Las **actuaciones de rehabilitación edificatoria**.

A las **actuaciones sobre núcleos tradicionales** legalmente asentados en el medio rural les será de aplicación lo dispuesto en los apartados anterioresn(art. 14.1 y 2 LS13), de conformidad con la naturaleza que les atribuya su propia legislación, en atención a sus peculiaridades específicas.

RSD-julio13

Fig. 11. Actuaciones Edificatorias (AE) y Actuaciones sobre núcleos tradicionales (ANR) del art. 14.2 y 3 LS 2008, en la redacción dada por la LRRRU

4. PRESUNCIÓN DE INICIO Y TERMINACIÓN DE LAS ACTUACIONES DE TRANSFORMACIÓN URBANÍSTICA (ATU)

En el apartado 4 del art. 14 se determina desde la ley estatal cuándo se presumen iniciadas y terminadas las Actuaciones de Urbanización (AU), no determinándose, sin embargo, cuándo se presumen iniciadas y terminadas las Actuaciones de Dotación (AD).

— Las Actuaciones de Urbanización (AU) **se entienden iniciadas** en el momento en que, una vez aprobados y eficaces todos los instrumentos de ordenación y ejecución que requiera la legislación sobre ordenación territorial y urbanística para legitimar las obras de urbanización, **empiece la ejecución material de éstas**. La iniciación se presumirá cuando exista acta administrativa o notarial que dé fe del comienzo de las obras.

Requiere la previa aprobación y eficacia de todos los instrumentos de ordenación y ejecución que exija la legislación territorial y urbanística. El momento clave es el de inicio de la ejecución material de las obras de urbanización.

La iniciación se presumirá cuando exista acta administrativa o notarial que dé fe del comienzo de las obras de urbanización.

La caducidad de cualquiera de los instrumentos de planeamiento urbanístico o de ejecución mencionados restituye el suelo a la situación en que se hallaba al inicio de la actuación, es decir, a la situación de Suelo Rural (SR) o de SUado para el caso de las ARU.

— Las Actuaciones de Urbanización (AU) **se entienden terminadas** en el momento en que concluyan las obras de urbanización de conformidad con los instrumentos de planeamiento y ejecución que las legitiman, habiéndose cumplido los deberes y levantado las cargas correspondientes.

La terminación **se presumirá** a la recepción de las obras por la Administración o, en su defecto, al término del plazo en que debiera haberse producido la recepción desde su solicitud acompañada de certificación expedida por la dirección técnica de las obras.

Se plantea la LS 2008 la situación de unas obras de urbanización hipotéticamente terminadas pero que la Administración no ha recibido. Las leyes establecen un plazo para la recepción definitiva; transcurrido ese plazo debiera haberse producido tal recepción. Pero el certificado de terminación de las obras de la dirección técnica puede no ser aceptado por la Administración municipal. La LS 2008 no tiene competencia para dirimir esa controversia, que corresponde en sus aspectos generales a la legislación autonómica.

Artículo 16 LS 2008, en la redacción establecida por la LRRRU.

Según el artículo 14, regulador de los Deberes vinculados a la promoción de las actuaciones de transformación urbanística y a las actuaciones edificatorias:

«1. Las actuaciones de urbanización a que se refiere el artículo 14.1,a) comportan los siguientes deberes legales:

a) Entregar a la Administración competente el suelo reservado para viales, espacios libres, zonas verdes y restantes dotaciones públicas incluidas en la propia actuación o adscritas a ella para su obtención.

En estos suelos se incluirá, cuando deban formar parte de actuaciones de urbanización cuyo uso predominante sea el residencial, los que el instrumento de ordenación adscriba a la dotación pública de viviendas sometidas a algún régimen de protección, con destino exclusivo al alquiler, tanto en los supuestos en que así se determine por la legislación aplicable, como cuando de la memoria del correspondiente instrumento se derive la necesidad de contar con este tipo de viviendas de naturaleza rotatoria, y cuya finalidad sea atender necesidades temporales de colectivos con especiales dificultades de acceso a la vivienda. La entrega de estos suelos

no incrementará el cómputo de las reservas de suelo a que se refiere el primer párrafo de esta letra.

b) Entregar a la Administración competente, y con destino a patrimonio público de suelo, el suelo libre de cargas de urbanización correspondiente al porcentaje de la edificabilidad media ponderada de la actuación, o del ámbito superior de referencia en que ésta se incluya, que fije la legislación reguladora de la ordenación territorial y urbanística.

Con carácter general, el porcentaje a que se refieren los párrafos anteriores no podrá ser inferior al 5 por ciento ni superior al 15 por ciento.

La legislación sobre ordenación territorial y urbanística podrá permitir excepcionalmente reducir o incrementar este porcentaje de forma proporcionada y motivada, hasta alcanzar un máximo del 20 por ciento en el caso de su incremento, para las actuaciones o los ámbitos en los que el valor de las parcelas resultantes sea sensiblemente inferior o superior, respectivamente, al medio en los restantes de su misma categoría de suelo.

La legislación sobre ordenación territorial y urbanística podrá determinar los casos y condiciones en que quepa sustituir la entrega del suelo por otras formas de cumplimiento del deber, excepto cuando pueda cumplirse con suelo destinado a vivienda sometida a algún régimen de protección pública en virtud de la reserva a que se refiere la letra b) del apartado primero del artículo 10.

c) Costear y, en su caso, ejecutar todas las obras de urbanización previstas en la actuación correspondiente, así como las infraestructuras de conexión con las redes generales de servicios y las de ampliación y reforzamiento de las existentes fuera de la actuación que ésta demande por su dimensión y características específicas, sin perjuicio del derecho a reintegrarse de los gastos de instalación de las redes de servicios con cargo a sus empresas prestadoras, en los términos que se estipulen en los convenios que al efecto se suscriban y que deberán ser aprobados por la Administración actuante. En defecto de acuerdo, dicha Administración decidirá lo procedente.

Entre las obras e infraestructuras a que se refiere el párrafo anterior, se entenderán incluidas las de potabilización, suministro y depuración de agua que se requieran conforme a su legislación reguladora y la legislación sobre ordenación territorial y urbanística podrá incluir asimismo las infraestructuras de transporte público que se requieran para una movilidad sostenible.

d) Entregar a la Administración competente, junto con el suelo correspondiente, las obras e infraestructuras a que se refiere la letra anterior que deban formar parte del dominio público como soporte inmueble de las instalaciones propias de cualesquiera redes de dotaciones y servicios, así como también dichas instalaciones cuando estén destinadas a la prestación de servicios de titularidad pública.

e) Garantizar el realojamiento de los ocupantes legales que se precise desalojar de inmuebles situados dentro del área de la actuación y que constituyan su residencia habitual, así como el retorno cuando tengan derecho a él, en los términos establecidos en la legislación vigente.

f) Indemnizar a los titulares de derechos sobre las construcciones y edificaciones que deban ser demolidas y las obras, instalaciones, plantaciones y sembrados que no puedan conservarse.

2. Cuando se trate de las actuaciones de dotación a que se refiere el artículo 14.1,b), los deberes anteriores se exigirán con las siguientes salvedades:

a) El deber de entregar a la Administración competente el suelo libre de cargas de urbanización correspondiente al porcentaje de la edificabilidad media ponderada de la actuación, o del ámbito superior de referencia en que ésta se incluya, que fije la legislación reguladora de la ordenación territorial y urbanística, se determinará atendiendo sólo al incremento de la edificabilidad media ponderada que, en su caso, resulte de la modificación del instrumento de ordenación. Dichas plusvalías, que podrán convertirse a metálico, se destinarán a costear la parte de financiación pública que pudiera estar prevista en la propia actuación, o a patrimonio público de suelo, con destino a actuaciones de rehabilitación o de regeneración y renovación urbanas.

b) El deber de entregar a la Administración competente el suelo para dotaciones públicas relacionado con el reajuste de su proporción, podrá sustituirse, en caso de imposibilidad física de materializarlo en el ámbito correspondiente, por la entrega de superficie edificada o edificabilidad no lucrativa, en un complejo inmobiliario, situado dentro del mismo, tal y como prevé el artículo 17.4, o por otras formas de cumplimiento del deber en los casos y condiciones en que así lo prevea la legislación sobre ordenación territorial y urbanística.

3. En relación con las actuaciones edificatorias serán exigibles, de conformidad con su naturaleza y alcance, los deberes referidos en las letras e) y f) del apartado 1 de este artículo, así como el de completar la urbanización de los terrenos con los requisitos y condiciones establecidos para su edificación.

4. Con independencia de lo establecido en los apartados anteriores, con carácter excepcional y siempre que se justifique adecuadamente que no cabe ninguna otra solución técnica o económicamente viable, los instrumentos de ordenación urbanística podrán eximir del cumplimiento de los deberes de nuevas entregas de suelo que les correspondiesen, a actuaciones sobre zonas con un alto grado de degradación e inexistencia material de suelos disponibles en su entorno inmediato. La misma regla podrá aplicarse a los aumentos de la densidad o edificabilidad que fueren precisos para sustituir la infravivienda por vivienda que reúna los requisitos legalmente exigibles, con destino al realojamiento y el retorno que exija la correspondiente actuación.

5. Las actuaciones sobre núcleos tradicionales legalmente asentados en el medio rural, comportarán los deberes legales establecidos en los números anteriores, de acuerdo con las características que a éstos atribuya su propia legislación.

6. Los terrenos incluidos en el ámbito de las actuaciones y los adscritos a ellas están afectados, con carácter de garantía real, al cumplimiento de los deberes de los apartados anteriores. Estos deberes se presumen cumplidos con la recepción por la Administración competente de las obras de urbanización o de rehabilitación y regeneración o renovación urbanas correspondientes, o en su defecto, al término del plazo en que debiera haberse producido la recepción desde su solicitud acompañada de certificación expedida por la dirección técnica de las obras, sin perjuicio de las obligaciones que puedan derivarse de la liquidación de las cuentas definitivas de la actuación.»

CONCORDANCIAS

CE: 33, 47, 132
LS 2008: Arts. 2, 3, 4, 5, 6, 7, 9, 13, 14, 18, 19, 20

JURISPRUDENCIA

16.1,a): STS de 26.06.2007 (LA LEY: 79825/2007), STS de 26.12.2012 (LA LEY 211283/2012), STS de 26.06.2007 (LA LEY 79825/2007), STS de 21.07.2011 (LA LEY 120141/2011), STS de 23.09.2009 (LA LEY 192085/2009), STS de 22.11.2012 (LA LEY 181234/2012)

16.1,b) STS de 31.05.2006 (LA LEY 62842/2006), STS de 27.02.2007 (LA LEY 20527/2007), STS de 16.7.2007 (LA LEY 79679/2007), STS de 7.09.2007 (LA LEY 132507/2007), STS de 25.03.2010 (LA LEY 4152/2010)

STS de 16.07.2007 (LA LEY 79679/2007), STS de 7.09.2007 (LA LEY 132507/2007)

16.1,d): 23.09.2009 (LA LEY 192085/2009), STS de 26.04.2010 (LA LEY 34292/2010)

STS de 20.07.2012 (LA LEY-109432/2012), STS 22/11/2012-LA LEY— 181234/2012

STS de 25/01/1999 (LA LEY 2887/1999), STS de 10.02.2010 (LA LEY 41132/2010, STS de 2.02.2011 (LA LEY 2859/2011)

TRAMITACIÓN PARLAMENTARIA

El texto de este artículo ha sufrido, a su paso por el Congreso de los Diputados una modificación en el segundo párrafo del Apartado 1, letra a), al suprimirse el último inciso de la citada letra. También se ha modificado el texto inicial del Apartado 2,a).

Las enmiendas que se han producido en el Congreso han sido las planteadas por el Grupo Parlamentario de IU, ICV-EUiA, CHA: La Izquierda Plural, n.º 36 a la letra a) del Apartado 2 de este artículo, que no fue aceptada. Tampoco lo fue la enmienda n.º 37 del mismo Grupo Parlamentario al Apartado 4 del mismo artículo. La enmienda n.º 81 del Grupo Parlamentario Vasco, que pretendía la supresión de la letra f) del Apartado 1 y la supresión de los Apartados 2 y 4. La enmienda del Grupo Socialista n.º 132, de modificación de la letra a) del Apartado 2, fue, en parte, admitida. La enmienda n.º 174 del Grupo Parlamentario Catalán, a la letra a) del segundo párrafo del Apartado 1, en parte si fue aceptada en la medida que se ha suprimido el último inciso de la citada letra. También, en parte, ha sido admitida la enmienda n.º 175 de este mismo Grupo Parlamentario a la letra a) del Apartado 2 de este artículo. La enmienda n.º 176 de este mismo Grupo Parlamentario al Apartado 4, no fue admitida.

El texto del art. 16 que se publica en el BOCG n.º 45-1 de fecha 12.04.2013 es el siguiente:

«Deberes vinculados a la promoción de las actuaciones de transformación urbanística y a las actuaciones edificatorias.

1. Las actuaciones de urbanización a que se refiere el artículo 14.1,a) comportan los siguientes deberes legales:

a) Entregar a la Administración competente el suelo reservado para viales, espacios libres, zonas verdes y restantes dotaciones públicas incluidas en la propia actuación o adscritas a ella para su obtención.

En estos suelos se incluirá, cuando deban formar parte de actuaciones de urbanización cuyo uso predominante sea el residencial, los que el instrumento de ordenación adscriba a la dotación pública de viviendas sometidas a algún régimen de protección, con destino exclusivo al alquiler, tanto en los supuestos en que así se determine por la legislación aplicable, como cuando de la memoria del correspondiente instrumento se derive la necesidad de contar con este tipo de viviendas de naturaleza rotatoria, y cuya finalidad sea atender necesidades temporales de colectivos con especiales dificultades de acceso a la vivienda. La entrega de estos suelos no incrementará el cómputo de las reservas de suelo a que se refiere el primer párrafo de esta letra.

b) Entregar a la Administración competente, y con destino a patrimonio público de suelo, el suelo libre de cargas de urbanización correspondiente al porcentaje de la edificabilidad media ponderada de la actuación, o del ámbito superior de referencia en que ésta se incluya, que fije la legislación reguladora de la ordenación territorial y urbanística.

Con carácter general, el porcentaje a que se refieren los párrafos anteriores no podrá ser inferior al 5 por ciento ni superior al 15 por ciento.

La legislación sobre ordenación territorial y urbanística podrá permitir excepcionalmente reducir o incrementar este porcentaje de forma proporcionada y motivada, hasta alcanzar un máximo del 20 por ciento en el caso de su incremento, para las actuaciones o los ámbitos en los que el valor de las parcelas resultantes sea sensiblemente inferior o superior, respectivamente, al medio en los restantes de su misma categoría de suelo.

La legislación sobre ordenación territorial y urbanística podrá determinar los casos y condiciones en que quepa sustituir la entrega del suelo por otras formas de cumplimiento del deber, excepto cuando pueda cumplirse con suelo destinado a vivienda sometida a algún régimen de protección pública en virtud de la reserva a que se refiere la letra b) del apartado primero del artículo 10.

c) Costear y, en su caso, ejecutar todas las obras de urbanización previstas en la actuación correspondiente, así como las infraestructuras de conexión con las redes generales de servicios y las de ampliación y reforzamiento de las existentes fuera de la actuación que ésta demande por su dimensión y características específicas, sin perjuicio del derecho a reintegrarse de los gastos de instalación de las redes de servicios con cargo a sus empresas prestadoras, en los términos que se estipulen en los convenios que al efecto se suscriban y que deberán ser aprobados por la Administración actuante. En defecto de acuerdo, dicha Administración decidirá lo procedente.

Entre las obras e infraestructuras a que se refiere el párrafo anterior, se entenderán incluidas las de potabilización, suministro y depuración de agua que se requieran conforme a su legislación reguladora y la legislación sobre ordenación territorial y urbanística podrá incluir asimismo las infraestructuras de transporte público que se requieran para una movilidad sostenible.

d) Entregar a la Administración competente, junto con el suelo correspondiente, las obras e infraestructuras a que se refiere la letra anterior que deban formar parte del dominio público como soporte inmueble de las instalaciones propias de cualesquiera redes de dotaciones y servicios, así como también dichas instalaciones cuando estén destinadas a la prestación de servicios de titularidad pública.

e) Garantizar el realojamiento de los ocupantes legales que se precise desalojar de inmuebles situados dentro del área de la actuación y que constituyan su residencia habitual, así como el retorno cuando tengan derecho a él, en los términos establecidos en la legislación vigente.

f) Indemnizar a los titulares de derechos sobre las construcciones y edificaciones que deban ser demolidas y las obras, instalaciones, plantaciones y sembrados que no puedan conservarse.

2. Cuando se trate de las actuaciones de dotación a que se refiere el artículo 14.1,b), los deberes anteriores se exigirán con las siguientes salvedades:

a) El deber de entregar a la Administración competente el suelo libre de cargas de urbanización correspondiente al porcentaje de la edificabilidad media ponderada de la actuación, o del ámbito superior de referencia en que ésta se incluya, que fije la legislación reguladora de la ordenación territorial y urbanística, se determinará atendiendo sólo al incremento de la edificabilidad media ponderada que, en su caso, resulte de la modificación del instrumento de ordenación. Dichas plusvalías, que podrán convertirse a metálico, se destinarán a costear la parte de financiación pública que pudiera estar prevista en la propia actuación, o a patrimonio público de suelo, con destino a actuaciones de rehabilitación o de regeneración y renovación urbanas.

b) El deber de entregar a la Administración competente el suelo para dotaciones públicas relacionado con el reajuste de su proporción, podrá sustituirse, en caso de imposibilidad física de materializarlo en el ámbito correspondiente, por la entrega de superficie edificada o edificabilidad no lucrativa, en un complejo inmobiliario, situado dentro del mismo, tal y como prevé el artículo 17.4, o por otras formas de cumplimiento del deber en los casos y condiciones en que así lo prevea la legislación sobre ordenación territorial y urbanística.

3. En relación con las actuaciones edificatorias serán exigibles, de conformidad con su naturaleza y alcance, los deberes referidos en las letras e) y f) del apartado 1 de este artículo, así como el de completar la urbanización de los terrenos con los requisitos y condiciones establecidos para su edificación.

4. Con independencia de lo establecido en los apartados anteriores, con carácter excepcional y siempre que se justifique adecuadamente que no cabe ninguna otra solución técnica o económicamente viable, los instrumentos de ordenación urbanística podrán eximir del cumplimiento de los deberes de nuevas entregas de suelo que les correspondiesen, a actuaciones sobre zonas con un alto grado de degradación e inexistencia material de suelos disponibles en su entorno inmediato. La misma regla podrá aplicarse a los aumentos de la densidad o edificabilidad que fueren precisos para sustituir la infravivienda por vivienda que reúna los requisitos legalmente exigibles, con destino al realojamiento y el retorno que exija la correspondiente actuación.

5. Las actuaciones sobre núcleos tradicionales legalmente asentados en el medio rural, comportarán los deberes legales establecidos en los números anteriores, de acuerdo con las características que a éstos atribuya su propia legislación.

6. Los terrenos incluidos en el ámbito de las actuaciones y los adscritos a ellas están afectados, con carácter de garantía real, al cumplimiento de los deberes de los apartados anteriores. Estos deberes se presumen cumplidos con la recepción por la Administración competente de las obras de urbanización o de rehabilitación y regeneración o renovación urbanas correspondientes, o en su defecto, al término del plazo en que debiera haberse producido la recepción desde su solicitud acompañada de certificación expedida por la dirección técnica de las obras, sin perjuicio de las obligaciones que puedan derivarse de la liquidación de las cuentas definitivas de la actuación.»

El texto definitivo es el que ya ha quedado expuesto más arriba, pues tras el paso del texto por el Congreso, en el Senado no fue admitida ninguna enmienda.

COMENTARIO

Sumario

2. Deberes específicos de los titulares de la promoción de las Actuaciones de Transformación Urbanística —ATU— en la LS 2008, en la redacción dada por la LRRRU.

   2.1. Los deberes de la promoción de las Actuaciones de Transformación Urbanística.

      2.1.1. Entregar a la Administración el suelo para viales, espacios libres, zonas verdes y restantes dotaciones públicas incluidas o adscritas a ella para su obtención.

      2.1.2. Entregar a la Administración el suelo, libre de cargas, correspondiente al porcentaje de la edificabilidad media ponderada de la actuación, o del ámbito superior de referencia que fije la legislación reguladora de la ordenación territorial y urbanística.

      2.1.3. Costear y, en su caso, ejecutar todas las obras de urbanización, así como las infraestructuras de conexión, ampliación y refuerzo.

      2.1.4. Entregar a la Administración, las obras e infraestructuras a que se refiere la letra anterior que deban formar parte del dominio público.

      2.1.5. Garantizar el realojamiento y el retorno de los ocupantes legales, cuando tengan derecho a ello y en los términos establecidos en la legislación vigente.

      2.1.6. Indemnizar a los titulares de derechos que deban extinguirse o que no puedan conservarse.

3. Cumplimiento de deberes y presunción a la recepción de las obras en las ATU.

4. Nulidad de convenios con obligaciones más gravosas en perjuicio de los propietarios en las ATU.

5. Los deberes de la promoción en las actuaciones de dotación.

6. Los deberes de la promoción de las actuaciones edificatorias.

7. Especialidades de carácter excepcional de las entregas de terrenos.

   7.1. En zonas degradadas o ante inexistencia de suelo.

   7.2. En supuestos de sustitución de infravivienda, para realojamiento o retorno.

   7.3. Especialidad de las actuaciones sobre núcleos tradicionales legalmente asentados en el medio rural.

   7.4. Presunción de cumplimiento de los deberes.

1. ANTECEDENTES. LOS DEBERES DE LA PROMOCIÓN DE LA TRANSFORMACIÓN URBANÍSTICA EN LA LEY DEL SUELO DE 1992 Y EN LA LEY SOBRE RÉGIMEN DEL SUELO Y VALORACIONES DE 1998

Como antecedentes de los deberes de la promoción, tanto en la LS92 como en la LrS98 están los deberes de los propietarios de suelo urbano y urbanizable programado en la LS92 y de suelo urbano no consolidado por la urbanización y suelo urbanizable sectorizado en la LrS98, transcritos en los comentarios al art. 9 LS 2008 (y la FIG. 12-3), que se reproducen casi totalmente en la LS 2008, como deberes de la promoción, menos en la cuantía del porcentaje de cesión-entrega de suelo sustentante de aprovechamiento y en la equidistribución, y de los que aquí se hará un breve recordatorio.

Como ya se ha indicado, la diferencia de que los citados deberes sean de la propiedad o de quien sea el titular de la promoción urbanística, es esencial; en la LS 2008 en su versión originaria, el derecho a urbanizar o completar la urbanización, o el derecho a la promoción ya no es del propietario de suelo sino de un agente promotor, no necesariamente propietario de suelo, sin perjuicio de la posibilidad, en todo caso, de que el propietario de suelo participe en las Actuaciones de Transformación Urbanística o sea realmente el agente promotor, de acuerdo con las excepciones señaladas en la propia LS 2008 y contenga la correspondiente Ley autonómica. La modificación de la LRRRU ha ampliado más las posibilidades de la iniciativa de los propietarios de suelo que con mayor frecuencia se pueden convertir en promotores de la ATU.

Dichos deberes se enumeran a continuación, aunque ya se ha hecho referencia a ellos en el apartado primero de los comentarios al art. 9 LS 2008.

1.1. Los deberes del propietario de suelo en la Ley del Suelo de 1992

Se hará una breve referencia a los deberes de los propietarios de suelo (64) en suelo urbano y urbanizable programado conforme a la LS92 (con una regulación común), y se podrá confirmar que son parecidos en cuanto al proceso a los que estableció, posteriormente, la LrS98.

Los deberes urbanísticos de los propietarios de suelo urbano y urbanizable establecidos en los arts. 19 a 21 LS92 fueron admitidos como constitucionales por la STC 61/1997, pero posteriormente fueron derogados por la LrS98 como legislación estatal; sin embargo, previamente a la entrada en vigor de ésta habían sido asumidos como legislación propia en su práctica totalidad, al menos, por Andalucía, Cantabria y Extremadura; y otras muchas Comunidades Autónomas habían asumido sus técnicas esenciales y, aunque devinieron, posteriomente, inaplicables por la LrS98, dada la semejanza entre ellos y los que imponía la LrS98 se puede afirmar la pervivencia de parte de su regulación en dichas Comunidades Autónomas, como regulación complementaria urbanística de la LrS98, en todo lo que no se opusieran a lo dispuesto por ésta.

---

(64) Más propiamente, deberes y cargas.

El conjunto de **deberes urbanísticos** que se establecían para el suelo urbano y el suelo urbanizable programado en la LS92 (con una regulación similar, aunque había especialidades en suelo urbano según el grado de aplicación de la ley) puede listarse de la siguiente manera:

- El primer deber era el de **incorporarse** al proceso urbanizador y edificatorio, en las condiciones y plazos establecidos en el planeamiento o legislación aplicable, lo que obligaba al propietario a actuar, a riesgo de ser declarado incumplidor. Obsérvese que este deber es, de acuerdo con los principios de la LS 2008, inexistente para el propietario de suelo, en cuanto a tal, ya que no hay deber de incorporarse, sino un derecho a adoptar por los propietarios de suelo, u otros, de participar en la ATU, solos o con el titular de la promoción.

- Deber de **equidistribución de beneficios y cargas** (en suelo urbano de los municipios de aplicación «parcial» de la LS92 sólo se producía propiamente una cierta equidistribución en los casos de ejecución sistemática). En el art. 16 LS 2008 ha desaparecido este deber equivalente para la promoción de las ATU, sin perjuicio de que siempre que exista algún propietario en la promoción que desee participar con el urbanizador o sea él el urbanizador, ha de participar con arreglo al principio de equitativa distribución de beneficios y cargas.

- Deber de **cesión de los terrenos destinados a dotaciones públicas** (es un puro deber de equidistribución; con la LS 2008 es deber del promotor).

- Deber de **cesión de los terrenos en que se localice el exceso de aprovechamiento** o adquirirlo a valor urbanístico (diferencia entre el aprovechamiento objetivo de plan y el subjetivo por atribución; con la LS 2008 es deber del promotor).

- Deber de **urbanizar** o costear la urbanización (con la LS 2008 es deber del promotor).

- Deber de **solicitar la licencia** de edificación, previo el cumplimiento de los deberes de equidistribución, cesión y urbanización (con la LS 2008 es deber del propietario).

- Deber de **edificar** los solares en el plazo fijado por la licencia (con la LS 2008 es deber del propietario).

- Deberes de **destinar los terrenos y construcciones al uso** previsto por el planeamiento, **conservar** los terrenos y edificaciones en condiciones de seguridad, salubridad y ornato públicos, y de **cumplir las normas sobre rehabilitación urbana, sobre protección del medio ambiente** y **sobre pro-**

tección de los patrimonios arquitectónicos y arqueológicos (con la LS 2008 es deber del propietario).

1.2. Los deberes del propietario de suelo en la LrS98

1.2.1. *Los deberes básicos de los propietarios de suelo urbano en la LrS98*

En la LrS98 se diferenciaba claramente entre los deberes del Suelo Urbano Consolidado, por un lado, y los del Suelo Urbano No Consolidado y el Suelo Urbanizable, por otro. En efecto, en la LrS98 se establecían **dos categorías de suelo urbano** y otras dos de suelo urbanizable a efectos de la determinación de los deberes de los propietarios del suelo.

La definición de lo que debía ser Suelo Urbano Consolidado y Suelo Urbano No Consolidado era competencia de las leyes urbanísticas de las Comunidades Autónomas.

Como aproximación grosera de dichos conceptos (65), de acuerdo con algunas leyes autonómicas, el suelo urbano consolidado por la urbanización podría estar, en principio, constituido por terrenos que ya cumplen la condición de solar o que para cumplirla no requieren más que la realización de algún elemento parcial de urbanización u otros. En la mayoría de las Comunidades Autónomas —conforme a su propia legislación— se confirmaba la correspondencia de la expresión indicada con dicho concepto. Por otra parte, podría ser suelo urbano consolidado por la urbanización el que se ha acuñado también tradicionalmente como suelo urbano **asistemático, es decir, que no precisa de un ámbito de ejecución sistemático** (unidad de ejecución o términos análogos). El suelo restante podría ser Suelo Urbano No Consolidado por la urbanización (66).

A. Deberes básicos del propietario en Suelo Urbano Consolidado por la Urbanización (SUC) con la LrS98

Los deberes de los propietarios de suelo en Suelo Urbano Consolidado eran (FIG. 12-3) «… **completar** a su costa **la urbanización** necesaria para que los mismos alcancen —si aún no la tuvieran— la condición de solar, y **edificarlos en plazo si** se encontraran en ámbitos para los que así se hubiera establecido por el planeamiento y de conformidad con el mismo. (art. 14.1 LrS98).

---

(65) El análisis detallado de esos conceptos merecería un espacio mayor que el presente. Los derechos y deberes de los propietairos en la LRRRU han tendido a parecerse algo más.

(66) Obsérvese la diversidad de definiciones que podían resultar de las 18 posibles regulaciones urbanísticas, de forma que en los dos extremos de ellas podían estar las Comunidades Autónomas que se fijaran en la definición en las obras de urbanización (interpretación literal) y las que se fijaran en la generación de plusvalías (interpretación de participación en el rescate de las mismas).

Se han producido importantes matizaciones respecto de la posibilidad de cesión de suelo exterior a alineaciones o de equidistribución en esta categoría de suelo e importantes resoluciones jurisprudenciales al respecto del Tribunal Constitucional. Respecto del hipotético deber de equidistribución en esta categoría de suelo se ha producido un interesante debate doctrinal que, con la entrada en vigor de la LS 2008, debería perder parte de su importancia (dado que es claro que puede haber equidistribución en las actuaciones de dotación). Y debería volver la quietud tras la LRRRU ya que en suelo urbanizado confirma que puede ser necesaria la equidistribución.

B. Deberes básicos del propietario en Suelo Urbano No Consolidado por la urbanización (SUNC) con la LrS98

En este SUNC (parcialmente análogo al nuevo Suelo Rural apto para Actuaciones de Transformación Urbanística, SRATU) junto con el Suelo Urbanizable, como se verá en el apartado 2 —relativo a la regulación de las ATU en la LS 2008—, es donde se da la auténtica transformación urbanística, es decir, es preciso realizar en los correspondientes terrenos operaciones de transformación física y jurídica de los terrenos, es decir, operaciones de urbanización y de redistribución dominical y cesiones de terrenos.

Como una primera aproximación, los deberes conceptuales inherentes al proceso de Transformación Urbanística pueden estructurarse de la siguiente manera:

- Deber de Equidistribución de los beneficios y cargas derivados del planeamiento entre todos los participantes en la actuación, excepto si la Administración opta por el sistema de expropiación.

- Deber de Cesión o entrega de suelo (que se sustancia en el proyecto de equidistribución de beneficios y cargas):

  — no lucrativo: para viales, espacios libres, zonas verdes y dotaciones públicas de carácter local y, en su caso, para sistemas generales.

  — lucrativo: el correspondiente al porcentaje del aprovechamiento medio del ámbito con la LrS98 —o del exceso existente— o del porcentaje de la edificabilidad media ponderada —del aprovechamiento medio o tipo— del correspondiente ámbito (porcentaje establecido en la LS 2008 como máximo o mínimo, que podrá ser reducido o ampliado, dentro de los márgenes fijados, por la legislación urbanística).

- Deber de Urbanización, a través de costear las obras de urbanización:

  — correspondientes a la totalidad del suelo lucrativo que se les adjudique a los interesados o, en su caso, ejecutar la urbanización.

— correspondientes, en todo caso con la LS 2008, al suelo lucrativo adjudicado a la Administración por el correspondiente porcentaje del aprovechamiento del ámbito (de la edidficabilidad medio ponderada).

- Deber de Edificar, en su caso, los solares en plazo, que era un deber del propietario de suelo (y puede ser un deber de éste o, en su caso, del promotor de la ATU).

De donde se desprende que los deberes centrales del proceso urbanizador, son, como no podía ser de otro modo, los tradicionales deberes de Equidistribución, Cesión y Urbanización. Deberes que se amplían con el deber de conectar con los sistemas generales exteriores y, en su caso, con el deber de Edificar.

Los deberes de Equidistribución, Cesión y Urbanización podían agruparse en concreto con la LrS98 en un mismo apartado —al menos formalmente— dado que en las operaciones sistemáticas (en unidades de ejecución, polígonos o unidades de actuación) los deberes de equidistribución y cesión se materializan, precisamente, en el momento de la aprobación —y firmeza en vía administrativa— del proyecto de distribución de beneficios y cargas, ya sea un Proyecto de compensación o de reparcelación, u otro establecido por la legislación urbanística autonómica, en cuyo momento se produce la sustitución jurídica de las fincas aportadas por las parcelas resultantes, dándose por cumplida la distribución de beneficios y cargas entre propietarios de suelo y resultando la Administración actuante adjudicataria tanto de los terrenos no lucrativos de cesión obligatoria «y gratuita» que le correspondan, como de los terrenos lucrativos que, conforme a lo establecido en la legislación autonómica le corresponda [y, en su defecto, para Ceuta y Melilla, el 15% del aprovechamiento del ámbito, DF.1.ª, punto 4, b) LS 2008 en la redacción dada por la LRRRU, «que el plan general podrá disminuir hasta el 10% o incrementar hasta el veinte por ciento, motivada y proporcionadamente»].

Y se podría incluir también el cumplimiento del deber de urbanización, aunque no sea rigurosa esta inclusión —ya que el deber de costeamiento o de ejecución de la urbanización se satisface en la fase de ejecución material de la misma—, porque la cuantía de los gastos de urbanización (coste de las obras, proyectos, publicaciones, indemnizaciones, etc.) deberá entrar como un «input» en el correspondiente proyecto de distribución de beneficios y cargas; y, sobre todo, porque en la inscripción en el Registro de la Propiedad de las parcelas resultantes adjudicadas se anotará marginalmente (como carga real) el saldo de la cuenta de liquidación provisional (67).

Esquemáticamente, los deberes de los propietarios de SUNC, conforme al art. 14.2 LrS98 eran:

---

(67)   Respecto del proyecto de equidistribución pueden verse los comentarios al art. 18 LS 2008.

a) **Deber de ceder a la Administración el suelo necesario para los viales, espacios libres, zonas verdes y dotaciones públicas de carácter local al servicio del ámbito de desarrollo** [obsérvese el parecido con el contenido del deber del art. 16.1, a) LS 2008]

b) **Deber de ceder el suelo necesario para la ejecución de los sistemas generales** [obsérvese el parecido con el contenido del deber del art. 16.1, a) LS 2008]

c) **Deber de ceder a la Administración actuante, como máximo, el suelo correspondiente al diez por ciento del aprovechamiento del correspondiente ámbito** [obsérvese el parecido conceptual con el contenido del deber del art. 16.1, b) LS 2008]

d) **Deber de proceder a la distribución equitativa de los beneficios y cargas con anterioridad al inicio de la ejecución material** [deber que no se explicita como tal para el promotor en la LS 2008, pero que nutre toda la ley como mandato a las leyes autonómicas siempre que participe un propietario de suelo en la ejecución de la ATU].

e) **Deber de costear y, en su caso, ejecutar la urbanización** [obsérvese el parecido con el contenido del deber del art. 16.1, c) LS 2008]

f) **Deber de edificar, en su caso, los solares en plazo** (ya no es un deber de la promoción sino un derecho del propietario, conforme al art. 8.5, b) LS 2008, e incluso un deber del propietario, conforme al art. 9.6 LS 2008).

1.2.2. *Los deberes básicos de los propietarios de suelo urbanizable en la LrS98*

La LrS98 establecía dos categorías diferentes de Suelo Urbanizable a efectos de los derechos y deberes del propietarios del suelo: **Suelo Urbanizable Sectorizado y Suelo Urbanizable No Sectorizado.** El suelo en el que se preveía el desarrollo urbanístico inmediato era el primero de ellos, de forma que en la LrS98 se establecían los deberes del propietario de suelo urbanizable de manera semejante a los que tenía en Suelo Urbano No consolidado (art. 18 LrS98):

1) Deber de ceder a la Administración el suelo necesario para los viales, espacios libres, zonas verdes y dotaciones públicas de carácter local al servicio del sector o ámbito de desarrollo.

2) Deber de ceder el suelo necesario para la ejecución de los sistemas generales.

3) Deber de costear y, en su caso, ejecutar las infraestructuras de conexión con los sistemas generales exteriores a la actuación y, en su caso, las obras necesarias para la ampliación o refuerzo.

4) Deber de ceder a la Administración actuante, como máximo, el suelo correspondiente al diez por ciento del aprovechamiento del sector, o ámbito correspondiente.

5) Deber de proceder a la distribución equitativa de los beneficios y cargas.

6) Deber de costear o ejecutar la urbanización del sector o ámbito correspondiente.

7) Deber de edificar, en su caso, los solares en plazo.

Con todo ello, en la FIG. 12 se observan los deberes de los promotores de la Actuación de Transformación Urbanística en la LS 2008 en la redacción de la LRRRU y se comprueba más adelante, en la FIG. 13, que los deberes de la promoción en la LS 2008, en la redacción dada por la LRRRU, son (excepto el deber de edificar), prácticamente, parecidos a los deberes de los propietarios de suelo en la LRS98, que tradicionalmente —tanto en la LS92 como en la LrS98— existían en la legislación española, dado que, en el fondo, eran los deberes inherentes al proceso de transformación urbanística.

1. En actuaciones del   14, 1, a), ATU, los deberes serán:

a) Entregar a la Administración el suelo para viales, espacios libres, zonas verdes y demás incluidas en la propia actuación o adscritas para su obtención. Se incluirá suelo para dotación pública de viviendas sometidas a algún régimen de protección, con destino exclusivo al alquiler.

b) Entregar a la Administración el suelo libre de cargas correspondiente al % de la edificabilidad medida ponderada de la actuación, o del ámbito superior de referencia, que fije la legislación.
En general, el % no podrá ser inferior al 5% ni superior al 15%.
La ley podrá permitir por excepción reducir el % o incrementarlo hasta el máx. del 20%. Y cuaándo se podrá sustituir por metálico.

c) Costear y ejecutar todas las obras de urbanización, así como las infraestructuras de conexión con las redes generales. Y ampliación o reforzamiento.
Especial las de potabilización, sumimistro y depuración de agua; e infraestrucdturas de transporte.

d) Entregar a la Administración, junto con el suelo, las obras e infraestructuras que pasen a dominio público, así como las instalaciones de prestación de servicios públicos.

e) Garantizar el realojamiento de los ocupantes legales que se precise desalojar de inmuebles situados dentro del área de la actuación y que constituyan su residencia habitual, así como el retorno cuando tengan derecho a él, en los términos establecidos en la legislación vigente.

f) Indemnizar a los titulares de derechos sobre las construcciones y edificaciones que deban ser demolidas y las obras, instalaciones, plantaciones y sembrados que no puedan conservarse.

RSD-julio.13

Fig. 12. Deberes de la promoción en las ATU del art. 14, a) LS 2008,
en la redacción dada por la LRRRU (art. 16.1 LS 2008)

DEBERES DE	
LOS PROPIETARIOS DE SUELO EN SUNC Y SUble EN LA LrS98	**LA PROMOCIÓN DE LAS ATU EN LA LS 2008 según la LRRRU**
1) **Ceder el suelo para los viales, espacios libres, zonas verdes y dotaciones públicas de carácter local** al servicio del ámbito de desarrollo. 2) **Ceder el suelo para la ejecución de los sistemas generales** que el planeamiento general, en su caso, incluya en el ámbito correspondiente.	a) **Entregar a la Administración el suelo para viales, espacios libres, zonas verdes y restantes dotaciones públicas** incluidas o adscritas a la actuación. Se incluirá, en su caso, el suelo para la dotación pública de Viviendas de Protección
3) **Ceder el suelo correspondiente al diez por ciento del aprovechamiento del correspondiente ámbito**; porcentaje que puede ser reducido por la legislación urbanística. Esta legislación podrá reducir la participación de la Administración actuante en las cargas de urbanización de dicho suelo.	b) **Entregar a la Administración el suelo libre de cargas correspondiente al porcentaje de la edificabilidad media ponderada de la actuación (o de su incremento), o del ámbito superior de referencia, que fije la legislación** reguladora de la ordenación. El porcentaje será: 5% ≤ % ≤ 15%. La legislación podrá permitir reducir o incrementar este % hasta el 20%, para actuaciones o ámbitos en los que el valor de las parcelas sea sensiblemente inferior o superior al medio de su categoría. Y la ley podrá sustituir la entrega del suelo por otras formas de cumplimiento, excepto cuando pueda cumplirse con suelo para VPO u otra protección pública.
4) **Proceder a la distribución equitativa de los beneficios y cargas** derivados del planeamiento, con anterioridad al inicio de la ejecución material del mismo.	[Principio general de la LS 2008 aplicable siempre que participe el propietario de suelo]
5) **Costear** y, en su caso, ejecutar **la urbanización.** 6) **Costear** y, en su caso, **ejecutar las infraestructuras de conexión con los sistemas generales exteriores** y, en su caso, **las obras de ampliación o refuerzo de éstos.**	c) Costear y, en su caso, ejecutar todas las obras de urbanización, así como las infraestructuras de conexión, ampliación y refuerzo. Y d) Entregar a la Administración, las obras e infraestructuras a que se refiere la letra anterior que deban formar parte del dominio público.
7) **Edificar los solares en el plazo** que, en su caso, establezca el planeamiento.	[Con la LS 2008 ya no es un deber de la promoción de las ATU sino del propietario de suelo si es una unidad apta para ello]
8) Idem. 9) Idem.	e) Garantizar el realojamiento y el retorno de los ocupantes legales, cuando tengan derecho a ello y en los términos establecidos en la legislación vigente. f) Indemnizar a los titulares de derechos que deban extinguirse o que no puedan conservarse.　RSD-julio.13

Fig. 13. Comparación entre los deberes de los propietarios de suelo urbano no consolidado y urbanizable sectorizado en la LrS98 y los deberes de la promoción en las ATU en la LS 2008, según la LRRRU

2. DEBERES ESPECÍFICOS DE LOS TITULARES DE LA PROMOCIÓN DE LAS ACTUACIONES DE TRANSFORMACIÓN URBANÍSTICA —ATU— EN LA LS 2008, EN LA REDACCIÓN DADA POR LA LRRRU (68)

Es de resaltar que el presente artículo 16 LS 2008 no sufrió ninguna modificación respecto del correspondiente art. 16 LrS07, pero sí con la LRRRU, especialmente dado que junto a los deberes de los promotores de las ATU se han regulado los deberes de los promotores de la Actuaciones Edificatorias.

2.1. Los Deberes de la promoción de las Actuaciones de Transformación Urbanística

Los deberes «tradicionales» del proceso urbanizador (no edificatorio), equidistribución, cesión y urbanización, o dicho de otra forma, los deberes centrales de la transformación jurídica y material de los terrenos, vuelven a aparecer —al igual

---

(68)　Y se debe señalar que los apartados 1, b) y c) así como el apartado 3 del art. 16, han sido recurridos ante el Tribunal Constitucional, sin haberse dictado sentencia.

que en regulaciones legales anteriores— en la LS 2008, en este caso como puros deberes de la transformación (FIG. 12).

Todo ello, sin perjuicio de los derechos del promotor de la iniciativa privada de la ATU en la urbanización explicitados en el art. 6 LS 2008, derecho de iniciativa de los particulares y derecho de consulta a las Administraciones Públicas competentes; y, sobre todo, del derecho fundamental de los propietarios de participar con el promotor en las actuaciones de transformación de iniciativa privada.

Pero desde el punto de vista de los promotores de la ATU, obsérvese que en el art. 16.1 LS2008 —en la redacción dada por la LRRRU sólo se hace referencia a los deberes de la promoción de las ATU, pero no a los correspondientes derechos.

No existe en la ley un solo precepto que haga referencia completa y explícita a los derechos de la promoción de las ATU. En algunos artículos se hace referencia a derechos parciales (por ejemplo, el derechos a consultar a la Administraciones Públicas sobre sus planes futuros, etc.).

Pero el principal derecho del promotor de la ATU (sea no propietario o propietario) es patrimonializar el aprovechamiento —suelo lucrativo— que le corresponda por su actuación.

Por otra parte, los deberes de la promoción de las ATU resultantes tras la LRRRU son bastante parecidos a los regulados en la LS 2008 originaria. En los dos casos, sin embargo, el deber de equidistribución de beneficios y cargas generados por el planeamiento no se explicita entre los deberes de la transformación urbanística, pero imbuye, como principio como se ha dicho, toda la regulación LS 2008.

En efecto, siempre que participe un propietario en la Actuación de Transformación Urbanística (ATU), siendo una actuación privada o pública, pero gestionada por persona privada, será preciso aplicar el régimen de equidistribución de beneficios y cargas, pues así lo exige tanto el art. 8.3, c) LS 2008 en la redacción dada por la LRRRU, a efectos de las facultades del propietario, como el 9.4 LS 2008 en la redacción de la LRRRU, como deber del propietario.

Dicho régimen deberá aplicarse siempre en los términos que establezca la legislación sobre ordenación territorial y urbanística, dado que la concreción de las técnicas aplicables en cada Comunidad Autónoma no corresponde a la legislación del Estado sino a la urbanística (normalmente, autonómica), por lo que seguirán vigentes tanto las técnicas urbanísticas autonómicas de planeamiento como de ejecución urbanística, tanto sistemática como asistemática («en proporción a su aportación» [art. 8.3, c) LS 2008 en versón de la LRRRU, respecto de las primeras pero también respecto de las segundas, al haber sido derogado el art. 14.1 LrS98 que para un sector doctrinal suponía una prohibición de su aplicación en suelo urbano consolidado].

Este tema de la equidistribución llevaría a un análisis más detallado que se sale del marco del presente trabajo. No obstante se harán algunas breves consideraciones al respecto.

Recuérdese que la STC 61/1997 declaró inconstitucional y nulo el art. 27 LS92 por constreñir excesivamente, desde la legislación del Estado, en su concreción, las técnicas aplicables, no así los principios aplicables, que son reflejo del principio constitucional de igualdad.

«Admitidas estas premisas, el problema nuclear consiste en indagar si la concreta regulación del art. 27 TR LS supone una invasión de la competencia urbanística que las Comunidades Autónomas tienen atribuida. Pues bien, no cabe sino concluir que la regulación del art. 27 TR LS es contraria al orden constitucional de distribución de competencias, en primer lugar, por el carácter fijo y no mínimo tanto de la determinación del aprovechamiento urbanístico susceptible de apropiación por los propietarios, como implícitamente de la recuperación por la comunidad de las plusvalías urbanísticas; en segundo lugar, **porque tal determinación la establece acudiendo a un complejo entramado de concretas técnicas urbanísticas (áreas de reparto, aprovechamiento tipo), que pertenecen a la competencia exclusiva en materia de urbanismo de las Comunidades Autónomas** (art. 148.1.3.º C.E.)». [Fundamento de Derecho 17, c) de la STC 61/1997].

Por tanto, la LS 2008 no podría concretar las definiciones ni establecer formulaciones o cuantificaciones concretas, pero sí puede establecer principios generales, como el de equidistribución de beneficios y cargas. Dicho de otra forma, determinar cómo se debe aplicar en concreto ese principio corresponde a las leyes de las Comunidades Autónomas.

La LS 2008 confirma expresamente la posibilidad de existencia de áreas de reparto de ámbito superior al de la Actuación de Transformación Urbanística [unidad de actuación o de ejecución] al señalar que el ámbito de equidistribución será el ámbito de la ATU o el:

«ámbito superior de referencia en que ésta se incluya, que fije la legislación reguladora de la ordenación territorial y urbanística» [art. 16.1, b) pfo. 1.º LS 2008].

Como se ha indicado, el deber de equidistribución de beneficios y cargas, no existe explicitado en el art. 16 LS 2008 como deber general de la promoción de las ATU. Pero ello no significa que no exista en dicha Ley el principio de equidistribución de beneficios y cargas en estas actuaciones; al contrario, posiblemente sea el principio más veces invocado por la originaria LS 2008, directa o indirectamente, al menos 20 veces (recuérdese que la LrS07 lo invocaba 14 veces). Pero la LS 2008 no podría entrar a regular con detalle las técnicas de aplicación de dicho principio, por ser materia urbanística, competencia de las Comunidades Autónomas (STC 61/1997).

«Tradicionalmente», la equidistribución se da en dos niveles: «macro», en el planeamiento general, en áreas de reparto y aprovechamientos tipo o edificabilidades medias ponderadas; y «micro», en la ejecución del planeamiento, en la unidad de ejecución, en la reparcelación.

No obstante, el ámbito de fijación del aprovechamiento de referencia (cuatrienio, área de reparto, **sector**, conjunto de sectores, etc.) en suelos de nueva creación no será igual que el establecido para el caso del suelo urbano (área de reparto, unidad de ejecución, etc.). El cálculo del aprovechamiento total del ámbito —y, por lo tanto, del aprovechamiento medio, aprovechamiento tipo, aprovechamiento de referencia; o edificabilidad media ponderada—, será, por lo general, más sencillo en el caso de suelo de nueva creación que en el caso del suelo en reurbanización. Incluso, como señala la LRRRU, en suelo urbanizado puede haber supuestos de inexistencia de plusvalías.

Todo ello según disponga la legislación urbanística. Es decir, la distribución de beneficios y cargas se realizará de acuerdo con las técnicas que establezcan (o hayan establecido) las leyes de las Comunidades Autónomas.

De donde debe resaltarse que:

- El reparto de los beneficios y cargas no es un capricho del legislador autonómico, sino un mandato del legislador estatal, constante en las leyes estatales anteriores y confirmado ampliamente en la LS 2008 actualmente vigente, si bien no como deber expreso de la promoción; sino como derecho y deber del propietario de suelo al participar en la Actuación (en cuyo caso se convierte en deber de la promoción).

- El reparto se ha de hacer, al menos, entre **todos los propietarios de suelo** afectados por **cada** actuación urbanística (y, en su caso, con el promotor y la Administración), al menos en la reparcelación, pudiendo ser el ámbito de equidistribución el de la propia actuación o un ámbito superior a ésta establecido por la Ley autonómica.

- El reparto entre los propietarios ha de hacerse **en proporción a sus aportaciones**, lo que condiciona a las leyes autonómicas, pero que no predetermina si ha de hacerse siempre en función de la superficie de suelo aportada o siempre en función del valor del suelo aportado o unas veces en función de la superficie y otras en función del valor; aspectos cuya regulación corresponde a la legislación urbanística. Recuérdese la forma de valoración de los suelos aportados a la reparcelación establecida en el art. 27 LS 2008.

Más en concreto, las técnicas, a nivel «macro», de las áreas de reparto y el aprovechamiento tipo perviven, si bien con algunas variantes, en todas leyes autonómicas.

Por su parte, los auténticos proyectos de redistribución de beneficios y cargas indicados a nivel de ejecución del planeamiento (proyecto de reparcelación, proyecto de compensación, etc.) existen en la totalidad de las Comunidades Autónomas.

Se analizarán, independientemente, cada uno de los deberes de la promoción contenidos en el art. 16 LS 2008 en la redacción dada por la LRRRU, con referencias cuando sea oportuno a la legislación precedente, sin perjuicio de que, como ya se ha reiterado, unos —los pretéritos— eran deberes de la propiedad mientras que otros, los actuales —los del art. 16 LS 2008—, son deberes de la promoción.

Los deberes de los titulares de las Actuaciones de Transformación Urbanística (69) (es decir, de todas las ATU), según su naturaleza (véase art. 14 LS 2008), son los que se comentan individualizadamente más adelante (FIG. 12).

Parece oportuno al principio de los comentarios a este art. 16 LS 2008 señalar las adaptaciones de las leyes autonómicas al mismo, pues parece que todas se adaptarán en este punto, particularmente en lo que atañe al reparto del aprovechamiento del art. 16.1,b) LS 2008.

Así, **Aragón**, la Ley 3/2009, de 17 de junio, de urbanismo de Aragón, en su art. 134.3, establece para el propietario en Suelo urbano o consolidado:

> «En el suelo urbano no consolidado, el aprovechamiento subjetivo correspondiente al propietario será el resultante de aplicar a la propiedad el noventa por ciento del aprovechamiento medio de la unidad de ejecución o, en su caso, del sector. El resto del aprovechamiento subjetivo corresponde en todo caso a la Administración.

Por su parte, en su art. 135.1, establece para el propietario en Suelo urbanizable:

> «En suelo urbanizable delimitado, el aprovechamiento subjetivo correspondiente al propietario será el resultante de aplicar a la superficie aportada el noventa por ciento del aprovechamiento medio del suelo urbanizable delimitado o, en su caso, de los ámbitos resultantes de la agrupación de sectores dotados de un mismo uso característico residencial unifamiliar o plurifamiliar, industrial o terciario al que pertenezca el sector.»

En **Cantabria**, por la Ley 7/2007, de 27 de diciembre, de Medidas Fiscales y de Contenido Financiero, se ha modificado el art. 83.4 de su Ley, 2/2001, de 25 de junio, de Ordenación Territorial y Régimen Urbanístico del Suelo de Cantabria, relativo a la cesión de suelo con aprovechamiento, a la que se refiere el art. 16.1 LS 2008, de la siguiente manera:

> «Cuando la modificación del Plan suponga un incremento de la edificabilidad residencial o de la densidad se requerirá la proporcional y paralela previsión de mayores espacios libres y equipamientos a ubicar en un entorno razonablemente próximo. En suelo urbano consolidado, pueden ser

---

(69) Recuérdese que con el cumplimiento de deberes y levantamiento de cargas se consigue la patrimonialización de facultades, de acuerdo con lo dispuesto por el art. 7.2 LS 2008.

sustituidas dichas cesiones por su equivalente económico previa valoración pericial por técnico municipal y conforme a lo dispuesto en la legislación del Estado».

De la misma manera, el aprovechamiento privativo ha quedado regulado por el nuevo **art. 126** de su ley urbanística, con la siguiente redacción:

«El aprovechamiento urbanístico que el propietario puede incorporar a su patrimonio en el suelo urbano no consolidado y en el urbanizable será el resultado de aplicar a la superficie aportada el **85% del aprovechamiento medio del Sector o Sectores** que constiyan el ámbito de la equidistribución y, de no haberlos, de la unidad de actuación, o el porcentaje que en cada caso determine el planeamiento».

En el **País Vasco**, los deberes del propietario en SUNC y en SUble están contenidos en el art. 25 de su Ley 2/2006, de 30 de junio de Suelo y Urbanismo, de la siguiente manera:

1. En suelo clasificado como urbanizable y urbano no consolidado, además de los deberes generales se establecen los siguientes:

a) Mientras no cuente con programa de actuación urbanizadora aprobado y en vigor, mantener en debidas condiciones las construcciones e instalaciones ejecutadas al amparo de obras provisionales debidamente autorizadas, y proceder a su demolición y al cese de los usos y las actividades desarrollados a requerimiento del ayuntamiento, sin derecho a indemnización por concepto alguno.

b) Desde que cuente con programa de actuación urbanizadora aprobado y en vigor:

1) Participar en la reparcelación que se lleve a cabo para la equitativa distribución de beneficios y cargas resultantes de la ejecución del programa de actuación urbanizadora, salvo que se lleve a cabo en régimen público de ejecución por el sistema de expropiación o se haya renunciado a participar en dicha ejecución.

2) Levantar las siguientes cargas a efectos de la participación a que se refiere el apartado anterior:

a) Cesión gratuita al ayuntamiento de todo el suelo y los derechos destinados a viales, parques y jardines públicos, zonas públicas deportivas, de recreo y de expansión, instalaciones públicas culturales y docentes, dotación residencial protegida, en su caso, y de los precisos para la instalación de las demás dotaciones y los servicios públicos previstos por el planeamiento, así como de todo el suelo preciso para la ejecución de los elementos de la red de sistemas generales adscritos a la actuación a efectos de su obtención o ejecución.

b) Cesión gratuita al ayuntamiento del suelo o, en su caso, la cantidad económica correspondiente a la participación de la comunidad en las plusvalías generadas por la acción urbanística, según lo dispuesto en el artículo 27 (LA LEY 7447/2006).

c) Costeamiento de todas las cargas de urbanización y, en su caso, ejecución en plazo de las obras de urbanización del ámbito de actuación, de las infraestructuras y servicios interiores y de conexión y refuerzo, y ampliación de las existentes que, aun siendo exteriores, se adscriban a dicha actuación por resultar necesarias para la misma, y ello aunque tengan el carácter de sistema general por servir a ámbitos más amplios que el de aquélla.

3) Edificar en los solares resultantes en las condiciones sustantivas y temporales fijadas por la ordenación urbanística aplicable.

2. En suelo urbano no consolidado por incremento de la edificabilidad urbanística ponderada sobre la preexistente, además de los deberes generales y los establecidos en el apartado 1.b.2 de este artículo, la del levantamiento de la carga dotacional correspondiente o, cuando no resulte posible, la indemnización económica sustitutoria de valor equivalente con destino a la obtención de suelos dotacionales, todo ello en los términos que reglamentariamente se determine. La cesión dotacional será la correspondiente al incremento de edificabilidad urbanística atribuida en los términos establecidos en el artículo 79.1 (LA LEY 7447/2006) de esta ley.

Por su parte, el art. 27 establece lo siguiente:

«Artículo 27. Participación de la comunidad en las plusvalías generadas por la acción urbanística.

1. Para materializar la participación de la comunidad en las plusvalías generadas por la acción urbanística de los entes públicos, los propietarios de suelo urbano no consolidado y de suelo urbanizable tienen la obligación de **ceder gratuitamente al ayuntamiento el suelo correspondiente al 10% de la edificabilidad urbanística media**, libre de cargas de urbanización, en los términos establecidos en el artículo 35 (LA LEY 7447/2006).

2. Tanto en suelo urbano no consolidado, como en el suelo urbanizable sectorizado, los propietarios tendrán **derecho al 90% de la edificabilidad urbanística media** del ámbito de ordenación o, en su caso, la unidad de ejecución, todo ello en los términos establecidos en el artículo 35 (LA LEY 7447/2006).

3. En suelo urbano no consolidado por incremento de la edificabilidad urbanística ponderada sobre la preexistente, los propietarios tendrán **derecho al 90% de la edificabilidad urbanística incrementada**, de modo que la participación se referirá al incremento de la edificabilidad urbanística atribuida a la parcela.

4. La cesión regulada en este artículo se habrá de materializar en parcela edificable. Los municipios no obligados por esta ley a reservar suelo con destino a vivienda protegida y que no contemplen en el área, sector o, en su caso, unidad de ejecución de uso predominante residencial reserva alguna de suelo con este fin, deberán destinar las parcelas así obtenidas para vivienda de protección pública.

5. No obstante lo dispuesto en el párrafo anterior, cuando la reparcelación en el ámbito correspondiente no dé lugar a derecho al pleno dominio por la Administración local de al menos un solar o una parcela edificable, parte o toda la cesión de edificabilidad urbanística prevista en este artículo podrá sustituirse por el abono en metálico de su valor, importe que en todo caso quedará afectado a la adquisición y el mantenimiento del correspondiente patrimonio público de suelo.»

En la **Comunidad Valenciana,** mediante su Decreto-ley 1/2008, de 27 de junio, del Consell, de medidas urgentes para el fomento de la vivienda y el suelo, ha quedado adaptada su Ley 16/2005, de 30 de diciembre, de la Generalitat, urbanística valenciana, en la materia de sus arts. 21.2 y 23, b) relativos a los deberes de la promoción de las actuaciones urbanísticas, de la siguiente manera:

«Artículo 21. Deberes de los propietarios de suelo urbano.

...

2. En las actuaciones de transformación urbanística **en suelo urbano, los propietarios deberán ceder, libres de cargas de urbanización, a la administración actuante las parcelas edificables correspondientes al 5 por 100 del aprovechamiento tipo.** Quedan comprendidas en este supuesto:

a) Las que se desarrollen en régimen de actuación integrada, salvo el supuesto previsto en el apartado 4.c) del presente artículo.

b) Las que se desarrollen en régimen de actuación aislada mediante transferencias de aprovechamiento urbanístico. En este caso, la cesión podrá sustituirse por una compensación económica de valor equivalente cuantificada sobre la base de un estudio de mercado actualizado.

Cuando se trate de áreas de reforma interior o del supuesto referido en el apartado b), la cesión se aplicará al incremento de aprovechamiento que se produzca, en los términos siguientes:

— En caso de incremento como consecuencia de una modificación del planeamiento verificada al margen de la revisión del Plan General, el incremento se calculará respecto al establecido por el planeamiento urbanístico y territorial anteriormente vigente o del preexistente, lícitamente realizado, en el caso de que fuera superior.

— En caso de actuación de desarrollo sin innovación de planeamiento, el incremento se calculará respecto al preexistente, lícitamente realizado, y caso de no existir respecto a la media de las edificabilidades existentes en el sector o en la manzana o unidad urbana equivalente en que se desarrolle la actuación.

En el caso de edificaciones consolidadas reguladas en el capítulo III del presente título, la cesión se verificará igualmente respecto al incremento de aprovechamiento que les atribuya el planeamiento, caso de existir, y podrá sustituirse por su equivalente económico en los términos del apartado b) anterior.

Excepcionalmente, por Resolución del conseller competente en urbanismo, dictada previa audiencia del Ayuntamiento, se podrá minorar dicho porcentaje si el objeto de la transformación se declara de especial relevancia territorial o social, o cuando las cargas que deba soportar el desarrollo de la actuación sean desproporcionadamente elevadas en relación con el aprovechamiento urbanístico atribuido por el planeamiento y no sea posible proceder a su equidistribución con otras actuaciones.

Tanto las parcelas como la sustitución económica que reciba la administración actuante por este concepto quedarán integradas en el patrimonio público de suelo

Artículo 23. Deberes de los propietarios de suelo urbanizable.

La transformación del suelo clasificado como urbanizable comportará los deberes de cesión, de equidistribución, así como de costear la urbanización que prescribe la legislación estatal, que, con carácter previo o simultáneo a la edificación, se concretarán en los siguientes:

…

b) **Ceder gratuitamente las parcelas edificables correspondientes a la cesión del 10% o porcentaje que legalmente corresponda de aprovechamiento tipo libre de cargas de urbanización**. Las parcelas que por este concepto reciba la administración actuante, así como los ingresos que reciba por indemnización sustitutiva de dicha cesión, quedarán integradas en el patrimonio público de suelo.»

En **Cataluña**, el Decreto Legislativo 1/2010, de 3 de agosto, por el que se aprueba el Texto refundido de la Ley de urbanismo, ya está adaptado al art. 16.1, b) LS 2008, en la materia de sus arts. 43.1, 40, 45.1.a) y 46, relativos a la cesión de suelo con aprovechamiento, de la siguiente manera:

Artículo 40. Limitaciones del derecho de aprovechamiento urbanístico.

1. Los propietarios o propietarias de suelo urbano no consolidado, en los supuestos regulados por el artículo 43, tienen **derecho al 90% del aprovechamiento urbanístico del sector o del polígono de actuación urbanística**, referido en sus fincas, excepto en los supuestos siguientes:

a) En el caso de las áreas residenciales estratégicas, en las cuales el porcentaje se puede reducir hasta el 85%.

b) En los supuestos de modificación del planeamiento urbanístico general que establece el artículo 43.1, en los que el porcentaje es del 85%.

2. Los propietarios de suelo urbanizable delimitado tienen **derecho al 85% del aprovechamiento urbanístico del sector**, referido a sus fincas.

Artículo 43. Deber de cesión de suelo con aprovechamiento en suelo urbano no consolidado.

1. Los propietarios de suelo urbano no consolidado deben ceder gratuitamente a la administración actuante **el suelo correspondiente al 10% del aprovechamiento urbanístico de los sectores** sujetos a un plan de mejora urbana o de los polígonos de actuación urbanística que tengan por objeto alguna de las finalidades a que se refiere el artículo 70.2.a, excepto en los siguientes supuestos:

a) En el caso de las áreas residenciales estratégicas, los propietarios deben ceder el suelo correspondiente al porcentaje que el plan director establezca, que puede ser de **hasta el 15% del aprovechamiento urbanístico del sector**.

b) En el caso de que mediante una modificación del planeamiento urbanístico general se establezca un nuevo polígono de actuación urbanística que tenga por objeto una actuación aislada de dotación a que hace referencia la disposición adicional segunda, **el 10% del incremento del aprovechamiento urbanístico** que comporte la actuación de dotación respecto al aprovechamiento urbanístico atribuido a los terrenos incluidos en la actuación, salvo que la modificación del correspondiente planeamiento incremente el techo edificable del ámbito de la actuación, en cuyo supuesto **dicho porcentaje es del 15% del incremento del aprovechamiento urbanístico**.

c) En el caso de que mediante una modificación del planeamiento urbanístico general se incremente el techo edificable de un sector o de un polígono de actuación urbanística, los propietarios, aparte de la cesión ordinaria que correspondía al ámbito de actuación, deben **ceder el suelo correspondiente al 15% del incremento del aprovechamiento urbanístico**.

2. La administración actuante debe fijar el emplazamiento del suelo de cesión con aprovechamiento urbanístico en el proceso de reparcelación. Para asegurar la participación de la iniciativa privada en la construcción de viviendas de protección pública, puede distribuirse la cesión de suelo con aprovechamiento proporcionalmente entre las distintas calificaciones de zona del ámbito de actuación.

3. La cesión de suelo a que se refiere el apartado 1 puede ser sustituida por su equivalente en otros terrenos fuera del sector o del polígono si se pretende mejorar la política de vivienda, si la ordenación urbanística da lugar a una parcela única e indivisible o si resulta materialmente imposible individualizar en una parcela urbanística el aprovechamiento a ceder. En estos dos últimos supuestos, la cesión puede ser sustituida también por el equivalente de su valor económico. En todos los casos, el equivalente debe destinarse a conservar o ampliar el patrimonio público de suelo.

Artículo 45. Deber adicional de los propietarios de suelo urbanizable delimitado.

1. Los propietarios de suelo urbanizable delimitado tienen, además de los que impone el artículo 44, el deber de ceder a la administración actuante, gratuitamente, dentro del sector de suelo urbanizable en que se hallen comprendidos los terrenos, el **suelo necesario para edificar el techo correspondiente al 15% del aprovechamiento urbanístico del sector**.

2. La administración actuante debe fijar el emplazamiento del suelo de cesión con aprovechamiento urbanístico en el proceso de reparcelación. Para asegurar la participación de la iniciativa privada en la construcción de viviendas de protección pública puede distribuirse la cesión de suelo con aprovechamiento proporcionalmente entre las distintas calificaciones de zona del ámbito de actuación.

3. La cesión de suelo a que se refiere el apartado 1 puede ser sustituida por su equivalente en otros terrenos fuera del sector o del polígono si se pretende mejorar la política de vivienda, o si la ordenación urbanística da lugar a una parcela única e indivisible, o si resulta materialmente imposible individualizar en una parcela urbanística el aprovechamiento a ceder. En estos dos últimos casos, la cesión puede ser substituida también por el equivalente de su valor económico. En todos los casos, el equivalente debe destinarse a conservar, administrar o ampliar el patrimonio público de suelo.»

Artículo 46. Condiciones de la cesión de suelo con aprovechamiento.

La administración actuante no participa en las cargas de urbanización de los terrenos con aprovechamiento urbanístico que recibe en cumplimiento del deber de cesión de suelo con aprovechamiento que prevén los artículos 43 y 45.1, los cuales se deben ceder urbanizados.»

De la misma manera, en Cataluña, el art. 120 de su Decreto Legislativo 1/2010 de 3 de agosto, por el que se aprueba el Texto refundido de la ley de Urbanismo de Cataluña, relativo a gastos de urbanización, ha quedado adaptado al art. 16.1,c) LS 2008 de la siguiente manera:

«Artículo 114. Gastos de urbanización a cargo de las personas propietarias y derecho de realojamiento.

Los gastos de urbanización a cargo de las personas propietarias comprenden los conceptos siguientes:

a) La totalidad de las obras de urbanización determinadas por el planeamiento urbanístico y por los proyectos de urbanización a cargo del sector de planeamiento urbanístico o al polígono de actuación urbanística...».

Igualmente, en Cataluña, ha quedado adaptado al art. 16.1 LS 2008 su Decreto Legislativo 1/2010 por el que se aprueba el Texto refundido de la ley de Urbanismo de Cataluña, en la materia de su D.A 3.ª ap.1, relativa a Concepto de edificabilidad media ponderada, de la siguiente manera:

«Decimoséptima. Especificación de conceptos urbanísticos a efectos de la aplicación de la Ley estatal de suelo.

A efectos de la aplicación del Texto refundido de la Ley estatal de suelo, aprobado por el Real decreto legislativo 2/2008, de 20 de junio (LA LEY 8457/2008):

1. El **concepto de edificabilidad media ponderada que regula la ley estatal mencionada se corresponde con el de aprovechamiento urbanístico** [téngase en cuenta que: una es unitaria y el otro total] definido en el artículo 37.1....»

En **Islas Baleres**, mediante su Ley 7/2012, de 13 de junio, de medidas urgentes para la ordenación urbanística sostenible de las Islas Baleares, se han adaptado al art. 16.1, b) LS 2008, en la materia de sus arts. 8 y 9, relativos a los deberes de la promoción de las actuaciones de transformación urbanística (ATU) en suelo urbano y en suelo urbanizable, de la siguiente manera:

«Artículo 8. Deberes de la promoción de las actuaciones de transformación urbanística en suelo urbano y en suelo urbanizable

1. Los propietarios de terrenos clasificados como urbanos y urbanizables que están incluidos en ámbitos sometidos a actuaciones de urbanización, de renovación o de reforma integral quedan obligados a ceder el suelo li-

bre de cargas de urbanización correspondiente al 15% de la edificabilidad media ponderada que comporten las actuaciones de renovación o reforma integral en suelo urbano y en suelo urbanizable.

2. En las actuaciones de dotación éstos deben ceder el 15% del incremento de la edificabilidad media ponderada que comporte la actuación con respecto a la anteriormente definida por el planeamiento.

Artículo 9. Reducciones e incrementos de los deberes de la promoción de las actuaciones de transformación urbanística en suelo urbano y en suelo urbanizable

1. El ayuntamiento puede reducir hasta el 5% los porcentajes de cesión establecidos en el artículo 8 anterior cuando se trate de actuaciones de transformación urbanística vinculadas a actuaciones de recuperación o rehabilitación integral de suelos urbanos, en los cuales exista una gran carga de cesiones, cuando el valor de las parcelas resultantes sea considerablemente inferior a las otras en la misma categoría de suelo, o cuando la ejecución y el mantenimiento de los servicios urbanísticos impliquen un coste para el ayuntamiento muy inferior al del resto de terrenos.

2. El ayuntamiento puede incrementar de manera justificada el porcentaje previsto en el artículo 8 anterior hasta el 20 % en aquellos casos en que el valor de las parcelas resultantes sea considerablemente superior al de las otras en la misma categoría de suelo o cuando la ejecución y el mantenimiento de los servicios urbanísticos impliquen un coste para el ayuntamiento muy superior al de las otras parcelas.»

En la **Región de Murcia**, mediante su Resolución de la Dirección General de Urbanismo por la que se aprueba la Instrucción técnica urbanística para la aplicación de la Ley 8/2007, de 28 de mayo, de Suelo, se ha dado interpretación adaptada al art. 16.1,b) LS 2008, en la materia de su apartado 2, relativo a la cesión de suelo con aprovechamiento, de la siguiente manera:

«2. Deber de participación de la comunidad en las plusvalías generadas por la acción pública

En el artículo 16.1b) de la LS se establece como deber legal en las actuaciones de transformación urbanística "entregar a la Administración competente, y con destino a patrimonio público de suelo, el suelo libre de cargas de urbanización correspondiente al porcentaje de la edificabilidad media ponderada de la actuación, o del ámbito superior de referencia en que ésta se incluya, que fije la legislación reguladora de la ordenación territorial y urbanística."

En las actuaciones de dotación, este porcentaje se entenderá referido al incremento de la edificabilidad media ponderada atribuida a los terrenos incluidos en la actuación.

Con carácter general, el porcentaje a que se refieren los párrafos anteriores no podrá ser inferior al cinco por ciento ni superior al quince por ciento.

La legislación sobre ordenación territorial y urbanística podrá permitir excepcionalmente reducir o incrementar este porcentaje de forma proporcionada y motivada, hasta alcanzar un máximo del veinte por ciento en el caso de su incremento, para las actuaciones o los ámbitos en los que el valor de las parcelas resultantes sea sensiblemente inferior o superior, respectivamente al medio en los restantes de su misma categoría de suelo.

En la legislación regional del suelo se establece una horquilla de cesión entre el 5 y el 10 por ciento para los propietarios de suelo urbano sin consolidar y del 10 por ciento para los propietarios de suelo urbanizable, que se encuentra, por tanto, dentro del marco que fija la ley estatal.

La necesidad de interpretación se plantea respecto de las **actuaciones de reurbanización y de dotación en suelo ya urbanizado o consolidado**, ya que no se exige cesión de aprovechamiento en el TRLS de conformidad con la entonces vigente ley estatal 6/1998.

Ante ello, solo cabe interpretar que, hasta que no se fije dicho porcentaje en la adaptación de la ley del suelo regional, y al ser una cuestión que afecta al derecho de propiedad, materia reservada a ley, **no será de aplicación este deber de entrega de aprovechamiento a la Administración en suelo urbano consolidado.**»

De la misma manera, en la Región de Murcia, mediante su Resolución de la Dirección General de Urbanismo por la que se aprueba la Instrucción técnica urbanística para la aplicación de la Ley 8/2007, de 28 de mayo, de Suelo, se ha dado interpretación adaptada al art. 16.1,b) y 16.1,c) LS 2008, en la materia de sus apartados 3 y 4, relativos a gastos de urbanización, de la siguiente manera:

«3. Participación de la Administración en los gastos de urbanización

En el artículo 16.1,b) de la LS se dispone la entrega del suelo libre de cargas de urbanización a la Administración. Esta obligación se entiende que es de aplicación directa, por lo tanto, se hace extensiva en suelo urbanizable a los planes de iniciativa pública y a las unidades de actuación en suelo urbano sin consolidar.

4. Deberes relacionados con la urbanización y con las infraestructuras de conexión con los sistemas generales

El artículo 16.11,c) de la LS se considera de aplicación directa por lo que la obligación de costear y, en su caso, ejecutar todas las obras de urbanización previstas en la actuación correspondiente, así como las infraestructuras de conexión con las redes generales de servicios y las de ampliación y reforzamiento de las existentes fuera de la actuación que ésta demande por su dimensión y características especificas, sin perjuicio del derecho a reintegrarse de los gastos de instalación de las redes de servicios con cargo a sus empresas prestadoras, en los términos establecidos en la legislación aplicable, se extiende a las actuaciones de transformación urbanística tanto en suelo urbano como en suelo urbanizable.»

Igualmente, en la Región de Murcia, mediante su Resolución de la Dirección General de Urbanismo por la que se aprueba la Instrucción técnica urbanística para la aplicación de la Ley 8/2007, de 28 de mayo, de Suelo, se ha dado interpretación adaptada al art. 16.1, b) LS 2008, en la materia de su apartado 5, relativos a terminología equivalente, de la siguiente manera:

«5. Terminología equivalente

…

b). Las referencias de la LS a la "**edificabilidad media ponderada en la actuación**" equivalen al término de **aprovechamiento (70)** previsto en el TRLS, para cada clase o categoría de suelo.»

En **Castilla y León**, mediante su Orden FOM/1083/2007, de 12 de junio, por la que se aprueba la Instrucción Técnica Urbanística 1/2007, para la aplicación en la Comunidad Autónoma de Castilla y León de la Ley 8/2007, de 28 de mayo, de Suelo, se dio interpretación adaptada al art. 16.1,b) y D. T Segunda LS 2008, en la materia de su apartado 1.2, relativo a deberes de la promoción de las actuaciones de transformación urbanística, de la siguiente manera:

«**1.2.** Participación municipal en el aprovechamiento urbanístico.

Conforme al apartado 1.b) del artículo 16 y a la Disposición Transitoria 2.ª LS, los artículos 17 a 20 LUCyL y 40 a 45 RUCyL se interpretarán en el sentido de que:

a) En **suelo urbano consolidado, corresponde a los propietarios el aprovechamiento real** (que se obtiene aplicando las determinaciones del planeamiento urbanístico sobre la superficie bruta de sus parcelas) salvo cuando se modifique el planeamiento de forma que se incremente la edificabilidad

---

(70) Parece que debe decir que la edificabilidad media ponderada en la actuación equivale al término de aprovechamiento tipo o medio; si no, obsérvese que la primera expresión es unitaria y la segunda total.

o la densidad o se cambie el uso del suelo. En tal caso, debe analizarse si se dan las condiciones establecidas en el artículo 26.1 RUCyL para que los terrenos hayan de ser considerados suelo urbano no consolidado. **Si no se dan dichas condiciones, los terrenos podrán seguir siendo considerados suelo urbano consolidado, pero sus propietarios deberán ceder al Ayuntamiento el suelo apto para materializar el 5 por ciento del incremento de aprovechamiento que se genere con la modificación, libre de cargas de urbanización.** Pero si las características de la Modificación no hacen posible la cesión de parcelas edificables que puedan destinarse a la construcción de viviendas con protección pública, dicha cesión se sustituirá por la entrega de su valor en dinero.

No obstante, este apartado no es aplicable a los instrumentos de planeamiento (incluso revisiones y modificaciones) ya aprobados inicialmente a la entrada en vigor de la LS. Para los demás, este apartado se aplicará hasta la adaptación de la LUCyL a la LS, y como máximo hasta pasado un año desde la entrada en vigor de esta. Si transcurrido este plazo no se hubiera aprobado la adaptación de la LUCyL a la LS, se aplicará la cesión del 5 por ciento en suelo urbano consolidado, en todos los Municipios, con las reglas establecidas en los apartados a), b) y c) de la Disposición Transitoria 2.ª LS.

b) **En suelo urbano no consolidado:**

— En los Municipios con población igual o superior a 20.000 habitantes o que cuenten con P.G.O.U., corresponde a los propietarios el aprovechamiento que resulte de aplicar a la superficie bruta de sus parcelas **el 90 por ciento del aprovechamiento medio del sector, salvo en los sectores incluidos total o parcialmente en Conjuntos Históricos** declarados B.I.C., donde se aplica íntegramente el aprovechamiento medio del sector, al amparo de la excepción prevista en el párrafo cuarto del artículo 16.1.b) LS.

— En los demás Municipios con población inferior a 20.000 habitantes, **corresponde a los propietarios el aprovechamiento que resulte de aplicar a la superficie bruta de sus parcelas el aprovechamiento medio del sector,** al amparo en la excepción prevista en el párrafo cuarto del artículo 16.1.b) LS.

c) En **suelo urbanizable, delimitado y no delimitado,** corresponde a los propietarios **el aprovechamiento que resulte de aplicar a la superficie bruta de sus parcelas el 90 por ciento del aprovechamiento medio del sector.**

d) En cualquier clase de suelo, la sustitución de la cesión de suelo por la entrega de su equivalente en dinero, también conocida como «monetarización del aprovechamiento», sólo es válida si se acredita la imposibilidad de ceder parcelas edificables destinadas a la construcción de viviendas con protección pública.»

De la misma manera, en Castilla y León, mediante su Orden FOM/1083/2007, de 12 de junio, por la que se aprueba la Instrucción Técnica Urbanística 1/2007, para la aplicación en la Comunidad Autónoma de Castilla y León de la Ley 8/2007, de 28 de mayo, de Suelo, se ha dado interpretación adaptada al art. 10.b, D.T Segunda LS 2008, en la materia de su apartado 2.1, relativo a reserva de suelo para vivienda protegida, de la siguiente manera:

«**2.1.** Reserva para la construcción de viviendas con protección pública.

Conforme al apartado b) del artículo 10 y a la Disposición Transitoria 1.ª LS, la reserva para la construcción de viviendas con protección pública en suelo urbano no consolidado y suelo urbanizable se aplicará en los términos previstos en los artículos 38 LUCyL y 87 y 122 RUCyL, hasta que se apruebe la adaptación de la LUCyL a la LS, y como máximo hasta pasado un año desde la entrada en vigor de esta. Si transcurrido este plazo aún no se hubiera aprobado la adaptación, se aplicará directamente la reserva del 30 por ciento tanto en suelo urbano no consolidado como en suelo urbanizable, en todos los Municipios, con las únicas excepciones previstas en los apartados a) y b) de la Disposición Transitoria 1.ª LS.»

Igualmente, en Castilla y León, mediante su Orden FOM/1083/2007, de 12 de junio, por la que se aprueba la Instrucción Técnica Urbanística 1/2007, para la aplicación en la Comunidad Autónoma de Castilla y León de la Ley 8/2007, de 28 de mayo, de Suelo, se ha dado interpretación adaptada al art. 16.3 LS 2008, en la materia de sus apartados 6.2, 6.3, relativos a convenios urbanísticos, de la siguiente manera:

«**6.2.** Convenios urbanísticos: contenido.

Conforme al apartado 3 del artículo 16 LS, los artículos 94 LUCyL y 435 y ss. RUCyL se interpretarán en el sentido de que los convenios urbanísticos no pueden establecer obligaciones o prestaciones adicionales ni más gravosas que las que procedan legalmente en perjuicio de los propietarios afectados. Por lo tanto será requisito previo a su aprobación y publicación la acreditación de la conformidad de todos los propietarios afectados.

6.3 Convenios urbanísticos: información pública.

Conforme al apartado 1 del artículo 11 LS, los artículos 94 LUCyL y 439 y 440 RUCyL se interpretarán en el sentido de que los convenios urbanísticos deben ser sometidos al trámite de información pública durante un plazo no inferior a 20 días hábiles, aplicando las reglas establecidas en el Art. 432 RUCyL.»

Pero posteriormente, tras la entrada en vigor del Texto Refundido de 2008, Castilla y León aprobó la Ley 4/2008, que actualiza en la Ley 5/1999 dichos deberes en el art. 20, b) de la misma, destacando entre los deberes de la promoción:

«b) Entregar a la Administración actuante, con destino al correspondiente patrimonio público de suelo, los terrenos aptos para materializar el aprovechamiento que exceda del correspondiente a los propietarios, libres de cargas de urbanización. La Administración actuante puede admitir que dichos terrenos se sustituyan por su equivalente en efectivo, previo convenio en el que se acredite que los terrenos no pueden destinarse a la construcción de viviendas con protección pública.»

Siendo los porcentajes de atribución subjetiva para los promotores los siguientes, según el art. 17.2 Ley 5/1999:

«A tal efecto los propietarios podrán materializar el aprovechamiento que les corresponda respecto del permitido por el planeamiento urbanístico, y que será:

a) En suelo urbano consolidado, el **aprovechamiento real**, resultante de aplicar las determinaciones del planeamiento a la superficie bruta de sus parcelas. No obstante, cuando una revisión o modificación del planeamiento incremente dicho aprovechamiento, corresponderá a los propietarios la suma del aprovechamiento **original más el 90 por ciento del incremento**.

b) En suelo urbano no consolidado y urbanizable con ordenación detallada, el aprovechamiento que resulte de aplicar a la superficie bruta de sus parcelas **el 90 por ciento delaprovechamiento medio del sector. No obstante, se aplica íntegramente el aprovechamiento medio**:

1.º En sectores incluidos totalmente en ámbitos declarados Bien de Interés Cultural.

2.º En sectores de suelo urbano no consolidado de los municipios con población inferior a 20.000 habitantes sin Plan General de Ordenación Urbana.

3. En suelo urbano consolidado, los propietarios materializarán su aprovechamiento sobre la superficie neta de sus parcelas o sobre los solares que resulten de una actuación aislada; y en suelo urbano no consolidado y urbanizable con ordenación detallada, sobre los solares que resulten de una actuación integrada. Cuando no sea posible, serán compensados en la forma que se determine reglamentariamente.

4. El ejercicio de los derechos definidos en este artículo requiere la previa aprobación del instrumento de planeamiento urbanístico que establezca la ordenación detallada de los terrenos y, en su caso, del instrumento de gestión urbanística exigible, así como la obtención de la licencia urbanística correspondiente.»

2.1.1. Entregar a la Administración el suelo para viales, espacios libres, zonas verdes y restantes dotaciones públicas incluidas en la actuación o adscritas a ella para su obtención.

Este deber que parece constante con relación a las legislaciones precedentes (y a las que están vigentes en todas las Comunidades autónomas), tiene tres diferencias notables respecto de todas ellas.

— En primer lugar, una mera diferencia formal: En las legislaciones precedentes se señalaba separadamente la «cesión» de terrenos para los llamados sistemas locales o redes locales [«Ceder obligatoria y *gratuitamente* a la Administración el suelo necesario para los viales, espacios libres, zonas verdes y dotaciones públicas de carácter local al servicio del ámbito de desarrollo en el que sus terrenos resulten incluidos» (art. 18.1 LrS98, a modo de ejemplo)] diferenciándola de la cesión de terrenos para los llamados sistemas generales o redes generales [«Ceder obligatoria y *gratuitamente* el suelo necesario para la ejecución de los sistemas generales que el planeamiento general, en su caso, incluya o adscriba al ámbito correspondiente (art. 18.2 LrS98, a modo de ejemplo»].

Como se observa, en el art. 16.1 LS 2008 no se hace dicha distinción en función del ámbito de servicio: es preciso entregar a la Administración «el suelo para viales, espacios libres, zonas verdes y restantes dotaciones públicas incluidas o adscritas a la actuación.»

Y este no es un adelanto banal, dado que el detalle de los ámbitos de servicio no puede entenderse como parte de las competencias del Estado sino como competencia urbanística. Y así, a modo de ejemplo, el Plan General de Ordenación Urbana de Madrid de 1997 diferencia no sólo los sistemas generales y los sistemas locales, sino también otro ámbito de servicio intermedio, los sistemas distritales.

— En segundo lugar, obsérvese que son objeto de la «entrega» todos los terrenos para viales, zonas verdes y dotaciones públicas incluidas o adscritas por el instrumento de planeamiento a la actuación. Y ello incluye los terrenos destinados a dotación pública de viviendas sometidas a algún régimen de protección, con destino exclusivo al alquiler que se contiene en el párrafo 2.º de dicho apartado 1, a).

— En tercer lugar, es importante señalar que es, probablemente, la primera vez que una ley explicita correctamente que el deber es «la entrega a la Administración» de dicho suelo y no «la cesión obligatoria y gratuita» a la Administración; ya que se trata de una entrega obligatoria pero no gratuita, de una entrega «trueque». En prácticamente todas las leyes anteriores a la LS 2008 se especificaba que el deber era la cesión «obligatoria y gratuita», siendo realmente —como se acaba de indicar— una cesión obligatoria pero no gratuita desde el punto de vista del cedente, una cesión-trueque, compensada con su contenido económico (su aprovechamiento) en otro lugar, al estar destinado ese suelo a uno de los usos no lucrativos especificados.

Obsérvese que, en puridad, este es un deber de «equidistribución» (obsérvese la FIG. 14, donde se comprueba la razón de ser de la entrega de suelo no lucrativo con la compensación a través de la aplicación del principio de equidistribución).

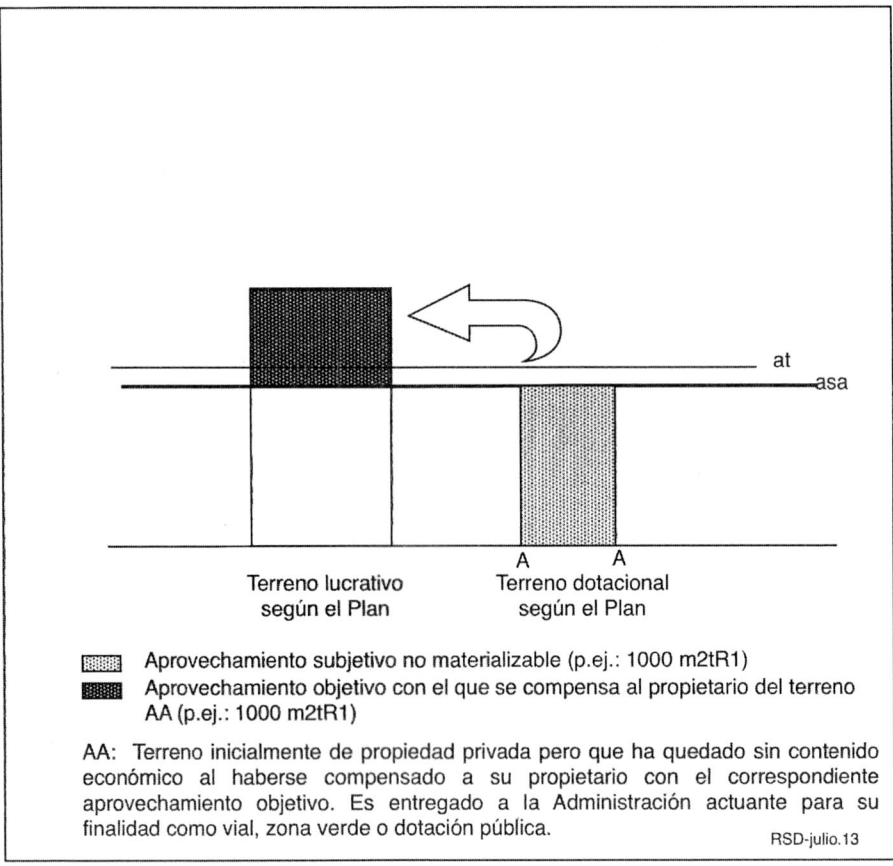

Fig. 14. Equidistribución. La entrega de suelo para dotaciones públicas no es una entrega o cesión gratuita sino una entrega-trueque, compensada con el aprovechamiento subjetivo que le corresponda al propietario de suelo, materializado en otra localización

Al tratarse, pues, de una cesión-trueque no es relevante que lo diseñado por el plan como suelo reservado para viales, espacios libres, zonas verdes y restantes dotaciones públicas incluidas en la propia actuación o adscritas a ella para su obtención sea el 30% de la superficie total de suelo o sea el 60% de dicha superficie, ya que lo relevante es que en el 70% o en el 40% de suelo restante sea posible materializar el aprovechamiento que les corresponde a los participantes en la ATU.

Es decir, las cesiones «tradicionalmente» calificadas de obligatorias y gratuitas —aunque fuere una expresión constante en nuestra «cultura urbanística tradicional»— nunca han sido tales. En efecto, eran y son cesiones o entregas obligatorias, dado que terrenos que en el Registro de la Propiedad tienen un determinado titular pasarán, necesariamente, a ser de titularidad del Municipio o Administración Pública correspondiente. Pero no son gratuitas. Ciertamente, la Administración no pagará nada por ellas. Pero la expresión cesión gratuita jurídicamente es contrapuesta a la de cesión onerosa: la primera reduce el patrimonio del cedente; la segunda —ejemplo de la cual podría ser la permuta o la compraventa— no tiene por qué reducir ni incrementar patrimonios.

A partir de lo cual, es preciso considerar que en el sistema urbanístico español, basado en la atribución subjetiva del aprovechamiento objetivo a los participantes en la promoción de la ATU (tanto propietarios de suelo lucrativo como no lucrativo según el plan o del promotor u otros participantes), en la medida en que se aplique la distribución de beneficios y cargas, la cesión de un terreno destinado a vial, zona verde u otra dotación pública lleva a que el aprovechamiento subjetivo que existe virtualmente sobre el mismo pase al promotor de la actuación o, en su caso, al propietario originario del suelo, que hará efectivo su derecho sobre un terreno con destino lucrativo conforme al planeamiento (a través de la correspondiente técnica de equidistribución). Y por parte municipal, al recibir el terreno en cuestión (si es viario, zona verde u otro dotacional público) pasa a englobar los bienes de dominio público y, por tanto, «extra comercium.»

Es decir, no se trata de una cesión-entrega gratuita, si existe un mayor ámbito de fijación del aprovechamiento objetivo de referencia, sino de una entrega o cesión-compensada, ya que el aprovechamiento subjetivo sustentado sobre el terreno dotacional antes de la cesión de dicho suelo se compensa en otro lugar con la adjudicación de suelo con aprovechamiento lucrativo. Una cesión-entrega-trueque.

En resumen, correctamente en la LS 2008 se señala que la obligación es la «entrega» de suelo y este deber de «entrega» se refiere tanto a los llamados «sistemas locales» como a los llamados «sistemas generales», con esa expresión o con la de «redes públicas». Engloba también a los «sistemas distritales» u otros modos de denominación.

Es importante resaltar que esta cesión a la Administración actuante (normalmente municipio) es de suelo no lucrativo (el reservado por el planeamiento para viales, espacios libres, zonas verdes y restantes dotaciones públicas) y no de suelo lucrativo (sustentante de aprovechamiento).

Como colofón, en la versión originaria del artículo que se comenta (párrafo 2.º) concluía con una especialidad:

«En las actuaciones de dotación, la entrega del suelo podrá ser sustituida por otras formas de cumplimiento del deber en los casos y condiciones en que así lo prevea la legislación sobre ordenación territorial y urbanística.»

Es decir, dicha entrega de suelo no lucrativo en las Actuaciones de Dotación (AD) puede ser sustituida por otras formas de cumplimiento según prevea la legislación de aplicación (se retoma en el apartado 7 de los comentarios al qrt. 16 LS 2008). Estaba dejando abierta la posibilidad de pago en metálico si la ley autonómica así lo autoriza (incluso para este tipo de actuaciones se podría pensar en las anteriormente discutidas TAU o técnicas similares; puede verse la DT.2.ª LS 2008).

En este caso parecería lógico pensar que dicha entrega debiera ser en proporción al incremento de aprovechamiento que conlleva la AD, como señala el art. 16.2, a) y b) LS 2008 en la redacción dada por la LRRRU, pero ello no debería ser, necesariamente, así porque el ámbito resultante tiene que ser, en todo caso, de calidad urbana suficiente, de forma que si tenía un déficit acumulado de dichas dotaciones públicas, lo debería salvar la Actuación planificada. No obstante, la ley sólo exige incrementar las dotaciones en la cuantía que represente el incremento del aprovechamiento.

Ya se ha indicado que dentro de los terrenos que es preciso «entregar» a la Administración, según el art. 16.1, a) LS 2008, están tanto los llamados Sistemas Generales como los llamados Sistemas o dotaciones Locales.

Respecto de los Sistemas Generales y Locales, sin perjuicio de la dificultad para realizar el deslinde entre un sistema general público y una dotación local pública y también de discernir entre si la dotación local pública está claramente al servicio del ámbito de desarrollo total, parcialmente, o no lo está en absoluto (lo que ha llevado, como ya se ha indicado, a la aparición de los sistemas distritales y de las redes públicas supramunicipales), en ningún caso lo establecido en el art. 16.1 LS 2008 podrá ser eliminado por una ley urbanística autonómica.

El deber de entrega de suelo para dotaciones públicas locales se completa, en su caso, con el deber de entrega del suelo necesario para sistemas generales (se entiende que públicos), pero sólo en la cuantía en que el planeamiento general incluya para su gestión en el ámbito correspondiente.

Y ¿cuál puede ser el criterio para que el planeamiento general incluya en determinados ámbitos de gestión (áreas de reparto, unidades de ejecución, etc.) determinadas superficies de suelo destinado a sistemas generales y no otras (o ninguna)? Parece fuera de dudas que con cargo a un ámbito en urbanización o reurbanización con un mínimo aprovechamiento unitario no va a ser posible obtener gratuitamente ninguna superficie de sistemas generales, por resultar, en tal caso, manifiestamente irrentable la actuación.

El criterio deberá ser —formalizado o no— análogo al que ya estableció tempranamente el art. 100.3 de la Ley Foral navarra 10/1994, de 4 de julio, de Ordenación del Territorio y Urbanismo: la inclusión de sistemas generales en las diferentes áreas de reparto en suelo urbano se realizará siempre que se trate de áreas excedentarias de aprovechamiento. Es decir, será a partir del beneficio diferencial que puedan recibir determinados ámbitos, que deberá ser justificado, como se posibilitará «cargar» a unos ámbitos con más y a otros con menos terrenos destinados a sistemas generales. El límite deberá estar en la rentabilidad económica de la ATU.

El criterio, pues, debe ser conseguir un mejor equilibrio entre los participantes y, en todo caso, la rentabilidad económica.

Nótese que el deber, conforme al art. 16.1, a) LS 2008, es exclusivamente de entrega del suelo, no la construcción del correspondiente viario o de la dotación pública de que se trate; posteriormente se podrá añadir el deber de costeamiento o ejecución de las obras de infraestructuras y servicios, conexión ampliación o refuerzo. Efectivamente, el apartado 1, d) del mismo art. 16 LS 2008 en la redacción dada por la LRRRU, exige la entrega de las correspondientes obras e infraestructuras.

Obsérvese, finalmente, que la inclusión de los sistemas generales en el ámbito correspondiente es, exclusivamente, a efectos de su gestión, de donde se deduce que será la legislación autonómica y por su remisión el planeamiento, quien deberá fijar tal ámbito y las correspondientes consecuencias, así como, en su caso, las técnicas de reparto de dicha obligación entre los propietarios y otros participantes en la ATU (técnicas de equidistribución del estilo del aprovechamiento tipo, aprovechamiento medio u otras).

Tradicionalmente, en la legislación autonómica se diferencia entre:

- incluir los sistemas generales en el área de reparto, sector o ámbito de planeamiento y gestión correspondiente; o bien

- adscribir éstos al área de reparto, sector o ámbito de planeamiento y gestión correspondiente;

aunque el resultado final de ambas alternativas en términos económicos es análogo, variando en función de los aspectos procedimentales («tradicionalmente» se diferencia entre los propietarios adscritos y los propietarios adheridos a la Unidad de Ejecución).

Por último, hay que tener en cuenta lo dispuesto por el ampliado párrafo segundo del art. 16.1, a) LS 2008 en su redacción de la LRRRU:

> «En estos suelos se incluirá, cuando deban formar parte de actuaciones de urbanización cuyo uso predominante sea el residencial, los que el instrumento de ordenación adscriba a la dotación pública de viviendas sometidas a algún régimen de protección, con destino exclusivo al alquiler, tanto

en los supuestos en que así se determine por la legislación aplicable, como cuando de la memoria del correspondiente instrumento se derive la necesidad de contar con este tipo de viviendas de naturaleza rotatoria, y cuya finalidad sea atender necesidades temporales de colectivos con especiales dificultades de acceso a la vivienda.»

Estos terrenos tendrán el carácter de dotación pública y, por tanto, serán de dominio público, para bien de poderse obtener por cesión dentro del apartado 16.1, a) LS 2008.

2.1.2. *Entregar a la Administración el suelo, libre de cargas, correspondiente al porcentaje de la edificabilidad media ponderada de la actuación, o del ámbito superior de referencia que fije la legislación reguladora de la ordenación territorial y urbanística.*

Este es un deber que se enmarca en el mandato constitucional de «rescate de plusvalías.»

Sería bueno aclarar desde el principio que lo que la LS 2008 denomina «edificabilidad media ponderada» es lo mismo que en las leyes estatales precedentes y en las de las Comunidades Autónomas se denomina «aprovechamiento tipo o medio», considerando mejor esta denominación que probablemente sea mantenida por las leyes autonómicas (71).

Y ello, porque los repartos no pueden hacerse en el ámbito de la edificabilidad (mera construcción) sino en el ámbito del valor (con lo cual se pueden igualar los derechos) y por otra parte, la ponderación de dicha edificabilidad tiene que tomar en referencia elementos de valor atribuidos por el instrumento de planeamiento, uso, tipología, localización, etc., retornando al sistema «tradicional». En el presente trabajo se le denominará edificabilidad media ponderada, aprovechamiento medio, aprovechamiento de referencia o aprovechamiento tipo, y más bien esta última denominación.

Es importante señalar que no se trata de una entrega de un porcentaje de aprovechamiento como indicaba, en particular, la Ley 8/1990 («ceder el porcentaje de aprovechamiento que en cada caso se establece» decía; y fue rectificado en la refundición, en la LS92: «Ceder los terrenos en que se localice el aprovechamiento correspondiente a los Ayuntamientos»), y como se dice coloquialmente con inexactitud; sino de una «cesión» (o, mejor, entrega como explicita la LS 2008) de suelo lucrativo, sustentante del aprovechamiento especificado en la correspondiente ley autonómica en el marco de la ley estatal, en este momento, la LS 2008.

---

(71) En algunas legislaciones autonómicas de adaptación a la LrS07, se establecen equivalencias terminológicas en el mismo sentido.

Y ello porque nadie puede ceder-entregar lo que no es suyo, y el agente (o/y los propietarios de suelo) participantes en la ATU pueden llegar a hacer suyo el 80% de dicho aprovechamiento como mínimo; pero de ahí no van a ceder ningún porcentaje a la Administración, sino que van a ceder suelo lucrativo, como deber legal para poder patrimonilizar dicho aprovechamiento urbanístico.

Nunca ha sido, en puridad, conceptualmente, del agente urbanizador el 100% del aprovechamiento del ámbito. Pero sí el suelo del ámbito será suyo (previa compra o expropiación por la Administración a su favor) o suyo y de los propietarios participantes en la actuación o de estos últimos. Es de ellos, con inscripción, en su caso, en el Registro de la Propiedad. El aprovechamiento urbanístico objetivo (mal llamado «real») se configura y cuantifica en el plan; y se atribuye o se reparte (como aprovechamiento subjetivo) con los márgenes de la ley del Estado (LS 2008) con el complemento de la Ley de la Comunidad Autónoma y, en su caso, el Plan.

El suelo lucrativo que se debe entregar a la Administración competente es libre de cargas de urbanización (y, por supuesto, libre de cargas reales, hipotecas, etc.), lo que aclara un aspecto relegado por la LrS98 a las leyes de las Comunidades Autónomas y que, ahora, en la LS 2008, podría plantear dudas de constitucionalidad, por no dejar margen a la ley autonómica para decidir en ese punto.

Señalaba el Abogado del Estado como Antecedente 22 de la STC 164/2001 sobre los gastos de urbanización a decidir por la ley autonómica en la LrS98:

> «A las Comunidades Autónomas correspondería decidir si, en su ámbito territorial, debe regir una cesión menor del 10 por 100 y si la Administración receptora de la cesión debe contribuir (en la porción correspondiente a la cesión de suelo que recibe) a los gastos de urbanización. Este amplio ámbito de decisión de cada Comunidad Autónoma descartaría el reproche de regulación completa y cerrada. ....

Por tanto, si la Administración no abona los gastos de urbanización que correspondan al suelo lucrativo adjudicado en cumplimiento del presente deber, deberán abonarlos los participantes en la ATU, sean propietarios o agente urbanizador u otros interesados, en su caso, en la reparcelación regulada por la correspondiente ley autonómica. Más adelante se volverá sobre este tema.

Es importante señalar que la LS 2008 establece que el suelo lucrativo a ceder es el «correspondiente al porcentaje de la edificabilidad media ponderada de la actuación, o del ámbito superior de referencia en que ésta se incluya, que fije la legislación reguladora de la ordenación territorial y urbanística.»

Algunos comentarios de importancia sobre este apartado b) del art. 16.1 de la LS 2008:

a) El porcentaje de atribución subjetiva del aprovechamiento adjudicable a la Administración lo debe fijar la legislación reguladora de la ordenación territorial y urbanística, es decir, la correspondiente ley autonómica (o estatal para Ceuta y Melilla, DF1.ª, 4, b) LS 2008 en la redacción de la LRRRU) y si así lo dispone esta última, el instrumento de planeamiento.

En defecto de normativa al respecto de la Comunidad Autónoma dicho art. 16.1, b) LS 2008 es inaplicable. Para el caso de las ciudades autónomas de Ceuta y Melilla el art. 16 ha sido complementado por la DF.1.ª, 4,b) LS 2008 en la redacción de la LRRRU, que señala que dicho porcentaje será con carácter general del 15%, porcentaje que el plan general podrá incrementar o reducir, motivada y proporcionadamente, hasta el veinte o el diez por ciento, respectivamente.

b) Conforme establece el art. 16 LS 2008, dicho porcentaje, con carácter general, no podrá ser inferior al 5% ni superior al 15% (horquilla del 5 al 15% del aprovechamiento del ámbito que corresponde, en principio, a la Administración).

En esa horquilla establecida por la LS 2008, se deduce que los participantes en la ATU tienen derecho a ser retribuidos de sus gastos e inversiones con el correspondiente aprovechamiento (edificabilidad ponderada) que va desde el 85% al 95% de la «edificabilidad media ponderada» (del aprovechamiento tipo o medio) del ámbito de la actuación o del ámbito superior de referencia.

La legislación territorial o urbanística podrá permitir excepcionalmente variar este porcentaje reduciéndolo hasta el 0% o incrementándolo hasta el 20%, para las ATU en que se produzcan gastos o plusvalías desproporcionados (72).

Si la ley autonómica actualmente vigente fija que corresponde a la Administración el 10% (por ejemplo, en SUble o en SUNC) ese porcentaje seguirá vigente.

c) El ámbito para el cálculo de la «edificabilidad media ponderada» es el ámbito de cada ATU o, en su caso, el ámbito superior de referencia en que ésta se incluya («tradicionalmente», áreas de reparto).

Es decir, traduciéndolo a términos «tradicionales», el área de reparto será el ámbito de la ATU (por ejemplo, de la unidad de ejecución) o un ámbito superior a ésta de referencia, establecido, en su caso, por la ley autonómica y concretado por el instrumento de planeamiento (por ejemplo, área de reparto). A partir de lo que se deja a la legislación autonómica amplios poderes para delimitar los ámbitos de equidistribución primaria (o áreas de reparto).

---

(72) Aspecto esencial que se contiene en todas las normativas de adaptación de la legislación autonómica a la LrS07 o a la LS 2008.

d) La edificabilidad media ponderada de la actuación o ámbito superior es, en realidad, el «tradicional» aprovechamiento tipo, medio o de referencia.

   En efecto, se reitera, la equidistribución ha de hacerse, necesariamente, en términos de aprovechamiento y no de edificabilidad. Si se hiciera en términos de edificabilidad podría adjudicarse a un propietario 100 m²t por los 200 m²s que aportó al proceso urbanizador; y a otro propietario análogo, que también aportó al proceso 200 m²s, se le adjudicarían también 100 m²t. Así no se habrá equidistribuido correctamente, en el supuesto de que al primero se le adjudicara su contenido en uso residencial, al lado del centro de la ciudad y cerca de un sistema general; y al segundo en uso industrial, lejos del centro y al lado del estercolero. Dicho de otra forma, la equidistribución se tiene que hacer en términos de valor y, por tanto, en términos de aprovechamiento y no de edificabilidad (tal como hacen o pueden permitir algunas de las leyes autonómicas).

   Por eso la LS 2008 usa la expresión de «edificabilidad media ponderada», entendiendo que con la ponderación entre usos y otras variables aplicada a la edificabilidad se hace que todas éstas de diferentes usos puedan ser homogéneas y de ahí proceder a su comparación y a analizar excesos y defectos en la gestión urbanística.

   Obviamente, la regulación legal del modo de cálculo de la «edificabilidad media ponderada» (o del aprovechamiento tipo) es competencia de la ley autonómica, con lo cual manteniendo el sistema autonómico vigente se facilita la adaptación de las leyes de las Comunidades Autónomas a la LS 2008.

e) La legislación autonómica podrá determinar los casos en que se pueda sustituir la citada entrega de suelo lucrativo por otras formas de cumplimiento del deber, excepto si el suelo con el que se puede cumplir el deber en el ámbito de la ATU está destinado a VPO o, en general, vivienda protegida, en virtud del art. 16.1, b) último párrafo LS 2008.

f) Por último, en las Actuaciones de Dotación (AD), el porcentaje de suelo lucrativo de la correspondiente entrega se aplicará sobre el incremento de la edificabilidad media ponderada (aprovechamiento tipo) atribuida a los terrenos incluidos en la actuación (art. 16.2, a) LS 2008 en su versión de la LRRRU).

g) Es decir, el suelo lucrativo a ceder en estas AD no vendrá afectado por el aprovechamiento preexistente (o las dotaciones preexistentes), y sólo dependerá del incremento de aprovechamiento producido por el plan en el ámbito de la Actuación de Dotación.

A partir de dichos comentarios iniciales, se analizarán individualizadamente los diversos aspectos implicados.

Se reitera que es preciso señalar que, al igual que lo indicado respecto de la anterior cesión, no se trata de una cesión gratuita (que reduce el patrimonio del cedente); ya que por virtud de la propia Ley el promotor o los propietarios sólo tienen derecho al 85-95% (normalmente, según establezca en concreto cada ley urbanística) del aprovechamiento de referencia o edificabilidad media ponderada; o al que establezca la ley de la Comunidad Autónoma dentro del citado margen). Es decir, se trata de una cesión-entrega de suelo lucrativo, de manera que los participantes en la ATU hacen suyo —a través de ella y tras la carga de entrega a levantar—, el total aprovechamiento que les corresponde (85% o más) en los suelos lucrativos que se les adjudiquen. De donde se deriva que no tienen el derecho a que se les adjudique el 100% del aprovechamiento de referencia, lo que — de ser así— sí podría representar una reducción de su patrimonio si se produjera la cesión de aprovechamiento.

En efecto, conforme a la LS 2008 el 85-95% del aprovechamiento de referencia (o el que establezca la ley autonómica), pero no más, se considera que va a ser de la titularidad de los participantes en la ATU en ejecución del planeamiento que establezca el correspondiente aprovechamiento objetivo.

Siguiendo con la técnica tradicional, obsérvese que no puede asegurarse que en todos los casos, cualquiera que sea el ámbito de gestión o ejecución, se tenga que producir, necesariamente, una entrega de suelo lucrativo a favor de la Administración actuante —ni, por tanto, que siempre sea del 5% al 15% de cada ámbito de ejecución—, dado que en el caso de que el ámbito de fijación del aprovechamiento de referencia sea suficientemente grande (por ejemplo, un área de reparto con varias unidades de ejecución —ATU— o un sector con varios polígonos o unidades de ejecución, o actuación, etc., conforme establezca la legislación autonómica), podrán existir ámbitos de ejecución excedentarios de aprovechamiento objetivo y otros deficitarios de aprovechamiento objetivo, como «tradicionalmente» existían.

• **Determinación del «cesionario»: la Administración actuante**

Tras la STC 61/1997 (FJ.17, b), ya no ha habido dudas respecto de que la ley estatal no puede señalar al Municipio como Administración necesariamente receptora del suelo con aprovechamiento lucrativo. Será, por tanto el Municipio, normalmente, o la Administración actuante, según establezca la ley autonómica.

• **Determinación del ámbito correspondiente**

Dado que el art. 16.1, b) LS 2008 establece que el porcentaje del aprovechamiento unitario que corresponde a la Administración (edificabilidad media ponderada) lo es de un determinado ámbito «de la actuación, o del ámbito superior de referencia en que ésta se incluya» deberá estudiarse cuál haya de ser dicho ámbito.

En primer lugar es claro que si la ley autonómica no fija expresamente otro distinto, el ámbito será, precisamente, el ámbito de la actuación. Pero si la ley autonómica (y, por su mandato, el plan) fija otro ámbito superior de equidistribución, éste será el aplicable.

En otros términos estamos en la misma situación que lo que ocurría con las áreas de reparto.

Recuérdese que el ámbito para la fijación del aprovechamiento de referencia establecido en la LS92 (aprovechamiento tipo), las denominadas áreas de reparto de cargas y beneficios, fueron consideradas por la STC 61/1997 como una invasión de las competencias autonómicas en materia de Urbanismo, por lo que tanto el legislador estatal de 1998, como el de 2007 se ha visto obligado a no pasar de la expresión **«ámbito correspondiente» o «ámbito de la actuación o del ámbito superior de referencia»,** que deberá ser completado y concretado por la legislación autonómica y el planeamiento, respectivamente.

Las leyes autonómicas ya han fijado el correspondiente ámbito para la fijación del aprovechamiento objetivo de referencia, ámbito fijado a partir de la LrS98 y que es de validez tras la entrada en vigor de la LrS07 y, por tanto, tras la LS 2008, como ámbito de fijación del aprovechamiento que corresponda a la Administración. Y esos ámbitos suelen ser, en general, **según establezca la ley autonómica:**

— **En suelo urbano:**

i) El **área de reparto**, con análoga regulación que la del art. 94 LS92 —asumida, en su día, materialmente por diversas Comunidades Autónomas (Andalucía, Cantabria, Castilla-La Mancha, Galicia, Extremadura, Madrid, Navarra, País Vasco, etc.)—, o diferente (incluyendo o no sistemas generales).

ii) El **polígono, unidad de ejecución o unidad de actuación** (o un conjunto de ellos, con o sin sistemas generales) o un área homogénea: el ATU. En este caso, si se tratara de una única unidad de ejecución, el aprovechamiento objetivo de referencia sería el de ésta (o la media del aprovechamiento de la unidad de ejecución —**maUE**— en términos unitarios), sin olvidar los criterios de equilibrio o relación entre las diferentes unidades de ejecución o polígonos, y también la forma de incluir o adscribir a las mismas, en su caso, suelo correspondiente a elementos de sistemas generales.

iii) La propia **parcela asistemática o** parcela que ya sea solar o le falte poco para serlo (que según la LrS98 sería, en principio, parcela de Suelo Urbano Consolidado por la Urbanización), ámbito de ejecución que puede coincidir con el ámbito de determinación del aprovechamiento de referencia (como podía suceder en defecto de determinación de las áreas de reparto conforme a la LRAU valenciana y sucede con la LUV de dicha Comunidad). Si éste es el ámbito elegido por la legislación autonómica, el contenido del aprovechamiento objetivo de dichas parcelas pasará, en su 85-95%, o porcentajes excepcionales, a los participantes en la ATU, salvo que se establezca un sistema de perecuación en ámbitos mayores de determinación del aprovechamiento de referencia, de modo que la ley autonómica obligara adicionalmente a cumplir el deber de equidistribución de aprovechamiento y, en su caso, de cesiones de suelo lucrativo o transferencias de aprovechamiento. Si sólo resta la construcción de la edificación, ésta se ha de realizar de acuerdo con la legislación aplicable.

iv) **O cualquier otro ámbito** fijado al efecto por la ley de la Comunidad Autónoma, dado que esta no es materia de competencia estatal.

— **En suelo urbanizable:**

i) El **área de reparto** (LS92) o el **cuatrienio** (LS76), gran ámbito que lleva funcionando como tal desde 1975, pero que debe tener en cuenta las modificaciones posteriores producidas.

ii) El **sector** (Ley 7/1997), parte del suelo urbanizable correspondiente al ámbito de un Plan Parcial (o planeamiento de desarrollo, conforme establezca la ley autonómica), ámbito de muy probable aplicación; o conjunto de sectores con los correspondientes sistemas generales.

iii) O **cualquier otro ámbito** que establezca la legislación autonómica, —dado que esta no es materia de competencia estatal— como podría ser, como excepción,

«... el suelo urbanizable ordenado conforme al artículo 18.3 puede integrarse en Areas de Reparto delimitadas con otros criterios o, incluso, formar una misma Área de Reparto con terrenos que tengan la clasificación de suelo urbano». (art. 62.2 de la antigua LRAU).

Que permitía áreas de reparto que comprendan suelo urbano y urbanizable (hoy ambos en situación de Suelo Rural apto para el desarrollo urbanístico.

• **Determinación del aprovechamiento total (edificabilidad total tras la ponderación de edificabilidades de diferentes usos, tipologías, localizaciones, etc.) del «ámbito correspondiente.»**

Está claro que el aprovechamiento total —edificabilidad total ponderada— del ámbito de acumulación de aprovechamiento (área de reparto, sector, unidad de ejecución, etc.) es la suma de los aprovechamientos totales —edificabilidad total ponderada— de todas las zonas elementales o atómicas incluidas en dicho ámbito de acumulación.

La determinación de las posibles formas de cálculo del aprovechamiento total del ámbito corresponde a la leyes autonómicas (según establece la STC 61/1997), de manera que las formas ya establecidas por éstas, aunque no se hayan adaptado a la LrS07 o a la LS 2008, serán aplicables en la actualidad por su complementariedad con la misma y, por ello, con la LS 2008 (competencias exclusivas del Estado por virtud del art. 149.1.1.ª CE complementadas con las competencias exclusivas de la Comunidad Autónoma del art. 148.1.3.ª CE).

Por todo ello, a efectos del cálculo de la edificabilidad ponderada total (del aprovechamiento total) del ámbito podrán presentarse los siguientes supuestos:

— **Comunidades Autónomas que tengan ley propia con un sistema de cálculo** expresamente establecido, ya sea **igual que** el que establecían los **arts. 96.1 y 97.1 LS92**, los arts. 12.2.2,b y 84.3 LS76, junto con el art. 31 del Reglamento de Planeamiento, o parecido.

— **Comunidades Autónomas que tengan ley específica propia, con una regulación diferente** a la establecida en la LS92 o en la LS76 (a modo de ejemplo, en términos de edificabilidades totales, posibilidad ya contemplada en el antiguo art. 65.1 y 2 de la antigua LRAU valenciana o en los alguna otra ley autonómica) (73).

— **Comunidades Autónomas que no tengan ley propia** (en este momento sólo Islas Baleares, pero tiene su normativa propia en materia de áreas de reparto y aprovechamientos tipo), en cuyo caso sería de aplicación supletoria lo dispuesto en la LS76 (sobre todo en SUble): en la actualidad es una posibilidad que sólo es aplicable en las ciudades autónomas de Ceuta y Melilla, dado que en la única Comunidad Autónoma sin ley urbanística integral propia, Islas Baleares, tiene, como se acaba de indicar, una regulación específica propia relativa a las áreas de reparto y aprovechamiento tipo.

El aprovechamiento total del ámbito será la suma total del aprovechamiento que al mismo acumula cada uno de los espacios «elementales» (o «atómicos») del mismo.

Pero como los diferentes espacios elementales es muy probable que tengan diferente calificación urbanística (diferente uso, tipología edificatoria, localización, etc.), la edificabilidad total de los mismos (m^2t, metros cuadrados de techo edificable o edificado), transformada en aprovechamiento al adscribirle el uso con

---

(73)   No diferenciar los distintos usos representa una evidente simplificación en el cálculo, pero podría significar importantes desequilibrios económicos en la gestión urbanística.

todas sus condiciones urbanísticas, no será sumable (salvo que tengan pequeñas diferencias de valor unitario), ya que los usos y las tipologías serán heterogéneos (por ejemplo, una chalet unifamiliar de 200 m²t no es equivalente, en principio, a 200 m²t de uso de industria ligera). Por ello, los distintos usos y tipologías deberían homogeneizarse, ponderarse, «traducirse», para poderlos referir a una única unidad concreta.

En resumen, la obtención del aprovechamiento total —edificabilidad ponderada total— del ámbito requerirá, conforme establezca la legislación urbanística, la determinación del aprovechamiento objetivo establecido en el planeamiento para cada uno de los espacios elementales de dicho ámbito, la homogeneización entre los diferentes aprovechamientos de los diferentes espacios elementales (a través de «traductores» o coeficientes de homogeneización, ponderación, o asimilados, salvo que se quede en el ámbito de la edificabilidad) y la suma de todo el aprovechamiento del ámbito como suma del aprovechamiento objetivo que se ha asignado a cada uno de los espacios elementales. En el caso concreto de un ámbito en el cual sólo exista un uso y tipología (o varios pero análogos) la cuantía del aprovechamiento total del ámbito sería coincidente con la cuantía de la suma de las edificabilidades totales del uso indicado.

• Determinación del 5-15% de la edificabilidad total ponderada (del aprovechamiento total) del «ámbito», que corresponde a la Administración y del suelo correspondiente

Dado el miedo a extralimitarse en sus competencias respecto del uso de términos unitarios (aprovechamiento tipo o medio) por parte del legislador estatal de 1998 después de la STC 61/1997, optó por quedarse en términos totales de aprovechamiento, de los cuales era, posteriormente, imprescindible descender a términos unitarios del aprovechamiento. El legislador estatal de 2007 —y, consecuentmente el de la LS 2008 y de la LRRRU— no ha tenido esa objeción y ha determinado que a la Administración le corresponde el «porcentaje **de la edificabilidad media ponderada de la actuación, o del ámbito superior de referencia en que ésta se incluya,** que fije la legislación reguladora de la ordenación territorial y urbanística»; bajando a términos concretos: **edificabilidad media ponderada.**

Desde la regulación del Estado, la LrS98 establecía que el porcentaje de la participación de la Administración era variable dentro de un abanico que iba desde el 0% hasta el 10% del aprovechamiento del ámbito, dejando su concreción a las leyes de las Comunidades Autónomas.

La LS 2008 en la versión de la LRRRU (como ya lo hacían la LrS07 y la LS 2008 originaria) establece más amplitud y posibilidades de variabilidad que su precedente de 1998: con carácter general el porcentaje estará comprendido entre **el cinco por ciento y el quince por ciento,** pero la legislación sobre ordenación territorial y urbanística podrá permitir excepcionalmente reducir o incrementar este porcentaje.

En el caso de que el ámbito de determinación de la edificabilidad media ponderada (del aprovechamiento de referencia) sea la misma unidad de gestión (por ejemplo, una unidad de actuación), el 5%-15% del aprovechamiento total del ámbito de fijación del aprovechamiento de referencia coincidiría con el 5%-15% del aprovechamiento del ámbito de gestión, de forma que, tras la ejecución del planeamiento, el 95%-85% de la edificabilidad media ponderada (del aprovechamiento de referencia) de éste corresponderá a los promotores de la ATU y el 5%-15% a la Administración. Pero en el caso de que el porcentaje que corresponda a la Administración sea el 10% y que el «ámbito» de determinación del aprovechamiento de referencia sea superior al de la unidad de actuación, ésta podrá ser excedentaria o deficitaria de edificabilidad ponderada objetiva (de aprovechamiento objetivo) (**y la cesión-entrega podrá no ser del suelo sustentante del 10% de dicha edificabilidad ponderada en cada unidad de actuación) (74)**. Y todo ello, en los términos que establezcan la legislación urbanística y el planeamiento [art. 16.1, b) LS 2008] (FIG. 15).

---

(74) Sin perjuicio de que la correspondiente entrega de suelo habrá de ser, en su caso, para compensar a los propietarios de sistemas generales, a los de UE deficitarias y, en su caso, el resto para el Patrimonio Municipal del Suelo.

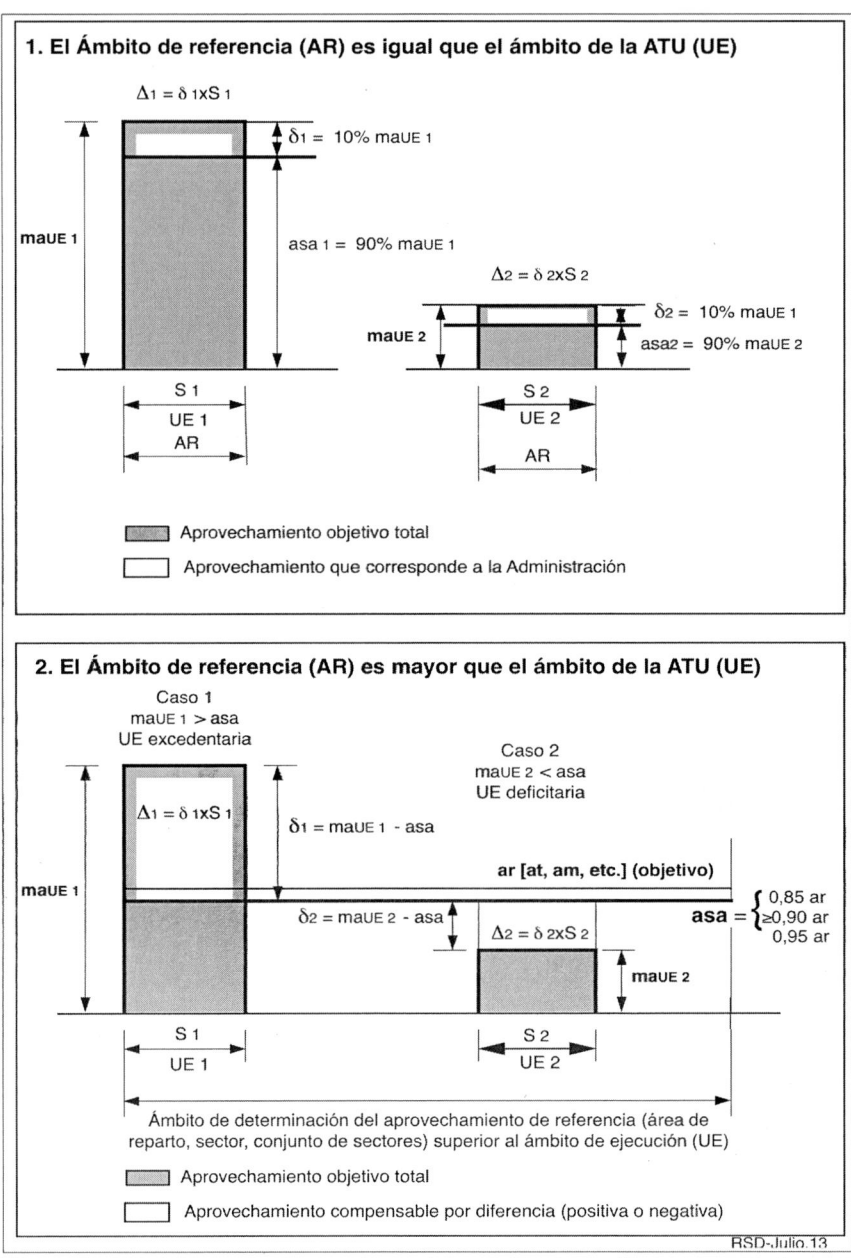

Fig. 15. Gestión del aprovechamiento urbanístico en Unidades Sistemáticas de Ejecución (Unidades de Ejecución, UE, polígonos, o Unidades de Actuación, UA) si sólo actúan los propietarios. Se supone que la entrega de suelo lucrativo a la Administración es el 10%, o menos, de la edificabilidad media ponderada

La concreción respecto de cuál hubiera de ser el porcentaje del aprovechamiento objetivo total del ámbito que debiera corresponder a la Administración actuante fue uno de los aspectos más debatidos del Proyecto de ley con la LrS98, en el sentido de si debía fijarse un 10% o un 15%, entrando en juego, finalmente, los gastos genéricos de urbanización (carga de urbanización) que debía corresponder a los terrenos lucrativos que percibiera gratuitamente la Administración, según estableciera la legislación autonómica.

Pero es preciso señalar que, en todo caso, no es lo más importante para el promotor (o propietarios de suelo participantes) si le corresponde el 85% o el 95% de un determinado aprovechamiento objetivo de referencia (ya que la diferencia porcentual entre 85 y 95 es sólo el 11,76% sobre aquél); lo más importante es, precisamente, el aprovechamiento objetivo de referencia (la edificabilidad media ponderada), que lo fija el planeamiento, y que fácilmente puede superar, entre dos opciones distintas, dicha diferencia del 11,76%.

Como señalaba Santos Diez en relación con la que iba a ser la LrS98 (75):

> «La atribución al propietario de suelo, como aprovechamiento susceptible de apropiación, de un porcentaje del aprovechamiento objetivo del plan (entendido como un mínimo) representa un aprovechamiento subjetivo total proporcional al objetivo establecido por el planeamiento, con lo cual la atribución del 85% o el 90% del aprovechamiento unitario, tipo o medio del área de reparto, cuatrienio, sector, unidad de ejecución o del ámbito que sea, responde, con rigor, más bien a una igualdad formal que no igualdad material o sustantiva.
>
> Más en concreto, entre dos áreas de reparto, cuatrienios, sectores, unidades de ejecución o ámbitos de que se trate, el porcentaje de atribución se multiplica por el aprovechamiento unitario de planeamiento del ámbito, de manera que si este es muy alto, el resultado es una alta atribución subjetiva de aprovechamiento; y si es muy bajo, una baja atribución subjetiva de aprovechamiento.»

Dicho de otra forma y muy simplificadamente: el 85% de 10.000 m²tRes son 8.500 m²tRes mientras que el 95% de 1.000 m²tRes son sólo 950 m²tRes. La diferencia salta a la vista.

Conocido el aprovechamiento que corresponde a la Administración en términos totales (o unitarios, el 5%-15% o, en su caso, otro valor mayor o menor en una Unidad de Ejecución concreta), deberá transformarse en el suelo correspondiente,

---

(75) Santos Diez, Ricardo, «El aprovechamiento susceptible de apropiación tras la Sentencia del Tribunal Constitucional 61/1997, de 20 de marzo», *Revista del Instituto de Estudios Económicos,* n.º 3/1997, núm. monográfico sobre Antecedentes y marco jurídico de la liberalización del suelo en España, pág. 146.

a través de la adjudicación de parcelas resultantes en los proyectos de equidistribución (reparcelación, compensación, etc.), materializándose así, en suelo lucrativo, el derecho de la Administración.

Pero la LS 2008 matiza aún más la regulación estableciendo máximos y mínimos excepcionales: la ley autonómica puede «reducir o incrementar este porcentaje —el ordinario del 5% al 15% a favor de la Administración— de forma proporcionada y motivada, hasta alcanzar un máximo del veinte por ciento en el caso de su incremento, para las actuaciones o los ámbitos en los que el valor de las parcelas resultantes sea sensiblemente inferior o superior, respectivamente, al medio en los restantes de su misma categoría de suelo» (76).

Este deber de entrega de suelo lucrativo podrá transformarse en metálico en los casos que establezca la legislación urbanística:

> «La legislación sobre ordenación territorial y urbanística podrá determinar los casos y condiciones en que quepa sustituir la entrega del suelo por otras formas de cumplimiento del deber, excepto cuando pueda cumplirse con suelo destinado a vivienda sometida a algún régimen de protección pública en virtud de la reserva a que se refiere la letra b) del apartado primero del artículo 10». [art. 16.1, b), último párrafo LS 2008 en la redacción dada por la LRRRU].

Por último, en las Actuaciones de Dotación (AD) el porcentaje indicado más arriba se entenderá referido al incremento de aprovechamiento: «referido al incremento de la edificabilidad media ponderada atribuida a los terrenos incluidos en la actuación.»

En resumen: si la legislación autonómica, no adaptada a la LrS07 o LS 2008, actualmente vigente señala, como es común, que el aprovechamiento unitario que corresponde a la Administración es el 10% este porcentaje seguirá siendo válido, ya que se encuentra entre el 5% y el 15% que señala la LS 2008 como horquilla ordinaria de variación de las Comunidades Autónomas. Si señala el 0% en Suelo Urbano Consolidado, este porcentaje temporalmente seguirá siendo válido, pues la aplicación del 5% requeriría una nueva legislación autonómica sobre la materia (como señala la Instrucción murciana) o con el razonamiento de la Instrucción de Castilla y León:

> «En suelo urbano consolidado, corresponde a los propietarios el aprovechamiento real (que se obtiene aplicando las determinaciones del planeamiento urbanístico sobre la superficie bruta de sus parcelas) salvo cuando se modifique el planeamiento de forma que se incremente la edificabilidad o la densidad o se cambie el uso del suelo. En tal caso, debe analizarse si

---

(76) Las legislaciones autonómicas de adaptación a la LrS07 o a la LS 2008 han llegado, normalmente, al 15%. En el límite inferior, varias adaptaciones llegan al 0%.

se dan las condiciones establecidas en el artículo 26.1 RUCyL para que los terrenos hayan de ser considerados suelo urbano no consolidado. Si no se dan dichas condiciones, los terrenos podrán seguir siendo considerados suelo urbano consolidado, pero sus propietarios deberán ceder al Ayuntamiento el suelo apto para materializar el 5 por ciento del incremento de aprovechamiento que se genere con la modificación, libre de cargas de urbanización. Pero si las características de la Modificación no hacen posible la cesión de parcelas edificables que puedan destinarse a la construcción de viviendas con protección pública, dicha cesión se sustituirá por la entrega de su valor en dinero».

En Aragón, el art. 102 de su Ley Urbanística, redactado por el artículo 2.veintiocho de la Ley [ARAGÓN] 1/2008, 4 abril, por la que se establecen medidas urgentes para la adaptación del ordenamiento urbanístico a la Ley 8/2007, de 28 de mayo, de suelo, garantías de sostenibilidad del planeamiento urbanístico e impulso a las políticas activas de vivienda y suelo en la Comunidad Autónoma de Aragón («B.O.A». 7 abril), establece que «en suelo urbano consolidado, el aprovechamiento subjetivo correspondiente al propietario será el objetivo establecido en el planeamiento».

• **Carácter de máximo o mínimo de la entrega de suelo lucrativo, que puede ser reducida o aumentada por la legislación urbanística autonómica. Cuantía aplicable en cada caso a esta cesión. Las leyes autonómicas.**

Como se acaba de indicar, el art. 16.1, b) LS 2008 ha fijado una **entrega** —con carácter general— **de suelo lucrativo sustentante de aprovechamiento correspondiente al 5%-15% de la edificabilidad media ponderada** (del aprovechamiento tipo) del ámbito**,** pudiendo la legislación urbanística excepcionalmente rebajar o aumentar esta cuantía hasta el 20%. Lo cual significa que las Comunidades Autónomas podrán regular la cuantía de esta **entrega de suelo lucrativo**, con carácter general, dentro de una **horquilla** que va **desde el 5% hasta el 15%** de la edificabilidad media ponderada (del aprovechamiento tipo) del ámbito (77); y, excepcionalmente, en su ley, dentro de los límites **desde el 0% hasta el 20%** de la edificabilidad media ponderada.

De donde pueden desprenderse, desde el punto de vista teórico, que esta legislación podría optar por una de las dos alternativas extremas que se indican o por cualquiera otra intermedia.

---

(77) Obsérvese que las leyes de las Comunidades Autónomas señalan, normalmente, en SUNC y SubleS como participación de la Administración en las plusvalías el 10% del aprovechamiento tipo del área de reparto, cuantía que encaja perfectamente dentro de los límites marcados por la LS 2008.

— La situación excepcional más favorable para los promotores de las ATU: entregar el suelo lucrativo sustentante del 0% de la edificabilidad media ponderada (del aprovechamiento) del ámbito (78).

— La situación excepcional más desfavorable para los promotores de la ATU: ceder el suelo lucrativo sustentante del 20% de la edificabilidad media ponderada (del aprovechamiento) del ámbito.

— La situación normal: ceder el suelo lucrativo sustentante del 5% al 15% de la edificabilidad media ponderada (del aprovechamiento) del ámbito.

De forma que las leyes de las Comunidades Autónomas que señalan su concreción entre dicho 5% y 15 % serán aplicables directamente.

Los supuestos reales, en términos de entrega de suelo lucrativo, sustentante de aprovechamiento, son casi todos iguales; en el momento de la entrada en vigor de la LS 2008 originaria y de la LRRRU existe legislación autonómica que regula esta materia; y que, además, establece una cuantía (por ejemplo, el 10%) compatible con la horquilla 5%-15% indicada para el aprovechamiento que corresponde a la Administración, en cuyo supuesto el tránsito se producirá sin ninguna dificultad. Es el caso común de casi todas las Comunidades Autónomas en SUNC y en SubleS.

Y en SUC el 0% para la Administración se considera compatible con lo establecido por la LS 2008.

Por supuesto, tras la entrada en vigor de la actual LS 2008, las Comunidades Autónomas pueden aprobar leyes en las que el porcentaje que corresponde a la Administración sea diferente del 10% actual y tome los límites de amplitud del 15% o del 5% del aprovechamiento del ámbito que establezcan, o bien, excepcionalmente regulen otros porcentajes que se mantengan dentro de la horquilla indicada mínimo-máximo excepcional del 0%-20%.

El carácter de la legislación estatal en la materia se resalta con la contemplación de la DF.1.4, b) LS 2008, en la redacción dada por la LRRRU, en relación con el porcentaje a aplicar en las ciudades autónomas de Ceuta y Melilla:

«El contenido normativo íntegro de esta Ley es de aplicación directa en los territorios de las Ciudades de Ceuta y Melilla, con las siguientes precisiones:

---

(78) Como considera Santos Diez (trabajo reseñado en la nota de pie de página n.º 75, pág. 959):
«En contraposición con algún sector doctrinal que sostiene que la reducción del aprovechamiento que corresponde a la Administración actuante no puede, en ningún caso, llegar a una cuantía resultante nula (0%), parece que sí es posible dicha participación nula de la Administración (el promotor o el propietario se queda con el 100%) y no tiene por qué tratarse de un supuesto inconstitucional, siempre que:
a) no se produzcan plusvalías urbanísticas por la acción urbanística de los entes públicos, o
b) se recuperen por otra vía, por ejemplo y señaladamente la vía fiscal.»

...

b) El porcentaje a que se refiere la letra b) del apartado 1 del artículo 16 será, con carácter general, el 15 por ciento. No obstante, el Plan General podrá, de forma proporcionada y motivada, reducirlo hasta un 10 por ciento, o incrementarlo hasta un máximo del 20 por ciento, en las actuaciones o ámbitos en los que el valor de los solares resultantes sea sensiblemente inferior, o superior al medio de los incluidos en su misma clase de suelo, respectivamente.»

De tal manera que no se podría aplicar directamente, en ausencia de normativa autonómica al respecto, lo dispuesto por el art. 16, b) LS 2008.

• Participación de la Administración actuante en las cargas de urbanización que correspondan a dicho suelo lucrativo entregado libre de cargas de urbanización correspondientes.

El Tribunal Supremo, durante la vigencia de la LS76, después de diversas sentencias vacilantes, sentó una doctrina constante en el sentido de que, en todo caso, la Administración debía soportar los gastos correspondientes al suelo lucrativo con aprovechamiento que recibía como consecuencia de las «cesiones» de suelo sustentante del 10% del aprovechamiento medio, tanto en el sistema de cooperación como en el de compensación.

En la regulación de la LS92, el art. 151.3, de carácter básico, al regular las unidades de ejecución con exceso de aprovechamiento real u objetivo, establecía análogo mandato:

«La Administración o los propietarios señalados en el número anterior participarán en los costes de urbanización de la unidad de ejecución respectiva en proporción a los aprovechamientos que les correspondan». (art. 151.3 LS92).

Pues bien, durante su vigencia, y sin perjuicio de su carácter básico, alguna Comunidad Autónoma legisló en sentido contrario, sin que los correspondientes preceptos fueran recurridos por su presunta inconstitucionalidad.

La LrS98 vino a «compensar» la reducción de la participación de la Administración actuante en el aprovechamiento objetivo del ámbito correspondiente (se redujo dicha participación del 15% al 10% o menos, es decir, al menos en un 33%), dejando a disposición de la legislación de la Comunidad Autónoma la decisión respecto de si el suelo lucrativo correspondiente a dicha cesión de aprovechamiento había de cederse sin «cargas» de urbanizar o con ellas o con una parte de ellas. La mayoría de las Comunidades Autónomas que aprobaron leyes integrales tras la entrada en vigor de la LrS98 establecieron que dichos costes eran a cargo de los propietarios adjudicatarios de suelo lucrativo [a modo de ejemplo, en Aragón, art. 18, d) de su Ley 5/1999].

La STC 164/2001 en relación con el art. 14.2, c) LrS98 —que establecía que la Administración debería pagar gastos de urbanización por el suelo lucrativo que percibe como consecuencia de la correspondiente cesión, o bien no los debería abonar, según lo establciera la legislación urbanística aplicable— en su fundamento jurídico 22 analiza la constitucionalidad del art. 14.2, c) LrS98 y llega a la conclusión de que es constitucional, precisamente, porque no impone un modelo a las Comunidades Autónomas. En efecto, dicha STC señalaba:

> «Debemos destacar, en todo caso, que ese margen de cesión de suelo lucrativo del 10 por 100 se complementa de dos formas: primera, **con la facultad de cada Comunidad Autónoma** [conforme al art. 14.2 c) LRSV] **de disponer si el suelo cedido** (con destino a servir de soporte físico a ese máximo del 10 por 100 de aprovechamiento urbanístico) **debe aportarse o no libre de costes de urbanización.**»

Con la entrada en vigor de la LS 2008 el tema ha quedado momentáneamente zanjado: la cesión de suelo lucrativo por el concepto indicado lo es libre de todo tipo de cargas u obligaciones (79).

2.1.3. *Costear y, en su caso, ejecutar todas las obras de urbanización, así como las infraestructuras de conexión, ampliación y refuerzo.*

También es deber de la promoción el de costear y, en su caso, ejecutar las infraestructuras de conexión con las redes generales de servicios (incluidas las de potabilización, suministro y depuración de agua que se requieran conforme a su legislación reguladora), y las de ampliación y reforzamiento de las existentes fuera de la actuación que ésta demande por su dimensión y características específicas, sin perjuicio del derecho a reintegrarse de los gastos de instalación de las redes de servicios con cargo a sus empresas prestadoras, en los términos establecidos en la legislación aplicable.

Este es un deber que se enmarca en el mandato constitucional de «rescate de plusvalías» (80).

La Administración no tiene que abonar nada (con la LS 2008 incluso ni por el suelo lucrativo que recibe gratuitamente, conforme al reparto legal del aprovechamiento, es decir, en la participación en las plusvalías generadas por la acción urbanística de los entes públicos) por el suelo lucrativo que percibe por dicha entrega

---

(79) Más arriba se han hecho más comentarios sobre esta materia.
(80) Obsérvese que los deberes se pueden resumir en dos constitucionales: rescate de plusvalías y equiditribución.

ni por las obras de urbanización, conexión o ampliación de los correspondientes servicios públicos.

Es decir, legalmente y urbanísticamente expresado, los participantes en la ejecución de la ATU deben «costear y, en su caso, ejecutar», todas las obras de urbanización previstas en la unidad de ejecución, polígono o unidad de actuación o ámbito de ejecución equivalente, ámbito de la ATU, a concretar por la legislación urbanística, así como la de conexión, ampliación y refuerzo.

En los costes de urbanización es claro que no solamente deben considerarse los correspondientes a las propias obras de urbanización (vialidad, saneamiento, suministro de agua y energía eléctrica, alumbrado público, arbolado y jardinería; incluida la potabilización etc.) sino también los costes de Planes Parciales (o de desarrollo del planeamiento general, si fueren precisos en cada caso), Proyectos de reparcelación, de urbanización, etc., y las indemnizaciones de todo tipo que deban imputarse a la actuación [véase el art. 16.1, f) LS 2008].

En prácticamente todas las Comunidades Autónomas se han establecido ya reglas propias sobre los costes de urbanización que son imputables a los promotores, propietarios o, en su caso, adjudicatarios del suelo lucrativo, con alguna matización respecto de lo establecido por la legislación supletoria o «tradicional» estatal.

A modo de ejemplo, el art. 115 del Texto Refundido de la LOTAU, de Castilla-La Mancha, relativo a los propietarios pero que se deberá entender aplicado, en su caso, a los promotores, establece que:

«1. Los gastos de urbanización que corren a cargo de los propietarios de los terrenos comprendidos en una unidad de actuación son todos los correspondientes a los siguientes conceptos:

a) Obras de vialidad, comprensivas en todo caso de las de explanación, afirmado y pavimentación de calzadas; construcción y encintado de aceras; y construcción de las canalizaciones para servicios en el subsuelo de las vías o de las aceras.

b) Obras de saneamiento, inclusivas de las de construcción de colectores generales y parciales, acometidas, alcantarillas, ramales, sumideros y atarjeas para aguas pluviales y estaciones depuradoras, en la proporción que corresponda a la unidad de actuación.

c) Obras para la instalación y el funcionamiento de los servicios públicos de suministro de agua, incluyendo las de captación de ésta cuando sean necesarias y las de distribución domiciliaria de agua potable, de riego y de hidrantes contra incendios; de suministro de energía eléctrica, comprendiendo la conducción y la distribución, así como el alumbrado público, comunicación telefónica y cualquiera otra que estuvieran previstas por el planeamiento.

d) Obras de ajardinamiento y arbolado, así como de amueblamiento urbano, de parques y jardines y vías públicas.

e) Redacción técnica y anuncios preceptivos en la tramitación administrativa de los diferentes instrumentos de planeamiento de desarrollo precisos para la ordenación detallada y de los proyectos de urbanización y de reparcelación.

f) Gastos de promoción y gestión de la actuación urbanizadora, incluyendo el beneficio o la retribución empresarial del urbanizador.

g) Indemnizaciones que procedan en favor de propietarios o titulares de derechos, incluidos los de arrendamiento, referidos a edificios y construcciones que deban ser demolidos con motivo de la ejecución del planeamiento, así como de plantaciones, obras e instalaciones que deban desaparecer por resultar incompatibles con éste.

h) Cuando así se prevea expresamente en el planeamiento a ejecutar o en el Programa de Actuación, además, las obras de infraestructura y servicios exteriores a la unidad de actuación que sean precisas tanto para la conexión adecuada de las redes de la unidad a las generales municipales o supramunicipales, como para el mantenimiento de la funcionalidad de éstas, así como cualesquiera otras cargas suplementarias que se impongan a los terrenos.

2. Los gastos de conservación de la urbanización que corresponden al urbanizador y a los propietarios de los solares resultantes hasta la recepción por la Administración de las obras realizadas, son los correspondientes al mantenimiento de todas las obras y los servicios previstos en el número anterior....»

En resumen, de acuerdo con lo dispuesto en el art. 16.1, c) LS 2008, la Administración actuante no participa en el pago de los gastos de urbanización correspondientes al suelo lucrativo que percibe en función de la «cesión obligatoria» —entrega— de suelo sustentante de aprovechamiento, como se ha indicado más arriba.

2.1.4. Entregar a la Administración, las obras e infraestructuras a que se refiere la letra anterior que deban formar parte del dominio público

Este era, en cuanto a la conexión con los sistemas generales, prácticamente el único deber que existía en SUble para la transformación urbanística que no existía en el Suelo Urbano No Consolidado (arts. 18.3 y 14.2 LrS98). Y ello porque en suelo urbano los sistemas generales exteriores a la actuación normalmente ya deberían estar ejecutados; sin embargo, en suelo urbanizable esta conexión era necesaria por no existir y, en otros casos, lo que se requería la ampliación o refuerzo de dichos sistemas.

Con este precepto de la LS 2008 se unifica el tratamiento y se eliminan dificultades: toda entrega de suelo no lucrativo al dominio público conlleva las correspondientes obras e infraestructuras.

2.1.5. *Garantizar el realojamiento y el retorno de los ocupantes legales, cuando tengan derecho a ello y en los términos establecidos en la legislación vigente.*

Todo ello en los términos de la legislación vigente.

No se olvide el contenido material de la DA.4.ª LS92, que ha dado lugar a la DA.11 LS 2008, sobre realojamiento y retorno, que se ha transformado, posteriormente, con algunas variantes en el actual art. 14 LRRRU:

Sobre este tema pueden verse los comentarios al art. 14 LRRRU.

2.1.6. *Indemnizar a los titulares de derechos que deban extinguirse o que no puedan conservarse.*

Es claro que si el sistema de ejecución elegido conlleva, de una u otra forma, la expropiación de terrenos, bienes y derechos, el expropiado tiene derecho a percibir la correspondiente indemnización por «las construcciones y edificaciones que deban ser demolidas y las obras, instalaciones, plantaciones y sembrados que no puedan conservarse.»

Pero, en el caso contrario, si es preciso «reparcelar» los terrenos afectados, en el proyecto de reparcelación se deberá considerar la «tasación de los derechos, edificaciones, construcciones o plantaciones que deban extinguirse o derruirse para la ejecución del Plan.»

En resumen de todo el art. 16.1 LS 2008, los deberes de la promoción de una ATU, en los aspectos esenciales, son:

a) Entregar a la Administración el suelo para **Viales, Zonas Verdes y Equipamientos locales y generales,** incluidos en la actuación o adscritos.

b) Entregar a la Administración **urbanizado** el suelo correspondiente a la **Edificabilidad Media Ponderada de la Actuación** o **Ámbito Superior de referencia** según la legislación urbanística hasta un máximo porcentaje del 20%.

c) Costear y ejecutar **todas** las obras de urbanización.

d) Entregar a la Administración las obras terminadas.

e) Garantizar el realojamiento y retorno.

f) Indemnizar derechos.

Es decir, si se quitan determinados deberes implícitos en la realización de la ATU son comparables los deberes indicados con los que en la LrS98 correspondían a los propietarios de Suelo Urbano No Consolidado y Suelo Urbanizable Sectorizado, según puede comprobarse en la FIG. 13.

3. CUMPLIMIENTO DE DEBERES Y PRESUNCIÓN A LA RECEPCIÓN DE LAS OBRAS EN LAS ATU

Los terrenos que forman parte de la superficie de la ATU (polígono, unidad de actuación, unidad de ejecución, etc., cuyos propietarios originarios conforman la totalidad de la propiedad de la superficie del (a) mismo (a); así como los terrenos destinados por el planeamiento a sistemas generales (cuyos propietarios si participan en la ejecución de la ATU se denominan «propietarios de terrenos adscritos» a la unidad de ejecución), y los terrenos pertenecientes a unidades de ejecución externas a la ATU cuyos propietarios deberán hacer efectivos sus derechos en la ATU (denominados «propietarios de suelo subrogados de la Administración»), quedan afectados con carácter real—sea quien sea su propietario en cada momento— al cumplimiento de los deberes derivados de la promoción urbanística (sean de titularidad de sus propietarios originarios, parcial o totalmente del promotor de la urbanización o de otros interesados).

La recepción por la Administración de las obras de urbanización o, en su defecto, el término del plazo en que debiera haberse producido la recepción desde su solicitud acompañada de certificación expedida por la dirección técnica de las obras, da pie a la presunción de cumplimiento de los deberes indicados, con los problemas inherentes a la recepción de las obras de urbanización que se han indicado anteriormente.

4. CONVENIOS CON OBLIGACIONES MÁS GRAVOSAS EN PERJUICIO DE LOS PROPIETARIOS EN LAS ATU

Ya se han señalado en el epígrafe 4 de los comentarios al art. 6 LS 2008.

No obstante, se reitera: Dos ideas fundamentales:

— Los promotores de la ATU pueden celebrar todo tipo de convenios o negocios jurídicos con la Administración urbanística; pero estos tipos de acuerdos no podrán ser en perjuicio de los propietarios de suelo: por lo que no podrán contener obligaciones o prestaciones adicionales ni más gravosas que las que procedan legalmente de acuerdo a lo indicado anteriormente.

— Sin embargo, la nulidad de la cláusula que contenga dichas condiciones gravosas no conlleva la nulidad del convenio o negocio jurídico.

Es decir, la cláusula que contravenga estas reglas será nula de pleno Derecho.

5. LOS DEBERES DE LA PROMOCIÓN EN LAS ACTUACIONES DE DOTACIÓN

Según lo dispuesto por el art. 16.2 de la LS 2008, en la redacción dada por la LRRRU, en el caso de Actuaciones de Dotación del art. 14.1, b) LS 2008, los deberes serán los indicados para la promoción de las ATU explicitados en el epígrafe 2.1 con las siguientes salvedades:

A. El deber comentado en el epígrafe 2.1.2, de los comentarios a este artículo 16 LS 2008, en la redacción dada por la LRRRU, se determinará atendiendo sólo al incremento de la edificabilidad media ponderada —del aprovechamiento tipo— que, en su caso, resulte de la modificación del instrumento de ordenación. Es decir, por el aprovechamiento preexistente no se debe cumplir deber alguno. Y por tanto, el promotor de la actuación de dotación sólo debe contribuir a «hacer ciudad» en la medida del incremento de aprovechamiento unitario —edificabilidad media ponderada— que provoque la modificación del plan. Es decir, en el supuesto de que la actuación genere plusvalías, lo que obligará a rescatar parte de ellas a favor de la Administración (art. 47 CE).

Dichas plusvalías rescatadas podrán satisfacerse en metálico y deberán destinarse a costear la parte de financiación pública que pudiera estar prevista en la propia actuación, o a patrimonio público de suelo, con destino a actuaciones de rehabilitación o de regeneración y renovación urbanas. Prosigue e principio básico de la utilización de los bienes del patrimonio municipal del suelo: «patrimonio llama a patrimonio.»

B. El deber comentado en el epígrafe 2.1.1, de entregar a la Administración competente el suelo para dotaciones públicas relacionado con el reajuste de su proporción, que en bastantes ocasiones en suelo urbanizado será imposible de realizar, podrá sustituirse, en caso de dicha imposibilidad física de materializarlo en el ámbito correspondiente, por la entrega de superficie edificada o edificabilidad no lucrativa, en un complejo inmobiliario, situado dentro del mismo, tal y como prevé el artículo 17.4, o por otras formas de cumplimiento del deber en los casos y condiciones en que así lo prevea la legislación sobre ordenación territorial y urbanística.

Por último, se recuerda lo dispuesto por la Disposición Transitoria 2.ª de la LS 2008, que no se ha modificado por la LRRRU, y se rotula «Deberes de las actuaciones de dotación»:

«Los deberes previstos en esta Ley para las actuaciones de dotación serán de aplicación, en la forma prevista en la legislación sobre ordenación territorial y urbanística, a los cambios de la ordenación que prevean el incremento de edificabilidad o de densidad o el cambio de usos cuyo procedimiento de aprobación se inicie a partir de la entrada en vigor de la Ley 8/2007, de 28 de mayo, de Suelo. Si, transcurrido un año desde la entrada en vigor de la misma, dicha legislación no tiene establecidas las reglas precisas para su aplicación, desde dicho momento y hasta su adaptación a esta Ley serán aplicables las siguientes:

a) El instrumento de ordenación delimitará el ámbito de la actuación, ya sea continuo o discontinuo, en que se incluyen los incrementos de edificabilidad o densidad o los cambios de uso y las nuevas dotaciones a ellos correspondientes y calculará el valor total de las cargas imputables a la actuación que corresponde a cada nuevo metro cuadrado de techo o a cada nueva vivienda, según corresponda.

b) Los propietarios podrán cumplir los deberes que consistan en la entrega de suelo, cuando no dispongan del necesario para ello, pagando su equivalente en dinero.

c) Los deberes se cumplirán en el momento del otorgamiento de la licencia o el acto administrativo de intervención que se requiera para la materialización de la mayor edificabilidad o densidad o el inicio del uso atribuido por la nueva ordenación.»

6. LOS DEBERES DE LA PROMOCIÓN DE LAS ACTUACIONES EDIFICATORIAS

Como indica el art. 16.3 LS 2008, en la redacción dada por la LRRRU, en relación con las actuaciones edificatorias serán exigibles, de conformidad con su naturaleza y alcance, los deberes referidos en las letras e) y f) —realojamiento y retorno e indemnización a bienes o derechos eliminados— del apartado 1 de este artículo 16, así como el de completar la urbanización de los terrenos con los requisitos y condiciones establecidos para su edificación.

7. ESPECIALIDADES DE CARÁCTER EXCEPCIONAL DE LAS ENTREGAS DE TERRENOS

Se acompaña una breve nota de los textos legales correspondientes, en relación con otros deberes de la promoción. Se señalan brevemente a continuación.

7.1. En zonas degradadas o ante inexistencia de suelo

Establece el art. 16.4 LS 2008, en la redacción dada por la LRRRU:

> «Con independencia de lo establecido en los apartados anteriores, con carácter excepcional y siempre que se justifique adecuadamente que no cabe ninguna otra solución técnica o económicamente viable, los instrumentos de ordenación urbanística podrán eximir del cumplimiento de los deberes de nuevas entregas de suelo que les correspondiesen, a actuaciones sobre zonas con un alto grado de degradación e inexistencia material de suelos disponibles en su entorno inmediato».

Es decir, los planes de ordenación urbana podrán eximir del cumplimiento de los deberes de nuevas entregas de suelo, a actuaciones sobre zonas con un alto grado de degradación e inexistencia material de suelos disponibles en su entorno inmediato.

Pero la aplicación correcta de este precepto deberá ser adecuadamente controlada, a efectos de que no se convierta en generalizada la correspondiente exención excepcional, dado que no se trata de monetarizar la correspondiente entrega sino eximirla.

Además el supuesto de hecho no corresponde a zonas degradadas e inexistencia de suelo, sino a zonas degradadas o inexistencia de suelo, de tal forma que esa exención se podría producir en ámbitos con suelo muy densificado e inexistencia de suelo libre que, como mucho, justificaría la monetarización del cumplimiento del deber.

Por otro lado, dentro de este ámbito de las zonas degradadas, puede recordarse a tal efecto, el sistema de urbanización diferida existente en la legislación canaria, Ley 6/1987, de 7 de abril, sobre sistema de actuación de urbanización diferida, que trataba de solucionar problemas urgentes en zonas degradadas con soluciones progresivas.

7.2. En supuestos de sustitución de infravivienda, para realojamiento o retorno

Establece el art. 16.4 LS 2008, en la redacción dada por la LRRRU:

> «La misma regla podrá aplicarse a los aumentos de la densidad o edificabilidad que fueren precisos para sustituir la infravivienda por vivienda que reúna los requisitos legalmente exigibles, con destino al realojamiento y el retorno que exija la correspondiente actuación».

Es decir, se trata de facilitar operaciones de aumentos de densidad o edificabilidad (pero no cambio de uso) para la sustitución de infraviviendas.

7.3. Especialidad de las actuaciones sobre núcleos tradicionales legalmente asentados en el medio rural

Establece el art. 16.5 LS 2008, en la redacción dada por la LRRRU:

> «Las actuaciones sobre núcleos tradicionales legalmente asentados en el medio rural, comportarán los deberes legales establecidos en los números

anteriores, de acuerdo con las características que a éstos atribuya su propia legislación».

Se llama por ello la atención sobre el diferente tratamiento de los núcleos tradicionales en las diferentes leyes autonómicas.

Se remite también a lo señalado en el comentario al art. 14.3 LS 2008, en la redacción dada por la LRRRU.

7.4. Presunción de cumplimiento de los deberes

Establece el art. 16.6 LS 2008, en la redacción dada por la LRRRU:

«Los terrenos incluidos en el ámbito de las actuaciones y los adscritos a ellas están afectados, con carácter de garantía real, al cumplimiento de los deberes de los apartados anteriores. Estos deberes se presumen cumplidos con la recepción por la Administración competente de las obras de urbanización o de rehabilitación y regeneración o renovación urbanas correspondientes, o en su defecto, al término del plazo en que debiera haberse producido la recepción desde su solicitud acompañada de certificación expedida por la dirección técnica de las obras, sin perjuicio de las obligaciones que puedan derivarse de la liquidación de las cuentas definitivas de la actuación».

Se remite al lector al apartado 4 de los comentarios al art. 14, así como al apartado 3 de este mismo artículo, en relación con la recepción de los obras, por presunción de la terminación de las actuaciones de urbanización, liberando, en su caso, a los agentes de la transformación urbanística.

Seis. La letra b) del apartado 1 del artículo 10, queda redactado de la siguiente manera:

«Criterios básicos de utilización del suelo.

b) Destinar suelo adecuado y suficiente para usos productivos y para uso residencial, con reserva en todo caso de una parte proporcionada a vivienda sujeta a un régimen de protección pública que, al menos, permita establecer su precio máximo en venta, alquiler u otras formas de acceso a la vivienda, como el derecho de superficie o la concesión administrativa.

Esta reserva será determinada por la legislación sobre ordenación territorial y urbanística o, de conformidad con ella, por los instrumentos de ordenación, garantizará una distribución de su localización respetuosa con el principio de cohesión social y comprenderá, como mínimo, los terrenos necesarios para realizar el 30 por ciento de la edificabilidad residencial prevista por la ordenación urbanística en el suelo rural que vaya a ser incluido en actuaciones de nueva urbanización y el 10 por ciento en el suelo urbanizado que deba someterse a actuaciones de reforma o renovación de la urbanización.

No obstante, dicha legislación podrá también fijar o permitir excepcionalmente una reserva inferior o eximirlas para determinados Municipios o actuaciones, siempre que, cuando se trate de actuaciones de nueva urbanización, se garantice en el instrumento de ordenación el cumplimiento íntegro de la reserva dentro de su ámbito territorial de aplicación y una distribución de su localización respetuosa con el principio de cohesión social.»

COMENTARIO (1)

Texto del proyecto

Seis. La letra b) del apartado 1 del artículo 10, queda redactado de la siguiente manera:

«Criterios básicos de utilización del suelo.

---

(1) Comentario a cargo de Ignacio Sanz Jusdado. Master en Urbanismo y Ordenación del Territorio. Abogado especialista en Derecho Administrativo. Profesor del Instituto Nacional de Administración Pública; y Gabriel Martínez del Mármol Marín. Master en Urbanismo y Ordenación del Territorio. Abogado especialista en Derecho Administrativo. Profesor del Instituto Nacional de Administración Pública..

b) Destinar suelo adecuado y suficiente para usos productivos y para uso residencial, con reserva en todo caso de una parte proporcionada a vivienda sujeta a un régimen de protección pública que, al menos, permita establecer su precio máximo en venta, alquiler u otras formas de acceso a la vivienda, como el derecho de superficie o la concesión administrativa.

Esta reserva será determinada por la legislación sobre ordenación territorial y urbanística o, de conformidad con ella, por los instrumentos de ordenación, garantizará una distribución de su localización respetuosa con el principio de cohesión social y, comprenderá, como mínimo, los terrenos necesarios para realizar el 30 por ciento de la edificabilidad residencial prevista por la ordenación urbanística en el suelo rural que vaya a ser incluido en actuaciones de nueva urbanización y el 10 por ciento en el suelo urbanizado que deba someterse a actuaciones de reforma o renovación de la urbanización.

No obstante, dicha legislación podrá también fijar o permitir excepcionalmente una reserva inferior o eximirlas para determinados Municipios o actuaciones, siempre que, cuando se trate de actuaciones de nueva urbanización, se garantice en el instrumento de ordenación el cumplimiento íntegro de la reserva dentro de su ámbito territorial de aplicación y una distribución de su localización respetuosa con el principio de cohesión social.»

Dictamen de la Comisión del Congreso

La letra b) del apartado 1 del artículo 10, queda redactado de la siguiente manera:

«Criterios básicos de utilización del suelo.

b) Destinar suelo adecuado y suficiente para usos productivos y para uso residencial, con reserva en todo caso de una parte proporcionada a vivienda sujeta a un régimen de protección pública que, al menos, permita establecer su precio máximo en venta, alquiler u otras formas de acceso a la vivienda, como el derecho de superficie o la concesión administrativa.

Esta reserva será determinada por la legislación sobre ordenación territorial y urbanística o, de conformidad con ella, por los instrumentos de ordenación, garantizará una distribución de su localización respetuosa con el principio de cohesión social y comprenderá, como mínimo, los terrenos necesarios para realizar el 30 por ciento de la edificabilidad residencial prevista por la ordenación urbanística en el suelo rural que vaya a ser incluido en actuaciones de nueva urbanización y el 10 por ciento en el suelo urbanizado que deba someterse a actuaciones de reforma o renovación de la urbanización.

No obstante, dicha legislación podrá también fijar o permitir excepcionalmente una reserva inferior o eximirlas para determinados Municipios o actuaciones, siempre que, cuando se trate de actuaciones de nueva urbanización, se garantice en el instrumento de ordenación el cumplimiento íntegro de la reserva dentro de su ámbito territorial de aplicación y una distribución de su localización respetuosa con el principio de cohesión social.»

Texto hasta ahora vigente

Artículo 10. Criterios básicos de utilización del suelo.

1. Para hacer efectivos los principios y los derechos y deberes enunciados en el Título I, las Administraciones Públicas, y en particular las competentes en materia de ordenación territorial y urbanística, deberán:

(…)

b) Destinar suelo adecuado y suficiente para usos productivos y para uso residencial, con reserva en todo caso de una parte proporcionada a vivienda sujeta a un régimen de protección pública que, al menos, permita establecer su precio máximo en venta, alquiler u otras formas de acceso a la vivienda, como el derecho de superficie o la concesión administrativa.

Esta reserva será determinada por la legislación sobre ordenación territorial y urbanística o, de conformidad con ella, por los instrumentos de ordenación y, como mínimo, comprenderá los terrenos necesarios para realizar el 30 por ciento de la edificabilidad residencial prevista por la ordenación urbanística en el suelo que vaya a ser incluido en actuaciones de urbanización.

No obstante, dicha legislación podrá también fijar o permitir excepcionalmente una reserva inferior para determinados Municipios o actuaciones, siempre que, cuando se trate de actuaciones de nueva urbanización, se garantice en el instrumento de ordenación el cumplimiento íntegro de la reserva dentro de su ámbito territorial de aplicación y una distribución de su localización respetuosa con el principio de cohesión social.

Directrices legales para la calificación de suelo destinado a vivienda protegida [letra b) del número 1]

1. Estas directrices se encuentran, desde la LS 2007, con carácter general, en el artículo 10, número 1, apartado b) —que evolucionó en la tramitación parlamentaria de la ulterior LS 2007 para elevar el techo del estándar mínimo exigible—; en la Disposición Transitoria Primera, para establecer unas medidas cautelares para el caso de inactividad en la materia por el respectivo legislador autonómico; y en la Disposición

Final Primera, apartado 4.a), para modular a favor de Ceuta y Melilla el uso de la potestad de fijación de este estándar mediante su propio Plan General. (2)

La letra b) del número 1 del artículo 10 viene a constituir la primera oportunidad del Derecho positivo estatal en que se establece de forma coactiva la obligación de destinar una superficie concreta de suelo a la construcción de viviendas sujetas a algún régimen de protección pública, mediante la oportuna previsión o reserva de suelo destinada a tal efecto en los instrumentos de ordenación urbanística.

Las reservas de suelo para construcción de viviendas sujetas a algún régimen de protección aparecieron por vez primera entre 1980 y 1990 en diferentes Planes Generales, que vincularon determinados terrenos a la construcción de este tipo de viviendas, al considerarlas como un uso específico más, que el planeamiento podía determinar. Estas reservas, huérfanas de cualquier apoyatura o previsión legal, fueron anuladas posteriormente por el Tribunal Supremo (SSTS de 1 de junio de 1987, clásica en la materia, y de 16 de octubre de 1990, 8 de julio de 1992, y 29 de marzo de 1999) por esa ausencia de basamento legal, así como por otras razones —por ejemplo, ausencia de mecanismos compensatorios, exceso competencial de los Planes en la delimitación del derecho de propiedad, etc...— que no son del caso ahora reproducir.

En apoyo de estas prácticas desautorizadas por la jurisprudencia por falta de apoyo legal, la LRRU explicitó por vez primera en un texto legislativo la posibilidad de que los Planes contuvieran este tipo de previsiones, pudiendo reservar determinados terrenos a la construcción de viviendas protegidas; posibilidad ésta que fue desarrollada en la LS 1992. En ambos textos, las reservas de terrenos para vivienda protegida se contemplaban como una posibilidad para el planeamiento urbanístico, que, discrecionalmente y caso a caso, decidiría sobre su implementación, pero no se imponían a éste.

Serán las diferentes leyes autonómicas las que, antes incluso de la STC 61/1997, dispondrán por vez primera la obligatoriedad de que los Planes cuenten con este tipo de reservas. Las Comunidades pioneras en ello fueron Navarra, cuya LFO-TU-1994 ya fijaba las reservas con carácter obligatorio, y la Comunidad de Madrid con la hoy ya casi totalmente derogada LMPTSU. Pero esta práctica legislativa autonómica se fue generalizando, hasta el punto de que hoy día la totalidad de leyes

---

(2) La labor de los autores es tributaria de los previos textos elaborados en su día por Enrique Sánchez Goyanes para glosar la versión precedente en la obra colectiva SÁNCHEZ GOYANES, E. (Director): *Ley de Suelo. Comentario Sistemático del Texto Refundido de 2008*, El Consultor de los Ayuntamientos & LA LEY, toda vez que nos ha otorgado su autorización expresa a los efectos que procediere, al mismo tiempo que ha intercambiado opiniones con los autores respecto al grado de alteración real que, a su juicio, experimenta el precepto comentado en relación con la versión hasta ahora vigente y su virtualidad práctica teniendo en cuenta la fidelidad o no del tenor resultante de la tramitación parlamentaria hacia el reflejado en el texto del proyecto remitido por el Gobierno, de todo lo cual se deja constancia con nuestro reconocimiento.

autonómicas obligan al planeamiento urbanístico —con diferentes técnicas, mayor o menor alcance, mayor o menor flexibilidad para el planeamiento, mayores o menores excepciones a la regla general, etc...— a establecer reservas de terrenos para vivienda protegida.

La LS 1998 no contuvo todavía mención alguna a estas reservas, de forma que, como se decía al principio, es en puridad la LS 2007, rectora de la ulterior refundición, la primera Ley estatal que obliga a los instrumentos de planeamiento a contener una concreta previsión al respecto.

El hecho de que las previsiones que tanto la LRRU como la LS 1992 hacían sobre reservas de terrenos para vivienda protegida —por limitadas que fueran estas previsiones y, quizás, no equiparables a las actuales— hayan sido objeto de anulación por el Tribunal Constitucional, tendría que hacernos reflexionar sobre los títulos competenciales que le sirven al legislador estatal para regular esta materia. La LS 2008 no dice nada expresamente, si bien su E. de M. pone la adopción de tales medidas al servicio de la efectividad del derecho de acceso a una vivienda digna y adecuada previsto en artículo 47 de la Constitución, de forma que podría buscarse un título competencial en el artículo 149.1.1.ª de la propia Norma Fundamental, que permite al Estado establecer las condiciones básicas para el ejercicio de los derechos constitucionales —entre ellos, el del recién citado artículo 47— (la Disposición Final Primera, apartado 1, de hecho, invoca, para el sostén de este precepto, ese título constitucional, junto a otros como el de la planificación general de la actividad económica, que parecen los más directamente relacionados, como veíamos al principio de este apartado). No obstante, esta argumentación ha resultado no perfectamente pacífica en el debate constitucional que inexorablemente tiene como objeto el enjuiciamiento de la LS 2008, aún pendiente de dilucidarse dentro del Tribunal Constitucional. Volveremos sobre esto más adelante.

2. Dicho todo lo anterior, conozcamos la reserva que establece la legislación estatal, al menos en los aspectos que aquí pudieren interesar. Así, la letra b) del número 1 del artículo 10 de la LS 2008 habla de reservar suelo para vivienda protegida «en todo caso», por lo que ésta parece ser imperativa e irrenunciable para el legislador urbanístico estatal y, por ello, para el planeamiento.

Habrá de reservarse terrenos para vivienda protegida, pero la Ley estatal deja gran margen de libertad sobre qué tipo de vivienda protegida, siéndole válidos regímenes de protección en los que simplemente se fije administrativamente un precio máximo de venta o alquiler, o, en el caso más extremo de intervencionismo público, regímenes en los que el acceso a la vivienda se haga en régimen de concesión administrativa (será el caso, por ejemplo de las viviendas de promoción y titularidad pública de la Xunta de Galicia a construir sobre terrenos demaniales en el marco de la Ley gallega 6/2008, de 19 de junio, de Medidas Urgentes en materia de Vivienda y Suelo, LMUVSGA).

En el segundo párrafo del precepto, la LS 2008 concreta un mínimo (*30% de la edificabilidad residencial prevista*), pero deja margen al legislador autonómico y —esto es importante— al planeamiento —si así se lo autorizara esa legislación autonómica—, para elevar la reserva.

La reserva es del 30 % de la edificabilidad residencial; por tanto, no tiene en cuenta la edificabilidad de otros usos que se genere.

3. Cuestión capital es la relativa a los ámbitos —en sentido amplio, y no estrictamente jurídico-urbanístico— en que sería exigible esta reserva. Pues bien, ese porcentaje hace referencia a la edificabilidad residencial prevista, en la redacción hasta ahora vigente, «*en el suelo que vaya a ser incluido en actuaciones de urbanización*». Estas «*actuaciones de urbanización*» son las que la propia LS 2008 define en su artículo 14.1.a) (actuaciones de nueva urbanización que supongan el paso de un ámbito de suelo de la situación de rural a la de urbano, y las que tengan por objeto reformar o renovar la urbanización de un ámbito ya urbanizado), y que conviene no confundir con otro tipo de actuaciones definidas en art. 14.1.b), denominadas «*actuaciones de dotación*», a las que no les serían exigibles estas reservas, pues el apartado b) del art. 10.1 de la LS 2008 sólo se refiere a las primeras. Más adelante retomaremos esta distinción, pues será muy relevante ya que no toda actuación de transformación urbanística deberá reservar suelo para vivienda protegida. A tenor de lo dispuesto en la LS 2008, sólo las actuaciones de urbanización tendrán tal obligación, pero no las de dotación.

Pues bien, precisamente, la reforma operada por la LRRRU en este punto sí tiene relevancia, ya que efectúa una diferenciación según la naturaleza de la actuación de urbanización: «en el suelo rural que vaya a ser incluido en actuaciones de nueva urbanización» (o sea, el urbanizable, de todas las leyes autonómicas), por un lado, y «en el suelo urbanizado que deba someterse a actuaciones de reforma o renovación de la urbanización» (es decir, el urbano no consolidado), por otro lado.

Y efectúa esa diferenciación con el fin de asignarle una exigencia también distinta: a las primeras, el porcentaje se les mantiene en el 30% de la redacción anterior (sin perjuicio de las posibilidades de modularlo, que luego se verán); a las segundas, se les reduce al 10% (respecto de aquel 30% que hasta ahora, *prima facie*, les resultaría aplicable igualmente).

Este «alivio» de la carga en sentido amplio que venía a suponer esta exigencia añadida a las cargas tradicionales expresadas en forma de cesiones de aprovechamiento o de terrenos dotacionales es congruente con la teleología que inspira lo esencial de la reforma de la LS 2008 por la LRRRU, flexibilizar, en consonancia con la diversa realidad de partida (y de costes de transformación), el régimen del suelo urbano no consolidado en relación con el urbanizable, tal como ha puesto tempranamente de relieve Sánchez Goyanes (3).

La LS 2008 fija la reserva mínima, pero no señala cómo distribuirla, de forma que pudiera entenderse que la legislación urbanística autonómica y el planeamiento tienen libertad al efecto. A la vista del tercer párrafo del precepto que venimos comentando, parece que la Ley está pensando en una reserva del 30% para todas y cada una de las «actuaciones» (entiéndase por tales las «sistemáticas», en terminología tradicional).

No obstante, inmediatamente a continuación, se contemplan las excepciones a la aparente regla general recién descrita, pues no todos los «ámbitos» tendrán que cumplir la reserva del 30%, siempre que se cumplan dos requisitos —que, en una primera aproximación (más adelante matizada, como se verá), aparentarían ser los siguientes—: 1) que la reserva del 30% se cumpla tomando como base la totalidad del término municipal, y 2) que las reservas se localicen cumpliendo el principio de cohesión social. [Esto es lo que se hace, por ejemplo, en Galicia, con la ya referida Ley de Medidas Urgentes (LMUVSGA), haciéndolo más flexible, pues obligar a que todos los ámbitos de suelo urbano no consolidado lleven una reserva del 30%, con las especiales circunstancias que rodean estos ámbitos, puede resultar una decisión maximalista en ciertos supuestos —ahora la reforma operada por la LRRRU, precisamente, le viene a dar la razón—. En la LMUVSGA, se fija una reserva genérica y basta con que se cumpla en la totalidad del Municipio, con unas sencillas reglas que garanticen cierta igualdad entre propietarios y eso que la LS 2008 llama «localización respetuosa con el principio de cohesión social», para evitar guetos de vivienda protegida, etc.…].

Y en cualquier caso, y como consecuencia de lo señalado en el mismo tercer párrafo de este enunciado legal, se puede excepcionar o limitar la reserva (lo podrá hacer la legislación autonómica) *para Municipios completos*, pero la Ley aquí guarda un silencio que entraña ciertos riesgos porque no establece bajo qué circunstancias, si bien el hecho de que la Ley diga «excepcionalmente» obliga a la legislación autonómica a justificar el porqué.

Hay que advertir que ahora expresamente se ha incluido en este párrafo la expresión «o suprimir», aunque realmente sólo viene a salir al paso de interpretaciones que sostenían que no cabía la reducción a cero de dicha reserva, si bien podía admitirse ya antes que esa supresión, y, por tanto, esa reducción a cero, sí cabía en la teleología de la redacción resultante tras la peripecia parlamentaria de ese precepto en 2007.

---

(3) Sánchez Goyanes, Enrique: «El modulado régimen del suelo urbano en la nueva reforma de la legislación estatal sobre urbanismo», *Revista de Estudios Locale*s, número 159, 2013, epígrafe 2.

Y es que, en efecto, no está de más recordar que el texto de este párrafo —ya en esa versión resultante en 2007— es fruto de una enmienda destinada a flexibilizar —«abrir a mayores excepcionalidades»— los condicionamientos que al respecto previamente se contemplaba en el texto del proyecto. Y que esa evolución en la tramitación parlamentaria, precisamente, lo que buscó fue flexibilizar la inicial más rígida previsión de supuestos en que podría rebajarse la reserva en concreto en las «actuaciones de urbanización» (las equivalentes, en gran medida, a las típicas sobre suelo urbano no consolidado de la mayoría de nuestro Derecho autonómico y planeamiento vigente). Véase la glosa de dicha enmienda flexibilizadora por el propio Portavoz del Grupo de CiU, Diputado Sr. Jané en la decisiva Sesión en que se aprobó, de la Comisión de Fomento y Vivienda del Congreso, de 21 de febrero de 2007 (Diario de Sesiones, Cortes Generales, VIII Legislatura, Congreso, N.º 751, pág. 15).

4. La Disposición Transitoria Primera complementa las previsiones legales en términos que pueden servir para interpretar mejor el alcance del propio artículo 10.1.b):

> «Disposición transitoria primera. Aplicación de la reserva de suelo para vivienda protegida.
>
> La reserva para vivienda protegida exigida en la letra b) del artículo 10 de esta Ley se aplicará a todos los cambios de ordenación cuyo procedimiento de aprobación se inicie con posterioridad a la entrada en vigor de esta Ley, en la forma dispuesta por la legislación sobre ordenación territorial y urbanística. En aquellos casos en que las Comunidades Autónomas no hubieren establecido reservas iguales o superiores a la que se establece en la letra b) del artículo 10 de esta Ley, desde el 1 de julio de 2008 y hasta su adaptación a la misma será directamente aplicable la reserva del 30 por ciento prevista en esta Ley con las siguientes precisiones:
>
> a) Estarán exentos de su aplicación los instrumentos de ordenación de los Municipios de menos de 10.000 habitantes en los que, en los dos últimos años anteriores al del inicio de su procedimiento de aprobación, se hayan autorizado edificaciones residenciales para menos de cinco viviendas por cada mil habitantes y año, siempre y cuando dichos instrumentos no ordenen actuaciones residenciales para más de 100 nuevas viviendas; así como los que tengan por objeto actuaciones de reforma o mejora de la urbanización existente en las que el uso residencial no alcance las 200 viviendas.
>
> b) Los instrumentos de ordenación podrán compensar motivadamente minoraciones del porcentaje en las actuaciones de nueva urbanización no dirigidas a atender la demanda de primera residencia prevista por ellos con incrementos en otras de la misma categoría de suelo.»

Pues bien, del tenor de la misma parece desprenderse que, en aquellas CC AA donde las reservas para vivienda protegida son iguales o superiores a las que ahora fija la Ley estatal, éstas seguirán siendo aplicables (previsión plausible desde la óptica de la seguridad jurídica en estas CC AA). Estaban ya en esta situación, antes incluso de la entrada en vigor de la LS 2007, las CC AA de Andalucía, Navarra y País Vasco, cuyas previsiones armonizaban a la perfección con el art. 10.1.b) de la LS 2008, por lo que en ellas no ha sido necesaria adaptación legislativa alguna. No obstante, tanto en Andalucía como en el País Vasco, tras la reforma legal de 2007-2008, se promulgan sendos Decretos que precisaron algunas de las determinaciones legales de ambas CC AA en lo que a la puesta en marcha de este tipo de reservas se refiere, pero que en cualquier caso no afectan a su acomodo a la legislación estatal.

Otras CC AA decidieron modificar sus legislaciones para adaptarlas en este punto a los textos estatales. Y así, tras la entrada en vigor de la reforma de 2007, Aragón (a través de su Ley 1/2008, de 4 de abril), Cantabria (Ley 7/2007, de 27 de diciembre), Castilla y León (Ley 4/2008, de 10 de septiembre), Galicia (Ley 6/2008, de 19 de junio) y Cataluña (Decreto-Ley 1/2007, de 16 de octubre) promulgan diferentes textos normativos con dicha finalidad.

Después de 2008 fueron múltiples y variadas las reformas habidas en las diferentes Leyes autonómicas; unas reformas que, en lo referido a las reservas para vivienda protegida, han ido permitiendo en unos casos la mejor adaptación al marco básico estatal, y en otros a su matización más o menos cercana al espíritu, aunque no pocas veces alejada de la letra de la LS 2008. Así, por ejemplo, Castila-La Mancha (Decreto Legislativo 1/2010, de 18 de mayo, por el que se aprueba el texto refundido de la Ley de Ordenación del Territorio y de la Actividad Urbanística), Cataluña (Decreto Legislativo 1/2010, de 3 de agosto, por el que se aprueba el texto refundido de la Ley de urbanismo; y varias reformas posteriores de este texto refundido), Extremadura (Ley 9/2010, de 18 de octubre), Madrid (Ley 6/2011, de 28 de diciembre), o Navarra (Ley foral 10/2010, de 10 de mayo), entre otras, han promulgado textos normativos con esa finalidad.

La adaptación de estas CC AA a la LS 2008 en lo referente a las reservas para viviendas protegidas puede tenerse por tal con carácter general, si bien prácticamente todas ellas contienen excepciones a las reglas generales y previsiones transitorias específicas sobre la puesta en práctica de tales reservas que, cuando menos, ofrecen dudas sobre su completo acomodo al esquema básico estatal. Muchas de esas excepciones tenían o tienen que ver con la posible disminución o incluso eliminación de la reserva en el caso del suelo urbano no consolidado; excepciones que, con la LRRRU, tendrán ahora mejor encaje en el marco básico estatal.

Vale, por tanto, la anterior afirmación de que las previsiones de estas CC AA referentes a reservas para vivienda protegida se adecuan con carácter general a la LS 2008, pero un análisis pormenorizado de tales ordenamientos obligaría a efectuar matizaciones varias sobre el particular.

Otras Leyes autonómicas cubren esta reserva únicamente en suelo urbanizable, sin que hayan aprobado texto normativo alguno desde la entrada en vigor de la LS 2007 para exigir reservas de terrenos para vivienda protegida en suelo urbano no consolidado. En estos casos, en principio, pudiera parecer razonable entender que la Disposición Transitoria Primera estará desplegando desde el 1 de julio de 2008 su operatividad por entero en lo referente a este suelo urbano no consolidado, de forma que, desde esa fecha, la reserva es directamente aplicable. Pero aplicable ¿a qué? ¿a los planes en tramitación? ¿a los que comiencen a tramitarse a partir de entonces? ¿a los ya aprobados y no desarrollados? ¿a los instrumentos de equidistribución? Se han ido abriendo al respecto diversas interpretaciones. No obstante, la expresión «a todos los cambios de ordenación», más arriba insertada, reforzaría la tesis de que es a éstos, en sentido estricto, a los que se aplicaría ya de manera directa la reserva de la LS 2007, a partir del 1 de julio de 2008, aunque la legislación autonómica no se hubiere adaptado a la sazón a ella.

Pero más adelante serán matizadas estas conclusiones, habida cuenta de las dudas que, sobre las competencias estatales en la materia, apuntábamos páginas arriba, y teniendo presente la actividad legislativa autonómica tras la aprobación de la LS 2007, a la que más adelante se efectúan referencias complementarias.

5.— Hecho este repaso legal, y llegados a este punto, recapitulemos sobre los ámbitos (en sentido amplio y no estrictamente jurídico-urbanístico) a los que eventualmente sería aplicable la reserva y a los que no sería en ningún caso.

Comencemos por recordar el concepto de las actuaciones de dotación desde su instauración con la LS 2007. El artículo 14.1.b) de la LS 2008 define este tipo de actuaciones como aquellas «*que tengan por objeto incrementar las dotaciones públicas de un ámbito de suelo urbanizado para reajustar su proporción con la mayor edificabilidad o densidad o con los nuevos usos asignados en la ordenación urbanística a una o más parcelas del ámbito y no requieran la reforma o renovación integral de la urbanización de éste*».

Pues bien, estas «actuaciones de dotación» constituyen una hipótesis singularizada y diferenciada en el texto de la LS 2008. En concreto, no son «actuaciones de urbanización», las cuales aparecen definidas en los números 1 y 2 de la letra a) del artículo 14.1, equiparándose, según ha apreciado la doctrina (4), al tradicional suelo urbanizable (las del número 1) y al tradicional suelo urbano no consolidado prototípico, el necesitado de una transformación absolutamente integral (las del número 2). Las «actuaciones de dotación», por tanto, son una especie de deliberado *tertium genus* dentro de las actuaciones de transformación urbanística, fruto de una diferenciación caracterológica cuya teleología, precisamente —podemos

---

(4)   *Ad exemplum*, Díaz Lema, José Manuel : *Nuevo Derecho del Suelo*, Marcial Pons, 2007, págs. 84-85.

adelantarlo aquí—, es aliviar el régimen de las mismas en relación con el del suelo urbano no consolidado, decisión legal justificada en la entidad y en la finalidad de estas actuaciones.

Y, precisamente, esta diferenciación donde va a jugar su primer papel esencial es a la hora de imponer o no la carga de la reserva de vivienda protegida prevista en el artículo 10.1.b) LS 2008, porque, como se observa en el tenor literal de éste, el inciso final del segundo párrafo del meritado precepto acaba ciñéndose a «*suelo que vaya a ser incluido en actuaciones de urbanización*», para cuya cabal definición legal ha de estarse a lo que la propia Ley señala en el lugar correspondiente, esto es, en el artículo 14.1.a), donde se las define [en los apartados 1) y 2) de dicha letra a)], pero, sobre todo, se las contrapone a las «actuaciones de dotación», conformadoras de otra hipótesis legal [definida específica y separadamente en el artículo 14.1.b)].

Así que, en definitiva, el artículo 10.1.b) no se refiere a la hipótesis fáctica de las «actuaciones de dotación», a las cuales no enuncia aquí entre las destinatarias de su prescripción, sino sólo a las de «urbanización» [en relación con las cuales, por cierto, contempla, además, implícitamente, la posibilidad de que en aquellas no subsumibles en el suelo urbanizable tradicional (es decir, en el urbano no consolidado necesitado de transformación integral) se reduzca (de «reducción» habla también, en efecto, refiriéndose a este apartado la Disposición Final Primera, número 4, al referirse a las Ciudades Autónomas) el porcentaje de reserva que señala. A esta conclusión se puede llegar porque a esa permisividad de la flexibilización contemplada en el tercer párrafo del artículo 10.1.b) la única salvedad que se marca atañe a «actuaciones de nueva urbanización» (o sea, las del tradicional suelo urbanizable, según la equiparación de las terminologías de la LS 2008 y la realidad de nuestro Derecho Urbanístico autonómico), para condicionar ahí tal flexibilización o reducción a que se garantice el mantenimiento del estándar referido (así como el principio de cohesión social en su localización) «dentro de su ámbito territorial de aplicación», ámbito que hay que entender referido —ahora se matiza ya lo inicialmente anticipado al respecto—, no al del término municipal, sino al de la clase de actuaciones concernida, es decir, la del suelo urbanizable (5), de donde se sigue, en sentido contrario, por tanto, en definitiva, la posibilidad de que esa flexibilización sea plena en el suelo urbano no consolidado (tal como han interpretado ya —interiorizándolo en sus revisados Derechos propios— diversas Comunidades Autónomas, según se ha visto ya)].

---

(5)   En el mismo sentido, Díaz Lema, op. cit., pág. 85; e Iglesias González, Felipe (Coordinador y coautor): *Claves de la Ley 8/2007, de 28 de mayo, de Suelo*, Uría Menéndez, 2007, pág. 38 (ratificando que «actuación», aquí, no significa «desarrollos concretos», sino clases o categorías completas de suelo a excepcionar eventualmente.

De esta última constatación, por cierto, se desprendería otra línea argumental complementaria, ese segundo camino al que antes nos referíamos, y que será analizada más adelante.

7. Así pues, esa diferenciación que queda clara en el régimen jurídico que, a efectos de reserva de vivienda protegida, corresponde a las «actuaciones de urbanización» frente a las «actuaciones de dotación», diferenciación explicitada mediante la enunciación de sólo las primeras en general y una de sus clases en particular, contrasta con lo que sucede cuando se quiere establecer el estatuto subjetivo que corresponde al propietario, en cuanto a deberes o cargas del proceso urbanizador, en el artículo 16 de la misma LS 2008, porque ahí, en efecto, se habla sólo, y genéricamente, desde el primer inciso de su número 1 —repetimos, en esa versión— de «actuaciones de transformación urbanística», las cuales agrupan, como se sabe tanto a las «de urbanización» como a las «de dotación» (artículo 14.1 LS 2008), sin perjuicio de que, para establecer alguna modulación respecto de estas últimas, se las cite expresamente [por ejemplo, en el segundo párrafo de la letra a) o en el mismo segundo de la letra b)].

Con lo cual, en definitiva, se afianza la tesis de que las «actuaciones de dotación», que la doctrina refiere al suelo urbano consolidado o no consolidado cuando la hipótesis fáctica a que alude su definición legal concurra, están excluidas de esta reserva, porque así se ha querido de manera deliberada, al enunciar diferenciadamente las clases y subclases de actuaciones sometidas a ésta [en el artículo 10.1.b)] y, por otro lado, las sometidas al régimen de cargas inherentes al proceso urbanizador en el nuevo sistema legal (artículo 16), entendiéndose ello como una cuestión pacífica en la doctrina que específicamente la ha abordado (6).

8. A mayor abundamiento, existe una jurisprudencia específica del Tribunal Supremo proclive a que, en aquellos casos en que estamos en presencia de terrenos ya urbanizados, y en relación con los cuales se cumplieron todos los deberes y cargas inherentes al proceso urbanizador, de modo que se ha llegado ya a la conformación de lo que jurídicamente son solares (y, mucho más, estando ya edificados), se interprete restrictivamente toda nueva imposición de deberes similares sobre el mismo (o sucesivos) propietario o propietarios, llegándose a sostener en dicha doctrina jurisprudencial que «**entonces, el suelo es ya para siempre suelo urbano consolidado**» y que, aunque a la sazón la LS 1998 distinguiera ya ese diverso estatuto a asignar a una categoría y otra de suelo (consolidado o no), se podría decir que su régimen diferenciado sería igualmente operativo o que la misma conclusión se alcanzaría, porque la precedente afirmación es, a su juicio, una «**verdad elemental en el Dere-**

---

(6)   Así, Porto Rey, Enrique: «Afección práctica de la nueva Ley a los instrumentos urbanísticos», *RUyE*, Nº 16 (Monográfico sobre la Ley de Suelo de 2007), 2007, pág. 45; Ramírez Sánchez, Jesús Mª (en Enériz & Beltrán, Coordinadores): *Comentarios a la Ley del Suelo de 2007*, Aranzadi, 2007, págs. 244-245; y González Pérez, Jesús (Director y coautor): *Comentarios a la Ley del Suelo*, Civitas, 2007, Vol. I, pág. 272.

cho Urbanístico» [SSTS de 6 de marzo de 2000 (recurso de casación 6475/1994), 30 de marzo de 2000 (r. c. 5427/1994) y 10 de mayo de 2000 (tres, de la misma fecha: recursos de casación 5289, 5291 y 7533, los tres de 1995)]. Y esta doctrina enlaza con otra desgranada por el Tribunal Constitucional, en sus pronunciamientos de 2001 y 2002 (sobre las Leyes urbanísticas estatal y vasca de 1997-1998), según la cual, la categorización del suelo urbano por las Comunidades Autónomas ha de moverse «en los límites de la realidad», de donde se puede inferir un cierto propósito convergente —común a ambos Tribunales desde sus propias perspectivas— de evitar que, por la vía subrepticia de las meras categorizaciones retórico-normativas, al final se imponga un régimen abusivo de deberes y cargas sobre un suelo urbano ya consolidado de hecho y de Derecho (Sentencias del Tribunal Constitucional 54/2002, de 27 de febrero, y 164/2001, de 11 de julio).

Precisamente, a este respecto, desde la doctrina, aun con ópticas diferentes, se constata que la trilogía de *«actuaciones de urbanización»* (= suelo urbano necesitado de una regeneración integral), *«actuaciones de nueva urbanización»* (= suelo urbanizable) y *«actuaciones de dotación»* (= suelo urbano destinatario fundamentalmente de operaciones de mejora con diversa intensidad y extensión, y general —pero no exclusivamente— caracterizado como consolidado), entre otras cosas, quiere superar la realidad preexistente en el Derecho Urbanístico, en virtud de la cual podía darse la circunstancia de que unos determinados terrenos de suelo urbano consolidado, por mor de la determinación de un nuevo Plan categorizándolos (al amparo de una previsión, tal vez, incorrecta —a la luz de las precitadas doctrinas de los Tribunales Supremo y Constitucional— de la legislación autonómica propia) como no consolidado atrajeran para sus propietarios los mismos deberes y cargas que si se tratara de un no consolidado real y materialmente (por no haberse cumplido con los deberes legales inherentes al proceso urbanizador). De manera que, precisamente, lo que se ha pretendido es evitar que las meras «actuaciones de dotación» (aun en suelo urbano, pero con el alcance acotado a que se ha aludido, y, sobre todo, con una clara vocación de mejora de la calidad ambiental preexistente) puedan tener a todos los efectos el mismo régimen legal que las «actuaciones de urbanización» (también en suelo urbano, pero, ante todo, con vocación de regeneración integral de un amplio espacio, mediante procedimientos más complejos de planeamiento y gestión), diferenciándose expresamente en el artículo 16 ese régimen legal diverso, en cuanto a las cargas anudadas a unas y a otras, y en el artículo 10.1.b), en cuanto a la obligatoriedad de la reserva que nos ocupa, por el expeditivo procedimiento de, simplemente, excluirlas de la relación de actuaciones en que la misma es operativa (7).

---

(7)   Así, Parejo & Roger: *Comentarios a la Ley de Suelo,* Iustel, 2007, pág. 186; y Porto, *op. cit.,* pág. 52. Especial rigor en la caracterización de cada una de las tres hipótesis de actuaciones, en línea con lo señalado en el texto superior, se comprueba igualmente en Santos Díez, Ricardo & Castelao Rodríguez, Julio: *Comentario al artículo 14,* en Sánchez Goyanes, E. (Director y coautor): *Ley de Suelo. Comentario Sistemático,* El Consultor de los Ayuntamientos & LA LEY, 2007, págs. 458-461.

9. En cuanto a Ceuta y Melilla, les resulta directa y específicamente aplicable a estos efectos la Disposición Final Primera, número 4:

«Disposición final primera. Carácter del contenido dispositivo de esta Ley.

(…). 4. El contenido normativo íntegro de esta Ley es de aplicación directa en los territorios de las Ciudades de Ceuta y Melilla, con las siguientes precisiones:

a) La potestad que la letra b) del artículo 10 reconoce a la Ley para reducir el porcentaje de reserva de vivienda sometida a algún régimen de protección pública y la de determinar los posibles destinos del patrimonio público del suelo, de entre los previstos en el apartado 1 del artículo 34, podrán ser ejercidas directamente en el plan general.

(…).»

En definitiva, a su través se permite que sea el Plan General el que reduzca la reserva para vivienda protegida y el que determine los posibles destinos del patrimonio público del suelo de entre los previstos en el artículo 39.1 de la Ley. En otras palabras: abre la puerta a que en Ceuta y Melilla no haya vivienda protegida, o la haya en menor cuantía que en el resto del territorio nacional.

Siete. Se modifica el apartado 3 y se adiciona un apartado 4 al artículo 12, con el siguiente texto:

«Situaciones básicas de suelo.

3. Se encuentra en la situación de suelo urbanizado el que, estando legalmente integrado en una malla urbana conformada por una red de viales, dotaciones y parcelas propia del núcleo o asentamiento de población del que forme parte, cumpla alguna de las siguientes condiciones:

a) Haber sido urbanizado en ejecución del correspondiente instrumento de ordenación.

b) Tener instaladas y operativas, conforme a lo establecido en la legislación urbanística aplicable, las infraestructuras y los servicios necesarios, mediante su conexión en red, para satisfacer la demanda de los usos y edificaciones existentes o previstos por la ordenación urbanística o poder llegar a contar con ellos sin otras obras que las de conexión con las instalaciones preexistentes. El hecho de que el suelo sea colindante con carreteras de circunvalación o con vías de comunicación interurbanas no comportará, por sí mismo, su consideración como suelo urbanizado.

c) Estar ocupado por la edificación, en el porcentaje de los espacios aptos para ella que determine la legislación de ordenación territorial o urbanística, según la ordenación propuesta por el instrumento de planificación correspondiente.

4. También se encuentra en la situación de suelo urbanizado, el incluido en los núcleos rurales tradicionales legalmente asentados en el medio rural, siempre que la legislación de ordenación territorial y urbanística les atribuya la condición de suelo urbano o asimilada y cuando, de conformidad con ella, cuenten con las dotaciones, infraestructuras y servicios requeridos al efecto.»

COMENTARIO (1)

Proyecto de ley

Siete. El artículo 12.3 queda redactado de la siguiente manera y se adiciona un nuevo apartado 4 al artículo 12:

---

(1)   Comentario a cargo de Ignacio Sanz Jusdado. Master en Urbanismo y Ordenación del Territorio. Abogado especialista en Derecho Administrativo. Profesor del Instituto Nacional de Administración Pública; y Gabriel Martínez del Mármol Marín. Master en Urbanismo y Ordenación del Territorio. Abogado especialista en Derecho Administrativo. Profesor del Instituto Nacional de Administración Pública.

«Situaciones básicas de suelo.

3. Se encuentra en la situación de suelo urbanizado el que, estando legalmente integrado en una malla urbana conformada por una red de viales, dotaciones y parcelas propia del núcleo o asentamiento de población del que forme parte, cumpla alguna de las siguientes condiciones:

a) Haber sido urbanizado en ejecución del correspondiente instrumento de ordenación.

b) Tener instaladas, conforme a lo establecido en la legislación urbanística aplicable, las infraestructuras y los servicios necesarios para satisfacer la demanda de los usos y edificaciones existentes o previstos por la ordenación urbanística o poder llegar a contar con ellos sin otras obras que las de conexión con las instalaciones preexistentes. El hecho de que el suelo sea colindante con carreteras de circunvalación o con vías de comunicación interurbanas no comportará, por sí mismo, su consideración como suelo urbanizado.

c) Estar ocupado por la edificación, en el porcentaje de los espacios aptos para ella que determine la legislación de ordenación territorial o urbanística, según la ordenación propuesta por el instrumento de planificación correspondiente.

4. También se encuentra en la situación de suelo urbanizado el incluido en los núcleos rurales tradicionales legalmente asentados en el medio rural, siempre que la legislación de ordenación territorial y urbanística les atribuya la condición de suelo urbano o asimilada y cuando, de conformidad con ella, cuenten con las dotaciones, infraestructuras y servicios requeridos al efecto.»

Dictamen de la Comisión del Congreso

Se modifica el apartado 3 del artículo 12, con el siguiente texto:

«Situaciones básicas de suelo.

3. Se encuentra en la situación de suelo urbanizado el que, estando legalmente integrado en una malla urbana conformada por una red de viales, dotaciones y parcelas propia del núcleo o asentamiento de población del que forme parte, cumpla alguna de las siguientes condiciones:

a) Haber sido urbanizado en ejecución del correspondiente instrumento de ordenación.

b) Tener instaladas y operativas, conforme a lo establecido en la legislación urbanística aplicable, las infraestructuras y los servicios necesarios, mediante su conexión en red, para satisfacer la demanda de los usos y edificaciones existentes o previstos por la ordenación urbanística o poder llegar a contar con ellos sin otras obras que las de conexión con las instalaciones preexistentes. El hecho de que el suelo sea colindante con carreteras de circunvalación o con vías de comunicación interurbanas no comportará, por sí mismo, su consideración como suelo urbanizado.

c) Estar ocupado por la edificación, en el porcentaje de los espacios aptos para ella que determine la legislación de ordenación territorial o urbanística, según la ordenación propuesta por el instrumento de planificación correspondiente.

4. También se encuentra en la situación de suelo urbanizado, el incluido en los núcleos rurales tradicionales legalmente asentados en el medio rural, siempre que la legislación de ordenación territorial y urbanística les atribuya la condición de suelo urbano o asimilada y cuando, de conformidad con ella, cuenten con las dotaciones, infraestructuras y servicios requeridos al efecto.»

Texto vigente hasta ahora

Artículo 12. Situaciones básicas del suelo.

1. Todo el suelo se encuentra, a los efectos de esta Ley, en una de las situaciones básicas de suelo rural o de suelo urbanizado.

2. Está en la situación de suelo rural:

a) En todo caso, el suelo preservado por la ordenación territorial y urbanística de su transformación mediante la urbanización, que deberá incluir, como mínimo, los terrenos excluidos de dicha transformación por la legislación de protección o policía del dominio público, de la naturaleza o del patrimonio cultural, los que deban quedar sujetos a tal protección conforme a la ordenación territorial y urbanística por los valores en ellos concurrentes, incluso los ecológicos, agrícolas, ganaderos, forestales y paisajísticos, así como aquéllos con riesgos naturales o tecnológicos, incluidos los de inundación o de otros accidentes graves, y cuantos otros prevea la legislación de ordenación territorial o urbanística.

b) El suelo para el que los instrumentos de ordenación territorial y urbanística prevean o permitan su paso a la situación de suelo urbanizado, hasta que termine la correspondiente actuación de urbanización, y cualquier otro que no reúna los requisitos a que se refiere el apartado siguiente.

3. Se encuentra en la situación de suelo urbanizado el integrado de forma legal y efectiva en la red de dotaciones y servicios propios de los núcleos de población. Se entenderá que así ocurre cuando las parcelas, estén o no edificadas, cuenten con las dotaciones y los servicios requeridos por

la legislación urbanística o puedan llegar a contar con ellos sin otras obras que las de conexión de las parcelas a las instalaciones ya en funcionamiento.

Al establecer las dotaciones y los servicios a que se refiere el párrafo anterior, la legislación urbanística podrá considerar las peculiaridades de los núcleos tradicionales legalmente asentados en el medio rural.

CRITERIOS LEGALES CUYA CONCURRENCIA IMPONE CONSIDERAR UN SUELO «URBANIZADO» (DETERMINANTES DE SU CLASIFICACIÓN COMO URBANO)

Sumario

1. Doctrina general sobre la competencia para fijar criterios clasificatorios de suelo. En particular, los criterios del suelo urbano
2. Los elementos que integran la «nueva» definición de este suelo
3. El suelo urbano en la legislación autonómica

1. DOCTRINA GENERAL SOBRE LA COMPETENCIA PARA FIJAR CRITERIOS CLASIFICATORIOS DE SUELO. EN PARTICULAR, LOS CRITERIOS DEL SUELO URBANO

1. Para adentrarnos en las claves de la constitucionalidad del enunciado del artículo 12.3, hemos de retrotraernos dentro de la doctrina constitucional sentada por la STC 164/2001, y es que sus FF JJ 12 y 13, relativos al enjuiciamiento de los arts. 7 y 8 LS 1998, son, en gran medida, elemento complementario y anticipatorio de la doctrina que va a salvar, mediante la fijación de pautas interpretativas, la constitucionalidad de los criterios de clasificación del suelo urbanizable y no urbanizable. (2)

2. Pues bien, lo que viene a propiciar el pronunciamiento esencial al respecto es el rechazo a la impugnación parcial del artículo 7 LS 1998, que dispone: «a los efectos de la presente Ley, el suelo se clasifica en urbano, urbanizable y no urbanizable o clases equivalentes reguladas por la legislación urbanística». Concretamente lo impugnado del mismo era su inciso final: «o clases equivalentes reguladas por la legislación urbanística».

---

(2)   La labor de los autores es tributaria de los previos textos elaborados en su día por Enrique Sánchez Goyanes para glosar la versión precedente en la obra colectiva SÁNCHEZ GOYANES, E. (Director): *Ley de Suelo. Comentario Sistemático del Texto Refundido de 2008,* El Consultor de los Ayuntamientos & LA LEY, toda vez que nos ha otorgado su autorización expresa a los efectos que procediere, al mismo tiempo que ha intercambiado opiniones con los autores respecto al grado de alteración real que, a su juicio, experimenta el precepto comentado en relación con la versión hasta ahora vigente y su virtualidad práctica teniendo en cuenta la fidelidad o no del tenor resultante de la tramitación parlamentaria hacia el reflejado en el texto del proyecto remitido por el Gobierno, de todo lo cual se deja constancia con nuestro reconocimiento.

«Pues bien, frente a lo alegado por los recurrentes, el artículo 7 LS 1998 tiene perfecto encaje en la competencia del Estado *ex artículo* 149.1.1 CE, en los términos ya expresados en la STC 61/1997, FFJJ 14 b) y 15 a). Entonces amparamos la clasificación tripartita del suelo por su carácter instrumental respecto de la regulación de las condiciones básicas de ejercicio del derecho de propiedad urbana. Y añadimos también entonces que del simple establecimiento de una clasificación tripartita del suelo no podía deducirse la prefiguración por el legislador estatal de un concreto modelo urbanístico. Pues bien, de nuevo **el artículo 7 LS 1998 se sirve de la clasificación tripartita del suelo como instrumento técnico para la configuración de los distintos estatutos de la propiedad urbana. El carácter instrumental e indispensable de esta clasificación (respecto de los tres estatutos básicos de la propiedad urbana), permite enmarcar al artículo 7 LS 1998 dentro de la competencia del Estado ex *artículo* 149.1.1 CE y, con ello, confirmar la adecuación constitucional del inciso** "o clases equivalentes reguladas por la legislación urbanística". Esta conclusión en nada limita la competencia de las Comunidades Autónomas para fijar y regular, a efectos de planificación o gestión, otras clasificaciones de suelo distintas y superpuestas a las anteriores» (FJ 12).

3. Tiene aquí especial interés ese reconocimiento de la posibilidad por las Comunidades Autónomas de fijar y regular otras clases de suelo «distintas y superpuestas» a las de la LS 1998 «a efectos de planificación y gestión». Pero, por otro lado, si la clasificación del suelo como tal es una técnica que tiene sentido, precisamente, a efectos, fundamentalmente, de la planificación; y, en puridad, es la operación preliminar de toda actividad de planificación urbanística, ¿en qué otra virtualidad de la clasificación del suelo, desplegada en un plano previo y abstracto, podría estar pensando el Tribunal para reservar la competencia primaria al respecto a favor del Estado? En el FJ 13 hablará de la finalidad de «configuración de las condiciones básicas de la propiedad», pero no es fácil de entenderla, ni tampoco es fácil articularla en la práctica de modo coherente con el resto del FJ 12, salvo que, en vez de «otras clasificaciones», en realidad se quisiera aludir a «subclasificaciones» o «categorizaciones»; pero interpretarla a su vez de modo literal parecería conducir a resultados contradictorios y, desde luego, a un aumento hasta el paroxismo de la complejidad en las regulaciones autonómicas del planeamiento y la gestión urbanística.

Sea como fuere, lo relevante hoy de esta doctrina es que ampara opciones como la adoptada tan cautelosamente cual el artículo 12 LS 2008 —incluso, en su versión, más «detallada» de 2013—, aun sin explicitar el verdadero carácter de las prescripciones que contiene.

4. Interés decisivo en su aspecto de complementariedad de la doctrina general reinterpretativa de la competencia para la clasificación de suelo tiene el enjuiciamiento del artículo 8 LS 1998, más que por el resultado de dejarlo indemne, por algunos de los pronunciamientos conducentes a ello —perfectamente aplicables a su reelaborado enunciado en el artículo 12.3 LS 2008—.

Recuérdese que el artículo 8 LS 1998 establece que:

> «Tendrán la condición de suelo urbano, a los efectos de esta Ley: a) El suelo ya transformado por contar, como mínimo, con acceso rodado, abastecimiento de agua, evacuación de aguas y suministro de energía eléctrica o por estar consolidado por la edificación en la forma y con las características que establezca la legislación urbanística; b) Los terrenos que en ejecución del planeamiento hayan sido urbanizados de acuerdo con el mismo».

Después de insistir el Tribunal en la cobertura de la clasificación instrumental contenida en el artículo 7 LS 1998 por el título competencial del artículo 149.1.1.ª CE, matiza que aunque igualmente «ampara la fijación de criterios para la clasificación del suelo como urbano», «estos criterios deben ser los indispensables para esta finalidad, sin llegar a imponer un determinado modelo urbanístico», pero luego enfatiza que:

> «La opción estatal por la clasificación tripartita del suelo (en el artículo 7 LS 1998) quedaría privada de su eficacia igualadora si la fijación de los criterios de clasificación (en una de las tres clases de suelo) fuera plenamente disponible por cada una de las Comunidades Autónomas. Debemos afirmar, entonces, que **el establecimiento de criterios para la clasificación del suelo actúa como premisa indispensable para la configuración de las condiciones básicas de ejercicio de los tres estatutos jurídicos primarios de la propiedad del suelo**» (FJ 13).

Repárese en que la enfática afirmación de la última frase del pasaje transcrito, reiterando, de hecho, lo ya subrayado en el párrafo más arriba reproducido del FJ 12, conduce a descartar la posibilidad de que una Ley estatal destinada a configurar tales condiciones básicas, como es la LS 2008, carezca del señalamiento de los criterios clasificatorios —llámeselos como se prefiera— que son la «premisa indispensable» para aquella tarea, según la clara doctrina de nuestro Tribunal Constitucional.

5. Así las cosas, la tarea preliminar es examinar «si el artículo 8 LS 1998 impone, mediante la fijación de criterios de clasificación del suelo, un concreto modelo urbanístico».

Pues bien, la conclusión es negativa por lo siguiente, en cuanto al criterio de la urbanización:

> «El artículo 8 a) LS 1998 en su referencia al suelo "ya transformado" sólo fija criterios "mínimos", conocidos frecuentemente como determinantes de la urbanización primaria; pero **ni precisa cuándo han de considerarse cumplidos aquellos requisitos mínimos, ni impide que aquellos requisitos se complementen al alza por cada Comunidad Autónoma**» (FJ 13).

Más enfáticamente lo afirmaría ahora el juzgador en relación con el artículo 12.3 LS 2008, toda vez que en éste los propios servicios cuya concurrencia predetermina la condición de «urbanizado» quedan por completo remitidos al respectivo legislador autonómico.

Y, en cuanto al criterio de la consolidación por la edificación:

«El mismo artículo 8 a) LS 1998 se refiere a un hecho (terrenos "consolidados por la edificación"), pero **ni impone categorías ni contiene criterios específicos sobre cuándo se da aquella consolidación, ámbito éste de regulación que por entero queda a cada Comunidad Autónoma**» (FJ 13).

Y, en fin, el tercer criterio que, en realidad, no es tal tercero, ni, en puridad, ninguno específico diferente de los anteriores:

«La referencia del artículo 8 b) LS 1998 a los terrenos urbanizados " en ejecución del planeamiento" no se acompaña de específicos criterios sobre cuándo ha de considerarse ejecutado el planeamiento, ni sobre qué hipotético instrumento de planeamiento es el ejecutado; estas determinaciones caen en la esfera de decisión de cada Comunidad Autónoma» (FJ 13).

6. Y, enlazando con lo advertido en el FJ 12, insiste aquí el juzgador en que:

«Cada Comunidad Autónoma podrá establecer otras clases de suelo (y por tanto, otros criterios de clasificación) para fines distintos de la configuración de las condiciones básicas de ejercicio de la propiedad urbana. Es así que, en relación con el supuesto que mencionan los propios Diputados recurrentes, nada impide que para fines de gestión o de urbanización el legislador autonómico pueda superponer a la clasificación del suelo como urbano otra clasificación distinta y adecuada a los fines urbanísticos de reforma interior o de completa transformación del suelo. En estos términos no se puede afirmar que la limitada regulación del artículo 8 LS 1998 imponga a las Comunidades Autónomas un modelo urbanístico determinado» (FJ 13).

Como se ve, tanta superposición de clases de suelo, a tan innumerables fines, alimenta el riesgo, antes denunciado, de un enrevesamiento de nuestro Derecho Urbanístico autonómico hasta límites no sospechados: y ésa ha sido realmente la tendencia seguida por el mismo desde la publicación de la mentada STC 164/2001, de 11 de julio.

2. LOS ELEMENTOS QUE INTEGRAN LA «NUEVA» DEFINICIÓN DE ESTE SUELO

1. De siempre, se ha considerado reglada la clasificación de terrenos como suelo urbano [SSTS de 20 de noviembre de 1995, 5 de marzo de 1996, 12 de abril de 1996, 3 de mayo de 1996, 16 de julio de 1996, etc.].

Igualmente sucedía con la contrapuesta clasificación de suelo no urbanizable de especial protección [SSTS de 15 de noviembre de 1995, 5 de marzo de 1996, etc.].

No obstante, la clasificación del suelo no urbanizable de especial protección como reglada no ha sido pacífica hasta el comienzo mismo de este siglo XXI. Sí parece clara en SSTS como las de 23 de abril de 1996, donde se asigna a unos terrenos que, de hecho, constituyen una zona húmeda, y, por ello, merecedora de la correlativa protección; 3 de enero de 1996, donde se considera coherente con el hecho determinante de que el terreno afectado está enclavado en zona de gran interés arqueológico; o 5 de marzo de 1996, donde se considera la especial protección dispensada merecida no sólo por sus valores históricos y culturales, sino también paisajísticos debido a la masa forestal que posee y a la calidad arbórea de la misma. Con independencia del camino seguido, en todos esos casos se considera procedente la clasificación por concurrir los requisitos determinantes según la legislación urbanística o sectorial aplicables. Sin embargo, todavía la STS de 26 de marzo de 1996 considera tal clasificación como discrecional «aunque con determinadas circunstancias —apartados b) de los expresados arts. 80 y 24 (del RP)—», sin perjuicio de mantener la clasificación de suelo no urbanizable de especial protección forestal puesto que el éxito argumental frente a ella habría requerido una prueba que no se ha practicado siquiera.

Y tal carácter reglado dimana de que esta determinación no queda al arbitrio del planificador sino que debe obligatoriamente establecerla si concurren las circunstancias de hecho fijadas por la legislación urbanística (3), y este criterio permanece vigente tras la LS 2008 y el nuevo Derecho autonómico.

2. En cuanto a la vigente Ley estatal —y en la versión a este número conferida por la LRRRU—, es manifiesto que el artículo 12.3 no quiere erigirse en criterio clasificatorio completo conducente a la caracterización de SU por el planificador, sino que, por un lado, en congruencia con la doctrina constitucional antes apuntada y con la propia asunción de ésta explicitada en el preámbulo legal, remite al legislador autonómico un margen de maniobra para la concreción de sus genéricos criterios.

En nuestra tradición —prácticamente, seguida por todas las Leyes autonómicas vigentes—, por eso, se dice del *suelo urbano*, que es una cuestión de hecho, a comprobar en el momento de aprobación del planeamiento tanto por el criterio de la urbanización como por el de la consolidación (STS de 20 de diciembre de 1995), y se insiste en predicar de él su carácter reglado (SSTS de 30 de enero de 1996, 6 de mayo de 1997, etc.) especialmente en caso de serlo *por el primer criterio*, el de la *concurrencia de los (tradicionalmente) cuatro servicios básicos* (4), a lo que se

---

(3) Cfr. PARADA VÁZQUEZ, Ramón: *Derecho Administrativo (III)...*, cit., págs. 350-353.
(4) Cfr. —además de las citadas tres Notas más arriba— SSTS de 18 de marzo de 1998, 30 de marzo de 1998, 14 de abril de 1998, 6 de julio de 1998 —que efectúa la precisión de que los servicios han de dotar a la totalidad de la finca, y no a una sola parte de la misma—, 9 de octubre de 1998, 31 de octubre de 1998 —donde se enfatiza la relevancia de los Informes técnicos municipales eventualmente aportados a los Autos—, 9 de diciembre de 1998, 16 de diciembre de 1998, 3 de febrero de 1999, 8 de febrero de 1999, 12 de febrero de 1999, 3 de marzo de 1999, etc.

suele añadir que tales servicios han de ser adecuados para las edificaciones a que se destinan, en consonancia con el artículo 21 RP (STS de 20 de enero de 1998).

No obstante, es cierto que, para su estimación *por el segundo criterio* que sigue estando vigente en casi todas las Leyes autonómicas —*consolidación*— puede tener virtualmente el planificador un margen más amplio al ejercitar su potestad clasificatoria (SSTS de 6 de marzo de 1997 y 4 de febrero de 1.999), como ha sido reconocido por parte de la doctrina (5).

3. La progresiva restricción del margen de maniobra especialmente en el uso del primer criterio se fue acentuando mediante la doctrina jurisprudencial que —con amparo en su relectura de la Exposición de Motivos de la Ley de Reforma de la del Suelo, de 2 de mayo de 1975— vino a imponer el requisito adicional de la necesidad de estar insertado el suelo de que se trate en lo que denomina la *malla urbana*, fruto en definitiva de la conexión de sus servicios con las redes perimetrales de los propios servicios municipales (SSTS de 26 de mayo de 1997, 17 de junio de 1997, 21 de julio de 1997, etc.) (6).

De esta doctrina jurisprudencial, precisamente, es de la que deriva el *prerrequisito* de la integración…, que se ha fijado hoy en la primera frase del artículo 12.3, para definir esta hipótesis básica de suelo urbanísticamente consolidado.

4. En cuanto al *suelo urbano «en ejecución del planeamiento»* preexistente —supuesto previsto expresamente todavía en la LS 1998 (evaporado de la versión 2007-2008 y reintroducido en la derivada de la LRRRU) y después en la mayoría de Leyes autonómicas, aunque no en todas—, no es, en puridad, un tercer criterio de determinación de suelo urbano pues el supuesto se suele reconducir al de suelo inicialmente urbanizable en el planeamiento pero que, a través del proceso de transformación, llega a ser virtualmente urbano al habérsele dotado de los servicios básicos requeridos (STS de 14 de abril de 1.998).

Naturalmente, no se agota ahí la casuística: pensemos el caso de una actuación pública que demanda la cesión de terrenos para construir un hospital; los terrenos idóneos están en situación de suelo rural; por la perentoriedad, se aprueba un Plan Especial de Infraestructuras, con su correspondiente proyecto de urbanización, mediante los cuales se procede a la ejecución de las obras necesarias para preparar

---

(5) Cfr. Porto Rey, Enrique: «*Manual operativo en Municipios sin planeamiento*», Montecorvo, 1.995, págs. 118-119; Blanquer Prat, Blanca: «*Derecho Urbanístico estatal*», Montecorvo, 1.993, t. I, págs. 398-399.

(6) Cfr. SSTS de 13 de mayo de 1998, 26 de mayo de 1998, 23 de noviembre de 1998 y 4 de febrero de 1999. Pese a esta posición abrumadoramente mayoritaria, ocasionalmente se ha detectado una tendencia jurisprudencial minoritaria que aparenta mostrarse más flexible hacia la verificación de las circunstancias determinantes de la concurrencia del carácter urbano del suelo pues llega a aceptar la procedencia de la clasificación aun cuando los terrenos en cuestión no hubieren sido urbanizados en virtud de una previa ordenación dirigida a tal fin (STS de 12 de marzo de 1999).

perfectamente el solar soporte del hospital y todo su entorno: viales, rotondas, etc., etc. Evidentemente, tras la construcción del hospital con esa paralela actuación urbanizadora, habrá un ámbito del originario que esté ya materialmente no sólo urbanizado sino que merecerá la categoría de urbano consolidado, desde el punto de vista de su realidad fáctica.

Una cuestión eventual a resolver es la del suelo urbano que ha llegado a serlo al margen del planeamiento pero en relación con el cual no quepan, por caducidad de la acción, medidas de restablecimiento del orden físico y jurídico vulnerados. Como antes se apuntó, el Tribunal Supremo ha admitido la procedencia de asumirlo como tal en el planeamiento, con esa condición adelantada (SSTS de 17 de noviembre de 2003 y 27 de abril y 23 de noviembre de 2004).

5. La situación básica de suelo urbanizado se identifica claramente con el suelo urbano consolidado y con el no consolidado caracterizado así por estar abocado a regeneración integral, pero también circunstancialmente con el no consolidado que (por esa casuística proteica al respecto en el Derecho autonómico) lo haya de ser por un previsto incremento de la edificabilidad (como en el caso del artículo 45.3 TRLOTAU) (7). Sobre la problemática de la no correspondencia entre las categorías de suelos (autonómicas) y las actuaciones de transformación urbanística (diseñadas en el artículo 14.1 LS 2008), se efectúan algunas consideraciones complementarias en el *Comentario al artículo 10.1.b)*, a propósito de la exigibilidad del estándar de reserva para vivienda protegida, adonde procede remitirse.

3. EL SUELO URBANO EN LA LEGISLACIÓN AUTONÓMICA

1. El marco estatal condicionante a estos efectos de la mecánica seguida por el Derecho autonómico era el del artículo 8 LS 1998, que, en su redacción final, resultó del siguiente tenor (en letra cursiva, las variaciones experimentadas en el debate parlamentario de 1997-1998):

---

(7)   Análogamente, Merelo Abela, J. M., cit., págs. 2609 y 2611. Con un cierto matiz diferencial, sin embargo, Quintana López, Tomás: «Cesión de terrenos en suelo urbanizado en la Ley 8/2007, de 28 de mayo, de Suelo», *Diario LA LEY*, 26 de septiembre de 2007, págs. 2-3, donde se viene a sostener que sólo podrían ser considerados a partir de ahora como urbano consolidado aquellos terrenos en los que no se contemplara absolutamente ninguna de las tres hipótesis posibles de actuaciones de transformación urbanística, incluyendo las de dotación. Naturalmente, al final, la cuestión dependerá de los criterios de categorización contemplados en la legislación autonómica, que, por cierto, para ser constitucionalmente legítimos, habrán de atenerse a los «límites de la realidad» (STC 54/2002, de 27 de febrero). Pero, en todo caso, el régimen legal de unos terrenos u otros —sujeción a la reserva de vivienda protegida, régimen de cargas específico, etc., según los artículos 10.1.b) y 16 LS 2008—, más allá de la categorización concreta, dependerá de la naturaleza de tales actuaciones de transformación proyectadas. En consecuencia, quien suscribe estaría más alineado a favor de la primera posición doctrinal que de la segunda, pues se considera que el planificador urbanístico no está tan predeterminado como ésta sugiere para las categorizaciones urbanísticas desde las prescripciones citadas de la LS 2008 (antes, de la LS 2007, rectora de la refundición).

«Tendrán la condición de suelo urbano, a los efectos de esta Ley:

a) El suelo ya transformado por contar, *como mínimo*, con acceso roda-do, abastecimiento de agua, evacuación de aguas y suministro de energía eléctrica *o por estar consolidados por la edificación en la forma y con las características que establezca la legislación urbanística*.

b) Los terrenos que en ejecución del planeamiento hayan sido urbanizados de acuerdo con el mismo.»

Como de éste afirmó el Portavoz de CiU en aquel debate parlamentario, Sr. Recoder —al explicar el consenso que entonces lo forjó—, se puede concluir que el precepto establece «el carácter mínimo de las exigencias que un determinado suelo debe reunir para ser considerado urbano, pudiendo ser complementadas es-tas exigencias por parte de las Comunidades Autónomas (8)».

Mutatis mutandis, ahora exactamente se podrá decir lo mismo con la versión recuperada del art. 12.3 dimanante de la LRRRU, como ya se adelantó más arriba.

2. Pues bien, en ese contexto, las opciones asumidas por las distintas Comuni-dades —tras la LS 1998— son —salvo la excepción que se señalará— extraordina-riamente conservadoras.

Así, por ejemplo, en La Rioja, el artículo 8 LOTUR-1998 reitera el precepto es-tatal básico, añadiendo la necesidad de la adecuación de los servicios y el enlace con la malla urbana preexistente (acogiendo al menos parcialmente la jurispru-dencia antes citada) como requisitos adicionales —para el primer criterio—. Para el criterio de la consolidación, distingue entre Logroño —al que se alude en la Ley siempre mediante el circunloquio de «Municipios de más de 25.000 habitantes» (sólo los supera la capital, mientras que el siguiente, Calahorra, tiene menos de 20.000)— y el resto de Municipios. En la capital, será suelo urbano por ese se-gundo criterio aquél en cuya superficie la edificación ocupe los dos tercios de los espacios aptos para la misma; en el resto, basta con la mitad. Idéntica formulación ha recogido el artículo 41 LOTUR (2006).

En Aragón, el artículo 13 LUA casi repite milimétricamente ese enunciado en el caso del suelo urbano por el criterio de la urbanización o concurrencia de los cuatro servicios básicos. Y, en el caso del criterio de la consolidación, generaliza el tradicional de la ocupación de los dos tercios por la edificación, sin distinciones.

En Castilla y León, el artículo 11 LUCYL sigue, en el criterio de la urbanización, el esquema de las dos precedentes, si bien introduce, como presupuesto previo común a ambos criterios, el que los terrenos formen «parte de un núcleo de po-

---

(8)   *BOCG* de 10 de diciembre de 1997, cit., pág. 10.363.

blación» en congruencia con el modelo territorial asumido, que se explica en la Exposición de Motivos de la Ley autonómica. En el criterio de la consolidación, sin embargo, el que se generaliza es el requisito más liviano de la ocupación en sólo la mitad de la superficie.

3. Sólo en la Comunidad Valenciana, existe una variante conceptual —desde la hoy extinta LRAU—, puesto que allí la técnica de la clasificación del suelo se pone al servicio de la específica estrategia legal en materia de gestión. Explícitamente lo afirma el artículo 8.4 LRAU:

> «El Plan clasificará como suelo urbano y urbanizable los terrenos que, por convenir a su modelo territorial, se pretendan mantener o incorporar dentro del proceso de urbanización.»

Desde esa perspectiva, el suelo urbano será aquél en el cual la gestión haya de desarrollarse mediante actuaciones aisladas (Artículo 9.2 LRAU) mientras que aquél en el cual haya de efectuarse mediante actuaciones integradas será suelo urbanizable (con independencia de que, con los criterios tradicionales, quizás fuera clasificable como urbano).

4. Hay que advertir que esta variante —en lo atinente a la técnica clasificatoria— del sistema valenciano no ha sido seguida por los Derechos castellano-manchego y canario que, sin embargo, están de modo claro emparentados conceptualmente con aquél —si bien con más intensidad en el primer caso que en el segundo—.

El artículo 45.1 LOTAU (idéntico al correlativo 45.1 TRLOTAU) define el suelo urbano con arreglo a los tres criterios tradicionales, si bien, en el de la urbanización, los servicios exigidos son los que otorgan la condición de solar; en el de la consolidación, aparte de la edificación en los dos tercios de la superficie, se requiere una suficiencia adicional de los servicios prestados por las respectivas redes; y, en el de la urbanización en virtud de ejecución de planeamiento previo, también se requiere para los terrenos afectados haber alcanzado dotación de servicios propia de solares. Por su parte, el artículo 50.a) LOTCAN (idéntico, el correlativo 50 TRLOTCAN), menos innovador, al margen de requerir como presupuesto previo en todos los casos el de la integración real o potencial en la malla urbana —mera recepción de la precedente doctrina jurisprudencial en la materia—, se limita a reproducir los tres criterios anteriores en los términos tradicionales, con levísimos matices.

5. Los Derechos autonómicos alumbrados entre la generación coetánea a la LS 1998, que se acaba de repasar, y la entrada en vigor de la LS 2008, han mantenido en esto el apego a la tradición que más arriba se anticipaba.

Los Artículos 62, 63 y 64 TRLSUMU, en Murcia, mantienen los tres criterios históricos, sin cambios.

El artículo 45 LOUA, en Andalucía, conserva los tres criterios históricos, con algunos matices: necesidad, en el de la urbanización, de estar integrado o poder serlo en núcleo preexistente; precisión de que el suministro eléctrico se proporcione «en baja tensión», y algunos matices adicionales menores en los restantes.

El artículo 9 LSOTEX, en Extremadura, asume los tres criterios tradicionales, con el principal matiz —compartido por un sector mayoritario del Derecho autonómico— de la necesidad, en el de la urbanización, de estar integrado o poder serlo en núcleo preexistente.

El artículo 14 LSM, en Madrid, sigue la tripleta clasificatoria, si bien añade el alumbrado público a los servicios conducentes al *criterio de la dotación o urbanización*.

Los Artículos 11.1.a), b), 13.1 y Disposición Transitoria 13.ª LOUGA, en Galicia, conforman el actual conjunto normativo de ensamblaje con el artículo 12.3 LS 2008. Las dos letras citadas del 11.1 LOUGA asumen los dos criterios primarios tradicionales, omitiendo el tercero (que, como sabemos, en puridad, no resultaba ser uno diferenciado de los anteriores). El 2.º párrafo del precepto estatal, al que se ha aludido, fruto de la constancia de los Portavoces del BNG en Congreso y Senado, se justifica, precisamente, por enunciados como los del artículo 13.1 y la propia Transitoria citada de la LOUGA, para salvaguardar la pervivencia de la actual configuración jurídica de los «núcleos rurales» en el Derecho Urbanístico gallego.

Los Artículos 113.a), b),c) y 61.2 TRLSAS, en el Principado de Asturias, recogen los tres criterios tradicionales, si bien presentan la innovación de positivizar explícitamente la definición de «malla urbana», partiendo de la acuñación jurisprudencial.

Los Artículos 89, 95.1.a), b), c) y 95.2, 96.1 y 2 y Disposición Transitoria LOTRUS, en Cantabria, siguen un esquema similar, si bien para la consolidación basta la ocupación del 50% de la superficie a delimitar.

El artículo 11.1.a), b) y 11.2 LSU, en el País Vasco, asumen sólo los dos primeros criterios tradicionales, y efectúan una reformulación del primero, caracterizada por reforzar las características de los servicios necesarios.

El artículo 92.1.a), b), c), d), e) y 92.2.a) y b) LFOTU, en Navarra, más allá de su diferenciación formal, en puridad, reconduce a los mismos tres criterios tradicionales.

El artículo 26.a) y b) TRLUC, en Cataluña, sigue esa misma senda, si bien pone el énfasis en que, tanto para el criterio de la dotación de servicios como para el de la consolidación, los terrenos en cuestión han de haber «sido sometidos al proceso de integración en el tejido urbano», y en cuanto a los servicios, no se dice en ese precepto cuáles sean sino que han de ser los «urbanísticos básicos», cuya enunciación legal habrá de irse adaptando, sin duda, a las evolutivas exigencias sociales.

Los artículos 10.1.a), b), c), 10.2, 10.3.a) y b) y 49.2 LUV, en la Comunidad Valenciana, procuran reconfigurar los criterios clasificatorios amoldándolos al marco estatal a la sazón vigente, de lo que se deriva una nueva sustanciación en lo que atañe al suelo urbano, basada en los dos criterios históricos primarios, y complementada en la categorización dual del mismo, abandonando la configuración estratégica de suelo urbano vs. suelo urbanizable / transformable típica de la LRAU.

5. *En Municipios sin planeamiento general,* según el artículo 11 LS 1998, los terrenos tendrán la condición de urbano siempre que cumplan con los criterios del artículo 8 (básicamente, por el de la urbanización física o por el de la consolidación en los términos de la legislación autonómica, puesto que, por definición, aquí no habrá un suelo urbanizado en ejecución de planeamiento previo). Este criterio, en general, está asumido hoy por toda la legislación autonómica.

La LS 2008 —tanto en su versión inicial como en la vigente, dimanante de la LRRRU-renuncia a esta explicitación en coherencia con su propósito de no esbozar sino unas hipótesis básicas a efectos de anudarles un estatuto jurídico subjetivo y unos criterios de valoración correlativos.

En conclusión, pues, el «nuevo» suelo urbano es de configuración reglada, como en la cultura jurídico-urbanística precedente, si bien los servicios cuya concurrencia determina, en primer lugar, esta clasificación —suelo urbano por el criterio de la urbanización— serán sólo y directamente los establecidos por la legislación autonómica; igualmente, en segundo lugar, la concreción del criterio clasificatorio predeterminado por la «consolidación por la edificación» corresponde al legislador autonómico, que precisará el porcentaje a tener en cuenta e incluso, eventualmente, otros parámetros; y, por último, en tercer lugar, el supuesto derivado de «la ejecución en virtud de un previo planeamiento» queda también remitido para su posible concreción o matiz al legislador autonómico. En los tres casos, como se ve, para ser respetuoso el legislador de 2013 y encajar milimétricamente en la correlativa doctrina fijada al efecto por el Tribunal Constitucional en su sentencia 164/2001, en el pasaje arriba recordado.

Nueve. El apartado 4 del artículo 15 queda redactado de la siguiente manera:

«4. La documentación de los instrumentos de ordenación de las actuaciones de nueva urbanización, de reforma o renovación de la urbanización y de las actuaciones de dotación deberá incluir un informe o memoria de sostenibilidad económica, en el que se ponderará, en particular, el impacto de la actuación en las Haciendas Públicas afectadas por la implantación y el mantenimiento de las infraestructuras necesarias o la puesta en marcha y la prestación de los servicios resultantes, así como la suficiencia y adecuación del suelo destinado a usos productivos.»

COMENTARIO (1)

Proyecto de ley

Nueve. El apartado 4 del artículo 15 queda redactado de la siguiente manera:

«4. La documentación de los instrumentos de ordenación de las actuaciones de nueva urbanización deberá incluir un informe o memoria de sostenibilidad económica, en el que se ponderará, en particular, el impacto de la actuación en las Haciendas Públicas afectadas por la implantación y el mantenimiento de las infraestructuras necesarias o la puesta en marcha y la prestación de los servicios resultantes, así como la suficiencia y adecuación del suelo destinado a usos productivos. Cuando se trate de actuaciones de reforma o renovación de la urbanización, o de actuaciones de dotación, este informe o memoria asegurará su viabilidad económica, en términos de rentabilidad y de un adecuado equilibrio entre los beneficios y las cargas derivados de la misma, para los propietarios incluidos en su ámbito de actuación y contendrá, al menos, los siguientes elementos:

a) Un estudio comparado de los parámetros urbanísticos propuestos y de los existentes, con identificación de las determinaciones urbanísticas básicas referidas a edificabilidad, usos y tipologías edificatorias y redes públicas que habría que modificar. La memoria analizará, en concreto, las modificaciones sobre incremento de edificabilidad o densidad, o introducción de nuevos usos, así como la posible utilización del suelo, vuelo y subsuelo de forma diferenciada, para lograr un mayor acercamiento al equilibrio económico, o a la rentabilidad de la operación.

b) Las determinaciones económicas básicas relativas a los valores de repercusión de cada uso urbanístico propuesto, estimación del importe de la inversión, incluyendo, tanto las ayudas públicas, directas e indirectas, como las indemnizaciones correspondientes, cuantificación de los ingresos tributarios y gastos públicos por el mantenimiento y prestación de los servicios municipales, antes y después de la operación, así como la identificación del sujeto o sujetos responsables del deber de costear las redes públicas.

c) El análisis de la inversión que pueda atraer la actuación y la justificación de que la misma es capaz de generar ingresos suficientes para financiar la mayor parte del coste de la transformación física propuesta, garantizando el

---

(1) Comentario a cargo de Jesús Sánchez Santos. Master en Urbanismo y Ordenación del Territorio. Abogado especialista en Derecho Administrativo. Profesor del Instituto Nacional de Administración Pública; y Gabriel Martínez del Mármol Marín. Master en Urbanismo y Ordenación del Territorio. Abogado especialista en Derecho Administrativo. Profesor del Instituto Nacional de Administración Pública.

menor impacto posible en el patrimonio personal de los particulares, medido en cualquier caso, dentro de los límites del deber legal de conservación.

El análisis referido en el párrafo anterior hará constar, en su caso, la posible participación de empresas de rehabilitación o prestadoras de servicios energéticos, de abastecimiento de agua, o de telecomunicaciones, cuando asuman el compromiso de integrarse en la gestión, mediante la financiación de parte de la misma, o de la red de infraestructuras que les competa, así como la financiación de la operación por medio de ahorros amortizables en el tiempo.

d) El horizonte temporal que, en su caso, sea preciso para garantizar la amortización de las inversiones y la financiación de la operación.

e) La evaluación de la capacidad pública necesaria para asegurar la financiación y el mantenimiento de las redes públicas que deban ser financiadas por la Administración, así como su impacto en las correspondientes Haciendas Públicas.»

Dictamen de la Comisión del Congreso

El apartado 4 del artículo 15 queda redactado de la siguiente manera:

«4. La documentación de los instrumentos de ordenación de las actuaciones de nueva urbanización, de reforma o renovación de la urbanización y de las actuaciones de dotación deberá incluir un informe o memoria de sostenibilidad económica, en el que se ponderará, en particular, el impacto de la actuación en las Haciendas Públicas afectadas por la implantación y el mantenimiento de las infraestructuras necesarias o la puesta en marcha y la prestación de los servicios resultantes, así como la suficiencia y adecuación del suelo destinado a usos productivos.»

Texto en vigor hasta ahora

Artículo 15. Evaluación y seguimiento de la sostenibilidad del desarrollo urbano.

4. La documentación de los instrumentos de ordenación de las actuaciones de urbanización debe incluir un informe o memoria de sostenibilidad económica, en el que se ponderará en particular el impacto de la actuación en las Haciendas Públicas afectadas por la implantación y el mantenimiento de las infraestructuras necesarias o la puesta en marcha y la prestación de los servicios resultantes, así como la suficiencia y adecuación del suelo destinado a usos productivos.

LA REDEFINICIÓN DEL TRADICIONAL DOCUMENTO ECONOMICISTA DE LOS PLANES COMO «INFORME DE SOSTENIBILIDAD ECONÓMICA» (ARTÍCULO 15.4)

1. De entrada, conviene destacar lo siguiente:

a) La versión propuesta en el proyecto de ley (arriba transcrita) tenía una finalidad clara en conexión con el eje esencial de la reforma del régimen urbanístico, que no es otro que el de la flexibilización del mismo en relación con el tradicional suelo urbano no consolidado, especialmente el abocado a ser el soporte de operaciones de regeneración urbana. (2)

b) Tras toda la peripecia parlamentaria, en realidad, sin embargo, no es fácil ya apreciar esa finalidad y esa conexión. Si se comparan la nueva redacción y la precedente, se puede corroborar que allí donde antes se decía que la exigencia de este informe era obligatoria para los instrumentos de ordenación «de las actuaciones de urbanización» ahora se dice que deviene obligatoria para los «de las actuaciones de nueva urbanización, de reforma o renovación de la urbanización y de las actuaciones de dotación». Por lo tanto, teniendo en cuenta que el concepto jurídico de «actuaciones de urbanización» hasta ahora ahí explicitado en solitario equivalía (y sigue equivaliendo) a «las de nueva urbanización» y «las que tengan por objeto reformar o renovar la urbanización», porque así lo prescribía (y lo sigue haciendo) la letra a) del número 1 del artículo 14, la única diferencia real del texto resultante radica en que se ha añadido a lo que ya era un imperativo legal el caso de «las actuaciones de dotación», porque así diferenciadamente quedaban y siguen quedando definidas al margen de las «de urbanización» en la letra b) del mismo número 1 de ese artículo 14. Todo este recorrido parlamentario para añadir «y de las actuaciones de dotación», pues. Y el único efecto práctico final, el extender de manera explícita la obligatoriedad que ya estaba a tal «especie» de actuaciones, dentro de las del género de «actuaciones de transformación urbanística». Por lo tanto, todo lo que se dirá a continuación, tras esa síntesis del sentido o pretensión inicial (y coherente) de la reforma en este punto y el resultado fallido del mismo, es lo que ya se podía decir en relación con el precepto, tal como estaba antes, en cuanto a todo lo demás, salvo al campo de actuaciones de transformación afectadas por la exigencia, que ahora incluyen las mentadas.

---

(2) La labor de los autores es tributaria de los previos textos elaborados en su día por Enrique Sánchez Goyanes para glosar la versión precedente en la obra colectiva SÁNCHEZ GOYANES, E. (Director): *Ley de Suelo. Comentario Sistemático del Texto Refundido de 2008*, El Consultor de los Ayuntamientos & LA LEY, toda vez que nos ha otorgado su autorización expresa a los efectos que procediere, al mismo tiempo que ha intercambiado opiniones con los autores respecto del grado de alteración real que, a su juicio, experimenta el precepto comentado en relación con la versión hasta ahora vigente y su virtualidad práctica teniendo en cuenta la fidelidad o no del tenor resultante de la tramitación parlamentaria hacia el reflejado en el texto del proyecto remitido por el Gobierno, de todo lo cual se deja constancia con nuestro reconocimiento.

c) Ahora bien, lo relevante, pues, no es lo que se ha añadido al precepto preexistente, sino lo que se ha abortado de la coherente ampliación que el proyecto de ley pretendía en el mismo. Véase arriba del todo cuál era el contenido de este 15.4 en el proyecto de LRRRU. ¿Diferencias esenciales? 1.ª) Que, naturalmente, no se fusionaban todas las actuaciones de transformación indiscriminadamente para asignarles un mismo régimen jurídico en este punto, porque esa, justamente, era la pretensión a evitar, mantener esa unificación. 2.ª) Que se mantenía, en primer lugar, sí, el mismo régimen de exigencia documental para las actuaciones en suelo urbanizable («de nueva urbanización») en relación con las cuales había que acreditar los extremos que ya lo merecían hasta ahora, de manera que el tratamiento de éstas quedaba así diferenciado, y con un sesgo menos exigente que el previsto para las restantes, como ahora se verá: primera frase en el primer párrafo del número 4 del 15 según el proyecto de ley. 3.ª) Que, sin embargo, en relación con las actuaciones de reforma y renovación urbana y de dotación, ese informe no sólo tenía, por imperativo legal, que velar por la sostenibilidad desde la perspectiva pública, de lo que requeriría posteriormente la creación de ese nuevo tejido urbano, y, por ello, que contener la misma previsión sobre el impacto en las Haciendas Públicas, etc., sino un cualificado «plus» de contenidos y de justificaciones. 4.ª) Que, precisamente, el análisis detallado de las letras a) a e) en que se desglosaban tales exigencias en el nonnato texto del proyecto de ley, acredita que la preocupación común subyacente es garantizar que las operaciones de regeneración urbana, hoy pendientes aún en muchas ciudades españolas, empezando por Madrid (aunque a alguno le sorprenda, y hasta un punto tal que las mismas serán el principal objetivo de su nuevo Plan General ahora en fase de Avance), sean viables. Porque el problema de las mismas, y de su falta de atractivo para la iniciativa privada, es que mayormente, y con el régimen jurídico actual de cargas y seudocargas [como la del 10.1.b)], no lo son. Y es que el punto de partida, el precio del suelo, es enormemente distinto en el caso del que es aquí considerado (el urbano) en relación con el del urbanizable. Y ello, sin perjuicio de que otros factores a considerar en estas operaciones también suponen un sobrecoste relevante en relación con la transformación de un suelo «virgen» que, simplemente, hay que urbanizar, dicho sea simplificadamente.

d) Y, además, correlativamente, los extremos que debían acreditarse singularizadamente y con esa finalidad enlazan simétricamente con otras previsiones incorporadas en el contexto de esta reforma global del régimen jurídico de este urbano no consolidado, y desde la perspectiva de la finalidad flexibilizadora del mismo: cuando en diversos otros pasajes del texto reformado se alude a la exoneración total o parcial de ciertas cargas o la obtención de diversas posibles medidas de alivio, se vincula la activación de tales hipótesis a circunstancias de falta de «rentabilidad» de las actuaciones concernidas, circunstancias que, precisamente, en lo formal, tenían su espacio de acreditación en el informe ampliado y detallado que la reforma legal coherentemente les asignaba de manera específica.

Por eso, se explica perfectamente que Sánchez Goyanes apostillara lo siguiente sobre la redacción inicial de este apartado en el proyecto de LRRRU antes de ser deformado en su letra y espíritu por la recta final de la acelerada tramitación parlamentaria:

> «Obsérvese el énfasis puesto en la necesidad de que se verifique el carácter rentable de la actuación proyectada, pues esto hoy es una prolongación más de las exigencias de la racionalidad en la actuación administrativa, y, en su proyección aquí, en la actuación de ordenación urbanística. Y es que las actuaciones (que, cada vez más, deberán ser esencialmente de iniciativa o protagonismo privado o, para ser más exactos, de naturaleza tal que el capital puesto en riesgo sea esencial o exclusivamente privado, al menos hasta que quede atrás la Depresión tempranera del XXI y lleguen otros *felices años veinte*) deberán acreditar, desde su planteamiento inicial, una cierta rentabilidad para captar el interés de los aptos (económica y empresarialmente) para promoverlas, pues, sin esta acreditación, dada la experiencia anterior, es difícil que se den pasos adelante en la dirección apetecida por el Ayuntamiento correspondiente. Si, por tanto, los nuevos planteamientos de actuaciones de este porte y calado, no aparecen acompañados de esa acreditación de su rentabilidad, los mismos serán equiparables a aquellos de tantos y tantos planes que, en el pasado, y desde hace ya bastante tiempo, han sido anulados por los Tribunales por falta de convincente equiparación en el apartado correspondiente a la dotación económico-financiera correlativa: recuérdese aquello de las actuaciones "irracionales" por "inverosímiles" ante la falta de acreditación de su financiación (endeblez del entonces estudio económico-financiero, ahora reconvertido y realzado en el nuevo y más exigente informe de sostenibilidad económica) y la consecuente vulneración del principio de interdicción de la arbitrariedad de los poderes públicos (arts. 9.3 y 103 CE) en ese extremo por parte de la Administración aprobatoria de las mismas». (3)

Y adentrándonos ya en el examen de lo que es hoy —en su alcance normativo— el precepto resultante (prácticamente, lo mismo que era hasta la víspera de la entrada en vigor), y aprovechando esa referencia a ello en la cita transcrita, hay que recordar que, efectivamente, la necesaria incorporación al aparato documental de los Planes —dimanante de lo previsto en el apartado 4 del artículo 15— del Informe de Sostenibilidad Económica (ISE) enlaza, sí, con la búsqueda de la eficiencia en el uso de los recursos y en la racionalidad de toda actuación —que no puede proyectarse sobre la base de inexistentes capacidades públicas para el ulterior sostenimiento de su autonomía orgánica y funcional, por ejemplo (4)—.

---

(3) SÁNCHEZ GOYANES, Enrique: «El modulado régimen del suelo urbano en la nueva reforma de la legislación estatal sobre urbanismo», *Revista de Estudios Locales*, número 159, 2013, epígrafe 2.

(4) ESCRIVÀ CHORDÀ, Ricard: «La sostenibilidad en los crecimientos urbanísticos desde el punto de vista de la Hacienda municipal: especial referencia al caso valenciano», *El Consultor de los Ayuntamientos*, n.º 21, 2007, págs. 3425-3432: sugerente trabajo, apegado a la realidad práctica que hay bajo la problemática a que se alude en el texto principal.

Pero también se puede y se debe recordar que incluso esta perspectiva había sido ya acogida en las décadas anteriores también por la jurisprudencia para realzar conceptualmente el valor de los Estudios Económico-Financieros (EEF) y fiscalizar consiguientemente su contenido [así, en la STS de 22 de febrero de 2005 (recurso de casación 693/2002), por la que se confirma la acertada Sentencia del Tribunal Superior de Justicia de Galicia de 15 de noviembre de 2001, anulatoria del PGOU de Gondomar (Pontevedra)]. De aquí, el que se pueda defender perfectamente que la interiorización en el Derecho autonómico de la nueva exigencia procedimental es susceptible de cumplimentarse —preferentemente— mediante la simple configuración del ISE como apartado diferenciado dentro del EEF o equivalente, aunque, obviamente, también pudiere serlo mediante su configuración como documento sustantivo autónomo (5).

De lo anterior, se deriva también el que no sea ocioso recapitular en torno a los requisitos tradicionales predicados del documento en el cual hoy ha de entenderse embebido el nuevo ISE para su validez, y la operatividad del mismo como pieza adicional en el engranaje de la motivación del Plan, ahora realizada explícitamente como nos consta en la nueva LS 2008.

2. Con el Estudio o Evaluación económica —o documento de similar denominación y análoga funcionalidad, presente en todo caso hoy en cualesquiera legislación urbanística—, del cual hoy el ISE va a erigirse en apartado con autonomía y sustantividad propias —sin perjuicio de preexistir ya a la nueva LS, al no dejar de ser una especie de epítome recapitulatorio de aquél—, lo que se pretende es garantizar que el planificador ha tomado en consideración los costes y los recursos económicos disponibles a la hora de elegir una determinada ordenación territorial y que no ha optado por un modelo que posteriormente resulte irrealizable por razones económicas. En cierto modo, aquellos costes y medios prefiguran un componente de los hechos determinantes de la decisión planificadora, por lo que el Estudio —o documento equivalente— puede ser y es ya generalmente interpretado no como un elemento formal, informativo, sino como un elemento ordenador, al determinar los fondos (públicos, en su caso) afectados a la realización de las actuaciones programadas, y así tempranamente fue puesto de relieve ya por la doctrina (6).

3. La jurisprudencia ha diferenciado tradicionalmente la exigencia de precisión del Estudio Económico-Financiero, considerando que en el nivel del planeamiento

(5)   García Valderrey, Miguel Ángel: «Sobre el Informe / Memoria de Sostenibilidad Económica de los instrumentos de ordenación de las actuaciones de urbanización, establecido en el art. 15.4 del RD Legislativo 2/2008, de 20 de junio, por el que se aprueba el Texto Refundido de la Ley de Suelo», *Revista Práctica Urbanística*, n.º 74, 2008, págs. 7-21: valioso trabajo que brinda metodologías y propuestas de contenidos sustantivos y estructuración formal para este realzado documento, igualmente desde la realidad de la problemática práctica subyacente.
(6)   Boquera Oliver, José María: «Los componentes del Plan de urbanismo», *Revista de Derecho Urbanístico*, n.º 127, 1992, pág. 51. En sentido análogo, García De Enterría-Parejo: «Lecciones .»., cit., pág. 288.

general el mismo puede ser —y será lo normal— simplemente genérico, sin previsiones específicas para las diversas operaciones que implique, mientras que en el nivel de los Planes Parciales y Especiales —es decir, de los Planes destinados a la materialización inmediata de las determinaciones urbanísticas— debe contenerse el detalle particularizado de los medios económico-financieros disponibles para la ejecución del Plan (SSTS de 24 de octubre de 1977 y 25 de octubre de 1980) al igual que el de las partidas correspondientes a los diversos costes que dicha ejecución comporte (SSTS de 30 de marzo de 1988, 27 de mayo de 1992 y 23 de enero de 1995).

Precisamente, esta doctrina diferenciadora es expresamente enfatizada por la STS de 22 de febrero de 2005 (recurso de casación 693/2002), por la que se confirma la acertada Sentencia del Tribunal Superior de Justicia de Galicia de 15 de noviembre de 2001, anulatoria del PGOU de Gondomar (Pontevedra), que, como se anticipó al principio, enlaza claramente con la necesidad de que este documento esté al servicio de —la acreditación de— la sostenibilidad económica de lo proyectado —objetivo que ahora enfatiza la vigente LS, instrumentando para ello el ISE como componente específico de aquél—:

> «Es cierto que hemos reiterado que "no puede afirmarse ... que la falta de estudio económico financiero obliga a considerar que el Plan es de contenido imposible, por que una cosa es requisito de perfección y otra es requisito de eficacia", (STS de 3 de febrero de 1988) añadiéndose "que la importancia del estudio económico financiero aparece hoy devaluada, y sí de los Artículos 9.2e) y 10.2.a) de la Ley de 12-5-1956, por los que, respectivamente, se disponía la inclusión la inclusión en los Planes Generales de un estudio económico-financiero que justificara la ponderación entre el criterio de planeamiento en que se sustentase y las posibilidades económicas y financieras del territorio y población ... *se pasó a una mayor discrecionalidad administrativa, en la Ley refundida en el texto de 9-4-1976, arts. 12.2.1.h) y 3.e), respecto de los Planes Generales, y 13.2.g), en cuanto a los Planes Parciales, exigir simplemente determinar, en suelo urbano en aquellos y en suelo urbanizable programado en estos, la evaluación económica de los servicios y de la ejecución de las obras de urbanización y la confección de un estudio económico-financiero (7), y en los Artículos 42 y 55 del Reglamento de Planeamiento de 23-6-1978, desarrollando aquellos y los 29.1.j) y 45.1.h) del mismo, disponer tan solo unas evaluaciones económicas en los estudios correspondientes a cada Plan, abandonándose en consecuencia tales ponderaciones entre criterios de planeamiento y reales disponibilidades económicas y financieras y afectación de los medios económico-financieros disponibles a la ejecución del Plan, lo que es trasladable*

---

(7) Los pasajes transcritos en cursiva de las Sentencias que se reseñan aparecen así por decisión de los autores, para destacar los aspectos que se comentan en el texto principal, no siendo, por lo tanto, originales.

a los Planes Especiales .". (SSTS de 19 de febrero de 1992, 26 de julio y 2 de noviembre de 1993).

Esto es, ampliando la citada STS de 4 de marzo de 1988: Después de la reforma de 1975, el artículo 123 para los planes generales, se limita a aludir al "estudio económico y financiero", y el artículo 13 ni siquiera exige esto. Por lo demás, no afirmarse, como hace la sentencia impugnada, que la falta de estudio económico obliga a considerar que el plan es de contenido imposible. Porque una cosa es requisito de perfección y otra es requisito de eficacia. Y aunque ciertamente lo deseable es la existencia de un estudio económico-financiero serio, lo cierto es que, como tal, un estudio de este tipo, incluso conteniendo las previsiones del artículo 42 del Reglamento de planeamiento exige luego una concreción en presupuesto y una ejecución de éste. Y, por contra, la inexistencia de ese estudio previo no impide necesariamente la efectividad de lo planeado cuando esas previsiones presupuestarias y su ejecución tengan lugar. De aquí que ligar una situación de falta de estudio económico a la calificación de plan de contenido imposible no parece que sea correcto en términos jurídicos.»

No obstante lo anterior, el juzgador en casación respaldará el acierto de la Sala de La Coruña puesto que el telón de fondo no es un documento simplificado en relación con el exigible para el planeamiento secundario sino, sencillamente, un documento «inidóneo» para el cumplimiento del fin que le es propio, como veremos más adelante.

4. La doctrina prefijada ha de complementarse con dos líneas jurisprudenciales desarrolladas en paralelo. La primera es la que exonera de la necesidad de este documento cuando las circunstancias del caso así lo permiten, cuan, paradigmáticamente, en el supuesto de la mera alteración de determinación puntual. Así nos lo recuerda la STS de 21 de junio de 2002, al confirmar la validez de una Modificación Puntual del PGOU de Zaragoza:

«Tampoco puede ser acogida la pretensión revocatoria fundada en la inexistencia de Estudio Económico Financiero. Como razonadamente expone la sentencia el cambio de uso pretendido carece de incidencia económica tanto en el coste de la urbanización, por encontrarse el solar ya urbanizado, como en el servicio que se va a prestar, cultural, por el cambio que se aprueba, pues la instalación de la biblioteca se llevará a efecto a costa del solicitante del cambio de uso en que la modificación del planeamiento consiste. En definitiva, y como antes razonamos, *si el cambio pretendido no tiene incidencia económica el Estudio Económico Financiero pierde la condición esencial que normalmente le acompaña.*»

La segunda línea jurisprudencial complementaria a la principal reseñada es la que recuerda que este documento es eventualmente requerido en el caso de instrumentos de planeamiento que cumplan la función de otros para los que expresamente así se contemple como documento necesario, cuan en la hipótesis, nuevamente paradigmática en nuestro Derecho Urbanístico, de las Normas Subsidiarias en relación con el Plan General. Así lo pone de manifiesto la STS de 7 de junio de 2004, que confirma la nulidad de las Normas de San Vicente de la Barquera (Cantabria):

> «En el cuarto motivo de casación del Gobierno de Cantabria, quinto del Ayuntamiento de San Vicente de la Barquera y tercero de la Entidad Urbanística Colaboradora de Compensación del Polígono de Santa Marina de San Vicente de la Barquera, se invoca como infringido por la sentencia de instancia el artículo 97 del Reglamento de Planeamiento Urbanístico del que, a su juicio, resulta que el Estudio Económico Financiero no es un documento que necesariamente forme parte de las Normas Subsidiarias de Planeamiento hasta el punto de que, como sostiene la sentencia recurrida, su ausencia determine la nulidad de aquellas. Este motivo de casación no puede prosperar. Tal como hemos declarado en sentencias de 15 de enero y 23 de febrero de 2000, siguiendo la doctrina sentada en la sentencia de 21 de enero de 1992, *la falta de una expresa mención al Estudio Económico Financiero en el artículo 71 de la Ley del Suelo de 9 de abril de 1976 entre los documentos que deben componer las Normas Subsidiarias de Planeamiento, no significa que no sea necesario cuando así resulte de las determinaciones adoptadas*. El citado precepto no contiene una enumeración taxativa de los documentos que integran las Normas Complementadas y Subsidiarias de Planeamiento sino que, teniendo en cuenta que su contenido no es siempre el mismo, se limita a advertir que "se compondrán de los documentos necesarios para justificar las determinaciones y extremos que comprendan y las función para la que se dicten", por lo que *si se trata de normas que, como en este caso, cumplen la función de un plan general han de comprender todos los documentos que se exigen para estos, entre ellos la existencia de un estudio económico financiero, que justifique la racional posibilidad de implantar en la práctica las previsiones que se establecen.*»

5. Una y otra líneas jurisprudenciales complementarias a la principal convergen en la STS de 6 de abril de 2004, donde se desestima la pretensión de invalidez de las Normas de Pilar de la Horadada (Alicante) articulada sobre la base de una omisión del documento que aquí nos convoca, siendo el dato fundamental que tales Normas sólo habían quedado aprobadas de modo parcial y para regir en el ámbito del suelo apto para ser urbanizado:

> «En cuanto al defecto de estudio económico financiero, ya expresamos en dicha Sentencia de 23 de marzo de 2003 que "aunque el artículo 71 LS no incluye el estudio económico financiero entre los documentos integrantes de las Normas Subsidiarias de Planeamiento, la falta de la expresa mención de ese documento no significa que no sea necesario cuando así resulte de las determinaciones adoptadas, como ha declarado esta Sala en

sentencias de 21 de enero de 1992 y 15 de enero y 23 de febrero de 2000. El artículo 71.5 LS0 no contiene una indicación taxativa de los documentos que componen las Normas Complementarias y Subsidiarias de Planeamiento sino que, teniendo en cuenta que su contenido no siempre es el mismo, se limita a advertir que 'se compondrán de los documentos necesarios para justificar las determinaciones y extremos que comprendan y la función para la que se dicten'. *Ello significa que tratándose de Normas Subsidiarias y Complementarias de Planeamiento el estudio económico financiero es un elemento contingente, exigible únicamente en función del alcance de aquella normativa. La Sala de instancia no se opone a esta doctrina sino que se ajusta a ella y declara que, precisamente por las circunstancias concurrentes, en este caso no era necesaria la elaboración de dicho documento, y la parte recurrente no ha acreditado que su omisión determinaría la falta de viabilidad de la normativa aprobada, que es lo que justifica su exigencia"». (8)*

6. Consecuentemente, lo que sí corresponde a los Planes de desarrollo —Parciales y Especiales—, al igual que hoy a sus instrumentos equivalentes, es concretar los medios o recursos de que se dispone y realizar una singularizada adscripción de los mismos a la ejecución de la ordenación prevista (STS de 20 de septiembre de 1985).

Ello significa que su Estudio Económico-Financiero o su Evaluación económica ha de relacionar explícita y claramente las fuentes de financiación que quedarán afectas a la ejecución del Plan o Proyecto, debiendo ser las mismas «acordes con una previsión lógica y ponderada que garantice la real posibilidad de su realización en función de la importancia de las determinaciones del planeamiento» (SSTS de 25 de junio de 1.981, 10 de mayo de 1.985 y 25 de mayo de 1.985).

7. Si bien la mayor parte de los pronunciamientos de este tipo —en el caso de instrumentos de planeamiento secundario promovidos por la iniciativa privada—

---

(8)   Por cierto, esta Sentencia contiene un relevante pasaje, de indudable utilidad para quienes tienen la función ocasional de informar y/o contestar alegaciones en un proceso de revisión de planeamiento urbanístico, ya que siempre hay un contingente de aquéllas articulado sobre la existencia previa de algún acto de aplicación del planeamiento precedente aprobado a favor del alegante respectivo:

«Finalmente, por lo que se refiere al Plan Parcial Mil Palmeras, que la actora mantiene que está ejecutado y Pueblo Serrano que la actora mantiene que de 370 Ha de suelo urbanizable programado se pasó a 178 Ha, como recuerda la Administración demandada, nos encontramos ante el ejercicio del *ius variandi* en materia urbanística, ante el que ha de ceder incluso el que se hubiera aprobado un Estudio de Detalle (Sentencia del Tribunal Supremo de 26 de enero de 1979), un Proyecto de Reparcelación o Compensación (Sentencia de dicho Tribunal de 19 de septiembre de 1981), Proyecto de Urbanización (Sentencia del Tribunal Supremo de 18 de marzo de 1978), ni de parcelación (Sentencia del Tribunal Supremo 8 de mayo de 1979), ni ejecución de obras de urbanización (Sentencia del Tribunal Supremo de 29 de diciembre de 1981), e incluso licencia de edificación (Sentencia del Tribunal Supremo de 27 de marzo de 1979)».

se refiere a Planes Parciales, con relación a los Especiales el Tribunal Supremo mantiene idéntica posición, como acredita en su Sentencia de 28 de enero de 1.987:

> «Aunque la Sala viene manteniendo un prudente criterio de flexibilidad en orden a la exigencia del Estudio Económico-Financiero, ello ha de entenderse referido a aquellos instrumentos urbanísticos de nivel superior ..., pero no a Planes Especiales de Reforma Interior privada, donde el rigor debe ser extremado con objeto de evitar posibles insolvencias posteriores o atrevimientos especulativos que lesionarían derechos de terceros».

Con esta actitud rigurosa desde los Tribunales, lo que se pretende es refrenar:

> «Planificaciones ilusorias que determinan frecuentemente, bien la congelación urbanística de terrenos con fines meramente especulativos, bien la ejecución incompleta o deficiente del Plan con grave perjuicio de los intereses generales y privados que resulten afectados por el mismo» (Sentencia del Tribunal Supremo de 5 de marzo de 1.985; antes, la de 25 de junio de 1.981).

Desde esta perspectiva, la doctrina considera las disponibilidades económicas como un factor relevante que limita la discrecionalidad de que dispone la Administración —o, en general, el planificador— para elegir una u otra ordenación urbanística, pues no se debe optar por modelos territoriales que, atendiendo a los recursos existentes, resultan de imposible o muy difícil realización (9).

Como se aprecia, tanto la doctrina jurisprudencial como la científica convergen en el punto en que, en definitiva, lo que se exige ya de este documento es que sirva al objetivo de la sostenibilidad también en su vertiente económica, pues ello implica que el Plan es verosímil en esa perspectiva —los medios disponibles garantizan la ejecución de la actuación proyectada y el posterior mantenimiento de la materializada, según ésta vaya cristalizando (hoy, extremos a pormenorizar en el ISE)—, en definitiva, racional, y esto es ya un prerrequisito para poder pasar a estudiar la validez del instrumento desde otras perspectivas y consideraciones.

8. En cuanto a los efectos atribuidos por nuestros Tribunales a la deficiente cumplimentación del Estudio o Evaluación económica, ya desde la tendencia más temprana se apuntó que este componente debía considerarse un «elemento esencial del Plan» de modo que procedería declarar nulo todo aquel instrumento que careciera de un Estudio que justificara la ponderación entre el criterio del planeamiento que se sustentara y las posibilidades económicas y financieras del territorio y población (SSTS de 17 de diciembre de 1.966, 4 de noviembre de 1.972 y 25 de junio de 1.981), incluso —aunque parece obvio recordarlo— aun tratándose de instrumentos de iniciativa pública.

---

(9) Desdentado Daroca, Eva: *Discrecionalidad administrativa y planeamiento urbanístico*, Aranzadi, 1997, pág. 363.

En este sentido, la STS de 25 de junio de 1.981 estimó procedente la anulación de un Plan Parcial porque no contenía Estudio alguno acerca del coste de su realización y se limitaba a señalar que los medios económico-financieros estaban constituidos por los presupuestos ordinarios y extraordinarios del Ayuntamiento.

Del mismo modo, la STS de 9 de febrero de 1.982 rechazó que pudiera entenderse satisfecha la exigencia de adecuada previsión económico-financiera con la simple declaración genérica de que se incluirían en los presupuestos ordinarios y extraordinarios los medios económicos precisos para la realización de la ordenación.

Tampoco satisfacen la exigencia legal expresiones tales como la de que: «Quedan garantizados los medios económicos para la construcción de las obras proyectadas.»

Ya que:

«Dicha afirmación es simplemente teórica por carecer de concreción alguna que permita ponderar si el promotor dispone de medios económicos suficientes que garanticen la realización del Plan» (STS de 28 de julio de 1.992).

En fin, en el caso de la tramitación de un Plan Especial de Equipamientos Comunitarios, donde se carecía de referencias sobre cómo afrontar el coste de diversas operaciones necesarias para materializar el mismo, por falta de previsión de aquéllas entre las partidas del Estudio Económico-Financiero, el Tribunal Supremo acuerda la anulación de las actuaciones (la aprobación definitiva) y la reposición a un momento anterior para que se completara el Estudio, y, a la vista del mismo, se procediera (STS de 16 de diciembre de 1992).

En esta misma línea, y entre los pronunciamientos más recientes, se inscribe la STS de 13 de noviembre de 2003, que confirma la nulidad del Plan Especial de Protección de las Cuevas de Altamira:

«Respecto del Estudio Económico Financiero, este Tribunal Supremo en Sentencia de 31 de mayo de 2001 tiene dicho lo siguiente, repitiendo lo que razonó en la de 11 de marzo de 1999:

"El significado del Estudio Económico Financiero de los planes de urbanismo ha sido precisado por la Jurisprudencia del Tribunal Supremo, en aplicación de los artículos 42 del Reglamento de Planeamiento (para los Planes Generales Municipales), 63 (para los Planes Parciales), 74.1.j) (para los Proyectos de Urbanización), 77.1.g) (para los Planes Especiales en general) y 83.4 (para los Planes Especiales de Reforma Interior).

Esta nuestra jurisprudencia ha declarado que en cuando a la justificación de la existencia de medios necesarios para llevar a efecto la ejecución y a la adopción de las medidas precisas para garantizar la defensa de los intereses de la población afectada, además de referirse también a Planes de Reforma

Interior únicamente, tampoco fue desconocida, sin que pueda tacharse al estudio económico financiero en que se contiene de abstracto, ya que como dijimos en nuestra Sentencia de 19 de febrero de 1992, la importancia del estudio económico financiero aparece devaluada, y así de los artículos 9.2.e) y 10.2.a) de la Ley de 12 de mayo de 1956, por los que, respectivamente, se disponía la inclusión en los Planes Generales de un estudio económico financiero que justifique la ponderación entre el criterio de planeamiento en que se sustentase y las posibilidades económicas y financieras del territorio y población, y de una memoria en los Planes Parciales justificativa de la ordenación, de las etapas para realizarla y de los medios económico-financieros disponibles y que deberían quedar afectos a la ejecución del Plan, con base en los cuales se había elaborado una doctrina jurisprudencial exigente en la materia, se pasó a una mayor discrecionalidad administrativa en la Ley Refundida de 9 de abril de 1976, artículos 12.2.1.h) y 2.e), respecto de los Planes Generales, y 13.2.g), en cuanto a los Planes Parciales, al exigir simplemente determinar, en suelo urbano en aquéllos y en suelo urbanizable programado en éstos, la evaluación económica de los servicios y de la ejecución de las obras de urbanización y la confección de un estudio económico financiero, y en los Artículos 42 y 55 del Reglamento de Planeamiento, desarrollando aquéllos y los 29.1.j) y 45.1.h) del mismo disponer tan sólo unas evaluaciones económicas en los estudios correspondientes a cada Plan, abandonándose en consecuencia tales ponderaciones entre criterio de planeamiento y reales disponibilidades económicas y financieras y afectación de los medios económico-financieros disponibles a la ejecución del Plan, lo que es trasladable a los Planes Especiales por ser aplicables a éstos las disposiciones relativas a aquéllos conforme al artículo 23.2 del Texto Refundido de 1976 y a los artículos 77.2.g) y 3 y 85.1 del referido Reglamento" (Sentencia de 26 de julio de 1993).

Ahora bien, la jurisprudencia del Tribunal Supremo nunca ha afirmado —pese a la devaluación que proclama de la importancia del Estudio Económico Financiero— que se pueda prescindir completamente de ese documento (como parecen decir los recurrentes en casación) sino sólo que no es necesario que en el mismo "consten cantidades concretas de ingresos y gastos sino que es suficiente con que se indiquen las fuentes de financiación que quedarán afectas a la ejecución del Plan, de acuerdo con la previsión lógica y ponderada que garantice la real posibilidad de su realización" (Sentencia de 23 de enero de 1995 y 6 de junio de 1995).

En el presente caso no existe ningún Estudio Económico Financiero, de forma que se infringen aquellos preceptos y esta jurisprudencia.

Esta exigencia del EEF es más exigible en el supuesto del Plan Especial de Protección de las Cuevas de Altamira por cuanto se prevé que los terrenos de una de las zonas diseñadas (la de protección) han de ser adquiridos por expropiación forzosa, resultando por tanto analógicamente aplicable para los Planes Parciales el artículo 63.4 del Reglamento de Planeamiento, a cuyo tenor "si para la ejecución del Plan Parcial se hubiera elegido el sistema de expropiación, el estudio económico financiero contendrá, además, el cálculo estimatorio del coste de la expropiación, puesto en relación con la etapa en que se haya de realizar."

Por lo demás, ya la Sala dice (en una apreciación del material fáctico) que no está suficientemente acreditada la previa adquisición voluntaria de la mayor parte de los terrenos de la zona de protección, lo que es una valoración de la prueba que no puede ser contradicha en casación. Pero, en todo caso, según esa misma alegación, todavía quedarían terrenos sin adquirir, por lo que sigue siendo necesario el Estudio Económico Financiero». (10)

9. Una función adicional que la jurisprudencia más reciente nos ha enseñado que cumplen estos documentos en el planeamiento secundario es la de servir de límite a los presupuestos de costes inherentes a los instrumentos destinados a la ejecución material de las determinaciones de aquél —así, los típicos proyectos de urbanización—, de modo que, en relación con éstos, aquél integra lo que podríamos denominar marco normativo al cual han de subordinarse jerárquicamente. En esta línea se insertan las SSTS de 7 y 14 de abril de 2004, sobre el mismo tema, la nulidad del Proyecto de Urbanización del Sector V-2 de Vulpellac, en el Municipio catalán de Forallac, por manifiesto apartamiento de las previsiones económicas contenidas en el Plan Parcial del que traía causa:

---

(10) Esta Sentencia contiene también otro pasaje relevante, donde confirma la nulidad del mismo Plan sobre la base añadida de inexistencia de otro documento inherente a aquél, dada su naturaleza y funcionalidad:

B) Tampoco existe infracción de los artículos 76.4 y 77 del Reglamento de Planeamiento por haber exigido la Sala de instancia los *estudios geológicos y arqueológicos para motivar la zonificación propuesta en el Plan Especial*.

La exigencia viene impuesta en el artículo 76.4 del citado Reglamento, cuando ordena que la documentación del Plan contenga «*una justificación de las bases que hubieran servido para el establecimiento de las infraestructuras o de las medidas de protección.*»

En este caso, tal como dice la Sentencia recurrida, no está justificada en absoluto la zonificación propuesta por el Plan Especial. Tal justificación no se encuentra en la Memoria, pues lo que allí consta es sólo la descripción geográfica de cada zona, pero no una justificación de por qué se diseñan así y no de otro modo. Y los propietarios de los terrenos incluidos en ellos, que ven mermada su propiedad de forma tan notable, tienen derecho a conocer las razones por las cuales son ellos solos, y no otros, los sacrificados para la protección del interés público que es objeto del Plan.

Desde luego que, como dice el Gobierno de Cantabria en su recurso, «determinar qué criterios han de primar para establecer las determinaciones del Plan Especial es competencia exclusiva de la Administración competente para aprobar el concreto instrumento de planeamiento». Nadie niega esa competencia, porque *no se trata de contradecir los criterios del Plan, sino de exigir que se expresen, porque los actos administrativos y las disposiciones urbanísticas, en cuanto limitan derechos, deben ser motivados* [artículo 54-1-a) de la Ley 30/1992, de 26 de noviembre].

«Sí constituye contenido propio del proyecto de urbanización la previsión presupuestaria para la ejecución de las obras. Y ello ha de ponerse en relación a lo que para el Plan Parcial prescribe el artículo 25.2 de del DL 1/1990, de 12 de julio, cuando refiere, como contenido propio del mismo, la evaluación económica de la implantación de los servicios y de la ejecución de las obras de urbanización, debiendo distinguirse, pues, entre presupuesto, propio del proyecto, y la citada evaluación, propia del Plan Parcial, y los efectos del contenido propio de uno y otra, habida cuenta que el análisis de aquellas cuestiones a que hace referencia la actora y sobre la que ha practicado prueba, demanda de suelo industrial y posibilidad de resarcimiento por los interesados, ha de poder ser cuestionado en la tramitación y aprobación del planeamiento correspondiente, por lo que un desvío presupuestario evidente en el proyecto de urbanización impide tal ponderación al incidir indebidamente en el ámbito a que ha de circunscribirse la ejecución al hallarnos fuera de aquella evaluación económica que ha de quedar determinada en los instrumentos de ordenación, sin perjuicio de las adaptaciones a que se refiere el artículo 27.2, afectando pues a la seguridad jurídica a que se refiere el texto constitucional en su artículo 9.3. Desde este punto de vista ninguna duda cabe que se ha producido una desviación notoria, y no una mera adaptación, de la previsión contenida en el Plan Parcial atendido que el presupuesto previsto en el Plan Parcial aprobado por la Comisión de Urbanismo en 1987 es de 263.960.000 y el contenido en el proyecto de urbanización aprobado en 1995 es de 852.124.378 pesetas, lo que supone, tal y como destaca la sentencia de esta Sala en recurso 2.787.95, un incremento del 322,82% frente a un incremento del IPC entre noviembre de 1987 y 1995 de sólo un 40,36%, suponiendo pues un desvío desproporcionado de los costes de urbanización.»

10. Incluso, en ocasiones en que el Estudio o Evaluación eran aparentemente correctos desde una perspectiva formal, los Tribunales han fiscalizado, a instancia de los recurrentes, si las previsiones económicas realizadas eran reales o no, proporcionadas a las determinaciones propuestas con el Plan o no —precisamente, lo que está en la esencia de la sostenibilidad económica de éste, ahora enfatizada e instrumentada a través del ISE—, y, caso de resultar irreales o desproporcionadas, han procedido a la anulación del instrumento de planeamiento o de las determinaciones concretas carentes de cobertura (SSTS de 31 de enero de 1989 y 25 de abril de 1992), si bien, en este tipo de hipótesis, el resultado final suele depender de la casuística concreta y del posterior desarrollo de la estrategia procesal elegida por las partes, factores que permiten explicar fallos diferentes para situaciones de partida aparentemente análogas.

En el caso señalado al principio de este epígrafe, la anulación del PGOU de Gondomar (STS de 22 de febrero de 2005, ya citada), precisamente el juzgador ejercita esa fiscalización, lo que le lleva a la decisión señalada. El punto de partida lo proporciona el análisis de diversas «Recomendaciones» contenidas en el documento economicista del Plan, puestas, a su vez, en relación con un Informe emitido por la Interventora Municipal, donde, de hecho, se viene a decir que las premisas en que aquéllas se fundan son, prácticamente, inalcanzables para el Concello, una vez constatado su nivel de endeudamiento y de compromisos de gastos en múltiples frentes —lo que, con otras palabras, permitiría hablar de insostenibilidad económica de dicho Plan—:

«En segundo lugar, en relación con la cuestión relativa al Estudio Económico Financiero del PGOU, la sentencia de instancia, tras recordar lo establecido en la STS de 24 de noviembre de 1998 así como el contenido del artículo 16 de la Ley del Parlamento de Galicia 1/1997, de 24 de marzo, del Suelo de Galicia (LSG), se deja constancia de diversos extremos:

a) En primer lugar se recogen dos de las recomendaciones (la 3 y la 4) sobre las dificultades económicas del PGOU y las posible vías para afrontarlas, a la vista de "la escasa dotación de recursos propios de la Hacienda Local para hacer frente a sus compromisos" y del "elevado coste que supone la propia estructura de asentamientos municipales ligado a las dificultades de coordinación en la realización de las obras". Tales recomendaciones dicen así: "3.— El desarrollo de los PEMM implica un elevado coste que el ayuntamiento sólo puede abordar en el primer cuatrienio; esto significa que la necesidad de gestionar fuentes financieras extra y supramunicipales es prioritaria desde el primer momento. Habrá que implicarse de manera profunda en las posibilidades de obtención de recursos desde el ámbito de la Mancomunidad de Vigo. 4.— El Ayuntamiento de Gondomar debe contar en todo caso con la colaboración de las entidades parroquiales y de los vecinos mismos, para poder llevar adelante estas propuestas. El convencimiento de que la solidaridad interparroquial e intermunicipal es la condición previa para conseguir la financiación de los proyectos es un requisito esencial".

b) En relación con tales cuestiones la sentencia de instancia recoge el informe de la Interventora Municipal, de 1 de agosto de 1997, que se expresa, tal como se trascribe en el sentencia, en los siguientes términos: "En este sentido, es preciso decir que, la situación económica actual de este Concello no permite garantizar la viabilidad de ese gasto, pues, si bien el porcentaje de carga financiera teórica actual del Concello, aún permite márgenes para endeudarse, de la última liquidación presupuestaria aprobada (ejercicio 1996), se deduce un Ahorro Neto Negativo en un porcentaje superior al 2% al que se refiere el artículo 50 de la Ley Reguladora de las Haciendas Locales, como límite para acudir a un mayor adeudamiento. Por otra parte, y por el mismo motivo, en el ejercicio 1997, el Pleno del Concello aprobó un Plan de Saneamiento Financiero con vigencia de tres años, con el fin de recuperar cifras de ahorro Neto positivas. Una de las medidas a adoptar, previstas en el referido Plan de Saneamiento, limita la realización de inversiones a aquellas que puedan financiarse con recursos generales del Concello, acudiendo únicamente a la vía de crédito, cuando el volumen de la deuda permita conseguir el referido Ahorro Neto positivo. Quiere esto decir que la aportación del Concello a la financiación de las actuaciones previstas, está condicionada a la recuperación general de la economía municipal, circunstancia que puede ser paliada en parte por la entrada en vigor del nuevo planeamiento y su desarrollo posterior" En dicho informe también se afirma que "en cuanto a las inversiones a financiar total o parcialmente por la Xunta de Galicia, Diputación Provincial, Estado, Unión Europea, etc., a que se hace referencia en el documento V, no consta en su totalidad, acreditación documental de las citadas administraciones, en la que se recojan compromisos firmes de aportación económica por la cuantía indicada en el PXOM. Unicamente consta la acreditación de una parte de tales compromisos, por lo que no existe, de momento, garantía de realización del resto de las aportaciones". Finalmente, en el mencionado informe se recogen unas significativas reflexiones respecto al sentido y límites de las contribuciones especiales como modo de financiación de actuaciones por los propios habitantes residentes en Gondomar recordando que "la imposición de contribuciones especiales no es un sistema alternativo de ejecución de planeamiento, ni de obtención anticipada por el Ayuntamiento, de recursos para esta finalidad". De los datos hasta aquí apuntados deriva la convicción sobre la concurrencia de una situación en la que, tal y como señala la Interventora municipal, no está siquiera garantizada la viabilidad del gasto correspondiente al propio Concello, siendo ya aparentemente incompatibles las previsiones de gasto, con el mencionado Plan de Saneamiento Financiero aprobado en 1997 y consecuencias vinculadas al mismo. Pero todavía más relevante se presenta la situación respecto a los reconocimientos muy elevados costas que exigiría el desarrollo de los P. E. M. M., no apareciendo al respecto una verdadera justificación mínima respecto a las posibilidades reales de abordarlos, ya que aún comprendiendo la gran dificultad de alcanzar unas previsiones garantizadas exactas o totalmente cerradas, queda un amplio margen entre esta última situación ideal, y la mera expresión voluntarista no debidamente apoyada en el exigible nivel de constatación, siendo notoriamente insuficientes las referencias genéricas a la necesidad de gestionar fuentes financieras extra y supramunicipales, y a la colaboración de las entidades parroquiales y de los vecinos. Es de considerar que en el caso la Interventora municipal destaca que sólo consta la acreditación de parte de los compromisos de inversiones por parte de otras Administraciones, por lo que no existe garantía de realización del resto de las aportaciones, lo que genera una duda decisiva respecto a que también en dicho ámbito puedan ser atendidas las necesidades de inversiones y gastos previstos; ciertamente, puede llegar a asumirse la realidad de la enorme dificultad de obtener al respecto una plena garantía documentalmente acreditada, pero ocurre que en este supuesto se acumula la constancia de la inviabilidad del gasto correspondiente al propio Concello, con la falta de acreditación de la consecución de un razonable grado de acreditación de la participación en el esfuerzo inversor, y a ello se añade que las abundantes referencias a la colaboración vecinal, ciertamente no deben hacer olvidar que el sistema de contribuciones especiales responde a unas definidas funcionalidad y finalidad sin que en principio sea asumible una indebida generalización o consideración del mismo como apoyo esencial para la ejecución del Plan General ya que en todo caso ello conllevaría para su operatividad unas situaciones o realidades económicas no suficientemente explicadas en el caso. En definitiva, en una valoración conjunta de los mencionados elementos se aprecia una insuficiente justificación de las previsiones económicas, por lo que no pueden tenerse por correctamente aplicadas las previsiones contenidas en el artículo 16 de la mencionada Ley de 24 de marzo de 1997, lo que necesariamente conduce a la anulación del acuerdo impugnado, al considerar la inidoneidad del Estudio Económico Financiero realizado y consecuentemente la falta de garantía de la real posibilidad de realización y ejecución del Planeamiento.»

Desde la perspectiva más arriba expuesta, el Motivo de casación articulado sobre la presunta flexibilidad con que debe enjuiciarse la calidad de este documento en un instrumento de planeamiento general —tesis que, de partida, el propio juzgador en casación admite compartir, como se reseñó más arriba— no puede prosperar, ya que la insuficiencia del aquí examinado es tal que provoca el que se considere inverosímil el planeamiento al carecer de base económica mínima y, por lo tanto, contrario al principio de interdicción de la arbitrariedad de los poderes públicos, que —ya se sabe— exige, en positivo, que toda decisión administrativa, máxime la que tiene un carácter general y afecta a los derechos de los ciudadanos, imponiendo incluso cargas sobre ellos, esté correctamente motivada, fundada en datos ciertos y verosímiles, y sea, en suma, racional:

«Pero dicho esto y analizado, fundamentalmente, en informe de la Interventora municipal, que la sentencia de instancia hace suyo, en modo alguno permite llegar a las conclusiones distintas de las de insuficiencia e imprecisión a que llega la sentencia de instancia, sin que tal conclusión pueda ser calificada de irrazonable o arbitraria. En consecuencia, hemos de ratificar tal valoración de conformidad con la doctrina suficientemente conocida relativa a la valoración de la prueba. Por todas, en la STS 3 de diciembre de 2001 se expresó que "es ya doctrina reiterada de esta Sala que la formación de la convicción sobre los hechos en presencia para resolver las cuestiones objeto del debate procesal está atribuida al órgano judicial que, con inmediación, se encuentra en condiciones de examinar los medios probatorios, sin que pueda ser sustituido en tal cometido por este Tribunal de casación, puesto que la errónea valoración probatoria ha sido excluida del recurso de casación en la jurisdicción civil por la Ley de Medidas Urgentes de Reforma Procesal, y no ha sido incluida como motivo de casación en el orden contencioso-administrativo, regulado por primera vez en dicha ley. Ello se cohonesta con la naturaleza de la casación como recurso especial, cuya finalidad es la de corregir errores en la interpretación y aplicación del ordenamiento jurídico, y no someter a revisión la valoración de la prueba realizada por el tribunal de instancia"» (11).

---

(11) El pronunciamiento anulatorio tiene una razón adicional, de interés específicamente para los planificadores urbanísticos en Galicia, y, en general —pero con los necesarios matices—, también en las restantes Comunidades del Cantábrico que se enfrentan a la problemática del peculiar modelo de asentamiento poblacional en una dispersión de núcleos rurales:

1.º. En el Fundamento de Derecho Cuarto, *tras recoger un informe de la Consejería* de Política Territorial, Obras Públicas y Vivienda, de 29 de julio de 1997, *en relación con la ampliación de los núcleos rurales* en lo ámbitos del PGOU calificados con la Ordenanza 1.7, *así como otro del Arquitecto Técnico Municipal*, de 6 de agosto de 1997, *en relación con el indebido incremento del área territorial de los mencionados núcleos rurales*, la sentencia expresa que «en el acuerdo de aprobación definitiva se expresa que, entre otros, el mencionado informe ya fue atendido a efectos de incorporar las matizaciones que en el mismo se recogen al documento correspondiente, pero ocurre que *en la documentación remitida como integradora del expediente administrativo no se constata la efectiva plasmación de lo indicado en tal informe de la CPTOPV que obviamente debería estar efectuada en fecha posterior a dicho informe, y que se presenta como necesaria para alcanzar en el aspecto sustancial una razonable aproximación a lo previsto en el artículo 75 de la Ley 1/1997, de 14 de marzo, falta de plasmación que se constituye en un nuevo motivo de estimación del presente recurso.*»

«(…) CUARTO.— El primer motivo, esgrimido por el Ayuntamiento de Gondomar, se formula, como hemos expresado, al amparo del artículo 88.1.c) de la Ley 29/1998, de 13 de julio, Reguladora de la Jurisdicción Contencioso-Administrativa (LRJCA), "por quebrantamiento de las formas esenciales del juicio por infracción de las normas reguladoras de la sentencia", y se fundamenta en la infracción del artículo 372 de la Ley de Enjuiciamiento Civil de 1981 (actual 209 de la Ley 1/2000, de 7 de enero) así como 24 de la Constitución (CE), sobre el principio de tutela judicial efectiva sin indefensión, pues, según se expresa las sentencias consignarán con claridad, y con la concisión posible, las pretensiones de las partes y los hechos en que se funden, que hubiesen sido alegados oportunamente.»

Desde tal perspectiva, y centrándose en el Fundamento de Derecho Cuarto de la sentencia de instancia —del que se dice que afirma que el PGOU no recoge el contenido del informe de la Consejería—, se señala por los recurrentes en casación, que el mismo sí fue atendido por el PGOU, por lo que la sentencia produce infracción de los preceptos mencionados al no recoger como probado tal hecho. Pero tal Motivo es desestimado por la Sala:

«Para la comprensión del mismo *debemos partir del planteamiento realizado en la demanda en relación con la inadecuada clasificación de suelos de núcleos rurales (FJ VI)*, exponiéndose al respecto que *"se altera arbitrariamente la realidad de los asentamientos poblacionales existentes ... lo cual supone una desnaturalización de la concepción de núcleo rural y su relevancia sociocultural para transformarse mediante unos PEM en asentamiento poblacional diferente, contrario al espíritu y a la letra de la LESGA .."* Y, en apoyo de tal argumentación, la demanda trascribe ---como también hace la sentencia de instancia--- *el mencionado informe de la Consejería de Política Territorial, así como el del Servicio Municipal de Urbanismo, que se pronuncian en el sentido de limitar su delimitación únicamente a una franja de 40 metros de profundidad paralela a los existentes núcleos rurales históricos.*

Pues bien, como hemos expresado, respecto de tal cuestión, la sentencia de instancia niega la efectiva plasmación del contenido de los mismos en el acuerdo de aprobación definitiva, declaración que se combate en este primer motivo, pero desde la perspectiva formal antes expuesta.

De la argumentación, en favor del motivo, se infiere, con toda claridad, que el recurrente confunde la exigencia de motivación de la sentencia y los necesarios razonamientos, para llegar al fallo, con su manera peculiar de valorar las pruebas, al margen de los hechos que se estiman

11. Cerremos este repaso a la reconstrucción de las principales líneas jurisprudenciales al respecto, basamento para la reconversión de este documento en un elemento de garantía de la sostenibilidad —económica, en este caso— de las futuras actuaciones proyectadas, con esta síntesis elaborada por el propio Tribunal Supremo y recogida en su reciente Sentencia de 19 de octubre de 2011 (Recurso de Casación 5795/2007):

Fundamento de Derecho Décimo.—

(…).

5) En la Sentencia de 5 de julio de 2010, RC 2674/2006, en que se impugnaba la modificación puntual del planeamiento general consistente en finca calificada parcialmente como verde privado que se recalificaba en su totalidad como verde público, y en que señalamos que «La incidencia y las eventuales consecuencias del cambio realizado impiden que se pueda prescindir del Estudio Económico Financiero en los términos que plantea el Ayuntamiento recurrente, la modificación realizada no resulta ajena a la previsión de las fuentes de financiación que los cambios realizados pueden comportar. En este sentido, no podemos prescindir de la garantía formal y material que supone la constatación de los correspondientes medios de financiación, aunque la traducción económica de las modificaciones realizadas sea escasa, como señalaba el Ayuntamiento en su escrito de contestación a la demanda», a lo que añadimos respecto del Estudio Económico Financiero aportado como prueba «que no puede suplir la ausencia del previsto en la tramitación del Plan General, porque no sólo tiene un diferente contenido sino porque el apartado de dotación económica es excesivamente genérico.»

6) En fin, en la STS de 17 de septiembre de 2010, RC 2239/2006, indicamos que «Esta Sala exige que se acompañen, en el caso del plan especial, el estudio económico-financiero en el que efectivamente no es preciso que se hagan profusas operaciones aritméticas y evaluaciones matemáticas. Basta simplemente que se proporcionen las fuentes de financiación que pongan de manifiesto la viabilidad y seriedad de la actuación urbanística, pues así lo exige el interés general. No se trata de establecer una documentación económica desvinculada de cualquier finalidad, sino que la misma proporcione la información contable suficiente para saber que lo aprobado es posible económicamente y se expresen los medios para garantizar su

---

probados, guiado por la idea de que sólo son verdaderas motivaciones las que fueran concordes con su criterio, "sin tener en cuenta que el derecho constitucional a la tutela efectiva, de naturaleza bilateral, esto es, atribuible a ambas partes, no es un derecho a hacerse dar la razón, sino un derecho instrumental para aplicar judicialmente el derecho, con las debidas garantías" (STS 19 enero 2003).»

ejecución», a lo que añadimos más adelante que «hemos distinguido entre la diferente función que cumple la exigencia del estudio económico financiero en los planes generales y en los especiales, siendo en este último caso más intensa al precisar de un mayor detalle, pues señalamos que dicho estudio es un elemento común entre el plan general y el plan especial, ha de existir entre ambos casos, pese a la diferencia esencial existente entre ellos, habida cuenta que en el primer supuesto, plan general, bastará acreditar desde una perspectiva amplia y general las posibilidades económico financieras del territorio y de la población que garanticen (...) mientras que el segundo, plan especial, resulta necesario un mayor y mejor detalle de los medios (...) (STS de 17 de julio de 1991 que cita la Sentencia de 26 de enero de 2004 dictada en el recurso de casación n.º 2655/2001).»

7) Mas recientemente, en la STS de 16 de febrero de 2011 (RC 1210/2007) —siendo el objeto de las pretensiones deducidas en la instancia un Plan Especial— señalamos, a modo de síntesis jurisprudencial que:

«(...) En el caso de planes especiales la jurisprudencia de esta Sala advierte que su documentación debe incluir el Estudio económico-financiero. No ha existido ninguna jurisprudencia que haya devaluado la importancia del referido Estudio, entre otras razones, porque el ordenamiento urbanístico no lo permite: La exigencia del Estudio económico financiero —ha dicho, por todas, la Sentencia de esta Sala y Sección de 17 de diciembre de 2009 — es inconcusa en las leyes urbanísticas, que lo imponen en los Planes más importantes y en los más modestos.

(…).»

Once. Los apartados 3, 4 y 6 del artículo 17 quedan redactados de la siguiente manera:

«**3. La constitución de finca o fincas en régimen de propiedad horizontal o de complejo inmobiliario autoriza para considerar su superficie total como una sola parcela, siempre que dentro del perímetro de ésta no quede superficie alguna que, conforme a la ordenación territorial y urbanística aplicable, deba tener la condición de dominio público, ser de uso público o servir de soporte a las obras de urbanización o pueda computarse a los efectos del cumplimiento del deber legal a que se refiere la letra a) del apartado 1 del artículo anterior.**

El complejo inmobiliario podrá constituirse sobre una sola finca o sobre varias, sin necesidad de previa agrupación, siempre que sean colindantes entre sí o únicamente se hallen separadas por suelos que, de acuerdo con la ordenación territorial y urbanística, deban tener la condición

de dominio público, ser de uso público, servir de soporte a las obras de urbanización, o ser computables a los efectos del cumplimiento del deber de entregar a la Administración el suelo reservado para viales, espacios libres, zonas verdes y restantes dotaciones públicas incluidas en la propia actuación o adscritas a ella para su obtención.

4. Cuando los instrumentos de ordenación urbanística destinen superficies superpuestas, en la rasante y el subsuelo o el vuelo, a la edificación o uso privado y al dominio público se constituirá un complejo inmobiliario en el que aquéllas y ésta tendrán el carácter de fincas especiales de atribución privativa, previa la desafectación y con las limitaciones y servidumbres que procedan para la protección del dominio público. Tales fincas podrán estar constituidas, tanto por edificaciones ya realizadas, como por suelos no edificados, siempre que su configuración física se ajuste al sistema parcelario previsto en el instrumento de ordenación.

[...]

6. La constitución y modificación del complejo inmobiliario deberá ser autorizada por la Administración competente donde se ubique la finca o fincas sobre las que se constituya tal régimen, siendo requisito indispensable para su inscripción, que al título correspondiente se acompañe la autorización administrativa concedida o el testimonio notarial de la misma. No será necesaria dicha autorización en los supuestos siguientes:

a) Cuando el número y características de los elementos privativos resultantes del complejo inmobiliario sean los que resulten de la licencia de obras que autorice la construcción de las edificaciones que integren aquel.

b) Cuando la modificación del complejo no provoque un incremento del número de sus elementos privativos.

A los efectos previstos en este número se considera complejo inmobiliario todo régimen de organización unitaria de la propiedad inmobiliaria en el que se distingan elementos privativos, sujetos a una titularidad exclusiva, y elementos comunes, cuya titularidad corresponda, con carácter instrumental y por cuotas porcentuales, a quienes en cada momento sean titulares de los elementos privativos.»

COMENTARIO (1)

Proyecto de ley

Once. Los apartados 4 y 6 del artículo 17, quedan redactados de la siguiente manera:

«Formación de fincas y parcelas y relación entre ellas.

4. Cuando los instrumentos de ordenación urbanística destinen superficies superpuestas, en la rasante y el subsuelo o el vuelo, a la edificación o uso privado y al dominio público se constituirá un complejo inmobiliario en el que aquéllas y ésta tendrán el carácter de fincas especiales de atribución privativa, previa la desafectación y con las limitaciones y servidumbres que procedan para la protección del dominio público, que se someterá a las siguientes reglas:

a) Podrá efectuarse sobre una sola finca o sobre varias, sin necesidad de previa agrupación, siempre que sean colindantes entre sí o únicamente se hallen separadas por suelos que, de acuerdo con la ordenación territorial y urbanística, deban tener la condición de dominio público, ser de uso público o servir de soporte a las obras de urbanización, o ser computables a los efectos del cumplimiento del deber de entregar a la Administración el suelo reservado para viales, espacios libres, zonas verdes y restantes dotaciones públicas incluidas en la propia actuación o adscritas a ella para su obtención *(esta letra da lugar a un segundo párrafo en el preexistente número 3 del mismo artículo 17)*

b) Podrá conformarse, también, por fincas superpuestas en la rasante, vuelo o subsuelo susceptibles de asignación de uso o de edificabilidad materializable de manera independiente, bien de dominio privado, bien destinado al dominio público, siempre que cumplan los requisitos establecidos en el apartado 1 anterior. Tales fincas podrán estar constituidas, tanto por edificaciones ya realizadas, como por suelos no edificados, siempre que su configuración física se ajuste al sistema parcelario previsto en el instrumento de ordenación *(relevante previsión del proyecto, en línea con su teleología respecto al régimen del suelo urbano no consolidado, que se diluye en la tramitación parlamentaria, excepto su segunda frase, la cual, extraída de su contexto original específico, acaba inserta en el número 4 como segunda frase del mismo).*

---

(1)   Comentario a cargo de Ignacio Sanz Jusdado. Master en Urbanismo y Ordenación del Territorio. Abogado especialista en Derecho Administrativo. Profesor del Instituto Nacional de Administración Pública; y Jesús Sánchez Santos. Master en Urbanismo y Ordenación del Territorio. Abogado especialista en Derecho Administrativo. Profesor del Instituto Nacional de Administración Pública.

6. La constitución y modificación del complejo inmobiliario deberá ser autorizada por la Administración competente donde se ubique la finca o fincas sobre las que se constituya tal régimen, siendo requisito indispensable para su inscripción que al título correspondiente se acompañe la autorización administrativa concedida, o el testimonio notarial de la misma. No será necesaria dicha autorización en los supuestos siguientes:

a) Cuando el número y características de los elementos privativos resultantes del complejo inmobiliario sean los que resulten de la licencia de obras que autorice la construcción de las edificaciones que integren aquel,

b) Cuando la modificación del complejo no provoque un incremento del número de sus elementos privativos.

A los efectos previstos en este número se considera complejo inmobiliario todo régimen de organización unitaria de la propiedad inmobiliaria en el que se distingan elementos privativos, sujetos a una titularidad exclusiva, y elementos comunes, cuya titularidad corresponda, con carácter instrumental y por cuotas porcentuales, a quienes en cada momento sean titulares de los elementos privativos».

Dictamen de la Comisión del Congreso

Los apartados 4 y 6 del artículo 17 quedan redactados de la siguiente manera:

4. Cuando los instrumentos de ordenación urbanística destinen superficies superpuestas, en la rasante y el subsuelo o el vuelo, a la edificación o uso privado y al dominio público se constituirá un complejo inmobiliario en el que aquellas y esta tendrán el carácter de fincas especiales de atribución privativa, previa la desafectación y con las limitaciones y servidumbres que procedan para la protección del dominio público. Tales fincas podrán estar constituidas, tanto por edificaciones ya realizadas, como por suelos no edificados, siempre que su configuración física se ajuste al sistema parcelario previsto en el instrumento de ordenación.

(…)

6. La constitución y modificación del complejo inmobiliario deberá ser autorizada por la Administración competente donde se ubique la finca o fincas sobre las que se constituya tal régimen, siendo requisito indispensable para su inscripción, que al título correspondiente se acompañe la autorización administrativa concedida o el testimonio notarial de la misma. No será necesaria dicha autorización en los supuestos siguientes:

a) Cuando el número y características de los elementos privativos resultantes del complejo inmobiliario sean los que resulten de la licencia de obras que autorice la construcción de las edificaciones que integren aquél.

b) Cuando la modificación del complejo no provoque un incremento del número de sus elementos privativos.

A los efectos previstos en este número se considera complejo inmobiliario todo régimen de organización unitaria de la propiedad inmobiliaria en el que se distingan elementos privativos, sujetos a una titularidad exclusiva, y elementos comunes, cuya titularidad corresponda, con carácter instrumental y por cuotas porcentuales, a quienes en cada momento sean titulares de los elementos privativos.»

Texto vigente hasta ahora

Artículo 17. Formación de fincas y parcelas y relación entre ellas.

1. Constituye:

a) Finca: la unidad de suelo o de edificación atribuida exclusiva y excluyentemente a un propietario o varios en proindiviso, que puede situarse en la rasante, en el vuelo o en el subsuelo. Cuando, conforme a la legislación hipotecaria, pueda abrir folio en el Registro de la Propiedad, tiene la consideración de finca registral.

b) Parcela: la unidad de suelo, tanto en la rasante como en el vuelo o el subsuelo, que tenga atribuida edificabilidad y uso o sólo uso urbanístico independiente.

2. La división o segregación de una finca para dar lugar a dos o más diferentes sólo es posible si cada una de las resultantes reúne las características exigidas por la legislación aplicable y la ordenación territorial y urbanística. Esta regla es también aplicable a la enajenación, sin división ni segregación, de participaciones indivisas a las que se atribuya el derecho de utilización exclusiva de porción o porciones concretas de la finca, así como a la constitución de asociaciones o sociedades en las que la cualidad de socio incorpore dicho derecho de utilización exclusiva.

En la autorización de escrituras de segregación o división de fincas, los notarios exigirán, para su testimonio, la acreditación documental de la conformidad, aprobación o autorización administrativa a que esté sujeta, en su caso, la división o segregación conforme a la legislación que le sea aplicable. El cumplimiento de este requisito será exigido por los registradores para practicar la correspondiente inscripción.

Los notarios y registradores de la propiedad harán constar en la descripción de las fincas, en su caso, su cualidad de indivisibles.

3. La constitución de finca o fincas en régimen de propiedad horizontal o de complejo inmobiliario autoriza para considerar su superficie total como una sola parcela, siempre que dentro del perímetro de ésta no quede superficie alguna que, conforme a la ordenación territorial y urbanística aplicable, deba tener la condición de dominio público, ser de uso público o servir de soporte a las obras de urbanización o pueda computarse a los efectos del cumplimiento del deber legal a que se refiere la letra a) del apartado 1 del artículo anterior.

4. Cuando, *de conformidad con lo previsto en su legislación reguladora* (inciso que desaparece en su versión 2013), los instrumentos de ordenación urbanística destinen superficies superpuestas, en la rasante y el subsuelo o el vuelo, a la edificación o uso privado y al dominio público, *podrá constituirse* (ahora: *se constituirá,* imperativo) complejo inmobiliario en el que aquéllas y ésta tengan el carácter de fincas especiales de atribución privativa, previa la desafectación y con las limitaciones y servidumbres que procedan para la protección del dominio público.

5. El acto administrativo que legitime la edificación de una parcela indivisible, por agotamiento de la edificabilidad permitida en ella o por ser la superficie restante inferior a la parcela mínima, se comunicará al Registro de la Propiedad para su constancia en la inscripción de la finca.

Sumario

1. DEFINICIONES PREVIAS BÁSICAS Y CONTEXTO JURÍDICO-PRIVADO DEL PRECEPTO

El artículo 17 LS 2008, relativo a la formación de fincas y parcelas y a su relación entre ellas, contiene algunos conceptos que se proyectan en la esfera jurídico privada. Aunque las —relativas— novedades aportadas por la LRRRU aparecen en los números 4 y 6 —éste, aunque sólo sea porque antes no existía—, sin embargo, es imprescindible contextualizar el sentido y alcance de ambos «nuevos» números dentro del sector del Derecho Privado en que inequívocamente están insertos (2).

En primer lugar —número 1—, se define el concepto de **finca**. A este propósito, se aporta un concepto general y dos especiales: la registral y un tipo especial de atribución privativa. Y, a renglón seguido, el concepto de **parcela**. Tras su definición general, el legislador indica cuándo una finca constituida en régimen de propiedad horizontal o de complejo inmobiliario pueden considerarse una sola parcela.

En segundo lugar, encontramos —número 2— algunas disposiciones relativas a la **división** o **segregación** de una finca: en concreto, se establece cuándo es posible llevarlas a cabo y se impone una serie de obligaciones a los notarios y registradores que autoricen e inscriban respectivamente las escrituras de segregación o división.

Se centrará este epígrafe, pues, en comprobar si los conceptos que encontramos en la LS se ajustan a los tradicionalmente manejados en el ámbito jurídico privado. Para ello tendremos en cuenta la legislación hipotecaria (3), así como el cuerpo de doctrina y jurisprudencia existente al efecto.

1.1. El concepto de finca

Si hay algo que debe destacarse desde el primer momento es que el artículo 17 LS constituye el primer intento del legislador de definir el concepto de finca, pues,

---

(2)   La labor de los autores es tributaria de los previos textos elaborados en su día por Enrique SÁNCHEZ GOYANES para glosar la versión precedente en la obra colectiva SÁNCHEZ GOYANES, E. (Director): *Ley de Suelo. Comentario Sistemático del Texto Refundido de 2008,* El Consultor de los Ayuntamientos & LA LEY, toda vez que nos ha otorgado su autorización expresa a los efectos que procediere, al mismo tiempo que ha intercambiado opiniones con los autores respecto del grado de alteración real que, a su juicio, experimenta el precepto comentado en relación con la versión hasta ahora vigente y su virtualidad práctica teniendo en cuenta la fidelidad o no del tenor resultante de la tramitación parlamentaria hacia el reflejado en el texto del proyecto remitido por el Gobierno, de todo lo cual se deja constancia con nuestro reconocimiento.

(3)   Decreto de 8 e julio de 1946 por el que se aprueba el texto refundido de la Ley Hipotecaria (LH). Decreto de febrero de 1947, por el que se aprueba el Reglamento Hipotecario (RH). RD 1093/1997, por el que se aprueban las normas complementarias al Reglamento para la ejecución de la Ley Hipotecarias sobre inscripción en el Registro de la Propiedad de actos de naturaleza urbanística (NCRH). Ley 49/1960, de 21 de julio Propiedad Horizontal (LPH).

hasta este momento, no era posible encontrar en ninguna norma una definición más o menos completa (4).

De hecho, en el ámbito jurídico privado, no existe una opinión unánime sobre qué deba considerarse finca. Las construcciones doctrinales y jurisprudenciales existentes al efecto se han ido formando al hilo del análisis del concepto de finca registral y contraponiendo a éste el de finca extrarregistral o material.

El legislador ha optado por presentar un concepto de «finca», en el que se presentan las características que deben cumplirse para que podamos entender que nos encontramos ante una finca; y una serie de supuestos especiales que, cumpliendo todos los requisitos anteriores, cuentan con alguna característica que los dota de cierta individualidad.

a) Características esenciales de la finca

La finca es, en la LS, la «unidad de suelo o de edificación atribuida exclusiva y excluyentemente a un propietario o varios en proindiviso, que puede situarse en la rasante, en el vuelo o en el subsuelo».

Fácilmente se extrae de esta definición que para la LS, finca es: 1) la finca material (unidad de suelo o de edificación), 2) cuya titularidad es unitaria (un propietario o varios en proindiviso), y 3) que puede estar situada en la rasante, en el vuelo o en el subsuelo.

b) Fincas especiales

Las fincas especiales a las que el legislador presta especial atención en el precepto analizado son la finca registral y las fincas especiales de atribución privativa.

Se considera finca registral la finca que, además, pueda abrir folio en el Registro de la Propiedad conforme a la legislación hipotecaria [artículo 17 1 a) LS]. Finca registral es, pues, la unidad de suelo o edificación atribuida exclusiva y excluyentemente a un propietario o varios en proindiviso, que puede situarse en la rasante, en el vuelo o en el subsuelo, y que puede abrir folio en el Registro de la Propiedad.

Las fincas especiales de atribución privativa surgen cuando «de conformidad con lo previsto en su legislación reguladora, los instrumentos de ordenación urbanística destinen superficies superpuestas, en la rasante y el subsuelo o vuelo, a la edificación o uso privado y al dominio público» (artículo 17.4 LS). En estos casos, «podrá constituirse complejo inmobiliario en el que aquellas y ésta tengan el carácter de fincas especiales y de atribución privativa».

---

(4) Herrero Oviedo, M.: *La inmatriculación por título público (Procedimiento y efectos)*, 2006, pág. 104.

1.2. El concepto de finca en el Derecho privado

La finca es la base del sistema hipotecario (5): el artículo 8 LH (6) refleja el llamado sistema de folio real (7). Ahora bien, la doctrina se ha preocupado de distinguir la finca registral de la finca extrarregistral. Aquélla es todo lo que abre folio en el Registro conforme a la legislación hipotecaria: es en ésta, por tanto, donde deben buscarse las pautas que delimitan lo que es finca registral. Más complicado resulta definir lo que se considera finca extrarregistral o finca material: la labor que se impone a este respecto consiste en extraer las características que la doctrina ha ido poniendo de manifiesto sin perjuicio de que existen discrepancias sobre cuáles de ellas constituyen rasgos esenciales de la finca y cuáles no.

1.2.1. Finca extrarregistral o finca en sentido material

Puede afirmarse que las definiciones doctrinales y jurisprudenciales de lo que es finca extrarregistral coinciden, en general, con la que el legislador de la LS atribuye a la que hemos denominado finca en sentido material.

Y así, afirma Morales Moreno que «[...] una finca es inicialmente un espacio delimitado de la superficie terrestre, objeto de una titularidad dominical» (8). Para García García (9) finca es «un bien inmueble consistente en el espacio suficientemente delimitado y susceptible de aprovechamiento independiente, con una titularidad unitaria y objeto de tráfico como unidad». En la Instrucción de 2 de marzo de 2000 de la DGRN sobre implantación de la base cartográfica en los Registros de la Propiedad (10) se declaró que son fincas «las superficies de suelo delimitadas poligonalmente cuya propiedad pertenece a una sola persona o a varias proindiviso, con total independencia de si se trata de fincas rústicas o urbanas, si están edificadas o no, o incluso si obedecen a cualquiera de las categorías que contemplan los Artículos 8 de la LH y 44 del Reglamento» (11).

A partir de estas definiciones, puede afirmarse que las características de la finca material en el ámbito jurídico privado serían las siguientes:

---

(5) Díez-Picazo, L.: *Fundamentos de Derecho civil patrimonial*, III, 1985, pág. 338.
(6) Artículo 8 LH: «Cada finca tendrá desde que se inscriba por primera vez un número diferente y correlativo. Las inscripciones que se refieran a una misma finca tendrán otra numeración correlativa y especial [...]». También hay que tener en cuenta el artículo 243 LH, en virtud del cual «el Registro de la Propiedad se llevará abriendo uno particular a cada finca en el libro correspondiente».
(7) García García, J.M.: *Código de legislación inmobiliario, hipotecaria y del registro mercantil,* 2006, pág. 70.
(8) Morales Moreno, A.M.: *Publicidad registral y datos de hecho,* 2002, pág. 25.
(9) García García: *Comentarios a la legislación hipotecaria,* T VII, V. 3, pág. 405.
(10) *BOE* 21 de marzo de 2000
(11) Instrucción citada por Herrero Oviedo, M.: op. cit. pág. 105, n. 48.

— Una **superficie terrestre** (que algunos denominan bien inmueble): a este propósito, la diferencia que se aprecia entre la definición jurídico privada y la manejada por el legislador de la LS es que éste no utiliza exactamente el término superficie, sino los de «suelo» y «edificación». Es ésta, a nuestro entender, una diferencia sutil sin consecuencias prácticas, si tenemos en cuenta que en el propio concepto de superficie cabe entender incluido el de suelo y el de edificación. Obsérvese, por otro lado, que en la LS se ha querido precisar el concepto al entender incluido expresamente la «rasante, el vuelo y el subsuelo».

— Una **delimitación** de la superficie: la LS no exige de manera expresa que el suelo o la edificación estén delimitados. Sí lo hace, sin embargo, la doctrina civilista: para Díez Picazo (12) «lo sustancial parece ser la idea de línea poligonal cerrada». Sin embargo, algún autor (13) ha observado que esta característica no es esencial al concepto de finca: «es cierto que la delimitación es fundamental para llegar a una correcta individualización e identificación de la finca, pero no para la definición de la finca».

— **Titularidad unitaria**: éste constituye, según parte autorizada de la doctrina, el elemento básico definidor de finca. Afirma a este propósito Morales Moreno (14) que «el concepto de finca jurídica material hemos de construirlo a partir de la relación jurídica básica sobre la finca: la propiedad. La finca material queda caracterizada por constituir objeto unitario de un mismo derecho de propiedad».

Nótese que la LS parece haberse decantado por una de las posiciones doctrinales existente en el ámbito jurídico privado: a la hora de establecer si lo esencial en la finca material es la delimitación de la misma o la titularidad unitaria, esta última opción ha sido la elegida por el legislador.

En definitiva, el concepto de finca en sentido material que aporta la LS es muy similar a la imperante en el ámbito jurídico privado.

1.2.2. *Finca registral*

Recuérdese que para la LS finca registral es aquella unidad de suelo o de edificación atribuida exclusiva y excluyentemente a un propietario o varios en proindiviso que puede situarse en la rasante en el vuelo o en el subsuelo y que, además, conforme a la legislación hipotecaria puede abrir folio registral.

---

(12) Díez Picazo, L.: op. cit., pág. 214.
(13) Herrero Oviedo, M.: op. cit. p. 118.
(14) Morales Moreno, A.M.: op. cit., pág. 28

Pues bien, aunque la «finca registral de la LS» es también finca registral en sentido jurídico privado, no todo lo que conforme a la legislación hipotecaria puede abrir folio en el Registro coincide con lo que la LS entiende por finca registral. En otras palabras, el concepto de finca registral de la LS es más restringido que el del Derecho hipotecario.

Observa a este propósito LACRUZ BERDEJO (15) que «la finca registral por definición, ha de relacionase de algún modo con la superficie terrestre, pero el legislador puede admitir que tengan folio registral propio y por tanto funcionen registralmente como fincas entidades que no son trozos delimitados de suelo».

¿Cuáles son estas realidades que no constituyen finca en sentido material y que sin embargo acceden al Registro? Se trata de las explotaciones agrícolas o industriales, las aguas, las concesiones administrativas, los pisos en propiedad horizontal, el aprovechamiento por turno de bienes inmuebles y el aprovechamiento urbanístico. (artículos 8 LH y 44 RH).

Las **explotaciones agrícolas** son varias fincas no colindantes entre sí: aunque físicamente no son una unidad, se las considera como tales. ¿Entra en el concepto de finca manejado por la LS? La respuesta no parece clara pues recordemos que la LS habla de una «unidad». Las explotaciones agrícolas físicamente no lo son, pero la legislación hipotecaria las trata como si se tratase de una sola finca a efectos de su acceso al Registro de la Propiedad, atendiendo a la vinculación que existe entre las distintas que componen la explotación. Se habla en este sentido de **finca funcional**, definiéndola no ya tanto por su superficie sino más bien por su aptitud para cumplir el destino fundamental del suelo. A este propósito, cabría entender que la LS utiliza el concepto «unidad» en un sentido también funcional.

Las **concesiones de aprovechamiento de aguas** (artículo 66 RH) son susceptibles de abrir folio registral: creemos que la LS no está pensando en ellas cuando utiliza el término «finca registral» en el artículo 17 LS ya que, como es sabido, una concesión administrativa, no es una finca en sentido material, sino un derecho (16).

Este mismo razonamiento es aplicable a la inscripción del derecho de **aprovechamiento por turno**: la apertura de un folio independiente al turno cuyo derecho

---

(15) RIVERO HERNÁNDEZ, F. en Lacruz Berdejo, J.L.: *Elementos de Derecho civil, III*, 2003, pág. 64.

(16) HERRERO OVIEDO, M.: op. cit. pág. 130. Como observa esta autora «quizá esta posibilidad fuera justificable antes de la reforma del Reglamento Hipotecario de 4 de septiembre de 1998, ya que no era posible la inmatriculación de los bienes de dominio público, y para que la concesión administrativa pudiera beneficiarse de las ventajas de la protección registral, la única forma consistía en la apertura de un folio donde constase la conexión [...] Pero tras esta reforma el artículo 5 RH permite la inmatriculación de este tipo de bienes, lo que hace posible que las concesiones administrativas puedan constar, a modo de gravamen, en el folio abierto al bien de dominio público», pág. 131.

de aprovechamiento sea objeto de transmisión, no se corresponde con lo que la LS entiende como finca registral.

En cuanto a los **pisos integrantes de una propiedad horizontal**, es posible proceder a la apertura de folio registral independiente de cada uno de ellos. Parece que conforme a la LS también pueden considerarse finca registral, ya que los pisos integrantes de una propiedad horizontal constituyen una unidad de suelo en el vuelo.

También puede ser objeto de apertura de folio registral el **aprovechamiento urbanístico**, concepto de carácter abstracto y carente de materialidad, «como forma de reconocimiento de que ese derecho al aprovechamiento efectivamente existe pero que aún no ha podido hacerse efectivo por no existir todavía una finca en la que pueda tener cabida» (17)

Así pues, no todo lo que conforme a la legislación hipotecaria abre folio en el Registro de la Propiedad constituye finca registral en el sentido de la LS.

No puede olvidarse que ni siquiera en el seno del Derecho Privado resulta del todo claro si los supuestos a los que nos hemos referido constituyen en puridad fincas registrales o si, por el contrario, deben considerarse realidades que, sin constituir finca acceden al Registro de la Propiedad.

A este propósito, afirma Morales Moreno (18) que «la finca registral es algo más que una entidad tabular; debe corresponderse con una homóloga de la realidad, a la que se refiere la publicidad». La RDGRN de 23 de abril de 2005 afirma que: «a la hora de fijar lo que ha de entenderse registralmente por finca a pesar de todas las especialidades que la legislación hipotecaria contempla, ha tomado como punto de partida la identificación entre el concepto físico y el tabular, entendiendo por tanto que una porción de terreno independiente delimitada por una línea poligonal cerrada es el supuesto normal de apertura de folio registral; por otra parte ello es lo más conforme con la pretensión de la actual legislación de llegar a máximos niveles de concordancia entre la configuración registral de las fincas y su identificación catastral. En este sentido es regla general que cada porción de terreno independiente que se separa de una finca matriz debe constituir una finca registral nueva».

En definitiva, el concepto de finca registral manejado por la LS no incluye algunas de las realidades que, sin constituir verdaderas fincas, tienen acceso al Registro.

---

(17) Herrero Oviedo, M.: op. cit. pág. 152.
(18) Morales Moreno, A. M.: op. cit. pág. 27.

1.3. El concepto de parcela

1.3.1. En la ley de suelo

Se define en el apartado b) del número 1 del mismo artículo 17 como «la unidad de suelo, tanto en la rasante como en el vuelo o en el subsuelo que tenga atribuida edificabilidad y uso o sólo uso urbanístico independiente».

Cuando una finca constituida en régimen de propiedad horizontal o de complejo inmobiliarios cumplan determinados requisitos, constituirán una sola parcela: en concreto, dentro de su perímetro no debe quedar superficie que deba tener la condición de dominio público, ser de uso público o servir de soporte a las obras de urbanización o que pueda computarse a los efectos del deber legal de la entrega de suelo para viales, espacios libres, zonas verdes y restantes dotaciones públicas, conforme a la ordenación urbanística y territorial aplicable.

Nótese que el concepto de parcela se une inexorablemente al de edificabilidad y uso urbanístico. De hecho, como ya puso de manifiesto en su momento Domínguez Vila (19) para el Derecho administrativo la parcela es una unidad edificable, se trata de un concepto predicable del suelo urbano, no del rural.

1.3.2. En el Derecho Privado

El concepto jurídico privado de parcela no es el mismo que el jurídico administrativo, pues aquél concibe a la parcela como la parte de terreno relativamente pequeño que se ha segregado de otra mayor, sin distinguir si se trata de un suelo rural o urbano.

1.4. La propiedad horizontal y el complejo inmobiliario

Como es sabido, la **propiedad horizontal** se caracteriza por la existencia de una propiedad singular sobre cada piso, unida a una copropiedad indivisible sobre los elementos comunes del edificio.

Más interés reviste a efectos del análisis que estamos realizando el concepto de **complejo inmobiliario,** regulado en el artículo 24 LPH (20) que lo define como el conjunto integrado por dos o más edificaciones o parcelas independientes entre sí y cuyo destino principal sea la vivienda o locales. Se caracteriza además por la existencia de una copropiedad indivisible sobre otros elementos inmobiliarios, tales como viales, instalaciones o servicios. Luego veremos que el nuevo número 6 del artículo 17 lo que hace es interiorizar en la LS los principales rasgos de esa

---

(19) DOMÍNGUEZ VILA, A.: *Enciclopedia Jurídica Básica*, Civitas, 1995, pág. 4739.
(20) Precepto introducido por la Ley 8/1999, de 6 de abril.

definición, hasta ahora ausente del texto de esta Ley sectorial. Así pues, en la ley se contemplan dos posibilidades: la constitución mediante dos o más edificaciones o mediante dos o más parcelas (21).

La primera posibilidad incluye las propiedades horizontales complejas, esto es, casos en los que la propiedad horizontal está constituida por dos o más cuerpos de edificios, de modo que existirán dos cuotas: las generales de la propiedad horizontal, y las relativas a los gastos de la respectiva escalera.

Cuando se trata de dos o más parcelas, cabe distinguir a su vez dos supuestos: una propiedad horizontal tumbada o un complejo inmobiliario privado propiamente dicho en el que existen elementos comunes de dos clases: los de la comunidad en general y las subcomunidades.

Cabe destacar que la LS 2008 contempla el caso en que el complejo inmobiliario constituye una sola parcela, por lo que no entrarían dentro del supuesto contemplado por el artículo 17.3 LS los casos de complejos inmobiliarios formados por dos o más parcelas, salvo la innovación que puede suponer la reforma legal con el nuevo número 6, que precisamente, junto a las hipótesis previas contenidas en la versión inicial del número 4 de este precepto en el proyecto de ley (lamentablemente, «decaídas» en la acelerada tramitación parlamentaria), se diría destinada a salir al paso de interpretaciones como aquélla, reduccionistas del supuesto (de manera coherente con el espíritu general de la reforma legal en cuanto al régimen del suelo urbano no consolidado, como es sabido).

1.5. División y segregación

La LS 2008 se ocupa de la división y segregación de fincas a propósito de los requisitos necesarios para que éstas procedan y de la actuación de los notarios y registradores que intervienen en el otorgamiento e inscripción de la escritura pública, respectivamente.

La LS considera aplicables estas mismas normas a la enajenación de participaciones indivisas a las que se atribuya el derecho de utilización exclusiva de porción o porciones concretas de la finca, así como a la constitución de asociaciones o sociedades en las que la cualidad de socio incorpore dicho derecho de utilización exclusiva.

1.5.1. Conceptos y requisitos desde el punto de vista jurídico privado

Segregación y división no son conceptos idénticos (22).

---

(21) García García: op. cit. pág. 1688.
(22) Díez-Picazo, L.: *Instituciones de Derecho civil,* II, 1995, pág.199.

La **segregación** significa que se separa una parte de una finca inscrita para construir una nueva. Se trata de una operación registral necesaria cuando se enajena o grava tan sólo una parte de una finca. La finca nueva originada por la segregación se inscribe bajo número diferente, expresándose esta circunstancia (de la segregación) al margen de la inscripción de propiedad de la finca matriz, cuyo folio no se cierra.

La **división**, por el contrario, es la operación por la que una finca inscrita se divide en dos o más porciones formando fincas nuevas. A diferencia de lo que sucede en la segregación, la división implica el cierre del folio u hoja de la finca que se dividió.

En cuanto a los requisitos para que procedan la división o la segregación, debe distinguirse entre aquellos de carácter general y aquellos de carácter específico.

En general, toda segregación debe ser querida por el dueño de la finca inscrita o por todos los condueños si está en copropiedad. Del mismo modo, la división ha de ser decidida por el dueño o por todos los condueños en caso de proindivisión.

Junto a estos requisitos de carácter general, los casos específicos cuentan con sus propias reglas. Y así, a título de ejemplo, en caso de tratarse de la división o segregación de un piso o local que forma parte de una propiedad horizontal y que constituye finca registral, los requisitos para la división o segregación se encuentran en el artículo 8 LPH, en virtud del cual, además del consentimiento de los titulares afectados se exige la aprobación de la Junta (23).

1.5.2. Actuación de notarios y registradores

El artículo 259.3 LS 1992, declarado constitucional por el TC y no derogado por la LS 2007, establecía que «Los Notarios y Registradores de la Propiedad exigirán para autorizar e inscribir, respectivamente, escrituras de división de terrenos, que se acredite el otorgamiento de la licencia o la declaración municipal de su innecesariedad, que los primeros deberán testimoniar en el documento.»

El artículo 17.2 LS 2008 reproduce el tenor de este precepto, en lo esencial, en su segundo párrafo, por lo que procede referirse a los artículos de las NCRH dictadas al hilo del precepto de la LS 1992 mencionado.

El artículo 78 NCRH se pronuncia en términos muy similares al artículo 17.2.2.º LS 2008, exigiendo que los registradores antes de inscribir una división o segregación exijan la presentación de la correspondiente licencia o declaración municipal de su innecesariedad.

---

(23) Sobre este tema, con detalle, vid. GÓMEZ CALLE, E.: «La división material, la agregación y la segregación de los pisos o locales y sus anejos en el régimen de propiedad horizontal», en *ADC,* 2005, pp. 595 a 619.

La regulación de las NCRH sobre división o segregación puede sintetizarse de la siguiente manera: el registrador antes de inscribir tiene la obligación de comprobar que la división o segregación, según el caso, cumple los requisitos exigidos por la legislación administrativa vigente. Ello se traduce en la existencia de una comunicación permanente entre el Registro y el Ayuntamiento correspondiente.

Entrando ya en detalle, en el artículo 79 NCRH se contempla el caso de suelo no urbanizable en el que la parcela resultante de la división es inferior a la unidad mínima de cultivo o existe una duda fundada sobre peligro de creación de núcleos de población.

En este caso, el registrador tiene la obligación de remitir copia al Ayuntamiento cuando no se aportó la licencia. Si el Ayuntamiento no ve tal peligro, se procede a la inscripción, y si existe tal peligro, se denegará.

En caso de parcela indivisible por aplicación de la legislación urbanística, el Ayuntamiento deberá comunicar las dimensiones de la parcela mínima y si la edificación que se inscribe agota todo o parte del aprovechamiento urbanístico, deberá especificarlo.

El artículo 82 NCRH contempla el supuesto en que se construyen varias edificaciones sobre una parcela: en este caso, podrán inscribirse como fincas registrales independientes, sin necesidad de licencia de parcelación. Si la parcela fuera indivisible, para poder crear fincas independientes, las diversas edificaciones deberán estar asentadas sobre suelo común y deberán estar sometidas a un mismo régimen de propiedad horizontal o de conjunto inmobiliario.

El corolario de este régimen básico lo aporta el nuevo párrafo 3.º insertado por la refundición en el número 2 de este precepto, procedente del número 2 del artículo 258 LS 1992, en cuya virtud, cuando lo que resulta del contexto fáctico concurrente es, pura y simplemente, la caracterización como indivisible de la finca en cuestión, los notarios y registradores, cada uno en el ejercicio de su propia competencia, harán constar dicha circunstancia en la descripción correlativa.

En definitiva, de los aspectos jurídico-privados del artículo 17, las conclusiones más significativas que puede extraerse son las siguientes:

— Concepto de «finca»: coincide con el manejado en el ámbito jurídico privado. Pero el legislador ha tomado partido en el debate que existe en relación con lo que debe considerarse característica esencial de la finca: en este sentido, la LS ha optado por la titularidad frente a la delimitación poligonal.

— Concepto de finca registral: excluye algunas realidades que, sin constituir finca en sentido material, tienen acceso al Registro abriendo folio propio conforme a la legislación hipotecaria.

— Parcela: la LS entiende «parcela» en el sentido jurídico administrativo, esto es, unido a la edificabilidad y extraño al suelo rural.

— División y segregación: la LS se remite a la legislación aplicable, por lo que los conceptos jurídico-privados y sus requisitos no se encuentran influidos por ella. La obligación de notarios y registradores en sus actuaciones, se encuentra ya desarrollada en las NCRH.

2. COMPLEJOS INMOBILIARIOS DE SUELO, SUBSUELO Y VUELO

1. El punto de partida de lo dispuesto en el apartado 4 del artículo 17 se encuentra en el artículo 8, que al hablar de las facultades del derecho de propiedad del suelo señala en su —reubicado— apartado 6 que:

> «Las facultades referidas en los apartados anteriores [del derecho de propiedad del suelo] alcanzan al vuelo y al subsuelo hasta donde determinen los instrumentos de ordenación urbanística, de conformidad con las leyes aplicables y con las limitaciones y servidumbres que requiera la protección del dominio público».

Ya no estamos, por tanto, ante la concepción romana cuasi ilimitada del derecho de propiedad del suelo, que alcanzaba o tenía a cielo e infierno como sus dos hipotéticos o simbólicos límites. Con la LS 2008, serán los instrumentos de ordenación urbanística los que, de conformidad con la legislación urbanística autonómica, determinen qué límites, en lo referido a vuelo y subsuelo, configuran el derecho de propiedad del suelo. Vuelo y subsuelo quedan, pues, potencialmente desagregados del derecho de propiedad del suelo.

La LS 2008 no dice nada más (excepto lo dispuesto en el precepto que aquí se comenta), de forma que habrá que esperar a que las diferentes leyes urbanísticas desarrollen éste para terminar de perfilar esta previsión genérica. Dicho desarrollo autonómico será decisivo a estos efectos, pues tendrá que precisar, por ejemplo, qué concreto instrumento de planeamiento (general o de desarrollo) habrá de fijar el alcance del derecho de propiedad en vuelo y subsuelo; o si ese instrumento tendrá libertad absoluta para fijar dicho alcance o, por el contrario, tendrá límites concretos; o si podrá fijar un alcance concreto para determinados terrenos y otro alcance distinto para otros; o si, por el contrario, todos los terrenos ordenados por el instrumento de que se trate habrán de tener igual tratamiento, etc…

E inmediatamente surge también la cuestión, no resuelta por la LS 2008, de si esta previsión genérica habilita por sí sola al planeamiento urbanístico a fijar el alcance del derecho de propiedad de suelo en lo que a vuelo y subsuelo se refiere, o si, por el contrario, será una previsión no operativa en tanto la legislación urbanística autonómica no desarrolle el precepto.

2. Penetrando en el enunciado legal, como se anticipó antes, la LS 2008 permite que el planeamiento urbanístico, de conformidad con la legislación urbanística autonómica aplicable, desagregue vuelo y subsuelo de las facultades de propiedad del suelo, de forma que estos tres elementos —suelo, vuelo y subsuelo— puedan constituir fincas independientes, con propietarios o titulares diferentes.

La redacción del precepto trae consigo dos consecuencias inmediatas.

Una primera, relacionada con el alcance ordenador de los instrumentos de planeamiento, en el sentido de que éstos ya no sólo habrán de limitarse a ordenar «terrenos», en un sentido tradicional, sino que habrán de conceptuar el «territorio» como un conjunto de tres elementos —suelo, vuelo y subsuelo—, conteniendo previsiones expresas de ordenación urbanística para cada uno de estos elementos. Algo, en cualquier caso, no del todo nuevo, pues ya muchas de las Leyes urbanísticas autonómicas y los Planes aprobados al amparo de ellas contenían previsiones expresas en lo que a la regulación del uso del subsuelo se refiere.

Y una segunda, la gran novedad que este precepto trae a nuestro Derecho Urbanístico —cabría decir que a nuestro Derecho patrimonial—, que consiste en superar esa concepción romana del derecho de propiedad del suelo aludida al principio, de forma que, fruto de la ordenación urbanística que el planeamiento ha de llevar a cabo de suelo, vuelo y subsuelo, puedan superponerse, además de diferentes usos para cada uno de estos elementos, titularidades distintas o, más aún, regímenes de propiedad distintos y, hasta ahora, incompatibles entre sí. Así, nada impedirá a partir de ahora, por ejemplo, que bajo un terreno demanial se localicen usos privativos, pero no necesariamente al amparo de concesiones demaniales u otros títulos jurídico-públicos habilitantes, como hasta ahora, sino usos privativos del subsuelo amparados en titularidades enteramente privadas.

En la práctica, para realizar la división entre el suelo, vuelo y subsuelo se han utilizado dos operaciones jurídicas distintas: bien, realizar una segregación total de un volumen para configurar una finca totalmente independiente, bien realizar un desdoblamiento del régimen jurídico de suelo-vuelo y subsuelo. En el primer caso será necesaria la segregación, previa licencia administrativa, y que va a constituir una finca independiente. En el segundo caso, si se pretende un desdoblamiento del régimen jurídico del suelo-vuelo y subsuelo, pero sin segregación material de un volumen determinado, será necesario articular las relaciones entre el suelo, vuelo y subsuelo, a través de la técnica de la división horizontal aplicable a los complejos inmobiliarios (24), por existir cuando menos un elemento común entre suelo y sub-

---

(24)   La Ley de 6 de abril de 1999, sobre reforma de la Ley de Propiedad Horizontal, reguló de forma normativa la figura del complejo inmobiliario privado que, con denominación diversa (urbanizaciones privadas, conjunto inmobiliario, propiedad horizontal tumbada o complejo inmobiliario) vino a regular una situación que se estaba produciendo en la práctica y había sido estudiada por la doctrina, la jurisprudencia y las resoluciones de la Dirección General de los Registros y del Notariado.

suelo, que es precisamente la línea se separación entre uno y otro, normalmente a través de un forjado. Con más razón será necesaria esa articulación si existen otros elementos o servicios comunes a ambos.

3. Pero esta desagregación de vuelo y subsuelo no es automática, pues el artículo 17.4 exige que sea el planeamiento urbanístico el que, en su caso, la establezca, mediante la asignación pormenorizada de diferentes usos al suelo, vuelo y subsuelo de una (llamémosla así) parcela o superficie de terreno determinada, con diferentes regímenes y titularidades dominicales para cada uno de estos elementos —pues de no confluir diferentes regímenes y titularidades dominicales, en principio, no estaríamos ante la mentada desagregación; y siendo éste, por lo demás, un supuesto frecuente y «normal» hasta ahora—. Éste es, pues, el primer requisito legal: una previsión concreta del planeamiento urbanístico.

Un segundo requisito es que la previsión del planeamiento se haga de conformidad con la *«legislación reguladora»*, entre la que está, sin duda alguna, la legislación urbanística autonómica, pero que bien pudiera alcanzar a otros textos del ordenamiento jurídico-público e incluso del jurídico-privado. Surge, también, la duda de si estas nuevas posibilidades que se abren con la LS 2008 son operativas por sí solas, es decir, si el planeamiento urbanístico puede ya contener este tipo de previsiones, o si, por el contrario, se requiere antes el oportuno desarrollo por parte de la legislación urbanística autonómica.

4. El precepto —primera frase del número 4— prevé la posibilidad de constituir un complejo inmobiliario cuando el planeamiento urbanístico haga confluir sobre un mismo terreno usos y/o aprovechamientos lucrativos con usos y/o aprovechamientos de carácter demanial, pero no obliga a que sea así en todo caso. Mas, aun estando redactado el precepto en términos potestativos —hasta la reforma operada por la LRRRU, que los trueca en imperativos ya—, no es fácil encontrar otra figura o institución jurídica que permitiere la coexistencia o superposición de regímenes de titularidad demaniales y privativos referidos a unos mismos terrenos. De aquí, la explicación conceptual para dicho giro: del *«podrá constituirse»* al *«se constituirá.»*

El *«complejo inmobiliario»* del que habla el artículo 17.4 consiste en conceptuar como fincas independientes (*«fincas especiales de atribución privativa»*, dice exactamente) suelo, vuelo y subsuelo, cuando el planeamiento urbanístico les atribuye diferentes usos de forma superpuesta, de los que resultan, a su vez, un régimen de titularidad privada para unos y un régimen demanial para otros. Aunque la LS 2008 no lo diga, estas fincas independientes podrán ser objeto de atribución diferenciada en el instrumento de equidistribución de que se trate, y, lógicamente, tendrán acceso al Registro de la Propiedad como fincas independientes.

El precepto exige la previa desafectación de aquella «finca» —esto es: suelo, vuelo o subsuelo— para la que el planeamiento prevea un uso lucrativo. Y exige también que las condiciones urbanísticas que se establezca para esta «finca» con usos lucrativos sean en todo caso respetuosas con el carácter demanial de la «finca» con la que «convive» en este régimen de «complejo inmobiliario», de forma que pudieran serle incluso de aplicación determinadas limitaciones y servidumbres para la protección de dicho demanio.

5. Se positiviza, así, la doctrina emanada de varias resoluciones de la Dirección General de los Registros y del Notariado sobre la posibilidad de constituir conjuntos integrados entre unidades subterráneas constituidas por volúmenes edificables privados bajo suelos públicos, previa desafectación del mismo.

La primera de las resoluciones que examinó esta posibilidad, fue la Resolución de 5 de abril de 2002 (25), relativa a la desafectación por parte del Ayuntamiento de Oviedo de un subsuelo para la construcción de un aparcamiento situado bajo un suelo dotacional (equipamiento), con el objeto de constituir un complejo inmobiliario integrado por la zona de equipamiento y el aparcamiento subterráneo de dos plantas.

Inicialmente, el Registrador de la Propiedad denegó la inscripción porque entendía que los complejos inmobiliarios regulados por la Ley de Propiedad Horizontal se refieren únicamente a complejos inmobiliarios privados, y, en ese caso, existía un elemento de carácter público.

No obstante, la Resolución citada de la Dirección General de los Registros y del Notariado, aun manteniendo en un primer momento que la Ley de Propiedad Horizontal se refiere a complejos inmobiliarios privados, reconoce el principio de «numerus apertus» en la configuración de derechos reales, y establece expresamente la inexistencia de preceptos que excluyan su aplicación (incluso por analogía) a supuestos en los que alguno de sus elementos privativos, esto es, susceptibles de aprovechamiento independiente, esté sometido a un régimen demanial público.

> «De ahí debemos concluir, que no se resienten en absoluto las exigencias estructurales del sistema registral por admitir que puedan extenderse las soluciones normativas de la legislación de propiedad horizontal a los complejos inmobiliarios no estrictamente privados, esto es, en los que existe algún elemento independiente sometido a un régimen demanial público.»

Asimismo, el Registrador de la Propiedad entendía que no existía un verdadero complejo inmobiliario, por no reunir los requisitos exigidos por el artículo 24 de la Ley de Propiedad Horizontal, a saber: estar integrados por dos o más parcelas o edificaciones independientes entre sí (elementos privativos) y participar en una

---

(25) En este mismo sentido, en supuestos similares, las Resoluciones de la Dirección General de los Registros y del Notariado, de 24, 26 y 27 de febrero de 2007: «No existen obstáculos estructurales en nuestro Ordenamiento Jurídico para la configuración de un régimen distinto al suelo (que abarcaría lógicamente también el vuelo) y el subsuelo».

copropiedad indivisible sobre otros elementos inmobiliarios tales como viales, instalaciones o servicios (elementos comunes).

Sin embargo, en este caso, la Resolución mencionada de la Dirección General de los Registros y del Notariado entiende que son fincas registrales independientes y que existe un elemento común entre el suelo y el subsuelo: la línea de separación entre uno y otro, normalmente un forjado:

> «Ya se ha hecho referencia a la posibilidad de abrir folio independiente a la unidad subterránea segregada, una vez desafectada como bien demanial y configurada como bien patrimonial. Y que tal segregación no significa una total desvinculación de la finca matriz, ya que en el folio abierto a ésta debe hacerse constar la desafectación del subsuelo, como modificación de la extensión normal del dominio de la finca matriz. Por lo que aunque no haya pluralidad de fincas materiales o físicas, en cuanto suelo y subsuelo forman parte de la misma finca física, si existe pluralidad de fincas inmateriales o registrales, desde el momento mismo que se abre folio propio al subsuelo patrimonial.
>
> El punto de conexión entre fincas y titulares sí que se da y precisamente su regulación es lo que determina el otorgamiento del complejo inmobiliario cuya inscripción se pretende. El propio Registrador en su nota reconoce que, según el artículo 4 de los Estatutos, son elemento común los forjados del aparcamiento; y aunque sólo fuera eso, su mantenimiento y utilización conjunta justificaría la articulación del complejo que se pretende.»

Por tanto, como se decía más arriba, el artículo 17.4 LS viene a incorporar al Derecho Positivo la doctrina emanada de las resoluciones de la Dirección General de los Registros y del Notariado, relativas a la posibilidad de constituir conjuntos inmobiliarios cuando los instrumentos de ordenación territorial prevean la superposición de usos públicos y privados en el suelo, vuelo y/o subsuelo sobre un terreno, previa desafectación de los bienes demaniales. Naturalmente, la culminación de este objetivo habría sido más satisfactoria si se hubiera mantenido la redacción de este precepto en los términos del proyecto de ley (de la LRRRU), y, mucho más, la coherencia con la flexibilización proyectada del régimen del suelo urbano no consolidado. Baste con comparar el enunciado de este número en el proyecto con el resultado final de la tramitación parlamentaria, que, nada menos, ha llegado a amputar una de las grandes posibilidades que quería dejar perfectamente explicitadas al servicio de este instituto en el campo de la regeneración urbana.

Por eso, SÁNCHEZ GOYANES, enumerando las principales directrices sustantivas seguidas por el designio liberalizador del régimen del suelo urbano en el proyecto de LRRRU, pudo tempranamente escribir:

> «(…). En cuarto lugar, se ha reformulado y precisado tanto el número 4 como el 6 del artículo 17, como consecuencia inexorable del juego que

se quiere que den las posibilidades contempladas en ambos puestas en relación con el régimen flexibilizado de las actuaciones de dotación, y particularmente con la nueva previsión de la letra b) del número 2 del artículo 16 más arriba transcrito (…)». (26).

Los avatares de la tramitación parlamentaria han provocado que el nuevo 16.2.b) siga conteniendo esa previsión, y remisión al artículo 17.4, si bien, al haberse éste amputado en las posibilidades que venía a amparar (en conexión, precisamente, con aquella previsión), resulta menos inteligible y, además, menos operativo respecto de sus ambiciones iniciales.

6. Por lo demás, es inevitable al glosar este número 4 del artículo 17 tener presente el artículo 29.3 de la ley rectora de la refundición (LS 2007), el cual enfatiza que «*no procede la reversión cuando del suelo expropiado se segreguen su vuelo o subsuelo, conforme a lo previsto en el apartado 4 del artículo 17, siempre que se mantenga el uso dotacional público para el que fue expropiado o concurra alguna de las restantes circunstancias previstas en el apartado primero*». En otras palabras: no habrá reversión, en el caso de los terrenos inicialmente expropiados para construir una estación ferroviaria, cuando los mismos se hallen inmersos en operaciones de soterramiento de las que han sido planificadas y desarrolladas en los últimos años —con aprovechamientos lucrativos en la superficie resultante posteriormente— si se segrega el subsuelo, y en éste se mantiene el uso dotacional público; es decir, si las vías del tren continúan surcando el subsuelo de lo que a día de hoy sigue siendo la estación, por más que sobre ellas se construyan torres de viviendas…

A este respecto, por cierto, la Resolución de la Dirección General más arriba citada se hace eco de la jurisprudencia recaída en supuestos de reversión de terrenos expropiados cuando se mantiene el uso público en superficie y se otorga un aprovechamiento privativo al subsuelo:

> «La jurisprudencia ha admitido la posibilidad de un uso privativo del subsuelo, sin que por ello se perjudique el carácter demanial del suelo (cfr. Sentencias de 1 de diciembre de 1987 y 23 de diciembre de 1991, aunque referidas a un supuesto de concesión administrativa, negaron la condición de sobrante en una expropiación de terrenos al subsuelo existente bajo aquéllos y reconocen que el aprovechamiento del subsuelo de una plaza pública por parte de la Corporación Municipal es una facultad que asiste a ésta como titular del dominio público sobre la misma, por lo que en tanto la superficie ocupada por los inmuebles expropiados siga cumpliendo la misma finalidad que determinó su adquisición coactiva y subsista su afectación, no puede haber derecho alguno de reversión)

---

(26) Sánchez Goyanes, Enrique: «El modulado régimen del suelo urbano en la nueva reforma de la legislación estatal sobre urbanismo», *Revista de Estudios Locales*, n.º 159, 2013, epígrafe 2.

(...)

En nada queda mermado el destino público del suelo por el hecho de que el subsuelo sea objeto de aprovechamiento privativo. Ya hemos visto que así lo reconoce la jurisprudencia, negando incluso el derecho de reversión de los terrenos caso de que hubieran sido expropiados (al menos con relación a los supuestos en los que el subsuelo es objeto de utilización privativa por vía de concesión administrativa).»

7. Al margen de las referencias que ya se han ido haciendo al nuevo número 6, su significado puede sintetizarse en que: a) incorpora —párrafo final— la definición específica del «complejo inmobiliario» que se ha de tener en cuenta a los efectos de esta ley, si bien, como arriba se explicó, se inserta perfectamente en los rasgos conceptuales de este instituto ya perfilados en el Derecho Privado; b) precisa algún aspecto aún no explicitado del régimen de la constitución y modificación del mismo: la autorización administrativa y los supuestos de exención de la misma.

Doce. El artículo 20 queda redactado de la siguiente manera:

«Declaración de obra nueva.

1. Para autorizar escrituras de declaración de obra nueva en construcción, los notarios exigirán, para su testimonio, la aportación del acto de conformidad, aprobación o autorización administrativa que requiera la obra según la legislación de ordenación territorial y urbanística, así como certificación expedida por técnico competente y acreditativa del ajuste de la descripción de la obra al proyecto que haya sido objeto de dicho acto administrativo.

Tratándose de escrituras de declaración de obra nueva terminada, exigirán, además de la certificación expedida por técnico competente acreditativa de la finalización de ésta conforme a la descripción del proyecto, los documentos que acrediten los siguientes extremos:

a) el cumplimiento de todos los requisitos impuestos por la legislación reguladora de la edificación para la entrega de ésta a sus usuarios y

b) el otorgamiento de las autorizaciones administrativas necesarias para garantizar que la edificación reúne las condiciones necesarias para su destino al uso previsto en la ordenación urbanística aplicable y los requisitos de eficiencia energética tal y como se demandan por la normativa vigente, salvo que la legislación urbanística sujetase tales actuaciones a un régimen de comunicación previa o declaración responsable, en cuyo caso aquellas autorizaciones se sustituirán por los documentos que acrediten que la comunicación ha sido realizada y que ha transcurrido el plazo establecido

para que pueda iniciarse la correspondiente actividad, sin que del Registro de la Propiedad resulte la existencia de resolución obstativa alguna.

2. Para practicar las correspondientes inscripciones de las escrituras de declaración de obra nueva, los Registradores de la Propiedad exigirán el cumplimiento de los requisitos establecidos en el apartado anterior.

3. En aquellos casos en los que la descripción de la obra terminada no coincida con la que conste en el Registro de la Propiedad, por haberse producido modificaciones en el proyecto, la constancia registral de la terminación de la obra se producirá mediante un asiento de inscripción, cuya extensión quedará sujeta a lo previsto en el apartado 1 en relación con los requisitos para la inscripción de las obras nuevas terminadas.

4. No obstante lo dispuesto en el apartado anterior, en el caso de construcciones, edificaciones e instalaciones respecto de las cuales ya no proceda adoptar medidas de restablecimiento de la legalidad urbanística que impliquen su demolición, por haber transcurrido los plazos de prescripción correspondientes, la constancia registral de la terminación de la obra se regirá por el siguiente procedimiento:

a) Se inscribirán en el Registro de la Propiedad las escrituras de declaración de obra nueva que se acompañen de certificación expedida por el Ayuntamiento o por técnico competente, acta notarial descriptiva de la finca o certificación catastral descriptiva y gráfica de la finca, en las que conste la terminación de la obra en fecha determinada y su descripción coincidente con el título. A tales efectos, el Registrador comprobará la inexistencia de anotación preventiva por incoación de expediente de disciplina urbanística sobre la finca objeto de la construcción, edificación e instalación de que se trate y que el suelo no tiene carácter demanial o está afectado por servidumbres de uso público general.

b) Los Registradores de la Propiedad darán cuenta al Ayuntamiento respectivo de las inscripciones realizadas en los supuestos comprendidos en los números anteriores, y harán constar en la inscripción, en la nota de despacho, y en la publicidad formal que expidan, la práctica de dicha notificación.

c) Cuando la obra nueva hubiere sido inscrita sin certificación expedida por el correspondiente Ayuntamiento, éste, una vez recibida la información a que se refiere la letra anterior, estará obligado a dictar la resolución necesaria para hacer constar en el Registro de la Propiedad, por nota al margen de la inscripción de la declaración de obra nueva, la concreta situación urbanística de la misma, con la delimitación de su contenido e indicación expresa de las limitaciones que imponga al propietario.

La omisión de la resolución por la que se acuerde la práctica de la referida nota marginal dará lugar a la responsabilidad de la Administración competente en el caso de que se produzcan perjuicios económicos al adquirente de buena fe de la finca afectada por el expediente. En tal caso, la citada Administración deberá indemnizar al adquirente de buena fe los daños y perjuicios causados.»

CONCORDANCIAS:

— **LH,** Arts.206,208.
— **RH**, Art.303 a 307 y 308.
— **RD 1093/1997**, Arts 45 a 54.
— **LPAP**, Art. 37
— **LOE**, Art.20
— **Jurisprudencia:** SSTS, Sala III, de 18 de marzo de 2008, 12 de mayo, 4 de octubre y 26 de septiembre de 2006.
— **Resoluciones de la DGRN:** RR. de 11 de mayo de 2013, 5 de marzo de 2013, 6 de febrero de 2013, 11 de diciembre de 202012, 7 noviembre de 2012, 18 octubre de 2012, 17 de enero de 2012.

COMENTARIO (1)

LA REGULACIÓN DE LA DECLARACIÓN DE OBRA NUEVA TRAS LA REFORMA DE LA LEY DE SUELO REALIZADA POR LA LEY 8/2013, DE 26 DE JUNIO, DE REHABILITACIÓN, REGENERACIÓN Y RENOVACIÓN URBANAS (2)

Sumario

0. Introducción.
1. Evolución de la regulación de la declaración de obra nueva en la vigente Ley de Suelo.
2. Novedades introducidas en el artículo 20 LS por la LRRRU

   2.1.   La regulación de la declaración de obra nueva correspondiente a edificaciones no consolidadas por su antigüedad, o respecto de las

---

(1)   Comentario a cargo de Rafael Arnaiz Ramos. Registrador de la Propiedad.
(2)   El presente trabajo se refiere de forma específica a las novedades introducidas en la redacción del artículo 20 de la Ley de Suelo por la LRRRU. Un estudio más extenso del contenido de tal precepto y, con carácter general, de la inscripción registral de la declaración de obra nueva, algunos de cuyos contenidos se reproducen en el presente trabajo, como complemento imprescindible de lo que aquí se dice, puede verse en otro trabajo publicado por Arnaiz Ramos, R. bajo el título *La Inscripción Registral de la Declaración de Obra Nueva*, Bosch, Barcelona, 2012.

que cabe la adopción de medidas administrativas de restauración de la realidad física alterada

2.1.1.   La declaración de obra nueva en construcción

2.1.2.   La declaración de obra nueva terminada.

2.2.   La regulación de la inscripción de la declaración de obra nueva correspondiente a obras consolidadas por razón de su antigüedad, o respecto de las que ya no cabe la adopción de medidas de restauración de la realidad física alterada.

0. INTRODUCCIÓN

La presente obra tiene por objeto el estudio, realizado de urgencia pero con la mayor profundidad posible, de las modificaciones que la Ley 8/2013, de 26 de junio, de Rehabilitación, Regeneración y Renovación Urbanas, en adelante LRRRU, introduce en la regulación contenida en la Ley de Suelo, Texto Refundido aprobado por RDLeg. 2/2008, en adelante LS, en materia de declaración de obra nueva e inscripción registral de la misma. Se procederá, para ello, a un estudio pormenorizado del contenido con el que, tras la reforma, queda el artículo 20 de la LS.

1. EVOLUCIÓN DE LA REGULACIÓN DE LA DECLARACIÓN DE OBRA NUEVA EN LA VIGENTE LEY DE SUELO

Pese al reducido número de años transcurrido desde la publicación de la vigente Ley de Suelo, Ley 8/2007, son varias la redacciones dadas al artículo destinado a regular la declaración de obra nueva, su formalización y su inscripción en el Registro de la Propiedad. Y ello es consecuencia de la dificultad que presenta establecer una regulación que permita integrar, de forma equilibrada, dos bienes jurídicos cuya protección simultánea puede resultar contradictoria: por un lado, la necesidad de garantizar la adecuación a la legalidad urbanística de las edificaciones cuya obra nueva se declara y pretende inscribir, de tal forma que su formalización e inscripción permita desarrollar un control de la legalidad urbanística de las mismas; por otro, la necesidad de promover la coincidencia entre el contenido del Registro y la realidad física extrarregistral, de tal modo que el Registro de la Propiedad identifique de forma completa la realidad inmobiliaria sobre la que se extienden los derechos reales inmobiliarios, y se evite la proliferación de edificaciones «clandestinas», o de existencia extrarregistral y, con ello, la aparición de un mercado inmobiliario ajeno a la organización registral de los derechos reales. Y es que tan poco beneficiosa para la seguridad jurídica ha de entenderse aquella regulación que permita el acceso al Registro de edificaciones cuya obra resulte contraria a la legalidad urbanística, generando sobre las mismas una apariencia, al menos fáctica, de legalidad, como aquella otra que por establecer requisitos excesivamente rigurosos para admitir la inscripción de declaraciones de obra nueva fomente la existencia de edificaciones y construcciones que, no obstante estar consolidadas, no pueden tener acceso al Registro, lo cual no impide que, no obstante su falta de adecuación a la legalidad urbanística, puedan constituir el objeto de derechos reales inmobiliarios validamente constituidos.

Comenzamos pues el presente trabajo realizando, —bajo el prisma referido—, un breve resumen de la evolución de la regulación de la declaración de obra nueva en la vigente Ley de Suelo.

La Ley 8/2007, reguló la inscripción de la declaración de obra nueva en su artículo 19, cuyo texto mantuvo el artículo 20 del Texto Refundido aprobado por Real Decreto Legislativo 2/2008, con el contenido siguiente:

«1. Para autorizar escrituras de declaración de obra nueva en construcción, los notarios exigirán, para su testimonio, la aportación del acto de conformidad, aprobación o autorización administrativa que requiera la obra según la legislación de ordenación territorial y urbanística, así como certificación expedida por técnico competente y acreditativa del ajuste de la descripción de la obra al proyecto que haya sido objeto de dicho acto administrativo.

Tratándose de escrituras de declaración de obra nueva terminada, exigirán, además de la certificación expedida por técnico competente acreditativa de la finalización de ésta conforme a la descripción del proyecto, la acreditación documental del cumplimiento de todos los requisitos impuestos por la legislación reguladora de la edificación para la entrega de ésta a sus usuarios y el otorgamiento, expreso o por silencio administrativo, de las autorizaciones administrativas que prevea la legislación de ordenación territorial y urbanística.

2. Para practicar las correspondientes inscripciones de las escrituras de declaración de obra nueva, los registradores exigirán el cumplimiento de los requisitos establecidos en el apartado anterior.»

El contenido del precepto generó importantes discusiones doctrinales y dudas prácticas en su aplicación en relación con el último inciso del párrafo segundo, en cuanto exigía para la autorización e inscripción de escrituras de declaración de obra nueva terminada, y por tanto para su inscripción, «la acreditación documental del cumplimiento de todos los requisitos impuestos por la legislación reguladora de la edificación para la entrega de ésta a sus usuarios y el otorgamiento, expreso, o por silencio administrativo, de las autorizaciones administrativas que prevea la legislación de ordenación territorial y urbanística». (3)

---

(3)   Para consultar los problemas interpretativos planteados, cabe consultar, entre otros muchos trabajos, Luque Jiménez, M.ª C. «El control registral de la edificación». (RCDI-19720, 2010), Cabanillas Sanchez, A. «La declaración de obra nueva tras la Ley del Suelo de 28 de mayo de 2007». *Libro*

La determinación de cuales son los «requisitos impuestos por la legislación para la entrega de ésta a sus usuarios» fue realizada por la Dirección General de los Registros y del Notariado en Resolución Circular de fecha 26 de julio de 2007, considerando como tales la acreditación de la contratación y vigencia de un seguro que cubriera daños resultantes de defectos estructurales de la edificación, de acuerdo con el artículo 19 de la Ley 38/1999 de Ordenación de la Edificación, y la justificación de la existencia del Libro del Edificio, según exige el artículo 7 de la misma Ley. Dicha resolución Circular, no sólo obvió la circunstancia de que en la generalidad de las CC.AA las competencias en materia de vivienda y edificación están transferidas, olvidando con ello toda la legislación autonómica reguladora de la edificación, sino que impuso, careciendo para ello de cualquier apoyo legal, la obligación de depósito del Libro del Edificio en la notaría autorizante de la escritura de declaración de obra nueva, exigencia en la actualidad superada por la legislación de diversas CC.AA, que prevén que tal depósito se realice en el Registro de la Propiedad en cuya demarcación radique la finca, criterio mucho más razonable, dada la posibilidad de que la escritura de declaración de obra nueva sea otorgada en un lugar no cercano a aquel en que radique el edificio. (4)

En relación con la interpretación del último inciso del párrafo segundo del número 2 del artículo 19 de la Ley 8/2007, el referido al «otorgamiento, expreso o por silencio administrativo, de las autorizaciones administrativas que prevea la legislación de ordenación territorial y urbanística», la DGRN, en Resolución, entre otras, de 9 de enero de 2010, consideró que la referencia a tales «autorizaciones» debía entenderse realizada a la licencia de obras, y no a la licencia de primera ocupación, criterio este ya discutido por parte de la doctrina (5), y finalmente contradicho por el legislador en la nueva redacción dada al precepto por el Real Decreto Ley 8/2011, de medidas de apoyo a los deudores hipotecarios, de control del gasto público y cancelación de deudas con empresas y autónomos contraídas por las entidades locales, de fomento de la actividad empresarial e impulso de la rehabilitación y de simplificación administrativa, el cual dio nueva redacción al

---

colectivo de homenaje al profesor Manuel Cuadrado Iglesias; tomo II; Colegio de Registradores-Thomson Civitas, 2008. Díaz Fraile, J.M».El tratamiento registral de la obra nueva en la Ley 8/2007, de 28 de mayo, de Suelo». Diario LA LEY n.º 6824, 2007.

(4) A título de ejemplo, como legislación autonómica reguladora de los requisitos necesarios para la entrega de edificaciones a los usuarios cabe citar La Ley del Derecho a la Vivienda de Cataluña, Ley 18/2007 de 28 de diciembre, que regula en su artículo 64 los requisitos para transmitir viviendas terminadas y en sus artículos 132 y ss. los documentos que notarios y registradores han de exigir, respectivamente, para la autorización de escrituras de compraventa de viviendas y para su inscripción en el Registro de la Propiedad. Dicha Ley, todavía no promulgada en la fecha de la Resolución Circular aquí criticada, sustituyó a otra Ley anterior, la 24/1991 de 29 de noviembre. La Ley 8/2004, de 20 de octubre, de la Generalitat, de la Vivienda de la Comunidad Valenciana regula en su artículo 16 los requisitos para la venta de viviendas terminadas. También ha regulado la materia Andalucía, en Ley 1/2010 de 8 de marzo, reguladora del Derecho a la Vivienda.

(5) Díaz Fraile, J.M., en op. cit. en nota número 2.

artículo 20, introduciendo las modificaciones, respecto del texto anterior, que se indican en cursiva:

«1. Para autorizar escrituras de declaración de obra nueva en construcción, los notarios exigirán, para su testimonio, la aportación del acto de conformidad, aprobación o autorización administrativa que requiera la obra según la legislación de ordenación territorial y urbanística, así como certificación expedida por técnico competente y acreditativa del ajuste de la descripción de la obra al proyecto que haya sido objeto de dicho acto administrativo.

Tratándose de escrituras de declaración de obra nueva terminada, exigirán, además de la certificación expedida por técnico competente acreditativa de la finalización de ésta conforme a la descripción del proyecto, los documentos que acrediten los siguientes extremos:

a) el cumplimiento de todos los requisitos impuestos por la legislación reguladora de la edificación para la entrega de ésta a sus usuarios y

b) *el otorgamiento de las autorizaciones administrativas necesarias para garantizar que la edificación reúne las condiciones necesarias para su destino al uso previsto en la ordenación urbanística aplicable y los requisitos de eficiencia energética tal y como se demandan por la normativa vigente.*

2. Para practicar las correspondientes inscripciones de las escrituras de declaración de obra nueva, los registradores exigirán el cumplimiento de los requisitos establecidos en el apartado anterior.

3. *En aquellos casos en los que la descripción de la obra terminada no coincida con la que conste en el Registro, por haberse producido modificaciones en el proyecto, la constancia registral de la terminación de la obra se producirá mediante un asiento de inscripción, cuya extensión quedará sujeta a lo previsto en el apartado primero en relación con los requisitos para la inscripción de las obras nuevas terminadas.*

4. *No obstante lo dispuesto en el apartado anterior, en el caso de construcciones, edificaciones e instalaciones respecto de las cuales ya no proceda adoptar medidas de restablecimiento de la legalidad urbanística que impliquen su demolición, por haber transcurrido los plazos de prescripción correspondientes, la constancia registral de la terminación de la obra se regirá por el siguiente procedimiento:*

a) *Se inscribirán en el Registro de la Propiedad las escrituras de declaración de obra nueva que se acompañen de certificación expedida por el Ayuntamiento o por técnico competente, acta notarial descriptiva de la finca o certificación catastral descriptiva y gráfica de la finca, en las que conste la terminación de la obra en fecha determinada y su descripción coincidente con el título. A tales efectos, el Registrador comprobará la inexistencia de anotación preventiva por incoación de expediente de disciplina urbanística sobre la finca objeto de la construcción, edificación e instalación de que se trate y que el suelo no tiene carácter demanial o está afectado por servidumbres de uso público general.*

b) El asiento de inscripción dejará constancia de la situación de fuera de ordenación en la que queda todo o parte de la construcción, edificación e instalación, de conformidad con el ordenamiento urbanístico aplicable. A tales efectos, será preciso aportar el acto administrativo mediante el cual se declare la situación de fuera de ordenación, con la delimitación de su contenido.

c) Los Registradores de la Propiedad darán cuenta al Ayuntamiento respectivo de las inscripciones realizadas en los supuestos comprendidos en los números anteriores, y harán constar en la inscripción y en la nota de despacho la práctica de dicha notificación.»

Por tanto, las modificaciones introducidas por el RDL 8/2011, como medidas de fomento de la seguridad jurídica en el ámbito inmobiliario, fueron las siguientes:

- Se precisó que las autorizaciones administrativas a que se refería el último inciso del párrafo segundo del número 1 del artículo 20 eran aquellas *«necesarias para garantizar que la edificación reúne las condiciones necesarias para su destino al uso previsto en la ordenación urbanística aplicable y los requisitos de eficiencia energética tal y como se demandan por la normativa vigente»*. En la mente del legislador redactor de la norma, tal genérica referencia debía entenderse realizada, fundamentalmente, a la licencia de primera ocupación, según resulta de la Exposición de Motivos del RDL 8/2011, que al justificar la nueva redacción dada establece que *«se precisan los requisitos de acceso al Registro de la Propiedad de las obras nuevas terminadas, impidiendo que puedan ser objeto de inscripción registral aquellas que, además de contar con la licencia de obras y la certificación técnica de que la obra se ajusta al proyecto, no posean la licencia de primera ocupación»*. Con ello, y en relación con las obras nuevas terminadas, se extiende el control registral de su adecuación a legalidad urbanística no sólo a su realidad física, sino a las condiciones que permiten proceder a su uso u ocupación: por tanto, sólo podrán considerarse terminadas, a los efectos de su inscripción en el Registro de la Propiedad, aquellas obras nuevas respecto de las que exista una declaración administrativa expresa que habilita no sólo para su construcción, sino para su uso u ocupación.

- Se introdujo un número 3 para regular la constancia registral de la terminación de la obra en casos en que se hubieran producido modificaciones en el proyecto.

- Se introdujo un número 4 para regular la inscripción en el Registro de la Propiedad de declaraciones de obra nueva relativas a edificaciones o construcciones consolidadas por su antigüedad y respecto de las cuales no puedan ejecutarse actuaciones administrativas de restauración de la realidad física alterada, superando con ello la regulación anterior contenida en los artículos 52 y 54 del R.D. 1093/1997 de 4 de julio, por el que se aprueban las Normas Complementarias al Reglamento Hipotecario en Materia de Inscripción de Actos de Naturaleza Urbanística, en adelante, RHU. La redacción del precepto generó importantes dudas tanto en su interpretación teórica, como en su aplicación práctica, hasta el punto de forzar una nueva redacción, que es la llevada a cabo por la LRRRU.

Finalmente, además de por el contenido el precepto transcrito, la declaración e inscripción de obras nuevas en el Registro de la Propiedad se vio modificada por otros preceptos del R.D.L 8/2011:

- Por el artículo 23, en cuanto introdujo un principio de silencio negativo en la actuación administrativa relativa a la declaración de conformidad, aprobación o autorización administrativa en determinados ámbitos de disciplina urbanística, lo cual supuso dar rango legal a la doctrina jurisprudencial sentada por la Sala III del Tribunal Supremo, a través de la STS 28 de enero 2009, que resuelve el recurso de casación en interés de ley 45/2007, lo cual, al decir de la Exposición de Motivos del Real Decreto Ley, *«sin duda contribuirá a una mayor seguridad jurídica, impidiendo que la mera pasividad o inexistencia de actuaciones tempestivas de los Ayuntamientos permita entender a cualquier privado que le han sido concedidas licencias urbanísticas del más variado tipo.»*

  En relación con la declaración de obra nueva, la introducción del silencio negativo dio lugar a la necesidad de que tanto el acto habilitante de la edificación (licencia de obras), como el acto habilitante del comienzo de su uso y ocupación (licencia de primera ocupación), hubieran de resultar de actos administrativos expresos, sin que pudiera acreditarse su obtención por silencio positivo.

- Por otro lado, se introdujo un número 2 en el artículo 51 de la Ley de Suelo, para imponer al registrador la obligación de notificar a la Administración autonómica la inscripción de determinados actos de naturaleza urbanística, entre ellos la declaración de obra nueva, en términos a los que posteriormente, al estudiar el artículo 51 LS, nos referiremos. (6)

---

(6) Establecía el artículo 51.2 LS, tras la redacción dada por el RDL 8/2011, que «Inscrita la parcelación o reparcelación de fincas, la declaración de nuevas construcciones o la constitución de regímenes de propiedad horizontal, o inscritos, en su caso, los conjuntos inmobiliarios, el Registrador de la Propiedad notificará a la Comunidad Autónoma competente la realización de las

Pues bien, la nueva regulación de la declaración de obra nueva y de su inscripción, introducida por el R.D.L. 8/2011, generó problemas de interpretación y, como consecuencia de ello, importantes problemas de aplicación, sobre todo en dos ámbitos concretos:

- En relación con la inscripción de obras nuevas terminadas, o de constancia registral de la terminación de obras anteriormente declaradas en construcción, planteó problemas de aplicación la exigencia de justificación de la obtención de las autorizaciones administrativas necesarias para garantizar que la edificación reúne las condiciones necesarias para su destino al uso previsto en la ordenación urbanística aplicable. Los problemas han resultado, principalmente, de las siguientes circunstancias:

  o El hecho de que en algunas Comunidades Autónomas el control administrativo de la adecuación de la edificación terminada a los requisitos impuestos por la legislación urbanística para el comienzo de la ocupación o uso de aquella está previsto que se realice no a través de un acto administrativo de autorización previa, sino de un sistema de comunicación de declaración responsable. (7)

  o La discusión relativa a si dentro de las autorizaciones administrativas cuya existencia se ha de acreditar deben o no incluirse las establecidas por la legislación de vivienda reguladora de condiciones de habitabilidad. (8)

- En relación con la inscripción registral de declaraciones de obra nueva correspondientes a construcciones o edificaciones consolidadas por su antigüedad, respecto de las que han transcurrido los plazos de prescripción de las acciones que podrían provocar su demolición, se planteó, como problema fundamental, la práctica imposibilidad de determinar, a partir de su estructura y redacción, si la inscripción de tales declaraciones de obra nueva exigía, como

---

inscripciones correspondientes, con los datos resultantes del Registro. A la comunicación, de la que se dejará constancia por nota al margen de las inscripciones correspondientes, se acompañará certificación de las operaciones realizadas y de la autorización administrativa que se incorpore o acompañe al título inscrito.

La omisión de la resolución por la que se acuerde la práctica de la anotación preventiva a que hace referencia el apartado 1, letra c), segundo párrafo, dará lugar a la responsabilidad de la Administración competente en el caso de que se produzcan perjuicios económicos al adquirente de buena fe de la finca afectada por el expediente. En tal caso, la citada Administración deberá indemnizar al adquirente de buena fe los daños y perjuicios causados».

(7) Como Extremadura y posteriormente Cataluña, según se verá con detalle en el epígrafe 2.1.2
(8) La DGRN tuvo ocasión de pronunciarse sobre la cuestión en Resolución de fecha 1 de marzo de 2012, entendiendo que aunque la legislación autonómica de ordenación urbana o de vivienda pueda establecer varios requisitos de control administrativo previo para que pueda iniciarse la ocupación de una edificación, sólo pueden entenderse exigibles como presupuesto para la inscripción de la terminación de la obra nueva en el Registro de la Propiedad aquellos que la Legislación estatal de suelo e hipotecaria establezcan con tal carácter. A partir de ello, la DGRN revoca la calificación del registrador en cuanto a la exigencia de cédula de habitabilidad.

presupuesto, una previa manifestación del Ayuntamiento relativa a si la edificación se encontraba en todo o en parte en situación de fuera de ordenación o si, por el contrario, la inscripción de la obra podía llevarse a cabo aun sin previo pronunciamiento municipal, sin perjuicio de la posterior notificación de la inscripción realizada al Ayuntamiento y comunicación por éste al Registro, en su caso, de la resolución que declarase la obra total o parcialmente en situación de fuera de ordenación, para su constancia en el folio de la finca. (9)

Una vez realizada esta somera introducción a la situación de falta de claridad en la regulación de la declaración de obra nueva que la LRRRU pretende superar, procedemos al estudio del contenido del nuevo artículo 20 LS, deteniéndonos de forma especial en aquellas partes del mismo en las que, según lo expuesto, se han introducido reformas.

2. NOVEDADES INTRODUCIDAS EN EL ARTÍCULO 20 LS POR LA LRRRU

A tal efecto nos referiremos, en primer lugar, a la declaración de obra nueva correspondiente a edificaciones que no pueden considerarse consolidadas por su antigüedad, cuya regulación queda contenida en los tres primeros números del artículo 20. Posteriormente nos referiremos a la regulación de la declaración de obra nueva correspondiente a edificaciones y construcciones que ya no pueden ser objeto de medidas administrativas de demolición, establecida por el número 4 del artículo 20.

2.1. La regulación de la declaración de obra nueva correspondiente a edificaciones no consolidadas por su antigüedad, o respecto de las que cabe la adopción de medidas administrativas de restauración de la realidad física alterada

2.1.1. La declaración de obra nueva en construcción

En esta materia, el párrafo primero del artículo 20 ha mantenido la misma regulación desde la primera redacción dada a la Ley 8/2007, estableciendo como requisitos necesarios para autorizar escrituras en las que se formalice tal negocio jurídico y para proceder a la inscripción de la obra los siguientes:

a. La justificación de la existencia de un acto administrativo habilitante de la edificación o construcción, sea autorización, aprobación u otro acto de conformidad administrativa. Tras el R.D.L. 8/2011 quedó excluida la posibilidad de tener por

---

(9) A efectos registrales, las discusiones generadas fueron en parte resueltas por la RDGRN de fecha 17 de enero de 2012, primera de otras muchas que sentaron la doctrina que interpretó el artículo 20.4 en el sentido de entender que no alteraba el sistema básico procedente de los artículos 52 y 54 del RHU, y mantenía la posibilidad de que las obras consolidadas accedieran al Registro sin necesidad de un previo acto de fiscalización municipal. Posteriormente nos referiremos a ella con más detalle.

obtenida la habilitación administrativa por silencio administrativo positivo, pues el artículo 23.b) de dicha norma estableció, respecto de las obras de edificación, construcción e implantación de instalaciones de nueva planta, la necesidad de un acto administrativo habilitante de carácter en todo caso expreso, de tal forma que, según establecía el número 2 del citado artículo 23, *«el vencimiento del plazo máximo sin haberse notificado la resolución expresa legitimará al interesado que hubiere deducido la solicitud para entenderla desestimada por silencio administrativo.»*

Tal regulación, —objeto de fuertes críticas entre la doctrina (10)—, por la que se impone un acto expreso para entender concedida la licencia de obras, es trasladada al artículo 9, números 7 y 8 de la Ley de Suelo por el número Cinco de la Disposición Final Duodécima de la LRRRU, quedando con la siguiente redacción:

«7. Todo acto de edificación requerirá del acto de conformidad, aprobación o autorización administrativa que sea preceptivo, según la legislación de ordenación territorial y urbanística, debiendo ser motivada su denegación. En ningún caso podrán entenderse adquiridas por silencio administrativo facultades o derechos que contravengan la ordenación territorial o urbanística.

8. Con independencia de lo establecido en el apartado anterior, serán expresos, con silencio administrativo negativo, los actos que autoricen:

a) Movimientos de tierras, explanaciones, parcelaciones, segregaciones u otros actos de división de fincas en cualquier clase de suelo, cuando no formen parte de un proyecto de reparcelación.

b) Las obras de edificación, construcción e implantación de instalaciones de nueva planta.

c) La ubicación de casas prefabricadas e instalaciones similares, ya sean provisionales o permanentes.

d) La tala de masas arbóreas o de vegetación arbustiva en terrenos incorporados a procesos de transformación urbanística y, en todo caso, cuando

---

(10) Una muy interesante crítica del sistema de silencio administrativo negativo establecido por el RDL 8/2011 es la realizada por Vicente Laso Baeza, en artículo publicado en el número 730 de la Revista Crítica de Derecho Inmobiliario, bajo el título «El silencio administrativo tras el Real Decreto-Ley 8/2011 y la consiguiente revisión de la última jurisprudencia de la Dirección General al respecto». En ella, el autor, en términos gráficos, señala que «En otras palabras, y valga el símil, lo que ha ocurrido con el silencio sería asimilable a algo así como la conducta del socorrista erradamente celoso de su cometido que, ante el nadador que lucha en el mar por no ahogarse, opta por evitarle de modo expeditivo el mal rato en el que se encuentra atándole al pie un fardo de pesadas piedras con el que sin duda se consigue poner fin, aunque no con el mejor de los resultados posibles, al desagradable momento vivido».

dicha exigencia se derive de la legislación de protección del dominio público.»

Por tanto, se traslada desde el artículo 8.1 LS al artículo 9 LS, la regla general que sujeta todo acto de edificación a un control administrativo de legalidad a realizar mediante un acto administrativo habilitante de carácter expreso, y la declaración legal que excluye la posibilidad de adquirir por silencio administrativo contenido alguno del derecho de propiedad que resulte contrario a la ordenación territorial y urbanística. A continuación, y como una forma de garantizar la efectiva aplicación de esta última regla, el precepto recoge el sistema de silencio administrativo negativo ya establecido por el artículo 23 del R.D.Ley 8/2011, que queda derogado, introduciendo dos modificaciones en la regulación: da mayor precisión al supuesto contenido en la letra d), concretando la exigencia de acto habilitante expreso al supuesto en que la tala se desarrolle en terrenos incorporados a procesos de transformación urbanística y a aquellos en que tal exigencia se derive de la legislación de protección del dominio público, y suprime la letra e) de dicho artículo, que establecía la exigencia de un acto administrativo expreso para autorizar la primera ocupación de las casas de nueva planta y de las casas prefabricadas, lo cual resulta ajustado al reconocimiento de la posibilidad de que el control de la adecuación del uso de la edificación a las normas de ordenación urbana que regulan las condiciones del mismo se realice a través de un sistema de comunicación previa o declaración responsable, según posteriormente, al referirnos a la declaración de obra nueva terminada, estudiaremos con detalle.

En relación con la forma documental de acreditar la realidad del acto de autorización, aprobación o conformidad administrativa, tanto respecto del notario autorizante del título como respecto del Registro, así como en lo referente a la extensión de la calificación registral sobre el contenido de dicho acto administrativo, nos remitimos, por razón de la extensión del presente trabajo y de la falta de modificaciones a partir de la LRRRU, a lo ya escrito en la obra antes citada. (11)

b.   La aportación de certificación expedida por técnico competente acreditativa del ajuste de la descripción de la obra al proyecto que haya sido objeto de dicho acto administrativo. No introduce en esta materia novedad alguna la LRRRU, manteniendo, como no puede ser de otra forma, la exigencia, como requisito previo para autorizar escrituras de declaración de obra nueva y para obtener su inscripción en el Registro de la Propiedad de que se haya procedido, por técnico competente, a calificar la coincidencia entre la realidad cuya existencia se declara y la realidad física existente, y su adecuación al proyecto objeto de habilitación administrativa. De nuevo, y por razones de extensión y objeto de la presente, y dado que en la

---

(11) Arnaiz Ramos, R. *La inscripción registral de la declaración de obra nueva*, Bosch, Barcelona, 2012. págs. 76 y ss.

regulación de esta materia no introduce novedad alguna la LRRRU, nos remitimos a lo que más extensamente tenemos escrito sobre la materia en la obra antes citada.

2.1.2. La declaración de obra nueva terminada

Dentro de tal concepto, y aun cuando el artículo 20 de la LS, con una técnica a nuestro juicio mejorable, sólo se refiere a las escrituras de declaración de obra nueva terminada (12), debe entenderse incluido tanto el acto formal de declaración de obra nueva correspondiente a una edificación o construcción que se dice terminada, como el acto formal por el que se hace constar la terminación de una obra nueva declarada con anterioridad en construcción, quedando la regulación de este último acto completada, en lo referente al título formal, asiento registral a practicar, y legitimación para el mismo, con lo previsto en el artículo 47 del RHU.

La única modificación introducida por la LRRRU respecto de la previa resultante del R.D.Ley 8/2011, la encontramos en la redacción dada a la letra b) y tiene como finalidad introducir, en la regulación establecida, la posibilidad de que el control administrativo de adecuación de la edificación a las condiciones exigidas por la ordenación territorial y urbanística para su uso u ocupación, se realice a través de un régimen de comunicación previa o declaración responsable.

Para bien entender la necesidad de tal reforma, y con carácter previo a su estudio, debemos relatar la situación de hecho existente con anterioridad a la aquella, y resultante de la entrada en vigor del R.D.Ley 8/2011.

Como ya antes se ha puesto de manifiesto, el citado Real Decreto Ley, de forma sin duda precipitada, quiso aclarar las dudas previas sobre la interpretación a dar al último inciso del párrafo segundo del artículo 20 LS precisando que las autorizaciones administrativas exigidas por la legislación de ordenación territorial y urbanística cuya acreditación exigía para autorizar escrituras de declaración de obra nueva y para obtener su inscripción eran, en realidad, la licencia de primera ocupación. Tal grado de concreción, al definir el acto administrativo habilitante del uso o la ocupación, sólo lo utilizó el R.D.Ley en su Exposición de Motivos, ya antes citada. Por el contrario, en el texto de la letra b) del número 1 del artículo 20, se

---

(12) Resulta criticable, a nuestro juicio, la concreción de los requisitos que para efectuar declaraciones de obra nueva establece el artículo 20 LS a los casos en que el documento en que se formaliza es una escritura pública, omitiendo toda regulación de los requisitos a que quedan sujetas las declaraciones de obra nueva formalizadas en documento administrativo, según posibilidad que prevén los artículos 207 de la Ley Hipotecaria y artículos 206 de la Ley Hipotecaria y 37.2 de la Ley 33/2003 de Patrimonio de las Administraciones Públicas—, y en documento judicial, en todos aquellos casos en que la declaración de obra nueva deba quedar incorporada a la resolución judicial cuya inscripción se interese, por ser necesaria para definir el derecho real inscribible. En este sentido, la RDGRN de 18 de junio de 1991, establece la idoneidad del testimonio del auto por el que se declare el dominio en un expediente de dominio seguido para la reanudación del tracto interrumpido para inscribir una declaración de obra nueva.

refirió a dicha licencia con una expresión más genérica, reconociendo la competencia autonómica en su regulación. Así, se limitó a exigir, como requisito previo para autorizar escrituras de declaración de obra nueva y para su inscripción, que se aportaran «*los documentos que acrediten el otorgamiento de las autorizaciones administrativas necesarias para garantizar que la edificación reúne las condiciones necesarias para su destino al uso previsto en la ordenación urbanística aplicable.*»

Pero lo cierto es que, si bien prescindió de denominar de forma expresa a dichas autorizaciones como «licencias de primera ocupación», partió de la consideración de que en todas las leyes de ordenación territorial y urbanísticas vigentes en el momento de su entrada en vigor, la regulación del control de legalidad sobre la adecuación de la edificación establecía la necesidad de un acto administrativo previo, de carácter habilitante.

Aunque cabría entender que el legislador, siendo consciente de que ya en el momento de la redacción de la norma contenida en el artículo 24 del R.D.Ley 8/2011 existía alguna legislación urbanística autonómica que regulaba el control de legalidad del uso u ocupación de las edificaciones a través de un régimen de comunicación o declaración responsable, decidió promulgar una legislación básica contradictoria con dicha regulación autonómica, toda vez que el artículo 23 del R.D.Ley sujetaba la primera ocupación de las edificaciones a un acto expreso de conformidad, autorización o aprobación, respecto del cual jugaría el silencio administrativo negativo. Así, dado el carácter de legislación básica que para el régimen de acto administrativo expreso y silencio negativo previsto en el artículo 23 establecía la Disposición Final 1.ª del R.D.Ley 8/2011, habría de entender obligadas a las CC.AA a modificar sus legislaciones de ordenación territorial y urbanística, en la medida en que fueran contradictorias con la nueva norma, en cuanto definitoria de condiciones básicas de ejercicio por los ciudadanos de sus derechos, del cumplimiento de los correspondientes deberes constitucionales y de las bases del régimen jurídico de las administraciones públicas y el procedimiento administrativo común.

Sin embargo, la remisión expresa realizada por el artículo 20.1 b) a la regulación establecida por las legislaciones de ordenación territorial y urbanística, la falta de una redacción que, de forma clara, exigiera para inscribir la obra terminada una previa autorización de su uso u ocupación, cualquiera que fuera la regulación autonómica aplicable, y la solución resultante de la LRRRU que comentamos, nos llevan a considerar que el redactor del R.D.L 8/2011 no buscó excluir la posibilidad de que las CCAA establecieran regímenes de comunicación previa o declaración responsable como forma de controlar la adecuación de lo construido a las condiciones de uso previstas en la norma, sino que, más bien, no tuvo en cuenta la posibilidad de que tales regímenes existieran ya o fueran previstos en el futuro por la legislación de ordenación territorial y urbanística aplicable.

Se generó así un escenario en el que quedaban simultáneamente en vigor, en el ámbito estatal y autonómico, regulaciones de contenido contradictorio. Así ocurría en Extremadura, donde el artículo 172.g de la Ley 15/2001, de 14 de diciembre, del Suelo y Ordenación Territorial de Extremadura, redactado por la Ley 12/2010 de 16 de noviembre, de Impulso al Nacimiento y Consolidación de Empresas en la Comunidad Autónoma de Extremadura, sujeta a un régimen de comunicación, y no de licencia o autorización previa, «*la primera ocupación o, en su caso, habitabilidad de las construcciones y la apertura de establecimientos, salvo que, en este último caso, esté sujeta a autorización ambiental*». De conformidad con lo previsto en el artículo 173, transcurridos quince días desde la comunicación sin que se haya producido notificación de la resolución obstativa, podrá iniciarse la ocupación o uso de la edificación.

Análoga situación se planteó en Cataluña, donde a la entrada en vigor del R.D.Ley 8/2011, el artículo 187.4 de la Ley de Urbanismo, Texto Refundido aprobado por Decreto Legislativo 1/2010, establecía la posibilidad de que los Ayuntamientos establecieran la sustitución de la licencia de primera ocupación por un régimen de comunicación previa. Haciendo uso de tal competencia, el Ayuntamiento de Barcelona, en la Ordenanza reguladora de los procedimientos de intervención municipal en las obras, aprobada por Acuerdo del Consejo Plenario de 25 de febrero de 2011 y, por tanto, anterior a la entrada en vigor del R.D.L 8/2011, sustituyó la licencia de primera ocupación por un sistema de comunicación de la primera ocupación.

Posteriormente, la reforma de la Ley de Urbanismo de Cataluña realizada por la Ley 3/2012, de 22 de febrero, introdujo un nuevo número 5 en el artículo 187, con la siguiente redacción:

> «5.Queda sujeto al régimen de comunicación previa al Ayuntamiento, de acuerdo con el procedimiento que establece la legislación de régimen local, la primera utilización y ocupación de los edificios y construcciones. La comunicación ha de acompañarse de la certificación del facultativo director que acredite la fecha de finalización de las obras y de que estas se han efectuado de acuerdo con el proyecto aprobado o con las modificaciones posteriores y las condiciones impuestas, y que la edificación está en condiciones de ser utilizada.»

Contra el precepto transcrito el Gobierno interpuso recurso de inconstitucionalidad n.º 6777-2012, admitido a trámite por providencia de 11 de diciembre 2012, habiéndose suspendido la vigencia y aplicación del precepto impugnado desde la fecha de interposición del recurso —30 de noviembre de 2012—, para las partes del proceso, y desde la publicación del correspondiente edicto en el «Boletín Oficial del Estado» para los terceros («B.O.E». 17 diciembre).

A la vista de tal escenario no parece descabellado afirmar que la entrada en vigor de la redacción dada por el R.D.Ley 8/2011 a la letra b) del número 1 del artículo 20 LS, al entrar en contradicción con el contenido de alguna de las legislaciones de ordenación territorial y urbanística a las que se remitía, generó una situación lejana a la que el principio de igualdad en las bases de la actuación administrativa impone, lo que no sólo justifica, sino que hacía absolutamente necesaria y urgente la reforma de su redacción llevada a cabo por la LRRRU.

Entrando ya en el estudio de la nueva regulación, se ha de poner de manifiesto, en primer lugar, que el reconocimiento expreso de la posibilidad de que el control administrativo de cumplimiento por la edificación de las condiciones necesarias para su destino al uso previsto por la legislación de ordenación territorial y urbanística se realice a través de un régimen de comunicación responsable o declaración previa ha obligado no sólo a dar nueva redacción a la letra b) del artículo 20.1 LS, sino a suprimir la exigencia de acto administrativo expreso que habilite para la primera ocupación de las edificaciones, y su consecuencia de imposición de un sistema de silencio negativo.

A tal efecto, la LRRRU deroga, junto al resto del precepto, la letra e) del artículo 23 del R.D.L 8/2011, e introduce un número 9 en el artículo 9 de la LS, con la siguiente redacción:

> «9. Cuando la legislación de ordenación territorial y urbanística aplicable sujete la primera ocupación o utilización de las edificaciones a un régimen de comunicación previa o de declaración responsable, y de dichos procedimientos no resulte que la edificación cumple los requisitos necesarios para el destino al uso previsto, la Administración a la que se realice la comunicación deberá adoptar las medidas necesarias para el cese de la ocupación o utilización comunicada, en el plazo de seis meses, siendo responsable de los perjuicios que puedan ocasionarse a terceros de buena fe por la omisión de tales medidas. La Administración podrá repercutir en el sujeto obligado a la presentación de la declaración responsable el importe de tales perjuicios.
>
> Tanto la práctica de la comunicación previa a la Administración competente, como las medidas de restablecimiento de la legalidad urbanística que aquella pudiera adoptar en relación con el acto comunicado, deberán hacerse constar en el Registro de la Propiedad, en los términos establecidos por la legislación hipotecaria y por esta Ley.»

Antes de entrar en el estudio de tal precepto, y de lo previsto en relación con el mismo en la letra b) del artículo 20.1 LS, resulta necesario hacer una breve referencia al concepto de comunicación previa o declaración responsable, introducido en la legislación de Régimen jurídico de las Administraciones públicas y Procedimiento administrativo, y de Bases del Régimen Local, a partir de los criterios que en materia de libre acceso a las actividades de servicios resultan de la Directiva 2006/123/CE del Parlamento Europeo y del Consejo, de 12 de diciembre de 2006, sobre Servicios en el Mercado Interior, transpuesta por la Ley 17/2009 sobre el libre acceso a las actividades de servicios y su ejercicio, y a la que la legislación estatal se adaptó a través de la Ley 25/2009, que dio su redacción vigente a los artículos 39 bis y 71 bis de la Ley 30/1992 de Régimen Jurídico de las Administraciones Públicas y Procedimiento Administrativo Común, en adelante, LRJAPPAC, y 84 de la Ley 2/1985, de Bases del Régimen Local, a los que a continuación nos referiremos.

El artículo 71.1 bis de la Ley 30/1992 de RJAPPAC, establece el concepto legal de declaración responsable y de comunicación previa al establecer:

«1. A los efectos de esta Ley, se entenderá por declaración responsable el documento suscrito por un interesado en el que manifiesta, bajo su responsabilidad, que cumple con los requisitos establecidos en la normativa vigente para acceder al reconocimiento de un derecho o facultad o para su ejercicio, que dispone de la documentación que así lo acredita y que se compromete a mantener su cumplimiento durante el periodo de tiempo inherente a dicho reconocimiento o ejercicio.

Los requisitos a los que se refiere el párrafo anterior deberán estar recogidos de manera expresa, clara y precisa en la correspondiente declaración responsable.

2. A los efectos de esta Ley, se entenderá por comunicación previa aquel documento mediante el que los interesados ponen en conocimiento de la Administración Pública competente sus datos identificativos y demás requisitos exigibles para el ejercicio de un derecho o el inicio de una actividad, de acuerdo con lo establecido en el artículo 70.1.»

Por tanto, la introducción de un régimen de declaración responsable o comunicación previa en el control de adecuación a la legalidad de la ocupación o uso de las edificaciones supone la sustitución de un sistema de control de legalidad ex ante, o previo al inicio de la actividad que se ha de autorizar, por un sistema de control ex post, en el que se permite el inicio de la actividad comunicada, sin perjuicio de las potestades de inspección o control que, sobre la base de lo declarado o comunicado, podrá desarrollar la Administración.

Así resulta de lo previsto en el número 3 del artículo 71.1 de la Ley 30/1992, conforme al cual,

«**3.** Las declaraciones responsables y las comunicaciones previas producirán los efectos que se determinen en cada caso por la legislación correspondiente y permitirán, con carácter general, el reconocimiento o ejercicio de un derecho o bien el inicio de una actividad, desde el día de su presentación, sin perjuicio de las facultades de comprobación, control e inspección que tengan atribuidas las Administraciones Públicas.

No obstante lo dispuesto en el párrafo anterior, la comunicación podrá presentarse dentro de un plazo posterior al inicio de la actividad cuando la legislación correspondiente lo prevea expresamente.»

En esa búsqueda del equilibrio entre, por un lado, la concordancia entre el contenido del Registro de la Propiedad y la realidad física y edificatoria extrarregistral y, por otro, la necesidad de controlar que la edificación cumple los requisitos necesarios para su destino al uso previsto en la ordenación urbanística, al que hacíamos referencia al comienzo del presente trabajo, consideramos acertado el reconocimiento por el legislador de la posibilidad de que la terminación de la obra pueda ser declarada e inscrita sobre la base de la comunicación realizada por el titular a la Administración competente para ejercer potestades de disciplina urbanística, y sin perjuicio de la posterior adopción por ésta de las medidas que procedan y de su constancia registral. Tiene su origen nuestra crítica favorable en la consideración de que aquellas normas que, en relación con actos de naturaleza urbanística inscribibles en el Registro de la Propiedad, reduzcan el cierre registral a aquellos supuestos imprescindibles, y promuevan el comportamiento activo de la Administración respecto del contenido inscrito, resultarán adecuadas tanto para la propia Administración, en la medida en que promueve el adecuado ejercicio de su actividad de policía, como respecto del administrado, en la medida en que supone la retirada de trabas administrativas a la plena definición registral de la extensión objetiva de su derecho y a su completo ejercicio.

Y es que no podemos olvidar que la inscripción de la declaración de obra nueva ni crea la edificación, ni posibilita la constitución de derechos reales sobre la misma, ni disminuye las posibilidades de actuación de la Administración en orden a la adopción de medidas de reestablecimiento de la legalidad urbanística alterada. Al contrario: la edificación existe desde su construcción, esté o no inscrita, y puede ser objeto de derechos reales no inscritos. Por ello, lo esencial, a efectos de garantizar que lo construido cumple los requisitos necesarios para su destino al uso previsto en la ordenación urbanística, no es tanto impedir su acceso al Registro mientras tal cumplimiento no se acredite con un acto administrativo previo, —a cuya concesión o denegación se limite la actuación administrativa de policía—, sino promover, para el caso de incumplimiento, la adopción de medidas de disciplina que permitan el cese del uso o la ocupación, y la constancia registral temprana de tales medidas, de tal forma que no puedan surgir terceros de buena fe que resulten afectados por las mismas.

Y a nuestro juicio, ese comportamiento «proactivo» de la Administración es más esperable en un sistema de comunicado o declaración responsable, en el cual, según a continuación veremos, el legislador obliga a la Administración, sobre la base de la información que le ha sido comunicada, a realizar actuaciones de inspección y a promover la constancia registral de las medidas de reestablecimiento de la legalidad que en su caso deban ser adoptadas, haciéndole responsable de los daños resultantes a terceros de buena fe por la falta de adopción de tales medidas y evitando que una posible pasividad o excesiva lentitud de la Administración paralice el inicio de la actividad sujeta a supervisión.

El legislador, al introducir en la LRJAPPAC los criterios resultantes de la Directiva 2006/123 CE, da nueva redacción al artículo 39 bis de la dicha Ley, conforme al cual:

> «**1.** Las Administraciones Públicas que en el ejercicio de sus respectivas competencias establezcan medidas que limiten el ejercicio de derechos individuales o colectivos o exijan el cumplimiento de requisitos para el desarrollo de una actividad, deberán elegir la medida menos restrictiva, motivar su necesidad para la protección del interés público así como justificar su adecuación para lograr los fines que se persiguen, sin que en ningún caso se produzcan diferencias de trato discriminatorias.

> **2.** Las Administraciones Públicas velarán por el cumplimiento de los requisitos aplicables según la legislación correspondiente, para lo cual podrán comprobar, verificar, investigar e inspeccionar los hechos, actos, elementos, actividades, estimaciones y demás circunstancias que se produzcan.»

Parece, por tanto, impuesto por la Ley un criterio de actuación administrativa de control que resulte, de entre las varias opciones posibles, la menos restrictiva para el ejercicio por los administrados de sus derechos individuales o colectivos, debiendo en todo caso estar justificada por la necesaria protección del interés público. La consideración de tal principio básico parece suficiente para justificar que, una vez controlada la adecuación a la legalidad urbanística de la edificación proyectada a través del acto previo habilitante en que consiste la licencia de obras, (artículo 9.7 de la LS), el control de la adecuación de lo efectivamente construido al proyecto para el que se concedió la licencia pueda realizarse a través de un sistema de declaración responsable o comunicación previa, mucho menos restrictivo y absolutamente compatible con la adopción y plena eficacia de las medidas que, en su caso, procedan, para reestablecer la legalidad urbanística alterada.

A la vista de todo lo expuesto resulta inevitable entender que el legislador estatal no sólo no tiene una voluntad de excluir o restringir aquellos supuestos en que la primera ocupación o utilización de edificaciones queda sujeta a un régimen de control posterior a su inicio, previa declaración responsable o comunicación previa, sino que se ve obligado a promoverlo, dados los principios de proporcionalidad y mínima restricción del ejercicio de los derechos que deben presidir la actuación administrativa.

En dicha línea, los artículos 9.7 y 20.1 b) de la LS, introducen el siguiente régimen básico de actuación administrativa en caso de comunicación previa o declaración responsable sobre inicio de ocupación o utilización de una edificación:

1. El nuevo régimen sustituirá al de control previo mediante autorización en aquellos casos en que la legislación de ordenación territorial o urbanística aplicable

así lo prevea. Con ello, se deja al legislador autonómico, competente en materia de disciplina urbanística, la decisión de si para el inicio de la ocupación o utilización de las edificaciones será necesaria la obtención de una previa autorización administrativa, o si podrá iniciarse la ocupación con carácter previo a todo pronunciamiento administrativo, sobre la base de un sistema de comunicación previa o declaración responsable. Ciertamente, no parece deseable un marco de divergencia legislativa en esta materia, de tal manera que en cada Comunidad Autónoma se siga un criterio distinto, y el uso que puede ser iniciado en un territorio sin necesidad de autorización previa sí la precise en el de otra Comunidad Autónoma. Centrada la cuestión en la materia que estudiamos: que la obra nueva terminada o la terminación de la declarada en construcción precisen o no, según la Comunidad Autónoma en que radiquen, de un previo acto administrativo habilitante del uso para poder ser declaradas e inscritas. Ello supone que el acceso al Registro de la plena definición del objeto de los derechos de propiedad y, con ello, del contenido y posibilidades de ejercicio de aquellos, quede sujeta a distintos requisitos según la Comunidad Autónoma en la que nos encontremos, situación no deseable, dado el régimen de igualdad que debe presidir la actuación legislativa de definición del contenido y régimen de ejercicio del derecho de propiedad, a partir de su rango constitucional. (13)

---

(13)   Cabe citar aquí la reiterada doctrina sentada por la DGRN en relación con la competencia estatal para determinar los supuestos en que la falta de cumplimiento de requisitos de legalidad urbanística puede provocar una situación de cierre registral, sin perjuicio de las competencias propias de las Comunidades Autónomas para determinar qué actos quedan sujetos a un régimen de control previo mediante licencia. Así, la RDGRN de 17 de enero de 2012, establece en su Fundamento de Derecho Primero, lo siguiente:

«Ha de precisarse, en primer lugar, la competencia de las normas estatales en materia de los requisitos necesarios para la documentación pública e inscripción registral de las declaraciones de obras nuevas y de obras antiguas, sin perjuicio de la remisión a autorizaciones o licencias que establezca la normativa autonómica o a la prescripción, o no, de la infracción urbanística según la normativa autonómica, ya que, si bien, con carácter general, la Sentencia del Tribunal Constitucional 61/1997, de 20 de marzo, anuló buena parte del Texto Refundido de la Ley sobre Régimen del Suelo y Ordenación Urbana de 26 de junio de 1992, fundándose en que se habían invadido las competencias que, en materia de urbanismo, se hallan transferidas a las Comunidades Autónomas, esta misma sentencia dejaba a salvo aquellos preceptos que, por regular materias que son competencia exclusiva del Estado, eran perfectamente conformes con la Constitución Española. Así ocurrió con aquellas normas que se referían al Registro de la Propiedad (cfr. artículo 149.1.8.ª de la Constitución Española), de lo que se sigue que corresponde a las Comunidades Autónomas (en este caso, a la de Andalucía) determinar qué clase de actos de naturaleza urbanística están sometidos al requisito de la obtención de la licencia previa, las limitaciones que éstas pueden imponer y las sanciones administrativas que debe conllevar la realización de tales actos sin la oportuna licencia o sin respetar los límites por éstas impuestos. Sin embargo, corresponde al Estado fijar en qué casos debe acreditarse el otorgamiento de la oportuna licencia (o los requisitos para poder acceder al Registro de la Propiedad las declaraciones de obras referentes a edificaciones consolidadas por su antigüedad), para que el acto en cuestión tenga acceso al Registro, siempre que la legislación autonómica aplicable exija la licencia para poder realizar legalmente el mismo, o la necesidad de determinación por parte de la legislación autonómica del plazo de prescripción de la posible infracción urbanística o, en su caso, su imprescriptibilidad (cfr. Resoluciones de 22 de abril de 2005 y 4 de mayo de 2011)».

2.   El artículo 9.9 LS impone a la Administración que recibe la comunicación o declaración previa un deber de adopción de las medidas necesarias para que cese la ocupación o utilización comunicada, en aquellos casos en los que de los datos remitidos o de las inspecciones llevadas a cabo por aquella no resulte que la edificación cumple los requisitos necesarios para el destino al uso previsto. Se impone, por tanto, un principio de comportamiento administrativo obligatoriamente activo, en cuanto necesario para provocar el cese de la actividad ya iniciada. El sistema es antitético al que se regula para el caso de sujeción del inicio de la actividad a un control previo por autorización expresa, con silencio administrativo negativo: en éste último, cabe la posibilidad de que no obstante estar terminada la edificación, ni el titular pueda comenzar a ocuparla, ni la Administración tenga especial interés en declarar de forma expresa si lo construido cumple o no los requisitos precisos para su destino al uso previsto, generándose con ello una situación de bloqueo que facilita usos no autorizados y de existencia extrarregistral. Por el contrario, el sistema introducido por el artículo 9.9 LS, evita tal situación, en cuanto facilita el acceso al Registro del uso u ocupación y garantiza el conocimiento del mismo por parte del Ayuntamiento, de forma que las medidas de reestablecimiento de la legalidad conculcada que hayan de ser adoptadas lo sean con la máxima celeridad.

La actuación administrativa resultante de la comunicación previa o declaración responsable está prevista por el legislador con sujeción a los principios siguientes:

o   Ha de ser tempestiva, imponiendo el artículo comentado un plazo de seis meses para su adopción, plazo que, entendemos, debe ser contado desde la fecha en que tenga entrada en la Administración competente la declaración responsable o la comunicación previa, y sin perjuicio de lo previsto en el artículo 71 de la LRJAPPAC sobre subsanación y mejora de la solicitud.

o   Ha completarse con la promoción de la constancia en el Registro de la Propiedad de las medidas de reestablecimiento de la legalidad urbanística que puedan ser adoptadas en relación con el acto comunicado, sin que baste con la aprobación del acto administrativo de que se trate. Así lo impone el objetivo esencial de la regulación establecida: evitar que la adopción de medidas de reestablecimiento de la legalidad urbanística pueda perjudicar a terceros de buena fe, condición esta que debe ser predicada respecto de aquellos adquirentes de la edificación o de partes privativas de la misma que adquirieron confiando en el contenido del Registro de la Propiedad y, por tanto, confiando en que la edificación estaba terminada y cumplía los requisitos necesarios para su destino al uso previsto en la ordenación.

En este punto, la nueva regulación es plenamente coherente con el sistema de promoción de la constancia registral de las medidas de disciplina urbanísticas tendentes al reestablecimiento de la legalidad urbanística que el R.D.L 8/2011 ya introdujo en el artículo 51.2 párrafo segundo de la LS, estableciendo que la omisión de la resolución por la que se acuerde la práctica de la anotación preventiva de incoación de expedientes de disciplina urbanística relativos a actos de reparcelación, parcelaciones, declaraciones de obra nueva, propiedades horizontales o complejos inmobiliarios, dará lugar a la responsabilidad de la Administración competente en el caso de que se produzcan perjuicios económicos al adquirente de buena fe de la finca afectada por el expediente, debiendo en tal caso, la citada Administración, indemnizar a dicho adquirente de los daños y perjuicios causados.

Con ello, se refuerza la coordinación entre el contenido del Registro de la propiedad y la actividad de policía urbanística, avanzando en el objetivo de evitar que la pasividad de la Administración permita que se mantengan situaciones registrales de apariencia de legalidad urbanística en las que terceros adquirentes puedan confiar, y cuya confianza en el adecuado funcionamiento de la Administración pública quede posteriormente rota por la adopción de medidas de reestablecimiento de la legalidad urbanística.

Por tanto, como forma de incentivar la rogación administrativa en orden al acceso al Registro de las medidas que sean adoptadas, tanto el R.D.L. 8/2011 como la LRRRU establecen una responsabilidad patrimonial específica, por los daños causados, a cargo de la Administración incumplidora, si bien dicha sanción se suaviza en el régimen introducido por el artículo 9.9 LS, en cuanto prevé expresamente la posibilidad de que la Administración repercuta en el sujeto obligado a la presentación de la declaración responsable el importe de tales perjuicios. Con ello, se establece un sistema en el que la indemnización por los daños que el retraso en la constancia registral de las medidas de reestablecimiento de la legalidad pueda generar debe ser abonada, en primera instancia, por la Administración que generó tal retraso, sin perjuicio de que ésta pueda posteriormente dirigirse, por las cantidades abonadas, contra el promotor declarante, en cuanto incumplió el deber de adecuar la edificación a los requisitos necesarios para su destino al uso previsto en la ordenación (14).

3. El artículo 20.1 b) de la LS resuelve el problema relativo a la determinación del momento a partir del cual el notario autorizante de la escritura de declaración de obra nueva terminada, o del acta de terminación de la declarada en construcción, y el registrador que haya de inscribir tal declaración, habrán de tener por realizada la comunicación previa o la declaración responsable, considerando como

---

(14) Tal posibilidad de repetición contra el causante de la infracción no resulta prevista para el supuesto regulado en el artículo 51.2. LS, párrafo segundo, dado que en este último supuesto y, a diferencia de lo que ocurre en el caso de la comunicación previa, la causa de perjuicio al tercero es la declaración judicial de nulidad de una resolución administrativa, y no la actuación material de edificación o de uso realizada por el transmitente sin previa autorización, conformándose por tanto, el artículo 51.2 LS, como concreción de la responsabilidad patrimonial prevista, con carácter general, en el artículo 35.c) LS.

tal aquel momento en que, una vez acreditado que la comunicación o la declaración han sido realizadas, haya transcurrido el plazo establecido para que pueda iniciarse la correspondiente actividad, sin que del Registro resulte la existencia de resolución obstativa alguna.

Por lo tanto, la nueva regulación parte de un principio básico: la autorización de la escritura y la inscripción de la obra en el Registro de la Propiedad no precisan de una previa manifestación expresa de la Administración municipal por la que se declare bien hecha la comunicación previa o la declaración responsable. Ello, a nuestro juicio, constituye un indudable acierto, pues lo contrario supondría volver a un sistema de fiscalización previa o control ex ante que es el que, precisamente, a través de la implementación del sistema de comunicación o declaración, se pretende superar.

Así, en el sistema establecido por el artículo 20.1 b) de la LS, se exigen los siguientes requisitos para que, a los efectos de que pueda ser inscrita la obra terminada, pueda tenerse por realizada la comunicación o declaración:

a. Que haya transcurrido el plazo establecido para que pueda iniciarse la correspondiente actividad. La determinación de dicho plazo corresponde a la legislación urbanística reguladora del acto de comunicación o declaración o, en caso de que dicha regulación se haya establecido en un ámbito municipal, a su ordenanza reguladora. Así, en relación con la legislación urbanística extremeña, antes citada, el artículo 173.g de la Ley 15/2001, de 14 de diciembre, del Suelo y Ordenación Territorial de Extremadura establece un plazo de quince días naturales desde la comunicación sin que se haya producido resolución obstativa. En el caso de la legislación catalana, el artículo 187.5 de la Ley de Urbanismo, TR aprobado por D. Leg 1/2010, se remite a lo previsto por la legislación de Régimen Local. La Ley de Bases de Régimen Local se remite a lo previsto en la Ley 30/1992 y ésta, a su vez, a lo previsto en la legislación correspondiente, de lo que resulta, al no existir un plazo legalmente establecido, que habrá de estarse a lo previsto por la Ordenanza reguladora de la comunicación. Así, el Ayuntamiento de Barcelona, en la Ordenanza reguladora de los procedimientos de intervención municipal en las obras, aprobada por Acuerdo del Consejo Plenario de 25 de febrero de 2011, artículo 57, números 3 y 4, sujeta el inicio del uso al transcurso de un plazo de un mes desde la fecha de la comunicación sin recibir notificación del Ayuntamiento, y a la entrega por el Ayuntamiento de un certificado de admisión de la comunicación en los diez días siguientes a la finalización del plazo.

Resulta así que la Ordenanza transcrita, no obstante establecer un sistema de comunicación previa, no se ajusta, en la delimitación del procedimiento al que la misma se debe sujetar, a las bases previstas en el artículo 71 bis. 4 de la LRJAPPAC, toda vez que frente al régimen general previsto en dicho artículo, del que resulta que la falsedad u omisión de datos en la comunicación o declaración no impedirá el inicio de la actividad, sin perjuicio de la adopción de medidas para interrumpir tal ocupación desde el momento en que se tenga constancia de tal falsedad u omisión, la citada Ordenanza no permite el inicio de la ocupación sin una previa manifestación expresa del Ayuntamiento.

Es por ello que, en la práctica notarial y registral, la contradicción expuesta debe salvarse a favor de lo previsto en el artículo 71 bis LRJAPPAC y, como concreción de éste, en el artículo 20.1 b) LS, que excluyen la posibilidad de someter la autorización del título o su inscripción a una previa actuación municipal, sin perjuicio de lo que a continuación se dirá.

b. El segundo requisito establecido por el artículo 20.1 letra b) es el de que transcurrido el plazo previsto por la norma reguladora de la comunicación o declaración responsable, no resulte del Registro la existencia de resolución obstativa alguna. Por tanto, para que el Ayuntamiento pueda impedir la inscripción en el Registro de la Propiedad de la terminación de la obra declarada y, con ello, la publicidad registral de la adecuación de la edificación al uso al que debe destinarse, no basta con que se dicte y notifique al interesado una resolución obstativa, sino que es preciso que dicha resolución haya accedido al Registro. Tal exigencia es absolutamente coherente, de nuevo, con la voluntad del legislador promover la constancia registral temprana de las medidas administrativas de control de la legalidad urbanística, de tal forma que tales medidas puedan producir todos sus efectos, no sólo respecto de su destinatario, —el propietario de la edificación—, sino respecto de cualquier tercero de buena fe que estuviere interesado en su adquisición.

En cuanto al tipo de asiento a través del cual hacer constar en el Registro de la propiedad la resolución obstativa al uso, parece que deberá ser una nota marginal, de las previstas en el artículo 53.3 LS, de tal forma que la nota extendida tendrá vigencia indefinida y no producirá otro efecto que el de dar a conocer la situación urbanística en el momento a que se refiere el título que las originara. Ello, sin perjuicio de que si el Ayuntamiento decide incoar un expediente de disciplina urbanística, deba proceder, de acuerdo con el artículo 51.2 LS, a instar la anotación preventiva de su incoación, con sujeción a lo previsto en los artículos 56 y siguientes del RHU.

2.2. La regulación de la inscripción de la declaración de obra nueva correspondiente a obras consolidadas por razón de su antigüedad, o respecto de las que ya no cabe la adopción de medidas de restauración de la realidad física alterada

Es, con seguridad, en la regulación de esta materia, donde la redacción dada al artículo 20.4 de la LS por el R.D.L. 8/2011 se hallaba más necesitada de reforma. Dicha redacción, contradictoria en sus propios términos, generó una situación de discrepancia no sólo entre los registradores que habían de calificar e inscribir las escrituras de declaración de obra nueva, sino entre las distintas Administraciones públicas competentes en materia de disciplina urbanística.

Así, era el principal problema el de determinar si el acceso al Registro de la Propiedad de declaraciones de obra nueva correspondientes a edificaciones consolidadas por su antigüedad precisaba una previa intervención municipal, en la que el Ayuntamiento declarara de forma expresa la situación en que, respecto de la ordenación urbanística se encontraba la edificación o si, por el contrario, tal declaración no había de ser necesariamente previa, sino que podía tener lugar, una vez inscrita la declaración de obra nueva, y previa notificación al efecto realizada por el Registrador que ha inscrito al Ayuntamiento.

Y es que, en la redacción dada por el RDL 8/2011, resultaba prácticamente imposible, a partir del texto literal del artículo 20.4, dar respuesta a la pregunta planteada. Para mejor entender lo que se pretende explicar, procede transcribir de nuevo la redacción dada al artículo 20.4 LS por el citado RDL:

«4. No obstante lo dispuesto en el apartado anterior, en el caso de construcciones, edificaciones e instalaciones respecto de las cuales ya no proceda adoptar medidas de restablecimiento de la legalidad urbanística que impliquen su demolición, por haber transcurrido los plazos de prescripción correspondientes, la constancia registral de la terminación de la obra se regirá por el siguiente procedimiento:

a. Se inscribirán en el Registro de la Propiedad las escrituras de declaración de obra nueva que se acompañen de certificación expedida por el Ayuntamiento o por técnico competente, acta notarial descriptiva de la finca o certificación catastral descriptiva y gráfica de la finca, en las que conste la terminación de la obra en fecha determinada y su descripción coincidente con el título. A tales efectos, el Registrador comprobará la inexistencia de anotación preventiva por incoación de expediente de disciplina urbanística sobre la finca objeto de la construcción, edificación e instalación de que se trate y que el suelo no tiene carácter demanial o está afectado por servidumbres de uso público general.

b. El asiento de inscripción dejará constancia de la situación de fuera de ordenación en la que queda todo o parte de la construcción, edificación e instalación, de conformidad con el ordenamiento urbanístico aplicable. A tales efectos, será preciso aportar el acto administrativo mediante el cual se declare la situación de fuera de ordenación, con la delimitación de su contenido.

c. Los Registradores de la Propiedad darán cuenta al Ayuntamiento respectivo de las inscripciones realizadas en los supuestos comprendidos en los números anteriores, y harán constar en la inscripción y en la nota de despacho la práctica de dicha notificación.»

La Exposición de Motivos del RDL 8/2011 justificó la nueva redacción dada al artículo 20.4, estableciendo que con ella

«se permite igualmente el acceso al Registro de la Propiedad de los edificios fuera de ordenación, esto es, aquéllos respecto de las cuales ya no proceda adoptar medidas de restablecimiento de la legalidad urbanística que impliquen su demolición, por haber transcurrido los plazos de prescripción correspondientes. De esta manera, se consigue la protección de sus propietarios, en muchos casos, terceros adquirentes de buena fe, sin que ello signifique desconocer su carácter de fuera de ordenación y las limitaciones que ello implica.»

Por tanto, la nueva regulación tenía por finalidad fundamental evitar las posibles situaciones de apariencia registral de legalidad urbanística que pudieran producirse respecto de aquellas edificaciones cuya obra hubiera sido declarada sobre la base de su antigüedad y, por tanto, de la imposibilidad de su demolición encontrándose en todo o en parte en una situación de fuera de ordenación o asimilada. Pretendía el legislador que tal situación resultara de forma expresa del Registro, evitando la posibilidad de que surgieran eventuales adquirentes que, confiando en la ausencia de toda referencia registral a la posible situación de fuera de ordenación, creyeran de buena fe que adquirían derechos sobre una edificación que cumple todos los requisitos de adecuación a la legalidad urbanística, y pudieran resultar posteriormente perjudicados por las limitaciones que sobre el derecho fueran impuestas por el régimen de fuera de ordenación (15).

La nueva redacción del artículo 20.4 LS, se ajustaba, por tanto, a la finalidad general perseguida por las normas contenidas en el Capítulo V del Real Decreto Ley

---

(15) Un estudio en profundidad de los efectos que respecto de terceros adquirentes de buena fe tiene la declaración judicial de nulidad de licencias y, en general, la decisión judicial o administrativa de proceder a la restauración de la realidad física alterada mediante la demolición de la edificación ilegal es realizada por Guilarte Gutierrez, V. en su monografía, *Legalidad Urbanística, Demolición y Terceros de Buena Fe*, Lex Nova 2011, en donde realiza un profundo y completo estudio de la más reciente definición jurisprudencial de la extensión de la fe pública registral y defiende la vigencia de tal principio como elemento de protección de la seguridad del tráfico jurídico —y, con ello, de los derechos de propiedad—, frente a la actuación administrativa enderezada al reestablecimiento de la legalidad urbanística. Cabe también consultar, Inmaculada Revuelta y Edilberto Narbón. «Ejecución de sentencias en materia urbanística, demolición y terceros adquirentes de buena fe. El caso de la anulación de licencias». En *Revista Crítica de Derecho Inmobiliario*, número 720, julio y agosto 2010, pp. 1595-1646. Laso Baeza, V. «Nuevas perspectivas en relación con la demolición de edificaciones por anulación de licencias a la luz de la Jurisprudencia del Tribunal Europeo de Derechos Humanos y las recientes reformas de la legislación estatal y autonómica», en *RCDI*, número 736, marzo-abril 2013, págs. 1292-1313.

8/2011, que establecía medidas de seguridad jurídica en materia inmobiliaria, y a la expresada en la Exposición de Motivos, en la que se justificaba la urgencia de la regulación establecida, entre otros extremos, en la necesidad de «*introducir reformas tendentes a garantizar la confianza y la seguridad en el mercado inmobiliario*». Urgencia impuesta, sobre todo, por las quejas que desde las instituciones europeas y alguna embajada, sobre todo la Británica, se habían producido por los perjuicios generados a ciudadanos europeos afectados por la demolición de edificaciones cuya licencia había sido declarada posteriormente ilegal, y los efectos perniciosos que la percepción internacional de una falta de seguridad jurídica en materia inmobiliaria produce sobre la inversión extranjera (16).

Por tanto, la finalidad de la redacción dada al artículo 20.4 no era modificar con carácter general el sistema de acceso al Registro de la Propiedad de obras nuevas consolidadas por su antigüedad, procedente de los artículos 52 y 54 del RD 1093/1997 de 4 de julio, por el que se aprueban las Normas Complementarias al Reglamento Hipotecario en materia de Inscripción de Actos de Naturaleza Urbanística, sino dar rango legal al sistema, reforzando su utilidad para promover el acceso al Registro de la Propiedad de aquellas limitaciones impuestas al contenido y ejercicio del derecho de propiedad existente sobre la edificación para el caso de que ésta se hallase en todo o en parte en la situación urbanística de fuera de ordenación.

Quedó así consagrada por la Ley la posibilidad de que las edificaciones respecto de las cuales no se haya acreditado su adecuación a la legalidad urbanística puedan acceder al Registro de la Propiedad y ser descritas como parte de la finca que constituye el objeto del derecho de propiedad inscrito, siempre que no proceda ya la adopción de medidas que puedan provocar su demolición, es decir, siempre que su existencia real tenga carácter definitivo, y cualquiera que sea la fecha de terminación de la obra. Y al admitir tal posibilidad, el legislador no hace referencia alguna a la cuestión, contenida en la D.T. 6.ª de la Ley 8/1990, de si la edificación ha quedado o no incorporada al patrimonio de su titular, lo cual es lógico, toda

---

(16) Ya el llamado Informe Auken, que dio lugar a la Resolución del Parlamento Europeo 2008/2248(INI)), sobre el impacto de la urbanización extensiva en España en los derechos individuales de los ciudadanos europeos, el medio ambiente y la aplicación del a legislación de la Unión Europea, con fundamento en determinadas peticiones recibidas, mostraba la percepción, por el Parlamento Europeo, de una situación de profunda inseguridad jurídica resultante de la actividad urbanística en territorio español. En relación con la situación de ciudadanos afectados por la declaración de ilegalidad de sus licencias, recoge la opinión de que «*las personas que hayan adquirido de buena fe una propiedad en España y se hayan encontrado con que ha sido declarada ilegal, deben tener derecho a obtener una indemnización adecuada a través de los órganos jurisdiccionales españoles*», haciendo hincapié en que «*en los casos en que pueda exigirse indemnización por la pérdida de propiedad debería concederse a un tipo apropiado y de conformidad con la jurisprudencia del Tribunal Superior de Justicia y del Tribunal Europeo de Derechos Humanos*». En otro punto del Informe, «*considera alarmante la falta de confianza generalizada que los peticionarios parecen mostrar frente al sistema judicial español, como medio eficaz para obtener reparación y justicia*».

vez que el régimen de adquisición gradual del contenido del derecho de propiedad inmobiliaria, que estableció la Ley 8/1990 y posteriormente recogió el TRLS de 1992, y en el que tiene su origen la redacción dada a la D.T.6.ª de la Ley 8/1990, desaparece con la Ley 6/1998 de Régimen de Suelo y Valoraciones, a partir de la cual vuelve a producir plenos efectos, en el ámbito urbanístico, el principio de accesión inmobiliaria establecido por el Código Civil, en cuya virtud el dueño del suelo hace suyo lo edificado sobre aquél, sin perjuicio, en su caso, de las posibles minoraciones que proceda aplicar en el abono de justiprecios o indemnizaciones por la pérdida del derecho de propiedad, cuando lo edificado no se ajusta a la legalidad urbanística o en caso de incumplimiento de deberes urbanísticos.

El contenido de esta obra, centrada en las novedades introducidas por la redacción dada al artículo 20 LS por la LRRRU, y la corta extensión de la misma, nos obligan a desarrollar un estudio de la inscripción de obras correspondientes a edificaciones consolidadas por su antigüedad centrado en las modificaciones introducidas por dicha Ley, modificaciones que se limitan a aclarar que la declaración municipal de hallarse, en su caso, la edificación en situación de fuera de ordenación, no constituye requisito previo para inscribir, y que puede producirse con posterioridad a la inscripción, una vez notificado el Ayuntamiento por el registrador.

Por ello, en relación con aquellos requisitos contenidos en el precepto para la inscripción de declaraciones de obra nueva consolidadas por su antigüedad, respecto de los cuales no se introduce modificación alguna por la LRRRU, nos remitimos a lo ya afirmado, de forma extensa, en *op. cit. La Inscripción Registral de la Declaración de Obra Nueva*, págs. 182 a 248.

Entrando ya en el contenido de la reforma operada, se ha de señalar como la misma supera el imposible encaje que, en la redacción anterior, tenía la letra b) con las letras a) y c) del precepto. En estas dos últimas, el legislador, dando continuidad al sistema creado por los artículos 52 y 54 del RHU, impone al registrador que, en su función de control de legalidad realizado a través de la calificación, compruebe que respecto de la obra declarada no procede ya adoptar medidas de restauración de la realidad física alterada. A tal efecto, debe el registrador verificar la antigüedad de la edificación y el transcurso desde su terminación del plazo establecido en la legislación aplicable para la prescripción de las infracciones que puedan dar lugar a actuaciones de demolición, la inexistencia de anotación preventiva de incoación de expedientes de disciplina urbanística y el hecho de que la edificación no se encuentra levantada en suelo de dominio público o afectado por servidumbres de uso público.

La exigencia realizada por el legislador de que el registrador realice las comprobaciones referidas, tiene su origen en el hecho de que lo que se pretende inscribir es una declaración de obra nueva respecto de la cual no ha existido un pronunciamiento expreso por parte del Ayuntamiento y relativo a su adecuación a la legalidad urbanística. De la misma forma, y dado que la actuación calificadora realizada por el registrador no puede generar presunción alguna de que la edificación se adecua a la legalidad urbanística, y ni siquiera del hecho de que, efectivamente, se haya producido la prescripción de las infracciones que pudieran dar lugar a la adopción de medidas que deban provocar la demolición, la letra c) del artículo 20.4 LS, recogiendo el criterio procedente del artículo 54 del RHU, establece la notificación de la inscripción realizada al Ayuntamiento, y la constancia, tanto en la inscripción realizada como en la nota de despacho, del hecho de haber sido realizada dicha notificación. Notificación que, como posteriormente veremos, tiene por finalidad poner en conocimiento del Ayuntamiento la operación registral practicada, de tal forma que dicha Administración, en ejercicio de su competencia de policía urbanística, desarrolle las actuaciones que en su caso procedan y solicite su constancia en el Registro de la Propiedad.

Y así, entre la exigencia al registrador de calificar la concurrencia de aquellas circunstancias de hecho que pueden hacer pensar que la edificación, no obstante la falta de justificación de la existencia de acto administrativo habilitante de su construcción, no puede ya ser demolida (letra a) art. 20.4), y la posterior de que, una vez practicada la inscripción de la declaración de obra nueva se proceda por el registrador a notificarla al Ayuntamiento, (letra c) art.20.4), ambas procedentes del sistema previsto en los artículos 52 y 54 del RHU, el RDLey 8/2011 introdujo ex novo en la letra b) una exigencia en cuya virtud el asiento de inscripción dejaría constancia de la situación de fuera de ordenación en la que quedase todo o parte de la construcción, edificación e instalación, de conformidad con el ordenamiento urbanístico aplicable. Y a tales efectos, establecía la necesidad de aportar el acto administrativo mediante el cual se declarara la situación de fuera de ordenación, con la delimitación de su contenido.

Varias fueron las preguntas que la redacción de dicha letra b), y su encaje con el contenido de las letras a y c, planteó:

— ¿Debe entenderse que la exigencia de que se haga constar en el asiento de inscripción la situación de fuera de ordenación en que quede todo o parte de la construcción, edificación o instalación, de conformidad con el ordenamiento urbanístico aplicable, supone que todas las obras cuya declaración se realice sobre la base de su antigüedad y según el procedimiento previsto en el artículo 20.4 LS están, en todo o en parte, en una situación de fuera de ordenación?

— ¿Debe entenderse que, en la medida en que para hacer constar la situación de fuera de ordenación resulta preciso aportar el acto administrativo mediante el cual tal situación se declare, no puede inscribirse ninguna declaración de obra sobre la base de su antigüedad sin un previo pronunciamiento expreso del Ayuntamiento declarando la situación de fuera de ordenación?

— Si ello es así, y se exige pronunciamiento previo del Ayuntamiento para inscribir obras antiguas, ¿qué sentido tienen las exigencias resultantes de las letras a) y c) del artículo 20.4?

— ¿Cabe la posibilidad de que el procedimiento previsto en el artículo 20.4 sea de aplicación a la inscripción de obras correspondientes a edificaciones que no se hallen en situación de fuera de ordenación?

En definitiva, la discusión se centró en si la nueva exigencia resultante de la letra b) del artículo 20.4 suponía un cambio en la esencia del procedimiento de inscripción de obras «antiguas» procedente del RHU, de tal forma que no resultaba ya posible llevar a cabo dicha inscripción sin necesidad de intervención municipal previa o si, por el contrario, se mantenía el sistema establecido en los artículos 52 y 54 del RHU pero reforzando la constancia registral de la posible situación de fuera de ordenación (17).

La reforma llevada a cabo por la LRRRU recoge esta última orientación y sigue el criterio ya afirmado tanto por el propio Ministerio de Fomento, resolución de fecha 17 de enero de 2012, dictada por la Subdirección General de Urbanismo, como por reiterada doctrina sentada por la Dirección General de los Registros y del Notariado, entre muchas otras, en las RR. de fechas 17 de enero, 1,2 y 5 de marzo, 8 y 24 de mayo, 18, 29 de octubre, 12 de noviembre y 3 de diciembre de 2012, y 25 de febrero y 4 de marzo de 2013, siendo la más reciente la de 15 de abril de 2013, de la que transcribimos las conclusiones de su doctrina, contenidas en el fundamento de derecho 4 de la resolución, y conforme a las cuales:

«En este sentido, por lo que se refiere a la acreditación de la situación de asimilación al régimen de fuera de ordenación presentando la certificación correspondiente, el recurso ha de ser estimado, pues, en el tema controvertido, este Centro Directivo ha reiterado (vid. recientemente la Resolución de 4 de marzo de 2013) las siguientes conclusiones:

a) La competencia para determinar en qué supuestos es necesario acreditar la obtención de la licencia, autorización o acto administrativo para poder inscribir en el Registro corresponde al legislador estatal (Resoluciones de 22 de abril de 2005 y 4 de mayo de 2011), mientras la determinación de qué clase de actos de naturaleza urbanística están sometidos al requisito

---

(17) La interpretación del artículo 20.4 que sostenía la necesariedad de un pronunciamiento municipal previo a la inscripción de la declaración de obras «antiguas», fue mantenida, entre otros autores, por Joaquín Delgado Ramos, quien la defendió en artículo llamado, «La inscripción registral de obras antiguas prescritas», publicado en la página web notariosyregistradores.com, en el que parte el autor de la consideración de que la posibilidad de inscribir obras consolidadas por su antigüedad sin necesidad de acreditar su legalidad urbanística, en virtud de la «mal llamada prescripción urbanística» constituye un «agujero negro o puerta falsa por el que desde hace más de 20 años se han colado y todavía pretenden colarse muchas edificaciones ilegales».

de la obtención de la licencia previa, las limitaciones que éstas pueden imponer y las sanciones administrativas que debe conllevar la realización de tales actos sin la oportuna licencia o sin respetar los límites por éstas impuestos es competencia del legislador autonómico (Sentencia del Tribunal Constitucional 61/1997, de 20 de marzo).

b) Siendo así, debe tenerse en cuenta la Exposición de Motivos del Real Decreto-Ley 8/2011, de 1 de julio, que da su redacción vigente al artículo 20.4 de la Ley de Suelo, que dispone "se permite el acceso al Registro de la Propiedad de los edificios fuera de ordenación, esto es, aquéllos respecto de las cuales ya no proceda adoptar medidas de restablecimiento de la legalidad urbanística que impliquen su demolición, por haber transcurrido los plazos de prescripción correspondientes. De esta manera, se consigue la protección de sus propietarios, en muchos casos, terceros adquirentes de buena fe, sin que ello signifique desconocer su carácter de fuera de ordenación y las limitaciones que ello implica".

c) Por lo tanto, se mantiene, la idea recogida en los artículos 52 y 54 del Real Decreto 1093/1997, de 4 de julio, es decir, la posibilidad de inscribir edificaciones consolidadas por su antigüedad sin necesidad de un previo acto administrativo de autorización, aprobación o conformidad. El número 4 del artículo 20 de la Ley de Suelo da rango de Ley de ámbito estatal a la regulación procedente del citado Real Decreto 1093/1997, reforzando a través de la letra b) la publicidad registral de la situación de fuera de ordenación o asimilado en que se pueda encontrar la edificación. De esta exigencia no puede derivarse como consecuencia que la totalidad de las edificaciones u obras antiguas estén fuera de ordenación, ya que las obras antiguas pueden estar tanto dentro como fuera de ordenación, total o parcialmente (y así la Resolución de 17 de enero de 2012 indicaba que pueden encontrarse en tres diferentes situaciones: 1) aquéllas que siendo lícitas, por no contravenir inicial ni posteriormente la ordenación urbanística, no están fuera de ordenación, pueden acceder al Registro de esta forma indirecta, sin que se exprese que están fuera de ordenación; 2) otras, que siendo inicialmente ilícitas no son demolidas, una vez transcurrido el plazo de ejercicio de la acción de disciplina, sin quedar incluidas de manera expresa en la categoría de obras fuera de ordenación (porque la ley autonómica no las declara en tal estado), quedando genéricamente sujetas, según la jurisprudencia existente, a un régimen análogo al de fuera de ordenación; y, 3) las que siendo igualmente ilícitas, la Ley las incluye en alguna categoría expresa de "fuera de ordenación").

d) Hay que inclinarse, por tanto, a una posición favorable a la constancia a posteriori de, en su caso, la situación de fuera de ordenación. Es decir, la no aportación de la citada resolución administrativa no implica en ningún caso el cierre registral, ya que el legislador sigue exigiendo al registrador que califique la antigüedad suficiente para considerar posible la prescripción de las acciones que pudieran provocar la demolición y, además, que compruebe que la edificación no se encuentra sobre suelo demanial o afectado por servidumbres de uso público (sería superfluo imponer al registrador que exija justificación de su antigüedad y que compruebe que el suelo no es demanial ni afectado por servidumbres de uso público, o que tuviera que notificar al Ayuntamiento la inscripción realizada, pues éste no sólo tiene ya conocimiento de la obra declarada, sino que ha dictado un acto administrativo expreso cuyo contenido se ha hecho constar en el Registro). De esta manera se mantiene el sistema que permite la inscripción sin necesidad de previa intervención municipal, algo que sería imposible si se exigiera como requisito para inscribir esa resolución administrativa sobre la situación de la edificación dentro o fuera de ordenación. Además, se refuerza la constancia y publicidad registral en la inscripción de obras antiguas, tanto por el hecho de que el Ayuntamiento ha sido notificado de la existencia de la obra a los efectos que procedan (como ya ocurría), como de la posible situación de fuera de ordenación en caso de que sea declarada, permitiendo el acceso al Registro de la Propiedad de este tipo de construcciones, logrando la protección de sus propietarios, en muchos casos, terceros adquirentes de buena fe, pero sin desconocer su carácter de fuera de ordenación y las limitaciones que ello implica, para lo cual será preciso que se aporte el correspondiente acto administrativo en el que se delimite su contenido.»

Y así, recogiendo tal criterio, y el de una parte de la doctrina registral, la LRRRU mantiene, ya de forma clara y expresa, la posibilidad de inscribir la edificación consolidada por su antigüedad sin necesidad de fiscalización municipal previa, y saca del sistema de calificación por el registrador y posterior notificación al Ayuntamiento de la operación realizada la perturbadora letra b) redactada por el RDLey 8/2011, dando claridad a un procedimiento de inscripción cuyas actuaciones serán las siguientes:

1. Se produce la presentación en el Registro de la Propiedad de la copia autorizada de una escritura pública por la que se declara la existencia de una edificación o construcción que se dice consolidada por razón de su antigüedad y cuya adecuación a la legalidad urbanística no resulta acreditada mediante aportación de acto administrativo alguno que autorice su construcción. A efectos de proceder a la inscripción, el registrador deberá calificar, según lo que ya viene haciendo a partir de lo previsto, primero en los artículos 52 y 54 del RHU, y posteriormente en el artículo 20.4 comentado, los siguientes extremos:

A. Que se ha producido el transcurso de los plazos de prescripción establecidos por la legislación urbanística aplicable para las infracciones cuya sanción pueda provocar la restauración de la realidad física alterada y, con ello, la demolición de la edificación declarada.

La prescripción extintiva de las acciones es una institución jurídica que hace depender la posibilidad de su ejercicio del hecho de que éste tenga lugar dentro de determinados plazos, pues la seguridad jurídica impone evitar situaciones claudicantes de carácter permanente o indefinido, y promover la diligencia de quien pueda ser titular de una pretensión reconocible por el ordenamiento jurídico en la consecución de su efectiva realización. Así, se produce la prescripción extintiva cuando transcurre el plazo marcado por la norma sin que el titular de la acción la haya ejercitado, pudiendo el transcurso de dicho plazo resultar interrumpido por los actos de ejercicio de determine la Ley.

Por tanto, la calificación registral de la prescripción, tratándose de inscripciones de declaraciones de obras antiguas, exigiría no sólo la comprobación de que desde la terminación de la obra hasta el momento de la presentación de la escritura de declaración de obra nueva en el Registro ha transcurrido el plazo de prescripción marcado en la Ley, sino, además, la comprobación de que el Ayuntamiento no ha desarrollado actuaciones de disciplina urbanística que hayan podido impedir el inicio del cómputo del plazo de duración de la prescripción o que lo hayan interrumpido. Dado que el conocimiento pleno de tales extremos no resulta posible sin una fase de contradicción y prueba abierta, entre la Administración titular de la acción y el favorecido por la prescripción, el registrador no puede entrar a declarar producida la prescripción ni a calificar si ésta se ha producido o no. Por el contrario, la declaración relativa a la prescripción tanto extintiva como adquisitiva de derechos o acciones es materia reservada al juez, previo procedimiento contradictorio (18).

De acuerdo con ello, no puede entenderse que el artículo 20.4 LS exija del registrador la comprobación de si se ha producido o no la prescripción de la acción que pueda provocar la demolición de la edificación cuya obra nueva se declara, de forma que tenga la certeza de que está consolidada por su antigüedad y no puede ser demolida. Por el contrario, lo único que le exige es la comprobación de que concurren circunstancias que pueden hacer pensar que dicha prescripción se ha producido, que constituyen indicios de tal circunstancia, pero que no excluyen de forma definitiva que la posibilidad de adoptar medidas de disciplina que hayan de provocar la demolición y, por tanto, la edificación pueda ser demolida. Así, el legislador permite la inscripción, sin necesidad de justificar la obtención de una licencia habilitante de su construcción, de edificaciones, instalaciones y construcciones respecto de las cuales no existe una certeza de la imposibilidad de su demolición, certeza que sólo podría resultar de una resolución judicial que así lo declare, pero respecto de las cuales existe una apariencia de imposibilidad de demolición, resultante de dos circunstancias (19):

---

(18) En este sentido, cabe citar las RRDGRN de 26 de abril y 18 de mayo de 2006 y 17 de octubre de 2008, en las que se establece que el hecho de la prescripción no es materia que pueda ser apreciada por el Registrador.

(19) Existen otros supuestos en los que el legislador permite la práctica de ciertas operaciones registrales sobre la base no de la efectiva comprobación de que se ha producido la prescripción, sino de

a. Que desde la fecha determinada de terminación de la obra hasta aquella en que se otorgue el título formal por el que se declara la obra nueva, haya transcurrido el plazo de prescripción previsto en la legislación urbanística aplicable para las infracciones que puedan dar lugar a la adopción de medidas de restauración de la realidad física y, por tanto, la demolición de la obra.

En todo caso, el plazo de prescripción a tomar en consideración es aquel correspondiente a las infracciones referidas, y no a otras cuya sanción no pueda dar lugar a la demolición. Es decir, la edificación consolidada por razón de su antigüedad es inscribible aun en el caso de que sobre la misma pesen otras infracciones cuya sanción sea distinta de la restauración de la realidad alterada. En este sentido cabe citar la RDGRN de 8 de mayo de 2012.

Se ha de añadir, igualmente, que el plazo de prescripción se habrá de contar, a partir de la fecha en que se haya producido la terminación de la obra. Es por ello que el artículo 20.4, al igual que el artículo 52 del RHU, exige la expresión en el título de la fecha determinada en que se haya producido la terminación de la obra. La exigencia de determinación de tal fecha se establece a los efectos que de por el registrador pueda apreciarse que se ha producido el transcurso del plazo de prescripción. Así, se ha de entender admisible cierto grado de indeterminación de la fecha de terminación si, pese a ello, el registrador puede entender acreditado el transcurso del plazo de prescripción. Por ello, son admisibles y de frecuente uso en la práctica fórmulas tales como las que expresan que la obra fue terminada «hace más de x años», o «antes del año x». Por el contrario, no parece que deba admitirse la mera expresión en el documento que se acompañe para acreditar la antigüedad de la obra, del hecho de que «han transcurrido los plazos de prescripción de las acciones que puedan provocar la demolición», toda vez que la apreciación de cual es el plazo de prescripción aplicable es actuación a desarrollar por el Registrador.

La acreditación de la antigüedad podrá tener lugar por cualquiera de los medios de prueba que recoge el artículo 20.4, letra a), a saber, certifica-

---

que ha transcurrido el plazo para ella previsto en la ley y no concurren circunstancias que deban llevar a pensar lo contrario. Así, el artículo 82.5 de la Ley Hipotecaria permite la cancelación de hipotecas o de condiciones resolutorias cuando desde la fecha del vencimiento de la obligación garantizada haya transcurrido el plazo de prescripción establecido por la legislación civil aplicable para la prescripción de las acciones resultantes de tales garantías, siempre que dentro del año siguiente no resulte del Registro que han sido renovadas, interrumpida la prescripción o ejecutada debidamente la hipoteca. Igualmente, el artículo 177 del Reglamento Hipotecario, partiendo del plazo de prescripción quinquenal establecido por el artículo 1966 para acciones resultantes de prestaciones periódicas, establece que los asientos relativos a derechos que tuviesen un plazo de vigencia para su ejercicio convenido por las partes, se cancelarán por caducidad transcurridos cinco años desde su vencimiento, salvo caso de prórroga legal, y siempre que no conste asiento alguno que indique haberse ejercitado el derecho, modificado el título o formulado reclamación judicial sobre su cumplimiento.

ción expedida por el Ayuntamiento o por técnico competente, acta notarial descriptiva de la finca o certificación catastral descriptiva y gráfica. En todo caso, sea cual sea el utilizado, es preciso que incluya la descripción de la edificación realizada en términos que permitan identificarla con aquella cuya obra se declara. La indicación en el documento aportado de la fecha de terminación de una construcción, sin los datos que permitan el registrador identificar la obra cuya antigüedad se acredita, con aquella otra cuyo acceso al Registro se interesa, impedirá la inscripción. No será por tanto suficiente, como con frecuencia ocurre en la práctica, la mera referencia a la edificación por los datos que permiten su localización, como indicación de calle, número o paraje, pues ello no permitirá conocer si la edificación a la que se refiere el documento que acredita la antigüedad es la misma que aquella cuya obra nueva se declara.

En este sentido, la RDGRN de 4 de diciembre de 2009 establece que «*se exige para la constatación registral de las obras nuevas terminadas respecto de las cuales no puede acreditarse la obtención de la licencia urbanística y la certificación del técnico competente, una serie de requisitos, entre los que se encuentran que se pruebe con certificación del Catastro o del Ayuntamiento, por certificación técnica o por acta notarial, la terminación de la obra en fecha determinada y su descripción coincidente con el título, lo cual tiene su fundamento en asegurar que no exista duda acerca de que la edificación que se describe en el título es la misma que aquella respecto de la que se acredita su terminación en fecha determinada, de manera que demuestra haber transcurrido el plazo de prescripción de la acción urbanística.*»

Añade a lo dicho la misma Resolución, la posibilidad de que la descripción de la edificación cuya obra se declara pueda resultar de medio probatorio distinto de aquél a través del cual se acredita la antigüedad. Así, señala que «*por otro lado, nada obsta a que la descripción de la edificación coincidente con el título y la antigüedad de la misma, se prueben por el mismo medio probatorio, o por medios probatorios distintos, la antigüedad por certificación municipal y la descripción coincidente con el título por Certificación Catastral, siempre que no exista duda fundada de que uno y otro medio se refieren a la misma edificación.*»

b. Que no resulte del Registro la existencia de un expediente de disciplina urbanística sobre la finca objeto de la construcción. En relación con esta materia, cabe afirmar que el artículo 20.4 de la LS da rango legal a una exigencia ya recogida en el artículo 52 del RHU al exigir del registrador, como presupuesto para que pueda proceder a la inscripción de la declaración de la obra nueva de la edificación consolidada por su antigüedad, que compruebe la inexistencia de anotación preventiva de incoación de expediente de disciplina urbanística. De ello resulta que el legislador admite la inscripción de las obras antiguas cuyo expediente de disciplina urbanística, aun abierto, no haya tenido acceso al Registro a través de un asiento de anotación preventiva o, dicho de otro modo, sanciona el comportamiento pasivo de la administración municipal a la que corresponden las competencias en materia urbanística, de tal modo que si no ha incoado expediente de disciplina urbanística o, aun habiéndolo hecho, no ha promovido su constancia en el folio de la finca, podrá procederse a inscribir la obra sujeta al expediente, sin perjuicio de que, notificado el Ayuntamiento de la inscripción practicada, pueda instar, en su caso, la extensión de anotación preventiva de incoación de expediente de disciplina.

Y ello, con un criterio análogo al que motiva la redacción que el mismo RDL da al, ya citado varias veces, artículo 51.2 párrafo segundo de la LS, conforme al cual, la omisión de la resolución por la que se acuerde la práctica de la anotación preventiva de incoación de expedientes de disciplina urbanística «dará lugar a la responsabilidad de la Administración competente en el caso de que se produzcan perjuicios económicos al adquirente de buena fe de la finca afectada por el expediente. En tal caso, la citada Administración deberá indemnizar al adquirente de buena fe los daños y perjuicios causados.»

La exigencia de que al tiempo de solicitarse la inscripción de la declaración de obra nueva no conste extendida anotación preventiva de incoación del expediente de disciplina resuelve la duda, planteada en la práctica registral, y relativa a si puede o no tomarse la referida anotación no obstante no haber tenido acceso la obra al Registro. Así, frente a la posible tendencia a considerar incumplidas las exigencias impuestas por el principio registral de tracto sucesivo, toda vez que en el momento en que se pretende el acceso del expediente de disciplina al Registro no consta inscrita la edificación cuya ilegalidad provocó el expediente, la redacción del artículo 20.4 a), y del artículo 52 del RHU ponen de manifiesto la posibilidad de que la anotación del expediente sea tomada no obstante la falta de previa inscripción de la declaración de obra nueva, lo cual, a nuestro juicio, supone ya, en cierto modo, la inscripción de la obra, y la publicidad registral de la situación de ilegalidad que el expediente de disciplina pone de manifiesto.

Es, precisamente por ello, que no resulta del todo entendible la decisión del legislador de cerrar el Registro a la declaración de obra nueva en aquellos casos en que, al tiempo de solicitarse la inscripción, consta ya extendida la anotación preventiva de incoación del expediente de disciplina. Dado que la vigencia de dicha anotación excluye toda posibilidad de apariencia registral de legalidad de la edificación que pudiera generar terceros de buena fe, parecería de mayor utilidad para proteger la legalidad urbanística proceder a la inscripción de la obra, de tal forma que el Registro pudiera informar al mercado de la descripción de la edificación sujeta al expediente de disciplina incoado y publicado por el Registro. Sin embargo, y dado que la constancia registral del expediente de disciplina urbanística excluye la prescripción de la acción que pueda provocar la demolición, admitir la inscripción de la obra exigiría, bien sujetar su inscripción al cumplimiento de los requisitos previstos en el artículo 20.1 LS, bien aplicar el artículo 20.4 LS a la inscripción de obras no consolidadas por su antigüedad pero respecto de las cuales resulte ya del Registro la existencia de un expediente administrativo que ponga de manifiesto su situación de ilegalidad, posibilidad esta última que, entendemos, no provocaría una disminución del nivel de protección registral de la legalidad urbanística, pues lo relevante no es tanto que no accedan al Registro de la Propiedad edificaciones que puedan no ajustarse a la legalidad urbanística, sino que, en caso de que accedan, el Registro dé publicidad completa de su situación. O dicho de otro modo, y reiterando lo ya afirmado con anterioridad, el control de la legalidad urbanística es más fácil sobre una edificación inscrita en cuyo folio consta un asiento que publica la apertura de un expediente de disciplina por razón de alguna ilegalidad cometida, de forma que tal situación pueda ser conocida por todo aquel que tenga interés en contratar sobre la edificación, que dejando la edificación fuera del Registro y posibilitando, con ello, un tráfico extrarregistral de derechos sobre ella, cuya destrucción o modificación posterior por las medidas que sean adoptadas puedan generar mayor lesión en la seguridad del tráfico inmobiliario.

En relación con la comprobación del transcurso del plazo de prescripción de la infracción que haya podido ser cometida tiene relevancia la cuestión relativa al alcance con el que el Registrador habrá de comprobar que el suelo sobre el que se produce la declaración de obra nueva no tiene una clasificación o naturaleza que excluya la prescripción, es decir, que atribuya a la infracción carácter imprescriptible.

Y para determinar dicho alcance se ha de partir de lo previsto en el artículo 20.4 letra a) último inciso, introducido por el RDLey 8/2011, conforme al cual el registrador, antes de practicar la inscripción de la declaración de obra nueva deberá comprobar si el suelo sobre el que se declara la obra tiene carácter demanial o está afectado por servidumbres de uso público general.

En la obra citada, *La inscripción Registral de la Declaración de Obra Nueva*, págs 195 a 206, tratamos de forma más extensa el alcance y los medios a través de los cuales puede el Registrador calificar si el suelo sobre el que se extiende una determinada finca registral es o no de dominio público o está afectado por servidumbres de uso público general. Baste aquí añadir, como principal novedad respecto de lo que ya afirmábamos en dicha obra, que la Resolución de la DGRN de fecha 15 de abril de 2013, en relación con la inscripción de una ampliación de declaración de obra nueva, excluye toda obligación de comprobar el carácter demanial o afecto a servidumbres de uso público del suelo más allá de los que resulta del Registro. Razona el Centro Directivo en los términos siguientes:

> «Tampoco puede confirmarse el defecto relativo a la necesidad de acreditar que el suelo sobre el que se asienta la construcción no tiene el carácter de demanial o que no está afecto a una servidumbre de uso público general. Del apartado a) del artículo citado se deduce con claridad que basta que este extremo no resulte del historial de la finca, ni del propio título calificado, para que la inscripción pueda ser practicada. Y ello es lógico pues hay que recordar que ninguna dificultad existirá para que el registrador pueda apreciar por el contenido del propio Registro el carácter demanial del bien, especialmente teniendo en cuenta la obligación que tiene el Estado de inscribir sus bienes, así como todos los actos y contratos referidos a ellos susceptibles de inscripción, que impuso con carácter general, incluso respecto de los bienes demaniales, la Ley 33/2003, de Patrimonio de las Administraciones Públicas (vid. artículo 36), dada la garantía que representa la protección registral para la integridad e indemnidad de los patrimonios públicos, y comprendiendo también los adquiridos con anterioridad a la entrada en vigor de dicha Ley, respecto de los cuales la disposición transitoria quinta de la misma estableció que "para el cumplimiento de la obligación de inscripción establecida en el artículo 36 de esta Ley respecto de los bienes demaniales de los que las Administraciones públicas sean actualmente titulares, éstas tendrán un plazo de cinco años, contados a partir de la entrada en vigor de esta Ley". Incluso en los casos de afectación presunta a que se refiere el artículo 66 número 2 de Ley de Patrimonio de las Administraciones Públicas, en especial el apartado a) relativo "la utilización pública, notoria y continuada por la Administración General del Estado o sus organismos públicos de bienes y derechos de su titularidad para un servicio público o para un uso general", cabe su acreditación por resolución expresa, y por tanto su formal constancia registral, como se infiere del apartado 3 de dicho artículo 66, al prever un procedimiento formal para su regularización (cfr. también el 70 del Reglamento de la Ley, aprobado por Real Decreto 1373/2009, de 28 de agosto). Esto mismo sucede, aún con mayor claridad, en el caso de las afectaciones implícitas en los casos de adscripción del bien a Organismos Públicos dependientes de la Administración General del Estado para su vinculación directa a un servicio de su competencia, o para el cumplimiento de sus fines propios (cfr. artículo 73.1 de la Ley 33/2003) y en los casos de adquisición por expropiación forzosa, en los que la afectación del bien o derecho al uso general, al servicio público, o a fines y funciones de carácter público se entenderá implícita en la expropiación (cfr. artículo 24.2).»

La aplicación de tal criterio no parece que deba excluir la posibilidad de que el Registrador, haciendo uso de las herramientas informáticas de las que a tal efecto debe disponer, (artículo 9 de la Lh), intente georreferenciar la finca sobre la que se declara la obra, a fin de situarla en el territorio y comprobar, de forma más certera, si invade o no dominio público. No obstante, a nuestro juicio, la realización de tal actuación no puede ser exigida por el legislador para ser realizada en todo caso y con un alcance pleno en la determinación de si la obra se sitúa o no en suelo demanial o afectado por servidumbres, y ello, como consecuencia, por un lado, de la imposibilidad de georreferenciar determinadas fincas registrales, dada su descripción arcaica, realizada sobre la base de linderos personales ya desaparecidos y, por otro, de la frecuente falta de deslinde del dominio público, lo que en todos aquellos casos en que no exista una apariencia fáctica que lo identifique, impide su correcta localización.

La utilidad de la actuación georreferenciadora de fincas a desarrollar por los registradores es puesta de manifiesto en el artículo 12.4 de la Ley de Costas, según la redacción dada por la Ley 2/2013, de 29 de mayo, de protección y uso sostenible del litoral y de modificación de la Ley 22/1988, de 28 de julio, de Costas. Dicho artículo, al regular la relación entre la actividad de deslinde del dominio público marítimo terrestre y el Registro de la Propiedad, establece que «*el acuerdo de incoación del expediente de deslinde, acompañado del plano del área afectada por el mismo y de la relación de propietarios afectados, se notificará al Registro de la Propiedad, interesando certificación de dominio y cargas de las fincas inscritas a nombre de los titulares que resulten del expediente y de cualesquiera otras fincas que resulten del plano aportado y de los sistemas de georreferenciación de fincas registrales, así como la constancia de la incoación del expediente en el folio de cada una de ellas.*»

Finalmente, debe hacerse referencia a la posible contradicción existente entre la nueva redacción dada por la LRRRU al artículo 20.4 LS, y la redacción dada por el Decreto 2/2012, por el que se regula el régimen de las edificaciones y asentamientos existentes sobre suelo no urbanizable en la Comunidad Autónoma de Andalucía, al artículo 53.5 del Decreto 60/2010, por el que se aprueba el Reglamento de Disciplina Urbanística de Andalucía, quedando el precepto con el texto siguiente:

«5.Conforme a la legislación notarial y registral en la materia, la resolución de reconocimiento de la situación de asimilado al régimen de fuera de ordenación será necesaria, en todo caso, para la inscripción de la edificación en el Registro de la Propiedad, en la que se deberá indicar expresamente el régimen jurídico aplicable a este tipo de edificaciones, reflejando las condiciones a las que se sujetan la misma.»

El legislador andaluz realizó, en la norma transcrita, una interpretación del artículo 20.4 LS, según la redacción dada por el RDL 8/2011, de la que resultaba que la resolución administrativa que declare la situación de asimilado al régimen de fuera de ordenación será necesaria para la inscripción en el Registro de la Propiedad de obras que, según la legislación andaluza, se encuentren en tal situación. Y tales obras, según el propio artículo 53.1 y 2. serán todas aquellas realizadas con infracción de la normativa urbanística respecto de las cuales ya no se puedan adoptar medidas de protección y restauración de la legalidad y, en la medida que contravengan la legalidad urbanística, las obras, instalaciones, construcciones y edificaciones en los casos de imposibilidad legal o material de ejecutar la resolución de reposición de la realidad física alterada, siempre que la indemnización por equivalencia que se hubiere fijado haya sido íntegramente satisfecha.

Resulta con ello que la Reglamento de Disciplina Urbanística andaluz, después de colocar en situación de asimiladas al régimen de fuera de ordenación las obras respecto de las cuales no proceda la adopción de medidas de restauración de la realidad física alterada, establece que conforme al artículo 20.4 LS, la certificación administrativa que declare tal situación y su contenido será necesaria para proceder a la inscripción. Con ello, y aunque sea bajo una fórmula que pretende respetar la competencia estatal en la determinación de los requisitos necesarios para proceder a la inscripción de la declaración de obra nueva, entra a determinar tales requisitos, y fija, respecto del territorio de la Comunidad Autónoma Andaluza, un régimen concreto de inscripción de obras nuevas «antiguas».

A juicio de la DGRN, la contradicción entre el contenido de dicha norma y la nueva redacción dada al artículo 20.4 de la LS, debe salvarse sobre la consideración de la competencia estatal para determinar los requisitos de inscripción en el Registro de la Propiedad de los actos de naturaleza urbanística, competencia que excluye la posibilidad de que la legislación urbanística de las CCAA, cuyo ámbito competencial se agota con la determinación de qué actos civiles de modificación de las fincas quedan sujetos a previa fiscalización administrativa, defina, además, los casos la justificación de la existencia de dicho acto fiscalizador constituye presupuesto para poder proceder a inscribir en el registro la modificación jurídico real resultante. En este sentido, cabe citar la Resolución de 17 de enero de 2013, que fija un criterio seguido después por otras muchas, en la que el Centro Directivo afirma lo siguiente:

> «Ha de precisarse, en primer lugar, la competencia de las normas estatales en materia de los requisitos necesarios para la documentación pública e inscripción registral de las declaraciones de obras nuevas y de obras antiguas, sin perjuicio de la remisión a autorizaciones o licencias que establezca la normativa autonómica o a la prescripción, o no, de la infracción urbanística según la normativa autonómica, ya que, si bien, con carácter general, la Sentencia del Tribunal Constitucional 61/1997, de 20 de marzo, anuló buena parte del Texto Refundido de la Ley sobre Régimen del Suelo y Ordenación Urbana de 26 de junio de 1992, fundándose en que se habían invadido las competencias que, en materia de urbanismo, se hallan transferidas a las Comunidades Autónomas, esta misma Sentencia dejaba a salvo aquellos preceptos que, por regular materias que son competencia exclusiva del Estado, eran perfectamente conformes con la Constitución Española. Así ocurrió con aquellas normas que se referían al Registro de la Propiedad (cfr. artículo

149.1.8.ª de la Constitución Española), de lo que se sigue que corresponde a las Comunidades Autónomas (en este caso, a la de Andalucía) determinar qué clase de actos de naturaleza urbanística están sometidos al requisito de la obtención de la licencia previa, las limitaciones que éstas pueden imponer y las sanciones administrativas que debe conllevar la realización de tales actos sin la oportuna licencia o sin respetar los límites por éstas impuestos. Sin embargo, corresponde al Estado fijar en qué casos debe acreditarse el otorgamiento de la oportuna licencia (o los requisitos para poder acceder al Registro de la Propiedad las declaraciones de obras referentes a edificaciones consolidadas por su antigüedad), para que el acto en cuestión tenga acceso al Registro, siempre que la legislación autonómica aplicable exija la licencia para poder realizar legalmente el mismo, o la necesidad de determinación por parte de la legislación autonómica del plazo de prescripción de la posible infracción urbanística o, en su caso, su imprescriptibilidad (cfr. Resoluciones de 22 de abril de 2005 y 4 de mayo de 2011).»

Como ya afirmábamos en *op. cit. La Inscripción Registral de la Declaración de Obra Nueva*», pág. 149, no podemos más que expresar nuestra conformidad con el criterio más reciente sostenido por la DGRN, al entender de competencia exclusiva del Estado la determinación de los requisitos a que queda sujeta, no la adecuación a la legalidad urbanística de la obra nueva, sino su acceso al Registro de la Propiedad, pues los muy intensos efectos que la inscripción registral genera respecto de la configuración del derecho de propiedad inmobiliaria, sitúan la decisión normativa de cerrar el Registro a actos y negocios civilmente válidos en el ámbito de la definición y protección del derecho fundamental de propiedad y de la delimitación de las condiciones básicas en el ejercicio de los derechos y, por tanto, sujeto a competencia exclusiva estatal, de conformidad con lo previsto en el artículo 149.1.1 de la Constitución.

Trece. El artículo 36 queda redactado de la siguiente manera:

«Procedencia y alcance de la venta o sustitución forzosas.

1. El incumplimiento de los deberes establecidos en esta Ley habilitará a la Administración actuante para decretar, de oficio o a instancia de interesado, y en todo caso, previa audiencia del obligado, la ejecución subsidiaria, la expropiación por incumplimiento de la función social de la propiedad, la aplicación del régimen de venta o sustitución forzosas o cualesquiera otras consecuencias derivadas de la legislación sobre ordenación territorial y urbanística.

2. La sustitución forzosa tiene por objeto garantizar el cumplimiento del deber correspondiente, mediante la imposición de su ejercicio, que

podrá realizarse en régimen de propiedad horizontal con el propietario actual del suelo, en caso de incumplimiento de los deberes de edificación o de conservación de edificios.

3. En los supuestos de expropiación, venta o sustitución forzosas previstos en este artículo, el contenido del derecho de propiedad del suelo nunca podrá ser minorado por la legislación reguladora de la ordenación territorial y urbanística en un porcentaje superior al 50 por ciento de su valor, correspondiendo la diferencia a la Administración.»

Catorce. El artículo 37 queda redactado de la siguiente manera:

«Régimen de la venta o sustitución forzosas.

1. La venta o sustitución forzosas se iniciará de oficio o a instancia de interesado y se adjudicará mediante procedimiento con publicidad y concurrencia.

2. Dictada resolución declaratoria del incumplimiento y acordada la aplicación del régimen correspondiente, la Administración actuante remitirá al Registro de la Propiedad certificación del acto o actos correspondientes para su constancia por nota al margen de la última inscripción de dominio. La situación de ejecución subsidiaria, de expropiación por incumplimiento de la función social de la propiedad, la aplicación del régimen de venta o sustitución forzosas, o cualesquiera otras a las que quede sujeto el inmueble correspondiente, se consignará en las certificaciones registrales que se expidan.

3. Cuando el procedimiento determine la adjudicación por aplicación de la venta o sustitución forzosas, una vez resuelto el mismo, la Administración actuante expedirá certificación de dicha adjudicación, que será título inscribible en el Registro de la Propiedad, en el que se harán constar las condiciones y los plazos de cumplimiento del deber a que quede obligado el adquiriente, en calidad de resolutorias de la adquisición.»

CONCORDANCIAS NORMATIVAS

— Véase CE: artículo 33.2.
— LEF: artículos 71 y ss.
— Andalucía: artículos 150, 157 y 173.
— Aragón: artículos 221 a 228.
— Asturias: artículo 207.
— Baleares: artículos 154 y ss. de la Ley del Suelo de 1976.
— Canarias: artículos 148 a 150 y artículo 153.3.
— Cantabria: artículo 249.

— Castilla-La Mancha: artículos 132 a 134.
— Castilla y León: artículos 21, 107 y 109
— Cataluña: artículos 175 a 180.
— Extremadura: artículos 158 a 160.
— Galicia: artículos 189, 190 y 191.
— Madrid: suprimida toda la sección relativa a la ejecución sustitutoria en la construcción y edificación por incumplimiento de la función social de la propiedad (artículos 162 a 167, ambos inclusive) por medio de la Ley 9/2010, de 23 de diciembre, de Medidas Fiscales, Administrativas y Racionalización del Sector Público. Su Preámbulo no explica las razones por las que se produce dicha supresión.
— Murcia: artículos 204 y 205.
— Navarra: eliminado, según aclara la Exposición de Motivos.
— La Rioja: artículos 202 y 203.
— País Vasco: artículos 190 y 191.
— Valencia: artículos 204 y 205.

REFERENCIAS JURISPRUDENCIALES

— Sentencia n.º 42/1989 de Tribunal Constitucional, Sala 2.ª, de 16 de febrero de 1989, dictada en el recurso de amparo n.º 6/1987, contra el Decreto 39/1986, de 3 de junio de 1986, de la Junta de Extremadura, siendo ponente Don Fernando García-Mon y González-Regueral.
— Auto n.º 657/1987, de 27 de mayo, del Tribunal Constitucional, Sala 1.ª dictado en el recurso de amparo núm. 245/1987 formulado contra Decreto de 31 mayo 1986, de la Junta de Extremadura.
— Sentencia n.º 61/1997 de 20 marzo, del Tribunal Constitucional, dictada en los recursos de inconstitucionalidad números 2477/1990; 2479/1990; 2481/1990; 2486/1990, 2487/1990 y 2488/1990 interpuestos contra la Ley 8/1990, de 25 julio, de Reforma del Régimen Urbanístico y Valoraciones del Suelo y el Texto Refundido de la Ley del Suelo de 1992, que la sustituyó. Ponentes: Don Enrique Ruiz Vadillo y Don Pablo García Manzano.
— Sentencia n.º 37/1987 de 26 marzo, del Tribunal Constitucional, dictada en el recurso de inconstitucionalidad promovido por 54 senadores contra determinados artículos de la Ley andaluza 8/1984, de 3 de julio, de reforma agraria. Ponente: Don Jesús Leguina Villa.
— Sentencia n.º 17/1990, de 7 febrero, del Tribunal Constitucional, dictada en el recurso de inconstitucionalidad promovido por 56 diputados contra determinados preceptos de la Ley canaria 10/1987, de 5 de mayo, de aguas. Ponente: Don Carlos de la Vega Benayas.

COMENTARIO (1)

Sumario

1. Introducción.
2. Aspectos generales
3. Deslinde competencial
4. La legislación urbanística autonómica.
5. Examen del articulado.
   5.1. Procedencia y alcance de la venta o sustitución forzosas. Artículo 36.1 y 2.
   5.2. Minoración del contenido del derecho de propiedad. Artículo 36.3.
   5.3. Procedimiento de la venta o sustitución forzosas. Artículo 37.
      5.3.1. Iniciación y tramitación.
      5.3.2. Aspectos registrales.

1. INTRODUCCIÓN

El Real Decreto Legislativo 2/2008, de 20 de junio, por el que se aprobó el Texto Refundido de la Ley de Suelo (TRLS) incluyó en sus Títulos IV y V, como había sido habitual en la legislación estatal sobre suelo y valoraciones, la regulación de dos de los aspectos esenciales de la propiedad. De un lado, las garantías de la integridad patrimonial, y de otro, los mecanismos que permiten asegurar la función social que ésta debe cumplir. De este modo, mientras que el Título IV contiene la regulación de la expropiación forzosa y de la responsabilidad patrimonial por actos de naturaleza urbanística, el Título V, regula algunas de las técnicas que permiten asegurar el principio de la función social de la propiedad, concretamente la venta y sustitución forzosas, los patrimonios públicos de suelo y el derecho de superficie.

Pese a este deslinde puramente formal, no cabe duda del evidente paralelismo entre la expropiación forzosa y la venta y sustitución forzosas, máxime si se conectan éstas dos últimas técnicas, específicamente, con la expropiación por incumplimiento de la función social de la propiedad. En todos los casos constituyen instrumentos que permiten a la Administración utilizar potestades públicas cuya gestión podrá realizarse directamente por ésta, o encomendarse a terceros, con la finalidad de asegurar el cumplimiento de los fines de interés general ligados al urbanismo y a la ordenación territorial.

Esta mayor conexión entre aquéllas técnicas se deduce de los artículos 36 y 37 TRLS, en la nueva redacción que les ha otorgado la Disposición adicional duodéci-

---

(1) Comentario a cargo de Ángela DE LA CRUZ MERA. Licenciada en Derecho y Administradora Civil del Estado, Subdirectora General de Urbanismo del Ministerio de Fomento.

ma, apartados trece y catorce, de la Ley 8/2013, de 26 de junio, de Rehabilitación, Regeneración y Renovación Urbanas (LRRR), que refuerza la equivalencia entre todos los instrumentos a disposición de la Administración urbanística, para garantizar que se cumplen cualesquiera deberes legalmente exigibles, ya sea expropiando, ejecutando subsidiariamente o sustituyendo, si es preciso, al propietario incumplidor, para garantizar la primacía del interés general sobre el particular.

En particular, la similitud, desde el punto de vista jurídico, de la venta y sustitución forzosas con la expropiación por incumplimiento de la función social de la propiedad, permite que algunos de los elementos doctrinales más interesantes de ambas técnicas puedan encontrarse en la doctrina sentada por diversas sentencias del Tribunal Constitucional, en relación con los contenidos y la especial naturaleza de aquélla.

Siguiendo la línea argumental de la STC 61/1997, de 20 de marzo, tanto la venta como la sustitución forzosa pueden identificarse con decisiones administrativas que surgen, no de la culpabilidad del infractor, sino de una serie de consecuencias objetivas que derivan del estado en el que se encuentra un inmueble no edificado o no rehabilitado que, por ser incompatible con la función social de la propiedad urbana, hace preciso recurrir a algún mecanismo que remedie esta situación y devuelva el inmueble a su finalidad prioritaria. De hecho, tanto la STC 42/1989, como el ATC 657/1987, afirmaron que «No son asimilables las sanciones administrativas y las expropiaciones dirigidas al obrar la función social de la propiedad, sustituyendo al propietario incumplidor por la Administración expropiante o el particular subrogado como beneficiario de la operación expropiatoria.»

A esta conclusión se llega también desde la propia Ley de Expropiación Forzosa de 1954 (LEF), de acuerdo con la cual puede aplicarse la expropiación por incumplimiento de la función social de la propiedad cuando se declare por Ley la oportunidad de que un bien o una clase de bienes se utilicen en el sentido positivo de una determinada función social y el propietario incumpla ésta directiva (artículo 71).

Este efecto se produce mucho más claramente en el ámbito urbanístico que en otros sectores de nuestro ordenamiento. Cuando la función social que se incumple es la de la propiedad urbana, el Alto Tribunal declara que, en ella «además, concurren especiales circunstancias en contraste con otras formas de propiedad, habida cuenta de la plusvalía generada como consecuencia de la acción urbanística de los entes públicos y de que el eventual incumplimiento de los deberes urbanísticos, señaladamente el de los plazos fijados, puede repercutir de ordinario en el encarecimiento de la vivienda y en la especulación, en contra de los fines marcados por el art. 47 C.E» (STC 61/1997).

En definitiva, concluye el Tribunal Constitucional afirmando que «el procedimiento expropiatorio, o el de venta forzosa, no constituyen procedimientos sancionadores *stricto sensu*, ni estas medidas tienen una finalidad sancionadora a los efectos del art. 25 C.E.»

La doctrina había aludido también a esta naturaleza no sancionadora, señalando (2) que, puesto que la legislación urbanística establece el cumplimiento de determinados objetivos mediante la imposición de cargas y deberes vinculados al proceso de urbanización o edificación en los plazos establecidos por el planeamiento o la legislación aplicable, es irrelevante el sujeto que, en última instancia, dé cumplimiento a los mismos. Es decir, no siéndolo el titular inicial a consecuencia del incumplimiento, es la propia función social demandada por la Constitución y la legislación urbanística, la que determina la necesidad de acudir a algún mecanismo que garantice la satisfacción de aquélla y su efectivo cumplimiento.

Esto conecta con el artículo 3.1 del TRLS, de acuerdo con el cual: «La ordenación territorial y urbanística son funciones públicas no susceptible de transacción que organizan y definen el uso del territorio de acuerdo con el interés general, determinando las facultades y deberes del derecho de propiedad del suelo conforme al destino de éste.»

2. ASPECTOS GENERALES

La Exposición de Motivos del TRLS recuerda que, en relación con la garantía del principio de la función social de la propiedad: «Son muchas y autorizadas las voces que, desde la sociedad, el sector, las Administraciones y la comunidad académica denuncian la existencia de prácticas de retención y gestión especulativas de suelos que obstruyen el cumplimiento de su función y, en particular, el acceso de los ciudadanos a la vivienda».

La posibilidad de incluir los solares no edificados en un Registro especial que permitía a la Administración actuar sobre ellos, ya formaba parte de la Ley del Suelo de 1956, siendo objeto de desarrollo reglamentario por Decreto 635/1964, de 5 de marzo, que aprobó el Reglamento cuyo expresivo título era el de «Edificación forzosa y Registro Municipal de Solares». La Ley del Suelo de 1976 (Texto Refundido aprobado por Decreto 1346/1976, de de abril), también reguló esta cuestión (artículos 154 y ss.) obligando a los propietarios a edificar en los plazos previstos por el planeamiento, desde el momento en que el terreno adquiriese la condición de solar o a partir de la recepción, por parte de la Administración, de las obras de urbanización. Este régimen se hacía extensivo, además, a las fincas con edificaciones declaradas en ruina, edificaciones paralizadas o inadecuadas, o derruidas.

Es decir, la legislación urbanística española reguló esta institución con la intención de aportar soluciones a dos problemas distintos:

---

(2)   MERELO ABELA, José Manuel. *Régimen Jurídico del Suelo y Gestión Urbanística*. Madrid, 1995. Ed. Praxis.

— de un lado el de los solares sin edificar, en relación con los cuales subyacía la vieja aspiración de luchar contra las prácticas especulativas. Es decir, los terrenos ya urbanizados y destinados por el planeamiento a una determinada finalidad concreta, que además requiriera la edificación (residencial, industrial, comercial, etc.) debían ser destinados a la misma en los plazos previstos por el planeamiento. Se perseguía, aquí, por tanto, la edificación.

— De otro, el de las edificaciones que no cumplen con los requisitos establecidos por la ordenación urbanística vigente, bien sea por su situación de paralización, inadecuación, ruina o ilegalidad. En tales casos se perseguía la rehabilitación.

Esta evolución determinó que la Ley 8/1990 volviera a preocuparse por esta medida de reacción administrativa, sentándose en esta norma las bases que permitirían identificarla de acuerdo con los elementos definitorios que forman parte de la misma en el vigente TRLS, incluso con la modificación operada sobre la misma por la LRRR. No obstante, el filtro que supuso sobre aquélla legislación (refundida en la LS 92) la STC 61/197, de 20 de marzo, hizo preciso que se adaptase formal y materialmente al haz de competencias estatales. Cabe recordar que la Ley 6/1998, de 13 de abril (a partir de ahora LRSV) ignoró estas medidas de intervención en el mercado del suelo.

El argumento que permite al legislador estatal actual justificar su opción por el establecimiento de mecanismos garantizadores del cumplimiento de la función social de la propiedad en esta materia es, no obstante, idéntico. Los diversos agentes que intervienen en los procesos de transformación urbanística, es decir, la iniciativa privada de un lado, y las Administraciones Públicas, de otro, deben actuar de manera efectiva para cumplir con la función social de la propiedad y con el destino urbanístico del suelo que aquélla tiene por objeto. En el mismo sentido se justifican los legisladores urbanísticos autonómicos cuando regulan el régimen de sustitución, venta o edificación forzosa. Sirva como ejemplo el argumento que contiene el Preámbulo de la Ley urbanística aragonesa en relación con este asunto. Dice así:

> «En lo que respecta al régimen de edificación forzosa se establecen procedimientos eficaces para garantizar el cumplimiento del deber de edificar expropiando o, alternativamente, sustituyendo, si es preciso, al propietario incumplidor, ya sea iniciando el procedimiento de oficio, ya a instancia de terceros [...]. Se trata, por tanto, de garantizar una vez más la primacía del interés general sobre el particular, colaborando con la iniciativa privada de manera que sea ésta la que sustituya la actitud obstativa del propietario al cumplimiento de sus deberes urbanísticos.»

Este principio ha llegado a su máximo exponente con el reciente Decreto-ley 6/2013, de 9 de abril, de medidas para asegurar el cumplimiento de la función social de la vivienda, de Andalucía, en el que se da un paso más, para llegar a cubrir con la función social de la propiedad, el uso necesario y obligatorio de la vivienda.

De este modo, la no ocupación y el no destino de un inmueble al uso residencial previsto por el planeamiento urbanístico, supondría un «grave incumplimiento» de su función social y conllevaría importantes reacciones administrativas, que van desde las multas a la expropiación forzosa del uso temporal de la vivienda.

Con independencia de la regulación autonómica de estas instituciones, lo cierto es que la legislación estatal de suelo, en consonancia con los pronunciamientos del Tribunal Constitucional relacionados con las técnicas de la venta y sustitución forzosas, las regula solamente como mecanismos de posible utilización, es decir, dejando suficiente margen de maniobra a la legislación sobre ordenación territorial y urbanística para que pueda establecer otros distintos. De hecho, sólo se mencionan algunos de ellos, entre los que se sitúan la tradicional ejecución subsidiaria o la expropiación por incumplimiento de la función social de la propiedad, que remiten, casi íntegramente, a aquélla legislación.

Pese a todo, el TRLS no determinó en su día la aplicación de estas técnicas en relación con el incumplimiento genérico de los deberes urbanísticos incluidos en los procesos de gestión (esto sí lo hacía la LS 1992, sobre la base de la regulación previa y originaria de la Ley 8/1990), sino que las aplicó exclusivamente a los deberes de edificación y rehabilitación, aspecto éste que, como norma básica estatal que contiene el estatuto jurídico de la propiedad del suelo en su integridad, tenía poca justificación.

De ahí que la reforma introducida en el artículo 36 del TRLS por la Disposición adicional duodécima de la LRRR haga ya referencia a la posible aplicación de la ejecución subsidiaria, la expropiación y la venta y sustitución forzosas, frente al incumplimiento de cualesquiera de los deberes establecidos en la Ley de Suelo. Ello no implica que algunas de dichas técnicas sólo resulten aplicables ante el incumplimiento de determinados deberes urbanísticos (como por ejemplo los de edificar y rehabilitar), mientras que otras resulten de aplicación en otros, iguales o diferentes.

Todo ello, además en un contexto en el que la legislación autonómica puede desarrollar y complementar estos supuestos, lo cual dirige esta cuestión, directamente, a los aspectos competenciales.

3. DISTRIBUCIÓN COMPETENCIAL

De acuerdo con la Disposición final decimonovena, sobre el carácter básico y los títulos competenciales, hay que entender que la disposición final duodécima, apartado 13 (artículo 36 de la Ley de Suelo), se dicta al amparo de lo dispuesto en el artículo 149.1.1.ª y 18.ª de la Constitución, que atribuye al Estado la competencia sobre las condiciones básicas que garantizan la igualdad en el ejercicio de los derechos y en el cumplimiento de los deberes constitucionales, y las bases del régimen jurídico de las Administraciones Públicas, respectivamente, mientras que la disposición final duodécima, apartado catorce (artículo 37 de la Ley de Suelo) se dicta al amparo de lo dispuesto en el artículo 149.1.18.ª de la Constitución, que atribuye al Estado la competencia sobre legislación de expropiación forzosa.

Esta distinción ya se realizaba (aunque no de forma idéntica) en el TRLS, en cuya Disposición final primera se incluía el artículo 36, apartado 3, entre las competencias estatales del artículo 149.1.1.ª y 18.ª de la Constitución y los apartados 1 y 2 del 36, y el artículo 37, entre las competencias reservadas al legislador estatal por el artículo 149.1.18.ª

En cualquier caso, parece especialmente relevante la competencia del artículo 149.1.18.ª en esta materia, es decir, la relativa a la legislación de expropiación forzosa, toda vez que el Tribunal Constitucional ya declaró (STC 61/1997) que «al Estado le es lícito establecer la expropiación por incumplimiento de la función social de la propiedad o la venta forzosa en materia urbanística». Ello no excluye que «por Ley autonómica puedan establecerse, en el ámbito de sus propias competencias, los casos o supuestos en que procede aplicar la expropiación forzosa determinando las causas de expropiar y los fines de interés público a que aquélla debe servir» (SSTC 37/1987, fundamento jurídico 6.º; 17/1990, fundamento jurídico 10.º).

De acuerdo con la doctrina del TC a la que se hizo amplia referencia en el Capítulo de esta obra dedicado a las Expropiaciones:

> «Cabe concluir, pues, que será el Estado o la Comunidad Autónoma, de acuerdo con la titularidad de la competencia material, los que podrán, en su caso, definir una *causa expropiandi,* lo que, aplicado al tema que nos ocupa, permite sostener que al Estado le es lícito definir legalmente como *causa expropiandi* el incumplimiento de la función social de la propiedad, cuando se trate del incumplimiento de aquellos deberes básicos cuya regulación compete al amparo del art. 149.1.1.º C.E., en tanto que a las Comunidades Autónomas les incumbe definir, en su caso, otras posibles causas de expropiar como técnica al servicio, entre otras materias, del cumplimiento de los deberes dominicales que con respeto de las condiciones básicas cumpla a las Comunidades Autónomas establecer en virtud del art. 148.1.3.º C.E. y de sus respectivos Estatutos de Autonomía.»

Lo expuesto anteriormente implica que el legislador estatal puede definir como causa expropiandi el incumplimiento de la función social, justamente por la inobservancia de los deberes básicos que compete al Estado regular por virtud de sus títulos competenciales. Hay que tener en cuenta que, de conformidad con el artículo 9.1, tras la nueva redacción que le da el apartado cinco de la Disposición adicional duodécima de la Ley de Rehabilitación, Regeneración y Renovación urbanas: «1. El derecho de propiedad de los terrenos, las instalaciones, construcciones y edificaciones, comprende con carácter general, cualquiera que sea la situación en que se encuentren, los deberes de dedicarlos a usos que sean compatibles con la ordenación territorial y urbanística y conservarlos en las condiciones legales para servir de soporte a dicho uso, y en todo caso, en las de seguridad, salubridad, accesibilidad universal y ornato legalmente exigibles, así como realizar obras adicionales por motivos turísticos o culturales, o para la mejora de la calidad y sostenibilidad del medio urbano, hasta donde alcance el deber legal de conservación». Por tanto, resulta evidente que, quedando tales deberes tipificados por la Ley, la aplicación de las técnicas analizadas encuentran cobertura constitucional.

Estos argumentos conectan con la doctrina del Tribunal Constitucional a la que ya se ha hecho referencia, que afirma que «El Estado puede establecer la expropiación o la venta forzosa ... frente al incumplimiento de aquellos deberes básicos para cuya regulación sí tiene competencias al amparo del art. 149.1.1.ª C.E. Pero ... desde el art. 149.1.1.ª C.E. no puede el Estado exigir a otras Administraciones determinadas conductas». Esto se interpreta, en palabras del mismo Tribunal, como que: «el Estado, por virtud del art. 149.1.18.º C.E., no puede definir con carácter básico todos los supuestos en que cabe hacer uso de la técnica expropiatoria mediante la declaración de la causa expropiandi necesaria en cada caso, habida cuenta de que la legislación sectorial sobre el urbanismo es de la competencia de las Comunidades Autónomas. Pero, como hemos dicho, ello no empece a que, por virtud del art. 149.1.1.º C.E., el legislador estatal pueda definir como causa expropiandi el incumplimiento de la función social, justamente por la inobservancia de esos deberes básicos que al Estado compete regular por virtud del referido precepto».

Esta doctrina debe interpretarse en el sentido de que, si el logro de la finalidad esencial e inspiradora de toda la regulación del estatuto de la propiedad urbana (conforme al título competencial reservado al Estado por el art. 149.1.1.ª CE) consiste en que los propietarios de suelo colaboren en la gestión del proceso urbanizador y edificatorio, mediante el cumplimiento de los deberes y cargas urbanísticas deducidos en cada momento de la ordenación urbanística vigente, tal finalidad pueda obtenerse por diversas vías de reacción jurídica. Por ello, asegura el TC, «no cabe que el Estado opte con carácter exclusivo por una de las posibles, la medida expropiatoria (o la alternativa de la venta forzosa), imponiéndola como la única procedente al legislador autonómico y a las Administraciones urbanísticas actuantes, que no pueden sino apartar, constatado el incumplimiento, a los propietarios de su incorporación al proceso de urbanización o de edificación, para ser sustituidos por la Administración gestora o por beneficiarios particulares, con la consiguiente doble carga de complejidad técnica y de onerosidad financiera.»

En conclusión, el legislador estatal no puede imponer, de acuerdo con el reparto competencial aludido, una única reacción jurídica para determinados ámbitos territoriales, porque con ello se impide al legislador autonómico que «en ejercicio de su competencia exclusiva sobre urbanismo, y ponderando las circunstancias y factores diversos de toda índole, acudir a eventuales técnicas urbanísticas diversas (multas coercitivas, ad exemplum)», invadiendo dicha competencia exclusiva, más allá del título competencial de regulación de las condiciones básicas (art. 149.1.1.º CE.) y de la legislación sobre expropiación forzosa (art. 149.1.18.º CE). Tampoco puede imponer este tipo de conductas predeterminadas a otros Entes públicos, «habida cuenta que el destinatario de dicho título competencial es exclusivamente el ciudadano, en cuanto titular de derechos y deberes constitucionales; siendo de notar también que la reacción frente al incumplimiento, ha de ser remitida a los medios de ejecución forzosa que pueda establecer la legislación autonómica aplicable.»

De ahí que el legislador estatal permita, mediante la modificación que introduce en el TRLS, la aplicación de la ejecución subsidiaria, la expropiación por incumplimiento de la función social de la propiedad o el régimen de venta o sustitución forzosas, sin perjuicio de que la legislación autonómica arbitre otros mecanismos, o determine otras posibles consecuencias.

De hecho, todas las Comunidades Autónomas cuentan con alguna regulación en relación con esta materia. A dicha legislación se hará referencia de manera coordinada, con los dos preceptos estatales cuyo estudio se iniciará en el epígrafe 5 de este Capítulo.

4. LA LEGISLACIÓN URBANÍSTICA AUTONÓMICA

Si no fuese por los continuos procesos de reforma (principalmente parciales) a que están sometidas gran parte de las Leyes urbanísticas autonómicas, podríamos concluir que dicha legislación está prácticamente consolidada, en la actualidad.

En la práctica son dieciséis las Leyes globales vigentes en el momento de la entrada en vigor de la Ley de Rehabilitación, Regeneración y Renovación urbanas, con independencia de las reformas parciales puntuales de que han sido objeto, en muchos casos, por Leyes posteriores (3). El listado que se acompaña a continuación incorpora dicha legislación, ordenada alfabéticamente por Comunidades Autónomas y a cada una de dichas leyes deberá remitirse el lector cuando se cite alguna de ellas, sin precisar específicamente su fecha.

La legislación urbanística autonómica de carácter general, o global, en vigor es la siguiente (con sus modificaciones parciales incorporadas):

---

(3) Recuérdese que sólo Baleares sigue, a fecha de hoy, sin formar parte de dicho grupo, rigiéndose en parte, y por aplicación de la cláusula de la supletoriedad del derecho estatal (artículo 149.3 CE), por la Ley del Suelo de 1976, pese a que deba realizarse una mención especial a las Leyes 4/2008, de 14 de mayo, de medidas urgentes para un desarrollo territorial sostenible en las Illes Balears, 2/2009, de 19 de marzo, de rehabilitación y mejora de barrios de los municipios de las Illes Balears y 7/2012, de 13 de junio, de medidas urgentes para la ordenación urbanística sostenible, en la que se contienen algunas normas de adaptación a la legislación estatal de suelo procedente del año 2007.
En cuanto a las reformas parciales, una vez que se entienden insertadas en la correspondiente Ley global, no son objeto de mención específica, dada la gran cantidad y dispersión de ellas, incluyendo las que, en algunos casos, se contienen en Leyes de acompañamiento a las leyes de presupuestos de cada año.

Andalucía: Ley 7/2002, de 17 de diciembre, de Ordenación Urbanística.

Aragón: Ley 3/2009, de 17 de junio, de Urbanismo.

Asturias: Decreto-legislativo 1/2004, de 22 de abril, por el que se aprueba el texto refundido de las disposiciones legales vigentes en materia de Ordenación del Territorio y Urbanismo.

Canarias: Decreto-legislativo 1/2000, de 8 de mayo, texto refundido de las leyes de Ordenación del Territorio y de Espacios Naturales.

Cantabria: Ley 2//2001, de 25 de junio, de Ordenación Territorial y Régimen Urbanístico del Suelo y Ley 2/2003, 23 julio, de medidas cautelares urbanísticas en el ámbito del litoral, de sometimiento de los instrumentos de planificación territorial y de creación de la Comisión Regional de Ordenación del Territorio y Urbanismo.

Castilla-La Mancha: Decreto-legislativo 1/2010, 18 mayo, que aprueba el Texto Refundido de la Ley de Ordenación del Territorio y de la Actividad Urbanística.

Castilla y León: Ley 5/1999, de 8 de abril, de Urbanismo.

Cataluña: Decreto-legislativo 1/2010, de 3 de agosto, por el que se aprueba el Texto Refundido de la Ley de Urbanismo.

Extremadura: Ley 15/2001, de 14 de diciembre, del Suelo y Ordenación Territorial.

Galicia: Ley 9/2002, de 30 de diciembre, de Ordenación Urbanística y Protección del Medio Rural.

Madrid: Ley 9/2001, de 17 de julio, del Suelo.

Murcia: Decreto Legislativo 1/2005, de 10 de junio, que aprueba el texto refundido de la Ley del Suelo.

Navarra: Ley foral 35/2002, de 20 de diciembre, de Ordenación del Territorio y Urbanismo.

La Rioja: Ley 5/2006, de 2 de mayo, de Ordenación del Territorio y Urbanismo.

País Vasco: Ley 2/2006, de 30 de junio, del Suelo y Urbanismo.

Valencia: Ley 16/2005, de 30 de diciembre, Urbanística y Ley 10/2004, de 9 de diciembre, del Suelo no Urbanizable.

La regulación que estas Leyes autonómicas contienen en relación con la venta o sustitución forzosas es bastante desigual. De un lado, destaca la regulación procedimental más completa que ofrecen algunas de ellas (Andalucía, Aragón, Castilla y León y el País Vasco), frente a la parquedad de los artículos dedicados a estas materias por otras (como Asturias, Cantabria o Cataluña). No obstante, en algunos casos, dicha legislación ha confiado la regulación completa de estas instituciones a los Reglamentos de desarrollo de las correspondientes Leyes Urbanísticas. Es lo que ocurre, en concreto, con Cataluña, cuyo Decreto 305/2006, 18 de julio, por el que se aprueba el Reglamento de la Ley de Urbanismo, desarrolla la enajenación forzosa por el incumplimiento de los deberes de urbanizar y edificar en el artículo 186 y el Registro municipal de solares sin edificar en los artículos 232 y 233.

Existen, incluso, dos Comunidades Autónomas, en las que la venta y sustitución forzosas, o sus procedimientos equivalentes, han desaparecido. Se trata, de un lado, de Navarra, en cuya Ley, la Exposición de Motivos declara que «Se ha eliminado el régimen de la venta forzosa por tratarse de un complejo instrumento del que apenas se ha hecho uso en el tiempo de vigencia de la Ley Foral 10/1994» (Epígrafe VIII). Este hecho resulta especialmente relevante en dicha Comunidad Autónoma, toda vez que fue la primera que introdujo en su propia legislación el procedimiento que permitía a sus Administraciones urbanísticas aplicar la venta forzosa (4). De otro lado, está la Comunidad de Madrid, cuya Ley 9/2010, de 23 de diciembre, de Medidas Fiscales, Administrativas y de Racionalización del Sector Público suprimió toda la sección relativa a la ejecución sustitutoria en la construcción y edificación por incumplimiento de la función social de la propiedad (artículos 162 a 167, ambos inclusive) que formaba parte de su Ley de Suelo. En este caso, no podemos encontrar en el Preámbulo de la norma una explicación de las razones por las que se ha realizado esta supresión.

Por último, en seis Comunidades Autónomas (Aragón, Canarias, Castilla y León, Castilla-La Mancha, Extremadura y el País Vasco), la venta o sustitución forzosas se arbitran a través de un procedimiento diferente, que no recoge la figura tradicional del Registro de Solares en la que siempre se han sustentado tales mecanismos de intervención. La base de dicho procedimiento es la delimitación de áreas en las que los solares y las fincas susceptibles de ser edificadas o de completar simultáneamente urbanización y edificación podrían quedar sujetas al régimen de ejecución mediante la sustitución del propietario (evidentemente cuando éste incurra en incumplimiento de sus deberes al respecto). Este procedimiento se conoce coloquialmente como la ejecución de la edificación a través de un agente edificador y está regulado por los siguientes artículos de sus correspondientes Leyes:

— Aragón: artículos 221 a 228.

— Canarias: artículos 149, 150 y 153.3 según redacción otorgada por la D.A. 9.ª de la Ley 19/2003.

— Castilla y León: artículo 109.

---

(4) Lo hizo, de hecho, en los artículos 218 a 220 de la Ley Foral 10/194, de 27 de junio, regulando el procedimiento de venta forzosa al margen del Registro de solares y terrenos sin edificar.

— Castilla-La Mancha: artículos 132 a 134, ambos inclusive.

— Extremadura: artículos 158 a 160.

— País Vasco: artículos 190 y 191.

Por último, como ya se ha señalado más arriba, en algunas Leyes autonómicas se ha confiado la pormenorización del procedimiento que permita aplicar estas técnicas, al desarrollo reglamentario de la Ley, sin que dicho desarrollo se haya efectuado en todos los casos. De ahí que, en las Comunidades Autónomas en las que no se ha aprobado aún el Reglamento correspondiente a la gestión y disciplina urbanísticas, existe una gran dificultad a la hora de aplicar unas técnicas que, ya de por sí, han mostrado a lo largo de la aplicación práctica de las sucesivas Leyes que las han regulado, su existencia casi puramente teórica (5). De hecho, desde la entrada en vigor en su día de la Ley 8/2007 de Suelo, ha existido un escaso o nulo interés por parte de las Administraciones urbanísticas competentes en relación con las mismas. Entre las Comunidades Autónomas que han aprobado normas con posterioridad a dicha fecha, en las que se puede localizar algún precepto dedicado a la venta o sustitución forzosa, están las de Aragón, Cantabria, Cataluña, Castilla y León, Galicia (6) y el País Vasco.

5. EXAMEN DEL ARTICULADO

La Disposición adicional duodécima, en sus apartados trece y catorce, ha modificado levemente los artículos 36 y 37 del TRLS. Mientras que el primero de dichos preceptos se dedica a delimitar el alcance y la procedencia de tales medidas de reacción administrativa, aunque mezcla algún elemento de carácter procedimental que luego se repite en el artículo siguiente, el segundo contiene las reglas de régimen jurídico específicamente aplicables a las mismas y, de manera muy especial, las registrales.

---

(5)   GRAU ÁVILA, Sebastián, achaca a la complejidad y variedad de las regulaciones existente la dificultad de aplicación de estas técnicas, por lo que recomienda una legislación escueta, clara y respetuosa con las garantías de los propietarios. En el capítulo «Función social de la propiedad y gestión del suelo», de la obra *Estudios del articulado del Texto Refundido de la Ley de Suelo estatal*. Madrid, 2009. Ed. Thomson Aranzadi.

(6)   En realidad, en Galicia, lo que se ha hecho es fijar plazos específicos para edificar o rehabilitar y determinar las consecuencias del incumplimiento de dichos deberes. En cualquier caso, dicha regulación, contenida en los artículos 189 y 190 de la Ley urbanística gallega, tras la modificación operada en ellos por la Ley 6/2008, de 19 de junio, es interesante, por cuanto determina un plazo subsidiario fijado por Ley, de dos años, para los supuestos (no infrecuentes) en los que el planeamiento no disponga lo preciso. Tras el incumplimiento del plazo correspondiente, y de su posible prórroga, el Ayuntamiento podrá optar por la edificación o rehabilitación forzosa del inmueble, o su expropiación y la gestión de la misma de manera directa, o indirecta por medio del agente edificador.

Ambos artículos son objeto de análisis pormenorizado e independiente, a continuación, incluyéndose en cada uno de ellos las referencias a la legislación autonómica con la que guardan alguna similitud.

5.1. Procedencia y alcance de la venta o sustitución forzosas. Artículo 36

Dispone este artículo, bajo el título «Procedencia y alcance de la venta o sustitución forzosas», lo siguiente:

«1. El incumplimiento de los deberes establecidos en esta Ley habilitará a la Administración actuante para decretar, de oficio o a instancia de interesado, y en todo caso previa audiencia del obligado, la ejecución subsidiaria, la expropiación por incumplimiento de la función social de la propiedad, la aplicación del régimen de venta o sustitución forzosas, o cualesquiera otras consecuencias derivadas de la legislación sobre ordenación territorial y urbanística.

2. La sustitución forzosa tiene por objeto garantizar el cumplimiento del deber correspondiente, mediante la imposición de su ejercicio, que podrá realizarse en régimen de propiedad horizontal con el propietario actual del suelo, en caso de incumplimiento de los deberes de edificación o de conservación de edificios.

3. En los supuestos de expropiación, venta o sustitución forzosas previstos en este artículo, el contenido del derecho de propiedad del suelo nunca podrá ser minorado por la legislación reguladora de la ordenación territorial y urbanística en un porcentaje superior al 50 por ciento de su valor, correspondiendo la diferencia a la Administración.»

Si se compara esta redacción con la original del TRLS, las modificaciones consisten básicamente en lo siguiente:

Primero.

Se amplía el ámbito de aplicación de la venta y sustitución forzosas, desde los deberes de edificar o rehabilitar, hasta el incumplimiento de cualquiera de los demás deberes establecidos, con carácter básico, por el propio TRLS. Ésta modificación sólo puede entenderse en la medida en que el artículo incluye el régimen de la venta o sustitución forzosas en un marco más completo de medidas de reacción administrativa, frente al incumplimiento por parte de los obligados, de sus deberes o cargas urbanísticas. En efecto, si el precepto menciona la ejecución subsidiaria, la expropiación por incumplimiento de la función social de la propiedad, o cualesquiera otras consecuencias derivadas de la legislación sobre ordenación territorial y urbanística, lo lógico es que su aplicación proceda no sólo en el caso de que se incumplan los deberes de edificar o de rehabilitar. De ahí que el apartado segundo aclare que la sustitución forzosa podrá imponer el cumplimiento del deber que corresponda.

La limitación anteriormente existente a los deberes de edificar o rehabilitar no resultaba justificada, dada la existencia de otros muchos, derivados tanto del artículo 9, referido a los deberes y cargas que componen el contenido del derecho de propiedad del suelo, como, del artículo 16, referido a los deberes ligados a la promoción de actuaciones de transformación urbanística. En el primero de ellos se alude a los deberes genéricos de uso (dedicar los terrenos a usos que no sean incompatibles con la ordenación territorial y urbanística), conservación y edificación, y en el segundo, a los deberes de entrega de suelo a la Administración (para sistemas generales y dotaciones locales y en concepto de rescate de plusvalías urbanísticas), de costear la urbanización y las infraestructuras de conexión, de garantía de los derechos de realojamiento y retorno de los ocupantes legales y, por último, de las indemnizaciones que procedan.

Quizás aquélla limitación proviniera del hecho de que el incumplimiento de los deberes ligados a la promoción de las actuaciones de transformación y la posible respuesta frente a ello por parte de la Administración, están ligados a los procesos de gestión urbanística que regulan cada una de las Leyes urbanísticas autonómicas. De hecho, cuando se trata del incumplimiento de los deberes ligados a la urbanización o transformación de los terrenos, de conformidad con la legislación autonómica (y éste es un esquema común a todas ellas) la reacción administrativa consiste en sustituir el sistema de actuación que no ha funcionado (habitualmente alguno de los privados) por aquél o aquéllos que determine tal normativa (habitualmente públicos o semipúblicos), integrándose tal actuación en las técnicas de gestión urbanística propiamente dichas y resultando en tales casos la venta o sustitución forzosas improcedentes.

La mayoría de las Leyes urbanísticas autonómicas que regulan la venta o sustitución forzosa suelen limitar la aplicación de dichos mecanismos de reacción administrativa al incumplimiento de los deberes de edificar o rehabilitar, o a la situación de ruina que haya podido declararse en relación con algún inmueble. Así ocurre en Andalucía: artículo 150 (deber de edificación), 157 (situación de ruina) y 173 (caducidad de la licencia de edificación); en Asturias: artículo 207 (edificación o rehabilitación de edificios), en Cantabria (art. 200.3), en Cataluña: artículos 175 y 176 (obligación de edificar), Castilla-La Mancha: artículos 132 y 139.3,B), b) (deber de edificar y situación de ruina, respectivamente), Galicia: artículo 190 (deberes de edificar o rehabilitar), Murcia: artículos 204 y 205 (solares y edificaciones declaradas en ruina), La Rioja: artículos 202 y 203 (deber de edificación) y el País Vasco: artículos 190 y 191 (deber de edificar), etc.

Pero ello no implica que el TRLS deba excluir del conjunto de las reacciones administrativas frente a posibles incumplimientos, a los deberes ligados a las actuaciones de transformación urbanística, todo ello dejando a salvo la regulación autonómica sobre otras posibles formas de reacción administrativa y el incumplimiento de cualquier clase de deberes urbanísticos. Es más, en alguna normativa autonómica se determina la posible aplicación del régimen de venta y sustitución forzosas frente al incumplimiento de aquéllos deberes. Así se recoge en el Decreto 22/2004, 29 enero, que aprueba el Reglamento de Urbanismo de Castilla y León, en cuyo artículo 329, tras la modificación operada por el artículo 5 del Decreto 45/2009, se dispone que

«El Ayuntamiento podrá acordar la aplicación de los regímenes de venta forzosa o sustitución forzosa a terrenos u otros bienes inmuebles, en los siguientes casos:

a) Incumplimiento de los plazos señalados en los instrumentos de planeamiento y gestión urbanística para cumplir los deberes urbanísticos exigibles.

b) Incumplimiento de los plazos señalados en licencias urbanísticas, órdenes de ejecución o declaraciones de ruina.

c) Incumplimiento de las prórrogas que se concedieran respecto de los plazos señalados en los apartados anteriores»

El artículo 330 siguiente, de este mismo Reglamento autonómico establece que, mediante estos procedimientos de venta o sustitución forzosa, «una persona física o jurídica» puede pretender adquirir «la condición de urbanizador».

Lo mismo sucede en Cataluña, en dónde la enajenación forzosa está prevista, no sólo ante el incumplimiento del deber de edificar, sino también frente al incumplimiento del deber de urbanizar (art. 186 del Reglamento de la Ley de Urbanismo).

No debe olvidarse que, a juicio del Tribunal Constitucional (STC 61/1997), a «las Comunidades Autónomas les incumbe definir, en su caso, otras posibles causas de expropiar como técnica al servicio, entre otras materias, del cumplimiento de los deberes dominicales que con respeto de las condiciones básicas cumpla a las Comunidades Autónomas establecer en virtud del art. 148.1.3.º C.E. y de sus respectivos Estatutos de Autonomía», de tal manera que «La reserva constitucional en favor del Estado sobre la legislación de expropiación forzosa no excluye que "por Ley autonómica puedan establecerse, en el ámbito de sus propias competencias, los casos o supuestos en que procede aplicar la expropiación forzosa determinando las causas de expropiar y los fines de interés público a que aquélla debe servir" (SSTC 37/1987, fundamento jurídico 6.º; 17/1990, fundamento jurídico 10.º).»

Otra cosa es que, cuando se trata de la «sustitución forzosa», específicamente el artículo que se analiza deje clara su remisión a «la facultad de edificación», de tal manera que su objeto consiste en «imponer su ejercicio en régimen de propiedad horizontal con el propietario actual del suelo».

La legislación autonómica que regula la figura del agente edificador permitía intuir esta posibilidad, dado que, en los casos en los que el adjudicatario del Programa de Ejecución Edificatoria pretendiera pagar con edificación resultante, si el propietario no lo aceptaba, podía solicitar del Ayuntamiento su imposición forzosa. De este modo, tal y como establece la Ley extremeña, por poner algún ejemplo (artículo 157), el Ayuntamiento podría resolver, previa audiencia del propietario, en un doble sentido:

a) Adjudicar la parcela o el solar en proindiviso y en la proporción que resultase, entre el adjudicatario y el propietario, o

b) Permitir al adjudicatario la ocupación de la parcela o el solar a los efectos de la realización de las obras pendientes.

La Ley catalana, en el artículo 179.2,d) dispone que el sometimiento de la finca o el solar a sustitución forzosa, «consiste en la adjudicación de la facultad de edificar en régimen de propiedad horizontal con la persona propietaria originaria del inmueble, mediante concurso público». En tal caso, las bases del concurso tienen que determinar los criterios aplicables para su adjudicación y concretar el porcentaje mínimo de techo edificado que deberá atribuirse al propietario originario.

La previsión de la Ley estatal (que desarrolla sucintamente, como se ha visto, la Ley catalana) parece más interesante y, desde luego, más flexible, dado que, como ya había puesto de manifiesto la doctrina, la previsión del condominio es un tanto rígida. En este tipo de acuerdos, el resultado no suele ser un condominio, sino una permuta de cosa presente (el terreno) por cosa futura (los pisos que se edifiquen).

Segundo.

Se aclara que la sustitución forzosa no tiene por objeto otorgar «la facultad de edificación», sino «garantizar el cumplimiento del deber correspondiente, mediante la imposición de su ejercicio». Ésa es la verdadera finalidad de esta medida de intervención administrativa, y no la de otorgar la facultad de edificar a un tercero, aunque ésa sea una consecuencia directa de la aplicación de esta técnica urbanística.

El artículo 244 de la Ley urbanística aragonesa contiene una regulación muy expresiva en relación con este aspecto. Lleva por título «Declaración de situación de ejecución por sustitución» y, en su apartado primero aclara que toda declaración de una parcela o solar en situación de ejecución por sustitución tendrá como «presupuesto el incumplimiento del deber de edificar declarado en procedimiento dirigido a tal fin». El apartado segundo establece que, una vez declarado el incumplimiento, «se requerirá al propietario para que proceda al cumplimiento de su deber de edificar, así como que, transcurridos seis meses desde el requerimiento, la parcela o solar quedará por ministerio de la Ley en situación de ejecución por sustitución. Por último, el apartado quinto aclara que el objeto del concurso público será la sustitución del propietario incumplidor, no el otorgamiento de la facultad de edificar a un tercero, que, como se dijo, no es sino la consecuencia».

5.2. Minoración del contenido del derecho de propiedad. Artículo 36.3

«En los supuestos de expropiación, venta o sustitución forzosas previstos en este artículo, el contenido del derecho de propiedad del suelo nunca podrá ser minorado por la legislación reguladora de la ordenación territorial y urbanística en un porcentaje superior al 50 por ciento de su valor, correspondiendo la diferencia a la Administración.»

Este apartado no ha sido objeto de modificación alguna por parte de la LRRR, de modo que sigue reproduciendo el que fuese el apartado 3 del artículo 31 de la Ley 8/2007, que a su vez rescató la regulación que, de la venta forzosa, contuviese en su día la LS 92 (procedente de la Ley 8/1990 que fue la que la introdujo en realidad por primera vez), si bien en el TRLS de 2008 la minoración del contenido del derecho de propiedad ya no se establece, con carácter fijo, en un 50% del valor que corresponda al inmueble, sino en un máximo alcanzable por la legislación autonómica y, correlativamente con éste, en el mínimo reconocido como tal contenido, al propietario del suelo, con carácter básico por el legislador estatal. Debe recordarse que la LS 92 había establecido la reducción del aprovechamiento urbanístico en un 50% y la expropiación o venta forzosa, cuyo valor se determinaría, en todo caso, con arreglo a la señalada reducción, como reacción que, con carácter general, había que aplicar frente al incumplimiento de los deberes urbanísticos.

Para el Tribunal Constitucional, los títulos competenciales del Estado que entraban en juego para legitimar tales medidas eran dos, en concreto, las reglas 1.ª y 18.ª del art. 149.1 C.E (STC 61/197). Sin embargo, mientras que, a efectos competenciales, el Alto Tribunal declaró que al legislador estatal le era lícito establecer la expropiación por incumplimiento de la función social de la propiedad o la venta forzosa en materia urbanística, cuando se tratase del incumplimiento de aquellos deberes básicos cuya regulación le competía al amparo del art. 149.1.1.º C.E., cuando se trataba de establecer medidas específicas, tanto de reacción, como de reducción del valor del inmueble afectado por aquéllas, la habilitación competencial estatal no alcanzaba legítimamente para imponer medidas de reacción jurídica únicas.

Por ello, en relación con la reducción al 50 por ciento del valor del aprovechamiento urbanístico que disponía la LS 92 en diversos preceptos, el Tribunal declaró que era inconstitucional, ya que «no se efectúa mediante la fijación de criterios mínimos, que en este caso consistirían en la determinación de un tope máximo de tal reducción, de tal modo que permitiese a las Comunidades Autónomas la determinación del porcentaje de disminución que estimasen adecuado, para respetar así el ejercicio de la competencia en materia de urbanismo que aquellos Entes públicos tienen constitucionalmente atribuida.»

Por tanto, dado que al legislador estatal no le es lícito exigir a las Comunidades Autónomas y a los Ayuntamientos (como entes territoriales gestores del urbanismo) una reacción jurídica frente a los incumplimientos de la función social de la propiedad que deba ser ejercitada de manera necesaria y sin alternativa posible, el artículo 36.3 que se analiza, permite una minoración del contenido del derecho de propiedad del suelo, que dependerá de lo que dispongan cada una de las Leyes autonómicas, sin que ninguna de ellas pueda superar el porcentaje máximo del 50%. Resulta elocuente, no obstante, que varios años después de la entrada en vigor de la Ley de Suelo del año 2007, ninguna de las normas autonómicas que se han aprobado hasta la fecha, haya incidido en esta cuestión, de modo que, siendo posible dentro de tales Comunidades la venta o sustitución forzosa, ninguna de ellas ha optado por regular dicha minoración en porcentaje alguno.

La eliminación en la LRSV, tanto de estas técnicas de intervención administrativa, como de la posible minoración del contenido del derecho de los propietarios incumplidores, impidió que las Comunidades Autónomas introdujeran previsiones de este tipo, tanto en la expropiación forzosa por incumplimiento de la función social de la propiedad, como en la venta o sustitución forzosas. De hecho, el criterio que regía en aquélla norma con carácter general, en relación con las normas de valoración, era que aquéllas debían obtener un fiel reflejo del valor que el mercado asignase a los bienes, lo cual no impedía a las Comunidades Autónomas, a través de su competencia en materia de disciplina urbanística, el posible establecimiento de medidas específicas de sanción ante tales conductas.

Esta cuestión vuelve a plantear el tema de la consideración de la expropiación, venta o sustitución forzosa como una sanción impuesta por la Ley. De hecho, es el propio TRLS el que determina que el valor que pueda corresponder al propietario responsable del incumplimiento del deber de edificar o rehabilitar sea inferior al que correspondería al inmueble, de no resultar afectado por la reacción administrativa.

Pese a ello ya se anticipó la especial naturaleza de estas medidas de reacción y su imposible identificación con medidas puramente sancionadoras. El TRLS no atribuye al propietario del suelo, directa e incondicionalmente, el aprovechamiento urbanístico que permite el planeamiento. El estatuto jurídico básico del propietario (artículos 7.2 y 9.1), el contenido de las actuaciones de transformación (artículo 16), el régimen de valoraciones de suelo (artículos 21 a 28) y el de responsabilidad patrimonial de la Administración (artículo 35), así lo evidencian.

Resulta especialmente elocuente, a estos efectos, el artículo 7.2, que dispone lo siguiente:

«La previsión de edificabilidad por la ordenación territorial y urbanística, por sí misma, no la integra en el contenido del derecho de propiedad del suelo. La patrimonialización de la edificabilidad se produce únicamente con su realización efectiva y está condicionada en todo caso al cumplimiento de los deberes y al levantamiento de las cargas propias del régimen

que corresponda, en los términos dispuestos por la legislación sobre ordenación territorial y urbanística.»

Tal regulación implica que, siendo el valor de los inmuebles a los que se aplique
la venta o sustitución forzosas, un valor directamente derivado de la edificabilidad
que le asigna el Plan, y dependiendo su patrimonialización de una actitud activa y
determinada de su propietario, de conformidad con lo que disponga la ordenación
urbanística vigente, no puede colegirse que se reduzca un valor preexistente, ya
que éste no forma parte del patrimonio del propietario, al no haberse cumplido las
condiciones legales exigidas para su patrimonialización efectiva.

No obstante, esta especial naturaleza de la venta o sustitución forzosas, confirmada por el Tribunal Constitucional como ya se tuvo ocasión de analizar, contrasta con
el hecho de que, desde el aspecto procedimental, la Ley exija las mismas garantías
que forman parte del derecho sancionador, y de manera muy especial, la necesidad
de tramitación de un procedimiento contradictorio. Ello se explica bien con declaraciones literales del propio Tribunal Constitucional, que en su sentencia 61/197,
declaró que: «En definitiva, el procedimiento expropiatorio, o el de venta forzosa,
no constituyen procedimientos sancionadores *stricto sensu*, ni estas medidas tienen
una finalidad sancionadora a los efectos del art. 25 C.E. que, en consecuencia, no ha
podido ser vulnerado, lo que tampoco excluye, claro está, la necesidad de establecer
las garantías procedimentales que aseguren su correcta aplicación y la posibilidad
de que el propietario pueda alegar cuanto a su derecho convenga, extremo este que
el propio art. 30.3 TR LS establece con carácter básico exigiendo que la resolución
administrativa por la que se declare el incumplimiento se dicte previa audiencia del
interesado, y que ya la Ley de Expropiación Forzosa, de 16 de diciembre de 1954,
entre otras garantías, contemplaba (art. 75.a).» (STC 61/1997).

Sobre la base de estos elementos, se pasa ya al análisis de las distintas cuestiones procedimentales.

5.3. Procedimiento de la venta o sustitución forzosas. Artículo 37. Régimen de la venta o sustitución forzosas

«1. La venta o sustitución forzosas se iniciará de oficio o a instancia de interesado y se adjudicará mediante procedimiento con publicidad y concurrencia.

2. Dictada resolución declaratoria del incumplimiento y acordada la aplicación del régimen correspondiente, la Administración actuante remitirá al
Registro de la Propiedad certificación del acto o actos correspondientes para
su constancia por nota al margen de la última inscripción de dominio. La
situación de ejecución subsidiaria, de expropiación por incumplimiento de
la función social de la propiedad, la aplicación del régimen de venta o sustitución forzosas, o cualesquiera otras a las que quede sujeto el inmueble correspondiente, se consignará en las certificaciones registrales que se expidan.

3. Cuando el procedimiento determine la adjudicación por aplicación de la venta o sustitución forzosas, una vez resuelto el mismo, la Administración actuante expedirá certificación de dicha adjudicación, que será título inscribible en el Registro de la Propiedad, en el que se harán constar las condiciones y los plazos de cumplimiento del deber a que quede obligado el adquiriente, en calidad de resolutorias de la adquisición».

Las novedades en este artículo son escasas y guardan una casi identidad con lo ya expuesto en relación con el anterior artículo 36 del TRLS. Es decir, que se amplía el posible ámbito de la reacción administrativa frente al incumplimiento de la función social de la propiedad, no sólo a la aplicación de la venta y sustitución forzosas, sino también a la situación de ejecución subsidiaria y a la expropiación forzosa (apartado 2), y todo ello en relación con el incumplimiento de cualesquiera de los deberes establecidos, con carácter básico, por el propio TRLS (apartado 3).

De hecho, las novedades procedimentales más relevantes en relación con la venta y sustitución forzosas de la LRRR no proceden de la modificación de los artículos 36 y 37 del TRLS, sino de la parte sustantiva de la propia LRRR, en cuyos artículos 12 y 13 se contienen las siguientes reglas:

Artículo 12. La Administración urbanística actuante puede delimitar ámbitos de gestión y ejecución de actuaciones de rehabilitación edificatoria y de regeneración y renovación urbanas, bien de manera conjunta o aislada, que, una vez firmes en vía administrativa, provocan, entre otros, la declaración de la utilidad pública o, en su caso, el interés social, a los efectos de la aplicación de los regímenes de expropiación, venta y sustitución forzosas de los bienes y derechos necesarios para su ejecución, y su sujeción a los derechos de tanteo y retracto a favor de la Administración actuante, además de aquellos otros que expresamente se deriven de lo dispuesto en la legislación aplicable.

Artículo 13, apartado 3. **En todos los supuestos de iniciativa pública,** la Administración puede resolver si ejecuta las actuaciones de rehabilitación edificatoria y de regeneración y renovación urbanas directamente, o si las adjudica a un tercero, por medio de un concurso público, en cuyas bases se determinarán los criterios aplicables para la adjudicación y el porcentaje mínimo de techo edificado que se atribuirá a los propietarios del inmueble objeto de la sustitución forzosa, en régimen de propiedad horizontal. En estos concursos pueden presentar ofertas cualesquiera personas físicas o jurídicas que estén interesadas en gestionar la actuación, incluyendo a los propietarios que formen parte del ámbito. Éstos últimos deberán constituir, a tales efectos, una asociación administrativa similar a las Entidades Urbanísticas Colaboradoras y la adjudicación del concurso tendrá en cuenta, con carácter preferente, las alternativas u ofertas que propongan términos ventajosos para dichos propietarios afectados, salvo en el caso de que el procedimiento se haya puesto en marcha ante los incumplimientos de la función social de la propiedad, o de los plazos establecidos, por parte de aquéllos. No obstante, esa especial atención a los propietarios no es el único criterio que rige a la hora de adjudicar el concurso, ya que también se tendrán en cuenta las propuestas de intervención que produzcan un mayor beneficio para la colectividad en su conjunto, las que propongan obras de eliminación de las situaciones de infravivienda, o de cumplimiento del deber legal de conservación, de garantía de la accesibilidad universal, o de mejora de la eficiencia energética.

Ambos preceptos ya han sido objeto de análisis pormenorizado en esta obra, de modo que a continuación, se procederá a estudiar los aspectos procedimentales y registrales incluidos en el artículo 37 del TRLS, modificado por la Disposición adicional duodécima de la LRRR que se analiza, para lo cual se clasificarán en los siguientes apartados.

5.3.1. Iniciación y tramitación

El procedimiento puede iniciarse de oficio o a instancia de parte. No acaba de entenderse por qué, de manera insistente, esta determinación se recoge, tanto en el artículo 37 del TRLS, como en el 36 al que ya se ha hecho referencia. Quizás la diferencia se encuentre en que, mientras el apartado 1 del artículo 36 reconoce la habilitación a la Administración actuante para que decrete la aplicación del procedimiento de reacción administrativa que decida, tanto de oficio, como a petición de un tercero, el apartado 1 de este artículo alude al estricto aspecto procedimental del inicio del procedimiento de la venta o sustitución forzosas, también de oficio o a instancia de interesado, y a la necesidad de que la adjudicación respete las reglas de publicidad y concurrencia.

Con atención ya a este artículo 37, una de las características de la primera fase procedimental es que, salvo que exista petición particular, la aplicación de la venta o sustitución forzosa, de oficio, es voluntaria. En este caso, el inicio del procedimiento requiere un acuerdo del órgano de la Administración Local competente, dado que la venta y la sustitución forzosas encajan sin dificultad en las competencias municipales en materia urbanística. No obstante lo expuesto, debe tenerse en cuenta que todas las Leyes urbanísticas autonómicas prevén la subrogación de la Comunidad Autónoma en los casos de inactividad o incumplimiento de sus deberes legales por parte de los Ayuntamientos, siempre previa comunicación a los mismos y la concesión de un plazo determinado a los efectos de que se produzca la oportuna reacción.

En cualquier caso, la actuación de la Administración municipal deberá venir precedida de la tramitación del oportuno procedimiento mediante el cual se haya declarado el incumplimiento del deber urbanístico de que se trate. De ahí que el artículo analizado, en su apartado 2, haga referencia a una «resolución declaratoria del incumplimiento», tras la cual se permite a la Administración acordar «la aplicación del régimen correspondiente» (ejecución subsidiaria, expropiación, venta o sustitución forzosas).

Cuando el procedimiento se inicia a instancia de parte, parece evidente que la solicitud deberá reunir una serie de requisitos (7):

— Fundamentación ante la Administración de que el propietario de la parcela o solar ha incumplido sus deberes urbanísticos.

— Acompañar la solicitud de una memoria valorada de las obras precisas, un anteproyecto de las mismas y un documento en el que se determinen las garantías que se ofrecen a la Administración en relación con su ejecución.

Las fases que siguen a esta iniciación son, cuando menos, las dos siguientes: audiencia del propietario presumiblemente incumplidor y resolución de la Administración mediante la cual se declara el incumplimiento. Algunas Leyes autonómicas precisan que, además del incumplimiento, el expediente tramitado deberá acreditar que aquél no resulta imputable al propietario (art. 21 de la Ley castellano-leonesa), garantía que debe considerarse esencial.

En relación con todos estos trámites, la competencia exclusiva autonómica en materia de disciplina urbanística, atrae hacia su legislación las especificaciones precisas del mismo. El TRLS determina, como normativa común en esta materia, que tanto la utilización de la ejecución subsidiaria, como la expropiación, venta o sustitución forzosas vengan precedidas de la tramitación de este procedimiento contradictorio, con participación del propietario incumplidor, que debe finalizar con la resolución que declare tal incumplimiento.

Este reparto competencial también fue objeto de análisis por la STC 61/1997, de acuerdo con la cual «...ha de destacarse, para la cabal comprensión del precepto y por lo que atañe al deber de solicitar la licencia de edificación en plazo, que no existe invasión de la competencia autonómica sobre urbanismo por esta sujeción a plazo del deber de solicitar el acto autorizatorio. Esta dimensión temporal de la propiedad urbana y de su ejercicio mediante la materialización del aprovechamiento urbanístico, es decir, del derecho a edificar, tiene su respaldo en el mandato del constituyente de regular la utilización del suelo de acuerdo con el interés general para impedir la especulación, en conexión con el derecho de todos los españoles al disfrute de una vivienda digna y adecuada (art. 47 CE), directrices constitucionales éstas que quedarían desatendidas si la incorporación de los propietarios al proceso urbanizador y edificatorio quedase deferida a su libre y omnímoda decisión, desde una perspectiva temporal. **Si bien la fijación de plazos, su prorrogabilidad o no, el instrumento en que deban establecerse y otras concreciones de la dimensión temporal de la propiedad urbana deban ser remitidas al legislador autonómico, como pertenecientes al ámbito de las concretas técnicas urbanísticas, es decir, de la ordenación urbana (8)** (art. 148.1.3.ª C.E.). No ha de olvidarse, dicho en otros

---

(7)   Los que se incluyen a continuación proceden, en concreto, de la Ley de Suelo extremeña.
(8)   La negrita es propia.

términos, que de las condiciones básicas de la propiedad urbana establecidas por el legislador estatal se infiere que la dimensión temporal —el proceso de progresiva adquisición y patrimonialización de las facultades dominicales— constituye un elemento esencial. Bajo este perfil, parece asimismo evidente que la referencia al tiempo o a la existencia y cumplimiento de plazos no sea sino uno de los elementos integrantes de tales condiciones básicas».

Teniendo en cuenta, por tanto, que la Ley estatal no ofrece más regulación procedimental que la recogida en los siguientes apartados del artículo que se analiza, referida en realidad a los aspectos de constancia registral de las operaciones subsiguientes, se hará un repaso de la legislación urbanística autonómica, a los efectos de identificar los posibles trámites procedimentales que, dentro de la misma, permiten a la Administración poner en marcha estas técnicas.

El procedimiento-tipo (9) de la venta o sustitución forzosa puede estructurarse del modo siguiente:

1.º.— Incumplimiento de alguno de los deberes urbanísticos que, de conformidad con la Ley correspondiente, habilita a la Administración para incluir la parcela o solar en el Registro Municipal de Solares y Edificaciones ruinosas o, en el caso de que éste no exista, para aplicar la ejecución sustitutoria.

Con carácter general, estos deberes son los siguientes: el deber de edificar sobre parcela convertida en solar o con edificación deficiente, inadecuada o declarada en ruina, y el deber de conservar y rehabilitar (10). Por aportar algún ejemplo de legislación autonómica reciente, la Ley catalana dispone (artículo 178.2) que «La obligación de edificar se incumple si no se inicia la edificación de los solares sujetos a esta obligación dentro de los plazos fijados por el planeamiento y si no se acaba en los plazos fijados por la licencia otorgada o en los fijados por las prórrogas de éstas, y también cuando se incumplen los plazos fijados en las órdenes de ejecución de obras que se refieran a obras de conservación o rehabilitación requeridas por la seguridad de las personas o por la protección del patrimonio arquitectónico o cultural, de acuerdo con el artículo 110.1.e) cuarto»

La declaración del incumplimiento requiere que se hayan incumplido los plazos establecidos al efecto, tanto por el planeamiento urbanístico, como, en su caso, por la legislación autonómica con carácter subsidiario y que el mismo se declare fehacientemente tras la tramitación de un expediente disciplinario con audiencia del interesado. En la Ley gallega, por ejemplo (artículos 188 y ss.), se establece un

---

(9)   Las diferencias en este procedimiento en función de cada una de las Leyes autonómicas pueden llegar a ser acusadas, por lo que se ha hallado un procedimiento-tipo que pueda ilustrar al lector en relación con la posible tramitación de estas medidas.
(10) No obstante, ya se indicó que en algunas Leyes urbanísticas autonómicas se llegan a incluir los deberes vinculados al propio proceso urbanizador (por ejemplo, en Cataluña y en Castilla y León).

plazo para edificar, si el planeamiento urbanístico no lo fija, de dos años, pudiendo prorrogar la Administración dicho plazo por una duración máxima de un año. Una regla similar se contiene en la Ley vasca donde se establece un plazo máximo de un año para edificar, a contar desde la finalización de la obra urbanizadora.

2.º.— La inclusión de la parcela o solar en el Registro Municipal de Solares y Edificaciones Ruinosas. Éste extremo dificulta la eficacia práctica de estas medidas, toda vez que su funcionamiento (en los casos en los que ha sido efectivamente creado), se encomienda en muchos casos a una normativa reglamentaria que no ha llegado, o a la propia decisión de los Ayuntamientos, como ocurre en la Región de Murcia, donde la creación del Registro de Solares es potestativa para los Ayuntamientos. En la Comunidad Autónoma aragonesa se reserva la creación del Registro de inmuebles en situación de ejecución por sustitución a los municipios con población igual o superior a ocho mil habitantes o que cuenten con plan general de ordenación urbana (artículo 225), si bien, lo cierto es que este Registro sólo se ordena a efectos de publicidad. Cualquier persona física o jurídica podrá consultarlo y obtener certificado de los solares incluidos y de las determinaciones urbanísticas que les afecten, pero la falta de inclusión en el mismo de parcelas o solares, en el caso de que se haya incumplido el deber de edificar, no impedirá a la Administración aplicar la expropiación o la ejecución del planeamiento mediante sustitución del propietario. En Cantabria, la obligación de crear el Registro de Solares alcanza a los Municipios con más de 5.000 habitantes, cifra que se multiplica por cinco (es decir, más de 25.000 habitantes) en La Rioja.

También es preciso tener en cuenta que algunas Comunidades Autónomas no encomiendan a este Registro la puesta en marcha de la venta o sustitución forzosa, como ocurre con las Comunidades Autónomas de Castilla-La Mancha, Extremadura o el País Vasco, por aportar algunos ejemplos. En ésta última Ley, el incumplimiento del deber de edificar habilita a la administración actuante para expropiar la parcela o el solar, llevar a cabo su venta forzosa o proceder a la ejecución del planeamiento mediante la adjudicación de un programa de edificación a un agente edificador, previa la mera declaración municipal de la misma en situación de edificación forzosa (artículo 190) y la correspondiente adjudicación mediante un concurso público.

3.º.— El requerimiento municipal a los propietarios de estos inmuebles para que cumplan el deber de edificación en el plazo previamente establecido o el de rehabilitar, en su caso, un inmueble incluido en el Registro por encontrarse en situación de ruina. Este plazo suele ser de un año como máximo y el citado requerimiento habrá de hacerse constar en el mencionado Registro Municipal (esta es la regulación que aportan, por ejemplo, los artículos 150 y 157 de la Ley andaluza).

4.º.— La colocación de la parcela o el solar correspondiente en situación de venta forzosa para su ejecución por sustitución se produce, por ministerio de la Ley, si transcurre el plazo establecido sin que el propietario comunique al Ayuntamiento el comienzo de las obras, o acredite ante él las causas de la imposibilidad de la obtención de la licencia necesaria, evidentemente no imputables a él mismo. En el caso de la edificación ruinosa o inadecuada, el procedimiento se inicia de oficio o a instancia de parte, mediante la convocatoria del correspondiente concurso. El procedimiento del concurso es el mayoritariamente adoptado por la legislación autonómica, si bien existen supuestos en los que es sustituido por la subasta. Así ocurre en Cataluña, por ejemplo, cuya Ley —art. 179.2,c)— dispone que "El ayuntamiento puede acordar, de oficio o a instancia de persona interesada, someter la finca o el solar a venta forzosa mediante la subasta correspondiente, con el procedimiento que se establezca por reglamento. Si la subasta es declarada desierta, se tiene que convocar nuevamente, en el plazo de seis meses, con una rebaja del tipo de licitación de un 25%. Si la segunda subasta queda también desierta, el ayuntamiento, en el plazo de los seis meses siguientes, puede adquirir el solar por el precio mencionado."

No obstante este procedimiento-tipo, para el caso de preexistencia del Registro de Solares y terrenos sin edificar, debe tenerse en cuenta que, en otras normas autonómicas no existe esta "segunda oportunidad", de tal manera que acordada la inclusión de un bien inmueble en el mencionado Registro, el Ayuntamiento convoca directamente el concurso para su adjudicación, publicándose el mismo en el "Boletín Oficial de la Provincia" y en al menos uno de los diarios de mayor difusión en el Municipio, indicando las características del inmueble, las condiciones para su adjudicación, el precio mínimo, el plazo para la realización de las obras de urbanización y edificación, y en su caso, los precios máximos de venta o arrendamiento de las edificaciones resultantes

En relación con el denominado "precio mínimo" es importante resaltar que en muchas leyes autonómicas se admite la posibilidad de que exista un precio fijado en la convocatoria, que coincidirá, en su caso, con la valoración recogida en el Registro y otro precio distinto, que será el que resulte de la adjudicación. En estos supuestos, la diferencia a favor corresponderá a la Administración (Castilla-La Mancha), que deberá aplicarlo al patrimonio público de suelo, con destino preferente a la construcción de viviendas sometidas a algún régimen de protección pública, o se repartirá a partes iguales entre la Administración y el propietario (Castilla y León).

5.º.— El concurso mediante el cual se sustituye al propietario incumplidor.

El concurso público a través del cual se adjudica la actuación por sustitución presenta las características típicas de cualquier concurso. Se analizan las alternativas técnicas presentadas, el precio y los plazos de realización de las obras. Con carácter particular, en estos concursos se tiene también muy en cuenta la participación prevista del propietario a los efectos de poder adjudicar el valor que le pudiera corresponder, en unidades de obra en régimen de propiedad horizontal.

La certificación municipal del acuerdo de adjudicación del concurso produce la transmisión forzosa de la propiedad, es decir, no es preciso el consentimiento del que ya será su anterior propietario. El adjudicatario tiene la condición de beneficiario de la expropiación.

En el caso de que el concurso quede desierto, la Administración puede optar por la expropiación del inmueble, o por su enajenación directa respetando las condiciones señaladas en la convocatoria. En estos casos, la gran mayoría de la legislación autonómica determina que el precio podrá rebajarse hasta en un 25%.

Por último, en el caso de que el adjudicatario incumpla los plazos señalados en la adjudicación o los de las prórrogas que se hayan podido acordar, procederá la expropiación del inmueble con la obra realizada, por el precio mínimo señalado en la convocatoria, valorándose aparte dichas obras. En todo caso, se dispondrá también la ejecución de la fianza.

6.º.— Las consecuencias del incumplimiento del deber urbanístico correspondiente por el adjudicatario de la venta o sustitución forzosa.

Este aspecto del procedimiento no aparece regulado en todas las Leyes autonómicas, pero parece interesante hacer referencia al mismo, por cuanto presupone que los adjudicatarios de la venta o sustitución forzosa también tienen la obligación legal de iniciar o reanudar la edificación, o la ejecución de las obras de conservación o rehabilitación, según el deber incumplido en cada caso, en el plazo que expresamente determine la Administración actuante. Dicho plazo, que suele ser de un año (de acuerdo con la legislación reguladora), se cuenta a partir de la fecha de toma de posesión de la finca, o de la obtención de la licencia municipal pertinente.

Como dispone el artículo 182 de la Ley de Cataluña (11), una vez declarado formalmente el incumplimiento de la obligación que corresponda, el propietario podrá ejercer el derecho de recuperación del bien de que se trate, en el plazo de tres meses desde la notificación de dicha declaración. Si dicho propietario no ejerciese este derecho, el inmueble pasará nuevamente a la situación de venta o sustitución forzosas.

Contrástese esta regulación con la que el legislador estatal ha otorgado a la expropiación por incumplimiento de la función social de la propiedad. De conformidad con el artículo 34.1,d), no existirá derecho de reversión por alteración del uso que motivó la expropiación, cuando ésta se produjo a consecuencia del *«incumplimiento de los deberes o no levantamiento de las cargas propias del régimen aplicable al suelo conforme a esta Ley.»*

---

(11)   Téngase en cuenta que cada Ley autonómica establece su propio procedimiento a estos efectos.

5.3.2. Aspectos registrales

El artículo 37.2 del TRLS, tras la modificación operada en su redacción por la Disposición adicional duodécima, apartado catorce de la LRRR, dispone:

> «Dictada resolución declaratoria del incumplimiento y acordada la aplicación del régimen correspondiente, la Administración actuante remitirá al Registro de la Propiedad certificación del acto o actos correspondientes para su constancia por nota al margen de la última inscripción de dominio. La situación de ejecución subsidiaria, de expropiación por incumplimiento de la función social de la propiedad, la aplicación del régimen de venta o sustitución forzosas, o cualesquiera otras a las que quede sujeto el inmueble correspondiente, se consignará en las certificaciones registrales que se expidan.»

La situación de venta o sustitución forzosa en la que se halla un inmueble es objeto de inscripción registral, como lo es también la certificación de la adjudicación de éste, en la que deberán constar las condiciones y plazos de edificación a las que queda obligado su adquirente.

El régimen de venta forzosa va acompañado de una serie de normas registrales que, comenzando con la nota marginal acreditativa de la inclusión de la finca en el Registro Administrativo correspondiente, es decir, la que pone de manifiesto la aplicación del régimen de venta forzosa, pasa por las reglas que regulan la inscripción de la venta así realizada y la situación en que quedan los asientos posteriores al momento en que registralmente quedó constatada la aplicación de este régimen de transmisión coactiva.

De ahí que el artículo 37.3 disponga que

> «Cuando el procedimiento determine la adjudicación por aplicación de la venta o sustitución forzosas, una vez resuelto el mismo, la Administración actuante expedirá certificación de dicha adjudicación, que será título inscribible en el Registro de la Propiedad, en el que se harán constar las condiciones y los plazos de cumplimiento del deber a que quede obligado el adquirente, en calidad de resolutorias de la adquisición.»

Los aspectos registrales de la venta forzosa se contienen de manera pormenorizada en el RD 1093/1997, por el que se aprueban las normas complementarias al Reglamento Hipotecario en relación con la inscripción de los actos de naturaleza urbanística. No se hará referencia aquí a la legislación autonómica que regula aspectos registrales de estas cuestiones (12), dada la indudable competencia estatal a

---

(12)   El extenso artículo 172 de la Ley catalana, por ejemplo, se dedica íntegramente a regular aspectos registrales de la venta o sustitución forzosas, incluyendo efectos de determinadas operaciones registrales, mandatos a registradores y actos inscribibles.

este respecto, expresada por la Disposición final primera, apartado tercero del TRLS y confirmada por reiterada jurisprudencia constitucional. Tal y como se recoge en la STC 61/1997 (FFJJ 29 y 39): «[...] corresponde al Estado en exclusiva [...] determinar qué actos son inscribibles en el Registro de la Propiedad, los efectos y las operaciones registrales... [así como] sujetar su inscripción al previo cumplimiento de ciertos requisitos [...].»

La regulación contenida en el RD 1093/1997, más arriba citado, puede extractarse del modo siguiente:

1.º.— La nota marginal acreditativa de la inclusión de la finca en el Registro Administrativo correspondiente (artículo 87).

Toda inclusión de una finca en el Registro Administrativo de Solares y Terrenos sin edificar será objeto de nota al margen de su última inscripción de dominio por parte del Registrador de la Propiedad, siendo el título inscribible el certificado administrativo que contenga la transcripción literal del acuerdo de inclusión. Con tal acuerdo la Administración solicitará, expresamente, la práctica de la nota, y en él hará constar que ha practicado la oportuna notificación al titular registral.

Cuando este procedimiento haya sido iniciado a instancia de parte, la nota podrá practicarse previa solicitud de la misma, si bien deberá acompañarse el certificado administrativo a que se ha aludido en el párrafo anterior.

El contenido fundamental de esta nota, como puede intuirse, está constituido por los datos que formen parte de la inscripción en el Registro Administrativo y de manera muy especial, por la causa de la inclusión en el mismo a los efectos de someter la finca a venta o sustitución forzosas. La nota se cancelará mediante certificación administrativa que acredite la propia cancelación del asiento practicado en el Registro Administrativo, o bien por caducidad, en concreto, si transcurren tres años desde su fecha, si no se hubiere practicado ningún asiento sobre la finca, relativo a la prórroga de la nota o a algún acto correspondiente al procedimiento de venta forzosa.

En suma, los efectos de esta primera nota son de publicidad, es decir, de advertencia al posible adquirente, de la situación de la finca, de manera que no pueda argumentar posteriormente ante la Administración su carácter de tercero (13).

A esta primera nota marginal se suma una segunda, en concreto

2.º.— La nota marginal acreditativa de la declaración en venta forzosa. (Artículo 88).

---

(13) Arnaiz Eguren, Rafael. *La inscripción registral de actos urbanísticos*. Monografías jurídicas. Madrid 1999. Ed. Marcial Pons.

La resolución administrativa firme por la que se declara el incumplimiento de los deberes urbanísticos que motivan la inclusión de una finca en el Registro de solares, también se hace constar den el Registro de la Propiedad, por nota al margen de la última inscripción de dominio de la finca.

El instrumento que permite esta práctica es, nuevamente, la certificación literal del acuerdo, que deberá ser remitida al Registro de la Propiedad por la Administración actuante. El Registrador, simultáneamente a la práctica de la nota, expide certificación de dominio y cargas de la finca. Además, en los supuestos en los que la resolución administrativa acuerda la venta forzosa, hacen que el Registrador, simultáneamente a la práctica de la nota, expida la certificación a que se refiere este artículo.

3.º.— El título inscribible.

De acuerdo con el artículo 89 del RD que se analiza, el título inscribible es la certificación administrativa del acuerdo de resolución del concurso a favor del adjudicatario, que deberá ir acompañada del acta de ocupación, en la que se hará constar:

> «a) El pago del precio satisfecho por el adjudicatario del concurso a los titulares del dominio de la finca o de otros derechos inscritos con anterioridad a la fecha de la nota a que se refiere el artículo anterior, o la consignación del mismo en el caso de que, debidamente citados, no hubieren comparecido en el expediente. También se hará constar el pago de las cantidades a que tenga derecho la Administración actuante, según la legislación urbanística aplicable.
>
> b) La especificación literal de las condiciones del concurso.»

La inscripción se realiza libre de cargas a favor del adjudicatario del concurso, que tiene el carácter de beneficiario.

Por último, en el artículo 91 se regula el supuesto de la adjudicación de la finca a favor de la Administración, con destino al Patrimonio Municipal del Suelo, cuando el concurso se hubiese declarado desierto. En estos casos, la inscripción se practica a favor de la Administración, haciéndose constar que queda sujeta a lo dispuesto en la legislación urbanística sobre los efectos del incumplimiento de la obligación de edificar.

Quince. El apartado 1 del artículo 39 queda redactado en los siguientes términos (14):

«1. Los bienes y recursos que integran necesariamente los patrimonios públicos de suelo en virtud de lo dispuesto en el apartado 1 del artículo anterior, deberán ser destinados a la construcción de viviendas sujetas a algún régimen de protección pública, salvo lo dispuesto en el artículo 16.2 a). Podrán ser destinados también a otros usos de interés social, de acuerdo con lo que dispongan los instrumentos de ordenación urbanística, sólo cuando así lo prevea la legislación en la materia especificando los fines admisibles, que serán urbanísticos, de protección o mejora de espacios naturales o de los bienes inmuebles del patrimonio cultural, o de carácter socio-económico para atender las necesidades que requiera el carácter integrado de operaciones de regeneración urbana.»

Dieciséis. El artículo 51 queda redactado de la siguiente manera:

«Actos inscribibles.

1. Serán inscribibles en el Registro de la Propiedad:

a) Los actos firmes de aprobación de los expedientes de ejecución de la ordenación urbanística en cuanto supongan la modificación de las fincas registrales afectadas por el instrumento de ordenación, la atribución del dominio o de otros derechos reales sobre las mismas o el establecimiento de garantías reales de la obligación de ejecución o de conservación de la urbanización y de las edificaciones.

b) Las cesiones de terrenos con carácter obligatorio en los casos previstos por las Leyes o como consecuencia de transferencias de aprovechamiento urbanístico.

c) La incoación de expediente sobre disciplina urbanística o restauración de la legalidad urbanística, o de aquéllos que tengan por objeto

---

(14)   Este precepto legal de la LS 08 no ha sufrido modificación sustancial alguna, dado que su modificación por la LRRRU se ha reducido a:

a) Una simple remisión al art. 16.2,a) LS 08,

b) La adición de un inciso final para ampliar los fines de los PPS, incluyendo los de carácter socioeconómico para atender las necesidades de operaciones integradas de regeneración urbana. Es decir, los bienes y recursos de los PPS podrán destinarse a la ejecución de esas operaciones, facilitando el cumplimiento de los objetivos de la nueva Ley.

La Editorial, por ello, remite al lector al estudio de los atinados comentarios que D. Ángel Menéndez Rexach ha redactado de los arts. 38 y 39 LS 08 en su versión inicial y publicados en la obra coordinada por D. Enrique Sánchez Goyanes *Ley de Suelo. Comentario sistemático del Texto Refundido de 2008*. Ed. LA LEY-El Consultor, 2009. Págs. 922 a 963, ambas inclusive.

el apremio administrativo para garantizar, tanto el cumplimiento de las sanciones impuestas, como de las resoluciones para restablecer el orden urbanístico infringido.

d) Las condiciones especiales a que se sujeten los actos de conformidad, aprobación o autorización administrativa, en los términos previstos por las Leyes.

e) Los actos de transferencia y gravamen del aprovechamiento urbanístico.

f) La interposición de recurso contencioso-administrativo que pretenda la anulación de instrumentos de ordenación urbanística, de ejecución, o de actos administrativos de intervención.

g) Los actos administrativos y las sentencias, en ambos casos firmes, en que se declare la anulación a que se refiere la letra anterior, cuando se concreten en fincas determinadas y haya participado su titular en el procedimiento.

h) Cualquier otro acto administrativo que, en desarrollo de los instrumentos de ordenación o ejecución urbanísticos modifique, desde luego o en el futuro, el dominio o cualquier otro derecho real sobre fincas determinadas o la descripción de éstas.

2. En todo caso, en la incoación de expedientes de disciplina urbanística que afecten a actuaciones por virtud de las cuales se lleve a cabo la creación de nuevas fincas registrales por vía de parcelación, reparcelación en cualquiera de sus modalidades, declaración de obra nueva o constitución de régimen de propiedad horizontal, la Administración estará obligada a acordar la práctica en el Registro de la Propiedad de la anotación preventiva a que se refiere el artículo 53.2.

La omisión de la resolución por la que se acuerde la práctica de esta anotación preventiva dará lugar a la responsabilidad de la Administración competente en el caso de que se produzcan perjuicios económicos al adquirente de buena fe de la finca afectada por el expediente. En tal caso, la citada Administración deberá indemnizar al adquirente de buena fe los daños y perjuicios causados.

3. Inscrita la parcelación o reparcelación de fincas, la declaración de nuevas construcciones o la constitución de regímenes de propiedad horizontal, o inscritos, en su caso, los conjuntos inmobiliarios, el Registrador de la Propiedad notificará a la Comunidad Autónoma competente la realización de las inscripciones correspondientes, con los datos resultantes del Registro. A la comunicación, de la que se dejará constancia por nota al margen de las inscripciones correspondientes, se acompañará certificación de las operaciones realizadas y de la autorización administrativa que se incorpore o acompañe al título inscrito.»

CONCORDANCIAS

— RD 1093/1997, Arts. 1, 2, 3.
— LS, Arts. 9, 16, 19, 31, 36, 37, 38, 39, 40, 41, 52, 54.
— LH, Arts. 1, 2, 3, 8, 9, 20, 32, 34, 38, 42.
— RH, Art. 7.
— **Jurisprudencia**: STS, Sala III, de 16 de abril de 2013.
— **Resoluciones de la DGRN:** 19 de mayo de 2010, 19 de mayo de 2012, 28 de octubre de 2003, 22 de abril de 2005, 9 de septiembre de 2009, 17 de enero de 2012, 8 de mayo de 2012, 3 de diciembre de 2012, 4 de marzo de 2013.

COMENTARIO (1)

Sumario

1. Novedades en materia de garantía real de obligaciones resultantes de actuaciones de rehabilitación o regeneración.
2. Novedades en materia de restauración de la legalidad urbanística alterada

En la nueva redacción dada por la LRRRU al artículo 51 de la LS, se introducen mínimas modificaciones que tienen por objeto, bien incluir dentro de su contenido referencia expresa al régimen de regeneración urbana que el nuevo texto legal establece, bien sistematizar y ordenar, para una mayor claridad en su contenido, ciertas modificaciones ya introducidas por el RDLey 8/2011. Especial interés tienen la referencia a la inclusión en la letra a) de una referencia a las garantías reales que sean establecidas para asegurar la realización de actuaciones de rehabilitación edificatoria y renovación urbana, y la sistematización del contenido del artículo 51 LS, en la parte relativa a las obligaciones de la Administración de promover la constancia registral temprana de expedientes de disciplina urbanística. Procedamos al estudio de unas y otras:

---

(1)   Comentario a cargo de Rafael Arnaiz Ramos. Registrador de la Propiedad.

1. NOVEDADES EN MATERIA DE GARANTÍA REAL DE OBLIGACIONES RESULTANTES DE ACTUACIONES DE REHABILITACIÓN O REGENERACIÓN (2)

En la letra a) del artículo 51 se introduce una referencia in fine, con la finalidad de prever el acceso al Registro de la Propiedad no sólo de las garantías reales de la obligación de ejecución o conservación de la urbanización, sino también de aquellas que sean establecidas para asegurar la realización de actuaciones de rehabilitación edificatoria y renovación urbana. Con ello, se pone el contenido del artículo 51 a) en relación con lo previsto en la nueva redacción dada al artículo 16 de la LS, en cuanto recoge los deberes exigibles no sólo en actuaciones de transformación urbanística sino en actuaciones edificatorias, y cuyo número 6 tiene la redacción siguiente:

«Los terrenos incluidos en el ámbito de las actuaciones y los adscritos a ellas están afectados, con carácter de garantía real, al cumplimiento de los deberes de los apartados anteriores. Estos deberes se presumen cumplidos con la recepción por la Administración competente de las obras de urbanización o de rehabilitación y regeneración o renovación urbanas correspondientes, o en su defecto, al término del plazo en que debiera haberse producido la recepción desde su solicitud acompañada de certificación expedida por la dirección técnica de las obras, sin perjuicio de las obligaciones que puedan derivarse de la liquidación de las cuentas definitivas de la actuación.»

De acuerdo con tal criterio de extensión de la garantía resultante de la afección real prevista para actuaciones de transformación urbana a las actuaciones edificatorias previstas en la LRRRU, esta ley, en su artículo 12.2, al regular los efectos de la delimitación de los ámbitos de gestión y ejecución de las actuaciones, establece lo siguiente:

«2. La conformidad o autorización administrativas correspondientes a cualesquiera de las actuaciones referidas en el apartado 1, determinará la afección real directa e inmediata, por determinación legal, de las fincas constitutivas de elementos privativos de regímenes de propiedad horizontal o de complejo inmobiliario privado, cualquiera que sea su propietario, al cumplimiento del deber de costear las obras. La afección real se hará cons-

---

(2) La afección real urbanística ha sido objeto de estudio en profundidad, entre otros, por ARNAIZ EGUREN, R. en *La Inscripción Registral de Actos de Naturaleza Urbanística*, Marcial Pons, Barcelona, 1999, GARCÍA GARCÍA, J.M., *Derecho Inmobiliario Registral o Hipotecario*, Tomo V, *Urbanismo y Registro* Civitas, Madrid, 1999, LASO MARTÍNEZ, J.L. *Afecciones Registrales: Aplicaciones Tributarias y Urbanísticas,* Colegio de Registradores de la Propiedad y Mercantiles de España, 2005, «Constancia Registral de los créditos por gastos de urbanización en procesos concursales», *RCDI,* n.º 723. La Comisión de Criterios de Calificación del Colegio de Registradores de la Propiedad y Mercantiles de España estudió la afección real en garantía de gastos de urbanización en su Informe 1/2012, de fecha 5 de febrero de 2012.

tar mediante nota marginal en el Registro de la Propiedad, con constancia expresa de su carácter de garantía real y con el mismo régimen de preferencia y prioridad establecido para la afección real al pago de cuotas de urbanización en las actuaciones de transformación urbanística» (3).

En virtud de la remisión realizada al apartado 1 del precepto, se ha de entender que «la conformidad o autorización administrativas» que determina el nacimiento de la afección, es la que se produce como consecuencia de la firmeza en vía administrativa de la resolución por la que se realiza la delimitación espacial del ámbito de actuación de rehabilitación edificatoria y de regeneración y renovación urbanas.

Al entrar en el estudio de tales preceptos no queda más remedio que comenzar realizando una crítica desfavorable: la que impone el hecho de que el legislador, en la elaboración del contenido de la LRRRU, haya dejado de aprovechar la oportunidad para desarrollar una regulación legal del contenido y efectos de la afección que, con efectos de garantía real, asegura el cumplimiento de obligaciones resultantes de procesos de transformación urbanística y, ahora, de las resultantes de las actuaciones edificatorias que regula la nueva ley. Y la elaboración de tal regulación resulta ciertamente urgente por dos razones. En primer lugar, porque la regulación vigente, además de carecer de rango legal, resulta manifiestamente insuficiente para atender los diversos supuestos que la práctica ofrece y, en segundo lugar, porque la necesidad de hacer uso de las garantías legales previstas para asegurar el cumplimiento de obligaciones resultantes de procesos de transformación urbanística se ha incrementado de forma notable en los últimos años, como consecuencia del escenario de crisis que vivimos, escenario que ha dejado a la vista las importantes carencias de regulación que presentan las diversas afecciones legales establecidas por el legislador con la finalidad de garantizar obligaciones de derecho público (4).

---

(3) Al texto transcrito se presentaron enmiendas en el Senado por el Grupo Parlamentario Socialista y por el Grupo Parlamentario Entesa pel Progres de Catalunya, con los números 57 y 148, en la que se proponía la no aplicación de la afección real prevista en el precepto para aquellos casos en los que la unidad familiar a la que perteneciera el propietario tuviere ingresos anuales por debajo de un límite, con la finalidad de «evitar el riesgo de pérdida de la vivienda en un proceso de rehabilitación a los propietarios y arrendatarios con pocos recursos, lo que propiciaría una nueva ola de desahucios, ahora por causa del impago de cuotas de rehabilitación».

(4) Las mismas deficiencias regulatorias se han puesto de manifiesto en la configuración legal de la eficacia de la nota marginal de afección fiscal, previstas en los artículos 100.3 del Reglamento del Impuesto de Sucesiones y Donaciones, RD 1629/1991, y 122.3 del Reglamento del Impuesto de Transmisiones Patrimoniales y Actos Jurídicos Documentados, RD 828/1995, respecto de la que existen discusiones relativas a si produce un efecto de garantía real o si, por el contrario, se limita a excluir el juego de la fe pública registral respecto de adquirentes posteriores, a los cuales no perjudicará si no se ha producido derivación de la acción tributaria. Un estudio detallado es el realizado por la Comisión de Calificación del Colegio de Registradores de la Propiedad y Mercantiles de España, en Informe de fecha 18 de marzo de 2011.

Así, la regulación establecida en el artículo 12.2 LRRRU, al remitirse a la existente para la afección en actuaciones de transformación urbanística, prolonga en el tiempo y extiende a las actuaciones edificatorias que regula la insuficiente y confusa regulación contenida en el vigente artículo 16 LS y en los artículos 19 a 21 del RHU, regulación que plantea, como principales dudas, las que con carácter enunciativo a continuación se enumeran:

— ¿Qué tipo de garantía real es aquella cuyos efectos atribuye a la afección el artículo 16.6 LS? ¿Se ha de considerar una hipoteca? Y en caso de que así fuera, ¿debe entenderse que sólo existe una vez consta inscrita, es decir, que como la hipoteca está sujeta a un principio de inscripción constitutiva, mediante nota marginal en el caso de actuaciones edificatorias o en el cuerpo de la inscripción de dominio de la finca de resultado en caso de actuaciones de transformación urbanística?

— ¿Debe, por el contrario, entenderse que la afección existe desde el momento en que se produce la firmeza de la resolución que delimita el ámbito de actuación de transformación urbanística o de rehabilitación, regeneración o reforma, aunque no resulte del Registro? Y si es así, en tanto no resulta del Registro, y dado que la regulación establecida en el artículo 19 del RHU está prevista sólo para la afección inscrita, qué efectos producirá?¿Los de una hipoteca legal tácita?

— ¿Qué clasificación corresponde al crédito garantizado con la afección en caso de que se declare el concurso del titular del dominio gravado por la afección? ¿ Se ha de entender sujeto a un privilegio especial, en cuanto asegurado con una garantía real? ¿Subsiste la afección en caso de que se produzca la enajenación del bien en un procedimiento de liquidación universal de los bienes del concursado?

— ¿Subsiste la afección, con efectos de garantía real una vez transcurrido el plazo de siete años previsto en el artículo 19 del RHU? ¿Es dicho plazo prorrogable y, en caso de que lo sea, permite la prórroga conservar los efectos de prioridad desde la fecha de constancia registral de la afección? ¿Qué ocurre si habiéndose tomado anotación preventiva de embargo acordado en apremio seguido para el cobro de las cantidades aseguradas por la afección, dentro del plazo de duración de siete años, la adjudicación resultante del embargo tiene lugar una vez transcurrido dicho plazo? ¿Conserva el adjudicatario la prioridad resultante de la afección?

Igualmente, la práctica registral está poniendo de manifiesto importantes problemas en la delimitación de la eficacia de la afección prevista en el artículo 31.4 b) de la Ley 38/2003, general de subvenciones.

— Dado que la afección produce efectos de garantía real, ¿es posible su ejecución directa, a través de un procedimiento específico, o resulta en todo caso necesario acudir al embargo del bien afecto y a la anotación preventiva de dicho embargo en el Registro de la Propiedad?

Estas y otras muchas dudas se plantean en el entendimiento del funcionamiento de la afección real prevista en los artículos transcritos, si bien no es el presente trabajo lugar adecuado para entrar en profundidad en su estudio y propuesta de resolución, por lo que nos limitaremos, también de forma sucinta, a considerar las especialidades que pueden surgir en el nuevo ámbito de aplicación de la afección real, esto es, aquel en que la afección recaiga sobre elementos privativos de edificaciones constituidas en regímenes de propiedad horizontal o de complejo inmobiliario, en garantía de cuotas de gastos generados por actuaciones de rehabilitación edificatoria, regeneración o reforma urbanas. Al respecto cabe señalar lo siguiente:

— Del texto literal del artículo 12.2 de la LRRRU parece resultar la voluntad del legislador de dejar claro que la afección en aquel prevista tiene su origen «por determinación legal», como una consecuencia ex lege de la firmeza en vía administrativa de la resolución de delimitación del ámbito sujeto a la actuación de rehabilitación arquitectónica, regeneración o reforma urbana, de tal forma que no puede entenderse que su constancia registral, por medio de nota marginal, tenga carácter constitutivo de la afección. Ésta, como garantía real de carácter legal, existe no obstante su falta de publicidad registral. A partir de ello, aparece, como problema fundamental, la determinación del contenido de la garantía creada por la Ley para el caso de que no se haya producido su acceso al Registro, pues la delimitación de sus efectos que en la actualidad realiza el legislador, y a la que se remite el artículo 12.2 LRRRU, es la contenida en el artículo 19 RHU (5), que sólo contempla los efectos de la afección ya inscrita.

A nuestro juicio, no pueden buscarse los efectos de la afección no inscrita en la regulación de la hipoteca legal tácita, pues es ésta una garantía de origen legal que recae sobre un sola titularidad, la del deudor tributario, y que exceptúa el juego de los principios registrales de prioridad, legitimación y fe pública registral, de tal forma que su ejecución perjudicará a aquellas titularidades no gravadas e inscritas, aun cuando la existencia de la deuda tributaria y su garantía no hayan tenido acceso al Registro de la Propiedad. Frente a ello, la afección regulada por los artículos 12.2 LRRRU y 16.6 LS no grava unicamente la titularidad dominical, sino todas las demás existentes sobre la finca incorporada al ámbito o que se constituyan con posterioridad, de tal forma que su plena eficacia respecto de sus titulares no puede

---

(5)   El carácter reglamentario de la norma de define la eficacia de una garantía de naturaleza real que impone una fuerte derogación del contenido ordinario del dominio afectado es una de las deficiencias regulatorias que se hace necesario superar, incorporando el régimen de eficacia de la afección a una norma con rango de ley.

entenderse que exceptúe los principios registrales citados, sino que es consecuencia de su propia naturaleza.

Ello obliga a plantearse la eficacia que haya de ser reconocida a la constancia registral de la afección. Partiendo del planteamiento expuesto, entendemos que dicha constancia registral, ya mediante expresión en el cuerpo de la inscripción de fincas de resultado en actuaciones de transformación urbanística, ya mediante nota marginal en el ámbito de la rehabilitación y regeneración urbanas, tiene como efecto fundamental hacer posible que la ejecución de tal garantía, seguida a través de un procedimiento de apremio contra el titular del dominio, tenga plena eficacia respecto de titulares registrales de otros derechos con el sólo requisito de que hayan sido notificados. Si la garantía consta inscrita, será de aplicación a su ejecución el contenido del artículo 19 del RHU, que posteriormente estudiaremos. Por el contrario, si la afección no tuvo acceso al Registro, la ejecución que deba perjudicar a los titulares inscritos exigirá que se acredite ante el registrador la existencia y firmeza del acto administrativo que provoca el nacimiento de la afección y su extensión sobre las titularidades inscritas que deban quedar afectadas, y la intervención de sus titulares, tanto en el procedimiento en que se dictó el acto administrativo generador de la afección, como en el posterior de apremio en que se ejecuta la garantía (6).

— El artículo 12.2 sólo prevé el caso de que la afección tenga por objeto el dominio recayente sobre elementos privativos integrados en regímenes de propiedad horizontal o complejos inmobiliarios existentes en las edificaciones sujetas a la actuación de que se trate, sin referirse al supuesto, evidentemente posible y frecuente, de que tales edificaciones no hayan sido objeto de división horizontal, supuesto en el que, aunque la Ley nada diga al respecto, parece necesario entender que la afección real recaerá sobre la totalidad de la edificación de que se trate.

— La afección real se hará constar en el Registro de la Propiedad a través de un asiento de nota marginal, a diferencia de lo que ocurre en el caso de la afección sobre fincas de resultado de una actuación de transformación urbanística, en las que la afección se hace constar en el cuerpo de la inscripción de la adjudicación de la finca de resultado. En el caso de las actuaciones de rehabilitación o de regeneración, tal solución no resulta posible, pues en el momento en que se ha de hacer constar la afección el Registro, la inscripción de dominio del titular gravado ya se halla extendida.

---

(6) De la RDGRN de fecha 5 de octubre de 2009 puede extraerse un criterio sólo similar al expuesto, pues no estamos de acuerdo con la afirmación contenida en dicha resolución que atribuye carácter constitutivo de la afección real a su constancia en la inscripción de la adjudicación resultante de la reparcelación, de tal forma que, faltando la inscripción, no puede entenderse que exista afección real. La afección real existe desde el momento de la aprobación del acto administrativo de delimitación del ámbito sujeto a la actuación urbanística o rehabilitadora. Será el procedimiento para actuar su contenido el que varíe en función de que la afección conste o no inscrita en el Registro de la Propiedad.

— La nota marginal por la que se hace constar la afección no es una de las notas a que se refieren los artículos 53.3 de la Ley de Suelo y 73 y siguientes del RHU, notas éstas cuyo efecto no es otro que el de dar conocer la situación urbanística de la finca en el momento en que se extendieron (7). Por el contrario, las notas marginales de afección al pago de cuotas devengadas en actuaciones de rehabilitación o regeneración son asientos que publican una garantía real, con los efectos de purga que a continuación se estudiarán. Por ello, entendemos que no podrá procederse a su extensión sin que en el título formal por el que se interese su práctica se haga acredite que todos los titulares registrales cuyos derechos constan inscritos o anotados en el Registro y que han de quedar sujetos a la afección han intervenido en el procedimiento de declaración del ámbito sujeto a rehabilitación, habiendo sido notificados de su existencia. Ya ocurre así en las actuaciones de transformación urbanística, donde la inscripción de la reparcelación y, con ello, de la afección sobre las fincas de resultado, exige acreditar la intervención de los titulares de las cargas afectadas en el procedimiento reparcelatorio. (Artículo 7.11 del RHU). En este sentido, el artículo 10.2 de la LRRRU, prevé que

> «el acuerdo administrativo mediante el cual se delimiten los ámbitos de actuación conjunta o se autoricen las actuaciones que deban ejecutarse de manera aislada, garantizará, en todo caso, la realización de las notificaciones requeridas por la legislación aplicable y el trámite de información al público cuando éste sea preceptivo.»

— En cuanto a la determinación del título formal inscribible en cuya virtud extender la nota marginal de afección, cabe entender que será tal la instancia que a tal efecto sea presentada por el promotor de la actuación, a la que acompañe certificación de la resolución administrativa firme por la que se delimite el ámbito de actuación de rehabilitación edificatoria, regeneración o reforma urbanas, de la que resulte que la finca registral de que se trate se halla incluida dentro del ámbito. Entendemos que la solicitud de extensión de la nota marginal de afección podrá ser realizada tanto por la Administración actuante, como por el promotor de la actuación, aunque no sea Administración, condición aquella que de conformidad con lo previsto en el artículo 9.1 LRRRU podrá corresponder a

> «las entidades públicas adscritas o dependientes de las mismas y los propietarios. En concreto, estarán legitimados para ello las comunidades y agrupaciones de comunidades de propietarios, las cooperativas de vivienda constituidas al efecto, los propietarios de terrenos, construcciones, edificaciones y fincas urbanas, los titulares de derechos reales o de aprovecha-

---

(7)   Posteriormente, en el comentario al artículo 53.3 LS, nos referiremos a las dudas que se plantean en relación con la eficacia de las notas marginales que dicho precepto regula, y que han dado lugar a pronunciamientos de la DGRN.

miento, y las empresas, entidades o sociedades que intervengan en nombre de cualesquiera de los sujetos anteriores.»

— Por lo que se refiere a los efectos de la nota marginal, se ha de partir de la remisión realizada por el artículo 12.2 LRRRU al régimen de preferencia y prioridad establecido para la afección real al pago de cuotas de urbanización en las actuaciones de transformación urbanística y, por tanto, aplicar los artículos que regulan dicha materia, es decir, el artículo 19 del RHU, conforme al cual:

«Quedarán afectos al cumplimiento de la obligación de urbanizar, y de los demás deberes dimanantes del proyecto y de la legislación urbanística, todos los titulares del dominio u otros derechos reales sobre las fincas de resultado del expediente de equidistribución, incluso aquellos cuyos derechos constasen inscritos en el Registro con anterioridad a la aprobación del Proyecto, con excepción del Estado en cuanto a los créditos a que se refiere el artículo 73 de la Ley General Tributaria y a los demás de este carácter, vencidos y no satisfechos, que constasen anotados en el Registro de la Propiedad con anterioridad a la práctica de la afección. Dicha afección se inscribirá en el Registro de acuerdo con las siguientes reglas:

"1. En la inscripción de cada finca de resultado sujeta a la afección se hará constar lo siguiente:

a) Que la finca queda afecta al pago del saldo de la liquidación definitiva de la cuenta del proyecto.

b) El importe que le corresponda en el saldo de la cuenta provisional de la reparcelación y la cuota que se le atribuya en el pago de la liquidación definitiva por los gastos de urbanización y los demás del proyecto, sin perjuicio de las compensaciones procedentes, por razón de las indemnizaciones que pudieren tener lugar.

2. En caso de incumplimiento de la obligación de pago resultante de la liquidación de la cuenta, si la Administración optase por su cobro por vía de apremio, el procedimiento correspondiente se dirigirá contra el titular o titulares del dominio y se notificará a los demás que lo sean de otros derechos inscritos o anotados sujetos a la afección. Todo ello sin perjuicio de que en caso de pago por cualesquiera de estos últimos de la obligación urbanística, el que la satisfaga se subrogue en el crédito con facultades para repetir contra el propietario que incumpla, como resulta de la legislación civil, lo cual se hará constar por nota marginal.

3. No será necesaria la constancia registral de la afección cuando del proyecto de equidistribución resulte que la obra de urbanización ha sido realizada y pagada o que la obligación de urbanizar se ha asegurado mediante otro tipo de garantías admitidas por la legislación urbanística aplicable.

4. En el proyecto podrá establecerse, con los requisitos que, en cada caso, exija el órgano actuante, que la afección no surta efectos respecto de acreedores hipotecarios posteriores cuando la hipoteca tuviera por finalidad asegurar créditos concedidos para financiar la realización de obras de urbanización o de edificación, siempre que, en este último caso, la obra de urbanización esté garantizada en su totalidad".»

De la redacción transcrita resulta que la nota marginal de afección a las cuotas de gastos resultantes de actuaciones de rehabilitación edificatoria, regeneración o rehabilitación urbanas producirá los siguientes efectos:

— La afección, según lo ya afirmado, grava no sólo el dominio, sino la totalidad de los derechos reales que sobre aquel se hallaren constituidos en el momento en que nace la afección, toda vez que ésta alcanza el conjunto de titularidades que tienen por objeto el inmueble sujeto a rehabilitación o reforma.

Resulta así que en la medida en que el objeto gravado por la afección no es sólo el dominio, no cabe entender que las cargas que recayeren sobre aquel y constaran inscritas con anterioridad al nacimiento de la afección no quedan gravadas por ésta. Al contrario, constituyen, junto con el dominio, el objeto jurídico gravado. Es por ello que no cabe sostener, como argumento hipotecario para excluir tales cargas «anteriores» del ámbito de extensión de la afección, su constancia registral previa a la de la nota marginal, es decir, el principio registral de prioridad. Cabría, por ello, exigir que en la redacción de la nota marginal por los registradores se hiciera constar de forma expresa que la afección se extiende no sólo sobre el dominio, al margen de cuya inscripción se extiende la nota, sino sobre las demás titularidades inscritas o que se inscriban sobre la finca de que se trate.

De esta regla general sólo escaparán, de conformidad con lo previsto en el artículo 19.1 transcrito, los créditos tributarios garantizados con hipoteca legal tácita y los demás del mismo carácter anotados preventivamente en el Registro con anterioridad a la constancia de la afección.

— En el caso de que se produzca el incumplimiento de la obligación garantizada con la afección, la Administración, de oficio o a instancia del promotor de la actuación, podrá acudir al procedimiento de apremio para obtener su cobro. No es cuestión clara la de si, dado el carácter de garantía real que corresponde a la afección, la persecución del bien afecto a través del procedimiento de apremio precisará o no que sea decretado el embargo del mismo, como actuación previa a la realización de su valor. La postura negativa, la que admite la posibilidad de realizar el valor del bien afecto sin necesidad de previo embargo puede apoyarse en lo previsto en el artículo 74.3 del Reglamento General de Recaudación, aprobado por Real Decreto 939/2005, de 29 de julio, el cual, en relación con los créditos tributarios asegurados con garantía real, y en relación con su ejecución, establece que «si la garantía consiste en hipoteca, prenda u otra de carácter real constituida por o sobre bienes o derechos del obligado al pago susceptibles de enajenación forzosa, se procederá a enajenarlos por el procedimiento establecido en este reglamento para la enajenación de bienes embargados de naturaleza igual o similar.»

En todo caso, al considerar las consecuencias registrales de lo hasta aquí dicho, se ha de entender que la realización de valor resultante de la ejecución de la garantía real en que consiste la afección habrá de producir la purga o cancelación de todas las inscripciones de derechos y cargas sobre las que se extiende la afección, o que, según lo antes dicho, constituyen su objeto, ya resulten inscritas con anterioridad, ya con posterioridad a la nota marginal de afección. Es por ello que, en el caso de que ejecución de la afección se haya acordado el embargo de los bienes afectos, y se haya procedido a tomar anotación preventiva del embargo en el Registro, la enajenación resultante no sólo producirá la cancelación de asientos posteriores a la anotación preventiva de embargo, según lo previsto en el artículo 175.2 del RH, sino la de todos los asientos, incluso anteriores a la anotación preventiva de embargo o incluso a la nota marginal, que lo sean de derechos sujetos a la afección.

No obstante, para que dicha cancelación pueda llevarse a cabo, será preciso, de conformidad con lo previsto en el artículo 19 RHU transcrito, como expresión de los principios de tracto sucesivo y proscripción de la indefensión, que los titulares de derechos que hayan de extinguirse como consecuencia de la ejecución de la garantía real en que consiste la afección, hayan sido debidamente notificados, a efectos de que puedan acudir al procedimiento de apremio y evitar la adjudicación mediante el abono de las cantidades adeudadas, supuesto en el cual se subrogará en el crédito, haciéndose constar dicha circunstancia por nota marginal (8).

---

(8) Procede citar aquí, la STS de 16 de abril de 2013, Sala III de lo Contencioso Administrativo, Ponente Rafael Fernández Valverde, que incluye en sus Fundamentos de Derecho Sexto y Séptimo, una crítica de la doctrina sentada de forma reiterada por la DGRN, en resolución, entre otras de 1 de marzo de 2013, en la que el Centro Directivo considera que se da una situación de ruptura del tracto sucesivo y, con ello, de indefensión, -que debe dar lugar a la denegación de la inscripción de la resolución judicial que acuerde la constancia registral de la declaración de nulidad de una licencia-, cuando no consta al registrador que los titulares registrales hayan sido notificados, bien por el Tribunal, bien como consecuencia de la extensión de una anotación preventiva de demanda. El TS, en la sentencia referida, corrige dicha doctrina, señalando que en «supuestos en los que la inscripción registral viene ordenada por una resolución judicial firme, cuya ejecución se pretende la decisión acerca del cumplimiento de los requisitos propios de la contradicción procesal, así como los relativos a la citación o llamada de terceros registrales al procedimiento jurisdiccional en el que se ha dictado la resolución que se ejecuta, ha de corresponder , necesariamente, al ámbito de decisión jurisdiccional. El igualmente, será suya la decisión sobre el posible conocimiento, por parte de actuales terceros, de la existencia del procedimiento jurisdiccional en el que se produjo la resolución determinante de la nueva inscripción». En el comentario a tal jurisprudencia, parece inevitable señalar que su contenido genera una fuerte lesión sobre los principios registrales determinantes de la eficacia de las inscripciones y, de forma concreta, sobre los principios de legitimación y tracto sucesivo, como aplicación concreta, en caso de que se sigan procedimientos judiciales que puedan afectar a derechos inscritos, de los principios constitucionales de proscripción de la indefensión y de tutela judicial efectiva, y todo ello, en la

— En cuanto a la duración de la constancia registral de la afección y su cancelación, será de aplicación el contenido del artículo 20 del RHU, conforme al cual,

«La caducidad y cancelación de la afección a que se refiere el artículo anterior se sujetará a las siguientes reglas:

1. La afección caducará a los siete años de su fecha. No obstante, si durante su vigencia se hubiera elevado a definitiva la cuenta provisional de liquidación del proyecto de reparcelación o compensación, dicha caducidad tendrá lugar por el transcurso de dos años, a contar de la fecha de la constatación en el Registro de la Propiedad del saldo definitivo, sin que, en ningún caso, pueda el plazo exceder de siete años desde la fecha originaria de la afección.

2. La afección podrá cancelarse antes de su fecha de caducidad:

a) En caso de reparcelación, a instancia de cualesquiera de los titulares del dominio u otros derechos sujetos a la misma, acompañando a la solicitud certificación del órgano actuante expresiva de haber sido satisfecha la cuenta de la liquidación definitiva referente a la finca de que se trate.

b) En caso de compensación, cuando a la instancia del titular se acompañe certificación del órgano actuante expresiva de haber sido recibida la obra de urbanización, y, además, cuando se hubiese constituido Junta de Compensación, certificación de la misma acreditativa del pago de la obligación a favor de la entidad urbanística.

c) La regla contenida en el párrafo b) que antecede se aplicará en todos los casos en los que la legislación urbanística atribuya la obligación de realizar materialmente la urbanización a los administrados.»

La adaptación del precepto a las actuaciones de rehabilitación edificatoria, regeneración y reforma urbanas previstas en la LRRRU exige sustituir distinguir según la ejecución de las obras de rehabilitación sea desarrollada por la Administración actuante, previa expropiación, o a través de un sistema de ejecución subsidiaria o, por el contrario, y previo concurso, por personas físicas o jurídicas privadas, incluidas las asociaciones administrativas que incorporen a los propietarios, siendo de aplicación, según estemos en uno o en otro supuesto, lo previsto en las letras a) o b) del artículo transcrito.

---

medida en que hace posible la modificación o cancelación del derecho inscrito en virtud de resolución recaída en procedimiento judicial en el que no hay constancia de que tenido oportunidad de haya intervenido el titular registral.

Es cuestión que está planteando importantes problemas en la práctica, el transcurso del plazo de los siete años de duración máxima de vigencia de la constancia registral de la afección sin que hayan sido terminadas las obras de urbanización, —circunstancia impuesta por los tiempos de crisis que vivimos— lo que lleva a plantear la cuestión de si dicha constancia registral tiene carácter prorrogable. El RHU no prevé posibilidad alguna de prórroga, lo que parece excluirla, dado que estamos ante una limitación del dominio cuya interpretación debe ser realizada, en todo caso, de forma restrictiva, lo cual, en tanto no se produzca una modificación legal que la prevea, llevará a los registradores a denegar toda solicitud de prórroga de la nota marginal de afección. Ello, sin embargo, no excluye la posibilidad de que pueda solicitarse una nueva constancia registral, que producirá sus efectos propios respecto de los titulares de cargas y gravámenes inscritos con anterioridad a la nueva nota que se extienda, siempre que sus titulares hayan podido intervenir, según lo antes expuesto, en el procedimiento en el que se acuerda la prórroga de la constancia registral de la afección.

2. NOVEDADES EN MATERIA DE RESTAURACIÓN DE LA LEGALIDAD URBANÍSTICA ALTERADA

La LRRRU da nueva redacción a la letra c) del artículo 51.1, que queda con la siguiente redacción:

> «c) La incoación de expediente sobre disciplina urbanística o restauración de la legalidad urbanística, o de aquéllos que tengan por objeto el apremio administrativo para garantizar, tanto el cumplimiento de las sanciones impuestas, como de las resoluciones para reestablecer el orden urbanístico infringido.»

La novedad en la redacción del precepto reside en el hecho de que se incorpora a la previsión de constancia registral de la incoación de los expedientes de disciplina urbanística, la de los expedientes seguidos para la restauración de la legalidad urbanística que haya sido infringida, habiéndose de entender, según prevé el artículo 53.2 LS, que el asiento a través del cual tales expedientes accederán al Registro será el de anotación preventiva, con una duración de cuatro años contados desde su fecha y prorrogables por otros cuatro, a instancia del órgano urbanístico actuante.

La incorporación de una referencia expresa a los expedientes que tengan por objeto la restauración de la legalidad urbanística parece responder a la preocupación del legislador de excluir, en la mayor medida posible, situaciones de publicidad registral que omitan la pendencia de procedimientos administrativos cuya resolución pueda producir efectos sobre el contenido o existencia de los derechos reales inscritos. Se evita, con ello, la generación de una situación de apariencia registral de legalidad urbanística de la edificación inscrita que genere una situación de confianza en el mercado que provoque, a su vez, la aparición de ulteriores adquirentes de buena fe, adquirentes que, no obstante haber observado la diligencia prevista en el artículo 34 de la LH para quedar protegidos por la fe pública, resultan perjudicados por la resolución judicial o administrativa que ordene la restauración de la realidad física alterada por el acto edificatorio contrario a la legalidad urbanística, según ha declarado de forma reiterada la jurisprudencia sentada por la Sala III del Tribunal Supremo (9).

Dentro de la referencia a los expedientes para la restauración de la legalidad urbanística a que se refiere la nueva redacción del artículo 51.1.c), se han de entender incluidos aquellos expedientes administrativos abiertos para cumplir la orden judicial de ejecución de resoluciones en las que se declare la nulidad de licencias o de acuerdos de aprobación de expedientes de transformación urbanística, y se ordene la restauración de la realidad física alterada. Es en tales procedimientos, donde más necesaria se hace la temprana constancia registral de la actuación judicial y administrativa posterior, pues es en tales casos en los que más posibilidades existen de que aparezcan terceros adquirentes que confiaron, al consultar el Registro, en la adecuación a la legalidad urbanística de una edificación o de un expediente de transformación urbanística inscritos sobre la base de la comprobación por el registrador de la existencia de licencias o acuerdo de aprobación definitiva cuya validez ha de presumirse de conformidad con lo previsto por el artículo 57 de la LRJAPPAC (10).

Se avanza con ello en las medidas ya introducidas por el R.D.L 8/2011, sin que todavía se haya resuelto el problema principal, esto es, el del acceso temprano al Registro de la interposición del recurso contencioso-administrativo contra la validez del acto administrativo habilitante de la edificación o de la transformación urbanística, dada la dificultad que plantea legislar sobre la decisión judicial de acordar medidas cautelares y la dependencia de la procedencia o no de éstas de las circunstancias concretas del caso.

---

(9)   Ver SSTS, Sala III de lo Contencioso, de 12 de mayo, 26 de septiembre de 2006 y 18 de marzo de 2008, entre otras. La de 26 de septiembre de 2006 establece que «el que los propietarios, que forman parte de la Comunidad recurrente, tengan la condición de terceros adquirentes de buena fe carece de trascendencia a los efectos de impedir la ejecución de una sentencia que impone la demolición del inmueble de su propiedad por no ajustarse a la legalidad urbanística, pues *la fe pública registral y el acceso de sus derechos dominicales al Registro de la Propiedad no subsana el incumplimiento del ordenamiento urbanístico, ya que los sucesivos adquirentes del inmueble se subrogan en los deberes urbanísticos del constructor o del propietario inicial,* de manera que cualquier prueba tendente a demostrar la condición de terceros adquirentes de buena fe con su derecho inscrito en el Registro de la Propiedad carece de relevancia en el incidente sustanciado (...) frente a los deberes derivados del incumplimiento de la legalidad urbanística no cabe aducir la condición de tercero adquirente de buena fe amparado por el acceso de su derecho de dominio al Registro de la Propiedad, puesto que, conforme al principio de subrogación de los sucesivos adquirentes en el cumplimiento de los deberes impuestos por el ordenamiento urbanístico, la demolición de lo indebidamente construido no sólo pesa sobre quien realizó la edificación ilegal sino sobre los sucesivos titulares de la misma, sin perjuicio de la responsabilidad en que aquél hubiese podido incurrir por los daños y perjuicios causados a éstos».

(10) La necesidad de tal constancia registral temprana se incrementa de forma exponencial si tenemos en cuenta lo dicho en la STS, Sala III, de 16 de abril de 2013, comentada en nota al pie número 25.

La LRRRU, por tanto, recoge las medidas de acceso temprano al Registro de la Propiedad de las actuaciones administrativas que puedan provocar la restauración de la realidad física alterada y las sistematiza, intentando resolver ciertos problemas interpretativos que la deficiente y apresurada elaboración del R.D. 8/2011 provocó. Así, en relación con la obligación de las Administraciones con competencias en materia de disciplina urbanística de promover la constancia registral, mediante anotación preventiva, de la incoación de expedientes de disciplina urbanística y de restauración de la legalidad urbanística alterada, se traslada la regulación legal de dicha obligación desde la letra c) del artículo 51.1 LS al número 2 del mismo artículo 51, y ello con la finalidad de reunir, en un mismo precepto, la obligación legal de promover la constancia registral de los expedientes referidos y la determinación de los efectos resultantes de su incumplimiento, resolviendo ciertos equívocos que la estructura resultante del R.D. 8/2011 generó (11).

Con ello, el artículo 51.2 LS, queda con la redacción al principio de este epígrafe transcrita.

Diecisiete. El artículo 53 queda redactado de la siguiente manera:

«**Clases de asientos.**

1. Se harán constar mediante inscripción los actos y acuerdos a que se refieren las letras a), b), g) y h) del artículo 51, así como la superficie ocupada a favor de la Administración, por tratarse de terrenos destinados a dotaciones públicas por la ordenación territorial y urbanística.

2. Se harán constar mediante anotación preventiva los actos de las letras c) y f) del artículo 51, que se practicará sobre la finca en la que

(11) Muestra de la confusión, a nuestro juicio insólita, generada por el precepto, fue la necesidad de que la Dirección General de Urbanismo y Política de Suelo emitiera informe, con fecha 20 de diciembre de 2011, en contestación a consulta planteada por la Comunidad Autónoma de Castilla la Mancha sobre el alcance y efectos de la remisión de información, informe en el que afirma que «*existiendo una cierta co-responsabilidad en materia de disciplina urbanística en España entre Comunidades Autónomas y Ayuntamientos, no debe extrañar que se introduzca una norma que persigue otorgar a aquéllas la necesaria información anticipada de determinadas actuaciones municipales que pueden tener un indudable impacto, no sólo sobre el territorio, sino también sobre la esfera patrimonial de los adquirentes de inmuebles de buena fe. Las parcelaciones y reparcelaciones, la declaración de nuevas construcciones o la constitución de regímenes de propiedad horizontal, o de conjuntos inmobiliarios indudablemente lo son y el conocimiento anticipado de las mismas por parte de las Comunidades Autónomas podrá permitirles realizar un diagnóstico de la situación urbanística de sus Municipios, a la par que adoptar, en el caso de que así sea preciso, las actuaciones disciplinarias que correspondan. Parece claro, no obstante, que esta clase de información tendrá un carácter más global que específico y que, como tal, debería realizarse un tratamiento adecuado de la misma. La posibilidad de realizar evaluaciones y diagnósticos globales en relación con lo que pueda estar sucediendo en determinados municipios, más que la información detallada y concreta de cada una de las licencias que se otorguen y de su específico acceso al Registro de la Propiedad, está en la motivación de esta medida.*»

recaiga el correspondiente expediente. Tales anotaciones caducarán a los cuatro años y podrán ser prorrogadas a instancia del órgano urbanístico actuante o resolución del órgano jurisdiccional, respectivamente.

3. Se harán constar mediante nota marginal los demás actos y acuerdos a que se refiere el artículo 51. Salvo que otra cosa se establezca expresamente, las notas marginales tendrán vigencia indefinida, pero no producirán otro efecto que dar a conocer la situación urbanística en el momento a que se refiere el título que las originara.»

CONCORDANCIAS:

— RD 1093/1997, Arts. 1, 2, 3, 54 y ss. 73 y ss.
— LS, Arts. 9, 16, 19, 31, 36, 37, 38, 39, 40, 41, 52, 54.
— LH, Arts. 1, 2, 3, 8, 9, 20, 32, 34, 38, 42.
— RH, Art. 7.
— **Resoluciones de la DGRN**: 6 de febrero de 2013, 26 de abril de 2011, 17 de enero de 2012.

COMENTARIO (1)

El artículo 17 de la LRRRU incorpora lo que se dice ser una nueva redacción del artículo 53 de la LS, sin que, no obstante la declaración legal, este comentarista haya sido capaz de encontrar diferencia alguna entre la redacción anterior a la LRRRU, —resultante de la modificación de los números 1 y 2 por el R.D.L. 8/2011, y realizada con la finalidad de ajustar las referencias hechas en los números 1 y 2 del artículo 53 al sistema de letras y no de números introducido en el artículo 51—, y la redacción resultante de la Ley que comentamos.

Es por ello que no acertamos a entender la inclusión en la LRRRU del artículo 53, pues nada aporta sobre la redacción anterior del precepto. Y ello, pese a que sí hubiera sido de gran utilidad, según lo antes expuesto, que la nueva redacción hiciera expresa referencia a la nota marginal a través de la cual tiene su acceso al Registro la afección real resultante de la firmeza en vía administrativa de resoluciones por las que se delimitan ámbitos de rehabilitación edificatoria, regeneración o reforma urbanas, para, por un lado, precisar que no todos los actos a que se refiere la letra a) del artículo 51.1 acceden al Registro a través de un asiento de inscripción y, en segundo lugar, para distinguir su eficacia de la prevista en el número 3 del artículo 53 para las notas marginales a través de las cuales acceden al Registro los demás actos de naturaleza urbanística respecto de los cuales no se prevé expresamente su constancia a través de algún otro tipo de asiento.

---

(1)   Comentario a cargo de Rafael Arnaiz Ramos. Registrador de la Propiedad.

Ciertamente el último inciso del número 3, cuando prevé que las notas marginales que el precepto regula «no producirán otro efecto que el de dar a conocer la situación urbanística en el momento a que se refiere el título que las originara», genera un problema de interpretación de la eficacia de tales notas, toda vez que no resuelve la cuestión esencial relativa a si para el caso de que, una vez extendida la nota, se interesara la inscripción de algún acto de contenido contrario a la previsión contenida en ella, procederá o no cerrar el Registro, por no poderse entender que el acto se adecue a la ordenación o a la legalidad o si, por el contrario, procede inscribir, dado que la nota marginal, según la previsión expresa contenida en el artículo 53.3, no produce efecto alguno de cierre registral, y tiene un eficacia meramente informativa o de «divulgación.»

En relación con tal cuestión se ha pronunciado recientemente la DGRN, en R. de fecha 6 de febrero de 2013, resolución cuyo comentario resulta especialmente oportuno en este trabajo, en la medida en que se pronuncia también sobre la inscribibilidad de una obra nueva «antigua», respecto de la cual se acredita por el interesado su terminación en fecha tal que, a la fecha de la presentación del título, había transcurrido el plazo de prescripción de las infracciones susceptibles de provocar su demolición. El supuesto de hecho es el siguiente: se interesa la inscripción de una ampliación de una obra nueva ya inscrita, ampliación consistente en la ampliación de superficie de la planta sótano y habilitación del mismo para su configuración como vivienda. En el Registro dicho sótano aparecía con menor superficie y destino a almacén, constando además, por nota marginal en el folio de la finca, que al otorgarse la licencia que autorizó la edificación existente se estableció como condición de dicha licencia a que no se destinara el sótano a vivienda.

La DGRN, en la resolución que comentamos, da la razón a la registradora, que deniega la inscripción de la ampliación interesada en tanto no se proceda a la cancelación de la condición que consta en el Registro por nota marginal, y ello a partir de la consideración básica de que las notas a que se refiere el artículo 53.3 LS no son notas de mera publicidad noticia, o mero efecto divulgativo, sino que en ellas, el la constancia registral genera un efecto material añadido a la eficacia del acto administrativo que genere la extensión de la nota. Así, la DGRN, argumenta en los términos siguientes:

> «3. Esta "publicidad limitada" de las notas marginales de condiciones de licencias, no es simplemente una "publicidad-noticia", o sea meramente informativa y sin efectos jurídicos registrales, como si se tratara de una publicidad meramente fáctica, patrocinada en relación con algunos sistemas de transcripción ajenos a nuestro sistema registral y sobre la que existe discusión en los propios países en que se ha planteado, considerándose desde determinados sectores que se trata de un concepto impreciso e incluso inadecuado para los propios sistemas de transcripción, y mucho más en el sistema español, teniendo en cuenta la eficacia de los asientos registrales, aunque pueda ser más limitada tratándose de notas marginales de esta clase. La constancia en el Registro de dichas condiciones de las licencias siempre supone un adi-

tamento de eficacia registral a las mismas, aunque por la propia naturaleza de dichas condiciones resultantes de las leyes y de los planes, y de la eficacia misma de dichas leyes y planes en que se basan, no sean de aplicación todos los principios hipotecarios, pero sí algunos de ellos que son de gran importancia para resolver los problemas que, como el aquí planteado, necesitan de una solución coherente dentro de los sistemas registral y urbanístico.

4. Así, cuando los preceptos anteriormente indicados aluden, en relación con la constancia registral de las condiciones de las licencias, a "los efectos de dar a conocer la situación urbanística en el momento a que se refiere el título que las originara", se trata de efectos limitados de publicidad, pero no de una simple "noticia" fáctica carente de toda relevancia, pues aparte de que la norma hace la importante salvedad de que "otra cosa se establezca expresamente" (y ahora veremos los términos de los artículos 73 y 74), la constancia en el Registro de dichas condiciones, inspirada en la finalidad de colaboración entre la institución registral y el Urbanismo, produce determinados efectos, aunque, según queda dicho, no sean todos los que en general prevé la legislación hipotecaria para los asientos registrales.

5. Por lo que se refiere a la constancia registral de las condiciones de licencias de obras, el artículo 74 del citado Real Decreto 1093/1997, de 4 de julio, desarrolla de modo específico la regulación de las mismas, en cuanto a su duración y a sus efectos. Concretamente, respecto a la duración, se hace referencia a la vigencia indefinida cuando no se ha establecido otra cosa, según resulta de la regla general el artículo 73.1.º de dicho Reglamento, en concordancia con el artículo 53.3 del Texto Refundido de la ley de Suelo, por lo que en el presente caso, a pesar de que la condición deriva de una licencia de obras del año 2003 y la escritura de ampliación de obra nueva es del año 2012 con referencia a una obra en el sótano cuya antigüedad consta acreditada que es del año 2007, continúa vigente en el Registro la condición de aquella licencia municipal que prohibió la habilitación de la planta sótano para vivienda.

6. Y por lo que se refiere a los efectos de la constancia registral de la condición de la licencia, aparte de la regla general del artículo 73.2.º en concordancia con el artículo 53.3 del Texto Refundido de la Ley de Suelo, sobre esos efectos de publicidad limitada, el artículo 74 del Real Decreto 1093/1997, que regula específicamente esas condiciones, alude a supuestos, como el aquí planteado, describiéndolos como aquellos en que "se impongan condiciones que han de cumplirse en la finca a la que afectan, con arreglo a las Leyes o a los Planes", en cuyo caso "tales condiciones podrán hacerse constar por el Registrador de la Propiedad mediante nota marginal."

7. Esto significa que las condiciones reflejadas en el Registro tienen el efecto resultante del principio de legitimación registral al que alude la registradora en su nota de calificación, en un doble sentido: a) en primer lugar, en el sentido de que la condición registrada se presume que es conforme a

las leyes o a los planes, aunque su efecto sea el de dar a conocer la situación urbanística en el momento a que se refiera el título que las origine, pues es perfectamente compatible reconducir el efecto al momento del título en que se impuso la condición, y mantener su vigencia a lo largo del tiempo mientras no conste que la condición ya no tiene efecto, y sobre todo hasta que se haya cancelado por acuerdo del órgano que la impuso, pues estando vigente en el Registro se presume por la eficacia del asiento registral, su conformidad con las leyes o los planes que sirvieron de base a su imposición por el órgano que dio la licencia, sin perjuicio de que pueda cancelarse por decisión del mismo, conforme a lo dispuesto en el artículo 74 del citado Reglamento; y, b) en segundo lugar, en el sentido de que la condición registrada se presume vigente mientras no sea cancelada expresamente por el órgano que la impuso.

8. Por todo ello, resulta adecuado aplicar, en este caso, a la condición de la licencia que figura en el Registro, los efectos resultantes de, al menos, dos principios hipotecarios resultantes de la legislación hipotecaria sobre los efectos de los asientos: a) el de calificación registral a efectos de controlar la inscripción de aquellos actos que sean contrarios a la condición impuesta en la licencia de obras inscrita en el Registro, por resultar así de los asientos registrales, conforme al artículo 18.1.º de la Ley Hipotecaria; y, b) el de legitimación registral del artículo 38.1.º de la propia Ley Hipotecaria sobre presunción de vigencia de la condición registrada.

9. Por lo anteriormente indicado, no es posible inscribir en este caso la ampliación de una obra nueva en contra del contenido de una condición de la licencia municipal de obra que consta como vigente en el Registro, al no haber sido cancelada, y por ello, con la presunción de que se adapta a lo dispuesto en la ley o en los planes, mientras no se produzca la cancelación de la condición por parte del órgano que la impuso, pues en otro caso, se produciría una contradicción en cuanto al contenido de los asientos registrales y de los respectivos efectos de los mismos, ya que si se admitiera la inscripción de la ampliación de obra pretendida, el Registro publicaría como vigente una condición de una licencia municipal de obras en que se obligaba a no habilitar el sótano para vivienda; y por otra parte, también publicaría como vigente una declaración de ampliación de obra en la que el sótano pasaría de ser un almacén con menor superficie a una vivienda de mayor extensión superficial, y todo ello, sin acreditar tampoco licencia municipal alguna para esa ampliación de obra y consiguiente cambio de uso.»

La DGRN, en criterio ya sostenido con anterioridad en la Resolución de fecha 26 de abril de 2011, parte de la consideración de que las notas marginales que aquí estudiamos producen el efecto propio del principio de legitimación registral, es decir, generan una presunción de veracidad de su contenido que subsiste mientras no se cancelen, de tal forma que, hasta que llegue tal momento, se habrá de presumir que la circunstancia de naturaleza urbanística que el Registro publica a través de la nota marginal, subsiste en los mismos términos en que en que se hizo constar en la dicha nota. Y ciertamente, resulta cuando menos chocante que el Centro Directivo atribuya a las notas marginales un efecto, —el de generar una presunción de veracidad de su contenido por todo el tiempo de su duración—, que resulta radicalmente contrario al efecto que para las notas marginales establecen, de forma expresa, clara y reiterada, tanto la LS como el RHU.

En efecto, tanto el artículo 53.3 LS que comentamos, como el artículo 73 RHU, establecen que las notas marginales que regulan «no producirán otro efecto que el de dar a conocer la situación urbanística en el momento a que se refiere el título que las originara». Por tanto, es voluntad del legislador, expresada con toda claridad, que las notas marginales no generen presunción registral alguna a partir de la cual deba entenderse que la situación urbanística publicada por la nota subsiste durante todo el tiempo de su duración: quien accede al conocimiento de su contenido a través del Registro, —y entre tales personas debe entenderse incluido al registrador—, sólo pueden entender que la previsión de carácter urbanístico que la nota publica existía en el momento en que la nota marginal se extendió, y no en un momento posterior. Y parece claro que el legislador, tanto al elaborar el artículo 53.3 LS, procedente del 309.3 del TRLS de 1992 como al elaborar el artículo 73 del RHU, previeron la posibilidad de que algún intérprete, tribunal u órgano administrativo estuvieren tentados de atribuir a las notas marginales algún efecto distinto del meramente divulgador, y en tal idea formularon el precepto legal en términos negativos. Es decir, no sólo expresaron el efecto propio de las notas marginales, esto es, el de dar a conocer la situación urbanística que publican en el momento a que se refiere el título en cuya virtud se extendieron, sino que, además, determinaron los efectos que la nota marginal NO produciría: todos los que no son el expresamente previsto en la Ley.

Por tanto, no puede entenderse que la nota marginal produzca los efectos propios del principio registral de legitimación y, con ello, atribuya al contenido que publica la misma vigencia que tenga la nota marginal. Y mucho menos, que la existencia de la nota marginal que sólo deba producir los efectos previstos en el artículo 53.3 LS pueda producir, por razón de su eficacia, cierre registral alguno que no esté ya previsto, para el acto de cuya inscripción se trate, por la norma hipotecaria que sea de aplicación.

Aplicando esta última idea a las notas marginales que publican condiciones establecidas con ocasión de la concesión de una licencia, debe entenderse, a nuestro juicio, y en contra de lo que afirma la DRGN en la resolución comentada, que la vigencia de la nota marginal que publica la prohibición de realizar determinados actos inscribibles en el Registro de la propiedad, ya sean divisiones horizontales, alteraciones del uso, segregaciones, nuevas edificaciones o ampliación de las ya existentes, no puede provocar un efecto de cierre del Registro para el acto, posterior al acuerdo de concesión de la licencia, que contravenga la condición inscrita, de tal forma que la inscripción no pueda ser practicada mientras la nota marginal no sea cancelada. Si tal efecto de cierre registral ha de producirse, lo será porque para la inscripción del acto de que se trate, la legislación hipotecaria y de suelo exijan la justificación de un previo acto de fiscalización o autorización administrativa. De ser el acto inscribible sin necesidad de dicha fiscalización previa, la vigencia de la nota no debería poder impedir la práctica de la inscripción, a riesgo de que, de hacerlo, genere unos efectos contrarios a los deseados por el legislador.

Así, en caso de que la condición establecida con ocasión de la concesión de la licencia y consignada en el Registro por medio de nota marginal impida dividir horizontalmente la edificación cuya obra nueva haya sido declarada, o ampliarla o cambiar el uso de la misma, la inscripción de tales actos no podrá llevarse a cabo sin previa justificación del acto de autorización, aprobación o conformidad dado por el Ayuntamiento competente, y ello no porque del Registro resulte que tales actos contravienen el contenido de una licencia previamente otorgada, sino porque, con carácter general, tales actos no son inscribibles sin previa justificación de su fiscalización municipal. Si, por el contrario, el acto cuya realización la condición establecida en la licencia prohíbe, puede inscribirse sin necesidad de un previo acto administrativo de fiscalización, debería poder procederse a su inscripción, dado el efecto meramente divulgativo que el legislador, —no la DGRN—, prevén expresamente para la nota marginal.

Y esto último es exactamente lo que ocurre en la resolución comentada: la ampliación de obra que se pretendía inscribir cumplía los requisitos para ser inscrita sin necesidad de un previo acto municipal de fiscalización, de conformidad con lo previsto en el número 4 del artículo 20 LS, por tratarse de una obra respecto de la cual habían transcurrido los plazos de prescripción de la posible infracción cometida, no siendo ya posible la adopción de medidas de restauración de la realidad física alterada. La DGRN, al confirmar la nota de calificación de la registradora, entiende que no procede admitir la inscripción de la habilitación del sótano como vivienda, no obstante cumplirse los requisitos del artículo 20.4, sobre la base de reiterar la argumentación ya sostenida en la resolución de 26 de abril de 2011: se parte de la consideración de que la «vigencia» de la nota marginal que publica la condición impuesta, impide la aplicación del artículo 20.4 LS mientras aquella no sea cancelada. Afirma la DGRN lo siguiente:

> «El apartado 4 del artículo 20 del Texto Refundido de la Ley de Suelo es, además, compatible con los artículos mencionados sobre las condiciones de las licencias, una vez que se supere el obstáculo que los mismos representan. Si el órgano que impuso la condición de la licencia, se pronunciara sobre la procedencia de la cancelación de la misma, desaparecería el obstáculo registral existente, y el supuesto de hecho haría tránsito a su subsunción en el artículo 20.4 del Texto Refundido de la Ley de Suelo, sobre la inscripción de obras antiguas.
>
> Por otra parte, el artículo 20.4 del Texto Refundido de la Ley de Suelo, se refiere a aquellos supuestos en que, ante la posible inactividad del órgano urbanístico, al menos en cuanto a la solicitud de asientos registrales, la Ley ordena que el registrador debe inscribir tales obras antiguas sin necesidad

de que se acompañe ninguna licencia municipal, siempre que cumplan los requisitos de antigüedad y los demás que señala dicho precepto, por entender que es "a posteriori", una vez practicada la inscripción, cuando el órgano urbanístico, una vez que reciba la comunicación del registrador sobre la práctica de la inscripción, ha de proceder en consecuencia a solicitar la constancia de la situación fuera de ordenación, en su caso.

En cambio, cuando el propio órgano urbanístico, ha declarado de modo expreso en el Registro, como ocurre en este caso, una condición de una licencia de obras, no es aplicable la norma del artículo 20.4 del Texto Refundido de la Ley de Suelo, prevista precisamente para el supuesto contrario, es decir, para cuando el órgano urbanístico no ha solicitado la constancia en el Registro de la situación urbanística en que pueda encontrarse una obra antigua existente en la realidad.

En último término, y a mayor abundamiento, como señaló también este Centro Directivo en la citada Resolución de 26 de abril de 2011, incluso en el ámbito propio del artículo 20.4 del Texto Refundido de la Ley de Suelo, "la vinculación inscrita (como condición) constituye una excepción que impide la aplicación de dicho precepto (el artículo 52 del Real Decreto 1093/1997, de 4 de julio), de la misma forma que lo es la anotación de expediente de infracción urbanística."»

Debemos, de nuevo, mostrar nuestro desacuerdo con el criterio de la DGRN, el cual, no sólo contraviene abiertamente el criterio legal, en la medida en que atribuye a la nota marginal de publicidad de condiciones establecidas en las licencias unos efectos que el legislador no sólo no prevé, sino que, por vía de negación, expresamente excluye. La DGNR va más allá, y que atribuye a las notas marginales un efecto concreto, de extraordinaria fuerza, consistente en la posibilidad de que deroguen, durante su vigencia —que, recordamos, es indefinida—, la aplicación del artículo 20.4 LS, que prevé la posibilidad de que accedan al Registro, sin necesidad de previa fiscalización administrativa y aun cuando contravengan la ordenación, edificaciones respecto de las que ya no pueden adoptarse medidas de restauración de la realidad física alterada y respecto de las que resulte del Registro que se ha incoado expediente de disciplina urbanística.

Por tanto, la definición de la relación entre los artículos 53.3 y 20.4 LS que realiza la DGRN, se apoya sobre el reconocimiento a la nota marginal de unos efectos que el legislador le niega. Si partimos, por el contrario, de que la constancia por nota marginal de las condiciones establecidas en el acuerdo de concesión de una licencia no puede producir otro efecto que el de dar a conocer que en dicho acuerdo se impuso como condición de la licencia el no habilitar el sótano para vivienda, sin que, por tanto, de la nota marginal pueda inferirse que tal limitación continúa vigente, ni que la existencia de la nota pueda generar cierre registral alguno, habremos de concluir que la declaración de la obra nueva realizada con sujeción a lo previsto en el artículo 20.4 LS y con cumplimiento de sus requisitos es inscribible, no obstante la existencia de la nota marginal, y sin perjuicio de que el Ayuntamiento, una vez notificado al efecto por el registrador, según lo previsto en art.20.4 LS, incoe el expediente de disciplina urbanística que proceda y solicite su anotación preventiva en el Registro de la Propiedad.

A la vista de tal doctrina de la DGRN, quizá no estaría de más que en un futuro desarrollo reglamentario de la Ley de Suelo, que venga a actualizar y completar las Normas Complementarias al Reglamento Hipotecario aprobadas por el Real Decreto 1093/1997, se realice una definición más precisa de los efectos que hayan de producir las notas marginales reguladas en el artículo 53.3 LS comentado.

Bibliografía:

ARNÁIZ EGUREN, Rafael, *La Inscripción Registral de Actos Urbanísticos,* Ed. Marcial Pons, 1999.

— *Terreno y Edificación, Propiedad Horizontal y Prehorizontalidad,* Thompson-Reuters, 2010.

ARNÁIZ EGUREN, Rafael, *La Inscripción Registral de la Declaración de Obra Nueva,* Bosch, 2012

DELGADO RAMOS, Joaquín, «La inscripción registral de obras antiguas "prescritas"». Artículo publicado en la página web de contenido jurídico, *notariosyregistradores.com.*

GARCÍA GARCÍA, José Manuel, *Código de Legislación Inmobiliaria, Hipotecaria y del Registro Mercantil,* Ed. Thompson-Reuters, 2011, 7.ª edición.

— *Derecho Inmobiliario Registral o Hipotecario,* Ed. Civitas, Tomo V, Urbanismo y Registro, 1999.

GUILARTE GUTIÉRREZ, Vicente, *Legalidad Urbanística, Demolición, y Terceros Adquirentes de Buena Fe.* Ed. Lex Nova, 2012, 1.ª Edición.

LASO BAEZA, Vicente, «El silencio positivo contra *legem* tras la Ley 4/1999, de 13 de enero. Una solución legal frustrada por el Tribunal Supremo», *Revista Crítica de Derecho Inmobiliario.* Año LXXXV, número 714, julio-agosto 2009, págs 2222 y ss.

— «El silencio administrativo tras el Real Decreto-Ley 8/2011 y la consiguiente revisión de la última jurisprudencia de la Dirección General al respecto». *Revista Crítica de Derecho Inmobiliario,* Año LXXXVIII, número 730, marzo-abril 2012, págs 745-797.

— «Nuevas perspectivas en relación con la demolición de edificaciones por anulación de licencias a la luz de la Jurisprudencia del Tribunal Europeo de Derechos Humanos y las recientes reformas de la legislación estatal y autonómica», en *RCDI,* número 736, marzo-abril 2013, págs 1292-1313.

LASO MARTÍNEZ, José Luis, *Derecho Urbanístico,* Ed. Montecorvo.

REVUELTA PÉREZ, Inmaculada; NARBÓN LAINEZ, Edilberto, «Ejecución de sentencias en materia urbanística, demolición y terceros adquirentes de buena fe. El caso de la anulación de licencias». *Revista Crítica de Derecho Inmobiliario.* Año LXXXVI; número 720; julio-agosto 2010, págs. 1595-1646.

Roca-Sastre, Ramón María; Roca-Sastre Muncunill, Lluís; Bernà i Xirgo, Joan, *Derecho Hipotecario,* 9.ª edición, Tomo IV, Editorial Bosch, 2008.

Villaplana García, Constancio, Fichero Registral Inmobiliario: *Jurisprudencia y Doctrina,* Ed. Fundación Registral, Colegio de Registradores, 2012.

Dieciocho. La disposición adicional tercera queda redactada de la siguiente manera:

«**Disposición adicional tercera Potestades de ordenación urbanística en Ceuta y Melilla**

Las Ciudades de Ceuta y Melilla ejercerán sus potestades normativas reglamentarias en el marco de lo establecido por las respectivas Leyes Orgánicas por las que se aprueban sus Estatutos de Autonomía, esta Ley y las demás normas que el Estado promulgue al efecto.

En todo caso, corresponderá a la Administración General del Estado la aprobación definitiva del Plan General de Ordenación Urbana de estas Ciudades y de sus revisiones, así como de sus modificaciones que afecten a las determinaciones de carácter general, a los elementos fundamentales de la estructura general y orgánica del territorio o a las determinaciones a que se refiere el apartado cuarto de la disposición final primera de esta Ley.

La aprobación definitiva de los Planes Especiales no previstos en el Plan General, y de sus modificaciones, así como de las modificaciones del Plan General no comprendidas en el párrafo anterior, corresponderá a los órganos competentes de las Ciudades de Ceuta y Melilla, previo informe preceptivo de la Administración General del Estado, el cual será vinculante en lo relativo a cuestiones de legalidad o a la afectación a intereses generales de competencia estatal, deberá emitirse en el plazo de tres meses y se entenderá favorable si no se emitiera en dicho plazo.»

COMENTARIO (1)

Texto aprobado por la Comisión del Congreso

Disposición adicional tercera. Potestades de ordenación urbanística en Ceuta y Melilla

---

(1) Comentario a cargo de Ignacio Sanz Jusdado. Master en Urbanismo y Ordenación del Territorio. Abogado especialista en Derecho Administrativo. Profesor del Instituto Nacional de Administración Pública; y Jesús Sánchez Santos. Master en Urbanismo y Ordenación del Territorio. Abogado especialista en Derecho Administrativo. Profesor del Instituto Nacional de Administración Pública.

Las Ciudades de Ceuta y Melilla ejercerán sus potestades normativas reglamentarias en el marco de lo establecido por las respectivas Leyes Orgánicas por las que se aprueban sus Estatutos de Autonomía, esta Ley y las demás normas que el Estado promulgue al efecto.

En todo caso, corresponderá a la Administración General del Estado la aprobación definitiva del Plan General de Ordenación Urbana de estas Ciudades y de sus revisiones, así como de sus modificaciones que afecten a las determinaciones de carácter general, a los elementos fundamentales de la estructura general y orgánica del territorio o a las determinaciones a que se refiere el apartado cuarto de la disposición final primera de esta Ley.

La aprobación definitiva de los Planes Especiales no previstos en el Plan General, y de sus modificaciones, así como de las modificaciones del Plan General no comprendidas en el párrafo anterior, corresponderá a los órganos competentes de las Ciudades de Ceuta y Melilla, previo informe preceptivo de la Administración General del Estado, el cual será vinculante en lo relativo a cuestiones de legalidad o a la afectación a intereses generales de competencia estatal, deberá emitirse en el plazo de tres meses y se entenderá favorable si no se emitiera en dicho plazo.

Texto vigente hasta ahora

Disposición Adicional Tercera. Potestades de ordenación urbanística en Ceuta y Melilla.

Las Ciudades de Ceuta y Melilla ejercerán sus potestades normativas reglamentarias dentro del marco de esta Ley y de las que el Estado promulgue al efecto *(a efectos prácticos, ahora la nueva redacción amplía ese marco constrictor a «las demás normas que el Estado promulgue al efecto», que pudieren ser de naturaleza infralegal, incluso).*

En todo caso, corresponderá a la Administración General del Estado la aprobación definitiva del Plan General de Ordenación Urbana de estas Ciudades y de sus revisiones, así como de sus modificaciones que afecten a las determinaciones de carácter general, a los elementos fundamentales de la estructura general y orgánica del territorio o a las determinaciones a que se refiere el apartado cuarto de la disposición final primera de esta Ley.

La aprobación definitiva de los Planes Parciales y Especiales *(ahora se reduce esta lista a sólo los Especiales «no previstos en el Plan General»),* y de sus modificaciones o revisiones, así como de las modificaciones del Plan General no comprendidas en el párrafo anterior, corresponderá a los órganos competentes de las Ciudades de Ceuta y Melilla, previo informe preceptivo de la Administración General del Estado, el cual será vinculante en lo relativo a cuestiones de legalidad o a la afectación a intereses generales de competencia estatal, deberá emitirse en el plazo de tres meses y se entenderá favorable si no se emitiera en dicho plazo.

1. La Disposición Adicional Tercera actualiza y sistematiza el procedimiento de aprobación del planeamiento urbanístico y de sus modificaciones en las Ciudades Autónomas de Ceuta y Melilla, considerando que carecen de potestad legislativa propia, a diferencia de las Comunidades Autónomas (2).

2. Actualiza y sistematiza, porque sus precedentes ya conducían al mismo resultado normativo, partiendo de la primera previsión al respecto en la LS 1998:

(Disposición Adicional 3.ª, LS 1998): «Las Ciudades Autónomas de Ceuta y Melilla ejercerán las potestades normativas reglamentarias que tienen atribuidas por las Leyes Orgánicas 1/1995 y 2/1995, de 13 de marzo, dentro del marco de la presente Ley y de las que el Estado promulgue a tal efecto.»

(Artículo 68 de la Ley 55/1999, de 29 diciembre —Modificación de la LS 1998 —): «La disposición adicional tercera de la Ley 6/1998, de 13 de abril, sobre Régimen del Suelo y Valoraciones, queda redactada de la siguiente forma:

"Las Ciudades de Ceuta y Melilla ejercerán las potestades normativas reglamentarias que tienen atribuidas por las Leyes Orgánicas 1/1995 y 2/1995, de 13 de marzo, dentro del marco de la presente Ley y de las que el Estado promulgue a tal efecto.

En todo caso, la aprobación definitiva del Plan General de Ordenación Urbana de estas Ciudades, y de sus modificaciones o revisiones, competerá al Ministerio de Fomento.

La aprobación definitiva de los Planes Parciales, y de sus modificaciones o revisiones, corresponderá a los órganos competentes de las Ciudades de Ceuta y Melilla, previo informe preceptivo y vinculante del Ministerio de Fomento, el cual deberá emitirse en el plazo de tres meses"»

3. Por lo que atañe a aquella primera previsión en la LS 1998, cabe recordar el respaldo que obtuvo por parte del Tribunal Constitucional cuando fue sometida a su juicio [STC 164/2001 (FJ 50)]:

---

(2)   La labor de los autores es tributaria de los previos textos elaborados en su día por Enrique Sánchez Goyanes para glosar la versión precedente en la obra colectiva SÁNCHEZ GOYANES, E. (Director): *Ley de Suelo. Comentario Sistemático del Texto Refundido de 2008,* El Consultor de los Ayuntamientos & LA LEY, toda vez que nos ha otorgado su autorización expresa a los efectos que procediere, al mismo tiempo que ha intercambiado opiniones con los autores respecto del grado de alteración real que, a su juicio, experimenta el precepto comentado en relación con la versión hasta ahora vigente y su virtualidad práctica teniendo en cuenta la fidelidad o no del tenor resultante de la tramitación parlamentaria hacia el reflejado en el texto del proyecto remitido por el Gobierno, de todo lo cual se deja constancia con nuestro reconocimiento.

«El grupo de Diputados ha impugnado la **Disposición adicional tercera LS 1998**, que originariamente establecía que 'Las Ciudades Autónomas de Ceuta y Melilla ejercerán las potestades normativas reglamentarias que tienen atribuidas por las Leyes Orgánicas 1/1995 y 2/1995, de 13 de marzo, dentro del marco de la presente Ley y de las que el Estado promulgue a tal efecto'. A este precepto se añadieron dos nuevos párrafos por el artículo 68 de la Ley 55/1999, de 29 de diciembre, de Medidas Fiscales, Administrativas y de Orden Social, en los que se regula la elaboración y aprobación de los planes generales y parciales de Ceuta y Melilla. Se trata, en todo caso, de una adición que en nada modifica el texto original de la Disposición adicional tercera LS 1998 . Por ello, resulta superflua toda consideración sobre la permanencia del objeto procesal. Se extienden los recurrentes en planteamientos hipotéticos y generales sobre la posible eficacia de las leyes urbanísticas del Estado para Ceuta y Melilla. Pero lo cierto es que tras aquellos planteamientos generales sólo hay un reproche de inconstitucionalidad: la inseguridad jurídica que ocasiona la Disposición adicional tercera LS 1998, tanto en lo referente a su coexistencia con el texto refundido de la Ley del Suelo de 1976 (actualmente supletorio), como en lo que se refiere a la eficacia que una ley urbanística del Estado, dictada sólo para parte de su territorio (Ciudades Autónomas de Ceuta y Melilla), pueda tener en el territorio de las Comunidades Autónomas. **Tales reproches de inconstitucionalidad deben ser rechazados. Este Tribunal ha declarado la inconstitucionalidad de preceptos legales contrarios al principio de seguridad jurídica** (Artículo 9.3 CE) **cuando generaban una situación de incertidumbre y falta de previsibilidad respecto del Derecho aplicable** (STC 46/1990, de 15 de marzo, F. 4). Pero con independencia de cuál pueda ser en cada caso el alcance de la legislación urbanística del Estado para Ceuta y Melilla, **lo cierto es que de la simple previsión de aquella legislación, cual hace la Disposición adicional impugnada, no puede seguirse el reproche de inseguridad jurídica que denuncian los recurrentes. Baste para ello con señalar que ninguna duda puede haber para los ciudadanos y los aplicadores del Derecho de que las normas urbanísticas aplicables en cada territorio son las aprobadas por cada Comunidad Autónoma. Ulteriores consideraciones sobre posibles desplazamientos entre normas supletorias pueden resultar de interés como hipótesis que hagan avanzar el pensamiento jurídico-público, pero no traen a la luz una situación de incertidumbre jurídica**»

4. Igualmente, en cuanto a la segunda, también la misma ha obtenido idéntico respaldo, en gran medida por la influencia de otra Sentencia constitucional conectada temáticamente con la cuestión litigiosa aquí, a saber, la 159/2001, de 5 de julio, de la que ya en su momento se pudo vaticinar ejercería, precisamente, influencia en sentido negativo para cualquier pretensión de reforzar o amplificar el concepto mismo de la autonomía municipal (STC 240/2006, de 20 de julio). Por el interés de ésta, al ser la primera que resolvía el novedoso «conflicto en defensa de la autonomía local» y al revisar su postura en torno a la posibilidad de controles externos en el procedimiento aprobatorio de los Planes urbanísticos municipales,

incluso derivados o secundarios, y el alcance mismo de aquéllos, no sería superfluo transcribir aquí sus Fundamentos Jurídicos, en sus pasajes principales (3).

---

(3) He aquí los Fundamentos Jurídicos básicos de esta Sentencia:

«(FJ) 12 Afirmada la competencia del Estado para legislar sobre el planeamiento urbanístico en el territorio de Ceuta debemos examinar ahora si los preceptos legales impugnados vulneran la autonomía local constitucionalmente garantizada a la ciudad. Recordemos que se trata de los dos párrafos que el artículo 68 de la Ley 55/1999 añadió a la ya transcrita disposición adicional tercera de la Ley 6/1998, tratándose de "una adición que en nada modifica el texto original" (STC 164/2001, de 11 de julio, F. 50), el cual no se impugna en este proceso. Nuestro examen debe basarse en la doctrina de este Tribunal sobre la participación de los entes locales en la actividad de planeamiento urbanístico, a la que ya hemos hecho referencia, la cual se ve reforzada por la Carta Europea de Autonomía Local, que admite el control administrativo de legalidad y de constitucionalidad, e incluso el de oportunidad de los actos de las entidades locales (art. 8.2), si bien precisa que, en todo caso, dicho control «debe ejercerse manteniendo una proporcionalidad entre la amplitud de la intervención de la autoridad de control y la importancia de los intereses que pretende salvaguardar» (art. 8.3). Contemplación de intereses en la cual destacadamente cobra relevancia, como más adelante se verá, la proyección supralocal de determinadas manifestaciones del urbanismo.

El primer párrafo introducido en la disposición adicional tercera por la Ley 55/1999 atribuye al Ministerio de Fomento la aprobación definitiva de los planes generales de ordenación urbana de las ciudades de Ceuta y Melilla y sus modificaciones o revisiones. A la vista de los argumentos expuestos por las partes personadas, transcritos en el fundamento jurídico 6 de esta Sentencia, debemos avanzar que la impugnación de dicho párrafo no puede prosperar, porque la Ley estatal frente a la que se promueve el presente conflicto no vulnera la autonomía local constitucionalmente garantizada al citado Municipio.

En primer lugar, tal como hemos señalado, **el legislador competente para dictar la normativa urbanística, en este caso el legislador estatal, goza de libertad a la hora de determinar la participación de los entes locales en la actividad urbanística siempre que respete un núcleo mínimo identificable de competencias que haga reconocibles aquellos entes como una instancia decisoria autónoma. Pues bien, de ese núcleo no forma parte la competencia para la aprobación definitiva de los planes urbanísticos, ya que la autonomía local sólo obliga a que existan competencias municipales relevantes y reconocibles en la ordenación y en el planeamiento urbanístico, como las que se ejercen en las fases de aprobación inicial y provisional** (STC 159/2001, de 5 de julio, F. 12). El primer párrafo introducido por **el artículo 68 de la Ley 55/1999 se limita a atribuir al Ministerio de Fomento la aprobación definitiva del plan general de ordenación urbana, así como sus modificaciones y revisiones, al igual que las Leyes autonómicas confieren normalmente dichas atribuciones a los órganos autonómicos competentes, sin privar a la ciudad de Ceuta de participar en la tramitación y elaboración previa a la aprobación definitiva del plan general de ordenación urbana, sus modificaciones o revisiones, asegurando así una intervención mínima y reconocible del Ayuntamiento en el proceso de planificación.**

Y, en segundo lugar, porque **debe rechazarse que la atribución al Ministerio de Fomento de la facultad controvertida suponga una vulneración del Estatuto de Autonomía de la ciudad de Ceuta. La determinación de a quién corresponde la facultad para aprobar definitivamente los planes urbanísticos supone, en correcto rigor técnico, el ejercicio de una competencia normativa, y la ciudad de Ceuta asumió, además de las facultades de administración, inspección y sanción, la potestad normativa reglamentaria en materia de urbanismo** (art. 21.1.1 EACta), esta última «**en los términos que establezca la legislación general del Estado**» (art. 21.2 EACta). El párrafo introducido por el art. 68 de la Ley 55/1999 se limita a conferir al Ministerio de Fomento competencia para la aprobación definitiva del plan general de ordenación urbana, **sin que ello afecte a la potestad normativa reglamentaria atribuida a la ciudad de Ceuta** estatutariamente como manifestación de su singular autonomía, según venimos razonando.

Por otra parte **tampoco puede acogerse el argumento, esgrimido por la entidad promotora del conflicto, de que las funciones relativas al planeamiento fueron asumidas por la ciudad de Ceuta de acuerdo con el Real Decreto 2495/1996**, de 5 de diciembre, por el cual se aprueba el Acuerdo de la Comisión mixta de transferencias administrativas del Estado-ciudad de Ceuta en materia de urbanismo y ordenación del territorio, y conforme a ello desde el día 1 de enero de 1997 (norma I del citado Acuerdo) la ciudad de Ceuta habría venido ejerciendo las funciones de aprobación de los planes de

Asimismo, tampoco lo sería el reproducir a continuación de éstos lo esencial del Voto Particular, mucho más favorecedor de una generosa —y congruente

---

urbanismo, tanto del planeamiento general como del parcial, pues las facultades de administración, entre las que se encuentra la aprobación de los planes, se le habrían transferido sin limitación alguna. Frente a esta línea de razonamiento resulta obligado observar (aplicando al caso concreto que plantea la definición del marco competencial propio de la ciudad de Ceuta nuestra reiterada doctrina sobre el valor de los Reales Decretos de transferencia de servicios en el sistema de delimitación de competencias entre el Estado y las Comunidades Autónomas) que: «**los Reales Decretos de transferencia no atribuyen ni reconocen competencias, sino que traspasan servicios, funciones e instituciones. No son, en consecuencia, normas determinantes del sistema constitucional de distribución de competencias, compuesto por la Constitución y los Estatutos de Autonomía, cuyas prescripciones no pueden ser alteradas ni constreñidas por las disposiciones de los Decretos de traspasos** (SSTC 113/1983, 102/1985, 56/1989, 103/1989, 147/1991, entre otras). Desde esta perspectiva, pues, aunque el Real Decreto de traspaso pudiera tener cierto valor interpretativo, como ya en otras ocasiones hemos declarado (SSTC 48/1985, 149/1985, 158/1986, 86/1989, 225/1993), este valor interpretativo no puede en modo alguno prevalecer sobre las previsiones constitucionales y estatutarias» (por todas, STC 132/1998, de 18 de junio, F. 3). También hemos declarado (en la misma STC 132/1998 últimamente citada) que: «**La Constitución y los Estatutos son, por lo general, las únicas fuentes del orden constitucional de competencias** (STC 28/1983 y otras). Cuando la interpretación de este orden, que necesariamente constituye la premisa de los traspasos acordados, alcanza un reflejo en el correspondiente Real Decreto, esta interpretación se refiere a las funciones de las dos Administraciones implicadas en el contexto de la legislación vigente en el momento de producirse el traspaso (STC 113/1983)» (STC 132/1998, F. 5).

En el presente caso el Real Decreto 2495/1996 reguló las facultades urbanísticas de la ciudad de Ceuta hasta la aprobación del art. 68 de la Ley 55/1999, impugnada en este proceso. Pero, una vez aprobada dicha Ley, es ésta la que pasó a delimitar tales facultades. De acuerdo con nuestra jurisprudencia, ante eventuales antinomias entre lo dispuesto en los Reales Decretos de transferencia y lo regulado en las normas atributivas o delimitadoras de competencias, habrán de prevalecer éstas (STC 102/1985, de 4 de octubre, F. 2) y, en consecuencia, la Ley impugnada puede legítimamente establecer un régimen normativo diferente al del repetido Real Decreto 2495/1996, dictado en su día para transferir a la ciudad de Ceuta funciones en materia de urbanismo.

En consecuencia el art. 68 de la Ley 55/1999, al añadir a la disposición adicional tercera de la Ley 6/1998 el apartado que otorga al Ministerio de Fomento la aprobación definitiva, la modificación o la revisión del plan general de ordenación urbana de la ciudad de Ceuta, no ha vulnerado la autonomía local constitucionalmente garantizada al Municipio.

13 El segundo apartado introducido por la Ley 55/1999 en la disposición adicional tercera de la Ley 6/1998 **atribuye a los órganos competentes de la ciudad de Ceuta la aprobación definitiva de los planes parciales y de sus modificaciones o revisiones, previo informe preceptivo y vinculante del Ministerio de Fomento.**

La representación procesal de la ciudad alega que, al someter la aprobación definitiva de dichos planes y de sus modificaciones o revisiones a informe preceptivo y vinculante del Ministerio de Fomento, se desapodera a la autoridad consultante en favor de la autoridad dictaminadora, que dispone así de la capacidad de decidir, debilitando la autonomía local. El Abogado del Estado, por su parte, responde que, según la legislación urbanística de las comunidades autónomas, la aprobación definitiva de los planes parciales sin informe preceptivo y vinculante no forma parte de la autonomía local constitucionalmente garantizada, que sólo alcanza a su elaboración, redacción y, en su caso, aprobación provisional. Y añade que, en todo caso, el informe del Ministerio de Fomento está sujeto a controles de legalidad y constitucionalidad, sin que suponga una transferencia de la facultad controvertida de la ciudad de Ceuta al Estado; al efecto invoca la STC 65/1998.

Para dar respuesta a la impugnación de este segundo apartado también debe partirse de la doctrina (transcrita en los anteriores fundamentos jurídicos) según la cual el respeto por el legislador de la autonomía local constitucionalmente garantizada exige que se confieran a los Municipios competencias relevantes y reconocibles en la ordenación y en el planeamiento urbanístico, considerándose esenciales las que se ejercen en las fases de aprobación inicial y provisional. **En la disposición aquí enjuiciada el legislador estatal ha garantizado a los órganos competentes de la ciudad de Ceuta su participación en la elaboración, redacción, aprobación inicial y provisional de los planes parciales de la ciudad y de sus modificaciones o revisiones, así como su aprobación definitiva. Ello sería suficiente para afirmar que se ha atribuido al Municipio un mínimo de competencias que le permite ser reconocido como una instancia con capacidad para decidir autónomamente sobre un asunto de su interés, como es el urbanismo.**

con el artículo 140 CE— interpretación de la autonomía local y sus exigencias (4).

Ciertamente esa capacidad de decisión se encuentra condicionada, puesto que la aprobación definitiva de los planes parciales, sus modificaciones o revisiones requiere un informe previo, que la ciudad debe solicitar preceptivamente al Ministerio de Fomento y que éste debe emitir con carácter vinculante tan sólo en aquello que sea desfavorable, correspondiendo a la ciudad la decisión última sobre la aprobación definitiva. De ahí que la sujeción de los planes parciales y de sus modificaciones o revisiones a dicho informe no implique una transferencia de esa facultad al Ministerio de Fomento, y así lo sostiene el Abogado del Estado apoyándose en la STC 65/1998, de 18 de marzo. El supuesto contemplado en aquella resolución no es equivalente al previsto en el precepto aquí impugnado; sin embargo la doctrina que sustenta esa Sentencia sí puede inspirar, con las oportunas matizaciones, la resolución de la cuestión ahora debatida.

En efecto, **el Tribunal avaló entonces la técnica del informe vinculante de un Ministerio al concurrir distintas competencias en un espacio físico objeto de planeamiento y sobre el que se trazaba una carretera estatal, ya que de ese modo se asegura la debida ponderación de los intereses eventualmente afectados por esa concurrencia y no se impone la subordinación de unos a otros.** Según declaramos «la obligada inclusión en el texto objeto de aprobación inicial de las «sugerencias» remitidas por el Ministerio cumple la función de que en el proceso de redacción, revisión o modificación del instrumento se tengan presentes las observaciones evacuadas por el Estado para la mejor conservación y funcionalidad de la carretera estatal en el marco del nuevo instrumento de planeamiento, y puedan ser así conocidas y tenidas en cuenta en la tramitación del mismo» (F. 14).

En esta línea hemos sostenido con posterioridad que, aun cuando las exigencias de la autonomía local se proyectan intensamente sobre las decisiones en materia de planeamiento urbanístico, tarea que corresponde fundamentalmente al Municipio, las Leyes reguladoras de la materia pueden prever la intervención de otras Administraciones en la medida en que concurran intereses de carácter supramunicipal o controles de legalidad que se atribuyan, de conformidad con el bloque de constitucionalidad, a las Administraciones supraordenadas (STC 51/2004, de 13 de abril, F. 12).

Pues bien, **dada la singular posición de la ciudad de Ceuta, existen sólidas razones que justifican la intervención de la Administración estatal en la actividad de planeamiento urbanístico en el territorio de dicho Municipio**; a los efectos que ahora interesan, que abonan, en concreto, la emisión de informes preceptivos y vinculantes previos a la aprobación de planes parciales, y de sus modificaciones o revisiones, siempre que se respete el núcleo de competencias municipales relevantes y reconocibles en aquella materia. Como ya se ha reiteradamente indicado la ciudad de Ceuta no constituye una Comunidad Autónoma, ni se encuentra ubicada en el territorio de ninguna de las actualmente constituidas; de ahí que haya de ser el Estado quien, excepcionalmente, deba ejercer en esa ciudad las competencias urbanísticas que en la generalidad del territorio nacional corresponden a las Comunidades Autónomas. A lo expuesto pueden añadirse otras razones justificativas del reconocimiento de la competencia estatal invocadas por el Abogado del Estado, singularmente las referidas a la especial incidencia en Ceuta de intereses supralocales.

En definitiva, la actividad de planeamiento derivado de la ciudad de Ceuta afecta claramente a intereses de carácter inequívocamente supramunicipal, cuya gestión constituye el objeto de competencias del Estado, lo cual justifica sobradamente la intervención de la Administración estatal en la ordenación urbanística de ese territorio municipal con la intensidad que prevé el precepto impugnado. De acuerdo con ello el apartado segundo introducido en la disposición adicional tercera de la Ley 6/1998, por el que se exige un informe preceptivo y vinculante del Ministerio de Fomento previamente a la aprobación definitiva de los planes parciales y de sus modificaciones o revisiones por parte de los órganos competentes de la ciudad de Ceuta, tampoco vulnera la autonomía local constitucionalmente garantizada a dicha ciudad».

(4)   (Voto Particular del Magistrado D. Jorge Rodríguez-Zapata Pérez):

«(FJ)**4** ¿Pueden las Leyes del Estado disponer, sin límite alguno, de las competencias asumidas por Ceuta en su Estatuto de Autonomía? ¿Cuáles son, si existen, los límites impuestos por el bloque de la constitucionalidad del que, creo, forma parte el EACta a las Leyes del Estado en materia de planeamiento urbanístico dirigidas a Ceuta?

No encuentro respuesta alguna a estos interrogantes en la Sentencia mayoritaria.

Esa Sentencia enfoca desde una perspectiva esencialmente municipal la competencia de aprobar definitivamente los planes de urbanismo que, sin embargo, es exquisitamente autonómica para el caso de Ceuta. Llega de esta forma a la conclusión de que una Ley ordinaria del Estado puede

5. La versión resultante de la «modificación» de este precepto por la LRRRU es prácticamente inocua en relación con todo lo dicho. Tal y como se ha apostillado al transcribir el precepto hasta ahora vigente, el primer cambio ha consistido, en cuanto a efectos prácticos, en ampliar el marco constrictor de la potestad de ambas Ciudades Autónomas al integrarlo ahora también «otras normas» que pudiere dictar el Estado, obviamente, por su propia definición y contexto, de carácter o rango infralegal (incluir ahora retóricamente los Estatutos de Autonomía no altera para nada el sistema vigente, pues éstos ya eran Leyes estatales, técnicamente, de carácter orgánico por su objeto). Y el segundo cambio ha consistido en exonerar del trámite del informe genérico previo a los Planes Parciales y a los Especiales previstos en el Plan General, de modo que ahora sólo se requiere para los «Especiales no previstos en el Plan General». Naturalmente, esto no significa que incluso aquéllos, Parciales y Especiales previstos, no deban quedar sujetos a diversos trámites preceptivos de control estatal en la práctica, al dimanar ellos de las previsiones contenidas en múltiples leyes sectoriales que articulan un trámi-

---

entrar no se razona con qué límites a comprimir o recortar las atribuciones de competencia de un Estatuto de Autonomía aprobado por Ley orgánica, cual es el caso del de Ceuta.

Nuestras técnicas sobre lo básico deberían emplearse en relación con las potestades reglamentarias y de administración de Ceuta, para establecer los límites estatutarios que la Ley del Estado no puede traspasar al regular el urbanismo ceutí, sin vulnerar el art. 21.1.1, en relación con el art. 21.2 de su Estatuto de Autonomía.

El siempre complejo problema de la relación Ley-Reglamento adquiere en los casos de Ceuta y Melilla una dimensión constitucional nueva, que hubiera sido necesario aclarar. También debería volverse sobre la doctrina de la supletoriedad, que confirmó la STC 61/1997, de 20 de marzo. Piénsese que tanto la Ley 8/1990, de 20 de julio, sobre reforma del régimen urbanístico y valoraciones del suelo, como su texto refundido, o si es que su texto refundido, serían claramente preferibles y tal vez no serían inconstitucionales para Ceuta frente a la mala opción de la aplicabilidad en estas Ciudades de un Derecho preconstitucional del Estado obsoleto y petrificado o la hipótesis alternativa de una legislación *ad hoc* de nuestras Cortes Generales para dos Ciudades singulares de nuestro territorio nacional.

La razón de decidir del conflicto en defensa de la autonomía local, que nos ha ocupado, se encuentra, en realidad, en los fundamentos jurídicos 12 y 13 de la Sentencia de la mayoría. Lo único que se discutía en este caso era quién debe aprobar en forma definitiva el Plan general de ordenación urbana de Ceuta, o si es posible que el Estado condicione con informes preceptivos y vinculantes de carácter previo la aprobación ceutí de sus planes parciales.

La respuesta de la Sentencia no es satisfactoria cuando razona con reiteración que Ceuta es un ente municipal y que, como tal, tiene garantizado constitucionalmente un núcleo verdaderamente mínimo de competencias. La Sentencia reduce éstas a las que podría gozar cualquier Municipio integrado en cualquiera de nuestras Comunidades Autónomas, sin reparar en que Ceuta, con independencia ahora de que fuera sólo una entidad local, tiene que ser considerada forzosamente distinta de los restantes Municipios españoles.

Según el fallo del que discrepo sólo sería obligado constitucionalmente que el legislador estatal reconociera a Ceuta que participe en la tramitación y elaboración previa a la aprobación definitiva de su PGOU (sic). En cuanto a los planes parciales (con olvido de los casos del art. 5 del Decreto Ley 16/1981, de 16 de octubre, para una ciudad que supera los 50.000 habitantes) se sostiene que existen sólidas razones consistentes en un interés supramunicipal que no se concreta que justificarían una intervención masiva de la Administración estatal en el planeamiento del Municipio de Ceuta que, se asevera reiteradamente, no es una Comunidad Autónoma (F. 13).

Ninguna consecuencia se extrae en la Sentencia de la mayoría, sin embargo, del hecho de que las competencias de Ceuta trasciendan, dada su especial naturaleza, en forma evidente la esfera municipal en materia de ordenación del territorio, urbanismo y vivienda.

Y es que no hay que olvidar que Ceuta además de su competencia en materia de organización y funcionamiento de sus instituciones de autogobierno (art. 20 EACta) tiene reconocidas en el art. 21 de su

te de informe previo estatal como procedimiento de articulación de las competencias urbanísticas municipales y las sectoriales del Estado en el ámbito de que se trate (Puertos, Costas, Telecomunicaciones, Aguas, etc., etc.).

Estatuto de Autonomía las competencias que el art. 148 CE reconocía a las Comunidades Autónomas del llamado primer nivel (art. 143 CE) e, incluso, algunas propias del art. 149 CE para las Comunidades Autónomas de segundo nivel, como procedimiento administrativo (art. 20.20 EACta), casinos, juegos y apuestas con exclusión de las apuestas mutuas deportivo-benéficas (art. 21. 21), cajas de ahorro (art. 21.22) o estadísticas para fines de la ciudad (art. 21.23). Entre esas competencias asumidas en virtud del Estatuto se encuentra, la que aquí ha interesado, de «ordenación del territorio, urbanismo y vivienda» (art. 21.1 EACta) que comprende sigue diciendo el Estatuto de Autonomía «las facultades de administración, inspección y sanción y, en los términos que establezca la legislación general del Estado, el ejercicio de la potestad normativa reglamentaria» (art. 21.2 EACta).

Si se pregunta: ¿Qué alcance tienen esas competencias urbanísticas de Ceuta a la luz de su Estatuto de Autonomía y de la doctrina sentada en la STC 61/1997, de 20 de marzo?, podríamos tener la respuesta, de claro valor interpretativo, que dio el Real Decreto de transferencias 2495/1996, de 5 de diciembre. Diríamos así que «En materia de ordenación del territorio y urbanismo, y al amparo del art. 21.1.1 del Estatuto de Autonomía de Ceuta, la Ciudad de Ceuta asume, dentro de su ámbito territorial ? las funciones de aprobación de planes de ordenación y las demás de orden normativo-reglamentario que establezca la legislación general del Estado». Claro es, como razona la mayoría, que ese criterio no sería decisivo ya que compete a la Ley del Estado la regulación de la materia autónomica. Pero, ¿cuál es, entonces, el límite de esa Ley estatal, o de otras semejantes en los demás títulos competenciales de Ceuta, en relación con la autonomía que nos ocupa?

Razona, a este respecto, la sentencia de la mayoría que la Ley estatal impugnada en el conflicto «se limita a conferir al Ministerio de Fomento competencia para la aprobación definitiva del plan general de ordenación urbana, sin que ello afecte a la potestad normativa reglamentaria atribuida a la ciudad de Ceuta estatutariamente como manifestación de su singular autonomía» (sic en F. 12). Esa conclusión me deja insatisfecho. El conflicto en defensa de la autonomía local no ha sido eficaz en este caso concreto para garantizar las competencias asumidas estatutariamente por Ceuta y mi preocupación es que ocurra algo análogo en casos posteriores.

5 No puedo dejar de señalar que una limitación de los conflictos en defensa de la autonomía local deriva también, en mi opinión, de la muy escueta función constitucional que atribuye el F. 8 de la Sentencia mayoritaria a la Ley 7/1985, de 2 de abril, reguladora de las bases de régimen local. Creo (por todas, STC 27/1987, de 27 de febrero, F. 4) que la LBRL sí sirve de parámetro para enjuiciar la constitucionalidad de las Leyes y normas de las Comunidades Autónomas.

6 Creo, por último, que cuando el art. 144 b) CE habla de «acordar» un Estatuto de Autonomía no lo hace en el sentido que contempla el fundamento jurídico 3 del ATC 202/2000, es decir, como una concesión unilateral de las Cortes sin la iniciativa de Ceuta.

El «acuerdo» del art. 144 b) CE se refiere, por el contrario, al caso de la hipotética incorporación de Gibraltar al Reino de España, mediante la estipulación de un tratado internacional con el Reino Unido de la Gran Bretaña. Todo ello a semejanza del Acuerdo de Gasperi-Gruber, de 5 de septiembre de 1946, que solucionó el problema italo-austríaco del Trentino Alto Adigio, tras la política del régimen fascista de Mussolini de imposición paroxística del uso obligatorio de la lengua italiana a la población alemana de Trento y Bolzano. Por ello entiendo que la «autorización» a que se refiere el mismo art. 144 b) alcanzada sin duda alguna, en la intención del constituyente, a los casos de Ceuta y Melilla, que contempla específicamente la disposición transitoria quinta CE, que establece su vía de acceso a la autonomía. Y no me parece convincente excluir, como hace el fundamento jurídico 4 del ATC 202/2000, la iniciativa de Ceuta para aprobar su Estatuto de Autonomía por «falta de relación jurídica formal» con la Ley Orgánica 1/1995, de 13 de marzo, para Ceuta. En el año 1977 Ceuta solicitó ser incluida en la futura Comunidad Autónoma andaluza, lo que fue rechazado. El 28 de septiembre de 1981 el Ayuntamiento de Ceuta adoptó por mayoría absoluta acuerdo para constituirse en Comunidad Autónoma, lo que se ratificó el 5 de febrero de 1985.

A la luz de estos datos me parece verdadera paradoja de la culminación de nuestro Estado de las Autonomías ¿que tanto se ha inspirado en el historicismo? que se califique la autonomía de Ceuta como «acordada» unilateralmente por el Estado (ex art. 144.1.b CE), cuando además de los acuerdos de iniciativa autónoma que he citado, la Siempre Noble, Leal y Fidelísima Ciudad de Ceuta según el título que le otorgó el Rey Felipe IV ostenta el mérito singular de haberse adherido libre y voluntariamente a la Corona de España en el año 1640».

Diecinueve. La letra b) del apartado 4 de la disposición final primera queda redactada de la siguiente manera:

«b) El porcentaje a que se refiere la letra b) del apartado 1 del artículo 16 será, con carácter general, el 15 por ciento. No obstante, el Plan General podrá, de forma proporcionada y motivada, reducirlo hasta un 10 por ciento, o incrementarlo hasta un máximo del 20 por ciento, en las actuaciones o ámbitos en los que el valor de los solares resultantes sea sensiblemente inferior, o superior al medio de los incluidos en su misma clase de suelo, respectivamente.»

COMENTARIO (1)

Texto aprobado por la Comisión del Congreso

Disposición final primera. Título competencial y ámbito de aplicación

(...). 4. El contenido normativo íntegro de esta Ley es de aplicación directa en los territorios de las Ciudades de Ceuta y Melilla, con las siguientes precisiones:

a) La potestad que la letra b) del apartado primero del artículo 10 reconoce a la Ley para reducir el porcentaje de reserva de vivienda sometida a algún régimen de protección pública y la de determinar los posibles destinos del patrimonio público del suelo, de entre los previstos en el apartado 1 del artículo 39, podrán ser ejercidas directamente en el Plan General.

b) El porcentaje a que se refiere la letra b) del apartado 1 del artículo 16 será, con carácter general, el 15 por ciento. No obstante, el Plan General podrá, de forma proporcionada y motivada, reducirlo hasta un 10 por ciento, o incrementarlo hasta un máximo del 20 por ciento, en las actuaciones o ámbitos en los que el valor de los solares resultantes sea sensiblemente inferior, o superior al medio de los incluidos en su misma clase de suelo, respectivamente.

Texto vigente hasta ahora

Disposición Final Primera. Carácter del contenido dispositivo de esta Ley.

---

(1) Comentario a cargo de Jesús Sánchez Santos. Master en Urbanismo y Ordenación del Territorio. Abogado especialista en Derecho Administrativo. Profesor del Instituto Nacional de Administración Pública; y Gabriel Martínez del Mármol Marín. Master en Urbanismo y Ordenación del Territorio. Abogado especialista en Derecho Administrativo. Profesor del Instituto Nacional de Administración Pública.

(...).

4. El contenido normativo íntegro de esta Ley es de aplicación directa en los territorios de las Ciudades de Ceuta y Melilla, con las siguientes precisiones:

a) La potestad que la letra b) del artículo 10 reconoce a la Ley para reducir el porcentaje de reserva de vivienda sometida a algún régimen de protección pública y la de determinar los posibles destinos del patrimonio público del suelo, de entre los previstos en el apartado 1 del artículo 39, podrán ser ejercidas directamente en el plan general.

b) El porcentaje a que se refiere la letra b) del apartado 1 del artículo 16 será el del quince por ciento, que el plan general podrá incrementar motivada y proporcionadamente hasta el veinte por ciento en las actuaciones o ámbitos en los que el valor de los solares resultantes o de su incremento, en su caso, sea sensiblemente superior al medio de los incluidos en su misma clase de suelo.

(...).

1. El perfecto acomodo del nuevo texto legal a la distribución de competencias entre Estado y Comunidades y Ciudades Autónomas fue uno de los puntos capitales de todo el debate parlamentario en ambas Cámaras (2).

El dato novedoso, en relación con precedentes polémicas similares, incluso en la misma materia aquí abordada, lo constituía el ensanchamiento —en cierto sentido— del bloque de la constitucionalidad aplicable, toda vez que en este momento existían ya Estatutos de Autonomía recién aprobados, encabezados por el de Cataluña de 2006, que, virtualmente, asumían con énfasis todas las competencias en materia urbanística en virtud de preceptos específicos. Con esta realidad sobrevenida, pues, había de cohonestarse el planteamiento por el Estado de una ley de las características de ésta.

Las posiciones más militantes a favor de esta reconsideración del enfoque legal —que acabaron consiguiendo un consenso con el Grupo del Gobierno en virtud del cual se fueron eliminando algunos de los aspectos considerados más «invasivos»

---

(2)   La labor de los autores es tributaria de los previos textos elaborados en su día por Enrique SÁNCHEZ GOYANES para glosar la versión precedente en la obra colectiva SÁNCHEZ GOYANES, E. (Director): "Ley de Suelo. Comentario Sistemático del Texto Refundido de 2008", El Consultor de los Ayuntamientos & La Ley, toda vez que nos ha otorgado su autorización expresa a los efectos que procediere, al mismo tiempo que ha intercambiado opiniones con los autores respecto del grado de alteración real que, a su juicio, experimenta el precepto comentado en relación con la versión hasta ahora vigente y su virtualidad práctica teniendo en cuenta la fidelidad o no del tenor resultante de la tramitación parlamentaria hacia el reflejado en el texto del proyecto remitido por el Gobierno, de todo lo cual se deja constancia con nuestro reconocimiento.

(Sr. Herrera Torres)— fueron las protagonizadas por los Portavoces en el Congreso de Izquierda Unida — Iniciativa per Catalunya Verds, Sr. Herrera Torres (Diario de Sesiones, Congreso de los Diputados, Comisiones, VIII Legislatura, Fomento, Sesión de 21 de febrero de 2007, n.º 751, pág. 6); PNV, Sr. Beloki Guerra (*ibídem*, págs. 10-11); ERC, Sr. Andréu Domingo (ibídem, pág 12); CiU, Sr. Jané i Guasch (ibídem, págs. 13-14). Tampoco estuvo ausente la reflexión respecto al necesario respeto a dicho reparto constitucional de competencias en la intervención del Portavoz del Grupo Popular, Sr. Matos Mascareño (*ibídem*, págs. 17-18), aunque sus críticas fueron, ante todo, sustantivas y de fondo a diversos aspectos del nuevo texto legal,

En tales intervenciones, está la clave de la reconsideración de la versión inicial de esta Disposición, y, sobre todo, de su número 2.

Más o menos implícitamente, los mismos postulados abogaban por la salvaguarda de los regímenes civiles, forales o especiales, tal como se recoge en el apartado 5 de esta Disposición.

2. Por lo demás, los apartados o números 1, 2 y 3 —con la misma redacción que en la versión inicial de 2007— señalan los títulos constitucionales que están conectados con los enunciados de los diversos preceptos de la LS citados en cada caso. En cuanto al significado mismo de los títulos constitucionales enunciados, baste con remitirse a la «lectura» que, de todos y cada uno, ya dejó hecha el Tribunal Constitucional en su STC 61/1997, de 20 de marzo, al dilucidar hasta qué punto todos y cada uno de ellos —igualmente invocados ya entonces por el precedente legislador— servían para dar cobertura suficiente a las concretas regulaciones contenidas en la LRRU y en la consecuente LS 1992. En esta misma obra, y al socaire de los Comentarios a los diversos artículos de la LS 2008 modificados por la LRRRU, esa «lectura» es traída a colación en cada caso; y, particularmente, se reproduce con una cierta extensión la referente al título de las *condiciones básicas* ex artículo 149.1.1.ª CE, el esencial en todo caso en esta nueva operación legislativa, en el Comentario a la Disposición Final Decimonovena: a aquéllos y a éste, pues, igualmente en aras de evitar las reiteraciones superfluas, procede ahora remitirse.

3. En ese contexto, y en cuanto a Ceuta y Melilla, les resulta directa y específicamente aplicable a estos efectos la Disposición Final Primera, número 4

En virtud de su letra a), en definitiva, se permite que sea el respectivo Plan General el que reduzca la reserva para vivienda protegida y el que determine los posibles destinos del patrimonio público del suelo de entre los previstos en el artículo 39.1 de la Ley. En otras palabras: abre la puerta a que en Ceuta y Melilla pudiere no haber vivienda protegida, o haberla en menor cuantía que en el resto del territorio nacional.

En virtud de su letra b), toda vez que no va a existir una legislación autonómica de referencia para ambas Ciudades que les concrete el porcentaje concreto de entrega de aprovechamiento lucrativo, se modula la horquilla general establecida en el artículo 16.b), en el sentido de que se impone como regla general el 15%

y se permite excepcionalmente —en las circunstancias que son enunciadas en el precepto— elevarlo hasta el 20%, como hasta la entrada en vigor de la LRRRU, o reducirlo hasta un 10% (verdadera novedad de este precepto), sin que quepa más margen de maniobra al respecto para las dos Ciudades Autónomas.

Naturalmente, dicha potestad no se configura de modo libérrimo, sino necesitada de una justificación en cada caso. Esa justificación se vincula a la verificación del «valor de los solares resultantes». En la medida en que éste sea «sensiblemente inferior a la media», será procedente hacer uso de esta potestad, en sentido reduccionista del porcentaje de cesión. Y a la inversa.

Ahora bien, esto vuelve a poner de relieve que la amputación operada en la tramitación parlamentaria de las exigencias adicionales impuestas al informe de sostenibilidad económica en el proyecto de LRRRU no fortalece, precisamente, frente a lo que quería el proyecto, la seguridad jurídica en procesos decisorios como ésos, ni tampoco reduce el margen de discrecionalidad al respecto, algo demandado crecientemente por la opinión pública en relación con decisiones administrativas que implican consecuencias como las de la naturaleza de éstas (Véase Comentario al artículo 15.4 LS 2008 tras la reforma operada por la LRRRU).

Disposición final decimotercera. Modificación del texto refundido de la Ley de Contratos del Sector Público, aprobado por el Real Decreto Legislativo 3/2011, de 14 de noviembre

Se añade una nueva disposición adicional trigésima cuarta, al texto refundido de la Ley de Contratos del Sector Público, aprobado por el Real Decreto Legislativo 3/2011, de 14 de noviembre (LA LEY 21158/2011), con el siguiente tenor:

«Disposición adicional trigésima cuarta. Contratos de suministros y servicios en función de las necesidades.

En los contratos de suministros y de servicios que tramiten las Administraciones Públicas y demás entidades del sector público con presupuesto limitativo, en los cuales el empresario se obligue a entregar una pluralidad de bienes o a ejecutar el servicio de forma sucesiva y por precio unitario, sin que el número total de entregas o prestaciones incluidas en el objeto del contrato se defina con exactitud al tiempo de celebrar éste, por estar subordinadas las mismas a las necesidades de la Administración, deberá aprobarse un presupuesto máximo.

En el caso de que, dentro de la vigencia del contrato, las necesidades reales fuesen superiores a las estimadas inicialmente, deberá tramitarse la correspondiente modificación. A tales efectos, habrá de preverse en la documentación que rija la licitación la posibilidad de que pueda modificarse el contrato como consecuencia de tal circunstancia, en los términos previstos en el artículo 106 de esta Ley. La citada modificación deberá tramitarse antes de que se agote el presupuesto máximo inicialmente aprobado, reservándose a tal fin el crédito necesario para cubrir el importe máximo de las nuevas necesidades.»

CONCORDANCIAS

— Artículos 23, 33, 46, 47, 51, 52 y 105 de la Constitución Española de 1.978.

— Artículo 106 y Capítulos IV y V (artículos 290 a 312) del Real Decreto Legislativo 3/2011, de 14 de noviembre, por el que se aprueba el texto refundido de la Ley de Contratos del Sector Público, BOE 16 noviembre 2011 (LA LEY 21158/2011).

— Artículos 162, 164.c) y 172.2 del Real Decreto Legislativo 2/2004, de 5 de marzo, por el que se aprueba el texto refundido de la Ley Reguladora de las Haciendas Locales, BOE 9 marzo 2004 (LA LEY 362/2004).

— Título II De los Contratos, del Código Civil, aprobado por Real Decreto de 24 de julio de 1889 (LA LEY 1/1989).

— Ley 7/1998, de 13 de abril, sobre Condiciones Generales de la Contratación (LA LEY 1490/1998).

— Artículo 6 del Real Decreto Legislativo 2/2007, de 28 de diciembre (LA LEY 13244/2007), por el que se aprueba el texto refundido de la Ley General de Estabilidad Presupuestaria.

— Artículos 64 y 66 de la Ley 30/1992, de 26 de noviembre, de Régimen Jurídico de las Administraciones Públicas y del Procedimiento Administrativo Común.

JURISPRUDENCIA

— **Tribunal Superior de Justicia de Castilla y León de Valladolid, Sala de lo Contencioso-administrativo,** Sentencia de 22 Mar. 2013, rec. 407/2011 Ponente: Zataraín Valdemoro, Francisco Javier. N.º de Sentencia: 489/2013. N.º de Recurso: 407/2011. Jurisdicción: Contencioso-Administrativa. (LA LEY 48298/2013).

> **Fundamento Jurídico Undécimo.** En fin, la actuación municipal se ha realizado con un consciente desprecio de la legalidad vigente, de la interpretación unívoca, invariable y reiterada que de la misma hacen los tribunales, disimulando la desobediencia con una pretendida nivelación formal, que no resiste el más mínimo análisis, pues, por ejemplo, se han incrementado irracionalmente las previsiones de ingresos, sin mayor sustento o análisis, y con una inequívoca finalidad de enmascaramiento de la realidad presupuestaria del municipio. Se ha optado por incumplir la legislación vigente pese a las reiteradas advertencias que en el seno del pleno de la corporación y por parte de terceros se realizaron, lo que arroja un mayor grado de desvalor, si cabe a su conducta (incluso se formularon reparos por parte del Interventor General). Se ha realizado desconociendo elementales principios de racionalidad y economía en el manejo de lo público (v. por todos el art. 6 del Real Decreto Legislativo 2/2007, de 28 de diciembre (LA LEY 13244/2007), por el que se aprueba el texto refundido de la Ley General de Estabilidad Presupuestaria que reproduce el Principio de eficiencia en la asignación y utilización de recursos públicos: «1. Las políticas de gastos públicos deben establecerse teniendo en cuenta la situación económica y el cumplimiento del objetivo de estabilidad presupuestaria y se ejecutarán mediante una gestión de los recursos públicos orientada por la eficacia, la eficiencia y la calidad. 2. Las disposiciones legales y reglamentarias, en su fase de elaboración y aprobación, los actos administrativos, los contratos y los convenios de colaboración y cualquier otra actuación de los sujetos a que se refiere el art. 2 de la presente ley que afecte a los gastos públicos,

deberán valorar sus repercusiones y efectos, y supeditarse de forma estricta al cumplimiento de las exigencias del principio de estabilidad presupuestaria». En la situación económica ya existente en el año 2011 las actuaciones administrativas debieron ser absolutamente responsables y restrictivas tanto del gasto público como exquisitamente cuidadosas con el principio de estabilidad presupuestaria, y al no serlo convierten en más censurables, si cabe, las decisiones adoptadas.

COMENTARIO (1)

TRAMITACIÓN PARLAMENTARIA

Congreso

ENMIENDA NÚM. 199

FIRMANTE: Grupo Parlamentario Popular en el Congreso

A la disposición adicional trigésima cuarta (nueva) del texto refundido de la Ley de Contratos del Sector Público

De adición.

Se añade una nueva disposición adicional trigésima cuarta al texto refundido de la Ley de Contratos del Sector Público, aprobado por Real Decreto Legislativo 3/2011, de 14 de noviembre, con el siguiente contenido:

> «Disposición adicional trigésima cuarta. Contratos de suministros y servicios en función de las necesidades.

> En los contratos de suministros y de servicios que tramiten las Administraciones Públicas y demás entidades del sector público con presupuesto limitativo, en los cuales el empresario se obligue a entregar una pluralidad de bienes o a ejecutar el servicio de forma sucesiva y por precio unitario, sin que el número total de entregas o prestaciones incluidas en el objeto del contrato se defina con exactitud al tiempo de celebrar éste, por estar subordinadas las mismas a las necesidades de la Administración, deberá aprobarse un presupuesto máximo.

> En el caso de que, dentro de la vigencia del contrato, las necesidades reales fuesen superiores a las estimadas inicialmente, deberá tramitarse la co-

---

(1)   Comentario a cargo de Julio CASTELAO SIMÓN. Licenciado en Derecho. Abogado del Ilustre Colegio de Abogados de Madrid.

rrespondiente modificación. A tales efectos, habrá de preverse en la documentación que rija la licitación la posibilidad de que pueda modificarse el contrato como consecuencia de tal circunstancia, en los términos previstos en el artículo 106 de esta Ley. La citada modificación deberá tramitarse antes de que se agote el presupuesto máximo inicialmente aprobado, reservándose a tal fin el crédito necesario para cubrir el importe máximo de las nuevas necesidades».

JUSTIFICACIÓN

Mediante esta enmienda se procede a incorporar una nueva Disposición adicional trigésima cuarta en el texto refundido de la Ley de Contratos del Sector Público, mediante la que se precisa el tratamiento, como modificaciones previstas en la documentación que rige la licitación de un contrato, del supuesto de que, en contratos ejecutados aportando de forma sucesiva bienes y servicios de precio unitario, las demandas de la Administración sobrepasaran el presupuesto máximo que fue objeto de licitación para adjudicar el contrato.

La urgente tramitación de la Ley 8/2013, de 26 de junio, de rehabilitación, regeneración y renovación urbanas *(BOE* 27 junio), que se hizo de forma paralela y con la misma urgencia que el Real Decreto-Ley 8/2013, de 28 de junio, de medidas urgentes contra la morosidad de las administraciones públicas y de apoyo a entidades locales con problemas financieros *(BOE* 29 junio) (nótese que sólo hay dos días de diferencia en su publicación) hizo que las dos leyes incluyeran en el Real Decreto Legislativo 3/2011, de 14 de noviembre, por el que se aprueba el texto refundido de la Ley de Contratos del Sector Público, *BOE* 16 noviembre 2011 (LA LEY 21158/2011) una Disposición Adicional Trigésima Cuarta.

Al ser anterior, casi por horas, la LRRRU al RDL contra la morosidad, cuando ésta se publicó, ya existía la Disposición Adicional que introdujo aquélla, por lo que el TRLCSP queda actualmente con una Disposición Adicional Trigésima Cuarta (la que podemos ver *ut supra*) y una Disposición Adicional Trigésima Cuarta *(sic)* que dice lo siguiente:

Disposición adicional trigésimo cuarta *(sic)* Referencias a órganos competentes en materia de contratación centralizada

Todas las referencias efectuadas a la Dirección General del Patrimonio del Estado en materia de contratación centralizada contenidas en el ordenamiento jurídico y en particular en esta Ley y en su normativa de desarrollo, se entenderán hechas al órgano competente del Ministerio de Hacienda y Administraciones Públicas que se determine en el correspondiente real decreto de desarrollo de la estructura orgánica básica de dicho ministerio. Este órgano asumirá desde su constitución, las competencias de la Dirección General de Patrimonio del Estado en materia de contratación centralizada.

Como puede observarse, absolutamente nada tienen que ver la una con la otra. Podrían decirse muchas cosas sobre la tramitación de leyes paralelamente, sobre la rigidez que impide que, simplemente, una introduzca una Disposición Adicional y la otra haga lo mismo, pero con número posterior, pero no parece éste el foro adecuado para hacerlo. Baste dar noticia de la nueva redacción del TRLCSP, con sus dos nuevas Disposiciones Adicionales trigésimo cuartas.

Con respecto a la novedad que introduce el TRRRU, que es la que en este caso nos interesa, este precepto, con carácter de normativa básica, es una consecuencia directa de la situación económica que sufre Europa y, en especial, España. Directamente entroncada con la nueva Ley de racionalización y sostenibilidad de la Administración Local, aún Anteproyecto, pero que está a punto de ser aprobada, en particular en lo tocante a uno de los puntos más conflictivos de esta regulación: el «coste estándar.»

El Gobierno propone añadir un nuevo apartado en el artículo de la Ley General Presupuestaria de 2003 que regula los contratos plurianuales, es decir, los compromisos de gasto que se extienden durante, como máximo, cuatro ejercicios presupuestarios.

Según la normativa vigente, este tipo de contratos deben tener un gasto máximo por cada año de ejecución, que puede ser modificado «en casos especialmente justificados» para incrementar las anualidades o las facturas de cada año. Sin embargo, a partir de ahora los contratos de tramitación anticipada estarán obligados a «cumplir los límites y anualidades o importes autorizados» que se han mencionado.

Lo que realmente dice la modificación, es que hay que elaborar un presupuesto máximo para los contratos de ejecución sucesiva o de entrega de pluralidad de cosas, presupuesto máximo que no será necesario cumplir, ya que es modificable. En fin, que es una *contradictio in terminis* consistente en decir: hágase un presupuesto máximo y si dicho máximo se queda corto, modifíquese a otro máximo superior. Nada se dice de ulteriores modificaciones, pero tampoco se cierra esta puerta.

En cualquier caso, hay que recordar el artículo 162 del Real Decreto Legislativo 2/2004, de 5 de marzo, por el que se aprueba el texto refundido de la Ley Reguladora de las Haciendas Locales, *BOE* 9 marzo 2004 (LA LEY 362/2004) correspondiente a la definición de presupuestos de las entidades locales, que puede interpretarse como «presupuesto limitativo» o presupuesto máximo. Dice lo siguiente:

> Los presupuestos generales de las entidades locales constituyen la expresión cifrada, conjunta y sistemática de las obligaciones que, como máximo, pueden reconocer la entidad, y sus organismos autónomos, y de los derechos que prevean liquidar durante el correspondiente ejercicio, así como de las previsiones de ingresos y gastos de las sociedades mercantiles cuyo capital social pertenezca íntegramente a la entidad local correspondiente.

Este artículo dice que las entidades locales y cualquier entidad instrumental que apruebe un «presupuesto» con el contenido del TRLRHL en el estado de gastos aprueban la expresión COMO MÁXIMO de las obligaciones que puede reconocer la entidad. Su carácter limitativo y vinculante se declara en el artículo 172.2 TRLR-HL, que dice en su literalidad:

> Los créditos autorizados tienen carácter limitativo y vinculante. Los niveles de vinculación serán los que vengan establecidos en cada momento por la legislación presupuestaria del Estado, salvo que reglamentariamente se disponga otra cosa.»

Las sociedades mercantiles cuyo capital social pertenezca íntegramente a la entidad local aprueban «previsiones de gastos e ingresos». En el artículo 164.c TRLHL se puede ver que no aprueban presupuestos, sino «estados de previsión».

Disposición final decimocuarta. Modificación del Real Decreto-ley 6/2012, de 9 de marzo, de medidas urgentes de protección de deudores hipotecarios sin recursos.

Se modifican los artículos 2 y 3 bis del Real Decreto-ley 6/2012, de 9 de marzo, de medidas urgentes de protección de deudores hipotecarios sin recursos, que quedan redactados como sigue:

Uno. El artículo 2 queda redactado del siguiente modo:

«Las medidas previstas en este Real Decreto-ley se aplicarán a los contratos de préstamo o crédito garantizados con hipoteca inmobiliaria cuyo deudor se encuentre situado en el umbral de exclusión y que estén vigentes a la fecha de su entrada en vigor, con excepción de las contenidas en los artículos 12 y 13, que serán de aplicación general.

Las medidas previstas en este Real Decreto-ley se aplicarán igualmente a los fiadores y avalistas hipotecarios del deudor principal, respecto de su vivienda habitual y con las mismas condiciones que las establecidas para el deudor hipotecario.»

Dos. El artículo 3 bis queda redactado del siguiente modo:

«Artículo 3.bis. Fiadores, avalistas e hipotecantes no deudores.

Los fiadores, avalistas e hipotecantes no deudores que se encuentren en el umbral de exclusión podrán exigir que la entidad agote el patrimonio del deudor principal, sin perjuicio de la aplicación a éste, en su caso, de las medidas previstas en el Código de Buenas Prácticas, antes de reclamarles la deuda garantizada, aun cuando en el contrato hubieran renunciado expresamente al beneficio de excusión.»

COMENTARIO (1)

Por la Disposición final decimocuarta se modifican los artículos 2 y 3 bis del Real Decreto-ley 6/2012, de 9 de marzo, de medidas urgentes de protección de deudores hipotecarios sin recursos.

El Preámbulo de la LRRRU puntualiza que la modificación únicamente aporta una mejora técnica.

En todo caso, la variación consiste en añadir un párrafo al artículo 2 y el artículo 3 bis es enteramente nuevo.

El párrafo nuevo del artículo 2 es como sigue:

> «Las medidas previstas en este Real Decreto-ley se aplicarán igualmente a los fiadores y avalistas hipotecarios del deudor principal, respecto de su vivienda habitual y con las mismas condiciones que las establecidas para el deudor hipotecario.»

Se insiste en el nuevo artículo 3 bis en los derechos de fiadores, avalistas e hipotecantes no deudores a que se preserve su patrimonio mientras el acreedor pueda resarcir su deuda a cargo del patrimonio del deudor principal, a pesar de que aquellos hubieran renunciado al beneficio de excusión.

No obstante, este Real Decreto-ley plasma como Anexo el **Código de Buenas Prácticas** que hay que tener en cuenta, como es el caso del párrafo que se cita a continuación:

> «1. Medidas previas a la ejecución hipotecaria: reestructuración de deudas hipotecarias.
>
> a) Los deudores comprendidos en el ámbito de aplicación del artículo 2 del Real Decreto-ley 6/2012, de 9 de marzo, de medidas urgentes de protección de deudores hipotecarios sin recursos, podrán solicitar y obtener de la entidad acreedora **la reestructuración** de su deuda hipotecaria al objeto de alcanzar la **viabilidad a medio y largo plazo** de la misma. Junto a la solicitud de reestructuración, acompañarán la documentación prevista en el artículo 3.2 del citado real decreto-ley.»

---

(1)   Comentario a cargo de Luis Miguel Bris Coello. Doctor en Derecho. Abogado del Ilustre Colegio de Abogados de Madrid.

Disposición final decimoquinta. Modificación de la Ley 9/2012, de 14 de noviembre, de reestructuración y resolución de entidades de crédito.

Se modifica la disposición final vigésima primera de la Ley 9/2012, de 14 de noviembre, de reestructuración y resolución de entidades de crédito, que queda redactada como sigue:

«Disposición final vigésima primera. Finalización de la vigencia del Capítulo VII.

Lo dispuesto en el Capítulo VII de esta Ley será aplicable hasta el 31 de diciembre de 2013.»

COMENTARIO (1)

La Disposición final decimoquinta aporta también una mera reforma técnica al modificar la Ley 9/2012, de 14 de noviembre, de reestructuración y resolución de entidades de crédito, en el sentido de prorrogar la vigencia de su Capítulo VII.

En principio estaría vigente hasta el 30 de junio de 2013 y se prorroga su vigencia hasta el 31 de diciembre de 2013.

Baste recordar un índice de este Capítulo VII que es como sigue:

CAPÍTULO VII

Gestión de instrumentos híbridos

Sección 1.ª Acciones de gestión de instrumentos híbridos de capital y de deuda subordinada

Artículo 39. Acciones de gestión de instrumentos híbridos de capital y de deuda subordinada.

Artículo 40. Tipos de acciones de gestión de instrumentos híbridos de capital y de deuda subordinada.

Artículo 41. Valor de mercado.

Artículo 42. Publicidad de las acciones de gestión de instrumentos híbridos de capital y de deuda subordinada.

Sección 2.ª Acciones de gestión de instrumentos híbridos de capital y de deuda subordinada por el Fondo de Reestructuración Ordenada Bancaria

---

(1) Comentario a cargo de Luis Miguel BRIS COELLO. Doctor en Derecho. Abogado del Ilustre Colegio de Abogados de Madrid.

Artículo 43. Gestión de instrumentos híbridos de capital y de deuda subordinada por el Fondo de Reestructuración Ordenada Bancaria.

Artículo 44. Contenido de las acciones de gestión de instrumentos híbridos de capital y de deuda subordinada que acuerde el FROB.

Artículo 45. Criterios de valoración.

Artículo 46. Aprobación de la acción de gestión de instrumentos híbridos de capital y de deuda subordinada.

Artículo 47. Publicidad y fecha de efectos del acuerdo del FROB.

Artículo 48. Modificación de una acción de gestión de instrumentos híbridos de capital y de deuda subordinada.

Artículo 49. Derechos de los inversores afectados por una acción de gestión de instrumentos híbridos de capital y de deuda subordinada.

Artículo 50. Derechos de terceros.

Artículo 51. Régimen sancionador.

Disposición final decimosexta. Modificación de la Ley 17/2012, de 27 de diciembre, de Presupuestos Generales del Estado para el año 2013.

Se adiciona un párrafo final al apartado tres de la disposición adicional décima tercera, de la Ley 17/2012, de 27 de diciembre, de Presupuestos Generales del Estado para el año 2013, con la siguiente redacción:

«A los efectos de esta bonificación, del importe de la tarifa bonificable se deducirá el importe correspondiente a las prestaciones patrimoniales públicas a que se refieren las letras d), e) y f) del artículo 68.2, de la Ley 21/2003, de 7 de julio, de Seguridad Aérea, con independencia de que hayan sido repercutidas o no al pasajero. A tal efecto, dichas prestaciones patrimoniales aparecerán desglosadas en la documentación justificativa de los cupones de vuelo.»

COMENTARIO (1)

La Disposición final decimosexta propicia la modificación de la Ley 17/2012, de 27 de diciembre, de Presupuestos Generales del Estado para el

---

(1) Comentario a cargo de Luis Miguel Bris Coello. Doctor en Derecho. Abogado del Ilustre Colegio de Abogados de Madrid.

año 2013, adicionando un párrafo final al apartado tres de la disposición adicional decimotercera.

El Preámbulo de la LRRRU apostilla que con esta variación se introducen elementos adicionales de transparencia que, además, resultan acordes con la práctica habitual existente en la actualidad.

La LPGE contempla una bonificación del 50 por ciento en la tarifa de los viajes aéreos regulares de personas residentes en Canarias, Baleares, Ceuta y Melilla respecto de sus desplazamientos dentro del territorio nacional.

A su vez, la Ley 21/2003, de 7 de julio, de Seguridad Aérea, en su artículo 68 regula los ingresos de la sociedad «Aena Aeropuertos, S.A»., considerando que, salvo excepciones, todo ingreso de esta sociedad en el ejercicio de su actividad tiene la consideración de precio privado.

Entre las posibles excepciones y que, por tanto, su prestación adquiere la consideración de ser de carácter público, figuran las descritas en los apartados d), e) y f) del artículo 78.2 de la Ley 21/2003. Estas prestaciones no serán bonificables y, con independencia de que se hayan repercutido o no al pasajero, aparecerán desglosadas en la documentación justificativa de los cupones de vuelo. En concreto se trata de:

d) Por los servicios de inspección y control de pasajeros y equipajes en los recintos aeroportuarios.

e) Por la utilización, por parte de los pasajeros, de las zonas terminales aeroportuarias no accesibles a los visitantes, así como de las facilidades aeroportuarias complementarias.

f) Por los servicios que permiten la movilidad general de los pasajeros y la asistencia necesaria a las personas con movilidad reducida (PMRs) para permitirles desplazarse desde un punto de llegada al aeropuerto hasta la aeronave, o desde ésta a un punto de salida, incluyendo el embarque y desembarque.

Disposición final decimoséptima. Modificación de la Ley 1/2013, de 14 de mayo, de medidas para reforzar la protección a los deudores hipotecarios, reestructuración de deuda y alquiler social.

Se modifican la rúbrica del Capítulo III, la disposición adicional primera y las disposiciones transitorias cuarta y quinta, con la siguiente redacción:

Uno. Se modifica la rúbrica del Capítulo III, en los siguientes términos:

«Capítulo III. Mejoras en el procedimiento de ejecución.»

Dos. Se da nueva redacción al párrafo primero de la disposición adicional primera en los siguientes términos:

«Se encomienda al Gobierno que promueva con el sector financiero la constitución de un fondo social de viviendas propiedad de las entidades de crédito, destinadas a ofrecer cobertura a aquellas personas que hayan sido desalojadas de su vivienda habitual por el impago de un préstamo hipotecario cuando concurran las circunstancias previstas en el artículo 1 de esta Ley. Este fondo social de viviendas tendrá por objetivo facilitar el acceso a estas personas a contratos de arrendamiento con rentas asumibles en función de los ingresos que perciban.»

Tres. Se da nueva redacción al apartado 5 de la disposición transitoria cuarta en los siguientes términos:

«Lo dispuesto en el artículo 579.2 a) de la Ley 1/2000, de 7 de enero, de Enjuiciamiento Civil será de aplicación a las adjudicaciones de vivienda habitual realizadas con anterioridad a la entrada en vigor de esta Ley, siempre que a esa fecha no se hubiere satisfecho completamente la deuda y que no hayan transcurrido los plazos del apartado 2 a) del citado artículo. En estos casos, los plazos anteriores que vencieran a lo largo de 2013 se prolongarán hasta el 1 de enero de 2014.

La aplicación de lo previsto en este apartado no supondrá en ningún caso la obligación del ejecutante de devolver las cuantías ya percibidas del ejecutado.»

Cuatro. Se da nueva redacción al párrafo primero de la disposición transitoria quinta en los siguientes términos:

«Lo previsto en el artículo 3.Tres se aplicará a las ventas extrajudiciales de bienes hipotecados que se inicien con posterioridad a la entrada en vigor de esta Ley, cualquiera que fuese la fecha en que se hubiera otorgado la escritura de constitución de hipoteca.»

COMENTARIO (1)

La Disposición final decimoséptima modifica la Ley 1/2013, de 14 de mayo, **de medidas para reforzar la protección a los deudores hipotecarios, reestructuración de deuda y alquiler social.**

---

(1)   Comentario a cargo de Luis Miguel Bris Coello. Doctor en Derecho. Abogado del Ilustre Colegio de Abogados de Madrid.

Esa modificación constituye una simple mejora técnica según el Preámbulo de la LRRRU.

1. Se modifica la rúbrica del Capítulo III de la Ley 1/2013 que pasa de denominarse «Mejoras en el procedimiento de ejecución **hipotecaria**» a, simplemente, «**Mejoras en el procedimiento de ejecución.**»

Es evidente que los artículos que se mencionan de la Ley 1/2000, de 7 de enero, de Enjuiciamiento Civil, para su modificación son los números 552, 557,561, 575, 579, 647,654, 668,670, 671, 682, 691, 693 y 695. Todos ellos están encuadrados dentro del TÍTULO III que trata de «La ejecución: disposiciones generales» y el TÍTULO IV sobre «La ejecución dineraria.»

2. Se modifica la Disposición adicional primera de la Ley 1/2013 que trata del **fondo social de viviendas**, añadiendo un comentario dentro del párrafo primero en que se encomienda al Gobierno que promueva la creación de ese fondo con las viviendas propiedad de las entidades de crédito y para favorecer a personas desalojadas por impago, facilitándoles la vivienda en régimen de alquiler acomodado a sus posibilidades económicas y **cuando concurran las circunstancias previstas en el artículo 1 de esta Ley.**

El artículo 1 de la Ley 1/2013 trata de la **suspensión de los lanzamientos sobre viviendas habituales de colectivos especialmente vulnerables.**

3. Se modifica la Disposición transitoria cuarta de la Ley 1/2013, dando una nueva redacción a su párrafo 5.

Está disposición trata del **régimen transitorio de los procesos de ejecución** y se ocupa del contenido del artículo 579.2 de la Ley 1/2000, de 7 de enero, de Enjuiciamiento Civil. La Disposición transitoria 4.ª.5, tiene una nueva redacción, cuyo texto modificado ya ha quedado citado. Transcribimos a continuación el contenido del citado art. 579 LEC:

> **Artículo 579.** Ejecución dineraria en casos de bienes especialmente hipotecados o pignorados
>
> 1. Cuando la ejecución se dirija exclusivamente contra bienes hipotecados o pignorados en garantía de una deuda dineraria se estará a lo dispuesto en el capítulo V de este Título. Si, subastados los bienes hipotecados o pignorados, su producto fuera insuficiente para cubrir el crédito, el ejecutante podrá pedir el despacho de la ejecución por la cantidad que falte, y contra quienes proceda, y la ejecución proseguirá con arreglo a las normas ordinarias aplicables a toda ejecución.
>
> 2. Sin perjuicio de lo previsto en el apartado anterior, en el supuesto de adjudicación de la vivienda habitual hipotecada, si el remate aprobado fuera insuficiente para lograr la completa satisfacción del derecho del ejecutante,

la ejecución, que no se suspenderá, por la cantidad que reste, se ajustará a las siguientes especialidades:

a) El ejecutado quedará liberado si su responsabilidad queda cubierta, en el plazo de cinco años desde la fecha del decreto de aprobación del remate o adjudicación, por el 65 por cien de la cantidad total que entonces quedara pendiente, incrementada exclusivamente en el interés legal del dinero hasta el momento del pago. Quedará liberado en los mismos términos, si, no pudiendo satisfacer el 65 por cien dentro del plazo de cinco años, satisficiera el 80 por cien dentro de los diez años. De no concurrir las anteriores circunstancias, podrá el acreedor reclamar la totalidad de lo que se le deba según las estipulaciones contractuales y normas que resulten de aplicación.

b) En el supuesto de que se hubiera aprobado el remate o la adjudicación en favor del ejecutante o de aquél a quien le hubiera cedido su derecho y éstos o cualquier sociedad de su grupo, dentro del plazo de 10 años desde la aprobación, procedieran a la enajenación de la vivienda, la deuda remanente que corresponda pagar al ejecutado en el momento de la enajenación se verá reducida en un 50 por cien de la plusvalía obtenida en tal venta, para cuyo cálculo se deducirán todos los costes que debidamente acredite el ejecutante.

Si en los plazos antes señalados se produce una ejecución dineraria que exceda del importe por el que el deudor podría quedar liberado según las reglas anteriores, se pondrá a su disposición el remanente. El Secretario judicial encargado de la ejecución hará constar estas circunstancias en el decreto de adjudicación y ordenará practicar el correspondiente asiento de inscripción en el Registro de la Propiedad en relación con lo previsto en la letra b) anterior.

Pues bien, la modificación que se introduce en la Disposición Transitoria 4.ª.5 consiste en la supresión de la referencia al punto b) del apartado 2 del artículo 579 LEC, que sí mencionaba la regulación anterior.

4. Se modifica la Disposición transitoria quinta de la Ley 1/2013, en su párrafo primero, cuando trata de las ventas extrajudiciales, incluyendo una alusión a **los bienes hipotecados.**

Esta disposición trata sobre el artículo 3 en su apartado Tres de la Ley 1/2013 que se ocupa de modificar el artículo 129 de la Ley Hipotecaria, Texto Refundido según Decreto de 8 de febrero de 1946, y que queda como sigue:

1. La acción hipotecaria podrá ejercitarse:

a) Directamente contra los bienes hipotecados sujetando su ejercicio a lo dispuesto en el Título IV del Libro III de la Ley 1/2000, de 7 de enero, de Enjuiciamiento Civil, con las especialidades que se establecen en su Capítulo V.

b) O mediante la venta extrajudicial del bien hipotecado, conforme al artículo 1.858 del Código Civil, siempre que se hubiera pactado en la escritura de constitución de la hipoteca sólo para el caso de falta de pago del capital o de los intereses de la cantidad garantizada.

2. La venta extrajudicial se realizará ante Notario y se ajustará a los requisitos y formalidades siguientes:

a) El valor en que los interesados tasen la finca para que sirva de tipo en la subasta no podrá ser distinto del que, en su caso, se haya fijado para el procedimiento de ejecución judicial directa, ni podrá en ningún caso ser inferior al 75 por cien del valor señalado en la tasación realizada conforme a lo previsto en la Ley 2/1981, de 25 de marzo, de Regulación del Mercado Hipotecario.

b) La estipulación en virtud de la cual los otorgantes pacten la sujeción al procedimiento de venta extrajudicial de la hipoteca deberá constar separadamente de las restantes estipulaciones de la escritura y deberá señalar expresamente el carácter, habitual o no, que pretenda atribuirse a la vivienda que se hipoteque. Se presumirá, salvo prueba en contrario, que en el momento de la venta extrajudicial el inmueble es vivienda habitual si así se hubiera hecho constar en la escritura de constitución.

c) La venta extrajudicial sólo podrá aplicarse a las hipotecas constituidas en garantía de obligaciones cuya cuantía aparezca inicialmente determinada, de sus intereses ordinarios y de demora liquidados de conformidad con lo previsto en el título y con las limitaciones señaladas en el artículo 114.

En el caso de que la cantidad prestada esté inicialmente determinada pero el contrato de préstamo garantizado prevea el reembolso progresivo del capital, a la solicitud de venta extrajudicial deberá acompañarse un documento en el que consten las amortizaciones realizadas y sus fechas, y el documento fehaciente que acredite haberse practicado la liquidación en la forma pactada por las partes en la escritura de constitución de hipoteca.

En cualquier caso en que se hubieran pactado intereses variables, a la solicitud de venta extrajudicial, se deberá acompañar el documento fehaciente que acredite haberse practicado la liquidación en la forma pactada por las partes en la escritura de constitución de hipoteca.

d) La venta se realizará mediante una sola subasta, de carácter electrónico, que tendrá lugar en el portal de subastas que a tal efecto dispondrá la Agencia Estatal Boletín Oficial del Estado. Los tipos en la subasta y sus condiciones serán, en todo caso, los determinados por la Ley de Enjuiciamiento Civil.

e) En el Reglamento Hipotecario se determinará la forma y personas a las que deban realizarse las notificaciones, el procedimiento de subasta, las cantidades a consignar para tomar parte en la misma, causas de suspensión, la adjudicación y sus efectos sobre los titulares de derechos o cargas posteriores así como las personas que hayan de otorgar la escritura de venta y sus formas de representación.

f) Cuando el Notario considerase que alguna de las cláusulas del préstamo hipotecario que constituya el fundamento de la venta extrajudicial o que hubiese determinado la cantidad exigible pudiera tener carácter abusivo, lo pondrá en conocimiento de deudor, acreedor y en su caso, avalista e hipotecante no deudor, a los efectos oportunos.

En todo caso, el Notario suspenderá la venta extrajudicial cuando cualquiera de las partes acredite haber planteado ante el Juez que sea competente, conforme a lo establecido en el artículo 684 de la Ley de Enjuiciamiento Civil, el carácter abusivo de dichas cláusulas contractuales.

La cuestión sobre dicho carácter abusivo se sustanciará por los trámites y con los efectos previstos para la causa de oposición regulada en el apartado 4 del artículo 695.1 de Ley de Enjuiciamiento Civil.

Una vez sustanciada la cuestión, y siempre que no se trate de una cláusula abusiva que constituya el fundamento de la ejecución, el Notario podrá proseguir la venta extrajudicial a requerimiento del acreedor.

g) Una vez concluido el procedimiento, el Notario expedirá certificación acreditativa del precio del remate y de la deuda pendiente por todos los conceptos, con distinción de la correspondiente a principal, a intereses remuneratorios, a intereses de demora y a costas, todo ello con aplicación de las reglas de imputación contenidas en el artículo 654.3 de la Ley de Enjuiciamiento Civil. Cualquier controversia sobre las cantidades pendientes determinadas por el Notario será dilucidada por las partes en juicio verbal.

h) La Ley de Enjuiciamiento Civil tendrá carácter supletorio en todo aquello que no se regule en la Ley y en el Reglamento Hipotecario, y en todo caso será de aplicación lo dispuesto en el artículo 579.2 de la Ley de Enjuiciamiento Civil.»

Por si resulta de interés para el lector, se deja constancia de las recientes Resoluciones de la Dirección General de los Registros y del Notariado. Así, la de 10 de enero de 2013 (LA LEY 5720/2013)

Ejecución hipotecaria: oposición frente a terceros titulares de cargas posteriores del pacto de venta extrajudicial inscrito PROCEDIMIENTO EXTRAJUDICIAL DE EJECUCIÓN HIPOTECARIA. Inscripción de la escritura de venta. Cancelación de los asientos posteriores. Oponibilidad frente a los terceros titulares de los mismos del pacto de venta extrajudicial inscrito. Pretender limitar este pacto a las partes contratantes desdibuja la eficacia del derecho real inscrito y degrada la inscripción a un efecto de mera publicidad noticia incompatible con la finalidad y eficacia de nuestro sistema registral. Resulta consustancial al derecho de hipoteca que su ejercicio, por cualquiera de las vías legalmente previstas, es oponible a tercero. Conformidad a Derecho de la notificación llevada a cabo por el notario mediante remisión por correo certificado al titular de una carga posterior en un domicilio que se encuentra fuera de su ámbito territorial de competencia pero dentro del territorio nacional. No hay base para considerar que la actuación notarial no se llevó a cabo en el ámbito propio de la venta extrajudicial y de las notificaciones notariales. Tampoco puede sostenerse que la notificación por medio del servicio de Correos implique una actuación fuera del ámbito de competencia territorial del notario, pues no existe dato que autorice a pensar que la actuación notarial se llevó a cabo por medio de oficina de Correos situada fuera de su demarcación.

La DGRN estima el recurso planteado contra la nota de calificación del registrador de la propiedad por la que se deniega la inscripción de una escritura de venta extrajudicial de finca hipotecada.

Asimismo, la Resolución de 17 de enero de 2013 (LA LEY 8717/2013)

PROCEDIMIENTO EXTRAJUDICIAL DE EJECUCIÓN HIPOTECARIA. Estimación parcial del recurso promovido frente a la denegación de la inscripción de la escritura de venta. Revocación de la negativa a cancelar los asientos posteriores. Oponibilidad frente a los terceros titulares de los mismos del pacto de venta extrajudicial inscrito. Pretender limitar este pacto a las partes contratantes desdibuja la eficacia del derecho real inscrito y degrada la inscripción a un efecto de mera publicidad noticia incompatible con la finalidad y eficacia de nuestro sistema registral. Confirmación del defecto relativo a la invalidez del requerimiento de pago al deudor. No ha sido hecho en el domicilio señalado en el Registro y se ha entendido con persona distinta del deudor y diferente de las reglamentariamente previstas. No consta que el deudor haya tenido conocimiento material del requerimiento de pago en términos tales que le permitan el ejercicio de sus derechos. Y no resulta circunstancia que permita establecer que dicha falta de conocimiento de la situación sea imputable al propio deudor o que la práctica en domicilio distinto haya sido hecha en términos tales que se excluya su indefensión material. Confirmación parcial de los reproches aducidos respecto de las notificaciones a los titulares de cargas posteriores mediante cédula remitida por correo certificado con acuse de recibo. Se ratifica el referido a que la falta de constancia del lugar, fecha y hecho mismo de la práctica de la notificación impide determinar el cumplimiento de los requisitos a los que el ordenamiento condiciona la debida protección de los terceros y el correcto desenvolvimiento del proceso de venta. Se rechaza el relativo a que se trata de una mera remisión de documentos por correo, ya que no hay base para considerar que la actuación notarial no se llevó a cabo en el ámbito propio de la venta extrajudicial y de las notificaciones notariales. Y también se rechaza que la notificación por medio del servicio de Correos implique una actuación fuera del ámbito de competencia territorial del notario, pues no existe dato que autorice a pensar que la actuación notarial se llevó a cabo por medio de oficina de Correos situada fuera de su demarcación.

La DGRN estima parcialmente el recurso planteado contra la nota de calificación del registrador de la propiedad por la que se deniega la inscripción de una escritura de venta extrajudicial de finca hipotecada.

Disposición final decimoctava. Cualificaciones requeridas para suscribir los Informes de Evaluación de Edificios

Mediante Orden del Ministerio de Industria, Energía y Turismo y del Ministerio de Fomento, se determinarán las cualificaciones requeridas para suscribir los Informes de Evaluación de Edificios, así como los medios de acreditación. A estos efectos, se tendrá en cuenta la titulación, la formación, la experiencia y la complejidad del proceso de evaluación.

COMENTARIO (1)

Ya se comentó en el análisis al artículo 6 de esta Ley las particularidades que se pueden plantear en la elección de los técnicos que están cualificados para la redacción de los Informes y que la presente Disposición Final aclara en el sentido de que mediante una Orden conjunta de los Ministerios de Industria, Energía y Turismo y del Ministerio de Fomento se concretarán y determinarán las titulaciones de los técnicos que resulten habilitados para poder realizar y suscribir los Informes de Evaluación de los Edificios.

Asimismo en la citada Orden se deberán precisar los medios de acreditación que se precisen para poder redactar y suscribir los citados Informes, que podrán ser las propias titulaciones académicas de los técnicos o especiales requerimientos que se dispongan para poder realizar los trabajos necesarios para redactar y suscribir los IEE.

Es de esperar, para evitar dudas y que la realización de los Informes sea efectuada por técnicos responsables que la citada Orden sea dictada lo antes posibles

---

(1)   Comentario a cargo de Joaquín Jalvo Mínguez. Arquitecto Superior en las especialidades de Edificación y Urbanismo. Diplomado en Urbanismo por el IEAL.

y se analicen las diferentes competencias de cada uno de los posibles técnicos, teniendo en cuenta sus conocimientos y formación al respecto, de tal forma que se pueda evaluar de la forma adecuada los diferentes elementos arquitectónicos como los que la Ley somete al Informe de Evaluación de los Edificios.

Para poder establecer los técnicos que puedan realizar estos Informes, dada la propia complejidad de los mismos ya que el IEE debe atender al estado de conservación, a la evaluación del grado de accesibilidad universal y a la certificación energética de los edificios, la Ley dispone que se deban tener en cuenta para la determinación de esos técnicos la titulación de los mismos, su formación académica y la experiencia que se deba exigir en función de la complejidad del proceso de evaluación.

No se menciona nada al respecto de si la acreditación de los diferentes técnicos podrá realizarse en función de las dificultades propias de cada una de las diferentes tipologías de las edificaciones que deban requerir el Informe de Evaluación de los Edificios, ya que no tiene igual relevancia el proceso de evaluación de una vivienda unifamiliar que un complejo hotelero u otra edificación que por su extensión, complejidad en las formas arquitectónicas, aplicación de la normativa de accesibilidad, evaluación de sus condiciones de conservación o establecimiento del grado de la eficiencia energética de la edificación tenga que considerar parámetros más complejos que los que se deban analizar en una unidad arquitectónica más sencilla.

Por lo tanto, hasta tanto se promulgue la Orden citada se puede estar a lo dispuesto en los comentarios al artículo 6 de esta Ley para conocer los técnicos que pueden redactar y suscribir los Informes de Evaluación de los Edificios, de tal forma que se puedan asegurar las garantías necesarias para que los propietarios de los edificios puedan conocer el estado de su patrimonio y las medidas que pueden adoptar para su conservación, para que puedan conocer las medidas necesarias de accesibilidad universal de las edificaciones y de esa manera incorporar o mejorar esa accesibilidad y complementariamente tener acceso a aquellas actuaciones que se puedan proponer para mejorar la eficiencia energéticas de las edificaciones y construcciones y también, de cara a las Administraciones Públicas, en tanto puedan servirse de los Informes a los efectos previstos en la Ley, dirigir las políticas públicas de rehabilitación edificatoria, de regeneración y renovación urbana y asimismo de fomentar la sostenibilidad y la competitividad de la edificación y de los ambiente urbanos en los que se ubican las edificaciones, para lograr una mayor eficiencia en las actuaciones públicas de cara a aumentar el bienestar común de todos los ciudadanos.

ANEJO
Modelo de Informe de Evaluación de Edificios

A. IDENTIFICACIÓN DEL EDIFICIO		
Tipo de Vía:	Vía:	
Nº.:	Piso/Letra:	C.P.
Población:		Provincia:
Ref. Catastral:		
Otras Ref. Catastrales y Observaciones[1]:		

El edificio objeto del presente informe es

☐ Un único edificio

☐ Una parte (bloque, portal....) de un edificio siempre que sea funcionalmente independiente del resto

☐ Otro Caso

Comparte elementos comunes con edificaciones contiguas

☐ No

☐ Sí, indicar cuales:

(1) Especificar en caso de que el edificio cuente con más de una referencia catastral, u otros casos como complejos inmobiliarios, varios edificios dentro de una misma parcela catastral, etc.

B. DATOS URBANÍSTICOS	
Planeamiento en vigor:	Clasificación:
Ordenanza:	Nivel de protección:
Elementos protegidos:	

C. DATOS DE PROPIEDAD[2]			
Régimen jurídico de la propiedad:	☐ Comunidad de propietarios		☐ Propietario único
	☐ Varios propietarios		☐ Otros:
Titular:		NIF/CIF:	
Dirección:			
C.P.	Población:		Provincia:
Tfno. Fijo:	Tfno. Móvil:	E-Mail:	
Representante:		En condición de:	
NIF/CIF:	Dirección:		
C.P.	Población:		Provincia:
Tfno. Fijo	Tfno. Móvil	E-Mail:	

(2) Indicar el propietario o en su caso el representante de éste o de la comunidad correspondiente

D. DATOS DEL TÉCNICO COMPETENTE QUE SUSCRIBE EL INFORME

Técnico:	NIF/CIF:
Titulación:	
Colegio Oficial:	Nº. Colegiado:
Dirección:	
C.P.	Población:	Provincia:
Tfno. Fijo:	Tfno. Móvil:	E-Mail:

E. DATOS GENERALES DEL EDIFICIO

Superficie parcela (m²):	Superficie construida (m²):	Altura sobre rasante (m):

Uso característico/principal del edificio:

- ☐ Residencial público
- ☐ Residencial privado
- ☐ Administrativo
- ☐ Docente
- ☐ Comercial
- ☐ Industrial
- ☐ Sanitario
- ☐ Otro

Nº. total de plantas sobre rasante:	Nº. de plantas sobre rasante con uso igual al principal:
Nº. de plantas sobre rasante con usos secundarios:	Uso(s) secundario(s):
Nº. total de plantas bajo rasante:	Nº. de plantas bajo rasante con uso igual al principal:
Nº. de plantas bajo rasante con usos secundarios:	Uso(s) secundario(s):
Nº. total de viviendas:	Superficie media (m²):
Nº. total de locales:	Superficie media (m²):
Nº. total de plazas de aparcamientos:	Superficie media (m²):
Nº. total de trasteros:	Superficie media (m²):
Año de construcción:	Referencia [3]

(3) Aportar la referencia a partir de la cual se obtiene el dato "año" del edificio. En su caso, indicar "Estimación"

Tipología edificatoria: Implantación en parcela del edificio [4]

☐ Edificación exenta/aislada o pareada en parcela/bloque abierto:

☐ Edificación entre medianeras/adosada/edificación en manzana cerrada:

Tipología edificatoria: Núcleos de comunicación vertical en edificios residenciales [4]

Un solo núcleo de escaleras:

- ☐ Sin ascensor
- ☐ Con 1 ascensor
- ☐ Con 2 o más ascensores

Nº. medio de viviendas por planta

Dos o más núcleos de comunicación vertical:

Nº. total de escaleras:

Nº. total de ascensores:

Nº. total de viviendas con acceso a través de más de 1 núcleo:

Nº. total de viviendas sin acceso a través de ascensor:

Nº. medio de viviendas por planta

(4) Optar por la que describa mejor la forma de implantación del edificio

---

F. ARCHIVOS GRÁFICOS

Se acompañará el presente documento con al menos un plano de situación del edificio y hasta tres fotografías en color que identifiquen el mismo. Formato mínimo 10 x 15 cm o resolución mínima 300 ppp

---

G. DOCUMENTACIÓN ADMINISTRATIVA COMPLEMENTARIA

A continuación, indique la documentación administrativa complementaria de que dispone el edificio, por ejemplo: Licencia de Obras. Licencia de Ocupación, Licencia de Actividad, Expediente de Disciplina, Expediente de Ruina u Orden de ejecución entre otras:

Nombre del documento Nº. 1:

Fecha:	Alcance:

Técnico responsable:

Observaciones:

Nombre del documento Nº. 2:

Fecha:	Alcance:

Técnico responsable:

Observaciones:

Nombre del documento Nº. 3:

Fecha:	Alcance:

Técnico responsable:

Observaciones:

Nombre del documento Nº. 4:

Fecha:	Alcance:

Técnico responsable:

Observaciones:

H. DESCRIPCIÓN NORMALIZADA DE LOS SISTEMAS CONSTRUCTIVOS DEL EDIFICIO A EFECTOS ESTADÍSTICOS

CIMENTACIÓN		
Sistemas de contención	☐ Muro de piedra ☐ Muro de fábrica ladrillo	☐ Muro de fábrica bloque ☐ Muro hormigón armado	☐ Muro pantalla ☐ Se desconoce/Otro
Cimentación superficial	☐ Zapatas, zanjas, pozos, mampostería ☐ Losa	☐ Zapatas o zanjas hormigón ☐ Se desconoce/Otro	
Cimentación profunda	☐ Pilotes	☐ Pantallas	☐ Se desconoce/Otro
Observaciones:		

ESTRUCTURA

Estructura vertical	Muros de Carga		Pilares	Se desconoce/Otro
	☐ De piedra	☐ De fábrica de ladrillo	☐ De ladrillo	☐ Se desconoce/Otro
	☐ De hormigón armado	☐ De bloque cerámico	☐ De fundición	
	☐ De adobe	☐ De bloque hormigón	☐ De acero	
	☐ De tapial	☐ Con entramado de madera	☐ De hormigón armado	

Estructura horizontal Planta Tipo	Estructura principal (Vigas)	Forjado (Elementos secundarios, viguetas)	Forjado (Entrevigado)	
	☐ De madera	☐ De madera	☐ Tablero	☐ Forjado reticular
	☐ Metálicas	☐ Metálica	☐ Revoltón	☐ Losa hormigón
	☐ De hormigón armado	☐ De hormigón armado	☐ Bovedilla cerámica	☐ Se desconoce/Otro
			☐ Bovedilla hormigón	

Estructura horizontal Suelo. Planta en contacto con terreno [5]	Forjado	Forjado Sanitario		Se desconoce/Otro
	☐ Idéntico al de P. Tipo	☐ Idéntico al de P. Tipo	☐ Solera	☐ Se desconoce/Otro
	☐ Diferente al de P. Tipo	☐ Diferente al de P. Tipo		

Estructura de cubierta	Forjado horizontal y	Cerchas, pórticos		Se desconoce/Otro
	☐ Capa formación pte.	☐ Vigas hormigón armado + tablero.	☐ Tablero cerámico	☐ Se desconoce/Otro
	☐ Tabiquillos + tablero	☐ Vigas metálicas + tablero	☐ Tablero madera	
	Forjado inclinado	☐ Vigas madera + tablero	☐ Chapa/Sándwich	
	☐ Hormigón armado			
	☐ Otro			

Observaciones:

(5) Describir el sistema constructivo de la estructura que forma el suelo de la Planta Baja, o planta -n, si el edificio tiene -n plantas de sótano.

CERRAMIENTOS VERTICALES Y CUBIERTAS

Fachada principal	Acabado Visto en Fachada Principal % sobre Sup. Cerram. Vertical Total:		Acabado Revestido en Fachada Principal % sobre Sup. Cerram. Vertical Total:	
Superficie (m²)	☐ Mampostería	☐ Fábrica bloque hormigón	☐ Enfoscado y pintado	☐ Chapado piedra
	☐ Sillería	☐ Panel pref. hormigón	☐ Revoco	☐ Chapado metálico
% sobre Sup. Cerram. Vertical Total	☐ Fábrica ladrillo	☐ Panel metálico/Sándwich	☐ Mortero monocapa	☐ Otros
	☐ Fábrica bloq. cerámico	☐ Otros	☐ Aplacado cerámico	
	Dispone de Cámara de Aire: ☐ Sí ☐ No ☐ Se desconoce		Dispone de Aislamiento Térmico: ☐ Sí ☐ No ☐ Se desconoce	

Otras fachadas, fachadas a patios, y medianerías (6)	**Acabado Visto en Otras Fachadas** % sobre Sup. Cerram. Vertical Total:		**Acabado Revestido en Otras Fachadas** % sobre Sup. Cerram. Vertical Total:	
	☐ Mampostería	☐ Fábrica bloque hormigón	☐ Enfoscado y pintado	☐ Chapado piedra
	☐ Sillería	☐ Panel pref. hormigón	☐ Revoco	☐ Chapado metálico
Superficie (m²)	☐ Fábrica ladrillo	☐ Panel metálico/Sándwich	☐ Mortero monocapa	☐ Otros
	☐ Fábrica bloq. cerámico	☐ Otros	☐ Aplacado cerámico	
% sobre Sup. Cerram. Vertical Total	Dispone de Cámara de Aire: ☐ Si ☐ No ☐ Se desconoce		Dispone de Aislamiento Térmico: ☐ Si ☐ No ☐ Se desconoce	
Carpintería y vidrio en huecos	**Tipo de carpintería predominante**	**Tipo de vidrio predominante**		
	☐ Madera	☐ Simple	☐ Con capa bajo emisiva	
Superficie (m²)	☐ Acero	☐ Doble acristalamiento	☐ Con capa de control solar	
	☐ Aluminio	☐ Triple acristalamiento		
% sobre Sup. Cerram. Vertical Total	☐ PVC ☐ Otros:			
Azotea/Cubierta plana	☐ Transitable ☐ No transitable	**Azotea/Cubierta plana**	☐ Teja árabe ☐ Teja plana u otra	☐ Fibrocemento ☐ Asfáltica
Superficie (m²)	Dispone de aislamiento térmico ☐ Si ☐ No ☐ Se desconoce	Superficie (m²)	☐ Teja cemento ☐ Chapa cobre/zinc	☐ Chapa acero ☐ Pizarra
% sobre Sup. Cerram. Horizontal Total:	Dispone de lámina impermeabilizante ☐ Si ☐ No ☐ Se desconoce	% sobre Sup. Cerram. Horizontal Total:	Dispone de aislamiento térmico ☐ Si ☐ No ☐ Se desconoce	

Observaciones:

(6) Indicar la información correspondiente a otros cerramientos que no formen parte de la fachada principal y que supongan un mayor % sobre el resto de la superficie total de cerramientos verticales

INSTALACIONES DEL EDIFICIO		
Saneamiento Evacuación de Aguas	☐ No dispone de Sistema de Evacuación ☐ Dispone de Sist. Evacuación a red de alcantarillado público ☐ Dispone de Sist. Evacuación propio (fosa séptica, etc.)	☐ Bajantes vistas empotradas ☐ Bajantes ☐ Otro:
		☐ Colectores Vistos Enterrados ☐ Colectores ☐ Otro:
Abastecimiento de agua	☐ No dispone de Sistema de Abastecimiento de Agua ☐ Dispone de conexión a Red de Abastecimiento público ☐ Dispone de Captación propia (pozo, bomba, etc.)	☐ Contador único para todo el edificio ☐ Contadores individuales por vivienda/local ☐ Contadores individuales centralizados

Instalación eléctrica	El edificio dispone (instalación eléctrica elementos comunes): ☐ De Caja General de Protección (CGP) ☐ De Interruptor Diferencial ☐ De Interruptor Automático al inicio de los circuitos de servicios comunes ☐ De fusible al inicio de las derivaciones individuales a viviendas o locales ☐ Otros:	☐ Contador único para todo el edificio ☐ Contadores individuales por vivienda/local ☐ Contadores individuales centralizados
Calefacción	☐ Se dispone de sistema de Calefacción Colectivo/Central: ☐ Caldera comunitaria ☐ Bomba de calor ☐ Otro: Combustible Calefacción Colectiva/Central: ☐ GLP ☐ Electricidad ☐ Gasóleo ☐ Leña/biomasa ☐ Gas Natural ☐ Otros	En caso contrario, indicar: % de viviendas/locales disponen de sistemas individuales de Calefacción: % viviendas con Caldera (Gas canalizado): Indicando: ☐ Propano ☐ Gas Natural % viviendas con Caldera Gasóleo: % viviendas con Calefacción eléctrica: Indicando: ☐ Bomba de Calor ☐ Radiadores % con Otros:
Agua Caliente Sanitaria ACS	☐ El edificio dispone de sistema de ACS Central Combustible para producción ACS: ☐ GLP ☐ Electricidad ☐ Gasóleo ☐ Leña/biomasa ☐ Gas Natural ☐ Otros: ☐ El edificio dispone de captadores solares para la producción de ACS	En caso contrario, indicar: % de viviendas/locales disponen de sistemas individuales de producción de ACS: % viviendas con Calentadores (Gas canalizado): Indicando: ☐ Propano ☐ Gas Natural % viviendas con Calentadores (Gas embotellado): Indicando: ☐ Propano ☐ Butano % viviendas con Calentadores eléctricos: % con Otros:
Gas canalizado para instalaciones domésticas	% de viviendas/locales que disponen de acometida a red de distribución canalizada de gas para uso doméstico: ☐ Propano ☐ Gas Natural	☐ Contadores individuales por vivienda/local ☐ Contadores individuales centralizados
Refrigeración	☐ El edificio dispone de sistema colectivo de Refrigeración: ☐ Con torre de enfriamiento ☐ Sin torre de enfriamiento	En caso contrario, indicar: % de viviendas/locales disponen de sistema individuales de refrigeración (aire acondicionado): Nº. aparatos de aire acondicionado vistos en fachadas:
Ventilación y renovación de aire	El edificio dispone de los siguientes sistemas de ventilación para los cuartos húmedos (baños y concinas) de las viviendas: ☐ Ventanas ☐ Patinejos ☐ Shunts ☐ Otros: ☐ Existen locales o viviendas cuyos cuartos húmedos no tienen ninguno de los sistemas anteriores de ventilación.	Los aparcamientos disponen de sistemas de ventilación: ☐ Mecánica ☐ Natural ☐ Híbrida

Protección Contra Incendios	El edificio dispone de:	
	☐ Un sistema de detección de incendios	☐ Hidrantes exteriores
	☐ Un sistema de alarma	☐ Columna seca
	☐ Extintores móviles	☐ Boca de incendios equipada
Protección Contra el Rayo	El edificio dispone de:	
	☐ Pararrayos de puntas	☐ Un dispositivo de protecc. contra sobretensiones transitorias
	☐ Pararrayos Faraday	☐ Red de tierra
	☐ Pararrayos con sistemas activos (ionizantes)	
	☐ Otro tipo de pararrayos	
Instalaciones de Comunicaciones ICT	El edificio dispone de:	
	☐ Antena para recepción de TDT	☐ Acceso de telecomunicaciones por cable
	☐ Antena para recepción de TV satélite	☐ Acceso de fibra óptica
	☐ Acceso de pares de cobre	☐ Accesos inalámbricos
		☐ Otras instalaciones de ICT
Observaciones:		

Parte I: Estado de conservación

1.1. DATOS GENERALES DELA INSPECCIÓN
Fecha/s de visita:
Nº. de viviendas inspeccionadas:
Nº. de locales u otros usos inspeccionados[7]:
Impedimentos a la hora de realizar la visita[7]
Medios empleados durante la inspección[7]
Pruebas o catas realizadas[7]
Medidas inmediatas de seguridad adoptadas durante la visita:
Observaciones:

(7) La inspección a realizar es de carácter visual, y respecto a aquellos elementos del edificio a los que se ha tenido acceso. No forma parte de la inspección detectar posibles vicios ocultos, ni prever causas sobrevenidas. Los elementos objeto de inspección son los que constan en este modelo de informe. Cuando los datos obtenidos en la inspección visual no sean suficientes para valorar las deficiencias detectadas, el técnico encargado de la inspección deberá proponer a la propiedad del inmueble efectuar una diagnosis del elemento o elementos constructivos afectados, así como las pruebas que considere necesarias.

1.2. HISTÓRICO DE INSPECCIONES PREVIAS

Fecha de la última inspección:

Técnico:

Resultado:

Grado de ejecución y efectividad de las obras derivadas de la inspección

Observaciones:

1.3. VALORACIÓN DEL ESTADO DE CONSERVACIÓN DEL EDIFICIO

1.3.1. CIMENTACIÓN

Indicar las deficiencias detectadas que deben ser subsanadas, especificando si condicionan -por sí mismas, o en combinación con otras- la valoración global del estado de conservación de la cimentación como desfavorable y apartando de cada una de ellas la siguiente información:

1. Localización de la deficiencia

2. Breve descripción de la misma

3. Pruebas o ensayos realizados

4. Observaciones

5. Fotografías identificativas

Valoración del estado de conservación (Cimentación)

☐ Favorable   ☐ Desfavorable

En caso de valorarse como desfavorable, se establecerá, si procede:

Plazo de inicio de las obras: *Plazo de finalización de las obras:*

1.3.2 ESTRUCTURA

Indicar las deficiencias detectadas que deben ser subsanadas, especificando si condicionan -por sí mismas, o en combinación con otras- la valoración global del estado de conservación de la estructura como desfavorable y aportando de cada una de ellas la siguiente información:

1. Localización de la deficiencia

2. Breve descripción de la misma

3. Pruebas o ensayos realizados

4. Observaciones

5. Fotografías iidentificativas

Valoración del estado de conservación (Estructura)

☐ Favorable   ☐ Desfavorable

En caso de valorarse como desfavorable, se establecerá, si procede:

Plazo de inicio de las obras: *Plazo de finalización de las obras:*

1.3.3 FACHADAS Y MEDIANERÍAS

Indicar las deficiencias detectadas que deben ser subsanadas, especificando si condicionan -por sí mismas, o en combinación con otras- la valoración global del estado de conservación de las fachadas (incluyendo cerramientos y huecos) y medianerías como desfavorable y aportando de cada una de ellas la siguiente información:

1. Localización de la deficiencia

2. Breve descripción de la misma

3. Pruebas o ensayos realizados

4. Observaciones

5. Fotografías identificativas

Valoración del estado de conservación (Fachadas y Medianerías)

☐ Favorable   ☐ Desfavorable

En caso de valorarse como desfavorable, se establecerá, si procede:

Plazo de inicio de obras: *Plazo de finalización de las obras:*

1.3.4 CUBIERTAS Y AZOTEAS

Indicar las deficiencias detectadas que deben ser subsanadas, especificando si condicionan -por sí mismas, o en combinación con otras- la valoración global del estado de conservación de las cubiertas y azoteas como desfavorable y aportando de cada una de ellas la siguiente información:

1. Localización de la deficiencia

2. Breve descripción de la misma

3. Pruebas o ensayos realizados

4. Observaciones

5. Fotografías identificativas

Valoración del estado de conservación (Cubiertas y Azoteas)

☐ Favorable   ☐ Desfavorable

En caso de valorarse como desfavorable, se establecerá, si procede:

Plazo de inicio de las obras: *Plazo de finalización de las obras:*

1.3.5 INSTALACIONES

Indicar las deficiencias detectadas que deben ser subsanadas, especificando si condicionan -por si mismas, o en combinación con otras- la valoración global del estado de conservación de las instalaciones comunes de suministro de agua, saneamiento y electricidad como desfavorable y aportando de cada una de ellas la siguiente información:

1. Localización de la deficiencia

2. Breve descripción de la misma

3. Pruebas o ensayos realizados

4. Observaciones

5. Fotografías identificativas

Valoración del estado de conservación (Instalaciones)

☐ Favorable   ☐ Desfavorable

En caso de valorarse como desfavorable, se establecerá, si procede:

Plazo de inicio de las obras:	*Plazo de finalización de las obras:*

1.4. EXISTENCIA DE PELIGRO INMINENTE[8]

Descripción del peligro inminente:

Indicar medidas a adoptar:

Fecha límite de actuación:

(8) A cumplimentar en caso de que sea necesario adoptar medidas inmediatas de seguridad para las personas

1.5. VALORACIÓN FINAL DEL ESTADO DE CONSERVACIÓN DEL EDIFICIO

El técnico competente abajo firmante valora el estado de conservación del edificio como:

☐ FAVORABLE   ☐ DESFAVORABLE

Esta valoración del estado de conservación del edificio es suscrita por el técnico competente abajo firmante, en base a una inspección de carácter visual, y respecto a aquellos elementos del edificio a los que ha tenido acceso.

Observaciones:

En ....

a .... de .... de

Firmado: El Técnico competente

1.6. DESCRIPCIÓN NORMALIZADA DE LAS DEFICIENCIAS DE CONSERVACIÓN DEL EDIFICIO

A efectos estadísticos, consignar las deficiencias del edificio según la descripción normalizada adjunta.

Exclusivamente a efectos de la normalización de esta información para su procesamientos estadístico, se consideran "Deficiencias Graves", las que, por sí mismas, o en combinación con otras, condicionan el resultado de la Parte I del Informe como "Desfavorable"

		Defic. Graves
DEFICIENCIAS EN CIMENTACIÓN		
Cimentación	Fisuras y/o grietas en los cerramientos del edificio derivadas de problemas en cimentación	
	Fisuras y/o grietas en elementos estructurales del edificio derivadas de problemas en cimentación	
	Fisuras y/o grietas en tabiquería derivadas de problemas en cimentación	
	Asiento de pilares derivado de problemas en cimentación	
	Asiento de soleras derivado de problemas en cimentación	
	Deformación y/o rotura de solados derivado/derivadas de problemas en cimentación	
	Abombamiento de muros de contención	
	Otras deficiencias en Cimentación	
DEFICIENCIAS EN ESTRUCTURA		
Estructura Vertical	Deformaciones, fisuras y/o grietas en interior del edificio derivadas de problemas en la estructura vertical	
	Deformaciones, fisuras yo grietas en los cerramientos del edificio derivadas de problemas en la estructura vertical	
	Abombamientos, desplomes y/o desniveles de muros de carga de la estructura vertical	
	Presencia de xilófagos en elementos de madera de la estructura vertical	
	Corrosión de elementos metálicos de la estructura vertical	
	Patologías y degradación del hormigón en elementos de la estructura vertical	
	Fisuras en pilares de la estructura vertical	
	Presencia de humedades y/o filtraciones en elementos de la estructura vertical	
	Otras deficiencias en la Estructura Vertical	
Estructura Horizontal	Fisuras y/o grietas en forjados	
	Fisuras y/o grietas en vigas	
	Deformaciones anormales del forjado	
	Deformación y/o rotura de solados derivados de problemas de la estructura horizontal	
	Presencia de xilófagos en elementos de madera de la estructura horizontal	
	Corrosión de elementos metálicos de la estructura horizontal	
	Patologías y degradación del hormigón en elementos de la estructura horizontal	
	Rotura y/o desprendimientos de elementos del forjado	
	Presencia de humedades y/o filtraciones en elementos de la estructura horizontal	
	Otras deficiencias en la Estructura Horizontal	
Estructura de Cubierta	Deformación de faldones de la estructura de cubierta	
	Fisuras y/o grietas en la estructura de cubierta	
	Presencia de xilófagos en elementos de madera de la estructura de cubierta	
	Corrosión en elementos metálicos de la estructura de cubierta	
	Patologías y degradación del hormigón en la estructura de cubierta	
	Roturas y/o desprendimientos de elementos de la estructura de cubierta	
	Presencia de humedades y/o filtraciones en la estructura de cubierta	
	Otras deficiencias en Estructura de Cubierta	
Estructura de Escaleras	Fisuras y/o grietas en estructura de escaleras	
	Abombamiento de muros de escalera	
	Desnivel y/o deformación de las zancas en estructura de escaleras	
	Presencia de xilófagos en elementos de madera de la estructura de escalera	
	Rotura y/o desprendimientos de elementos de escaleras	
	Otras deficiencias en la Estructura de Escaleras	

DEFICIENCIAS EN CERRAMIENTOS VERTICALES		
Cerramientos verticales: Fachadas, Medianerías y Huecos	Fisuras y/o grietas en los cerramientos de las fachadas exteriores	
	Fisuras y/o grietas en los cerramientos de las fachadas de patios	
	Fisuras y/o grietas en las medianerías	
	Abombamiento de muros de cerramiento	
	Deformación o rotura de carpinterías de huecos	
	Degradación, erosión y/o riesgo de desprendimiento de los materiales de la fábrica de cerramiento	
	Humedades de capitalidad en los muros de cerramiento	
	Humedades por filtraciones en los muros de cerramiento, carpinterías y encuentros	
	Humedades por condensación u otras causas en los muros de cerramiento, carpinterías y encuentros	
	Presencia de vegetación y/o microorganismos (moho, musgo, bacterias ...) en muros de cerramiento	
	Degradación o ausencia de juntas entre edificios en fachadas	
	Riesgo de desprendimiento de elementos adosados a las fachadas	
	Degradación o ausencia de aislamiento térmico en fachadas y medianerías	
	Otras deficiencias en los muros de cerramiento	
Acabados de Fachada	Fisuras y/o grietas en revoco de las fachadas exteriores	
	Fisuras y/o grietas en revoco de fachadas de patios	
	Abombamiento del revoco en muros de cerramiento	
	Humedades en revoco de muros de cerramiento	
	Presencia de vegetación y de microorganismos (moho, musgo, bacterias ...) en revoco de muros de cerramiento	
	Abombamiento, degradación, erosión de los materiales y/o riesgo de desprendimiento del revoco de fachadas	
	Degradación de los paneles, placas y elementos prefabricados de cerramiento en fachadas	
	Degradación de los anclajes de sujeción de aplacados, paneles y placas de cerramiento	
	Otras deficiencias en los acabados de fachada	
Carpintería Exterior y acristalamiento	Deformación y/o rotura de carpinterías exteriores	
	Presencia de microorganismos en carpintería exterior (moho, musgo, bacterias ...) o de xilófagos en carpintería exterior de madera	
	Erosión de los materiales en carpintería exterior y/o corrosión de elementos metálicos en carpintería exterior	
	Ausencia de acristalamientos o vidrios rotos y/o desprendidos	
Elementos Adosados a Fachada	Mal estado y/o riesgo de desprendimiento de los elementos adosados a fachada como: bajantes, chimeneas, farolas, antenas, marquesinas, tendederos, toldos, cableados, equipos de climatización, etc.	
Otros Elementos de Fachada	Mal estado y/o riesgo de desprendimiento de elementos de fachada como: aleros, cornisas, voladizos, miradores, etc.	
	Mal estado y/o riesgo de desprendimiento de defensas como: barandillas, antepechos, petos, balaustradas, vallas, rejas, cierres de seguridad, etc.	
Otras deficiencias	Otras deficiencias en cerramientos verticales	

DEFICIENCIAS EN AZOTEAS Y CUBIERTAS		
Azoteas y cubiertas planas	Ausencia, deformación y/o rotura de las membranas impermeabilizantes en azoteas	
	Ausencia, deformación y/o roturas del pavimento en azoteas	
	Ausencia, deformación y/o roturas de juntas de dilatación en azoteas	
	Manifestación de filtraciones y/o goteras procedentes de azoteas	
	Manifestación de condensaciones en el interior derivadas de las azoteas	
	Presencia de vegetación y/o de microorganismos (moho, musgo, bacterias ...) en azoteas	
	Anidamiento de aves en azoteas	
	Rotura, obstrucciones u otras deficiencias en sumideros, cazoletas y elementos de desagüe en azoteas	
	Otras deficiencias en Azoteas (incluyendo ausencia de aislamiento térmico)	
Cubiertas inclinadas	Deformación y/o rotura de los faldones de cubierta	
	Desprendimiento y/o roturas de las piezas de cobertura: tejas, placas, etc.	
	Deformación y/o roturas de juntas de dilatación en cubiertas	
	Manifestación de filtraciones y/o goteras derivadas de la cubierta	
	Manifestación de condensaciones en el interior de la cubierta	

	Presencia de vegetación y/o de microorganismos (moho, musgo, bacterias ...) en la cubierta	
	Anidamiento de aves en cubierta	
	Rotura, obstrucciones u otras deficiencias de los canalones en cubierta	
	Otras deficiencias en Cubiertas Inclinadas (incluyendo ausencia de aislamiento térmico)	
Otros Elementos de Cubierta	Mal estado y/o riesgo de desprendimiento de Otros Elementos de Cubierta, como: lucernarios, claraboyas y ventanas, chimeneas y shunts, antenas, casetón del ascensor, etc.	
DEFICIENCIAS EN INSTALACIONES COMUNES DEL EDIFICIO		
Instalación de Abastecimiento Agua	Humedades y/o Filtraciones derivadas de fugas en las conducciones y tuberías de abastecimiento y distribución de agua	
	Olías deficiencias en la instalación de Abastecimiento de agua	
Instalación de Saneamiento	Humedades y/o Filtraciones derivadas de fugas en las conducciones y tuberías de saneamiento	
	Problemas de pocería y atascos en las conducciones de saneamiento	
	Otras deficiencias en la instalación de Saneamiento	

1.7. DOCUMENTACIÓN DISPONIBLE SOBRE LAS INSTALACIONES COMUNES DEL EDIFICIO		
La propiedad del edificio dispone de la siguiente documentación sobre las instalaciones comunes del edificio:		
Instalación Eléctrica	Boletín de Instalador de la Instalación Eléctrica del edificio	
Instalaciones de Calefacción ACS	Documentación Administrativa de la instalación de Calefacción	
	Contrato de Mantenimiento de la instalación de Calefacción	
	Documentación Administrativa de la instalación de Agua Caliente Sanitaria	
	Contrato de Mantenimiento de la instalación de Agua Caliente Sanitaria	
Instalación de Ascensor	Certificado de Inspección Periódica en Ascensores y Montacargas	
	Contrato de Mantenimiento en ascensores, montacargas y salvaescaleras	
Instalaciones de Protección	Certificado de Instalador Autorizado de la Instalación de Protección Contra Incendios	
	Contrato de Mantenimiento de la Instalación de Protección Contra Incendios	
Instalación de Gas	Certificado/s de la Instalación de Gas del edificio	
	Certificado de Inspección Periódica de la Instalación de Gas del edificio	
Depósitos Combustible	Documentación de la Instalación y/o Certificación Administrativa de Depósitos de Combustible	
	Documentación acreditativa de la inspección y/o revisión de Depósitos de Combustible	
Ins. Telecomunicaciones ICT	Documentación de Infraestructura Común de Telecomunicaciones (ICT) exigida por la normativa (protocolo de pruebas, boletín de instalación o certificado de fin de obra), a especificar	
Otra documentación:		

Parte II: Condiciones básicas de accesibilidad
Uso residencial vivienda

II.1 CONDICIONES FUNCIONALES DEL EDIFICIO (Según CTE-DB-SUA 9)
ACCESIBILIDAD EN EL EXTERIOR
Para edificios, indicar:
1.1. El edificio dispone de un ITINERARIO ACCESIBLE que comunica una entrada principal al mismo
• Con vía pública   ☐ No   ☐ Si
• Con zonas comunes exteriores[9]   ☐ No   ☐ Si
Para conjuntos de viviendas unifamiliares, indicar:
1.2. La parcela dispone de un ITINERARIO ACCESIBLE que comunica una entrada a la zona privada de cada vivienda
• Con vía pública   ☐ No   ☐ Si
• Con zonas comunes exteriores[9]   ☐ No   ☐ Si
OBSERVACIONES (indicar deficiencias detectadas y número de viviendas afectadas):

(9) Aparcamientos propios, jardines, piscinas, zonas deportivas, etc.

ACCESIBILIDAD ENTRE PLANTAS

1.3. En el edificio hay que salvar más de dos plantas desde alguna entrada principal accesible al mismo hasta alguna vivienda o zona comunitaria

☐ No   ☐ Si; en su caso, indique

☐ Dispone de Ascensor accesible entre ellas

☐ Dispone de Rampa accesible entre ellas

☐ Dispone de Ascensor no accesible según DB SUA 9

Especificar dimensiones de la cabina:

☐ No dispone de rampa ni ascensor:

En este caso, el edificio tiene un espacio cuyas condiciones dimensionales y estructurales permiten instalación de ascensor o rampa accesible:

☐ No   ☐ Si

1.4. El edificio tiene más de doce viviendas situadas en plantas sin entrada principal accesible

☐ No   ☐ Si; en su caso, indique

☐ Dispone de Ascensor accesible entre ellas

☐ Dispone de Rampa accesible entre ellas

☐ Dispone de Ascensor no accesible según DB SUA 9

Especificar dimensiones de la cabina:

☐ No dispone de rampa ni ascensor:

En este caso, el edificio tiene un espacio cuyas condiciones dimensionales y estructurales permiten instalación de ascensor o rampa accesible:

☐ No   ☐ Si

OBSERVACIONES (indicar deficiencias detectadas y número de viviendas afectadas):

Para edificios o conjuntos de viviendas con viviendas accesibles para usuarios en silla de ruedas, siendo estas viviendas legalmente exigibles, indicar:

1.5. La planta o plantas con VIVIENDAS ACCESIBLES par USUARIOS DE SILLA DE RUEDAS están comunicadas mediante un ASCENSOR o RAMPA ACCESIBLE con las plantas donde se encuentran

•La entrada accesible al edificio   ☐ No   ☐ Si

•Los elementos asociados a las viviendas [10]   ☐ No   ☐ Si

•Las zonas comunitarias   ☐ No   ☐ Si

OBSERVACIONES:

(10) Se consideran elementos asociados a viviendas accesibles los trasteros accesibles, las plazas de garaje accesibles, etc.

ACCESIBILIDAD EN LAS PLANTAS DEL EDIFICIO

1.6. Todas las plantas disponen de un ITINERARIO ACCESIBLE que comunica los accesos accesibles a ellas

•Entre sí   ☐ No   ☐ Si

•Con las viviendas situadas en las mismas plantas   ☐ No   ☐ Si

•Con las zonas de uso comunitario situadas en las mismas plantas   ☐ No   ☐ Si

OBSERVACIONES:

Para edificios o conjunto de viviendas con viviendas accesibles para usuarios de silla de ruedas, siendo estas viviendas legalmente exigibles, indicar:

1.7. Las plantas donde se encuentran los elementos asociados a viviendas accesibles disponen de un ITINERARIO ACCESIBLE que comunica los accesos accesibles a ellas con dichos elementos

☐ No   ☐ Si

OBSERVACIONES:

II.2. DOTACIÓN DE ELEMENTOS ACCESIBLES (Según CTE-DB-SUA 9)

PLAZAS DE APARCAMIENTOS ACCESIBLES

Si el edificio dispone de aparcamiento propio y cuenta con viviendas accesibles para usuarios de silla de ruedas, siendo estas viviendas legalmente exigibles, indicar:

2.1. El aparcamiento dispone de una PLAZA DE APARCAMIENTO ACCESIBLE por cada vivienda accesible a USUARIO DE SILLA DE RUEDAS legalmente exigible.

☐ No   ☐ Si

OBSERVACIONES:

PISCINAS

En edificios con viviendas accesibles para usuarios en silla de ruedas, siendo estas viviendas legalmente exigibles, indicar:

2.2. La piscina dispone de alguna entrada al vaso mediante grúa o cualquier otro dispositivo adaptado, excepto en la piscina infantil

☐ No   ☐ Si

OBSERVACIONES:

SERVICIOS HIGIÉNICOS

En los aseos o vestuarios exigidos legalmente de uso privado que sirven a zonas de uso privado cuyas superficies sumen más de 100 m² y cuyas ocupaciones sumen más de 10 personas calculadas conforme al SI 3, indicar

2.3. Los aseos exigidos legalmente, disponen de un ASEO ACCESIBLE por cada 10 unidades o fracción, de los inodoros instalados, admitiéndose el uso compartido por ambos sexos

☐ No   ☐ Si

2.4. Los vestuarios exigidos legalmente, disponen de una CABINA Y UNA DUCHA ACCESIBLE por cada 10 unidades o fracción, de los instalados

☐ No   ☐ Si

OBSERVACIONES:

MECANISMOS ACCESIBLES

2.5. Los interruptores, los dispositivos de intercomunicación y los pulsadores de alarma son MECANISMOS ACCESIBLES (según CTE-DB-SUA) en cualquier zona, excepto en el interior de las viviendas y en las zonas de ocupación nula.

☐ No   ☐ Si

OBSERVACIONES:

II.3. DOTACIONES Y CARACTERÍSTICAS DE L INFORMACIÓN Y LA SEÑALIZACIÓN DE ELEMENTOS ACCESIBLES
(Según CTE-DB-SUA 9)

DOTACIÓN DE INFORMACIÓN Y CARACTERIZACIÓN DE LA SEÑALIZACIÓN

En caso de existir los siguientes elementos, indicar:

3.1. Los elementos accesibles, están señalizados mediante el "SIA"

• Los ASCENSORES ACCESIBLES   ☐ No   ☐ Si

• Las PLAZAS DE APARCAMIENTO ACCESIBLES, excepto las vinculadas a un residente ☐ No ☐ Si

En caso de existir varias entradas al edificio, indicar:

3.2. Las ENTRADAS QUE SON ACCESIBLES están señalizadas mediante el "SIA" complementado en su caso con flecha direccional

☐ No   ☐ Si

En caso de existir varios recorridos alternativos, indicar

3.3. Los ITINERARIOS QUE SON ACCESIBLES están señalizados mediante el "SIA" complementado en su caso con flecha direccional

☐ No   ☐ Si

OBSERVACIONES:

GRÁFICO DEL "SIA"

Residencial público y otros usos

II.4. CONDICIONES FUNCIONALES DEL EDIFICIO (Según CTE-DB-SUA 9)

ACCESIBILIDAD EN EL EXTERIOR

4.1. El edificio dispone de un ITINERARIO ACCESIBLE que comunica una entrada principal al mismo

- Con la vía pública ☐ No ☐ Si
- Con las zonas comunes exteriores[11] ☐ No ☐ Si

OBSERVACIONES:

(11) Aparcamientos propios, jardines, piscina, zonas deportivas, etc.

ACCESIBILIDAD ENTRE PLANTAS

4.2. El Edificio tiene más de dos plantas desde una ENTRADA PRINCIPAL ACCESIBLE hasta alguna planta que no sea de ocupación nula.

☐ No ☐ Si; En su caso, indique si dispone de un elemento que comunica las plantas que no sean de ocupación nula con las plantas de entrada principal accesible al edificio:

☐ Ascensor o rampa accesible
☐ Ascensor no accesible según DB SUA
☐ Especificar dimensiones:
☐ No dispone de ascensor ni rampa accesible

4.3. El Edificio tiene más de 200 m^2 de superficie útil en plantas SIN ENTRADA ACCESIBLE (excluida la superficie de zonas de zonas de ocupación nula)

☐ No ☐ Si; En su caso, indique si dispone de un elemento que comunica las plantas que no sean de ocupación nula con las plantas de entrada principal accesible al edificio:

☐ Ascensor o rampa accesible
☐ Ascensor no accesible según DB SUA
☐ Especificar dimensiones:
☐ No dispone de ascensor ni rampa accesible

4.4. El Edificio tiene ELEMENTOS ACCESIBLES (plazas de aparcamiento accesibles, alojamientos accesibles, plazas reservadas, servicios higiénicos accesibles, etc.)

☐ No ☐ Si; En su caso, indique si dispone de un elemento que comunica las plantas donde se encuentran los elementos accesibles con las de entrada principal accesible al edificio:

☐ Ascensor o rampa accesible
☐ Ascensor no accesible según DB SUA
☐ Especificar dimensiones:
☐ No dispone de ascensor ni rampa accesible

4.5. El establecimiento tiene zonas de uso público que en total suman más de 100 m^2 de superficie útil o en las que se prestan servicios distintos a los que se presentan en las plantas accesibles

☐ No ☐ Si; En su caso, indique si dispone de un elemento que comunica dichas zonas con las plantas accesibles:

☐ Ascensor o rampa accesible
☐ Ascensor no accesible según DB SUA
☐ Especificar dimensiones:
☐ No dispone de ascensor ni rampa accesible

OBSERVACIONES:

ACCESIBILIDAD EN PLANTAS DEL EDIFICIO

4.5. El edificio dispone de un ITINERARIO ACCESIBLE que comunica en cada planta los accesos accesibles a ella:

•Entre sí	☐ No	☐ Si
•Con las zonas de uso público	☐ No	☐ Si
•Con los elementos accesibles	☐ No	☐ Si
•Con las zonas de uso privado exceptuando zonas de ocupación nula y recintos < 50 m²	☐ No	☐ Si

OBSERVACIONES:

II.5. DOTACIÓN DE ELEMENTOS ACCESIBLES (Según CTE-DB-SUA 9)

ALOJAMIENTOS ACCESIBLES EN ESTABLECIMIENTOS

Para edificios de uso residencial público, indicar:

5.1. Según el número de alojamientos de que dispone el establecimiento, existe un número mínimo de ALOJAMIENTOS ACCESIBLES

•Entre 5 y 50 alojamientos, se dispone de un (1) alojamiento disponible mínimo	☐ No	☐ Si
•Entre 51 y 100 alojamientos, se dispone de dos (2) alojamientos disponibles mínimo	☐ No	☐ Si
•Entre 101 y 150 alojamientos, se dispone de cuatro (4) alojamientos disponibles mínimo	☐ No	☐ Si
•Entre 151 y 200 alojamientos, se dispone de seis (6) alojamientos disponibles mínimo	☐ No	☐ Si
•Más de 200 alojamientos, se dispone de ocho (8) alojamientos disponibles como mínimo	☐ No	☐ Si
•A partir de 250 alojamientos, se dispone de un (1) alojamiento disponible más, por cada 50 alojamientos o fracción	☐ No	☐ Si

OBSERVACIONES:

PLAZAS DE APARCAMIENTO ACCESIBLES

Uso residencial público con aparcamiento propio de más de 100 m² construidos indicar

5.2. El Aparcamiento tiene una PLAZA DE APARCAMIENTO ACCESIBLE por cada ALOJAMIENTO ACCESIBLE

☐ No ☐ Si

Uso comercial, Uso de pública concurrencia o Uso de aparcamiento público, con aparcamiento propio de más de 100 m² construidos indicar:

5.3. El Aparcamiento tiene una PLAZA DE APARCAMIENTO ACCESIBLE por cada 33 plazas de aparcamiento o fracción

☐ No ☐ Si

Otros usos con aparcamiento propio de más de 100 m² construidos indicar:

5.4. Según el número de aparcamientos o fracciones de que dispone el establecimiento, existe un número mínimo de PLAZAS DE APARCAMIENTO ACCESIBLES:

•Hasta 200 plazas, se dispone de una(1) plaza de aparcamiento accesible, por cada 50 plazas o fracción	☐ No	☐ Si
•A partir de 201 plazas, se dispone de una (1) plaza de aparcamiento accesible más, por cada 100 plazas adicionales o fracción	☐ No	☐ Si

En todo caso, indicar:

5.5. El edificio o establecimiento dispone de una PLAZA DE APARCAMIENTO ACCESIBLE por cada PLAZA RESERVADA PARA USUARIOS DE SILLA DE RUEDAS

☐ No   ☐ Si

OBSERVACIONES:

PLAZAS RESERVADAS

Si el establecimiento o edificio tiene espacios con asientos fijos para el público (auditorios, cines, salones de actos, teatros, etc), indicar:

5.6. El edificio o establecimiento dispone por cada 100 plazas o fracción, de una PLAZA RESERVADA PARA USUARIOS DE SILLA DE RUEDAS

☐ No   ☐ Si

5.7. El edificio o establecimiento tiene más de 50 asientos fijos y dispone por cada 50 plazas o fracción, de una PLAZA RESERVADA PARA PERSONAS CON DISCAPACIDAD AUDITIVA

☐ No   ☐ Si

Si el establecimiento o edificio tiene zonas de espera con asientos fijos, indicar:

5.8. La ZONA DE ESPERA del edificio o establecimiento, dispone por cada 100 asientos o fracción, de una PLAZA RESERVADA PARA USUARIOS DE SILLAS DE RUEDAS

☐ No   ☐ Si

OBSERVACIONES:

PISCINAS

En piscinas abiertas al público de establecimientos de uso Residencial Público con alojamientos accesibles, indicar:

5.9. La piscina dispone de alguna entrada al vaso mediante grúa o cualquier otro dispositivo adaptado, excepto en la piscina infantil

☐ No   ☐ Si

OBSERVACIONES:

SERVICIOS HIGIÉNICOS ACCESIBLES

En los aseos o vestuarios exigidos legalmente de uso privado que sirven a zonas de uso privado cuyas superficies útiles asumen más de 100 m^2 y cuyas ocupaciones asumen más de 10 personas calculadas conforme a SI 3 y/0 los de uso público en todo caso, indicar:

5.10. Dispone de un ASEO ACCESIBLE por cada 10 unidades o fracción, de los inodoros instalados, admitiéndose el uso compartido por ambos sexos

☐ No   ☐ Si

5.11. Dispone de una CABINA Y UNA DUCHA ACCESIBLES por cada 10 unidades o fracción, de los instalados

☐ No   ☐ Si

OBSERVACIONES:

MOBILIARIO FIJO EN ZONAS DE ATENCIÓN AL PÚBLICO

5.12. Las zonas de ATENCIÓN AL PÚBLICO disponen de mobiliario fijo con un PUNTO DE ATENCIÓN ACCESIBLE o alternativamente de un PUNTO DE LLAMADA ACCESIBLE para recibir asistencia

☐ No   ☐ Si

OBSERVACIONES:

MECANISMOS ACCESIBLES

5.12. Los interruptores, los dispositivos de intercomunicación y los pulsadores de alarma son MECANISMOS ACCESIBLES[12] en cualquier zona del edificio, excepto en las zonas de ocupación nula

☐ No   ☐ Si

OBSERVACIONES:

(12) Mecanismos accesible son los que cumplen las características definidas en CTE-DB-SUA

II. 6. DOTACIÓN Y CARACTERÍSTICAS DE LA INFORMACIÓN Y LA SEÑALIZACIÓN DE ELEMENTOS ACCESIBLES
(Según CTE-DB-SUA 9)

DOTACIÓN DE INFORMACIÓN   CARACTERIZACIÓN DE LA SEÑALIZACIÓN

En zonas de uso privado, indicar (sólo para los elementos existentes):

6.1. Los siguientes elementos, están señalizados mediante el "SIA" complementando en su caso con flecha direccional.

• Todas las ENTRADAS ACCESIBLES, cuando existan varias al edificio	☐ No	☐ Si
• Todos los ITINERARIOS ACCESIBLES, cuando existan varios recorridos alternativos	☐ No	☐ Si
• Los ASCENSORES ACCESIBLES	☐ No	☐ Si
• Las PLAZAS DE APARCAMIENTO ACCESIBLES	☐ No	☐ Si
• Las PLAZAS RESERVADAS	☐ No	☐ Si

En zonas de uso público, indicar (sólo para los elementos existentes):

6.2. Los siguientes elementos, están señalizados mediante el "SIA" complementando en su caso con flecha direccional.

• Todas las ENTRADAS ACCESIBLES	☐ No	☐ Si
• Los ASCENSORES ACCESIBLES	☐ No	☐ Si
• Todos los ITINERARIOS ACCESIBLES	☐ No	☐ Si
• Las PLAZAS DE APARCAMIENTO ACCESIBLES	☐ No	☐ Si
• Las PLAZAS RESERVADAS	☐ No	☐ Si
• Los SERVICIOS HIGIÉNICOS ACCESIBLES	☐ No	☐ Si
• Los ITINERARIOS ACCESIBLES que comuniquen la vía pública con los PUNTOS DE LLAMADA ACCESIBLES o con los PUNTOS DE ATENCIÓN ACCESIBLES	☐ No	☐ Si

6.3. Los SERVICIOS HIGIÉNICOS DE USO GENERAL están señalizados con PICTOGRAMAS NORMALIZADOS DE SEXO en autorrelieve y contraste cromático a una altura de entre 0,80 m y 1,20 m junto al marco y la derecha de la puerta, en el sentido de entrada

☐ No ☐ Si

OBSERVACIONES:

En todo caso:

6.4. El edificio tiene ASCENSORES ACCESIBLES

☐ No ☐ Si, en este caso indicar si cuentan con indicación

- En BRAILLE Y ARÁBIGO en autorrelieve y a una altura entre 0,80 m y 1,20 m   ☐ No   ☐ Si

- Del NÚMERO DE PLANTA en la jamba derecha, en sentido de salida de la cabina   ☐ No   ☐ Si

6.5. El edificio tiene ZONAS DOTADAS DE BUCLE MAGNÉTICO

☐ No ☐ Si, en este caso indicar:

- Están señalizadas con PICTOGRAMAS NORMALIZADOS   ☐ No   ☐ Si

6.6. El edificio cuenta con BANDAS SEÑALIZADORAS VISUALES Y TÁCTILES exigidas en el DB-SUA

☐ No ☐ Si, en este caso indicar si dichas BANDA:

- Son de color contrastado con el pavimento   ☐ No   ☐ Si

- Tienen un relieve de altura 3±1 mm, en caso de encontrarse en el interior del edificio   ☐ No   ☐ Si

- Tienen un relieve de altura 5±1 mm, en caso de encontrarse en el exterior del edificio   ☐ No   ☐ Si

- En el arranque de las escaleras, tienen 80 cm de longitud en el sentido de la marcha, anchura la del itinerario y acanaladuras perpendiculares al eje de la escalera.   ☐ No   ☐ Si

- Para señalizar el ITINERARIO ACCESIBLE hasta un PUNTO DE LLAMADA ACCESIBLE o hasta un PUNTO DE ATENCIÓN ACCESIBLE, tienen acanaladuras paralelas a la dirección de la marcha y una anchura de 40 cm   ☐ No   ☐ Si

6.7. El SÍMBOLO INTERNACIONAL DE ACCESIBILIDAD PAR LA MOVILIDAD (SIA) empleado en la señalización de edificio tiene las características y dimensiones que establece la Norma UNE 41501:202, según gráfico adjunto

☐ No ☐ Si

OBSERVACIONES:

GRÁFICO DEL "SIA"

Color
Fondo: azul Pantone Reflex Blue
Símbolo: blanco

II. 7. VALORACIÓN FINAL DE LAS CONDICIONES BÁSICAS DE ACCESIBILIDAD

El técnico competente abajo firmante valora que:

☐ EL EDIFICIO SATISFACE COMPLETAMENTE LAS CONDICIONES BÁSICAS DE ACCESIBILIDAD

☐ EL EDIFICIO NO SATISFACE COMPLETAMENTE LAS CONDICIONES BÁSICAS DE ACCESIBILIDAD, presentando deficiencias respecto a las siguientes exigencia.

USO RESIDENCIAL VIVIENDA	USO RESIDENCIA PÚBLICO Y OTROS USOS
1. CONDICIONES FUNCIONALES DEL EDIFICIO	**1. CONDICIONES FUNCIONALES DEL EDIFICIO**
☐ ACCESIBILIDAD EXTERIOR	☐ ACCESIBILIDAD EXTERIOR
☐ ACCESIBILIDAD ENTRE PLANTAS DEL EDIFICIO	☐ ACCESIBILIDAD ENTRE PLANTAS DEL EDIFICIO
☐ ACCESIBILIDAD EN LAS PLANTAS DEL EDIFICIO	☐ ACCESIBILIDAD EN LAS PLANTAS DEL EDIFICIO
2. DOTACIÓN DE ELEMENTOS ACCESIBLES	**2. DOTACIÓN DE ELEMENTOS ACCESIBLES**
☐ EN PLAZAS DE APARCAMIENTO ACCESIBLE	☐ EN ALOJAMIENTOS ACCESIBLES
☐ EN PISCINAS	☐ EN PLAZAS DE APARCAMIENTO ACCESIBLES
☐ EN SERVICIOS HIGIÉNICOS ACCESIBLES	☐ EN PLAZAS RESERVADAS
☐ EN MECANISMOS ACCESIBLES	☐ EN PISCINAS

3. DOTACIÓN Y CARACTERIZACIÓN DE LA INFORMACIÓN Y SEÑALIZACIÓN DE ELEMENTOS ACCESIBLES	☐ EN SERVICIOS HIGIÉNICOS ACCESIBLES
	☐ EN MOBILIARIO FIJO
☐ EN CUALQUIER ZONA DEL EDIFICIO	☐ EN MECANISMOS ACCESIBLES
	3. DOTACIÓN Y CARACTERIZACIÓN DE LA INFORMACIÓN Y SEÑALIZACIÓN DE ELEMENTOS ACCESIBLES
	☐ EN CUALQUIER ZONA DEL EDIFICIO

II.8. AJUSTES RAZONABLES EN MATERIA DE ACCESIBILIDAD[13]

En el caso en que el edificio no satisfaga completamente las condiciones básicas de accesibilidad.

II.8.1 Análisis de los posibles efectos discriminatorios de la no adopción de las medidas de adecuación.

II.8.1.1 Según datos facilitados por el representante de la propiedad, el número de personas empadronadas en el edificio ocn discapacidad oficialmente reconocida o mayores de 70 años es:

II.8.1.2 Indicar el número de viviendas a las que no se puede acceder desde la vía pública mediante un itinerario accesible:

OBSERVACIONES:

II.8.2. Consideraciones sobre la estructura y características de la propiedad del inmueble

OBSERVACIONES:

II.8.3. Costes estimados de las medidas de adecuación para satisfacer las condiciones básicas de accesibilidad (desglosados por medidas):

Medida 1. Descripción:	Medida 1. Coste estimado: _____ €
	Ayuda oficial estimada: _____ €
Medida 2. Descripción:	Medida 2. Coste estimado: _____ €
	Ayuda oficial estimada: _____ €
Medida 3. Descripción:	Medida 3. Coste estimado: _____ €
	Ayuda oficial estimada: _____ €
Medida n. Descripción:	Medida n. Coste estimado: _____ €
	Ayuda oficial estimada: _____ €

III.8.4. Determinación del carácter proporcionado o no de la carga económica de las medidas de adecuación. (considerando los costes estimados de cada una de las medidas de adecuación y las posibilidades de obtener financiación oficial o cualquier otra ayuda).

II.8.4.1. Según datos facilitados por el representante de la propiedad, el importe equivalente a 12 mensualidades ordinarias de gastos comunes es de:

II.8.4.2. Posibilidades de obtener financiación oficial o cualquier otra ayuda:

II.8.4.3. Según datos facilitados por el representante de la propiedad. ¿existen unidades familiares a las que pertenezca alguno de los propietarios que forman parte de la comunidad, que tengan ingresos anuales inferiores a 2,5 veces el indicador Público de Renta de Efectos Múltiples (IPREM)?

OBSERVACIONES:

II.8.5. Susceptibilidad de realizar ajustes razonables en materia de accesibilidad

El técnico competente abajo firmante considera que:

☐ EL EDIFICIO NO ES SUSCEPTIBLE DE REALIZAR AJUSTES RAZONABLES[13] en materia de accesibilidad.

☐ EL EDIFICIO ES SUSCEPTIBLE DE REALIZAR AJUSTES RAZONABLES[14] en materia de accesibilidad,

☐ total o ☐ parcialmente.

II.8.6. Ajustes razonables[13] en materia de accesibilidad

El técnico competente abajo firmante considera que el edificio es susceptible de realizar los siguientes ajustes razonables en materia de accesibilidad:

Descripción:	Coste estimado:_____ €

(13) Según el apartado c del artículo 7 de la Ley 51/2003, de 2 de diciembre, de igualdad de oportunidades, no discriminación y accesibilidad universal de las personas con discapacidad, se entiende por Ajuste razonable: "las medidas de adecuación del ambiente físico, social y actitudinal a las necesidades específicas de las personas con discapacidad que, de forma eficaz y práctica y sin que suponga una carga desproporcionada, faciliten la accesibilidad o participación de una persona con discapacidad en igualdad de condiciones que el resto de los ciudadanos. Para determinar si una carga es o no proporcionada se tendrán en cuenta los costes de la medida, los efectos discriminatorios que suponga para las personas con discapacidad su no adopción, la estructura y características de la persona, entidad u organización que ha de ponerla en práctica y la posibilidad que tenga de obtener financiación oficial o cualquier otra ayuda".

(14) Ver artículo 10 de la Ley 49/1960, de 21 de julio, de Propiedad Horizontal.

En ....

a .... de .... de

Firmado: El Técnico competente

Parte III: Certificado de eficiencia energética

cuando el presente informe tenga por objeto un edificio **de tipología residencia colectiva** (entendiendo por tal aquel que contenga más de una vivienda,, sin perjuicio de que pueda contener, de manera simultánea, otros usos distintos del residencial) deberá adjuntarse como Parte III de este informe, el **Certificado de Eficiencia Energética del Edificio,** con el contenido y mediante el procedimiento establecido para el mismo por la normativa vigente

Disposición final decimonovena. Carácter básico y títulos competenciales

1. La presente Ley tiene el carácter de legislación básica sobre bases y coordinación de la planificación general de la actividad económica, de conformidad con lo dispuesto en el artículo 149.1.13.ª de la Constitución (LA LEY 2500/1978).

2. Adicionalmente, la presente Ley se dicta al amparo de los siguientes títulos competenciales:

1.º Los artículos 1 a 4, 8 y 15, las disposiciones adicionales primera, tercera y cuarta, las disposiciones transitorias primera y segunda, las disposiciones finales sexta, séptima, décima y undécima y los apartados uno a diez y trece de la disposición final duodécima, al amparo de lo dispuesto en el artículo 149.1.1.ª, 16.ª, 18.ª, 23.ª y 25.ª de la Constitución, que atribuye al Estado la competencia sobre regulación de las condiciones básicas que garantizan la igualdad en el ejercicio de los derechos y en el cumplimiento de los deberes constitucionales, bases y coordinación general de la sanidad, bases del régimen jurídico de las Administraciones Públicas, legislación básica sobre protección del medio ambiente y bases del régimen energético.

2.º Los artículos 5, 11, 12 y 14, las disposiciones finales primera y tercera, y los apartados once y doce y catorce a diecisiete de la disposición final duodécima, al amparo de lo dispuesto en el artículo 149.1.8.ª y 18.ª de la Constitución, que atribuye al Estado la competencia sobre legislación civil, procedimiento administrativo común, legislación sobre expropiación forzosa y el sistema de responsabilidad de las Administraciones Públicas.

3.º La disposición adicional segunda, al amparo de lo dispuesto en el artículo 149.1.14.ª de la Constitución (LA LEY 2500/1978), que atribuye al Estado la competencia sobre Hacienda general y deuda del Estado.

4.º El artículo 6 y la disposición final decimoctava, al amparo de lo dispuesto en el artículo 149.1.30.ª de la Constitución (LA LEY 2500/1978), que atribuye al Estado la competencia sobre regulación de las condiciones de obtención, expedición y homologación de títulos académicos y profesionales.

5.º La disposición final cuarta, al amparo de lo dispuesto en el artículo 149.1.6.ª de la Constitución (LA LEY 2500/1978), que atribuye al Estado la competencia en materia de legislación procesal.

6.º La disposición final quinta, al amparo de lo dispuesto en el artículo 149.1.20.ª de la Constitución (LA LEY 2500/1978), que atribuye al Estado la competencia en materia de control del tránsito y transporte aéreo.

7.º **La disposición final decimotercera, al amparo de lo dispuesto en el artículo 149.1.18.ª de la Constitución (LA LEY 2500/1978), que atribuye al Estado la competencia en materia de legislación básica sobre contratos.**

8.º **Las disposiciones finales decimocuarta y decimoquinta, al amparo de lo dispuesto en al artículo 149.1.11.ª de la Constitución (LA LEY 2500/1978), que atribuye al Estado la competencia en materia de bases de la ordenación de crédito, banca y seguros.**

3. **Lo dispuesto en esta Ley se aplicará sin perjuicio de los regímenes civiles, forales o especiales, allí donde existen.**

CONCORDANCIAS

— Artículo 149.1 de la Constitución Española de 1.978.
— Ley 1/2002, 21 febrero, de Coordinación de las Competencias del Estado y las Comunidades Autónomas en materia de Defensa de la Competencia *(BOE* 22 febrero).
— Ley General de Sanidad.
— Ley 16/1997, de 25 de abril, de regulación de servicios de las oficinas de farmacia *(BOE* 26 abril).
— Ley 16/2003, de 28 de mayo, de cohesión y calidad del Sistema Nacional de Salud *(BOE* 29 mayo).
— Ley 7/2007, de 12 de abril, del Estatuto Básico del Empleado Público *(BOE* 13 abril).
— Ley 11/2007, de 22 de junio, de acceso electrónico de los ciudadanos a los Servicios Públicos *(BOE* 22 junio).
— Ley 43/2003, de 21 de noviembre, de Montes *(BOE* 22 noviembre).
— Ley 22/1973, de 21 de julio, de Minas *(BOE* 24 julio).
— Ley 30/1984, 2 agosto, de medidas para la reforma de la Función Pública.
— R.D. 1027/1989, de 28 de julio, por el que se regula el abanderamiento, matriculación de buques y registro marítimo *(BOE* 15 agosto).
— Ley 40/1979, 10 diciembre, sobre régimen jurídico de Control de Cambios *(BOE* 13 diciembre).
— Ley 31/1985, de 2 de agosto, de regulación de las normas básicas sobre órganos rectores de las Cajas de Ahorro *(BOE* 9 agosto).
— Ley 24/1988, de 28 de julio, del Mercado de Valores *(BOE* 29 julio).
— Ley 26/1988, 29 julio, de disciplina e intervención de las Entidades de Crédito *(BOE* 30 julio).
— Ley 3/1994, 14 abril, por la que se adapta la legislación española en materia de entidades de crédito a la Segunda Directiva de Coordinación Bancaria y se introducen otras modificaciones relativas al sistema financiero *(BOE* 15 abril).
— Ley 13/1994, de 1 de junio, de autonomía del Banco de España *(BOE* 2 junio).

— Ley 19/2003, de 4 de julio, sobre régimen jurídico de los movimientos de capitales y de las transacciones económicas con el exterior y sobre determinadas medidas de prevención del blanqueo de capitales *(BOE* 5 julio).

— Real Decreto Leg. 6/2004, de 29 de octubre, por el que se aprueba el texto refundido de la Ley de ordenación y supervisión de los seguros privados *(BOE* 5 noviembre).

— Real Decreto Leg. 7/2004, de 29 de octubre, por el que se aprueba el texto refundido del Estatuto Legal del Consorcio de Compensación de Seguros *(BOE* 5 noviembre).

— Ley 26/2006, de 17 de julio, de mediación de seguros y reaseguros privados (BOE 18 julio).

COMENTARIO (1)

TRAMITACIÓN PARLAMENTARIA

Sin enmiendas

En esta Disposición Final, se define el carácter básico de la Ley sobre bases y coordinación de la planificación general de la actividad económica y, adicionalmente, los títulos competenciales sobre los que se dicta la Ley, sin perjuicio de los regímenes civiles, forales o especiales. Dichos títulos competenciales son el artículo 149 de la Constitución Española de 1.978, en sus apartados 13.º, 1.º, 16.º, 18.º, 23.º, 25.º, 8.º, 18.º, 14.º, 30.º, 6.º, 20.º y 11.º.

Los reproducimos a continuación:

1. El Estado tiene competencia exclusiva sobre las siguientes materias:

13.ª Bases y coordinación de la planificación general de la actividad económica.

1.ª La regulación de las condiciones básicas que garanticen la igualdad de todos los españoles en el ejercicio de los derechos y en el cumplimiento de los deberes constitucionales.

16.ª Sanidad exterior. Bases y coordinación general de la sanidad. Legislación sobre productos farmacéuticos.

18.ª Las bases del régimen jurídico de las Administraciones públicas y del régimen estatutario de los funcionarios que, en todo caso, garantizarán a los

---

(1) Comentario a cargo de Julio Castelao Simón. Licenciado en Derecho. Abogado del Ilustre Colegio de Abogados de Madrid.

administrados un tratamiento común ante ellas; el procedimiento administrativo común, sin perjuicio de las especialidades derivadas de la organización propia de las Comunidades Autónomas; legislación sobre expropiación forzosa; legislación básica sobre contratos y concesiones administrativas y el sistema de responsabilidad de todas las Administraciones públicas.

23.ª Legislación básica sobre protección del medio ambiente, sin perjuicio de las facultades de las Comunidades Autónomas de establecer normas adicionales de protección. La legislación básica sobre montes, aprovechamientos forestales y vías pecuarias.

25.ª Bases del régimen minero y energético.

8.ª Legislación civil, sin perjuicio de la conservación, modificación y desarrollo por las Comunidades Autónomas de los derechos civiles, forales o especiales, allí donde existan. En todo caso, las reglas relativas a la aplicación y eficacia de las normas jurídicas, relaciones jurídico-civiles relativas a las formas de matrimonio, ordenación de los registros e instrumentos públicos, bases de las obligaciones contractuales, normas para resolver los conflictos de leyes y determinación de las fuentes del derecho, con respeto, en este último caso, a las normas de derecho foral o especial.

18.ª Las bases del régimen jurídico de las Administraciones públicas y del régimen estatutario de los funcionarios que, en todo caso, garantizarán a los administrados un tratamiento común ante ellas; el procedimiento administrativo común, sin perjuicio de las especialidades derivadas de la organización propia de las Comunidades Autónomas; legislación sobre expropiación forzosa; legislación básica sobre contratos y concesiones administrativas y el sistema de responsabilidad de todas las Administraciones públicas.

14.ª Hacienda general y Deuda del Estado.

30.ª Regulación de las condiciones de obtención, expedición y homologación de títulos académicos y profesionales y normas básicas para el desarrollo del artículo 27 de la Constitución (LA LEY 2500/1978), a fin de garantizar el cumplimiento de las obligaciones de los poderes públicos en esta materia.

6.ª Legislación mercantil, penal y penitenciaria; legislación procesal, sin perjuicio de las necesarias especialidades que en este orden se deriven de las particularidades del derecho sustantivo de las Comunidades Autónomas.

20.ª Marina mercante y abanderamiento de buques; iluminación de costas y señales marítimas; puertos de interés general; aeropuertos de interés general; control del espacio aéreo, tránsito y transporte aéreo, servicio meteorológico y matriculación de aeronaves.

11.ª Sistema monetario: divisas, cambio y convertibilidad; bases de la ordenación de crédito, banca y seguros.

Es muy interesante el trabajo de Enrique Sánchez Goyanes «Ley del Suelo. Comentario sistemático del Texto Refundido de 2008», Editorial LA LEY, Madrid, 2009. LA LEY 3612/2010, que en su comentario a la Disposición Final, dice lo siguiente:

1. El perfecto acomodo del nuevo texto legal a la distribución de competencias entre Estado y Comunidades Autónomas fue uno de los puntos capitales de todo el debate parlamentario en ambas Cámaras. El dato novedoso, en relación con precedentes polémicas similares, incluso en la misma materia aquí abordada, lo constituía el ensanchamiento —en cierto sentido— del bloque de la constitucionalidad aplicable, toda vez que en este momento existían ya Estatutos de Autonomía recién aprobados, encabezados por el de Cataluña de 2006 que, virtualmente, asumían con énfasis todas las competencias en materia urbanística en virtud de preceptos específicos. Con esta realidad sobrevenida, pues, había de cohonestarse el planteamiento por el Estado de una ley de las características de ésta.

Las posiciones más militantes a favor de esta reconsideración del enfoque legal —que acabaron consiguiendo un consenso con el Grupo del Gobierno en virtud del cual se fueron eliminando algunos de los aspectos considerados más «invasivos» (Sr. Herrera Torres)— fueron las protagonizadas por los Portavoces en el Congreso de Izquierda Unida — Iniciativa per Catalunya Verds, Sr. Herrera Torres (Diario de Sesiones, Congreso de los Diputados, Comisiones, VIII Legislatura, Fomento, Sesión de 21 de febrero de 2007, núm. 751, pág. 6); PNV, Sr. Beloki Guerra (ibídem, págs. 10-11); ERC, Sr. Andréu Domingo (ibídem, pág 12); CiU, Sr. Jané i Guasch (ibídem, págs. 13-14). Tampoco estuvo ausente la reflexión respecto al necesario respeto a dicho reparto constitucional de competencias en la intervención del Portavoz del Grupo Popular, Sr. Matos Mascareño (ibídem, págs. 17-18), aunque sus críticas fueron, ante todo, sustantivas y de fondo a diversos aspectos del nuevo texto legal.

En tales intervenciones está la clave de la reconsideración de la versión inicial de esta Disposición, y, sobre todo, de su número 2, sobre cuya génesis se efectúa una recapitulación perfectamente ajustada en el Comentario a los arts. 38 y 39 (sobre régimen básico de los Patrimonios Públicos de Suelo) al que ahora procede remitirse en evitación de reiteraciones superfluas.

Más o menos implícitamente, los mismos postulados abogaban por la salvaguarda de los regímenes civiles, forales o especiales, tal como se recoge en el apartado 5 de esta Disposición.

2. Por lo demás, los apartados o números 1, 2 y 3 señalan los títulos constitucionales que están conectados con los enunciados de los diversos preceptos de la LS citados en cada caso. Cabe, consecuentemente, en aras de la misma

finalidad, efectuar la pertinente remisión al Comentario de cada uno de los artículos y apartados concernidos, en donde se efectúa la pertinente consideración respecto a tal conexión y la justificación de la misma. En cuanto al significado mismo de los títulos constitucionales enunciados, baste con remitirse a la «lectura» que, de todos y cada uno, ya dejó hecha el Tribunal Constitucional en su STC 61/1997, de 20 de marzo (LA LEY 9921/1997), al dilucidar hasta qué punto todos y cada uno de ellos —igualmente invocados ya entonces por el precedente legislador— servían para dar cobertura suficiente a las concretas regulaciones contenidas en la LRRU y en la consecuente LS 1992. En esta misma obra, y al socaire de los Comentarios a los diversos artículos de la LS 2008, esa «lectura» es traída a colación en cada caso; y, particularmente, se reproduce con una cierta extensión la referente al título de las «condiciones básicas» ex art. 149.1.1.ª (LA LEY 2500/1978) CE, el esencial en todo caso en esta nueva operación legislativa, en el Comentario a la Exposición de Motivos: a aquéllos y a éste, pues, igualmente en aras de evitar las reiteraciones superfluas, procede ahora remitirse.

Por analogía podría decirse que los comentarios a la normativa básica de la Ley del Suelo hecha por el profesor Sánchez Goyanes, son perfectamente aplicables a la Ley cuyo comentario nos ocupa.

Disposición final vigésima. Entrada en vigor

La presente Ley entrará en vigor el día siguiente al de su publicación en el «Boletín Oficial del Estado.»

CONCORDANCIAS

— Artículo 9.3 de la Constitución Española.

— Artículo 254 Tratado de Funcionamiento de la Unión Europea.

— Artículo 52.1 de la Ley 30/1992, de 26 de noviembre, de Régimen Jurídico de las Administraciones Públicas y del Procedimiento Administrativo Común.

— Real Decreto 181/2008, de 8 de febrero, de ordenación del diario oficial «Boletín Oficial del Estado».

COMENTARIO (1)

TRAMITACIÓN PARLAMENTARIA

Sin enmiendas

Según el artículo 2 del Código Civil,

> Las leyes entrarán en vigor a los veinte días de su completa publicación en el «Boletín Oficial del Estado», si en ellas no se dispone otra cosa.

Es esta una Ley tramitada con urgencia y, precisamente por dicha urgencia, carece de *vacatio legis*, entrando en vigor al día siguiente de su publicación en el *BOE*.

Leyes como la de Contratos del Sector Público de 2007, la Ley Orgánica 10/1995, de 23 de noviembre (LA LEY 3996/1995), del Código Penal, la Ley de Marcas 32/1988 de 10 de noviembre o la Ley 38/1999, de 5 de noviembre (LA LEY 4217/1999), de Ordenación de la Edificación, tuvieron una *vacatio legis* de seis meses, cumpliendo la necesidad de que la *vacatio legis* deberá posibilitar el conocimiento material de la Ley y la adopción de medidas necesarias para su aplicación, de manera que sólo con carácter excepcional la nueva Ley entraría en vigor inmediatamente.

La entrada en vigor se fijará preferentemente señalando el día, mes y año en que la misma haya de tener lugar. Sólo se fijará por referencia a la publicación cuando la nueva Ley deba entrar en vigor de forma inmediata.

Es interesante, al respecto, ver el trabajo «La información interministerial de los proyectos normativos». El proceso decisional ante los órganos colegiados del Gobierno, por Jesús J. Sebastián Lorente, publicado en Actualidad Administrativa, Sección Doctrina, 1998, Ref. XLIII, pág. 731, tomo 3, Editorial LA LEY (LA LEY 1435/2001), cuando dice:

> El art. 2.1 CC establece que «las leyes entrarán en vigor a los veinte días de su completa publicación en el Boletín Oficial del Estado, si en ellas no se dispone otra cosa». El derogado art. 132 LPA de 1958 disponía que «para que produzcan efectos jurídicos las disposiciones de carácter general habrán de publicarse en el Boletín Oficial del Estado y entrarán en vigor conforme a lo dispuesto en el art. 2.1 CC». Por su parte, el art. 52.1 L 30/1992, de 26 de noviembre, de Régimen Jurídico de las Administraciones Públicas y del Procedimiento Administrativo Común mantiene la exigencia según la cual «para que produzcan efectos jurídicos las disposiciones administrati-

---

(1)   Comentario a cargo de Julio Castelao Simón. Licenciado en Derecho. Abogado del Ilustre Colegio de Abogados de Madrid.

vas habrán de publicarse en el Diario Oficial que corresponda» (por referencia extensiva también a los boletines de ámbito territorial autonómico o provincial). Por último, el art. 24.4 de la Ley del Gobierno contiene una norma específica para los reglamentos: «La entrada en vigor de los reglamentos aprobados por el Gobierno requiere su íntegra publicación en el Boletín Oficial del Estado.»

La publicación formal y subsiguiente entrada en vigor de las normas son cuestiones que no han sido objeto de un tratamiento jurisprudencial especial, quizá por su excesiva obviedad. Existen, sin embargo, ciertos matices o precisiones de gran interés. En primer lugar, la STS 8 de octubre de 1962 sentó la doctrina de que la publicación de las normas estatales debe efectuarse precisamente en el «Boletín Oficial del Estado», sin que pueda ser sustituida válidamente por su inserción en el Boletín Oficial del Ministerio correspondiente. En segundo lugar, la STS 25 de febrero de 1965 subrayó que no basta para el cumplimiento del requisito la publicación en el Boletín Oficial del Estado del acto aprobatorio de la norma, sino que se requiere la inserción completa de su texto. En tercer lugar, la STS 18 de junio de 1966 estableció que la falta de publicación correcta de una norma le priva de eficacia obligatoria general, pero vincula a la Administración que la ha dictado. En cuarto y último lugar, la STS 18 de abril de 1983, según la cual la publicación constituye un requisito de eficacia: es la publicación lo que confiere a una comunicación la consideración de norma jurídica.

En cuanto al procedimiento, para la publicación de las leyes se procede de la siguiente forma:

Una vez que el Congreso de los Diputados o el Senado hayan enviado al Presidente del Gobierno el texto definitivo de una ley, se inicia el procedimiento para cumplir con lo previsto en el art. 91 CE («El Rey sancionará en el plazo de quince días las leyes aprobadas por las Cortes Generales, y las promulgará y ordenará su inmediata publicación»).

El «Boletín Oficial del Estado», en base a dicho texto definitivo, elabora las pruebas de imprenta y las remite al Ministerio de la Presidencia para que se proceda a su corrección. Corregidas las mismas, el BOE confecciona el texto impreso, cuyo original se envía por el Departamento de Presidencia al refrendo del Presidente del Gobierno y posterior elevación al Rey para su firma en el indicado plazo de quince días.

Ordenada por el Rey la publicación de la ley, el Secretariado del Gobierno dispone la inmediata inserción de la misma en el «Boletín Oficial del Estado.»

Respecto a la publicación de las disposiciones de carácter general aprobadas por el Consejo de Ministros, no existen plazos concretos. El Secretariado del Gobierno inicia, en el plazo más breve posible, los trámites para su refrendo, firma y publicación y una vez cumplimentados éstos, envía un ejemplar al «Boletín Oficial del Estado» para su inmediata publicación.

Después de publicadas las leyes o las disposiciones generales en el BOE, sólo se admiten correcciones de errores a petición del Congreso de los Diputados o del Senado en el primer caso o cuando lo estime procedente el Ministro Secretario en el segundo, salvo lo dispuesto en el art. 19.1 RD 1511/1986, de 6 de junio, de ordenación del diario oficial del Estado, sobre corrección de los errores de composición o impresión.

Es, por tanto, una entrada en vigor urgente, tras la urgente tramitación de la Ley, al día siguiente de su publicación, obviando cualquier tipo de vacatio legis que pudiera dar lugar a la adecuación en el tiempo de todas las profundas —y de calado— modificaciones introducidas.

ÍNDICE ANALÍTICO (1)

---

(1)   La relación de voces que sigue ha sido redactada, fundamentalmente, por los autores de esta obra y ha contado, también, con la colaboración de Julio Castelao Simón.

P

Q

---

(2)   Debe advertirse que no existe en el texto definitivo de la LRRRU, una Disposición adicional tercera bis (nueva). Es urgente que se subsane la deficiencia de la remisión, mediante una corrección de erratas, como recomienda Joaquín Jalvo Míngez, en su comentario a la Disp. Adicional 4.ª LRRRU.

ÍNDICE SISTEMÁTICO

TÍTULO PRELIMINAR

Disposiciones generales

APROXIMACIÓN AL OBJETO DE LA LEY 8/2013, DE 26 DE JUNIO, DE REHABILITACIÓN, REGENERACIÓN Y RENOVACIÓN URBANAS: ALGUNAS CONSIDERACIONES PREVIAS A TENER EN CUENTA PARA SU MEJOR COMPRENSIÓN Y ALCANCE

CONCEPTOS Y PRECISIONES TERMINOLÓGICAS QUE EL LEGISLADOR CONSIDERA IMPRESCINDIBLES DETERMINAR PARA EL CORRECTO ENTENDIMIENTO Y APLICACIÓN DE LA LEY

FINES COMUNES QUE LOS PODERES PÚBLICOS, A TRAVÉS DE SUS RESPECTIVAS POLÍTICAS, DEBEN PERSEGUIR PARA LOGRAR UN MEDIO URBANO SOSTENIBLE

© El Consultor de los Ayuntamientos

TÍTULO I

El Informe de Evaluación de los Edificios

TÍTULO II

Las actuaciones sobre el medio urbano

CAPÍTULO I

Actuaciones y sujetos obligados

CAPÍTULO II

Ordenación y gestión

SUJETOS COMPETENTES PARA PROPONER LA ORDENACIÓN DE LAS ACTUACIONES DE REHABILITACIÓN, REGENERACIÓN Y RENOVACIÓN URBANAS

CAPÍTULO III

Fórmulas de cooperación y coordinación para participar en la ejecución

DISPOSICIONES TRANSITORIAS

DISPOSICIONES FINALES

COMENTARIOS A LOS ARTÍCULOS 5, 6, 8, 9, 14 y 16 DE LA LS 2008, EN SU VERSIÓN DADA POR LA LRRRU

CRITERIOS LEGALES CUYA CONCURRENCIA IMPONE CONSIDERAR
UN SUELO «URBANIZADO» (DETERMINANTES DE SU CLASIFICACIÓN
COMO URBANO)

LA REDEFINICIÓN DEL TRADICIONAL DOCUMENTO ECONOMICISTA
DE LOS PLANES COMO «INFORME DE SOSTENIBILIDAD
ECONÓMICA» (ARTÍCULO 15.4)

LA REGULACIÓN DE LA DECLARACIÓN DE OBRA NUEVA TRAS LA REFORMA DE LA LEY DE SUELO REALIZADA POR LA LEY 8/2013, DE 26 DE JUNIO, DE REHABILITACIÓN, REGENERACIÓN Y RENOVACIÓN URBANAS